ISBN 978-0-259-38123-5
PIBN 10659356

English
Français
Deutsche
Italiano
Español
Português

www.forgottenbooks.com

Mythology Photography **Fiction**
Fishing Christianity **Art** Cooking
Essays Buddhism Freemasonry
Medicine **Biology** Music **Ancient
Egypt** Evolution Carpentry Physics
Dance Geology **Mathematics** Fitness
Shakespeare **Folklore** Yoga Marketing
Confidence Immortality Biographies
Poetry **Psychology** Witchcraft
Electronics Chemistry History **Law**
Accounting **Philosophy** Anthropology
Alchemy Drama Quantum Mechanics
Atheism Sexual Health **Ancient History**
Entrepreneurship Languages Sport
Paleontology Needlework Islam
Metaphysics Investment Archaeology
Parenting Statistics Criminology
Motivational

Jahrbücher

des

Fränkischen Reiches

unter

Karl dem Großen

von

Sigurd Abel.

Band I: 768—788.

Zweite Auflage

bearbeitet von

Bernhard Simson.

Auf Veranlassung

Seiner Majestät des Königs von Bayern

herausgegeben

durch die historische Commission

bei der

Königl. Akademie der Wissenschaften.

Leipzig,

Verlag von Duncker & Humblot.

1888.

Vorwort zur ersten Auflage.

Die vorliegende Arbeit gehört einer größeren Sammlung von Jahrbüchern der deutschen Geschichte an: darin liegt die Rechtfertigung der äußeren Form, worin sie der gelehrten Welt übergeben wird; und diese Gestalt einmal zugelassen, wird auch kein Tadel daraus erwachsen können daß sie durchgehends streng und gewissenhaft eingehalten worden ist. Dennoch fordert die Ausdehnung, in welcher der Jahrbücherform Rechnung getragen ist, eine Erklärung. Wenigstens das verfassungsgeschichtliche Material, wird man sagen, hätte zu einer zusammenhängenden Darstellung verwendet, nicht jedes einzelne Kapitular, jede einzelne Urkunde Jahr für Jahr gesondert aufgeführt werden sollen. Das konnte deshalb nicht geschehen, weil erst nachdem der größte Theil der Arbeit vollendet war, die Aufforderung an mich gelangte die ganze Regierung Karls des Großen zu bearbeiten; so lange die Ausführung des zweiten Theils durch eine andere Hand im Plane war, verstand es sich von selbst, daß dieser die zusammenhängende Bearbeitung der inneren Verhältnisse vorbehalten blieb. Eine solche wird nun zwar im zweiten Bande folgen, das im ersten beobachtete Verfahren dort verlassen werden müssen; aber für diesen blieb unter solchen Umständen nichts übrig als eine chronologische Einreihung von Kapitularien und Urkunden. Denn auch die Zusammenstellung der letzteren in Regestenform erschien im Hinblick auf die bevorstehende Ausgabe der karolingischen Regesten durch Sickel nicht angezeigt.

Während meiner ganzen Arbeit habe ich nichts so sehr vermißt, als eine kritische Bearbeitung des urkundlichen Materials wie das Werk Sickels sie verspricht. Es kann nicht ausbleiben, daß dadurch meine eigene Arbeit vielfach ergänzt und berichtigt wird, und das um so mehr da mir auch das wichtige Urkundenwerk von Tardif nicht zur Verfügung stand; doch wird der Schaden einigermaßen wieder gut gemacht werden können im 2. Bande, wo bei der Besprechung der innern Verhältnisse des Reichs auf die Urkunden im Zusammenhang zurückzukommen ist, und auch solche Urkunden, die wegen mangelhaften Datums vorläufig nicht unterzubringen waren, ihre Stelle finden werden, wie z. B. die wichtige

Urkunde für den Bischof Constantius von Chur. In einem anderen Punkte kann ich schon jetzt auf Sickels Werk verweisen. Da ich unmittelbar vor Beendigung des Drucks von Sickel erfahre, daß er in der Urkundenlehre, welche die Einleitung zu den Regesten bilden wird, ausführlich von der Epoche der langobardischen Regierungsjahre Karls handelt, lasse ich meine eigne darauf bezügliche Abhandlung, auf die im Text S. 146 N. 2 als auf Excurs I. verwiesen ist, fort, und verbessere die dort gemachte Angabe, daß Pavia um die Mitte Juni 774 gefallen sei, dahin, daß nach dem Ergebnisse von Sickels Forschungen der von der königlichen Kanzlei angenommene Epochentag schon zwischen dem 30. Mai und 2. Juni 774 liegt.

Ließ demnach der Zustand, worin das urkundliche Material augenblicklich noch vorliegt, vieles zu wünschen übrig, so hat dagegen sonst der Bearbeiter der Zeit Karls des Großen über Mangel an Vorarbeiten und Hilfsmitteln sich nicht zu beklagen. Ihm kommt zu gute, daß grade die wichtigsten Quellen, die sogen. Lorscher und Einhardschen Annalen und die Lebensbeschreibung Karls von Einhard in neuerer und neuester Zeit der Gegenstand eingehender Untersuchungen von Ranke und Giesebrecht gewesen sind; ihm bieten die umfassenden Werke älterer und neuerer Forscher eine Erleichterung, die nicht dankbar genug anerkannt werden kann. Die Häufung der Citate, die vielleicht bei diesem oder jenem Anstoß erregen könnte, liefert eben nur den Beweis wie viel wir ihnen zu verdanken haben, und Niemand kann bereitwilliger als ich selber das Geständnis ablegen, daß ohne die Werke von Mabillon, Leibnitz und Eckhart unter den älteren, von Rettberg und Waitz uuter den neuen auch die vorliegende Arbeit nicht geschrieben worden wäre.

Göttingen, 10. November 1865.

Sigurd Abel.

Vor etwa vier Jahren wurde ich aufgefordert eine zweite Auflage des ersten Bandes der Jahrbücher des fränkischen Reiches unter Karl d. Gr. zu besorgen. Die Aufforderung gelangte deshalb an mich, weil ich die Fortsetzung verfaßt hatte, und aus diesem Grunde glaubte ich mich derselben auch nicht entziehen zu dürfen. Dabei konnte die Frage entstehen, ob ich den Versuch machen solle Abel's Arbeit nur, mit Hilfe der seitdem auf diesem Gebiete neu erschienenen Publikationen, zu revidiren oder aber dieselbe einer völligen Umarbeitung zu unterziehen. Einige Gründe konnten für das letztere Verfahren sprechen. Abel schien fast zu sehr auf die Geschichte einzelner Bisthümer und Klöster sowie auf den Inhalt jedes einzelnen Capitulars u. s. w. eingegangen zu sein und dadurch den Zusammenhang der Reichsgeschichte noch mehr zerstückt zu haben als es die Form der Jahrbücher ohnehin mit sich bringt. Auch schien Abel sich beinahe zu viel auf antiquirte Ansichten älterer Forscher oder auch auf Legenden der späteren Ueberlieferung eingelassen zu haben[1]). Er handelte dabei sichtlich aus strengstem Pflichtgefühl, um seiner Aufgabe, den Boden der geschichtlichen Thatsachen kritisch zu reinigen, im vollen Umfange gerecht zu werden, aber man empfängt nothwendig bisweilen den Eindruck, als ob offene Thüren mit unnöthigem Kraftaufwande eingeschlagen würden. Dennoch empfahl sich bei näherer Ueberlegung die Beschränkung auf die Revision und damit die möglichste Erhaltung der Arbeit Abel's. Zunächst hätte eine gänzliche Umarbeitung oder Neubearbeitung noch längere Zeit in Anspruch genommen, während es wünschenswerth war das Wiedererscheinen des bereits seit mehreren Jahren vergriffenen Bandes, ohne welchen auch die im zweiten Bande enthaltene Fortsetzung gewissermaßen in der Luft schwebte, nicht zu sehr zu verzögern. Aber auch die

---

[1]) Vgl. die Recension von Dümmler in Sybel's historischer Zeitschrift XV, 181—182.

Pietät gegen das Andenken des verstorbenen Verfassers, das achtungswerthe ernste Streben, welches seine Arbeit bekundet, und der Werth, der ihr zukommt, fielen für die Entscheidung nach dieser Seite in die Wagschale, zumal ich mir sagen mußte, daß ich zwar Dank den gegenwärtigen besseren Hilfsmitteln seine Arbeit zu emen= diren, aber wahrscheinlich nicht eine bessere neue an ihre Stelle zu setzen im Stande sein würde. Frensdorff nennt in dem S. Abel gewidmeten Artikel der Allgemeinen Deutschen Biographie (I, 16) diese Arbeit diejenige, „die seinem Namen das wissenschaft= liche Andenken sichern wird". Von noch weit größerem Gewicht ist es, daß der ehrwürdige Urheber dieser Jahrbücher, Leopold von Ranke, welchen ich das Glück hatte noch etwa einen Monat vor seinem Hinscheiden, im April 1886, sprechen zu dürfen, mich aus= drücklich aufforderte, „Abel's Arbeit nicht zu zerstören". Uebrigens war dies nicht die einzige Aeußerung, welche zeigte, einen wie leb= haften Antheil Ranke bis zuletzt an den Jahrbüchern nahm. So= nach habe ich mir die Aufgabe gestellt, Abel's über zwei Jahrzehnte altes Buch möglichst mit dem heutigen Stande der Wissenschaft in Einklang zu bringen, vom Rost der Zeit möglichst befreit darzu= bieten, zugleich auch wohl die quellenmäßige Begründung des wirklich Festzustellenden zu verstärken, dagegen was nur auf un= sicherer Combination beruhte einzuschränken. Obschon ich auch einiges weggelassen habe, was nicht in die betreffenden Jahrberichte zu gehören schien, wie den Abschnitt über das sächsische Gesetz (782), über die Anordnung einer allgemeinen Beeidigung (786) u. s. w., ist doch der Umfang dieser Jahrbücher noch einigermaßen, nämlich von 534 auf 649 Seiten, gewachsen. Außerdem habe ich eine längere Note, welche wohl nicht am richtigen Platze stand, zu einem Excurse (IV) erweitert und ferner vier andere Excurse (III. V. VI. VII) zu den beiden von Abel verfaßten (I. II) hinzugefügt. Man weiß, daß seit dem Jahre 1866, in welchem Abel's Arbeit erschien, unsere Kenntniß von den Urkunden Karl's d. Gr. durch die Werke von Sickel und Mühlbacher eine ganz andere geworden ist, daß seitdem die neuen Ausgaben des Codex Carolinus von Jaffé, der Capitularien von Boretius, der Dichtungen jener Pe= riode von Dümmler, der Briefe Alkuin's erschienen sind. Auch einige neue Bände der Scriptores der Monumenta Germaniae, XIII und XV (1), dessen Aushängebogen ich mit geneigter dankens= werther Erlaubniß der Centraldirection noch vor dem Erscheinen einsehen durfte, waren zu benutzen. Correcturen wurden hiedurch sehr erleichtert, aber eben auch nicht selten geboten; die meisten und eingreifendsten Aenderungen machte die andere chronologische Ordnung der Papstbriefe im Codex Carolinus nothwendig. Ueber= haupt habe ich die Revision dieses fremden Buches als eine nicht nur mühsame, sondern auch schwierige Aufgabe empfunden und weiß mich demnach nachsichtiger Beurtheilung um so bedürftiger. Man wird bei einem derartigen Versuch überdies von dem störenden Ge=

fühl begleitet, daß der Verfasser selbst mit mancher Aenderung viel=
leicht nicht einverstanden gewesen sein würde. Wie die Quellen habe
ich auch die Litteratur womöglich nach den neuesten Ausgaben citirt.
Hin und wieder hat mir indeß Einzelnes gefehlt, woher ich bitte
einige, nicht zahlreiche Ungleichmäßigkeiten in dieser Beziehung zu
entschuldigen.

Freiburg i. B., 15. Oktober 1887.

B. Simson.

Inhalt.

7 8 6 518

7 8 7 557

Die Quellen für die Geschichte Karl's des Großen lassen an Zahl und Beschaffenheit viel zu wünschen übrig; von manchen der wichtigsten Verhältnisse und Begebenheiten bleibt unsere Kenntniß durchaus lückenhaft und unsicher; aber verglichen mit der früheren Zeit und auch selbst mit einigen Abschnitten der späteren ist man über die Geschichte Karl's sogar verhältnißmäßig gut unterrichtet. Zum großen Theil ist das Karl's eigenes Verdienst; seine Sorge für die Verbreitung wissenschaftlicher Bildung, einer höheren geistigen Kultur, überhaupt seine ganze großartige Thätigkeit im Kriege wie im Frieden übte auch auf die Geschichtschreibung einen fördernden Einfluß, rief eigentlich erst eine wirkliche deutsche Geschichtschreibung ins Leben. Die Annalen erlangen die eigenthümliche Bedeutung, welche sie in der Geschichtschreibung für längere Zeit gewinnen, unter der unmittelbaren Einwirkung der Bemühungen Karl's um die Hebung der gelehrten Bildung; die annalistische Geschichtschreibung entstand nicht erst unter ihm, aber sie war vorher im Ganzen überaus dürftig gewesen nach Inhalt und Form; jetzt dagegen werden die Annalen wie mit e i n e m Schlage auffallend reichhaltiger; sie verlieren den blos notizenhaften Charakter, welchen sie bis dahin meist gehabt, und erheben sich zu der ausgebildeten Form einer zusammenhängenden Erzählung. Die beiden Annalenwerke, in welchen dieser Aufschwung sich darstellt, sind die sogenannten größeren Lorscher Annalen und die sogenannten Einhard'schen Annalen, diese wichtig durch die Fortschritte in der Form, jene durch den im Vergleich mit den älteren Annalen großen Reichthum an Stoff. Diese beiden Annalen bilden die Grundlage für die Bearbeitung der Geschichte Karl's des Großen.

Ueber die Entstehung und Abfassung dieser Annalenwerke ist übrigens manches ungewiß. Eine frühere Annahme[1] ging dahin, daß die Lorscher Annalen etwa seit dem Jahre 768 auf gleich-

---

[1] Von Pertz in der Ausgabe der Monumenta, SS. I, 124 ff.

zeitigen Aufzeichnungen beruhten und seit 789 oder doch 796[1])
Einhard zum Verfasser hätten, der dann nach Abschluß des Werkes
829 das Ganze einer vorzugsweise sprachlichen Umarbeitung unterworfen habe, als deren Frucht die sogenannten Annalen Einhard's
zu betrachten seien. Es ist jedoch seither eine ganze kleine Litteratur
über diese Annalen entstanden, in welcher sehr verschiedene Ansichten vertreten sind[2]). Als die gesichertsten Ergebnisse dieser
Forschungen dürften sich folgende zusammenfassen lassen. Der
erste Theil der sog. Lorscher Annalen ist offenbar erst nach 788
niedergeschrieben worden; er reicht, nach stilistischen Kennzeichen
zu urtheilen, bis zum Ende des Jahres 794[3]). Diese Arbeit hat
den Werth selbständiger, ziemlich gleichzeitiger Aufzeichnungen; ob
darin ältere, kürzere Quellen benutzt sind, ist doch mindestens
zweifelhaft[4]). Wer der Verfasser war, bleibt dunkel: jedenfalls
wohl ein Geistlicher, aber kein Lorscher Mönch[5]), sondern ein

---

[1]) So Waitz in den Nachrichten von der G. A. Universität, Jahrg. 1857,
S. 46 ff.

[2]) J. Frese, De Einhardi vita et scriptis. Diss. Berlin. 1846. Ranke, Zur
Kritik fränkisch-deutscher Reichsannalisten, in Abhh. der Berliner Akad. d. W. a. d.
J. 1854, S. 415—435. B. E. Simson, De statu quaestionis sintne Einhardi
necne sint quos ei ascribunt annales imperii. Diss. Königsberg. 1860. W. Giesebrecht, Die fränkischen Königsannalen und ihr Ursprung, im Münchner Histor. Jahrbuch für 1865, S. 187 ff. R. Dorr, Die historischen Schriften Einhard's, Progr.
der städt. Realschule in Elbing, 1866. Geo. Wolff, Kritische Beiträge zur Geschichte
Karl's des Großen (768—771). Diss. Marburg. 1872, S. 76 ff. (Excurs. Ueber
die sog. Einhard'sche Frage.) Fr. Ebrard, Die fränkischen Reichsannalen von 741
bis 829 und ihre Umarbeitung, in Forschungen zur deutschen Geschichte XIII, 425 ff.
E. Dünzelmann, Beiträge zur Kritik der karolingischen Annalen, im Neuen Archiv
der Gesellsch. f. ältere deutsche Geschichtskunde II, 475 ff. H. v. Sybel, Die karolingischen Annalen, Kleine historische Schriften III, 1—40; Replik, S. 41—64.
B. Simson, Zur Frage nach der Entstehung der sog. Annales Laurissenses majores, in Forschungen zur deutschen Geschichte XX, 205 ff. O. Harnack, Das karolingische und das byzantinische Reich. Diss. Göttingen. 1880, S. 91 ff. (Excurs.
Ueber den officiellen oder privaten Ursprung der von Pertz als Annales Laurissenses
majores und Annales Einhardi bezeichneten Annalen.) M. Manitius, Einhard's
Werke und ihr Stil, Neues Archiv u. s. w. VII, 517 ff.; Nachtrag ebd. VIII, 197
bis 198. J. Bernays, Zur Kritik karolingischer Annalen. Straßburg. 1883, bes.
S. 140 ff. R. Dorr, Beiträge zur Einhardsfrage, Neues Archiv X, 241 ff.; Nach-
wort von H. v. Sybel, ebd. S. 305—307; Nachtrag von Dorr, ebd. XI, 475 ff.;
Nachwort von Sybel, ebd. S. 489. Wattenbach, Deutschlands Geschichtsquellen im
Mittelalter u. s. w. 5. Aufl. I, 180 ff.

[3]) Vgl. unten Excurs III. Andere nehmen andere Abschnitte an: 789—796
(Giesebrecht); ebenfalls, aber noch von demselben Verfasser (Ebrard); 792—796 ꝛc.
(Dünzelmann); 789 bis Mitte 801 (Bernays). Vgl. ferner o. N. 1 über die An-
sicht von Waitz, mit welchem Manitius und Dorr übereinstimmen.

[4]) Seine älteren Quellen sind nach Giesebrecht, S. 203. 213 ff., die Annales
s. Amandi und Petaviani.

[5]) So schon Ranke S. 434; Waitz a. a. O.; Wattenbach I, 181 f.; Giesebrecht S. 196 f. Anders Sybel, nach dessen Ansicht „der Inhalt der Laurissenses
auf jeder Seite sich als gutes Lorscher Klostergewächs herausstellt", dem jedoch in
dieser Beziehung auch ein ihm sonst zustimmender Recensent (W. A.) widerspricht
(Lit. Centralbl. 1880 Nr. 40 Sp. 1316). — Bernays hält die gesammten Ann.
Lauriss. mai. nur für eine Privatarbeit.

Mann, der zu dem Hofe in den nächsten Beziehungen stand. Ueber seine Persönlichkeit ist nichts bekannt. Den Höhepunkt erreicht seine Darstellung, wo er zu den Jahren 787 und 788 über die Verwickelungen mit Arichis von Benevent und namentlich mit Tassilo von Baiern berichtet. Hier wird die Erzählung am ausführlichsten und eingehendsten, der Antheil des Verfassers am lebhaftesten. Auch die Theilnahme des Papstes Hadrian an diesen Verhandlungen wird genau verfolgt. Man hat geglaubt es wahrscheinlich machen zu können, daß dieser Theil der Annalen in Baiern aufgezeichnet sei, und zwar von dem Erzbischof Arno von Salzburg oder doch unter seiner Mitwirkung von einem Geistlichen seiner Kirche[1]. Die Anhaltspunkte, welche die Annalen selbst für eine solche Vermuthung gewähren, sind aber doch wohl nicht bestimmt genug, um daraus einen sicheren Schluß auf den Verfasser ziehen zu können[2]. Die Sprache ist eine barbarische, das Vulgärlatein der damaligen Zeit, immerhin aber nicht schlechter als diejenige, welche man damals in Rom schrieb, wie sie uns in den Briefen und den Biographien der damaligen Päpste begegnet. Auch ist mit Rücksicht auf die romanischen Worte dieses ersten Theils der gedachten Jahrbücher sogar die Meinung ausgesprochen worden, daß der Verfasser desselben ein Romane gewesen sei[3]. Ob der Verfasser am Hofe selbst lebte, ist ebenfalls zweifelhaft; er war aber jedenfalls vortrefflich unterrichtet; ein Vortheil, den er sich allerdings nicht immer zu Nutzen machte, indem er es für seine Pflicht gehalten zu haben scheint, dem Hofe Ungünstiges, Unfälle der fränkischen Waffen und dergleichen zu verschweigen[4]. Auch hieraus folgt aber noch nicht unbedingt, daß er unter der Aufsicht und Kontrole des Hofes schrieb, daß wir in seiner Arbeit das Erzeugniß einer förmlichen amtlichen Geschichtschreibung vor uns haben. Er wird höchst wahrscheinlich im Auftrag und mit Unterstützung des Hofs, er könnte aber allenfalls auch ohne beides im Interesse des Hofs geschrieben haben.

Dagegen steht dann die Geschichte der folgenden Jahre (von 795 an) zu der ganzen bisherigen Erzählung in einem auffallenden Gegensatze. Besonders ist der Verfasser der Sprache weit mäch-

---

[1] Giesebrecht S. 198 ff.

[2] Außerdem spricht entschieden gegen Arno eine Stelle, in welcher er selbst sehr schlecht wegkommt, 787, S. 170 (Apostolicus vero cum cognovisset de instabilitate vel mendacia eorum); man kann Giesebrecht (S. 202 N. 21) nicht zugeben, daß diese Vorwürfe sich nur auf Tassilo bezögen. Die Interpretation der Ann. Einh. ist offenbar genauer als diejenige Regino's.

[3] S. unten Excurs III.

[4] Vgl. z. B. die Annales Laur. mai. und die Annales Einhardi, SS. I, 158 f. über die Niederlage der Franken in den Pyrenäen; SS. I, 162 ff. über den Kampf am Süntel, Ranke, Zur Kritik, S. 433; Giesebrecht, S. 196. Die Bemerkungen von Sybel, S. 17 ff., ändern, obschon sie einiges Richtige enthalten, hieran nichts; vgl. auch Harnack a. a. O. S. 93 ff.; Simson, in Forschungen zur deutschen Geschichte XX, 205—206. Auch Bernays', S. 173—177, stimmt Sybel nur theilweise bei.

tiger als der Schreiber des ersten Theils, überhaupt in der Dar=
stellung so gewandt, daß man sieht, er hat an den wissenschaftlichen
Bestrebungen am Hofe selber eifrigen Antheil genommen. Da ferner
die Schreibart des Annalisten große Aehnlichkeit mit derjenigen
Einhard's in seiner Lebensbeschreibung Karl's zeigt[1]); da überdies
nach einem freilich wenig zuverlässigen späteren Zeugnisse diese
Jahrbücher als ein Werk Einhard's bezeichnet werden[2]) — so be=
rechtigt alles zusammen genommen zu der Vermuthung, Einhard
habe mindestens einen wesentlichen Antheil an der Fortsetzung der
sogenannten Lorscher Annalen gehabt[3]). Ist hierüber und über
den Umfang dieses Antheils aber auch keine Gewißheit zu erreichen,
so kann dagegen an dem Charakter dieser Aufzeichnungen als einer
vom Hof ausgehenden Geschichtserzählung kein gegründeter Zweifel
bestehen. Auch wird durch manche Merkmale bezeugt, daß die
Aufzeichnungen, welche bis 829 reichen, gleichzeitig gemacht wurden,
wenn auch nicht immer Jahr für Jahr, doch nicht viel später als
die Ereignisse sich zugetragen haben[4]).

Neben diesen sogen. größeren Lorscher Annalen gehen dann aber
noch die sogen. Einhard'schen Annalen her. Ob sie jedoch diesen
Namen mit Recht oder mit Unrecht führen, wird wohl nie mit Sicher=
heit entschieden werden können. Das Werk ist eigentlich keine selb=
ständige Arbeit, sondern eine Umarbeitung jener älteren, sogen.
Lorscher Annalen bis 801; von da ab fällt es bis auf ganz ge=
ringfügige Aenderungen mit den letzteren zusammen. Der nächste
Zweck war, den Inhalt der alten Annalen in besserer Form wieder=
zugeben; aber der Verfasser begnügte sich damit nicht. Er steht
auf einem ungleich freieren Standpunkt als der Verfasser der alten
Annalen, erzählt offen und unbefangen auch solche Unfälle, welche
die alten Annalen absichtlich verschweigen, und gewinnt dadurch
auch für die Geschichte der früheren Jahre einen größeren Werth
als sonst blos abgeleitete Quellen zu haben pflegen. Man sieht,
daß der Ueberarbeiter aus den Mittheilungen von Gewährsmännern
geschöpft hat, die wenigstens sehr gut unterrichtet sein konnten;
auch scheint ihm mindestens theilweise das Material selbst vorgelegen
zu haben, welches bereits in den älteren Annalen verarbeitet

---

[1]) Dieser sprachlichen Seite der Frage haben Manitius und Dorr sehr eingehende
Untersuchungen gewidmet; vgl. auch unten Bd. II, Excurs VI.

[2]) Odilonis epist. ad Ingrannum, SS. XV, 379—380.

[3]) Den Einwand, daß Einhard selbst in der Vorrede zur Lebensbeschreibung
Karl's noch von keiner Aufzeichnung der Thaten Karl's etwas wisse, also unmög=
lich selbst an den Annalen gearbeitet haben könne, hat Giesebrecht, S. 209 f., wohl ge=
nügend entkräftet. H. v. Sybel hat ihn freilich wieder hervorgeholt, um zu beweisen,
daß diese Reichsannalen überhaupt nicht am Hofe entstanden sein könnten (S. 14 ff.
44 f.); vgl. dagegen Simson, Forsch. XX, 211—212; auch Bernheim S. 82
(vgl. unten S. 7 N. 2). Daß Einhard in der Vita Karoli Annalen benutzte,
scheint unzweifelhaft; wenn nicht die Ann. Einhardi, so doch die Laurissenses.

[4]) Daß die Nachrichten nicht alle Jahr für Jahr, sondern bisweilen erst nach
längeren Zwischenräumen aufgezeichnet wurden, bemerkt Giesebrecht, S. 208. Er=
heblich können aber diese Zwischenräume nicht gewesen sein. Vgl. ferner unten Bd.
II, Excurs VI.

war[1]). Manche Züge dieser älteren Redaktion sind hier freilich auch verwischt. In vielen Zusätzen, die der Ueberarbeiter liefert, berührt er sich in Hinsicht auf Inhalt und Ausdruck sehr nahe mit der Lebensbeschreibung Karl's von Einhard; wie die Meisten[2]) annehmen, weil diese aus den sogen. Einhard'schen Annalen geschöpft hat, obschon auch das umgekehrte Verhältniß[3]) keineswegs ausgeschlossen erscheint. In stilistischer Beziehung steht diese Ueberarbeitung ziemlich auf gleicher Höhe wie Einhard's Biographie Karl's und die Fortsetzung der sogen. Lorscher Jahrbücher, wenigstens wie der letzte Theil dieser Fortsetzung, während ein früherer Abschnitt derselben einen noch reineren Stil zeigt. Uebrigens wurden auch noch einige andere Ueberarbeitungen jener ausführlichen Jahrbücher verfaßt: eine, die bis 805 gereicht zu haben scheint, in einzelnen Bruchstücken erhalten und besonders in den späteren Metzer Annalen benutzt, enthält einige eigenthümliche Details. Eine andere (von 797—811) ist in den Xantener Jahrbüchern sowie in den sogen. Annalen von St. Maximin (in Trier), bezw. in einem nicht mehr bekannten, mit dem Jahre 790 anhebenden Werke erkennbar, welches in diesen beiden zu Grunde gelegt ist[4]). Auch an den Annalen von Fulda, deren erster Theil jedoch größtentheils unselbständig und insbesondere für die Geschichte Karl's des Großen ohne Werth ist, mag Einhard möglicherweise ein Antheil zuzuschreiben sein[5]), obschon dies wohl kaum wahrscheinlich ist[6]).

Ueberhaupt wurde auf dem Gebiete der annalistischen Geschichtsaufzeichnungen eine ziemlich lebhafte Thätigkeit entwickelt. Von besonderer Wichtigkeit sind die Annalen von St. Amand. Auf anderen, nicht mehr vorhandenen alten Annalen beruhen im

---

[1]) Vgl. unten Bd. II, Excurs VI.

[2]) Ranke; Frese; Dünzelmann S. 495 ff.; Bernheim, S. 82 ff., dem die umgekehrte Annahme sogar unbegreiflich und absurd erscheint.

[3]) So Simson, De statu etc. S. 44 ff.; Giesebrecht S. 216 ff; Ebrard S. 460.

[4]) Außerdem hat es auch wohl noch eine an wenigen Stellen etwas abweichende Redaktion der Annales Laurissenses mai. gegeben, welche in den sog. Annales Enhardi Fuldensis, 811. 821. 826, SS. I, 355. 357. 359, den Sithienses 821, SS. XIII, 38, der Vita Hludowici des Astronomus c. 34. 40, SS. II, 626. 630, endlich vielleicht auch in den Chroniques de S. Denis, Bouquet V, 259, erkennbar ist. Vgl. Simson, De statu etc. S. 56. 59—60; Ders. Ueber die Annales Enhardi Fuldensis und Annales Sithienses S. 24 N. 1. 26; Jahrbücher Karl's d. Gr. II, zum J. 811; Jahrbücher Ludwig's d. Fr. I, 169 N. 1. 267 N. 6. 268 N. 1. II, 299—300; Wattenbach, Deutschlands Geschichtsquellen in MA. 5. Aufl. I, 212 N. 1. Abweichender Ansicht Waitz, Nachrichten von der G. A. Univ. zu Göttingen. 1864 Nr. 3, S. 59—60. — Wir fügen hinzu, daß jene Redaktion andererseits der in den Ann. Bertiniani enthaltenen nahe gestanden zu haben scheint; vgl. Jahrbücher Ludwig's d. Fr. II, 298 N. 4; Forschungen zur deutschen Geschichte XVIII, 610.

[5]) Vgl. Annales Enhardi Fuldensis ad a. 838, SS. I, 361: hucusque Enhardus (Annales Yburgenses, SS. XVI, 436: Einhart); hierzu besonders Holder-Egger, Deutsche Litteraturzeitung 1886 Nr. 43 Sp. 1530, welcher bemerkt, daß ein Fulder Mönch Einhart erst 879 gestorben ist (Ann. necrol. Fuld. SS. XIII, 184). — Confraternitat. Augiens., ed. Piper (M. G.), S. 202.

[6]) Vgl. unten Excurs IV.

Kloster Gorze niedergeschriebene Jahrbücher, welche in den sogen. petavianischen Annalen mit denen von St. Amand combinirt sind. Ebenfalls aus den Gorzer Annalen sind Lorscher An= nalen hervorgegangen, welche in den irrthümlich sogenannten Mosel= annalen, die vielmehr am Main entstanden zu sein scheinen, und einer in Lorsch selbst entstandenen Ableitung erhalten sind[1]). Andere kleinere Annalen, die aus dem alamannischen Kloster Murbach (im Elsaß) hervorgegangen sind, haben eine untergeordnete Bedeutung. Sehr schwach sind auch noch die Keime annalistischer Geschicht= schreibung, die im Osten, in Salzburg anfangen sich zu regen; und ebenso hat Fulda, ein halbes Jahrhundert später der Hauptsitz dieser Gattung der Geschichtschreibung, damals nur erst geringfügige Anfänge davon aufzuweisen. In Sachsen vollends fehlt jede Spur davon; die Annalen eines sächsischen Dichters, welche die Geschichte Karl's von Beginn seiner Alleinherrschaft nach dem Tode seines Bruders Karlmann bis zu seinem eigenen Tode enthalten, gehören erst dem Ende des 9. Jahrhunderts an und sind durchaus un= selbständig. Sie bestehen im wesentlichen aus einer Versification der sogen. Einhard'schen Annalen und sind höchstens dadurch von einigem Werth, daß der Dichter einige Nachrichten über die Zu= stände der Sachsen gibt und im letzten Theile seiner Arbeit, seit 801, eine für uns verlorene, sieht man recht aus kurzen Aufzeich= nungen bestehende Quelle benutzt zu haben scheint[2]).

Bei weitem weniger Eifer für annalistische Aufzeichnungen scheint in den romanischen Theilen des Reiches vorhanden gewesen zu sein, in Gallien und in Italien gleich wenig.

Auch sonst sind die wichtigsten Erzeugnisse der Geschichtschrei= bung aus jenen Jahren deutschen Ursprungs. Neben den Annalen kommen besonders in Betracht die Biographien, und unter diesen hat eine große Berühmtheit erlangt die Lebensbeschreibung Karl's von Einhard. Vom litterar=historischen Standpunkt aus ist das auch vollkommen gerechtfertigt; das kleine Buch übertrifft in Bezug auf die Form alles, was vorher und im Grunde auch noch was Jahrhunderte nachher auf dem Felde der Biographie geleistet worden ist[3]): aber als Geschichtsquelle besitzt es nicht den hohen Werth,

---

[1]) Vgl. über das Verhältniß dieser Annalen zu einander Giesebrecht, S. 203. 223 ff.; Waitz, Ueber die Annales Petaviani und Mosellani, in Nachrichten von der G. A. Univ. 1875 Nr. 1., S. 1 ff. — Die Annales Laureshamenses scheinen später in Bremen, u. a. durch Nachrichten über den Bischof Willehad, er= gänzt und fortgesetzt zu sein. In dieser erweiterten Gestalt wurden sie, wie es scheint, in dem Chronicon Moissiacense, sowie in der Vita Willehadi benutzt, vgl. Forschungen zur deutschen Geschichte XIX, 133 ff.

[2]) Genauer über die vom Dichter benutzten Quellen handelt Simson, Der Poëta Saxo und der Friede zu Salz, in den Forschungen zur deutschen Geschichte, I, 313 ff.

[3]) Hin und wieder finden sich allerdings ungeschickte Wiederholungen; so c. 3: uxor eius et filii ... Italiam fuga petiit et ... sub Desiderii regis Langobardorum patrocinium se cum liberis suis contulit; c. 4: Karolus vero post inchoatum a se bellum non prius destitit, quam et Desiderium regem, quem longa obsidione fatigaverat, in deditionem susciperet, filium

den man ihm fast bis auf unsere Zeit beizulegen pflegte. Daß es erst nach Karl's Tode geschrieben wurde, thut seiner Bedeutung keinen Eintrag, denn wenige Männer konnten über Karl's Leben und Thaten besser unterrichtet sein als Einhard; sein Buch kann durchaus mitzählen unter den gleichzeitigen Quellen; die Bedenken, welche seiner Brauchbarkeit als Hauptquelle für die Geschichte Karl's entgegenstehen, haben andere Ursachen. Einhard selber legt seiner Schrift garnicht diese Bedeutung bei; nicht eine förmliche Geschichte Karl's will er schreiben, sondern nur ein kurzes Lebens= bild von ihm entwerfen[1]), und diese Aufgabe hat er aufs glän= zendste gelöst. Es ist wahr, daß er sich im Ausdruck mit peinlicher Strenge an seine klassischen Muster band und namentlich von Sueton'schen Redensarten und Wendungen[2]) einen übermäßigen Gebrauch machte, dem Sueton auch seine Disposition entlehnte; dennoch ist das Gesammtbild, das Einhard von Karl entwirft, un= zweifelhaft historisch treu, und damit hat die Schrift ihren Haupt= zweck erfüllt. Bei diesem Plane kommen die einzelnen Ereignisse und Thaten Karl's erst in zweiter Linie in Betracht, und deshalb ist es zwar zu bedauern aber auch erklärlich, daß sie theils sehr unvollständig, theils sehr ungenau erzählt sind. Ueber manches schweigt Einhard absichtlich, über anderes ist er offenbar garnicht unterrichtet; er begeht mehrfache Irrthümer, die entweder ein Zeichen von Nachlässigkeit oder von mangelhafter Kenntniß sind. Aber das Meiste verdient Glauben, und ungeachtet der unleugbaren Mängel enthält die Schrift doch auch viele wichtige Angaben, hauptsächlich über die Persönlichkeit und die Familie des Kaisers, aber auch über einzelne Ereignisse, die sich sonst nirgends finden und voll= kommen zuverlässig sind.

Das Buch Einhard's hat neben seinen anderen Vorzügen auch noch deshalb besonderen Werth, weil es die erste Profanbiographie ist, welche die deutsche Geschichtschreibung aufzuweisen hat. Zahl= reicher sind aber noch immer die kirchlichen Biographien, von denen einige auch für die Geschichte Karl's eine hervorragende Bedeutung haben. Dahin gehören namentlich die Lebensbeschreibungen des h. Sturm von Eigil, des h. Liudger von Altfrid; auch die des h.

---

eius Adalgisum, in quem spes omnium inclinatae videbantur, non solum regno, sed etiam Italia excederet conpelleret, omnia Romanis erepta resti- tueret ... — Finis tamen huius belli fuit subacta Italia et rex Desi- derius perpetuo exilio deportatus et filius eius Adalgisus Italia pulsus et res a Langobardorum regibus ereptae Adriano Romanae ecclesiae rectori restitutae. Vermuthlich sind diese Wiederholungen durch nachträgliche Einschaltungen veranlaßt.

[1]) Wie auch Giesebrecht, S. 210, ausdrücklich hervorhebt.
[2]) Vgl. hierüber Jaffé, Bibl. rer. Germ. IV, 501—503; Ausg. von Jaffé- Wattenbach (1876); von Pertz-Waitz (1880); Fr. Schmidt, De Einhardo Suetonii imitatore. Progr. der k. Studienanstalt in Bayreuth 1880; Manitius, Neues Archiv u. s. w. VII, 530 ff.; Bernheim in Histor. Aufsätze dem Andenken an G. Waitz gewidmet, S. 74 ff. Unbedeutend ist G. Janke, Der Einfluß Sueton's auf die hi- storische Richtigkeit Einhard's in der vita Karoli. Rostocker Diss. Berlin, 1872.

Willehad, obschon sie erst geraume Zeit nach Karl dem Großen geschrieben ist; selbst die noch später verfaßte des h. Liafwin oder Lebuin von Hucbald. Wie die Heiligenleben enthalten auch die Translationen manche historisch werthvolle Züge und brauchbare Angaben, zuweilen von nicht geringem kulturhistorischen Interesse.

Weniger reich ist die Ausbeute, welche die allgemeinen Chroniken sowie die Lokalgeschichten, die Geschichten einzelner Bisthümer und Klöster gewähren. Die erste Schrift der letzteren Art, des Paulus Diaconus Geschichte der Bischöfe von Metz, verdankt ihre Entstehung unmittelbar der an Karl's Hof gegebenen Anregung; alle anderen wurden erst in einer späteren Zeit abgefaßt, aber zum Theil wenigstens mit Benutzung älterer und verlorener Aufzeichnungen, zum Theil auf Grund mündlicher Ueberlieferungen, die darin zum ersten Mal schriftlich niedergelegt sind, und dadurch erhalten sie auch für unsere Zeit Werth). Dagegen bringen die allgemeinen Chroniken des 9. und 10. Jahrhunderts für die Geschichte Karl's nichts irgend Erhebliches bei; und was noch spätere, wie z. B. Sigebert, etwa Neues zu enthalten scheinen, ist vollends mit der größten Vorsicht aufzunehmen.

Während aber das fränkische Reich selbst in unserem Zeitraum an gleichzeitigen oder beinahe gleichzeitigen Schriftstellern wenigstens nicht arm ist, treffen wir solche in Italien fast garnicht an. Eine Ausnahme bilden beinahe nur die Lebensbeschreibungen der Päpste, von welchen für uns die Stephan's III., Hadrian's I. und Leo's III. in Betracht kommen; hier sind daher auch jüngere Geschichtschreiber, wie Erchempert, der Verfasser einer Geschichte der langobardischen Herrschaft in Benevent, dann der unbekannte Verfasser der Chronik von Salerno u. a. nicht zu verschmähen; und auch ein griechischer Schriftsteller, Theophanes, giebt einige nicht unwichtige Aufschlüsse.

Natürlich konnte es nicht fehlen, daß in vielen der späteren Geschichtswerke die Sage sich an die Stelle der Geschichte drängte oder doch neben ihr einen Platz einnahm; und wenige Persönlichkeiten gibt es, deren sich im Laufe der Zeit die Sage, ja selbst die willkürliche Dichtung so vollständig und in solchem Umfang bemächtigte, wie eben Karl's des Großen. Karl ist ja der Mittelpunkt eines eigenen Sagenkreises geworden; als solcher erscheint er besonders in dem vorgeblichen Werke des Turpin, das hier gar keine Erwähnung finden könnte, wenn es sich nicht ausdrücklich durch seinen Titel für Geschichte ausgäbe. Sein Inhalt liegt unserer Aufgabe ebenso fern, wie die übrige sagenhafte Litteratur über Karl; wogegen andere Schriften trotz einzelner sagenhafter Bestandtheile doch auch als Geschichtsquellen ihren Werth behalten. Eigentlich führt schon das bekannte Werk des Mönchs von St. Gallen über die Thaten Karl's hinüber zu jener sagenhaften Litteratur; bei ihm, der nach einer neuerdings mit glücklichem Erfolge wieder aufgestellten Vermuthung[1]) vielleicht mit Notker dem Stammler identisch ist, finden wir die ersten Ansätze einer umfassenden Sagen= bildung über Karl; aber dennoch ist sein Buch auch als Geschichts= quelle wenigstens nicht ganz unbrauchbar.

An die Geschichtschreiber reihen sich dann noch verschiedene andere Quellen an. Von großem Werthe sind die Briefe, die nur aber sehr ungleich über die lange Regierungszeit Karl's vertheilt sind. Von Karl selbst sind freilich blos wenige auf uns gekommen; dagegen gewähren die Schreiben Alkuin's eine reiche Ausbeute, kommen aber fast alle erst der Geschichte der zweiten Hälfte von Karl's Regierung zu gute. Dafür ist aus der ersten Hälfte der Briefwechsel der Päpste mit Karl weit vollständiger als aus der zweiten erhalten, und zwar durch Karl's eigenes Verdienst, welcher 791 die Sammlung der Briefe veranstalten ließ. Es sind aller= dings nur Briefe der Päpste, keiner von Karl selbst aufgenommen; aber auch schon bei dieser Beschränkung gewährt die Sammlung die ergiebigste Auskunft über die Beziehungen zu Rom.

Ungleich größer als die der Briefe ist die Zahl der uns er= haltenen Urkunden, die gleichfalls manche wichtige Aufschlüsse ge= währen. Der Privaturkunden sind es noch mehr als der öffent= lichen, und alle Theile des Reichs, Deutschland, Gallien und Italien liefern dazu ihren Beitrag. Dazu kommen dann noch als weitere Quellen die Gesetze, die bei der umfassenden gesetzgeberischen Wirk= samkeit Karl's eine erhöhte Bedeutung erhalten, aber freilich für die erste Hälfte seiner Regierung weit weniger als für die zweite, da erst während der letzteren diese Seite seiner Thätigkeit in dem großartigen Maßstabe beginnt, welcher mit Recht das Staunen der Nachwelt erweckt hat.

Karl ist der berühmteste Sproß des gefeierten Arnulfingischen Geschlechts, dem das fränkische Reich nach einer Zeit des tiefsten Verfalls seine Neugründung verdankte. Schon sein Vater und Großvater, in gewissem Sinne alle seine Vorfahren bis hinauf zu Arnulf von Metz hatten an dem Neubau gearbeitet; aber Karl hat ihn vollendet und das Gebäude gekrönt. Wie der Grund dazu gelegt wurde, erzählt die Geschichte Karl Martell's und Pippin's; ihre Thaten sind die Einleitung zu der Geschichte Karl's des Großen.

Karl ist der ältere Sohn Pippin's, auf den später von seinem Großvater Pippin dem Mittleren der Beiname „der Kurze" oder „Kleine" übertragen worden ist[2]), und der Bertrada oder Bertha,

----

1) Vgl. K. Zeumer, in Historische Aufsätze dem Andenken an G. Waitz gewid•met, S. 97 ff.; auch Simson in Zeitschr. f. d. Geschichte des Oberrheins N. F. II, 59 ff. u. unten Bd. II, Excurs VII.
2) Vgl. Hahn, Jahrbücher S. 9 N. 6; Oelsner, König Pippin S. 11 N. 6; Waitz, DVG. III, 2. Aufl. S. 91 N. 2; auch der Beiname ‚Pius' kommt vor.

einer Tochter Heribert's oder Charibert's, Grafen von Laon[1]).
Die Umstände seiner Geburt wie dann auch seine Kindheit sind
in Dunkel gehüllt[2]); der Ort der Geburt bleibt völlig ungewiß,
über die Zeit sind einige Angaben vorhanden, aber widersprechende.
Die geringsten Schwierigkeiten macht der Geburtstag. Ein Lorscher
Kalendar aus dem 9. Jahrhundert verzeichnet den 2. April als Geburtstag des ruhmreichen Kaisers Karl[3]), worunter freilich zwar
nicht Karl der Kahle, als dessen Geburtstag der 13. Juni völlig
feststeht[4]), möglicherweise aber auch Karl III. (der in späteren
Jahrhunderten sogenannte „Dicke") verstanden sein könnte[5]); man
hat aber ein gewisses Recht, wenn in Geschichtsaufzeichnungen einfach von Kaiser Karl die Rede ist, dabei zunächst an Karl den
Großen zu denken[6]); und so mag es immerhin begründet sein, daß
später der 2. April als der Geburtstag Karl's angesehen ward[7]).

Zahlreicher und zum Theil älter sind die Angaben über Karl's
Geburtsjahr, aber sie sind unter einander unvereinbar. Die Jahre
742, 743 und 747 werden genannt, und wenigstens die Zeugnisse
für 742 und 747 verdienen Beachtung. Diejenigen für 743 sind
erst sehr spät[8]) und daher ohne Werth, beruhen sogar vielleicht
nur auf Versehen, und auch die Nachrichten über das von Karl
erreichte Lebensalter, aus welchen sich 743 als Jahr seiner Geburt

---

[1]) Annales Bertiniani 749, rec. Waitz (Hannover 1883) S. 1: Pippinus
coniugem duxit Bertradam cognomine Bertam, Chariberti Laudunensis comitis
filiam. Alle andern Angaben über die Herkunft der Bertrada, außer dieser durch Urkunden bestätigten, sind sagenhaft. Genaueres bei Hahn, Jahrbücher des fränkischen
Reichs S. 5 u. 151 ff.; Oelsner S. 18. 352. Ueber die Zeit der Vermählung
s. unten S. 13 N. 1. 3.

[2]) Einhard. Vita Kar. c. 4, rec. Waitz (Hannover 1880) S. 5: De cuius
nativitate atque infantia vel etiam pueritia, quia neque scriptis umquam
aliquid declaratum est neque quisquam modo superesse invenitur qui horum
se dicat habere notitiam, scribere ineptum iudicans . . .

[3]) Mabillon, De re diplom. supplem. c. 9 N. 1, S. 38: IV. non. Aprilis
nativitas domini et gloriosissimi Caroli imperatoris et semper augusti.

[4]) S. Mühlbacher, Regesten des Kaiserreichs unter den Karolingern S. 276;
Simson, Jahrbücher des fränkischen Reichs unter Ludwig dem Frommen I, 198 N. 1;
Dümmler, Gesch. d. ostfränk. Reichs I, 43 N. 9.

[5]) Ueber diese Bedenken vgl. Hahn, Sur le lieu de naissance de Charlemagne; extrait du t. XI. des Mémoires couronnés et autres, publiés par l'Académie royale de Belgique, S. 73 f., wo nur irrthümlich das
Kalendar statt ins 9. ins 11. Jahrhundert herabgesetzt wird. — Neben dieser Schrift
Hahn's ist hinsichtlich des Folgenden auch der Auszug zu vergleichen, welchen er daraus in seinen Jahrbüchern 741—752, S. 238 ff. (Excurs XXVIII.) gibt.

[6]) Außerdem verweisen Richter und Kohl, Annalen des fränkischen Reichs im
Zeitalter der Karolinger S. 28, mit Recht auf die große Fürsorge, deren sich das
Kloster Lorsch gerade von Karl dem Gr. zu erfreuen gehabt hatte.

[7]) Woher Capefigue, Charlemagne I, 136, den 26. Februar hat, ist nicht
zu erkennen; in den Annales Fuldenses, die er anführt, ist dieses Datum nicht aufzufinden. Ebenso falsch allegirt er für den 2. April die Cont. des Fredgar.

[8]) S. Annales s. Emmer. min. SS. XIII, 47 (späterer Zusatz); auch Ann.
s. Stephani Frising., ibid. S. 51; vgl. Hahn, Sur le lieu de naissance S. 69;
Mühlbacher, Regesten S. 53.

zu ergeben scheint[1]), sind keineswegs zuverlässig und genau[2]). Dagegen nennen mehrere Angaben, die sich allerdings zum Theil auf eine und dieselbe Quelle zurückführen lassen, das Jahr 742[3]), und auch die Angabe Einhard's in seiner Lebensbeschreibung Karl's, wonach Karl ein Alter von 72 Jahren erreichte[4]), scheint darauf hinzuweisen. Doch auch diese Zeugnisse verlieren bei näherer Prüfung viel von ihrem Gewicht; selbst die ältesten sind ebenso wie das Einhard's meist erst nach Karl's Tode aufgezeichnet[5]), die anderen vollends ohne authentischen Werth. Ferner enthält auch jene Schrift Einhard's sonst so mannigfache thatsächliche Irrthümer, daß selbst ihr bestimmter Hinweis auf 742 nicht ohne weiteres glaubwürdig ist; er hat sogar das allerdings wohl überflüssige[6]) Bedenken erregt, daß er nicht recht passe zu jener Versicherung Einhard's in den Anfängen seines Buchs, Niemand wisse etwas Sicheres über Karl's Geburt[7]). Doch hat Einhard's Zeugniß wenigstens mehr Gewicht als das theils unbestimmte[8]), theils unzuverlässige der Annalen, wenn auch freilich kein entscheidendes. Die sicherste Auskunft müßte Karl's Grabschrift gewähren, die Einhard selber mittheilt; aber dieselbe drückt sich gerade etwas unbestimmt so aus,

---

[1]) Annales s. Emmer. Ratisp. mai. 814, SS. I, 93: Carolus imperator obiit etatis suae anno 71.; Annales Einh. 814, SS. I, 201: Domnus Karlus . . . anno aetatis circiter septuagesimo primo . . . rebus humanis excessit; vgl. Ann. necrolog. Prumiens. SS. XIII, 219; die in diesem Fall kaum zu nennenden Annales Quedlinburg. SS. III, 41 etc. S. Hahn S. 56 ff. u. unten Bd. II, z. J. 814.

[2]) Wie man sieht, bezeichnen die Ann. Einh. ihre Berechnung selbst nur als eine ungefähre. Außerdem läßt sich dieselbe sehr gut mit der Annahme, daß Karl 742 geboren wurde, vereinigen, zumal er schon im Januar 814 starb.

[3]) So die Annales Iuvav. maiores, s. Supplem. SS. III, 122; die Ann. Iuvav. minores, SS. I, 88; die Annales Salisburg. SS. I, 89; vgl. ferner Ann. Aquenses, SS. XXIV, 35 N. 3; auch Ann. s. Amandi brev. SS. II, 184 (obschon hier die Ergänzung von Pertz: natus est zwar sehr wahrscheinlich, aber immerhin zweifelhaft ist; Mühlbacher a. a. O.); sodann auch Ann. Lambert. SS. III, 35; Ann. Altahens. SS. XX, 782; Wolfher. Vita Godehardi ep. Hildesh. poster. c. 2, SS. XI, 198 (dazu Ehrenfeuchter, Die Annalen von Niederaltaich, Diss. Göttingen 1870, S. 25. 32; Herm. Lorenz, Die Jahrbücher von Hersfeld, Diss. Leipzig 1885, S. 48, welche nachzuweisen suchen, daß diese Angaben auf verlorenen älteren Altaicher Annalen beruhen. Wattenbach DGQ. 5. A. II, 490). Die Notiz der Annales Fuld. antiqui zu 742, SS. III, 116: Carolus rex Francorum gehört garnicht hierher, bezieht sich auf Karl Martell, lautet in der Originalhandschrift: † Karolus (dux), gibt also das Todesjahr Karl Martell's an; vgl. Sickel, Ueber die Originalhandschrift der Annales Fuldenses antiquissimi, Forschungen zur deutschen Geschichte IV, 458.

[4]) Einhard. Vita Karoli c. 30: decessit, anno aetatis suae septuagesimo secundo. Aus Einhard ging dann diese Angabe, Karl sei 72 Jahr alt gestorben, wieder in spätere Aufzeichnungen über, die daher nicht weiter in Betracht kommen. S. übrigens Hahn, Sur le lieu de naiss. S. 55 ff. u. unten Bd. II, z. J. 814.

[5]) Die Annales Iuvav. min. sind erst 816 niedergeschrieben, SS. I, 86.

[6]) Vgl. Oelsner S. 486.

[7]) Siehe oben S. 10 N. 2.

[8]) Vgl. oben N. 1.

Karl sei als ein Siebziger gestorben[1]). Vielleicht kommt dieser
Unbestimmtheit ein größeres Gewicht zu als den Angaben der
Annalen und selbst Einhard's; es ist nur noch die Frage, ob etwa
für 747 bessere Zeugnisse sprechen.

Oft sind die Zeugnisse für 747 fast ganz übersehen oder einfach als irrthümlich bezeichnet worden[2]). Sie dürfen aber immerhin nicht unberücksichtigt bleiben, obschon sie weniger erheblich sind
als die für 742[3]). Die einzige ausführlichere Nachricht aus Karl's
Knabenalter, die wir besitzen[4]), würde sogar dieser Angabe zur
Bestätigung dienen können und gleichfalls für 747, wenn nicht für
748[5]), als das Jahr seiner Geburt beweisen, wenn sie zuverlässiger
wäre. Auch die unbestimmte Fassung von Karl's Grabschrift
würde die Vermuthung, Karl sei nicht volle 70 Jahre alt geworden, an sich wohl zulassen und nicht gegen 747 beweisen. Die
übrigen dürftigen Nachrichten aus Karl's Jugendzeit enthalten
nichts, woraus ein halbwegs sicherer Schluß auf sein Alter und
die Zeit seiner Geburt gezogen werden könnte[6]). Allein, so wenig
das Geburtsjahr Karl's unbedingt feststeht, so ist 742 doch entschieden besser beglaubigt als 747 oder gar 743[7]).

---

[1]) Einhard. Vita Kar. c. 31: Sub hoc conditorio situm est corpus Karoli Magni atque orthodoxi imperatoris. Qui regnum Francorum nobiliter
ampliavit et per annos XLVII feliciter rexit. Decessit septuagenarius . . .

[2]) So von Pertz, SS. I, 10 N. 1.

[3]) Das Jahr 747 haben die Annales Petav. SS. I, 11, jedoch nur als Zusatz eines Codex (vgl. Waitz in Nachrichten von der G. A. Univ. 1875 Nr. 1
S. 4 N. 1); ferner die Annales Laubac. SS. I, 10 und die Annales Lobiens.
SS. XIII, 227.
Auch in der neuesten Ausgabe der Annales Petaviani, aus einer Korveier,
jetzt vatikanischen Handschrift, im Spicilegium Romanum VI, 183, fehlt der Zusatz,
während die Angabe der Annales Laubac. und Lobiens. allerdings allem Anschein
nach von den Annales Petav. unabhängig ist, wie schon Hahn, Sur le lieu
de naissance S. 81, vermuthet. Der erste Theil der Annales Laubacenses beruht theils auf den Ann. s. Amandi, theils auf einer anderen Quelle, welche auch
in den Ann. Stabulenses (SS. XIII 41—42), den Ann. Auscienses (SS. III,
171) u. s. w. erkennbar ist. Die Notiz über die Geburt Karl's des Großen ist jedoch
aus keiner von diesen beiden Quellen geschöpft, sondern, wie man vermuthen möchte,
in Lobbes oder Lüttich entsprungen. Hierauf führt die Uebereinstimmung der, übrigens
erst dem Ende des 10. Jahrhunderts angehörenden Ann. Lobienses, die sich auch
noch in einigen anderen Fällen (707. 717. 741. 846. 855. 858) zeigt. Vgl. Forschungen zur deutschen Geschichte XXV, 375 ff.

[4]) S. Transl. s. Germani, SS. XV, 5 ff. Dieser Translation, welche 755
stattfand, wohnte Karl angeblich als puer septennis bei; s. unten.

[5]) Daß sie eigentlich zunächst auf 748 führen würde, bemerten mit Recht
Richter u. Kohl, Annalen des fränkischen Reichs im Zeitalter der Karolinger I, 28.

[6]) Zusammengestellt sind diese Angaben von Hahn, Sur le lieu S. 81 ff.
(vgl. Jahrbücher S. 243), der aber zuviel Gewicht darauf legt; s. andrerseits
Oelsner S. 486.

[7]) Die Meisten nehmen 742 an; von den älteren z. B. Pagi ad a. 742
N. 22. 23, der namentlich das Zeugniß der Transl. s. Germani mit Recht
nicht gelten lassen will; Mabillon, De re dipl. suppl. S. 38; Annales ord.
s. Bened. II, 116; Eckhart, Francia orient. I, 444; von den neueren u. a.
Dippoldt, Leben Kaiser Karls des Großen S. 23. 227; Pertz, SS. I, 10 N. 1 und
viele andere; zuletzt auch Warnkoenig et Gerard, Histoire des Carolingiens I,

Für welches Jahr man sich übrigens auch entscheiden mag, so bleiben immer noch Schwierigkeiten zurück. Pippin vermählte sich mit Bertrada laut einer darüber vorhandenen Nachricht erst im Jahre 749[1]), und es scheint bedenklich, dieses, wenn auch freilich unsichere Zeugniß in Frage zu stellen[2]). Eine andere Angabe, nach welcher jene Ehe 744 geschlossen wurde[3]), ist jedenfalls noch weniger maßgebend. Daß Karl noch später als 749 geboren ist, folgt daraus nicht, wohl aber, daß er geboren ist zu einer Zeit, da Pippin noch nicht in rechtmäßiger Ehe mit seiner späteren Gemahlin lebte[4]). Man wird sich nicht darauf berufen dürfen, daß die Sagen über Bertha und Karl's Geburt dies zu bestätigen schienen[5]); hingegen könnte eher als eine Bestätigung das Schweigen erscheinen, das Einhard über Karl's Geburt beobachtet; dann aber das feindselige Verhältniß zwischen Karl und seinem Bruder Karlmann. Freilich ist dessen Ursache nicht mit Sicherheit zu ermitteln[6]); aber die nächstliegende Vermuthung ist die, Karlmann habe den vor der förmlichen Vermählung seines Vaters geborenen Karl nicht als ebenbürtig anerkennen wollen und für sich eine bevorzugte Stellung in Anspruch genommen. Karlmann selbst soll erst im Jahr 751 geboren sein[7]).

148; Oelsner a. a. O. S. 486. 503; Mühlbacher S. 53—54; Dümmler, Allgem. Deutsche Biogr. XV, 127 (der sich auch im Lit. Centralbl. 1885 Nr. 51 Sp. 1731 gegen 747 erklärt); Steindorff bei Ersch und Gruber, Encyklop. II, S. 33. 62. — Die belgischen Akademiker Polain und Arendt haben über 742 oder 743 disputirt (s. Hahn, Jahrbücher S. 241 N. 8. 10, wo die genaueren Citate). — Für 747 entscheidet sich zuerst Le Cointe, Annales eccles. Franc. V, 175; dann mit ausführlicher Begründung Hahn, Sur le lieu de naissance S. 74 ff. (vgl. Jahrbücher S. 243, wo er diese Annahme wenigstens als „den übrigen völlig ebenbürtig" bezeichnet). Auch Geo. Wolff, Kritische Beiträge zur Geschichte Karls d. Gr. 768—771 S. 1—13, neigt sich dieser Annahme zu, indem er sich gegen Oelsner wendet. S. übrigens über die Litteratur Hahn in der angeführten Schrift.

[1]) Zusatz der Annales Bertin., ed. Waitz S. 1, zu den Annales Laur. mai., vgl. o. S. 10 N. 1.

[2]) Bestimmt erklärt sich dagegen Mabillon, Annales II, appendix S. 755, aber ohne ausreichenden Grund. Für unsicher halten die betreffende Angabe auch Oelsner S. 419 N. 6; Wolff, Krit. Beitr. S. 12—13. 37. Die Annales Bertin., obschon erst im 9. Jahrhundert geschrieben, müssen für eine so spezielle Notiz jedenfalls fast nothwendig einen besonderen Anhaltspunkt in einer älteren bestimmten Nachricht gehabt haben.

[3]) In den von Goldmann mitgetheilten Annalen, Neues Archiv XII, 404: 744. [Con]iunctio Pippini regis et Bertrade regine.

[4]) Bei jeder andern Annahme ist man genöthigt, sich über das Zeugniß der Quellen hinwegzusetzen. Auch Hahn, Sur le lieu de naissance S. 86, neigt sich dieser Ansicht zu, hat sie aber Jahrbücher S. 5 wieder aufgegeben. Daß Bertrada von ihrem Vater einen Theil von Rommersheim als Mitgift erhalten hat, Urkunde Pippin's für Prüm, Mühlbacher Nr. 93; Mabillon, Annales II, 706; Beyer, Urkundenbuch zur Gesch. der mittelrheinischen Territorien I, 19, worauf Hahn a. a. O. (vgl. ebd. S. 152) hinweist, kommt für die Zeitbestimmung in keiner Weise in Betracht. Denn 1) wissen wir nicht, wie lange Heribert (Charibert) lebte, und er kann 749 noch recht wohl gelebt haben; 2) scheint Bertrada jenen Besitz vielmehr von ihrem Vater geerbt zu haben (reliquit).

[5]) Vgl. Hahn, Sur le lieu de naissance S. 85; Jahrbücher S. 243.

[6]) Vgl. unten.

[7]) Annales Petaviani, SS. I, 11, aber auch nur in jener einen Hand-

Bleibt demnach schon die Zeit von Karl's Geburt ungewiß[1]), so schwebt über seinem Geburtsort noch ein viel größeres Dunkel[2]). Darüber fehlt es an jeder zuverlässigen Angabe, und ein Blick auf die hierher gehörigen Nachrichten lehrt, daß es unmöglich ist, zu einem bestimmten Ergebniß zu gelangen. Dennoch sind zahlreiche Vermuthungen darüber aufgestellt; aber die große Zahl der Orte, welche für Karl's Geburtsort ausgegeben werden, rührt eben nur gerade daher, daß nirgends ein fester, sicherer Anhaltspunkt zu finden ist. Nicht darauf kommt es deshalb an, den Geburtsort ausfindig zu machen, sondern die unbegründeten Vermuthungen darüber zurückzuweisen.

Gleich das einzige urkundliche Zeugniß, das hierher gezogen worden ist, hat mit der Frage, um die es sich handelt, garnichts zu schaffen. Die Urkunde, worin Karl dem Kloster Fulda Be=sitzungen bei Varghel an der Unstrut schenkt[3]), und worin er Varghel als seinen Geburtsort bezeichnen soll, ist sehr verdächtig, ja ohne Zweifel unecht[4]), aber selbst wenn sie es nicht wäre, könnte sie für Karl's Geburtsort nichts beweisen, da sie garnicht von ihm redet[5]). In der nach der Mitte des 12. Jahrhunderts veranstalteten Sammlung der Fuldaischen Urkunden ist jener Schen=

schrift (vgl. o. S. 12 N. 3), in welcher die Geburt Karl's ins Jahr 747 gesetzt wird, so daß auch diese Angabe nicht als sicher gelten kann und vielleicht sogar ebenso unrichtig ist wie jene; vgl. Oelsner a. a. O.; Mühlbacher S. 50. — Nur sovel scheint gesichert, daß Pippin im Jahre 751 bereits mehr als einen Sohn hatte, vgl. Hahn, Jahrbücher S. 244 N. 2; Mühlbacher Nr. 58 (zwischen August 750 und Nov. 751); Tardif, Monuments historiques S. 45 Nr. 54: pro nos vel filios nostros, falls dies nicht etwa durch „Kinder" zu übersetzen ist.

[1]) Die Nachrichten, die Karl sogar ein Alter von 81 Jahren erreichen lassen, Annales Mellic. SS. IX, 495, und Annales s. Rudbert. Salisburg. SS. IX, 769, sind so spät, daß sie neben den andern keine Erwähnung verdienen.

[2]) Vgl. auch Hahn, Jahrbücher des fränkischen Reichs 741—752, S. 238 ff.

[3]) Bei Dronke, Codex diplomaticus Fuldensis S. 46 Nr. 74: . . . dona-mus et contradimus domino nostro salvatori Jesu Christo sanctoque Boni-facio martiri, qui in Fuldensi requiescit monasterio, terram conceptionis nostre, hoc est totam comprovinciam circa flumen Unstrut ipsamque curtem nostram in Vargalaha cum omnibus compertinentiis suis . . .

[4]) So auch Dronke S. 46 N. und nachträglich auch Hahn, Sur le lieu de naissance S. 111 f. Vgl. ferner Sickel, Urkunden der Karolinger II, 411; Mühl=bacher Nr. 356.

[5]) Das Wort conceptio bedeutet auf keinen Fall Geburt. Zweifelhaft könnte höchstens scheinen, ob es für Empfängniß zu nehmen sei, wie, außer vielen Aelteren, zuletzt auch Hahn S. 18 ff. will; oder ob es nicht vielmehr ein Stück urbar ge=machten Landes, bifang, bezeichne, wie schon Eckhart, Francia orient. I, 445, nach=zuweisen sucht. Letzteres verdient entschieden den Vorzug; vgl. Waitz, bei Sybel, historische Zeitschrift VII, 217, wo für conceptio die Bedeutung von bifang ur=kundlich erwiesen ist. Uebrigens kommt für die Frage nach der Echtheit der Urkunde in Betracht eine Schenkung des Lul, der an Fulda im J. 774 oder 785 ebenfalls Güter in Varghel schenkt, coemptionem praediorum quam coemi in villa Far-gala, Dronke S. 46 Nr. 75. Durch diese Urkunde, die zwar bei Böhmer=Will, Regest. archiepp. Maguntin. S. 43 Nr. 74 als gefälscht bezeichnet wird, aber in der That nur interpolirt ist (vgl. Foltz in Forschungen zur deutschen Geschichte XVIII, 506; Mühlbacher a. a. O.; auch Rettberg I, 609, welcher sie unbedenklich gelten läßt), wird die Unechtheit der andern fast zur Gewißheit.

tung Karl's eine Angabe beigefügt, welche augenscheinlich zur Erläu=
terung derselben dienen soll[1]); diese Angabe steht aber schon völlig
auf dem Boden der Sage und gibt über Karl's Geburt so wenig
Auskunft wie die Urkunde selbst.

Die Angabe im Urkundenbuche von Fulda ist aber nur die
erste Spur der Sage über die Geburt Karl's; allmählich bildete
sich dieselbe immer weiter aus, und einzig und allein auf dem
Grunde dieser sagenhaften Ueberlieferungen ruhen die Ansprüche
verschiedener Orte in Baiern, Karl's Geburtsort zu sein. Karls=
burg bei München und Karlsburg bei Oberzeismering, dann Karls=
stadt am Main u. a. erheben Ansprüche; aber die Geschichte hat
darauf keine Rücksicht zu nehmen; sie sind ausschließlich Erzeug=
niß der Sage[2]).

Die Quellen geben nirgends eine bestimmte Nachricht. Nur
ein Schriftsteller spricht sich bestimmt über Karl's Geburtsort aus,
Gotfried von Viterbo, der Ingelheim nennt[3]); aber er ist so spät
und hat eine solche Vorliebe für Märchen, daß er für die vor=
liegende Frage garnicht als Quelle gelten kann. Die Angabe des
Mönchs von St. Gallen, Karl habe auf seinem heimatlichen Boden
einen Dom, den Dom in Achen, erbauen lassen[4]), lautet so un=
bestimmt, daß daraus unmöglich geschlossen werden kann, er sei in
Achen geboren[5]); nicht einmal daß die Gegend von Achen seine
Heimat war, ist damit gesagt, und außerdem ist jener Mönch ganz
unzuverlässig[6]). Ebenso allgemein gehalten ist die Angabe des
sonst dieser Zeit näher stehenden und glaubwürdigeren Ermoldus
Nigellus, der Karl von sich sagen läßt, Francien habe ihn er=
zeugt[7]), ein Ausdruck, der eben nur bedeuten kann, Karl sei von

[1]) Bei Dronke, Traditiones et antiquitates Fuldenses S. 64: Ferunt
priscae aetatis homines, quod Pippinus ... dum esset in eadem curte
una cum s. Bonifacio, divina revelatione previdit sanctissimus pontifex,
quod ex praefato rege Pippino ea nocte concipi debuisset puer ... unde
natus rex eandem terram conceptionis sue dedit s. Bonifacio. Mühl=
bacher a. a. O. hält diese Erzählung wohl mit Unrecht für das Substrat der gefälsch=
ten Urkunde. Auch Hahn a. a. O. S. 20 ff. und 112 (Jahrbücher S. 238) be=
hauptet, conceptio müßte in der Urkunde dieselbe Bedeutung haben wie in dem Zu=
satze, die sagenhafte Erzählung des Zusatzes reiche weit über das 12. Jahrhundert
hinauf bis an die Grenze der Geschichte, vielleicht bis ins 8. Jahrhundert. Es wird
aber schwer sein, für diese wahrscheinlich unhaltbare Vermuthung Beweise beizubringen.
[2]) Eine Zusammenstellung der hierher gehörigen Angaben, die außerhalb des
Bereichs der Geschichte fallen, gibt Hahn, Sur le lieu de naissance etc. S. 37 ff.
(Jahrbücher S. 238—239), wo überhaupt die Sage ausführlich berücksichtigt ist.
[3]) Im Pantheon 23, 3, SS. XXII, 209.
[4]) Monach. Sangall. De Carolo Magno I, 28, Jaffé IV, 659: in geni=
tali solo basilicam, antiquis Romanorum operibus praestantiorem, fabricare
propria dispositione molitus.
[5]) Dennoch hat diese Annahme die weiteste Verbreitung erlangt; sie findet sich
bei Mabillon, De re dipl. Suppl. S. 39; Annales II, 117; Eckhart, Francia
orient. I, 446; Dippoldt S. 33. 228 u. a. (vgl. jedoch unten S. 16).
[6]) Vgl. auch Hahn a. a. O. S. 28 f.
[7]) Ermoldus Nigell. II, 63, Poet. Lat. aev. Carolini II, 26: Francia
me genuit ...

Geburt ein Angehöriger des fränkischen Stammes, und der schwerlich auch nur auf ein bestimmtes Gebiet bezogen werden darf[1]).
Die Nachricht sagt also blos dasselbe, was ohnehin feststeht, daß
Karl fränkischer, deutscher Herkunft war, zunächst als der Sohn
des Arnulfingers Pippin, aber auch durch seine Mutter, die ja
auch fränkischer Abstammung war[2]).

Bei diesem Ergebniß muß die Forschung stehen bleiben, und
schon die bedeutendsten der älteren Forscher haben das erkannt[3]).
Dennoch sind fortwährend Versuche gemacht worden, und in der
neueren Zeit mit verdoppeltem Eifer, den Geburtsort Karl's genauer zu bestimmen. Da die Aussagen der Quellen unmittelbar
nichts ergeben, sucht man auf einem Umweg zum Ziele zu kommen.
Man glaubte ermitteln zu können, wo Pippin zur Zeit der Geburt
Karl's sich gerade aufgehalten habe; wobei die Voraussetzung ist,
daß er überall von Bertrada begleitet war. Es liegt auf der Hand,
daß dieser Weg nur zu grundlosen Vermuthungen führt, auch deshalb, weil ja die Zeit von Karl's Geburt selbst nicht gewiß ist;
aber solcher Vermuthungen sind es nicht wenige, und zwar beschränken sie sich bald auf die Angabe des Heimatlandes im allgemeinen, bald wollen sie genau den Ort der Geburt bestimmen.
Karl soll nicht geboren sein in Deutschland, sondern in Frankreich
zwischen Seine und Loire[4]), nach genaueren Bestimmungen in
St. Denis oder Quierzy; auch Worms soll Ansprüche haben; und
vor Allem zu Gunsten verschiedener belgischer Orte — wie
übrigens auch von Achen, das sich auch hierauf beruft[5]) —
wird geltend gemacht, daß dort Pippin verhältnißmäßig am
häufigsten sich aufgehalten, daß dort seine Hausbesitzungen und die
meisten königlichen Pfalzen gelegen haben. In der That fällt
dieser Umstand zu Gunsten Belgiens ins Gewicht; aber alle
Ansprüche bestimmter einzelner Orte, von Lüttich, der Stadt
oder wenigstens ihrer Umgegend, von Jopilla (Jupille, bei
Lüttich)[6]), Heristal u. a. sind völlig aus der Luft gegriffen und

---

[1]) S. die Ausführungen bei Hahn a. a. O. S. 42 ff.

[2]) S. Excurs I. bei Hahn, Jahrbücher S. 151 ff.

[3]) In der Anzeige der Schrift von Henaux, Sur la naissance de Charlemagne à Liège: Bibliothèque de l'Ecole des Chartes 1855 S. 185, wird
mit Recht bemerkt: „Les grands érudits du 17. siècle, Le Cointe, Mabillon
et autres étaient déjà arrivés à ce résultat négatif, dont l'histoire peut à
la rigueur parfaitement prendre son parti." Nur daß gerade Mabillon dieses
Lob nicht mit Le Cointe (s. unten) u. a. theilt, denn er entscheidet sich ausdrücklich
für Achen, s. oben S. 15 N. 5.

[4]) So besonders Danville in einem eignen Mémoire pour prouver que
Charlemagne est né en France et non pas en Allemagne, in den Mémoires
publiés par la société royale des Antiquaires de France, Tom. VIII (Paris
1829), 315 ff. Das Mémoire kritisirt sich selbst, indem es sich für die Geburt
Karl's im Jahre 742 auf das Zeugniß des Lambert beruft. Die übrigen Vermuthungen und gar die dafür geltend gemachten Scheingründe alle anzuführen ist
überflüssig; die Zusammenstellung gibt Hahn a. a. O.

[5]) Vgl. oben S. 15.

[6]) So Henaux. Charlemagne d'après les traditions liégeoises, 6. éd.
(1872), S. 46. 50. Vgl. Mühlbacher S. 54.

Egino's erzählt, beweist keineswegs, daß dieser mehr verlangte als ihm in jener Urkunde zugestanden war. Aber das Kloster setzte seinen Widerstand fort, bis am Ende der König selbst wieder eingriff. Jedoch auch ihm gelang es nicht sogleich den Frieden herzustellen. Er erklärte sich für das Recht des Bischofs, aber in St. Gallen gab man immer noch nicht nach. Abt Waldo wollte von Unterwerfung unter das Bisthum nichts hören; er soll, als Karl dieses Ansinnen an ihn stellte, ihm trotzig erwidert haben: nachdem er bisher sich in der ehrenvollen Stellung befunden habe unmittelbar unter dem Könige zu stehen, sei er entschlossen künftig nie mehr einem geringeren Herrn sich zu unterwerfen, so lange noch Kraft in seinen drei Fingern sei[1]; wozu der Berichterstatter Ratpert anmerkt, Waldo habe sich vortrefflich auf die Schreibkunst verstanden[2]. Seine Hartnäckigkeit half ihm nichts; die unabhängige Stellung, die er seiner eignen Aussage zufolge vorher eingenommen hatte, war eben auch nicht in der Ordnung, war gegen die 780 vom Könige bestätigte alte Ordnung gewesen; er mußte weichen und begab sich mit Zustimmung Karl's in das benachbarte Kloster Reichenau[3].

Das Kloster Lorſch verlor in dieſem Jahre durch den Tod ſeinen Abt Helmerich, dem Richbodo in der Abtswürde folgte[1]). Die Chronik des Kloſters rühmt dieſem letzteren verſchiedene bauliche Verbeſſerungen nach; er habe gleich im Anfange ſeiner Amtsführung die hölzernen Gebäude auf der Nordſeite, in denen die Brüder bis dahin gewohnt, niederreißen laſſen, habe dafür ein Gebäude auf der Südſeite errichtet und mit Mauern umgeben, auch mehrfache Verſchönerungen mit der Kirche vorgenommen[2]). Der Chroniſt nennt ihn außerdem einen ſchlichten und verſtändigen Mann und preiſt ſeine vorzügliche Gelehrſamkeit in den geiſtlichen und weltlichen Wiſſenſchaften[3]), und dieſes Lob iſt wohl nicht übertrieben. Wie die Kloſterchronik beſtimmt verſichert und auch anderweitig Beſtätigung findet, iſt Richbodo 10 Jahre ſpäter auf den erzbiſchöflichen Stuhl von Trier erhoben, ohne daß er jedoch die Abtswürde von Lorſch niedergelegt hätte. Iſt dieſe Angabe, wie kaum zu bezweifeln, richtig[4]), ſo gehörte unſer Abt zu den angeſehenſten Mitgliedern des Gelehrtenkreiſes, welchen der König um ſich ſammelte und in welchem der Erzbiſchof Richbodo von Trier unter dem Namen Macarius einen hervorragenden Platz einnahm[5]).

[4]) Chron. Lauresh. l. c., beſtätigt durch Kalendar. necrol. Lauresham., Böhmer, Fontt. l. c. S. 150: Series. abb. Lauresh. SS. XIII, 317. Nach 2 Handſchriften der Gesta Trevirorum, SS. VIII, 163, war der Erzbiſchof Richbodo früher Abt in Mettlach an der Saar (vgl. Rettberg I, 472. 481). Die Angabe hat wenig Werth, iſt aber auch mit derjenigen der Lorſcher Chronik, die allerdings häufig ungenau iſt, und der anderen Lorſcher Aufzeichnungen nicht unvereinbar; vgl. Dümmler in v. Sybel's hiſtor. Zeitſchr. XV, 182; Bückert, Ber. der k. ſächſiſchen Geſ. d. Wiſſ. phil.-hiſt. Cl. 1884. I. II, S. 107 N. 1. Jedoch kann man ſich für die Identität des Abts von Lorſch und des Erzbiſchofs von Trier kaum ſo ohne weiteres, wie von Rettberg I, 472, geſchieht, auf die Urkunden berufen; dieſe nennen nur ganz vereinzelt Richbodo episcopus et abbas, Cod. Lauresh. I, 162 Nr. 100, ſonſt faſt durchgehends bis 804 nur abbas. Die Datirung der Traditionen iſt ſo mangelhaft und ungenau, vgl. z. B. Codex Lauresh. I, 396 f. Nr. 341. 342. 343, daß mit ihrer Hilfe über die chronologiſche Frage kaum etwas zu ermitteln iſt.

verdienen keine Widerlegung. Es bleibt dabei, daß der Geburts=
ort Karl's auch nicht einmal mit annähernder Sicherheit sich be=
stimmen läßt, noch viel weniger als die Zeit seiner Geburt, die
wenigstens nicht ganz im Dunkeln liegt[1]).

Auch die Nachrichten über Karl's Kindheit und Jugend, über
die ganze Zeit vor seiner Thronbesteigung sind äußerst dürftig,
noch dürftiger die über seinen Bruder. Zum ersten Mal begegnet
Karl bei Gelegenheit des Besuchs Papst Stephans II. im fränkischen
Reiche im Jahre 754; da begibt er sich — wohl schon Ende Dezem=
ber 753 — im Auftrage seines Vaters dem Papste eine Strecke
Wegs entgegen, geleitet ihn nach der königlichen Pfalz Pontico
(Ponthion) und ist zugegen bei dem feierlichen Empfange, den jenem
der König dort, im Januar 754, bereitet[2]). Ein halbes Jahr
später, wie es heißt am 28. Juli[3]), da Pippin von Stephan in
St. Denis[4]) als König der Franken gesalbt wird, empfangen gleich=
zeitig auch seine Söhne die Salbung[5]) und desgleichen die Be=

---

[1]) Erkannt hat das schon Le Cointe V, 176; Gaillard, Histoire de Charlemagne II, 2, entscheidet sich wenigstens nicht bestimmt für einen Ort; auch Dippoldt
a. a. O. (vgl. o. S. 12 N. 7) ist nicht ganz sicher; Hahn kommt ebenfalls zu einem
verneinenden Ergebniß; Warnkoenig et Gerard, I, 153, können ihre Ansicht, wonach
das Gebiet zwischen Maas und Rhein das Geburtsland Karl's ist, auch nur als eine
Vermuthung aussprechen, die doch noch Zweifel gestattet.

[2]) Fredegar. Chronic. cont. c. 119, bei Bouquet, SS. rer. Gall. et
Francic. V, 2; vgl. Chron. Moissiacense und Ann. Mettens. 753 (aus gemein=
samer Quelle), SS. I, 292. 331; Vita Steph. II. bei Muratori, SS. rerum
Italic. III, 1, S. 168; Mühlbacher S. 32. 54; Oelsner a. a. O. S. 127.

[3]) Dies Datum (5. Kal. Augusti) nach einer angeblich gleichzeitigen Auf=
zeichnung bei Hilduin, Lib. de s. Dionysio, SS. XV, 2, und dann an vielen
anderen Stellen, vgl. Forschungen zur deutschen Geschichte XIX, 175 ff.; Oelsner
S. 154 N. 1; 155 N. 3; Waitz DVG. III, 2. Aufl. S. 69 N. 2; auch bei
Regino, SS. I, 556, ist 5. Idus Aug. in Kalendas zu emendiren (Ermisch, Die
Chronik des Regino bis 813 S. 85). Die Ann. Bertiniani, ed. Waitz S. 1,
haben den 27. Juli (6. Kal. Augusti).
Das bei Hilduin a. a. O. mitgetheilte Stück wird jetzt als unecht angesehen,
vgl. Jaffé, Regest. Pont. Rom. ed. 2ª. I. Nr. 2316; Waitz, SS. XV, 2 N. 1;
DVG. IV, 2. Aufl. S. 705; Wattenbach DGQ. 5. Aufl. V, 120, wo freilich
eigentlich überall nur von der Revelatio ostensa s. Stephano papae, dem angeb=
lichen Berichte des Papstes, die Rede ist. — W. Martens, Die römische Frage unter
Pippin und Karl d. Gr. S. 22. 30. 41 ff. (Neue Erörterungen über die römische
Frage S. 10—11), welcher die bei Hilduin mitgetheilte Angabe ebenfalls verwirft,
sucht die Annahme zu begründen, daß die Salbung Pippin's und seiner Söhne durch
Stephan in einem früheren Zeitpunkt, wie er meint im Februar 754, stattgefunden
habe. Weiland, Zeitschr. f. Kirchenrecht XVII, 370, stimmt ihm bei, aber Waitz III,
2. Aufl. S. 69 N. 2 widerspricht.

[4]) Vgl. auch Ann. Lobiens. 753, SS. XIII, 228. Hinsichtlich anderer, falscher
Angaben des Orts (Ferrières ꝛc., Astron. V. [lud. 19, SS. II, 616 i) vgl.
Oelsner S. 153; Mühlbacher S. 34; Martens a. a. O. S. 45.

[5]) Vgl. außer der o. N. 3 erwähnten Revelatio die im J. 767 aufgesetzte sog.
Clausula de Pippino oder Nota monachi s. Dionysii de unctione Pippini
regis, welche mit jener fast wörtlich übereinstimmt, aber schwerlich ihre Quelle bildet,
SS. rer. Merowing. I, 465 f.; SS. XV, 1; dazu Krusch bei Wattenbach I,
5. Aufl. S. 406; ferner eine Anzahl anderer Stellen, welche fast vollständig bei

ſtellung zu Patriciern der Römer[1]).   An Paris ſoll ſich außerdem
für die Brüder, namentlich für Karl, eine andere Erinnerung aus
ihrer Jugend knüpfen, der einzige Vorfall aus ihrer früheren Zeit,
über den wir ausführlich Kunde haben.

Das Jahr nachdem Stephan II. in Gallien eingetroffen war,
bei Pippin Hilfe geſucht und ihn zum Könige geſalbt hatte, fand
die Uebertragung der Gebeine des h. Germanus, der 576 als Bi=
ſchof von Paris geſtorben war, aus einer dem h. Symphorian
geweihten Seitenkapelle in den Chor der Kloſterkirche des heiligen
Kreuzes und des h. Vincentius unter großen Feierlichkeiten ſtatt
am 24. und 25. Juli[2]).   Ueber das Jahr kann man im Zweifel
ſein.   Aus der Angabe, der junge Karl habe der Feierlichkeit als
ſiebenjähriger Knabe beigewohnt[3]), könnte man ſchließen, daß die=
ſelbe 754 erfolgte, wenn die Nachricht, daß Karl im Jahre 747
geboren ſei, feſtſtünde oder auch nur Glauben verdiente.   Früher
kann ſie auch in der That nicht ſtattgefunden haben, da Stephan
erſt 754 ins fränkiſche Reich kam[4]).   Aber der Wortlaut der Er=
zählung deutet eher auf das Jahr 755 hin, und ſelbſt vorauß=
geſetzt, daß der Verfaſſer derſelben den Jahresanfang auf Oſtern
ſetzt, Stephan nach ſeiner Rechnung alſo ſchon 753 in Ponthion
ankam, ſo bleibt doch immer das Bedenken, warum des Papſtes

Waitz DVG. III, 2. Aufl. S. 69 N. 2 und Oelsner S. 155 N. 3. 160 N. 6 an=
geführt ſind; dazu Ann. Einh. SS. I, 139; Breviarium Erchamberti, SS II,
328; auch Monach. Sangall. I, 10, Jaffé IV, 639. Beſondere Erwähnung ver=
dienen noch die authentiſchen Beſtätigungen dieſer Thatſache im Cod. Carolin. Nr. 7.
26. 35. 45. 47, Jaffé IV, 41. 104. 122. 152. 160.

[1]) Vgl. Nota de unctione Pippini regis, l. c.; Chron. Moiss. und Ann.
Mett. 754, SS. I, 293. 332. 773, SS XIII, 28 (aus gemeinſamer Quelle); Waitz
III, 2. Aufl. S. 85 N. 1; Oelsner S. 160 N. 7; Forſch. z. deutſchen Geſch. XX,
403—404.   Die gewichtigſten Zeugniſſe bietet auch hier der Codex Carolinus, wo
auch Karl und Karlmann in den Inſcriptionen der ſpäteren päpſtlichen Briefe ſtets als
patricii Romanorum bezeichnet werden; vgl. auch ib. Nr. 37, S. 129: Carolo
et Carlomanno excellentissimis regibus Francorum et patriciis Romanorum;
ferner Vita Steph. III. bei Muratori l. c. S. 176—178; V. Hadriani I, ib.
S. 180. 181. 183—186.

[2]) Die Zeitbeſtimmung lautet, Transl. s. Germani, SS. XV, 5: anno
sequenti, ex quo apostolicae sedis Stephanus pontifex ingressus Gallias,
excellentissimi Pippini, quem idem unxit in regem, expetivit auxilium.
Den Tag giebt das Martyrologium Usuardi, bei Mabillon III, 2, 85, und der
Mönch Aimoin von St. Germain, Mirac. s. Germani I, 17, ib. S. 110; vgl.
Oelsner, König Pippin S. 233 N. 1 und Mühlbacher S. 36 (51. 54).

[3]) Transl. s. Germani, SS. XV, 6: qui (Carolus) tunc puer septennis
operi pii genitoris interfuit; ſ. unten S. 19 N. 5.

[4]) Die Ann. s. Germani Paris., SS. III, 167, welche erſt aus dem Ende
des 11. Jahrhunderts ſtammen und ihre Notiz über den betreffenden Vorgang der
Transl. s. Germani entlehnen, ſetzen Pippin's Salbung durch Stephan ins Jahr
750 (vgl. Ann. s. Dionysii 750, SS. XIII, 719), ſo daß die Uebertragung des h.
Germanus nach ihnen 751 fallen würde (vgl. Oelsner S. 502).   Es iſt aber wohl
nicht anzunehmen, daß ihre Quelle ſich in einer gleichen chronologiſchen Verwirrung
befand, obſchon es ſich dann in gewiſſer Art leichter erklären würde, daß ſie Karl
damals erſt ein Alter von ſieben Jahren giebt; vgl. SS. XV, 5 N. 3.

bei der Feier keine Erwähnung geschieht. Ist es denkbar, daß
Stephan, der damals ganz in der Nähe, in St. Denis, verweilt
haben soll, bei einer so hohen kirchlichen Feier nicht zugegen war?
Sollte er etwa durch die Krankheit, die ihn während seines Aufent=
halts in St. Denis befiel, daran verhindert worden sein[1])? Wenn
der Papst zur Zeit der Feier in dem nahen St. Denis verweilte,
so ist das völlige Schweigen des Verfassers der Erzählung über
den Grund seiner Abwesenheit jedenfalls sehr auffallend[2]), um so
mehr, da er in einem anderen Zusammenhange den Besuch Stephan's
bei Pippin und seine Salbung ausdrücklich nennt[3]). Es kann da=
her angenommen werden, daß die Translation 755 stattfand[4]).
Der Mönch von St. Germain des Prés, welcher die Translation
beschrieben hat, will den Hergang später aus dem Munde Karl's
selbst vernommen haben[5]) — eine Versicherung, die aller Wahr=
scheinlichkeit nach keinen Glauben verdient[6]). Seine Schilderung
ist anschaulich und lebendig, enthält aber eine Wundergeschichte
ziemlich gewöhnlichen Schlages[7]). Die höchsten Würdenträger des
Reichs, Bischöfe und Große, waren versammelt, um der feierlichen

---

[1]) Diese Erklärung geben Le Cointe V, 435; Pagi a. 754 n. 5; Eckhart,
Francia orient. I, 532. Ueber die Krankheit des Papstes s. die Vita Steph. bei Mu=
ratori SS. HI, 1, 168 und den angeblichen Brief Stephan's selbst bei Hilduin l. c.
SS. XV, 2. Vgl. über denselben und die aus ihm abgeleiteten Berichte Forschungen
zur deutschen Geschichte XIX, 175 ff.; dazu aber Jaffé, Reg. Pont. Rom. ed. 2ª,
Nr. 2316; Waitz, SS. XV, 2 N. 1; DVG. IV, 2. Aufl. S. 703; Wattenbach
DGQ. I, 5. Aufl. S. 120 N. 2; oben S. 17 N. 3.

[2]) Vgl. auch Oelsner S. 563; andererseits aber o. S. 17 N. 3 über die An=
sicht von Martens hinsichtlich des Zeitpunkts der Salbung der königlichen Familie
durch Stephan.

[3]) Oben S. 18 N. 2, wo die Worte so lauten, als ob nicht blos die Ankunft
Stephan's in Gallien, sondern auch die Salbung Pippin's das Jahr vor der Trans=
lation stattgefunden hätte.

[4]) Früher entschieden sich alle Stimmen für 754; so bedeutend schien ihnen die
Nachricht, Karl sei damals ein Knabe von sieben Jahren gewesen, ins Gewicht zu
fallen; außer den N. 1 genannten Mabillon, Annales II, 168 und Acta SS.
III, 2, 87 n. b; Bouquet V, XXXVIII; Bouillart, Histoire de l'abbaye royale
de St. Germain des Prez S. 19, und zuletzt auch Hahn, Sur le lieu de nais=
sance, S. 74; dagegen für 755 Oelsner S. 233, 503; Wolff, Krit. Beitr. S. 7
N. 3.

[5]) Er sagt, SS. XV, 6: — qualiter illud expleverit, licet ipse non vi=
derim, tamen multis qui haec viderunt narrantibus agnovi. Ex quibus
omnibus unum in hoc opere auctorem excellentissimum ponere placuit,
domnum videlicet Carolum gloriosissimum imperatorem; qui tunc puer
septennis operi pii genitoris interfuit et ea quae ibi vidit admiranda me=
moria diligenter retinebat et admiranda facundia fatebatur. . .

[6]) Vgl. auch Oelsner S. 234. 501 („Daß die nun folgende Rede Kaiser
Karl's in ihrem Wortlaut mehr als rhetorische Fiction sei, wird wohl Niemand be=
haupten wollen"); anders Waitz SS. XV, 4; vgl. auch Wattenbach DGQ. 5. Aufl.
I, 140 N. 1 und unten S. 20 Anm. 4.

[7]) Oelsner S. 501 weist auf eine Uebereinstimmung mit der Vita Sturmi hin;
ähnliche Züge finden sich aber ohne Zweifel in vielen derartigen Legenden.

Handlung beizuwohnen[1]); auch Pippin selbst und seine beiden
Söhne waren zugegen. Auf Karl machte die Feier einen tiefen
Eindruck, die wunderbaren Erscheinungen, von welchen die Ueber=
tragung des Heiligen begleitet war, beschäftigten ihn lebhaft. Der
König selbst legte mit Hand an, um die Reliquien an ihren neuen
Ruheplatz zu tragen; aber der Sarg blieb unbeweglich stehen und
alle Versuche, ihn in die Höhe zu heben, waren vergeblich[2]). Die
ganze Versammlung war über diese Erscheinung aufs Aeußerste
betroffen und wußte sich den Zorn des Heiligen nicht zu erklären,
bis ihr endlich einer der Anwesenden die Ursache davon entdeckte.
Er machte den König darauf aufmerksam, daß sich in der Nähe
des Klosters ein königliches Hofgut Palatiolum (Palaiseau)[3]) be=
finde, dessen Fiscalinen sich fortwährend die gewaltthätigsten Ein=
griffe in die umliegenden Besitzungen des Klosters zu Schulden
kommen ließen, und meinte, der Heilige wolle durch seine Weige=
rung, sich wegtragen zu lassen, den Wunsch nach dem Besitze von
Palatiolum zu erkennen geben. Pippin befolgte diesen Rath; er
schenkte dem Heiligen auf der Stelle Palatiolum mit allem Zu=
behör; der Sarg schien plötzlich alles Gewicht verloren zu haben
und wurde unter dem Lobgesang der Geistlichkeit und dem Jubel
des Volks an den Ort seiner Bestimmung gebracht. Dort an=
gekommen, senkte sich der Sarg, ohne jede Berührung der Träger,
von selbst in das Grab; ein herrlicher Geruch stieg aus dem Grabe
auf und erfüllte die Kirche. Tiefes Staunen bemächtigte sich der
Anwesenden; der junge Karl aber, in seiner kindlichen Freude,
sprang unvorsichtig in das Grab hinein und verlor dabei seinen
ersten Zahn.

Dieser zwar ausführliche, aber sehr fragwürdige[4]) Bericht über
ein Erlebniß Karl's aus seiner frühen Jugend steht aber ganz ver=
einzelt da; während der folgenden Jahre bis zu seiner Thron=
besteigung wird sein und seines Bruders Name nur noch selten
genannt. Nur eine gelegentliche Angabe könnte darauf hindeuten,
daß sie am väterlichen Hofe mit Sorgfalt erzogen wurden. Der

---

[1]) Oelsner bringt diese Vorgänge in unmittelbaren Zusammenhang mit der
Synode von Verneuil im Juli 755 (S. 503).

[2]) Vgl. Oelsner S. 501 und o. S. 19 N. 7.

[3]) Ueber Palatiolum (Palaiseau, Dep. Seine, Arr. Versailles) s. Guérard,
Polyptyque de l'abbé Irminon I, S. 828—831. H, S. 6—23; Oelsner
S. 235. 501.

[4]) Wattenbach verwarf früher (DGQ. 4. Aufl. I, 121 N. 2) diese Karl dem
Gr. in den Mund gelegte Geschichte als eine „alberne". Zurückhaltender äußert sich
Oelsner, S. 234. 501, und da seither auch Waitz, SS. XV, 4, die Erzählung in
Schutz genommen hat, wiederholt Wattenbach in der 5. Aufl. S. 140 N. 1 sein
Urtheil nicht mehr.
Auffällig ist jedoch auch der von Oelsner (S. 502) constatirte Umstand, daß
Aimoin (in der zweiten Hälfte des 9. Jahrh.) die betreffende Schrift nicht gekannt
hat, sondern erst jene im 11. Jahrhundert geschriebenen Annalen von St. Germain
des Prés (o. S. 18 N. 4) sie benutzen.

Biograph ihres Vetters Adalhard, Paschasius Rabbertus, be=
hauptet, daß dieser zusammen mit Karl in aller weltlichen Klug=
heit unterrichtet worden sei[1]), wobei freilich von wissenschaftlicher
Ausbildung nur sehr wenig die Rede sein kann[2]). Daß Karl von
Jugend auf durch Eltern und Lehrer im katholischen Glauben
unterwiesen worden sei, bezeugt allerdings auch Alkuin[3]). Außer=
dem erscheinen die beiden Brüder dann noch einige Male als Be=
gleiter Pippin's auf seinen Kriegszügen. Im Jahre 761 macht
Karl den Feldzug gegen Waifar von Aquitanien mit[4]), und das
Jahr darauf folgen Pippin sogar schon beide Söhne ins Feld[5]).
Auch sonst sind Spuren davon vorhanden, daß Karl und Karlmann
in diesen Jahren von dem Vater ins öffentliche Leben eingeführt
wurden. In einer Urkunde vom 10. Juni 760 bestätigt Pippin
dem Kloster Anisola (St. Calais) im Gau von Lemans die Im=
munität und verleiht ihm außer seinem eignen nun auch noch beson=
ders den Schutz seines Sohnes Karl[6]); zwei Jahre später, am
13. August 762, geben Karl und Karlmann ausdrücklich ihre Ein=
willigung zu der von ihren Eltern vorgenommenen Ausstattung des
Klosters Prüm mit Gütern aus den Familienbesitzungen Pippin's und
der Königin Bertrada[7]); 763 werden ihnen bereits einige Grafschaften
übertragen[8]). Uebrigens bleibt es ungewiß, ob und wie weit sie in
die öffentlichen Angelegenheiten persönlich eingriffen; wenigstens
bei Karlmann ist kaum anzunehmen, daß er die Verwaltung seiner
Grafschaften sogleich selber übernahm, da er nach ribuarischem Recht

---

[1]) Vita Adalhardi c. 7, SS. II, 525: Qui cum esset regali prosapia,
Pippini magni regis nepos, Caroli consobrinus augusti, inter palatii tiroci-
nia omni mundi prudentia eruditus, una cum terrarum principe magistris
adhibitus . . . ; 58, Mabillon, A. S. o. s. Ben. IV, 1, S. 329 (Jam si de institutione agitur, eruditus fuit idem alter Moyses omni sapientia praesentis
vitae, quasi unus ex filiis regis); vgl. Enck, De s. Adalhardo (Diff. Münster
1873) S. 6 f. — Eine gewisse Schwierigkeit macht, daß Adalhard erst um 752 ge=
boren (Enck S. 5 N. 2), also erheblich jünger gewesen zu sein scheint als Karl.
[2]) Vgl. unten. Wir wissen, daß Karl in seiner Jugend nicht schreiben hatte.
[3]) Alcuin. Adversus Elipantum, l. I. c. 16, Opp. ed. Froben. I, 882:
— in fide catholica, in qua ille ab ineunte aetate nutritus fuit et optime
a christianissimis parentibus et magistris catholicis edoctus.
[4]) Annales s. Amandi, SS. I, 10, und Annales Petav. SS. I, 11; aus=
führlicher Annales Lauriss. mai. SS. I, 142; vgl. auch Ann. Einhardi,
SS. I, 143 (In hac expeditione fuit cum rege filius eius primogenitus Karlus, ad quem post patris obitum imperii summa conversa est); Ann.
Lauriss. min. ed. Waitz (S.=B. der Berlin. Akad. 1882) S. 412; Oelsner
S. 349.
[5]) Annales S. Amandi l. c.; Annales Petav. l. c.; Oelsner S. 351.
[6]) Mühlbacher Nr. 89; Bouquet V, 704 f.; Oelsner S. 342 f. Ueber die
Verbindung der Immunität mit dem Königsschutz vgl. Waitz IV, 2. Aufl. S. 288 ff.;
über die Uebertragung des Königsschutzes an Karl ebd. S. 239.
[7]) Mühlbacher Nr. 93; Mabillon, Annales II, 705 ff.; vgl. Oelsner,
S. 352—353. 357.
[8]) Annales Petaviani, SS. I, 11: deditque comitatus dilectis filiis suis,
Ann. Mosellan. SS. XVI, 496 (aliquos comptadus), Annales Lauresh. SS.
I, 28; Oelsner S. 379 N. 3.

erst mit dem fünfzehnten Jahre volljährig wurde[1]). Von einer Theilnahme der Brüder an den eigentlichen Regierungsgeschäften ist jedenfalls nirgends die Rede; sie verschwinden unter den übrigen Großen des Reichs, bis sie nach dem Tode Pippin's selber den Thron bestiegen.

---

[1]) Vgl. Waitz III, 2. Aufl. S. 282 N. 1, während Kraut, Die Vormundschaft III, 114. 115 N. 4, unrichtig das 12. Lebensjahr als Termin der Mündigkeit annimmt. Auch bestätigt die später von Karl vorgenommene Verleihung ganzer Reichstheile an seine minderjährigen Söhne, daß derartige Verleihungen blos nominell sein konnten, vgl. Waitz a. a. O. S. 281.

Eine der letzten Regierungshandlungen Pippin's war die Theilung des fränkischen Reichs unter seine beiden Söhne. Schon unter den Merovingern war die Theilung des Reichs unter die verschiedenen Söhne des Königs Regel gewesen, die dann durch Karl Martell auch unter den Karolingern Geltung gewann; die Gleichberechtigung beider Brüder, Karl's und Karlmann's, war so selbstverständlich, daß Papst Stephan II. bei seiner Anwesenheit am fränkischen Hof sie schon als Knaben zu Königen salbte[1].

Einhard[2] stellt diesen Hergang in einer Weise dar, welche zeigt, daß er darüber nicht recht Bescheid wußte, und die keinen Glauben verdient. Er erzählt, nach Pippin's Tode seien die Franken zu einer allgemeinen Reichsversammlung zusammengetreten und hätten beide Brüder als Könige eingesetzt, so zwar, daß beide den Reichskörper gleichmäßig unter einander theilen, Karl denjenigen Theil erhalten sollte, den einst ihr Vater Pippin, Karlmann jenen, welchen damals ihr Oheim Karlmann empfangen hatte. Dieser Vorschlag sei von beiden Königen angenommen worden, die

---

[1] Waitz III, 2. Aufl. S. 95; vgl. o. S 17.
[2] Vita Kar. c. 3, ed. Waitz S. 4: Franci siquidem, facto sollempniter generali conventu, ambos sibi reges constituunt, ea conditione praemissa, ut totum regni corpus ex aequo partirentur, et Karolus eam partem quam pater eorum Pippinus tenuerat, Karlomannus vero eam cui patruus eorum Karlomannus praeerat regendi gratia susciperet. Susceptae sunt utrimque conditiones, et pars regni divisi iuxta modum sibi propositum ab utroque recepta est. (Hinsichtlich der Ausdrucksweise vgl. c. 7, S. 8: Eaque conditione a rege proposita et ab illis suscepta tractum per tot annos bellum constat esse finitum ut . . .). Ueber die Thatsache der Theilung vgl. ferner auch Einh. V. Karoli c. 8: Post mortem patris cum fratre regnum partitus; Epist. Carolin. 1 (Cathwulf an Karl, c. 775), Jaffé IV, 337: quod sortisti regnum cum fratri tuo Francorum; Ann. Einh. 769, SS. I, 147: Postquam hii duo fratres patri succedentes regnum inter se partiti sunt; Chron. Moissiacense, SS. I, 294: Regnumque illius (sc. Pippini) filii sui Karolus et Karlomannus inter se dividunt; ferner auch besonders Divisio regnorum a. 806 c. 4, Capp. I, 128 (sicut quondam divisum est inter nos et fratrem nostrum Karlomannum . . .).

dann jeder sein Theilreich nach Maßgabe desselben in Besitz ge=
nommen hätten. Den wahren Hergang erzählt ein anderer Be=
richterstatter, der vierte Fortsetzer Fredegar's[1]), dessen Darstellung
dann, durch Vermittelung einer verloren gegangenen Quelle, auch
in die Metzer Jahrbücher übergegangen ist[2]). Danach nahm
Pippin selber in seiner letzten Lebenszeit die Vertheilung des Reichs
unter seine beiden Söhne unter dem Beirath seiner Großen vor,
und dieses Verfahren entspricht ganz dem früheren Gebrauche.

Einhard gibt, wie gesagt, an, Karl habe den Theil erhalten,
welcher nach Karl Martell's Tod Pippin, Karlmann den, welcher
Pippin's Bruder Karlmann zugefallen sei[3]). An sich hat dies
nichts Auffallendes. Man könnte meinen, da Pippin der jüngere,
Karlmann der ältere Bruder gewesen war, hätte jetzt vielmehr
Karl seines Oheims Karlmann Antheil erhalten müssen: aber un=
bedingt nothwendig erscheint eine solche Voraussetzung nicht[4]). Da=
gegen ist Einhard's Bericht mit demjenigen der Fortsetzung Frede=
gar's auch in dieser Beziehung zum Theil unvereinbar. Nach der
Angabe Einhard's würde anzunehmen sein, daß Karl Neustrien,
Burgund und die Provence, Karlmann Austrasien, Alamannien
und Thüringen erhalten habe. Dagegen erzählt die Fortsetzung
des Fredegar, Karl habe Austrasien erhalten, Karlmann Burgund,
die Provence, Gothien, das Elsaß und Alamannien; Aquitanien sei
zwischen beiden Brüdern getheilt worden[5]). Indessen lassen sich
auch gegen die Vollständigkeit und Zuverlässigkeit dieses Be=
richts Einwendungen erheben. Nicht nur Baierns und Thüringens,
sondern selbst Neustriens geschieht hier gar keine Erwähnung.
Weniger in Betracht kommt, daß nach den sogen. Einhard'schen
Annalen Aquitanien nicht zwischen den Brüdern getheilt, sondern

---

[1]) Fredegar. chron. cont. IV, c. 136, bei Bouquet V, 9: — cernensque
(Pippinus), quod vitae periculum evadere non potuisset, omnes proceres suos,
duces et comites Francorum, tam episcopos quam sacerdotes ad se venire
praecepit ibique una cum consensu Francorum et procerum suorum seu
et episcoporum regnum Francorum, quod ipse tenuerat, aequali sorte inter
praedictos filios suos Carolum et Carlomanum, dum adhuc ipse viveret,
inter eos divisit.

Hincmar de villa Novilliaco, Opp. ed. Sirmond II, 832, erwähnt eben=
falls die Verfügung Pippin's, läßt jedoch den Rath der Großen an die Söhne nach
seinem Tode hinzutreten: Defuncto Pippino rege . . . filii eius Carlomannus
et Carolus, secundum dispositionem patris sui et consilium regni primorum,
diviserunt inter se regnum paternum.

[2]) Annales Mettenses, SS. I, 335; vgl. Wattenbach, Deutschlands Geschichts=
quellen 5. Aufl. I, 192. II, 113. 483.

[3]) Vgl. o. S. 23 N. 2.

[4]) Auch in c. 4 der Divisio regnorum a. 806, Capitularia regum
Francorum ed. Boretius, I, 127—128, ist — freilich schon aus geographischen
Gründen, die in unserem Falle nicht vorlagen — auf derartige Analogien keine
Rücksicht genommen.

[5]) Fredegar. chron. cont. l. c.: Austrasiorum regnum Carolo seniori
filio regem instituit: Carlomanno vero iuniori filio regnum Burgundia, Pro=
vincia, Gothia, Alesacis et Alamannia tradidit: Aquitaniam . . . inter eos
divisit.

Karl zugefallen wäre[1]); denn diese Angabe dürfte allerdings unrichtig sein[2]). Jedoch scheint es auch nach einem Paragraphen
der später, im Jahre 806, von Karl selbst getroffenen Reichstheilung, deren Text uns vorliegt, als müsse Karlmann's Reich
mehr im Osten, dasjenige Karl's mehr im Westen gelegen haben[3]).
Diese Stelle gewährt uns ja eine zwar leider nur sehr indirekte,
aber authentischere Belehrung als die anderen Zeugnisse. Nach
ihr dürfte man zu der Vermuthung berechtigt sein, daß Karl außer
Austrasien auch ganz Neustrien empfangen haben wird[4]).

Man hat wohl auch gemeint, in Austrasien und Neustrien
hätten beide Könige gemeinschaftlich geherrscht, in diesen Gebieten,
den Kernlanden des Reichs, hätten die Brüder wenigstens einige
Rechte gemeinschaftlich besessen[5]), zum mindesten in Neustrien, über
dessen Schicksal die Fortsetzung Fredegar's schweigt. Aber sonst
fehlt beinahe jede Spur einer solchen Gemeinsamkeit[6]).

---

[1]) Ann. Einhardi 769, SS. I, 147: Postquam hii duo fratres patri
succedentes regnum inter se partiti sunt, Aquitania provincia, quae in sortem
maioris natu Karli regis cesserat — ipse, cui eadem provincia sorte ob-
venerat, rex Karlus.

[2]) Für entschieden falsch erklärt sie Ranke, Abhh. der Berliner Akad. 1854,
S. 419. 421.

[3]) Divisio regnorum a. 806, c. 4, Capitularia regum Francorum
I, 127—128: Haec autem tali ordine disponimus, ut si Karolus, qui
maior natu est, prius quam caeteri fratres sui diem obierit, pars regni
quam habebat dividatur inter Pippinum et Hluduwicum, sicut quondam divisum est inter nos et fratrem nostrum Karlomannum, eo modo ut Pippinus illam portionem habeat, quam frater noster Karlomannus habuit,
Hluduwicus vero illam partem accipiat, quam nos in illa portione (parti-
tione?) suscepimus; vgl. hiezu unten Bd. II. z. J 806.

[4]) Dies sucht Oelsner, König Pippin S. 420 ff. 523 ff., auf die betreffende
Stelle der Divisio v. J. 806 gestützt, nachzuweisen. Mit ihm stimmen überein
Mühlbacher, Die Regesten des Kaiserreichs unter den Karolingern S. 49; Ranke,
Weltgeschichte V. 2, S. 108 N. 1; Spruner-Menke, Handatlas, Vorbem. S. 16;
Nr. 30, Nebenkarte; Richter-Kohl, Annalen d. deutsch. Gesch. im M.-A. II, 26. —
Gegen Oelsner's Ausführungen wendet sich Geo. Wolff, Kritische Beiträge S. 14—36.
Für eine Theilung Neustriens entscheidet sich schon Leibniz, Annales imperii
occidentis Brunsvicenses I, S. 10 f., dann de la Bruère in einer besonderen
Abhandlung am Schluß seiner Histoire du règne de Charlemagne, und auf
ihn sich berufend Gaillard, Histoire de Charlemagne II, 4; Dippoldt S. 22;
für eine Theilung Neustriens und Austrasiens Kroeber in der Bibliothèque de
l'Ecole des Chartes (s. unten) und Sickel I, 245—247. — Vgl. auch Eckhart,
Francia oriental. I, 600; Pertz SS. I, 147 N. 41; Rettberg I, 423.
Nach der Annahme jener Forscher würde das Reich durch Pippin nicht in eine
westliche und östliche, sondern in eine nördliche und südliche Hälfte getheilt
worden sein, so daß die nördliche Karl gehörte und einen großen Bogen bildete, durch
welchen die südliche Karlmann zugehörige von drei Seiten, von Westen, Norden und
Osten, eingeschlossen war.

[5]) Vgl. Waitz III, 2. Aufl. S. 96.

[6]) Die Bezeichnung Karlmann's als regni socius Karl's, bei Einhard, Vita
Kar. c. 6, auf welche Waitz a. a. O. N. 2 Gewicht legt, geht doch wohl nur davon
aus, daß Karl und Karlmann sich in die Herrschaft über das fränkische Reich theilten;
der Ausdruck societas aber, Vita c. 3, ist ohne Zweifel hier nur identisch mit dem
vorausgehenden concordia. Auch die Worte post administratum communiter

Baierns und Thüringens geschieht in der Fortsetzung des Fredegar, wie berührt, ebenfalls keine Erwähnung. Thüringen hat vermuthlich zu Karl's Antheil gehört[1]).

Baiern stand mit dem Reich in so loser Verbindung, daß es bei der Theilung kaum in Betracht gekommen sein wird; denn der fränkische König hatte dort so gut wie nichts zu sagen, seine Oberherrlichkeit über Baiern war nicht viel mehr als ein bloßer Name und konnte daher leicht Karl und Karlmann gemeinschaftlich bleiben[2]).

Man hat versucht, aus den urkundlichen Zeugnissen über die Regierungshandlungen der beiden Könige, mit Hilfe der. in den Urkunden und sonst überlieferten Angaben über die Aufenthaltsorte der beiden Brüder eine genauere Einsicht in die Abgrenzung der beiden Reichshälften zu gewinnen[3]). Aber auch auf diesem Wege werden manche Zweifel nicht gelöst und keine rechte Klarheit erreicht. Diese Angaben bestätigen zunächst diejenigen der Fortsetzung des Fredegar in Bezug auf das Elsaß und auf Burgund; die wenigen aus jenen Jahren erhaltenen Urkunden für diese Gebiete rühren alle von Karlmann her[4]), und daß die Provence zu Karl-

---

biennio regnum könnten nicht in der angedeuteten Richtung verwerthet werden. In Betreff anderer unter scheinbarer Beweise vgl unten S. 28 N. 4.

[1]) So nimmt auch Knochenhauer, Geschichte Thüringens in der karolingischen und sächsischen Zeit, S. 3 an; Sickel I, 245 N. 4 hält es jedoch nicht für unzweifelhaft; vgl. unten S. 29 N. 3.

[2]) Waitz III, 2. Aufl. S. 96. Zu weit geht aber Mannert, Aelteste Geschichte Bajoariens und seiner Bewohner, S. 229, wenn er meint, durch die Uebergehung Baierns bei der Theilung des Reichs habe Pippin stillschweigend anerkennen wollen, dieses Herzogthum gehöre garnicht als Bestandtheil zur fränkischen Monarchie; dadurch habe Pippin den Grundstein zur Aussöhnung mit Tassilo gelegt.

[3]) Kroeber, Partage du royaume des Francs entre Charlemagne et Carloman I., in der Bibliothèque de l'École des Chartes IV, 2, année 1856, S. 341 ff.; ähnlich Sickel I, 245—247.

[4]) Nach Burgund gehören zwei Urkunden Karlmann's für das Kloster Novalese, Mühlbacher Nr. 117 und 124; ins Elsaß eine Urkunde für das Kloster Münster im Gregorienthal vom 22. März 769, Mühlbacher Nr. 115, Bouquet V, 715; ferner ein Immunitätsbrief für das St. Michaelskloster auf der Rheininsel Honau, Mühlbacher Nr. 121, Bouquet V, 720; von Privaturkunden, die nach Karlmann's Regierungsjahren rechnen, zwei Weißenburger Urkunden vom 1. Juli und 25. Oktober 771, Zeuß, Traditiones possessionesque Wizenburgenses Nr. 245 und 189. In der Urkunde bei Zeuß Nr. 91, die aus dem ersten Regierungsjahr Karl's datirt ist, wird von dem Uebergang der Herrschaft im Elsaß an Karl nach Karlmann's Tod an gerechnet, wie man unbedenklich annehmen darf, da auch viel später nachweislich nach dieser Epoche gerechnet wird; das zeigt die Urkunde Nr. 238, welche das Datum trägt anno 40. regnante Karolo rege et imperii eius 12, also 812 ist als das 40ste Regierungsjahr Karl's gerechnet. Kein ausreichender Grund liegt vor, die Urkunde Karlmann's für das Kloster Granfelden im Sprengel von Basel, bei Trouillat, Monuments de l'histoire de l'ancien évêché de Bâle, I, 78 Nr. 41 (Sickel C. 13, Anm. S. 226; Mühlbacher Nr 127) mit Rettberg II, 97 zu beanstanden. Auch in der Urkunde Karlmann's für Ebersheimmünster an der Ill im Elsaßgau (Sickel C. 9, Anm. S. 224. I, 181 N. 3; Mühlbacher Nr. 122), welche Rettberg II, 81 N. 35 ebenfalls verwirft, ist zwar der Text überarbeitet, das Protokoll jedoch echt. Die in diesem Diplom erwähnte, verlorene Immunitätsurkunde Pippin's wird auch erwähnt im Chronicon Ebersheimense, c. 13,

mann's Antheil gehörte, zeigt die einzige von ihm erhaltene Münze, die in Arles geprägt ist[1]).

Daß Karlmann auch Gothien erhielt, erscheint durchaus glaub= lich und selbstverständlich. Nicht ganz so einfach verhält es sich mit Alamannien. Verschiedene alamannische Urkunden, sämmtlich St. Gallen angehörig, zählen nach Regierungsjahren Karlmann's[2]), was zu der Nachricht über die Theilung in der Fortsetzung des Fredegar paßt; aber Anstoß erregt, daß einige andere St. Galler Urkunden die Regierungsjahre Karl's zählen. Es steht jedoch nichts im Wege und ist sogar das einzig richtige Verfahren, an= zunehmen, daß im letzteren Fall die Regierung Karl's erst vom Tode Karlmann's an gerechnet wurde[3]). Daß Karl erst nach seines Bruders Tod die Herrschaft über Alamannien zufiel, ist schon allein durch die nach Karlmann's Regierungsjahren zählenden Urkunden hinlänglich erwiesen, und alle Zweifel, ob Alamannien zum Antheil Karlmann's gehörte, sind haltlos.

Weit ungewisser ist, wie wir schon sahen, das Schicksal Austra= siens und Neustriens bei der Theilung. Austrasien wird zwar in der Fortsetzung des Fredegar ausdrücklich als Reichstheil Karl's angeführt, und damit stimmt überein, daß Karl während der ersten Jahre seiner Regierung Weihnachten und Ostern regelmäßig in Austrasien feierte[4]), außer Ostern 769, wo er sich schon auf dem Marsch nach Aquitanien befand[5]). Auch einige Urkunden zeigen Karl in Austrasien[6]); aber auch Karlmann übt Regierungsrechte

---

SS. XXIII, 438; die Urkunde Karlmann's selbst allerdings nicht. Unecht ist dagegen die Urkunde Karl's für Ebersheimmünster vom 7. März 770 (Sickel II, 224. 425; Mühlbacher Nr. 135; Rettberg II, 81 N. 35).

[1]) Kroeber l. c. S. 344.

[2]) Es sind Schenkungen an St. Gallen, im Urkundenbuch der Abtei St. Gallen, bearbeitet von Wartmann, Th. I, Nr. 52—56; vgl. auch Mittheilungen zur vaterländ. Gesch herausg. vom hist. Verein in St. Gallen XIX, 9. 202 N. 13. XII, 60 N. 192. In der Vita s. Galli c. 49 heißt es: . . . quod nunc inserendum est, quarto anno regni Carlomanni actum est; auch im Verbrüderungs= buch von St. Gallen wird Karlmann erwähnt.

[3]) Hierher gehören die Urkunden bei Wartmann Nr. 57—62, die sämmtlich nach den 3 ersten Regierungsjahren Karl's datiren. Da andere St. Galler Ur= kunden die Regierungsjahre Karlmann's zählen, so versteht es sich eigentlich ganz von selbst, daß die Herrschaft Karl's hier erst vom Tode Karlmann's an gerechnet wird, weil sie eben erst von diesem Zeitpunkt an begann. Die Zusammenstellung bei Wartmann S. 58 ergibt, daß gerade anfangs die Zählung der Jahre Karl's vom De= zember 771, also vom Tode Karlmann's an, die gewöhnliche war und daß, wie Wartmann selbst vermuthet, erst später auf 768 zurückgegangen ward. Deshalb darf in jenen Urkunden, Wartmann Nr. 57—62, unbedenklich 771, nicht 768 als Epoche angenommen werden, nach welchem Grundsatz mit Recht schon Neugart verfährt, Codex diplomaticus Alemanniae I, Nr. 53 ff.

[4]) Annales Lauriss. mai. SS. I, 146—148; Ann. Einh. SS. I, 147— 149; Fragm. Basil., Ann. Mett. SS. XIII, 27; Ann. Lobiens. ib. S. 228; vgl. auch unten.

[5]) Ostern 769 feierte Karl in Rouen, Annales Laur. mai. SS. I, 146; Ann. Einh. SS. I, 147.

[6]) Karl schenkt an St. Denis das kleine Kloster St. Dié in den Vogesen in einer Urkunde, die in Achen ausgestellt ist, Sickel K. 1; Mühlbacher Nr. 128; Tardif, Monuments historiques S. 52—53 Nr. 63. In Heristal ist eine Urkunde

in Austrasien aus, erläßt Urkunden für austrasische Klöster[1]), wird in Privaturkunden als König aufgeführt[2]) und verweilt selbst in Austrasien[3]). — Ebenso unklar wie das Austrasiens ist das Verhältniß Neustriens[4]). In dem Bericht der Fortsetzung des Fredegar wird es, wie bereits bemerkt, ganz übergangen; was wir auf anderem Wege, namentlich durch Urkunden darüber erfahren, führt ebenfalls zu keinem sicheren Ergebniß. In Neustrien fand die Erhebung beider Brüder zu Königen statt, die Karl's in Noyon, die Karlmann's in Soissons[5]); beide Könige stellen Urkunden für neustrische Klöster aus[6]) und verweilen auf neustrischem Bo=

Karl's für das Stephanskloster (St. Etienne) bei Angers ausgestellt, Sickel K. 6; Anm. S. 227; Mühlbacher Nr. 134; Bouquet V, 719.

[1]) Sickel C. 6; Mühlbacher Nr. 118; Sickel, Beiträge V, 84 Nr. 3, eine Urkunde Karlmann's für Echternach. Sie ist datirt aus dem ersten Jahre Karlmann's, der darin auf Bitten des Abtes Adebert das Kloster in seinen Schutz aufnimmt und ihm die Immunität bestätigt; vgl. auch Kroeber a. a. O. S. 346 N. 1 und ferner eine Urkunde Karl's Mühlbacher Nr. 334; Gallia christiana XIII b, 304, worin dieser die von Karlmann dem Kloster (ohne Urkunde) gemachten Schenkungen bestätigt.

[2]) Wenigstens in der Precarie Grinbert's für den Bischof Madalveus von Verdun über Güter im Gau von Verdun, welche er an St. Vannes geschenkt hat, Baluzius, Capitularia reg. Franc. II, 824; vgl. Oelsner a. a. O. S. 524 N. 5.

[3]) Die Urkunde für Honau, oben S. 26 N. 4, ist ausgestellt in Diedenhofen.

[4]) Man könnte zwar glauben, auf die bei der Reichstheilung zwischen Karl und Karlmann maßgebend gewesenen Grundsätze falle ein weiteres Licht durch die in der Bibliothèque de l'École des Chartes 2. sér. tom. 2. S. 72, dann auch bei Tardif l. c. S. 55 Nr. 67 veröffentlichte Urkunde, auf welche zuerst Sickel (I, 247) aufmerksam machte. Diese Urkunde, worin ein gewisser Regesred und seine Frau Arthesibare mit einer Frau Nautlinde ein Kaufgeschäft abschließen, hat den Schluß: Actum est . . . do vigo publigo at ecclesia sancti Martini, in mense junium, quot fecit diis quinque, anum primum regnate sub domno Carlo et Carlomanno regis gloriosissimus, also 5. Juni 769. Hier werden also in einer neustrischen Urkunde die Regierungsjahre der beiden Könige neben einander gezählt; ebenso heißt es ferner in einer Schenkung des Grafen Cancor für Lorsch vom 1. Juni 770, SS. XXI, 351: anno secundo regnantibus gloriosissimis regibus Karolo et Karlomanno (s. Oelsner, König Pippin S. 524). Dies könnte der erwähnten Annahme von Waitz (III, 2. Aufl. S. 97; vgl. o. S. 25) günstig scheinen, daß Neustrien und auch Austrasien nicht getheilt wurden, sondern für diese Gebiete eine gewisse Gemeinschaft blieb. Doch ist dieser Schluß keineswegs nothwendig. Da die übrigen neustrischen und austrasischen Urkunden nur entweder nach Karl's oder nach Karlmann's Regierungsjahren, nicht nach beiden gemeinschaftlich datiren, so ist die in den erwähnten Urkunden gewählte Datirung nicht als eine Ausnahme von dem im übrigen Reich, sondern vielmehr als eine Ausnahme von dem in Neustrien und Austrasien selbst üblichen Verfahren zu betrachten. Es kann auch Zufall sein, daß die einzigen die Jahre beider Könige zählenden Urkunden gerade diesem und nicht einem anderen Reichstheil angehören. Jedenfalls beweisen sie wohl nur, wie lebendig das Bewußtsein der Zusammengehörigkeit des ganzen Reichs war, und natürlich am lebendigsten in den Kernlanden.

[5]) Vgl. unten S. 30.

[6]) Karl bestätigt der Abtei Corbie bei Amiens die Immunität, Bouquet V, 715; ebenso der Abtei Sithiu (St. Omer), Bouquet V, 717 (vgl. Folcwin. Gest. abb. s. Bertini Sith. c. 34, SS. XIII, 613); dem Rektor Gunthar für das Kloster St. Aubin bei Angers mehrere Villen, Bouquet l. c.; dem Stephanskloster bei Angers die Immunität, Bouquet V, 719. Weniger in Betracht kommt, daß Karl an St. Denis das Klösterlein St. Dié in den Vogesen schenkt, Sickel K. 1;

ben[1]); in neuftrifchen Privaturkunden werden die Regierungsjahre
Karl's gezählt[2]). Ueber das Schickfal Baierns und Thüringens
fehlen urkundliche Zeugniffe überhaupt[3]).

Jedenfalls fcheint für Pippin bei der Theilung des Reichs die
oberfte Rücksicht die auf die Erhaltung der Reichseinheit gewefen
zu fein[4]). Deshalb theilte er nicht fo, daß dem einen Bruder
die germanifchen, dem andern die romanifchen Länder zufielen, denn
dadurch wäre der gefonderten Fortentwicklung der verfchiedenen
Nationalitäten, alfo der immer weiteren Entfernung der einzelnen
Beftandtheile des Reichs von einander Vorfchub geleiftet worden;
fondern er traf Fürforge, daß die Bevölkerung eines jeden der
beiden Theilreiche aus Germanen und Romanen gemifcht war, doch
fo, daß in Karl's Reich die Germanen, in Karlmann's die Romanen überwogen. So bildete das Gefühl der Zufammengehörig-
keit bei den Bewohnern der gefpaltenen, früher vereinigten Provinzen ein Gegengewicht gegen die politifche Trennung und hielt
auch bei der Bevölkerung das Bewußtfein der Einheit rege; die

---

Mühlbacher Nr. 128; Tardif, Monuments historiques S. 52—53 Nr. 63; denn
St. Dié hatte fich in Pippin's Gewere befunden, war wahrfcheinlich nicht vermöge
der Reichstheilung, fondern als Hausgut an Karl gekommen (hoc est monasteriolo
aliquo qui nuncupatur Ad-Sancto-Deodato infra Vosago silva, sicut
eum domnus et genitor noster Pippinus in sua vestitura tenuisse conpro-
batum est); vgl. Waitz III, 2. Aufl. S. 97 N. 1; Sickel I, 246; Mühlbacher
a. a. O. Außerdem hatte diefe Schenkung ihren befonderen Grund darin, daß in
St. Denis, wo auch Karl Martell ruhte (Mühlbacher S. 19; Breyfig, Karl Martell
S. 103; Waitz a. a. O. S. 76), Karl's Vater begraben lag (vgl. unten) und
auch er felbst einmal dort begraben zu werden wünfchte (vgl. unten z. J. 769
und Bd. II. z. J. 814); ein Wunfch, der an fich keineswegs tenuisse ausfchließt, daß St.
Denis zum Reich Karlmann's gehörte. Abt Fulrad ließ fich ferner die Privilegien von
St. Denis durch Karlmann wiederholt beftätigen, von Karl, fo lange Karlmann lebte,
nie; auch war derfelbe Karlmann's Kapellan (vgl. unten Bd. II). Indeffen jene Privilegien laffen fich vielleicht auch auf andere Weife erklären (Oelsner, König Pippin
S. 523 f.). S. Urkunden Karlmann's für St. Denis Tardif S. 53 ff. Nr. 64.
66; Bibliothèque de l'École des Chartes a. a. O. S. 348; Bouquet V, 721,
und eine Urkunde für das Klofter Argentoilum (Argenteuil), Bouquet V, 718,
ausgeftellt in Ponthion.

[1]) Karlmann in Ponthion, S. 28 N. 6; in Samouffy und Attigny, wo die Urkunden für St. Denis ausgeftellt find; in Attigny, wo er die Urkunde für Münfter im
Gregorienthal ausftellt, oben S. 26 N. 4. In Samouffy ftarb er auch (f. unten z. J.
771). — Karl ftellt die Urkunde für Corbie, oben S. 28 N. 6, in der villa Audriaca
(Orville bei Arras) aus.

[2]) Die Urkunde, worin Grimulfrid an St. Denis Güter in pago Belviacinse
(Beauvaifis) fchenkt, Tardif S. 55 f. Nr. 68 (hier in den Januar 770 gefetzt), ift
datirt nach dem zweiten Regierungsjahre Karl's (Data in minso Januario, annum
secundum regnante domino nostro Carlo gloriosissimo rege), wobei freilich
aber wieder ungewiß bleibt, ob die Regierungsjahre Karl's hier nicht erft von Karlmann's Tod an gerechnet find, und daffelbe gilt von der Urkunde des Sigerad für
Sithiu (St. Omer) bei Guérard, Cartulaire de l'abbaye de St. Bertin (Collection des Cartulaires de France tom. III), S. 59; vgl. Oelsner a. a. O.
S. 524.

[3]) Vgl. Sickel I, 245 N. 4, welcher bemerkt, daß fich aus der Zählung der
Regierungsjahre Karl's in den Fulder Urkunden keine Entfcheidung entnehmen läßt;
vgl. oben S. 26 N. 1.

[4]) Vgl. Waitz III, 2. Aufl. S. 96.

Könige selbst aber waren genöthigt, innerhalb ihrer Staaten auf beide Nationalitäten Rücksicht zu nehmen und den Gegensatz zwischen denselben möglichst auszugleichen. Es war eine Theilung, bei welcher der Begriff der Einheit des Ganzen so gut es irgend ging gewahrt blieb.

Diese Anordnung war die letzte wichtige Maßregel Pippin's, von der wir Kunde haben. Er starb am 24. September 768[1]). Beide Brüder wurden an demselben Tag, 9. Oktober, auf einer Versammlung ihrer Großen, Karl in Noyon, Karlmann in Soissons, beide also auf neustrischem Gebiet, feierlich zu Königen erhoben[2]).

---

[1]) Annales Lauriss. mai. SS. I, 146: 8. Kalend. Octob., übereinstimmend mit Annales Einhardi SS. I, 147, sowie mit den Annales s. Amandi und Annales Petav. SS. I, 12. 13 (cod. Tilian.: 9. Kal. Oct.). Auch viele andere ältere Annalen geben einstimmig den 24. Sept. als Todestag an; vgl. Ann. Guelferb., Nazar., Alamann., Petav. SS. I, 30—31; Ann. Stabulens. Ausciens. Laubacens. SS. XIII, 42. III, 171. I, 12 (Forschungen zur deutschen Geschichte XXV, 375 f.); Ann. Lauriss. min. ed. Waitz, S. 412; die Hersfelder Annalen (Lorenz S. 85); Ann. Weissemburg., SS I, 111; Ann. Lausann. SS. XXIV, 778; s. ferner Ann. necrolog. Prumiens., SS. XIII, 219 etc. Abweichend den 23. Sept. haben, außer dem Codex Tilianus der Ann. Petav., Ann. Sangall. mai. (Mittheilungen zur vaterländ. Gesch. herausg. vom histor. Verein in St. Gallen XIX), S. 270: IX Kal. Octobris; auch Ann. Flaviniac., Abhandl. der k. sächs. Ges. d. Wiss. VIII, 687: 6. feria (Freitag) 9 Kal. Oct.; Necrol. Flavin. SS. VIII, 287. Unrichtig Ann. Sangall. Baluzii (St. Galler Mitth. zur vaterl. Gesch. a. a. O.) S. 201: et in ipso anno domnu (!) rex Pippinus transiit VIII id. Octobr. (8. Oktober) in nocte die sabbato; vgl. dazu ebb. S. 202 N. 11. Auch bei Regino, SS. I, 557, steht 8. Id. Octobr., was aber wahrscheinlich in 8. Kal. Octobr. zu emendiren ist (Ermisch, Die Chronik des Regino bis 813, S. 85). Oelsner a. a. O. S. 424 N. 10; Mühlbacher S. 50. — Eckhart I, 600 entscheidet sich ganz mit Unrecht für den 8. Oktober, Dippoldt S. 22 ohne jeden Grund für den 28. September.

[2]) Annales Laur. mai. SS. I, 146: Domnus vero Carolus et Carlomannus elevati sunt in regnum, et domnus Carolus 7. Idus Octob. in Noviomo civitate, Carlomannus in Suessionis civitate similiter; das Datum geben auch die Annales s. Amandi, SS. I, 12: et Karlus et Karlomannus ad reges uncti sunt 7. Id. Octobris; die Annales Petav. SS. I, 13: et filii eius (sc. Pipini) Karolus et Karlomannus uucti fuerunt in reges, 7. Idus Octobris (Ann. Max. SS. XIII, 21); Ann. Iuvav. min. SS. I, 88. III, 122: Karolus rex factus 7. Idus Octobris; Hincmar. De villa Novilliaco, Opp. ed. Sirmond. II, 832: — diviserunt inter se regnum paternum et elevati sunt in reges VII. Idus Octob. Carlomannus in Suessionis et Carolus in Noviomo, sicut in annali regum scriptum habemus. — Unrichtig Ann. Sangall. Baluzii, St. Galler Mitth. zur vaterl. Gesch. XIX, 201—202: et insequente die (vgl. o. N. 1) VI id. Octobr. (= 10. Oktober) sic domne (!) reges Karlus et Karlomannus benedictionem regalem acceperunt, domnus rex Karolus in Noviamaco civitate et Karlomannus in Suessiones civitate, in sede patris sui (vgl. ebb. N. 11, wo dies Datum wohl mit Recht nur auf einen Schreibfehler zurückgeführt wird). Fredegar. Chron. cont., c. 137, Bouquet l. c., nennt den 18. September, was aber ein Irrthum sein muß. Sonst ist die dortige Darstellung die genaueste: Nach Pippin's Tod Carolus et Carlomannus unusquisque cum leudibus suis ad propriam sedem regni eorum venientes, instituto placito initoque consilio cum proceribus eorum, mense Septembri die dominico 14. kal. Oct. Carolus ad Noviomem urbem et Carlomannus ad Saxonis civitatem pariter uno die a proceribus eorum et consecratione sacerdotum sub-

Unter Zuſtimmung der Großen, welche eben dieſe Erhebung vor=
nahmen[1]), und aufs neue verſehen mit der kirchlichen Weihe, welche
ihnen die Biſchöfe durch wiederholte Salbung ertheilten[2]), be=
ſtiegen ſie den Thron.

Karl und Karlmann befanden ſich, als ſie zur Regierung
kamen, noch in jugendlichem Alter; doch war ihr Charakter wenig=
ſtens ſchon inſoweit ausgebildet, daß ſie ſich mit Bewußtſein in
verſchiedenen politiſchen Richtungen bewegten. Beſtimmtes iſt uns
allerdings nur über die Perſönlichkeit Karl's überliefert; es iſt an=
zunehmen, daß die Schilderung, welche Einhard von ihm entwirft,
in der Hauptſache auch ſchon in ſeiner Jugend für ihn zutrifft.
Karl war von breitem, kräftigem Körperbau, von ſtattlicher, doch
nicht übermäßig großer Geſtalt (ſeine Größe betrug ſieben ſeiner
Füße)[3]); obgleich ſein Hals dick und etwas kurz war[4]), ließ das
Ebenmaß ſeiner übrigen Glieder auch dies vergeſſen. Der Schädel
war rund geformt, die Naſe von etwas mehr als mittlerer Größe,
die Augen lebhaft und ſehr groß; der ganze Ausdruck des Antlitzes
ſpiegelte Offenheit und Heiterkeit wieder[5]). Dabei aber war ſein
Ausſehen zugleich würdig und achtunggebietend, ſeine Haltung
männlich, ſein Gang feſt, ſeine Stimme hell und deutlich, wenn
auch ein wenig ſchwach im Verhältniß zu der imponirenden Ge=
ſtalt[6]), ſeine Geſundheit kräftig und erſt in den vier letzten Jahren
ſeines Lebens häufig durch Fieber angegriffen, wie auch durch

---

limati sunt in regno; hienach Ann. Mett. SS. I, 335 (gleichfalls mit demſelben
Datum). — Ann. Einh. SS. I, 147, ohne Tagesangabe: Filii vero Karlus et
Karlomannus consensu omnium Francorum reges creati, et Karlus in No-
viomo civitate, Karlmannus in Suessona insignia regni susceperunt; Ann.
Mosellan. SS. XVI, 496: Pippinus rex obiit et Karlus elevatus est ad regem
ad Noviona civitate et Karlamannus ad Sexiones civitate; Ann. Lauresham.,
SS. I, 30: Et Carlus elevatur ad regem ad Noviama civitate, et Carlomannus ad Suessiones civitatem Ann. Sithienses, SS. XIII, 35: filii eius
(sc. Pippini) Carlus et Carlomannus infulas regni suscipiunt; Ann. Enhardi
Fuld. SS. I, 348: filiique eius (sc. Pippini) Karolus et Karlomannus infulas
regni suscipiunt etc. Mühlbacher, Regeſten S. 51.

[1]) Fredegar. Chron. cont. (vgl. vor. Anmlg.); Ann. Mett. l. c. ſagen dafür:
per . . . electionem omnium optimatum; Einh. V. Karoli c. 3: Franci siquidem, facto sollempniter generali conventu, ambos sibi reges constituunt
(vgl. hiezu jedoch oben S. 23 f.).

[2]) Daß die consecratio eben in der Salbung beſtand, zeigt die Angabe der Annales s. Amandi und Petav.(o. S. 30 N. 2). Die frühere Salbung durch Stephan II.
ſchließt eine Wiederholung nicht aus, wie Leibniz I, 9 und Eckhart I, 600 meinen.

[3]) Vita Kar. c. 22: Corpore fuit amplo atque robusto, statura emi-
nenti, quae tamen iustam non excedere — nam septem suorum pedum
proceritatem eius constat habuisse mensuram. (Ueber den Zuſatz mensuram
hinter excederet in A 2 etc. vgl. Rückert, Ber. d. k. ſächſ. Geſ. d. Wiſſ. phil.=
hiſt. Cl. 1884, I. II, S. 176 N. 30.) Die Vita Alcuini, c. 8, SS. XV, 190 ſpricht
von Karl's körperlicher Schönheit (corporis ineffabili pulchritudine).

[4]) Wenigſtens in ſpäteren Jahren hatte er auch einen kleinen Hängebauch.

[5]) Vita Kar. l. c.: facie laeta et hilari; Karolus M. et Leo papa,
v. 24—25, Poet. Lat. aev. Carolin. I, 366 f.

[6]) L. c.: voce clara quidem, sed quae minus corporis formae conve-
niret.

andere Leiden gestört[1]). Seine Tracht war die fränkische: auf dem
Leibe ein leinenes Hemd, darüber ein Kleid, das mit seidenem
Saum verbrämt war; die Oberschenkel trug er mit leinenen Hosen,
die Unterschenkel mit einer Art von Strümpfen bedeckt; außerdem
beide mit Binden umwunden, während die Füße in Stiefel ein=
geschnürt waren. Im Winter schützte er Schultern und Brust durch
eine Brustbekleidung aus Fischotter= und Zobelpelz; darüber trug
er noch einen meergrünen oder bläulichen Mantel und an der
Seite beständig das Schwert, dessen Griff und Gehenk von Gold
oder Silber waren. Bisweilen trug er auch ein mit Edelsteinen ver=
ziertes Schwert, jedoch nur an hohen kirchlichen Festtagen[2]) oder
wenn Gesandte fremder Völker vor ihm erschienen. Fremdländische
Kleidungsstücke, auch die schönsten, verschmähte er anzulegen, außer
daß er in Rom auf Wunsch der Päpste wiederholt römische Tracht
— lange Tunica, Chlamys und römische Sandalen — anlegte[3]).
An Festen, wo er auch jenes prächtige Schwert zu tragen pflegte,
schritt er allerdings in mit Gold durchwirktem Kleide, mit Edel=
steinen besetzten Schuhen, mit einer goldenen Spange, welche den
Mantel zusammenhielt, und einem Diadem aus Gold und Edel=
steinen auf dem Haupte einher; sonst unterschied sich seine Kleidung
wenig von der gemeinen Volkstracht[4]). Einfach wie seine Klei=
dung war auch seine Lebensweise, er war mäßig in Speise und
Trank, obschon in diesem mehr als in jener; das Fasten, meinte er,
schade seinem Körper[5]). Einhard weiß bis in die kleinsten Einzel=
heiten seine Lebensweise zu schildern, ohne dabei jedoch überall
zwischen früher und später zu unterscheiden; doch sagt er wenigstens,
das Schreiben habe Karl so spät angefangen, daß er trotz aller
Mühe es nicht mehr weit darin gebracht habe; um so mehr wird
erst von der späteren Zeit gelten, was er von dem großen Eifer
Karl's erzählt, sich wissenschaftliche Bildung anzueignen, Lateinisch
und Griechisch zu lernen, in der Rhetorik, Dialektik und Astro=
nomie sich unterrichten zu lassen[6]).

Die Uebungen des Körpers betrieb der König rastlos, mit un=
ermüdlicher Lust. Reiten und Jagen, Künste, in denen die frän=
kische Nation hervorragte, waren auch sein stetes Vergnügen.
Ueberdies war er ein ganz vorzüglicher Schwimmer[7]). Gast=
mähler hielt er sehr selten, nur an hohen Festtagen, dann jedoch
mit einer großen Zahl von Gästen. Die tägliche Hauptmahlzeit
bestand nur aus vier Gängen, außer seinem Lieblingsgericht, dem

---

[1]) Vgl. unten Bd. II. z. J. 814.

[2]) nonnisi in praecipuis festivitatibus; vgl. dazu c. 28, wo es vom Weih=
nachtstage heißt: quamvis praecipua festivitas esset.

[3]) Vgl. unten Bd. II. z. J. 800.

[4]) V. Karoli c. 23; vgl. dazu c. 32 und in Bezug auf die fränkische Tracht
überhaupt Monach. Sangall. I, 34, Jaffé IV, 665.

[5]) V. Kar. c. 24.

[6]) V. Kar. c. 25; vgl. unten Bd. II.

[7]) V. Kar. c. 22 (vgl. Raban. De procinctu Romanae miliciae 12, ed.
Dümmler, Zeitschr. f. d. A. XV, 448. 451).

Wildbraten, welchen die Jäger an Spießen hereinzutragen pfleg=
ten[1]). Für geiſtigen Genuß während der Tafel ſorgte ein Muſik=
ſtück oder ein Vorleſer: Karl ließ ſich aus Geſchichtsbüchern oder
auch aus den Schriften des h. Auguſtinus, beſonders gern aus deſſen
Werk De civitate dei vorleſen. Im Sommer pflegte er nach dem
Mittagsmahl noch ein wenig Obſt zu nehmen und noch einmal zu
trinken, um ſich dann ausgekleidet, wie bei Nacht, auf zwei bis
drei Stunden zur Ruhe zu legen, während er umgekehrt während
des nächtlichen Schlafs mehrfach, vier, fünf Mal, nicht allein er=
wachte, ſondern auch vom Lager aufſtand[2]).

Gelaſſenheit[3]), Milde, Leutſeligkeit[4]), Freigebigkeit[5]) gehörten
zu den Grundzügen ſeiner unverkennbar im weſentlichen gutartigen
Natur. Der König ſprach ſo geläufig und gern, daß man ihn
faſt redſelig nennen konnte[6]). Der Freundſchaft war er leicht zu=
gänglich und dann in ihr nicht wandelbar, ſondern treu[7]); den
Mitgliedern ſeiner Familie, beſonders ſeinen Töchtern gegenüber,
liebevoll und zärtlich, ja, in merkwürdigem Kontraſt mit der Cha=
rakterſtärke und Entſchloſſenheit, die er als Regent zeigte, keines=
wegs frei von Weichheit und Schwäche[8]). Dem Liebesgenuß war
er in hohem Grade ergeben[9]), doch ſcheint die große Zahl von Kon=
kubinen, die er hatte, keinen eigentlichen Anſtoß erregt zu haben.
Einhard ſpricht von ihnen wie von Lagergenoſſinnen des Königs,
die nur nicht die gleiche Stellung mit den Gemahlinnen hatten;
jedenfalls ſpricht er von ihnen und den Kindern, welche Karl mit
ihnen zeugte[10]), ohne irgendwelche Scheu oder Zurückhaltung.

---

[1]) V. Kar. c. 24, vgl. 22.
[2]) V. Kar. c. 24.
[3]) Ib. c. 18, 28; Ann. Einh. 771, SS. I, 151; Ann. Nazar. 786, SS. I,
41—42.
[4]) V. Kar. c. 20: a suae naturae benignitate ac solita mansuetudine;
Ann. Einh. 787, SS. I, 173: sicut erat natura mitissimus; Ann. Nazar. l. c.:
eo quod erat prudens ac mitis — quoniam erat mitissimus atque sapien-
tissimus super omnes reges qui fuerunt ante eum in Francia; Ann. Lauresham. (Fragm. Chesn.) 786, SS. I, 32; Pauli Gest. epp. Mett. SS. II, 165;
Hist. Langobardor. cod. Gothan. c. 9, SS. rer. Langob. S. 10 (vgl. unten
z. J. 774). — Eine lange Aufzählung ſeiner perſönlichen und Herrſchertugenden, ſo=
wie ſeiner Kenntniſſe in dem Gedicht Karolus M. et Leo papa, Poet. Lat. I,
366 ff.
[5]) Vgl. unten 774 und 796 (Bd. II).
[6]) V. Kar. c. 25: Erat eloquentia copiosus et exuberans poteratque
quicquid vellet apertissime exprimere — Adeo quidem facundus erat, ut
etiam dicaculus appareret. (Karolus M. et Leo papa v. 70 ff., Poet. Lat.
aev. Carolin. I, 368.)
[7]) V. Kar. c. 19: Erat enim in amicitiis optime temperatus, ut eas et
facile admitteret et constantissime retineret (beim Poeta Saxo l. V. v. 295,
Jaffé IV, 615 entſtellt: Admittebat eas caute); vgl. Forſchungen zur deutſchen
Geſch. I, 321 N. 1.
[8]) Vgl. Vita Kar. c. 19. 20.
[9]) Vgl. Walahfrid Strab. Visio Wettini n. 446—464, Poet. Lat. aev.
Carolin. II, 318—319.
[10]) V. Kar. 18. 20.

Weniger ausführlich als über sein tägliches Leben und über
die rein menschliche Seite seines Wesens spricht sich Einhard über
Karl's Regenteneigenschaften aus; aber immerhin legt die ganze
Darstellung, die er von Karl's Thaten und Wirken entwirft, Zeugniß ab für die unermüdliche Thätigkeit, womit Karl sich von Anfang an seinem königlichen Berufe widmete, und für die glänzenden
Herrschertugenden, die er in der Ausübung desselben entfaltete.
Ganz besonders hebt der Biograph die Beständigkeit und Charakter-
stärke seines Helden hervor, die Ausdauer desselben im Erstreben
großer Zwecke bis zur vollständigen Erreichung des letzten Ziels,
wie Karl sie am glänzendsten in dem dreißigjährigen Kriege mit
den Sachsen bekundete[1]). Die Pflichttreue und Pünktlichkeit des
großen Regenten vergegenwärtigt uns am deutlichsten der Umstand,
daß er gleich Morgens beim Ankleiden nicht nur seine Freunde vor-
ließ, sondern auch, wenn der Pfalzgraf einen Streit meldete, der
ohne des Königs eigenes Eingreifen nicht zu erledigen war, sogleich
die Parteien vorzuführen befahl, um ihre Sache zu hören und zu
entscheiden. Ebenso erledigte er dann schon alle Geschäfte des
Tages und ertheilte allen Hofbeamten die erforderlichen Anweisungen
für denselben[2]). Außerdem betont Einhard vorzugsweise nur seinen
kirchlichen Sinn, der auf seine ganze Politik von so großem Einfluß war. Wie weit Karl von Beginn seiner Regierung an in
seiner Politik selbständig, wie weit er abhängig war von den Rath-
schlägen seiner Umgebung, ist nicht möglich zu erkennen. Indessen
ist über die letztere fast nichts bekannt, und nur von seiner Mutter
Bertrada steht es fest, daß sie auch in Sachen der Politik mit-
sprach und ihrer Stimme wenigstens zuweilen Gehör zu verschaffen
mußte, ja in den ersten Jahren entschiedenen Einfluß ausübte;
später wird seiner dritten Gemahlin, Fastrada, ein freilich ungünstiger Einfluß auf ihn zugeschrieben[3]). Sonst tritt nur etwa
der Abt-Presbyter Fulrad von St. Denis, der, wie früher unter
Pippin, nach dessen Tode unter Karlmann, dann unter Karl die
Stelle des ersten Kaplans am Hofe bekleidete, als eine besonders
einflußreiche Persönlichkeit hervor. Aber der Einfluß dieses Mannes,
der freilich zum Theil auf der von ihm bekleideten Stellung, zum
Theil jedoch auf den hohen Verdiensten beruhte, die er sich um die
karolingische Dynastie und das Reich erworben, vererbte sich dann
wohl nicht in gleichem Maße auf seinen Nachfolger in seiner Würde,
Bischof Angilram von Metz, und auf Bischof von Hildibald von
Köln, welcher dann nach diesem Vorsteher der Kapelle ward. In
diesen späteren Jahren galt beim Könige besonders Erzbischof Arno
von Salzburg viel. Die Männer, die Karl's wissenschaftliche Umgebung bildeten und als seine besonderen Vertrauten galten, deren

---

[1]) Vgl. V. Kar. c. 7, 8; 19, 28, wo von Karl's magnanimitas die
Rede ist.
[2]) V. Kar. c. 24.
[3]) Vgl. unten zu d. JJ. 783, 786 und Bd. II. zu d. JJ. 792, 794.

Rath auch in politiſchen Angelegenheiten von Einfluß war, kamen
meiſt erſt ſpäter an ſeinen Hof, wie Alkuin[1]) und Einhard, oder ge=
langen doch erſt ſpäter zu größerem Anſehen, wie Angilbert. Im
Ganzen trat Karl, abgeſehen von dem Einfluß, den ſeine Mutter
auf ihn übte, allem Anſchein nach von Anfang an ſehr ſelbſtändig
auf; die hohen Hofbeamten, die ihn umgaben, übten auf ſeine Po=
litik ſchwerlich einen beſtimmenden Einfluß. Am häufigſten genannt
werden unter ihnen der Kanzler und die Notare, doch nur, weil
ſie Urkunden und Erlaſſe auszufertigen haben, nicht weil ſie irgend
maßgebenden Einfluß auf den Gang der Politik ausüben[2]). Als
Kanzler Karl's begegnen uns in der erſten Hälfte ſeiner Regie=
rung Hitherius (Itherins), Abt des Martinskloſters in Tours,
und Rado, Abt von St. Vaaſt; als Notare zuerſt Wigbald, welcher
ſchon in Pippin's Kanzlei als Schreiber fungirt hatte, und neben
ihm Rado, ſpäter Erkanbald, aber auch Giltbert u. a. Hernach
treten Rado und Erkanbald ſelbſt als Kanzler auf, als Notare
Geneſius, Amalbert u. ſ. w.[3]). Unter dieſen Beamten ſcheint dem
Könige Hitherius am nächſten geſtanden zu haben, wie verſchiedene
Geſandtſchaften zeigen, die ihm Karl übertrug[4]).

Schwieriger iſt es, von Karlmann's Perſönlichkeit und von
ſeiner politiſchen Stellung ein Bild zu gewinnen. Mit kaum ver=
hehlter Abſichtlichkeit vermeiden es die Schriftſteller, viel über ihn
zu reden, wie denn überhaupt unter Karl die Regierung ſeines
Bruders ſpäter offiziell möglichſt ignorirt wurde[5]). Sein Verhält=
niß zu Karl war ein ſo geſpanntes, daß ſie lieber ihn möglichſt
mit Stillſchweigen übergingen. Er zählte bei ſeiner Thronbeſtei=
gung vielleicht erſt 17 Jahre[6]) und war auch deshalb mehr als
Karl fremden Einflüſſen ausgeſetzt, und ſolche Einflüſſe müſſen ſich
auch mehr oder weniger maßgebend geltend gemacht haben. Die
Namen der Rathgeber Karlmann's ſind nur zum Theil bekannt;
ſeine Mutter Bertrada ſtand auch ihm mit ihrem Rath zur Seite;
außer ihr iſt blos noch der Name ſeines Kanzlers Maginarius[7])
und der ſeines Pfalzgrafen Chrodoin[8]) überliefert; ferner der

---

[1]) Vgl. unten z. J. 781.
[2]) Was Stumpf, Die Reichskanzler I, 3 ff., über den Einfluß der Kanzler
ſagt, kann von Karl's Zeit nicht gelten. Vgl. auch Sickel I, 102. 68.
[3]) Vgl. Sickel I, 77 ff. (246, Anm. zu K. 48); Waitz III, 2. Aufl. S. 512 ff.
u. unten Bd. II.
[4]) Vgl. unten.
[5]) Sickel, Beitr. zur Dipl. III (Wiener S.=B. phil.=hiſt. Cl. Bd. 47), 194;
Acta reg. et imp. Karolin. I, 249.
[6]) Vgl. o. S. 13.
[7]) Sickel I, 76—77 N. 1; 101 N. 6. Sickel bezweifelt die Identität deſſelben
mit dem ſpäteren Abte Maginarius von St. Denis, an welcher dagegen Waitz III,
2. Aufl. S. 515 N. 5 feſthalten will.
[8]) Sickel II, 14 Nr. 10; 225; Mühlbacher Nr. 123; Beyer, Mittelrhein.
Urtb. I, 26 f. Nr. 22 (illuster vir Dirodoinus comes palacii nostri in Chrodo-
inus zu emendiren; in der Ueberſchrift: Roduuini comitis).

feines Kapellans, des Abts Fulrad von St. Denis[1]), eines Elfäffers, der schon unter Pippin diefe Stellung eingenommen und eine fehr bedeutende politifche Rolle gefpielt hatte. Nach Karlmann's Tode treten unter feinen vornehmften Großen der frühere Erzbifchof Wilcharius von Vienne, Abt von St. Maurice und Bifchof von Sitten, fowie die Grafen Warin und Adalhard, endlich Autcharius, welcher zu den Gegnern der Thronfolge Karl's in Karlmann's Reich unter den Mitgliedern diefer Ariftokratie gehörte, hervor[2]). Die Quellen weifen ausdrücklich und wiederholt auf die verderb= lichen Einflüfterungen feiner Umgebung hin[3]), und wenn dabei auch das Beftreben mitwirken mag, das Gehäffige der Feindfchaft zwifchen den Brüdern mehr nur Karlmann's Umgebung aufzu= bürden, fo zeigt doch der gereizte Ton, worin Einhard von Karl= mann felbft fpricht[4]), daß diefer keineswegs nur durch die Schuld feiner Rathgeber, fondern aus eigener Ueberzeugung gegen Karl eine feindfelige Haltung einnahm. Die Urfache des Zwiespalts zwifchen den Königen läßt fich nicht mit Sicherheit ausmitteln; er war jedenfalls nicht blos politifcher, fondern auch perfönlicher Na= tur und reichte allem Anfchein nach fchon in die Zeit vor ihrer Thronbefteigung zurück. Es ist möglich, daß Karlmann fich in feinen Rechten beeinträchtigt glaubte, da er den wahrfcheinlich vor der rechtmäßigen Vermählung feines Vaters mit Bertrada geborenen Karl fich gleichgeftellt fah[5]); während man jedenfalls nicht richtig vermuthet zu haben fcheint, daß er eine Bevorzugung deshalb für fich verlangte, weil Karl vor der Erhebung Pippin's zum König, er felbft bereits kurz nach derselben geboren war[6]). Aber wahr= fcheinlich ift auch jenes nicht; jedenfalls war Karl ja fchon längft eben fo gut wie fein Bruder zum König der Franken gefalbt[7]). Daß die Entzweiung urfprünglich einen perfönlichen Charakter hatte und

---

[1]) Vgl. Bd. II, den Abfchnitt über die Hofbeamten.

[2]) Vgl. unten z. J. 771.

[3]) Einhard. Vita Kar. c. 3: Mansitque ista, quamvis cum summa dif-ficultate, concordia, multis ex parte Karlomanni societatem separare mo-lientibus, adeo ut quidam eos etiam bello committere sint meditati; und die Nachricht der Annales Einh. SS. I, 147, Karlmann habe im aquitanifchen Krieg procerum suorum pravo consilio die Hilfe verweigert.

[4]) Einh. Vita Kar. c. 18: tanta patientia simultates et invidiam eius tulit, ut omnibus mirum videretur, quod ne ad iracundiam quidem ab eo provocari potuisset. — Willkürlich ausgefponnen find die Andeutungen Einhard's in der Vita Lulli von Lambert von Hersfeld (Interpolationen der Erlanger Hdfchr.), c. 14, SS. XV, 143—144. Karlmann wird hier als ein wilder, bösartiger junger Menfch von ungezügeltem Ehrgeiz gefchildert, der nach der Alleinherrfchaft über das ganze Reich ftrebt. Einigermaßen ähnlich Andr. Bergom. hist. c. 3, SS. rer. Lan-gob. S. 223—224, wo Karlmann zum älteren Bruder Karl's gemacht wird und diefen zu dem Schwur zwingt, feine langobardifche Gemahlin zu verftoßen.

[5]) Vgl. oben S. 13.

[6]) So vermuthet Waitz III, 2. Aufl. S. 99 N. 2; aber in der undatirten Urkunde Pippin's Mühlbacher Nr. 58, Tardif, Monuments historiques S. 45 Nr. 54, in welcher Pippin noch den Titel Majordomus führt, ist bereits von feinen filii die Rede, vgl. o. S. 13 N. 7.

[7]) Dies betont mit Recht Geo. Wolff a. a. O. S. 37.

ſehr tiefgehend, ſchon in der frühen Jugendzeit der Brüder vorhanden
war, das zeigt ein Brief von Cathvulf an Karl den Großen, der
wenigſtens einige Fingerzeige über dieſen Punkt enthält. Da zählt
Cathvulf die beſonderen Glücksfälle auf, mit denen Gott Karl ge=
ſegnet habe; zuerſt daß er auf das beſondere Gebet ſeiner königlichen
Eltern, namentlich ſeiner Mutter, geboren ſei; zweitens daß er der
Erſtgeborene ſei, der ſich des beſonderen Segens Gottes erfreue; dann
daß Gott ihn bewahrt habe vor den Nachſtellungen ſeines Bruders,
wie man von Jakob und Eſau leſe; daß er mit ſeinem Bruder
zur Herrſchaft gelangt ſei; endlich daß Gott ſeinen Bruder von
der Erde weggenommen und Karl die Herrſchaft über das ganze
Reich ohne Blutvergießen verliehen habe [1]). Beſtimmte Thatſachen
ſind aus dieſen Andeutungen nicht zu entnehmen; ſie berechtigen
auch nicht oder wenigſtens kaum zu der Vermuthung, daß Karl=
mann das Recht ſeines Bruders auf die Thronfolge beſtritt und
die Nachfolge im ganzen Reich für ſich allein in Anſpruch nahm [2]);
daß er mit der Theilung unzufrieden geweſen ſei [3]). Aber aller=
dings konnte es nicht fehlen, daß der Zwieſpalt, nachdem die
Brüder den Thron beſtiegen, fortdauerte [4]), wohl auch in ihrer
Politik zum Vorſchein kam [5]) und nur vorübergehend ausgeglichen
werden konnte.

---

[1]) Jaffé IV, 336 f., Cod. Carolin. Nr. 1 (um 775 geſchrieben): Propriis
etiam beatitudinibus et peculiaribus, o, o rex mi, honoravit te rex tuus
super . . . Prima de regis dignitate reginaque, sed et insuper illorum namque precum specialiter Deum precantium, maxime matris, sicut Deo placuit
inde, conceptus; ast natus . . . Secunda, quod primogenitus es. Et benedictione illius, sicut scriptum est, accipies iuxta illud . . . Tercia, ut de
fratris tui insidiis in omnibus Deus te conservavit, ut de Jacob et Esau
legitur. Quarta, quod sortisti regnum cum fratri tuo Francorum. Quinta:
non minimum est beatitudinis signum, quod Deus transtulit illum de
regno (Franco)rum et exaltavit te super omne hoc regnum sine sanguinis
effusione. Der Verfaſſer des Schreibens, über den ſonſt nichts bekannt iſt, war
augenſcheinlich ein Geiſtlicher (G. Wolff a. a. O. S. 53).

[2]) Aehnlich auch Ranke, Zur Kritik fränkiſch=deutſcher Reichsannaliſten, S. 420,
ſ. auch unten zu 771. Dagegen Wolff a. a. O.

[3]) Dieſer Anſicht iſt z. B. De la Bruère I, 68 f., der aber über den Her=
gang bei der Theilung mehr wiſſen will als die Quellen erzählen; ebenſo Gaillard II,
5; Hegewiſch S. 53; wie es ſcheint, auch Leibniz, Annales I, 18.

[4]) Vgl. beſonders den Brief Papſt Stephan’s III. an Karl und Karlmann
(769—770), Jaffé IV, 155 f. (ex discordia illa, quam
antiquus hostis inimicus pacis intra vestram fraternitatem inmiserat —
contentionis rixas ac litigia inter vos versata fuissent).

[5]) Häufig wird auch Karlmann’s Verhalten im aquitaniſchen Kriege 769 als
Urſache der Feindſchaft angegeben, ſo von Eckhart, Francia orient. I, 602;
Dippoldt S. 27; Martin, Histoire de France II, 253 (4. édit.); Alberdingk
Thijm, Karl der Große, Deutſche Ausgabe, S. 140 f. Wolff a. a. O. S. 40—41, 47
betrachtet wenigſtens als feſtſtehend, daß die ſchon früher vorhandene Zwietracht durch
dieſen Krieg bedeutend verſchärft worden ſei. S. dagegen Ranke S. 418 ff., durch
deſſen Ausführungen jene alte Anſicht widerlegt wird, und unten zum Jahr 769.

Wolff, S. 41 ff., beſ. 48 ff., ſucht folgende Auffaſſung zu vertreten bezw. von
neuem zur Geltung zu bringen: Karl habe durchaus an die Politik ſeines Vaters
anknüpfen wollen. Im Gegenſatz dazu repräſentirten Karlmann und ſein Anhang

Für den Augenblick herrschte noch Ruhe. Die Könige nahmen sich Zeit, um sich erst auf dem Throne einzurichten; aus dem Rest des Jahres 768 ist von keiner einzigen Regierungsmaßregel eines der beiden Brüder Kunde erhalten. Auch sonst erfahren wir aus dieser Zeit von keinem Ereigniß von größerer Bedeutung im Umfange des Reichs; blos die Neubesetzung des bischöflichen Stuhls von Metz fällt noch in dieses Jahr. Der letzte Inhaber dieser Würde, der gefeierte Chrodegang, war schon mehrere Jahre zuvor gestorben, am 6. März 766 [1]), und darauf diese wichtige Stelle stark drittehalb Jahre erledigt geblieben. Endlich, den Tag nach dem Tode Pippin's, erhielt Chrodegang einen Nachfolger in dem kaum weniger berühmten Angilram, der am 25. September 768 zum Bischof geweiht wurde [2]). Ueber die Herkunft Angilram's und sein früheres Leben sind keine bestimmten Nachrichten aufbewahrt; dürften wir den Versicherungen eines späteren Geschichtschreibers von Metz, der sich auf uns unbekannte Urkunden des Klosters Gorze beruft, Glauben schenken [3]), so gehörte Angilram einer vornehmen Familie an und erhielt seine Erziehung für den geistlichen Stand unter der Leitung eines Mönchs Nargaudus, wurde dann Mönch im Kloster St. Avold in der Diöcese Metz, einige Jahre

die Opposition gegen jene Politik, wie sie sich z. B. bei Pippin's italienischem Kriege gezeigt hatte. Diese Partei habe zugleich ihre Stützpunkte auswärts, an Tassilo von Baiern und dem Langobardenkönige Desiderius gehabt.

[1]) Annales Petav. SS. I, 11; genauer mit Angabe des Tages die Annales Mosellan. SS. XVI, 496 und Annales Lauresh. SS. I, 28. Den Tag geben außerdem Paulus Diaconus in den Gesta episcop. Mett. SS. II, 268, die Catalogi episcop. Mett. SS. XIII, 305—306, und das Necrolog. Mett., Forsch. zur deutschen Gesch. XIII, 598, an. Die unbedeutenden Ann. s. Vincentii Mettens. SS. III, 156, haben 767, und dies Jahr nennt auch Meurisse S. 173 als Todesjahr, aber mit Unrecht; schon Pagi ad Baron. 766 N. 6 bemerkt, daß die Angabe der alten Annalen durch die zuverlässigen Nachrichten über die Zeit und Amtsdauer von Chrodegang's nächsten Nachfolgern bestätigt wird. Das Jahr 766 geben übrigens auch Mabillon, Annales II, 209; Eckhart, I, 584 und die Histoire de Metz par deux religieux Bénédictins de la congrégation de S. Vanne I, 515; Oelsner, König Pippin S. 401; Hahn (Allg. D. Biographie IV, 251); vgl. auch Rettberg I, 495. — S. übrigens die Grabschrift Chrodegang's Poet. Lat. aev. Carolin. I, 108—109 Nr. 4.

[2]) Das Datum ergibt die Nachricht im Catalogus episc. Mett. (cod. Paris. olim s. Symphoriani Mett.) SS. XIII, 306, wonach die Vakanz 2 Jahre 6 Monate 19 Tage dauerte; das Jahr wird außerdem gesichert durch die Rückberechnung von dem als Todestag Angilram's verbürgten 26. Okt. 791 (vgl. unten Bd. II) und die Angabe von Angilram's Amtsdauer auf 23 Jahre 28 Tage im catalogus l. c., wobei als Tag der 29. Sept. herauskommt. Den 25. Sept. aber gibt als Tag der Weihe auch ein aus Jaffé's Nachlaß von Dümmler mitgetheiltes Nekrolog aus dem 9. Jahrhundert (Forschungen z. D. G. a. a. O. S. 599), das außerdem zum 23. Okt. die verstümmelte und auffallende Notiz enthält: Et Mettis . . . Anghilramnus f . . aca . . lo et in cathedra ipso die honorifice elevatus. Sollte damit die Wahl gemeint und diese am 23. Okt. des vorangehenden Jahres erfolgt sein? — Vgl. übrigens auch die Versus de episcopis Mettensis civitatis v. 55 ff. Poet. Lat. aev. Carolin. I, 61.

[3]) Die Histoire de Metz I, p. XIV und 527, beruft sich auf die ungedruckte Histoire manuscr. de Metz des P. Bénoit, der jene Nachrichten aus dem Gorzer Chartular haben will. Danach erzählt sie auch Calmet I, S. 524.

später in Senones im Sprengel von Toul und zuletzt Abt dieses
Klosters. Von Senones ward er auf den bischöflichen Stuhl von
Metz berufen, behielt jedoch seine Abtei auch nachher bei[1]).
Infolge davon wurde das Kloster, das kirchlich unter dem Bischof
von Toul stand, in weltlichen Angelegenheiten abhängig von
Metz, zum großen Verdruß der Mönche, welche mit der Verwand=
lung ihres Klosters aus einem königlichen in ein bischöfliches sehr
unzufrieden waren. Um ihren Unmuth zu besänftigen, schenkte
Angilram dem Kloster die Reliquien des h. Simeon, angeblich des
siebenten Bischofs von Metz, erreichte aber seinen Zweck nicht.
Die Mönche nahmen das Geschenk garnicht an; Angilram mußte
außerhalb des Klosters eine eigene Kapelle für die Reliquien er=
bauen und vermochte den Groll der Mönche nicht eher zu be=
schwichtigen, als bis er sich entschloß die Abtswürde niederzulegen
und als seinen Stellvertreter einen neuen Abt einzusetzen in der
Person des Nargaudus (Norgandus), vielleicht seines alten Lehrers.
Außerdem bestellte er für das Kloster auch einen Vogt, und nun
erst gaben die Mönche sich zufrieden und nahmen auch die Re=
liquien des h. Simeon in ihr Kloster auf[2]). Darüber waren
freilich Jahre hingegangen[3]), während welcher er zu noch höheren
Würden emporstieg, oberster Kapellan Karl's und Erzbischof wurde[4])
und hierauf in den allgemeinen Reichsangelegenheiten einen wachsen=
den Einfluß erhielt. Angilram erscheint auch als Abt des Klosters
St. Trond[5]), welches unter den Bischöfen von Metz stand[6]). Auf

---

[1]) Die Gesta Senoniensis ecclesiae von Richer II, 1, SS. XXV, 269,
stellen die Sache so dar, als habe Angilram die Abtei Senones von Karl erst er=
halten, nachdem er bereits Bischof von Metz gewesen, und dieser Darstellung folgt
Meurisse p. 34. Wie unzuverlässig auch die Angaben Richer's sind, der erst im
13. Jahrhundert schrieb, so ist es doch immerhin möglich, daß er hier Recht hat und
daß Angilram, nachdem er bereits Kapellan und Bischof war, die Abtei Senones er=
hielt (vgl. Oelsner, Allg. D. Biogr. I, 460, 781, der diese Frage offen läßt). Wahr=
scheinlicher bleibt aber, schon angesichts der sonstigen völligen Verwirrung in diesem
Punkte bei Richer, das Gegentheil, daß Angilram zuerst Abt von Senones, dann
Bischof von Metz wurde, wie auch die Histoire de Metz I, S. 528 und Rettberg I,
522 annehmen; nur kann er dann nicht, wie die Histoire de Metz l. c. behauptet,
Senones von Karl erhalten haben, da er ja schon einige Tage vor dessen Regierungs=
antritt Bischof von Metz wurde.
[2]) Richer. Gesta Senoniensis eccl. SS. XXV. l. c.
[3]) Die Zeit dieser Vorgänge ist nicht genau bekannt, Mabillon, Annales II,
277, setzt die Bestallung des Norgandus als Abt nach der Uebernahme der Kapellans=
würde durch Angilram wegen dessen Ueberhäufung mit Geschäften, also nach 784;
ebenso die Histoire de Metz I, 530.
[4]) Vgl. Bd. II, den Abschnitt über die Hofbeamten.
[5]) Der Name Angilram begegnet in dem Verzeichniß der Aebte von St. Trond
(Belgien, Prov. Limburg, Arr. Hasselt) als fünfter in der Reihe, Rodulfi Gesta
abb. Trudon. SS. X, 229 und Gesta abb. Trud. cont. III. p. 1, SS. X, 370.
Wenn es hier auch ausdrücklich heißt, daß von den 5 ersten Aebten nur die Namen
bekannt seien, so ist es doch nicht zweifelhaft, daß der Abt von St. Trond mit dem
Bischof von Metz identisch ist. Mabillon, Annales II, 598 entscheidet sich auch
dafür; die Histoire de Metz I, 535 spricht sich unbestimmt aus; Wilmans, Re=
gister zu SS. X, 615 unterscheidet.
[6]) Donat. V. s. Trudonis c. 27, Mabillon, Act. SS. o. s. Ben.
II, 1084: in monasterio s. Trudonis ... quod proprium est ad re-

feine Veranlaſſung verfaßte Donatus, welcher ihn feinen Lehrer nennt[1]), das ihm gewidmete Leben des h. Trudonus. Wichtiger iſt, daß auch Paulus Diaconus auf feinen Wunſch die Geſchichte der Biſchöfe von Metz geſchrieben hat[2]).

Die beiden Könige ſelbſt entziehen ſich nach ihrer Thron=beſteigung bis zum Schluß des Jahrs unſeren Blicken. Ueber=liefert iſt nur, daß Karl Weihnachten in Achen feierte[3]), von Karlmann hören wir garnichts. Aber gleich zu Anfang des fol=genden Jahres erſcheinen beide wieder auf dem politiſchen Schauplatz.

---

gendum (ut diximus) Mettensis urbis episcopis; vgl. Oelsner, König Pippin S. 359 N. 11, der dies freilich nur auf die Zugehörigkeit des Kloſters zur Diözeſe Metz zu beziehen ſcheint; Rettberg I, 566 f.

[1]) V. s. Trudonis praef. 1. c. S. 1072 (alme praeceptor).

[2]) Paul. hist. Langobard. VI, 16, SS. rer. Langob. S 170: in libro, quem de episcopis eiusdem civitatis conscripsi flagitante Angelramno viro mitissimo et sanctitate praecipuo, praefatae ecclesiae archiepiscopo.

Wattenbach iſt ſogar nicht abgeneigt, in ihm den Verfaſſer des erſten Theils der Annales Laurissenses mai. zu vermuthen (DGQ. I, 5. Aufl. S. 185).

[3]) Annales Laur. mai. SS. I, 146; Annales Einhardi, SS. I, 147.

Schon im Jahre 769 werden die beiden Könige von mehreren der wichtigsten Angelegenheiten in Anspruch genommen. Im Süd= westen ist der Bestand des Reiches gefährdet, im Osten droht der längst schon so gut wie selbständige Herzog von Baiern eine völlig unabhängige Stellung einzunehmen, und durch die Zustände in Italien und die von Pippin angeknüpften Beziehungen zu Rom werden die Könige genöthigt, auch den italienischen Verhältnissen ihre Aufmerksamkeit zuzuwenden. Aber überall machte sich auch der Gegensatz unter den Brüdern geltend.

Zu Anfang des Jahres befindet sich Karlmann in seiner Pfalz zu Salmunciagum (Samoussy unweit Laon) und erläßt dort eine Urkunde, worin er auf Bitten des Abtes Fulrad von St. Denis dem Kloster alle von seinen Vorgängern ihm hinsichtlich des Markt= zolls verliehenen Privilegien bestätigt[1]), und in einer zweiten, ebenfalls noch im Januar in Samoussy ausgestellten Urkunde be= stätigt er ihm die Immunität[2]). Im März bestätigt er dem Kloster nochmals die umfassendste Zollfreiheit[3]); damals befand er sich in der Pfalz Attiniacum (Attigny an der Aisne), wo er laut urkund= lichem Erlaß an den betreffenden Grafen vom 22. März dem Abte Restoinus vom Kloster Münster im Gregorienthal im Elsaß und dessen Nachfolgern das Privilegium ertheilt, von den Fiskalleuten auf dem kirchlichen Gute bei Aufoldus (Uffholz) giltige Erwerbungen machen zu dürfen[4]).

Damals war Karl bereits auf dem Marsche nach Süden be= griffen, um dem drohenden Abfall Aquitaniens zu wehren. Karl

---

[1]) Mühlbacher Nr. 113; Tardif S. 53 f. Nr. 64; vgl. Oelsner, König Pippin S. 72 N. 5. Karlmann bezeichnet in dieser Urkunde den Fulrad als seinen Kapellan.
[2]) Mühlbacher Nr. 114; Bibliothèque de l'Ecole des Chartes IV, 2, 348.
[3]) Mühlbacher Nr. 116; Bibliothèque de l'Ecole des Chartes l. c. S. 349; Tardif S. 54 f. Nr. 66.
[4]) Mühlbacher Nr. 115; Bouquet V, 715. Ueber den Abt Restoinus vgl. Mabillon, Annales II, 218.

war nach Weihnachten noch längere Zeit in Achen, das ja später noch mehr sein Lieblingsaufenthalt wurde, geblieben; am 13. Januar ließ er dort eine Urkunde ausfertigen, durch welche er das Kloster des h. Deodat (St. Dié in den Vogesen) dem Kloster St. Denis schenkte[1]), der Ruhestätte seines Vaters, die auch er einst zu seiner Ruhestätte wünschte[2]). Am 1. März bestätigt er ebendaselbst der Martinskirche zu Utrecht den Zehnten von allem Fiskalbesitz und allen Fiskalabgaben zum Unterhalt der Mönche und Kanoniker, welche daselbst die Heiden zum Christenthum bekehrten und in der neuen Religion unterwiesen[3]). Dann begegnet er am 16. März in der Villa Audriaca (Orville bei Arras), wo er dem Kloster Corbie bei Amiens die Immunität bestätigte[4]); einige Wochen später, am 2. April, feierte er Ostern in Rouen[5]). Karl verlegte also seinen Aufenthalt von Achen, aus dem Herzen seines Reiches heraus immer weiter nach Westen, augenscheinlich in der Absicht der bedrohten Grenzprovinz näher zu sein.

Schon zu Anfang 769 regte sich in Aquitanien der Aufstand gegen die fränkische Herrschaft. Pippin hatte einen achtjährigen Krieg zur Unterwerfung Aquitaniens geführt, und da im Juni 768, kurz vor Pippin's Tod, der Herzog Waifar selbst ermordet ward[6]), schien die Eroberung des Landes vollendet; bei der Theilung des fränkischen Reichs unter seine Söhne verfügte Pippin über Aquitanien wie über eine fränkische Provinz. Das Land wurde wohl nicht ohne besondere Absicht zwischen den Königen getheilt[7]); es sollte dadurch seine Widerstandskraft im Fall eines Aufstandes geschwächt werden, die Könige sollten beide ein gleich großes Interesse haben an der Behauptung dieser Provinz. Und die Vorsicht Pippin's war nicht überflüssig; kaum war er gestorben, als Unruhen in Aquitanien ausbrachen zu dem Zweck, die fränkische Herrschaft wieder abzuschütteln.

---

[1]) Mühlbacher Nr. 128; Tardif S. 52 f. Nr. 63; vgl. über diese Urkunde oben S. 28 N. 6.

[2]) Vgl. Bd. II. z. J. 814.

[3]) Mühlbacher Nr. 129; vgl. Nr. 68; Oelsner S. 50, sowie unten z. J. 772.

[4]) Mühlbacher Nr. 130; Bouquet V, 715.

[5]) Annales Laur. mai.; Einh. Ann. SS. I, 146. 147. Daß in Rouen eine Reichsversammlung stattgefunden, wie z. B. Martin, Histoire de France II. 252, annimmt, ist eine Vermuthung ohne Stütze, die wohl nur den Zweck hat, das Capitular von 769, Capp. 1, 44 ff. unterzubringen.

[6]) Annales Laur. mai. l. c. etc. Genauer Fredegar. cont. 135, Bouquet V, 8; Ann. Lauriss. mai. ed. Waitz S. 412; Ann. s. Amandi SS. I, 12 u. f. w. Vgl. Oelsner S. 413; Sickel II, 219 (Anm. zu P. 26); Henking in St. Galler Mitth. XIX, 201 N. 10 zu den Ann. Sangall. Baluzii. Waifar's Todestag war der 2. Juni.

[7]) Siehe oben S. 24 f.; Kroeber a. a. O. S. 346. Der wahrscheinlich unrichtigen Angabe der Annales Einh., SS. I, 147, Aquitanien habe ganz zum Reichstheil Karl's gehört, folgen übrigens auch de la Bruère I, 64 und Mémoire p. XII; Gaillard I, 7 u. a. Mit Unrecht will die Histoire générale de Languedoc par deux Religieux Bénédictins I, 426, die widersprechenden Angaben in Uebereinstimmung bringen durch die Behauptung, Karl habe seines Bruders Antheil an Aquitanien eingetauscht gegen seinen eigenen Antheil an Austrasien.

An der Spitze der Bewegung, in welche auch Wasconien hineingezogen wurde, stand Hunald, von dem es heißt, er habe selbst nach der Herrschaft getrachtet[1]). Ein Hunald war schon vor Waifar Herzog von Aquitanien gewesen und von Pippin in den ersten Jahren seiner Herrschaft, noch ehe er König geworden, mit Erfolg bekämpft. Wie es scheint, war er der Vater Waifar's, zu dessen Gunsten er im Jahr 744 die Regierung niederlegte und sich als Mönch in das Kloster Rhé begab[2]). Es ist wahrscheinlich, wenn auch nicht sicher beglaubigt, daß der Hunald, welcher 769 die Erhebung gegen die Franken leitete, der Vater Waifar's war, der inzwischen das Kloster wieder verlassen hatte[3]).

---

[1]) Annales Laur. mai. SS. I, 146: eo quod Hunaldus voluit rebellare totam Wasconiam etiam et Aquitaniam. Annales Einh. l. c.: Hunoldus quidam regnum adfectans, provincialium animos ad nova molienda concitavit; Fragm. Basil. SS. XIII, 27: perfidiam Hunaldi, qui iterum fraudulenter Aquitaniae principatum arripere volebat; desgl. Ann. Mettens. ebb.; Chron. Vedastin. ib. S. 703: Hunaldum Aquitanie fraudulenter principatum arripere conantem; Ann. Lobiens. ib. S. 228: Hunoldum, qui Waifarium succedere voluerat in principatu; Einh. V. Karoli 5: Hunoldum, qui post Waifarii mortem Aquitaniam occupare bellumque iam poene peractum reparare temptaverat; Astron. V. Hlud. c. 1, SS. II, 607, wo dieser Aufstand fälschlich in die Zeit der Alleinherrschaft Karl's, nach dem Tode Karlmann's verlegt wird: — ad Aquitaniam . . . recidiva bella meditantem et, Hunaldo quodam tyranno auctore, iam iamque in arma ruente; Ann. Lauriss. min. ed. Waitz S. 412: Hunoldum in Aquitania rebellantem; Ann. Enhard. Fuld. SS. I, 348: Hunoltum in Aquitania rebellare et imperio suo resistere conantem.

[2]) Annales Mettenses SS. I, 328; Chron. Vedastin. SS. XIII, 702; Ann. Lobiens. ib. S. 227 (wie man annehmen darf, aus gemeinsamer Quelle, vgl. Pückert in Ber. der k. sächs. Ges. d. Wiss., phil.-hist. Cl. 1884, S. 157 N. 1). Die Vita ss. Bertharii et Athaleni, bei Bouquet V, 344, das einzige Zeugniß, das sonst für diese Vorgänge beigebracht werden kann, hat ihre Angaben ebenfalls nur aus den Metzer Annalen, wenn nicht aus deren Quelle, vgl. Hahn, Jahrbücher S. 167 f. Excurs VII. Vgl. ferner den interpolirten Text der Transl. s. Germani, SS. XV, 5 N. 2 (ab Unoldo ipsius Aquitaniae patricio). Als Hunald's Sohn wird Waifar sonst nur noch bezeichnet bei Ado, Chronicon, SS. II, 319, also gleichfalls von einem nicht zuverlässigen Gewährsmann. Die Fortsetzer Fredegar's, die doch ausführlich über diese Verhältnisse berichten, wissen von Hunald's Thronentsagung zu Gunsten seines angeblichen Sohnes Waifar nichts. Die betreffende Erzählung steht daher auf nicht ganz sicheren Füßen; jedoch ist es unmöglich, wie Rabanis, Les Mérovingiens d'Aquitaine S. 88 versucht, den Beweis zu führen, daß Hunald nicht der Vater Waifar's war. Wir dürfen ihn vielmehr immerhin als solchen gelten lassen, wofür sich auch Hahn a. a. O. S. 166 ff. entscheidet.

[3]) Auch sind die einzigen Zeugnisse die Vita ss. Bertharii et Athaleni, die es bestimmt angibt, und das Fragm. Basil. nebst den Metzer Annalen, die wenigstens offenbar von derselben Voraussetzung ausgehen. Die Uebereinstimmung der beiden letzteren beweist jedoch, daß dies auch schon in ihrer gemeinsamen Quelle der Fall war, und hierdurch ist dieser Punkt weit gesicherter als es früher schien (vgl. Mühlbacher S. 55; Pückert a. a. O.), wo übrigens auch bereits die Histoire de Languedoc I, 427; Leibniz I, 18; Gaillard II, 6; Dippoldt S. 26; Fauriel, Histoire de la Gaule méridionale III, 305 f., überhaupt fast Alle es annahmen. Jedenfalls ist der von Rabanis a. a. O. versuchte Beweis, daß Karl's Gegner Hunald nicht der Vorgänger Waifar's war, nicht gelungen. Daß die Ann. Einh. l. c. von Hunoldus quidam reden, beweist nichts, obschon auch Duchesne, Lib. pontif. I, p. CCXXVII ff. 456, darauf Gewicht legt. Vgl. übrigens Hahn

Karl könnte möglicherweise die Unterwerfung Aquitaniens für durch den Tod Waifar's ohnehin noch nicht vollendet angesehen und es daher für seine erste Aufgabe gehalten haben, die von Pippin dem Ziel so nahe gebrachte Eroberung des Landes vollends durchzuführen[1]. Jedenfalls wünschte er die Erhebung Hunald's in möglichst großer Eile niederzuwerfen. In der That genügte eine kleine Anzahl fränkischer Krieger, um die Unruhen zu unterdrücken oder wenigstens unschädlich zu machen; durch das rasche Einschreiten Karl's war bald alle Gefahr beseitigt[2]. Was Karlmann betrifft, welcher doch an der Behauptung Aquitaniens ebenmäßig interessirt gewesen zu sein scheint[3], so behauptet Einhard im Leben Karl's[4], daß der letztere Karlmann um seine Hilfe gebeten und daß dieser sie zugesagt habe, ohne jedoch seinem Versprechen nachzukommen. Aehnliches berichten die sogen. Einhard'schen Annalen; in ihnen heißt es, die bösen Rathschläge seiner Großen hätten Karlmann davon abgehalten[5]. Indessen steht fest, daß Karlmann während dieses Zuges sich in Duasdives[6]), einem

---

über eine angebliche Urkunde aus dem 12. Regierungsjahre Waifar's, in welcher Hunald als princeps Aquitaniae erscheint.

[1] Dies könnte man wenigstens allenfalls nach der Darstellung Einhard's, Vita Kar. c. 5: Omnium bellorum quae gessit primo Aquitanicum, a patre inchoatum, sed nondum finitum, quia cito peragi posse videbatur, fratre adhuc vivo . . . suscepit, annehmen, obwohl dieselbe schwerlich irgendwie maßgebend sein darf. Aehnlich Ann. Einh.: Aquitania provincia . . . remanentibus in ea transacti belli reliquiis, conquiescere non potuit.

[2] Annales Laur. mai. l. c.: et cum paucis Francis auxiliante Domino dissipata iniqua consilia supradicti Hunaldi; vgl. Chron Vedastin. SS. XIII, 703 (Wasconiam sibi parvo milite subiugavit); dagegen Fragm. Basil. SS. XIII, 27: adunato exercitu illuc tendens, per Dei auxilium fraudulentiam illius consiliis obtimis dissipavit; beinahe wörtlich ebenso Ann. Mett. ibid.: Ann. Einh.: Contra quem . . . rex Karlus cum exercitu profectus est; Regino SS. I, 557: Aquitaniam cum exercitu intravit.

[3] Vgl. oben S. 24 f. 42.

[4] Vita Kar. l. c.: fratre adhuc vivo, etiam et auxilium ferre rogato — licet eum frater promisso frustrasset auxilio.

[5] Ann. Einh. l. c.: cum fratris auxilium habere non posset (Karlus), qui procerum suorum pravo consilio ne id faceret inpediebatur, conloquio tantum cum eo habito . . . (vgl. Vita c. 3: multis ex parte Karlomanni societatem separare molientibus).
Ranke, Zur Kritik fränkisch-deutscher Reichsannalisten S. 418 ff. will hier den Einhard'schen Annalen und noch mehr dem Leben Karl's, insoweit sie von den Lorscher Annalen abweichen, alle Glaubwürdigkeit absprechen. Er meint, die Abweichungen beruhten nur auf einer falschen Erklärung der Lorscher Annalen durch den Verfasser der anderen und der Lebensbeschreibung Karl's. Aehnlich Manitius, Die Annales Sithienses etc. S. 41 f., der hier die Vita Karoli geradezu der Fälschung beschuldigt. Entgegengesetzter Ansicht ist Geo. Wolff, Kritische Beitr. zur Gesch. Karl's d. Gr. (768—771), S. 39 f., 49, der diesen Nachrichten die größte Wahrscheinlichkeit zuspricht.

[6] Ann. Laur. mai.: in loco qui dicitur Duosdives; Ann. Einh.: in loco qui Duasdives vocatur; Fragm. Basil.: in loco qui dicitur Duos-Clives; Ann. Mett.: in loco qui dicitur Ad-duos-Clivos (hier ist der Name corrumpirt, vgl. Giesebrecht, Forsch. z. D. G. XIII, 629).

Orte, dessen Lage uns nicht mit Sicherheit bekannt, der aber wahr=
scheinlich im nördlichen Aquitanien, in Moncontour de Poitou, an
zwei neben einander laufenden Armen der Dive du Nord[1]) zu suchen
ist, bei seinem Bruder einfand[2]); möglicherweise hatte er Karl so=
gar bis dahin begleitet[3]). Die jüngeren Bearbeitungen der großen
Annalen sagen, daß in Duasdives eine Zusammenkunft und Be=
sprechung zwischen den Königen stattfand[4]). Weiter hören wir
nur, daß Karlmann von Duasdives wieder nach Hause zurückkehrte,
Karl dagegen den Marsch ins Innere Aquitaniens fortsetzte[5]).
Daß dies infolge einer Entzweiung zwischen den Brüdern geschehen
sei, wird nicht berichtet[6]). Bei dem bekannten Mißverhältniß
zwischen den Brüdern lag es aber nahe, diese Umkehr Karlmann's
so aufzufassen, als habe er den Bruder im Stich gelassen[7]), und

---

[1]) Vgl. Spruner=Menke, Handatlas Nr. 30; Vorbem. S. 16, welcher den Ort
Ad duas Dives nennt: Mühlbacher S. 52. Moncontour liegt im Dep. Vienne,
Arr. Loudun. Schon Leibniz I, 18, der ad duos clivos lesen wollte, suchte den
Ort in Poitou, wohin auch Fauriel III, 307 Duasdives verlegt. Die Annahme
von Pertz, SS. I, 147 N. 42, welcher diese Lage bestreitet und den Ort in Karlmann's
Reich, östlich vom Rhein finden will, ist, wie auch Menke bemerkt, unmöglich; Karl=
mann kehrte vielmehr von hier in sein Reich zurück (vgl. unten).

[2]) Annales Laur. mai. l. c.: et in ipso itinere iungens se supradictus
magnus rex cum germano suo Carlomanno in loco qui dicitur Duosdives.

[3]) Der Ausdruck iungens se könnte auch hier die Bedeutung von ‚kommen'
haben, wie Ann. Laur. mai. 779 S. 160 lin. 9 (vgl. unten Excurs III). Dagegen
spricht nur der Ablativ loco nach und die Deutung der späteren Bearbeitungen.
Nicht mit Recht schließen Ranke (S. 420) und Manitius (S. 41, 52 N. 38) aus
dem Ausdruck, daß Karlmann mit Heeresmacht herangerückt, in Duasdives eine
Vereinigung der Heere beider Brüder erfolgt sein müsse, vgl. Rückert a. a. O. S. 158
N. 2. Immerhin mag aber Karlmann nicht ohne Kriegsgefolge zu oder mit Karl
gezogen sein. Eine Theilnahme an diesem Feldzuge und seinem Erfolge schreiben ihm
übrigens auch Ann. Laur. min., ed. Waitz S. 412, zu, die sich indessen ungenau
ausdrücken (Carlus cum fratre Carlomanno Hunoldum in Aquitania rebellantem capiunt).

[4]) Ann. Einh.: conloquio tantum cum eo habito in loco qui Duasdives
vocatur; Fragm. Basil.: In quo itinere cum germano suo Carolomanno
colloquium habuit in loco qui dicitur Duos-Clives; Ann. Mett.

[5]) Ann. Laur. mai.: Inde Carlomannus se revertendo Franciam iter
arripiens, domnus Carolus benignissimus rex ivit ad Aequolesinam civitatem;
Ann. Einh.: fratre in regnum suum remeante, ille Egolisenam Aquitaniae
civitatem proficiscitur; Fragm. Basil.: inde Carolomannus ad propria revertitur. Rex vero Karolus perrexit ad Equalismam civitatem; Ann. Mett.

[6]) Ranke S. 419 f. führt aus, daß in den Lorscher Annalen keine Spur von
einer Entzweiung zu treffen sei, die in Duasdives zwischen den Brüdern ausgebrochen;
auch die Ann. Einh. berichten nicht so. Andererseits hat das Schweigen der
Lorscher Annalen bei der großen Zurückhaltung, welche dieselben allem, was die
königliche Familie betrifft, gegenüber beobachten, an sich wenig zu bedeuten.

[7]) Das ist die gewöhnliche Ansicht, die mit der ebenfalls auf den Ann. Einhardi beruhenden Meinung zusammenhängt, als ob Karl allein ganz Aquitanien be=
sessen habe, vgl. Gaillard II, 7, dessen Darstellung die willkürlichste ist; Fauriel III,
307; Martin II, 252. Andere wollen wissen, es wäre in Duasdives beinahe zu
Feindseligkeiten zwischen den Brüdern selbst gekommen, so die Histoire de Languedoc I, 427, aber ohne jeden Grund, als etwa die allgemeine Bemerkung in Einh.
V. Karoli 3 (adeo ut quidam eos etiam bello committere sint meditati).
De la Bruère I, 73 bringt Einzelheiten bei, die ohne Begründung in den Quellen
sind. Viel vorsichtiger äußern sich die deutschen Schriftsteller, Eckhart I, 602; He=
gewisch S. 56; Dippoldt S. 26.

möglicherweise sind die oben erwähnten Nachrichten im Leben Karl's und den sogen. Einhard'schen Annalen nur aus einer solchen Auffassung entsprungen.

Karl rückte also weiter in Aquitanien vor, um das Werk der Eroberung zu vollenden und den Besitz der Provinz dauernd zu sichern; Karlmann betheiligte sich bei der Ordnung dieser Verhältnisse nicht. Karl begab sich nach Angoulême[1]), noch im Mai, wie eine Urkunde zeigt, die er auf dem Wege dahin, in Murnacum (Mornac an der Charente) für das Kloster des h. Albinus (St. Aubin) in Angers ausstellte[2]). Angoulême gehörte zu den aquitanischen Städten, die früher, unter Pippin, von Waifar geschleift worden waren, die aber Pippin nachher wieder aufbauen und durch seine Leute besetzen ließ[3]). Jetzt war es von der fränkischen Besatzung auch während des Aufstandes behauptet worden[4]); Karl konnte sich hier mit mehr Truppen und Kriegsmaterial versehen, namentlich mit den zur Anlage von Befestigungen nothwendigen Geräthschaften[5]). So rückte er weiter nach Süden, immer tiefer ins Innere des Landes. Nach einer späteren Nachricht soll er zunächst nach Périgueux gekommen sein und in jener Gegend eine Kirche zu Brantôme an der Dronne gestiftet haben[6]); aber diese Angabe ist theils unzuverlässig, theils unglaubwürdig[7]).

Karl traf auf seinem Marsch in das Innere Aquitaniens, wie

---

[1]) Ann. Laur. mai.; Ann. Einh.; Fragm. Basil.; Ann. Mett. Bei Regino (SS. I, 557) ist Coloniensem civitatem in Ecolensinam zu emendiren (Ermisch, Die Chronik des Regino bis 813, S. 85).

[2]) Mühlbacher Nr. 131; Bouquet V, 717. Mühlbacher vermuthet, daß Karl über Angers gekommen war. Vgl. ebd. Nr. 132 über eine falsche Urk. Karl's für Ottobeuren vom 21. Mai 769 aus Mainz.

[3]) Fredegar. cont. c. 129, Bouquet V, 6; Ann. Mett. 766, SS. I, 335; Oelsner, König Pippin S. 353; Mühlbacher S. 43—44.

[4]) Dies ergibt deutlich die Erzählung der Lorscher Annalen; die Besatzung muß den Platz auch während der Empörung Hunald's gehalten haben.

[5]) Ann. Laur. mai. SS. I, 146—148: et inde sumpsit plures Francos cum omni utensilia et praeparamenta eorum (wozu bei Ademar von Chabannes der Zusatz: qui civitatem ipsam aspiciebant). Ann. Einh. SS. I, 149 sagen dafür: et inde, contractis undique copiis . . . — In einer Handschrift der Ann. Laur. mai. der unglaubwürdige Zusatz, daß Karl auch aus Périgueux neue Truppen mitgenommen habe; vgl. die nächste Anmerkung.

[6]) Die Nachricht findet sich in einer von Duchesne benutzten Handschrift der größeren Lorscher Annalen, SS. I, 146, ist aber erst ein späterer Zusatz am Rande und hat auf Glaubwürdigkeit keinen Anspruch, wie auch Mabillon, Annales II, 217 bestimmt hervorhebt; s. auch Gallia christiana II, 1490, sowie Sickel II, 366; Mühlbacher S. 55—56.

Sickel bemerkt, daß auch andere derartige Traditionen an die Nachrichten über Karl's aquitanischen Zug vom J. 769 anknüpfen; so eine S. Ausone in Angoulême betreffende Angabe in Gallia christ. II. 1039 und die angebliche Gründung von S. Etienne die Vaignes durch Karl. Er verweist in Bezug auf die Kritik aller dieser Notizen auf Bulletin de la soc. archéol. et histor. de la Charente II, 186 ff.

[7]) Anderwärts schreibt Ademar, Hist. III, 16, SS. IV, 120, die Stiftung des Klosters Brantôme dem König Pippin I. von Aquitanien, Karl's Enkel, zu; vgl. Simson, Jahrbb. Ludwigs d. Fr. II, 193.

es scheint, nirgends mehr auf einen Feind; Hunald, den er ver=
folgte, wäre beinahe gefangen worden, entkam aber Dank seiner
Kenntniß der Gegend nach Wasconien, wo er mit seiner Gemahlin
bei dem Herzog Lupus (Lope) Aufnahme fand[1]). In der gefälschten
Urkunde für Alaon wird Lupus als der Neffe oder Enkel Hunald's
bezeichnet[2]); in Wahrheit ist von ihrer Verwandtschaft nichts be=
kannt. Die Wasconen, welche das Land zwischen der Garonne
und den Pyrenäen bewohnten, hatten bis dahin ihre Unabhängig=
keit behauptet; jetzt mußten auch sie vor dem fränkischen König sich
beugen. Dieser war unterdessen bis an die Dordogne vorgerückt
und ließ dort, nahe bei der Vereinigung des Flusses mit der Ga=
ronne, eine Veste erbauen, welche den Namen Fronciacum (Fronsac)
erhielt[3]). Diese Maßregel sollte zunächst die Eroberung Aqui=
taniens sichern, war aber zugleich ein vorgeschobener Posten gegen
Wasconien. Der König ließ, nach unseren glaubwürdigsten Quellen,
von hier aus durch eine Gesandtschaft die Auslieferung Hunald's
und seiner Gemahlin von dem Wasconenfürsten fordern[4]), und
Lupus wagte nicht dieser Forderung zu trotzen. Er lieferte beide
aus[5]), und sie wurden durch die zurückkehrenden Gesandten ge=

---

[1]) Ann. Einh. vgl. Ann. Mett.; Lobiens.; Chron. Vedastin.; Ann.
Laur. mai.; Einh. V. Kar. c. 5; Astron. V. Hlud. c. 1 SS. II, 607 (wo der
Hergang entstellt ist: Eius ergo terrore coactus est idem Hunaldus et Aquitaniam linquere et fugae subsidio vitam delitescendo atque oberrando
servare).

[2]) Die Fälschung der Urkunde, die noch Böhmer, Regesta Karol. Nr. 1572
und Ranke S. 421 für echt halten, ist nachgewiesen von Rabanis, Les Mérovingiens
d'Aquitaine. Ueber Lupus insbesondere vgl. Rabanis S. 100 ff., sowie auch unten
Bd. II. z. J. 801. Auch die genealogischen Angaben in der Histoire générale
de Languedoc I, 426 f.; 688 ff. beruhen lediglich auf dieser falschen Urkunde,
überhaupt alle Angaben, welche Lupus als Neffen Hunald's bezeichnen.
Foß, Ludwig der Fromme vor seiner Thronbesteigung (Progr. des kgl. Friedrich=
Wilhelms=Gymnasiums in Berlin 1858) S. 18 N. 94 macht Lupus, nach der falschen
Urkunde für Alaon, zu einem Sohn des Waifar, also zu einem Enkel des Hunald.
Vgl. ferner Henkel, Ueber den historischen Werth der Gedichte des Ermoldus Nigellus
(Progr. der Realschule zu Eilenburg 1876) S. 15.

[3]) Ann. Laur. mai.: et ibat super flumen Dornoniam et aedificavit
ibi castrum qui dicitur Fronciacus; Ann. Einh.; Fragm. Basil.; Ann. Mett.;
Chron. Vedastin.; Zusatz eines Textes (A 3 bei Waitz) zu Einh. V. Kar. 5. —
Gaillard II, 9 und Hegewisch S. 57 f. wollen Franciacum lesen, was Burg der
Franken bedeuten soll, und ihnen folgen Fauriel III, 309 und Martin II, 253.
Franciacum haben nur zwei Handschriften der Annales Einhardi, die aber zu den
besten gehören.

[4]) Annales Laur. mai. SS. I, 148: et inde missos suos mittens post
Hunaldum et uxorem eius ad Luponem Wasconem; Ann. Einh. SS. I, 149;
(Fragm. Basil., hier verstümmelt;) Ann. Mett.; Einh. V. Kar. 5 (vgl. jedoch unten).

[5]) Einh. V. Kar l. c.; Ann. Einh.; Ann. Mett. (Fragm. Basil.) Nach
Ann. Einh geschah es sine cunctatione. Manitius, a. a. O. S. 42, bezweifelt,
daß Lupus wirklich Herzog der Wasconen gewesen sei, da ihn Ann. Laur. mai.
nur Luponem Wasconem nennen, während Ann. Einh. sagen: Erat tunc Wasconum dux, Lupus nomine, cuius fidei se Hunoldus committere non dubi-
tavit (vgl. hinsichtlich dieses Ausdrucks 797 S. 185 lin. 1) und V. Kar. 5: Lupo
Wasconum duci. Auch Fragm. Basil, Ann. Mett. und Chron. Vedastin. be=
zeichnen ihn als Fürsten der Wasconen (Wasconum principem — principem

fangen nach Fronsac vor Karl geführt[1]). Es heißt, daß Karl seine
Forderung mit der Drohung begleitet und unterstützt hatte, sonst in
Wasconien einzufallen und die Auslieferung Hunald's durch Krieg
zu erzwingen[2]). Gewiß unrichtig wird in Einhard's Leben Karl's[3])
der Hergang so dargestellt, als ob Karl sogar bereits die Garonne
überschritten gehabt hätte, als er diese Forderung und Drohung
an Lupus richtete. Andrerseits enthält aber auch eine unserer
ältesten Quellen die bestimmte Angabe, daß Karl die Garonne
überschritt und in Wasconien selbst eindrang[4]), während er nach
den Reichsannalen in Fronciacum stehen blieb. Jedenfalls hat es
Lupus nicht zum Kampfe mit den Franken kommen lassen; er entging dadurch einer zweifellosen Niederlage und, was die sichere
Folge einer solchen gewesen wäre, der Unterwerfung unter die
fränkische Herrschaft. Die Angabe Einhard's und Anderer, daß
Lupus sich und sein Land Karl unterworfen habe, wird durch keine
der ältesten Nachrichten bestätigt und durch die späteren Ereignisse
widerlegt[5]).

Das weitere Schicksal Hunalb's ist in Dunkel gehüllt[6]). Später

---

Wasconum — W. principe; Ann. Lobiens.: ad Lupum Wasconum ducem);
abgesehen von V. Hlud. c. 2, SS. II, 608 (Lupo principe), welche hier Einhard's V.
Karoli benutzt haben dürfte; vgl. Bd. II. z. J. 801.

[1]) Ann. Laur. mai.; Ann. Einh. — Die Gefangennahme Hunalb's erwähnen auch Ann. Lauriss. min. ed. Waitz S. 412 (Carlus cum fratre Carlomanno Hunoldum in Aquitania rebellantem capiunt), wonach Enhard. Fuld.
SS. I, 348; Ann. Sangall. Baluzii, St. Galler Mittheil. XIX, 202 (et adpre-
hendit Hunwaldum).

[2]) Ann. Einh.: iubet sibi perfugam reddi, ea conditione mandata, si
dicto audiens sibi non fuisset, sciret se bello Wasconiam ingressurum neque
inde prius digressurum, quam illius inoboedientiae finem inponeret. Lupus
minis regis perterritus... Vita Kar. c. 5: ... mandat, ut perfugam reddat;
quod ni festinato faciat, bello se eum expostulaturum. Manitius a. a. O.
S. 42 f. hält dies freilich für lauter Erfindungen, zumal wegen der im Ausdruck
angebrachten classischen Citate.

[3]) l. c. transmisso amne Garonna. Die Garonne wird ausdrücklich als
Grenzfluß zwischen Aquitanien und Wasconien bezeichnet (V. Hlud. 2, SS. II,
607—608: Garonnam fluvium, Aquitanorum et Wasconum conterminem).

[4]) Ann. s. Amandi cont. SS. I, 12: Karolus rex prima vice fuit in
Wasconia ultra Garonna; vgl. Annales Petav. cont. SS. I, 13. Die mit den
Ann. s. Amandi verwandten Ann. Sangall. Baluzii, St. Galler Mittheil.
a. a. O. und die hier die Ann Petav. benutzenden Ann. Maximin. SS. XIII, 21
erwähnen nur Karl's Zug in Wasconiam, unter welcher Bezeichnung auch Aquitanien
verstanden wird (vgl. SS. I, 10—13 etc.)

[5]) Vita Kar. c. 5: Sed Lupus, saniori usus consilio, non solum Hunoldum reddidit, sed etiam se ipsum cum provintia cui praeerat eius
potestati permisit; vermuthlich hiernach Astron. V. Hlud. c. 2, SS. II, 608
(quam regionem iamdudum in deditionem susceperat, Lupo principe se et
sua eius nutui dedente). Außerdem auch Regino SS. I, 557: et totam Aquitaniam et Vasconiam, auxiliante Deo, in deditionem recepit; nach ihm wohl
Ann. Mett. SS. XIII, 27 (se vero totamque terram suam regis ditioni sub-
misit). Weniger bestimmt drücken sich die Ann. Einhardi aus: se quoque quaecumque imperarentur facturum spopondit; Ranke S. 421; Waitz III, 2. Aufl.
S. 102 N. 2.

[6]) Nur die nicht maßgebenden Ann. Lobiens. SS. XIII, 228 sagen ausdrücklich:
Karlus ... Hunoldum .. captum adduxit in Frantiam, was aber allerdings

ging die Rede, er habe sich nach Rom begeben. Er habe das Ge=
löbniß abgelegt, Rom nicht zu verlassen, habe es aber nachher
böswillig gebrochen, sich zu den Langobarden begeben und diese
durch böse Rathschläge aufgestachelt, sei jedoch zuletzt, wie er es
verdient, gesteinigt worden[1]). Wäre diese Angabe richtig, so würde
daraus hervorgehen, daß Hunald vielleicht mit der Einwilligung
Karl's nach Rom ging, dann aber seiner Rachsucht gegen Karl
nachgab und den Versuch machte, sie mit Hilfe des Desiderius zu
befriedigen[2]). Allein ihre Quelle ist so unzuverlässig, daß man
sie gänzlich aus dem Spiele lassen und darauf verzichten muß,
über das Ende Hunald's Sicheres zu erfahren.

Karl hatte in kurzer Zeit den Zweck seines Feldzugs voll=
ständig erreicht, Aquitanien seiner Herrschaft noch unbedingter unter=
worfen als früher Pippin. Nach Pippin's Siegen und Waifar's
Tod hatte sich doch gleich wieder das Streben nach Selbständigkeit
geregt, das in dem Versuch, die herzogliche Gewalt wieder auf=
zurichten, einen Ausdruck fand; seit Hunald's Gefangennahme ist
keine Spur einer herzoglichen Gewalt in Aquitanien mehr anzu=
treffen, und auch ohne eine besondere Nachricht darüber ist es so
gut wie gewiß, daß Karl die Verwaltung des Landes wieder
Grafen übertrug[3]). Uebrigens dauerte der Aufenthalt Karl's in
Aquitanien kurze Zeit; im Juli befand er sich schon wieder auf
dem Rückweg von Fronciacum, wie eine in Andiacum (Angeac an
der Charente) für das Kloster St. Bertin ausgestellte Urkunde be=

---

wahrscheinlich geschehen sein wird. (Ueber die Worte der V. Hlud. c. 1, SS. II, 607
vgl. oben S. 47 Anm. 1.) In einer Bittschrift, welche ein Aquitanier um 781 an
König Ludwig durch einen Bischof übersandt zu haben scheint, heißt es: Igitur ut
bonum mercedis vestri in exordium regni ad caelum usque perveniret, sicut
quod reverentissimus pater vester ille episcopus presentialiter piis auribus
vestris suggesserit, reversionem captivorum, quos Alamanni aut Franci im=
pia congressioni prede tradiderunt, ut ad solum genetale iubeatis remeare...
(Formul. Bituricens. ed. Zeumer, Leg. sect. V, 173 N. 1). Man glaubt dies
auf die Gefangenen beziehen zu dürfen, welche das fränkische Heer nach dem aqui=
tanischen Kriege von 769 fortgeschleppt hatte. Aber hatte Ludwig die Macht, deren
Rückkehr anzuordnen? Und durfte Jemand dem Könige in so wegwerfendem Tone
von dem damaligen Kampfe der Franken sprechen?

[1]) Die Nachricht findet sich in der Vita Stephani II., aber nur als späterer
Zusatz, bei Duchesne, Lib. pontif. I, 441. Der Zusatz ist aber so verdächtig, daß
er in der Ausgabe der Vita bei Muratori SS. III, 1 nicht einmal unter die Les=
arten aufgenommen ist. Außerdem ging die Nachricht dann in Sigebert's Chronik
über, der sie unter 771 (SS. VI, 334) einfügt. Abbé Duchesne, p. CCXXVII ff.
456, bezieht dieselbe in der That auf die Zeit Papst Stephan's II. und auf einen
früheren Hunald (vgl. o. S. 43 N. 2. 3).

[2]) So die Histoire générale de Languedoc I, 428. Auch Fauriel III,
310 f. verwerthet die Notiz zu einer weitläufigen Erzählung, die ebenso grundlos ist
wie die Angaben bei Hegewisch S. 57 und Dippoldt S. 27.

[3]) So auch Devienne, Histoire de Bordeaux S. 18 und Hegewisch S. 57. —
Vgl. Breviarium missorum Aquitanicum 789 c. 3, Capp. I, 65 (quando illa
patria sub nostris manibus posuit).

weiſt[1]). Daß Karl auch das benachbarte Angoulême wieder be=
rührte, kann wenigſtens nicht als wirklich bezeugt gelten; die Nach=
richt, daß er dort auf Wunſch des Biſchofs Launus dem Kloſter
St. Eparche oder St. Cybard eine Reihe von Beſitzungen beſtätigt
habe[2]), beruht auf einer Verwechſelung mit einer Urkunde ſeines
gleichnamigen Enkels, Karl's des Kahlen, vom Jahre 852[3]).

Der aquitaniſche Feldzug iſt die einzige Unternehmung Karl's,
überhaupt das einzige wichtige Ereigniß aus dem Jahre 769, wo=
von die fränkiſchen Annalen zu erzählen wiſſen. Aber man erfährt
aus anderen Quellen, daß er und ſein Bruder damals noch von
mehreren wichtigen, ja wohl noch wichtigeren Angelegenheiten in
Anſpruch genommen waren, welche nicht blos eine einzelne Pro=
vinz betrafen, ſondern von der größten Bedeutung für das ganze
fränkiſche Reich waren.

Der Aufſtand in Aquitanien war ſchwach geweſen; Karl hatte
ihn mit geringen Mitteln und in kurzer Zeit völlig bewältigt. War
etwa auch hier ein Mangel an Einigkeit mit Karlmann vorhanden
geweſen, ſo hatte er jedenfalls dem Intereſſe des Ganzen nicht ge=
ſchadet. Dagegen trat dieſe Uneinigkeit in anderen Verhältniſſen
viel ſtörender hervor. Baiern war ein weit wichtigerer Beſtand=
theil des Reichs als Aquitanien, aber es war nahe daran, ſich dem
Reichsverbande gänzlich zu entziehen. Der Herzog Taſſilo lehnte
ſich an das langobardiſche Reich in Italien an, das in einem
äußerſt geſpannten Verhältniſſe zu dem päpſtlichen Stuhle in Rom
ſtand. Mit dem Papſte, der Kirche aber war ſchon Pippin eine

---

[1]) Mühlbacher Nr. 133; Bouquet V, 717 (Folcwin. Gest. abb. s. Bertini
c. 30, SS. XIII, 613: a. d. i. 768; Ioh. Longi Chron. s Bertini, SS. XXV,
765). Karl beſtätigt darin dem Abt von St. Bertin (Sithiu) im Gau von Thé-
rouanne für ſein Kloſter die Immunität; dat. mense Julio, anno primo regni
nostri. Actum Andiaco. Mühlbacher vermuthet, daß auch in dieſem Falle ſpätere
Beurkundung einer früheren Handlung vorliege und Karl auf dem Wege von Achen
nach Rouen nach Sithiu gekommen ſein dürfte. Ueber Andiacum vgl. Bd. II, z. J.
794 (Ermold. Nigell. carm. in laudem Pippini regis nr. I, v. 7—14, Poet
Lat. aev. Carolin. II, 80. 699).

[2]) Es handelt ſich um einen Zuſatz, welchen der Mönch von St. Cybard in
Angoulême, Ademar von Chabannes, im eilften Jahrhundert (vgl. Monod, Rev. hist.
XXVIII, 261 ff) in ſeiner Geſchichte der Franken II, 2, SS. I, 148; IV, 117, zu
dem Text der Lorſcher Annalen gemacht hat: — rediit ad Egolismam, ubi postulante
Launo episcopo fecit in monasterio sancti Eparchii auctoritatem praecepti
de terris quae ibi sine contentione erant, id est ... Quod preceptum Bar-
tolomeus cancellarius eius scripsit et ipse domnus rex manu sua firmavit
et de anulo suo sigillavit. Erat eo tempore in ipso monasterio sancti
Eparchii canonicalis habitus. Vorher heißt es, Karl habe dem Launus, welcher
einſt Pippin's Kapellan geweſen und von dieſem als Biſchof in Angoulême einge=
ſetzt worden ſein ſoll, bereits auf dem Hinwege von dort mitgenommen. Vgl.
Gallia christiana II, 982.

[3]) Böhmer, Regest. Karolor. Nr. 1633; Bouquet VIII, 521 f. Nr. 110
(aus Angoulême, vom 6. Sept. 852). Dieſelbe Urkunde ſcheint in einem Copialbuch
des 15. Jahrh. ebenfalls Karl dem Großen, aber dem J. 784 zugeſchrieben zu
werden. Vgl. Sickel II, 366; Mühlbacher S. 56 Nr. 133 a; Oelsner, König Pippin,
S. 403 N. 3; auch Ademar. hist. III, 16, SS. IV, 120 (und Simſon, Jahrbb.
Ludwig's d. Fr. II, 193).

fo enge Verbindung eingegangen, daß auch in der Politik seiner Söhne die Stellung zu Rom nothwendig von größter Bedeutung war. Die Verhältnisse beider Länder, Baierns und Italiens, hingen unter sich zusammen, hier wie dort war es von der höchsten Wichtigkeit, daß das fränkische Reich als eine geschlossene Macht auftrat, daß die Brüder zusammengingen. Dieses Ziel wurde auch wirklich erstrebt und im folgenden Jahr erreicht, aber schon ins Jahr 769 fallen einige der vorbereitenden Schritte. Es ist möglich, daß gerade die Stellung Baierns dazu drängte[1]).

Die Stellung, welche Baiern unter dem Herzog Taffilo III.[2]) seit mehreren Jahren einnahm, war in der That so selbständig, daß kaum mehr ein Schatten von der Oberhoheit der fränkischen Könige übrig blieb. Taffilo's Treubruch gegen Pippin, als er 763 das Heer des Königs auf dem Feldzug in Aquitanien eigenmächtig verließ[3]), war ungeahndet geblieben; seitdem regierte er

---

[1]) Darauf deutet hin, daß gerade bei den ersten Schritten, um den politischen Umschwung herbeizuführen, Taffilo im Vordergrund steht; er reist 769 zu Desiderius und wird selbst vom Abt Sturm aufgesucht; vgl. unten.

[2]) Taffilo ist die richtige Schreibart, die in den Urkunden und Annalen durchgehends gebraucht wird; Thassilo wird nur ganz vereinzelt und ausnahmsweise geschrieben. Wichtig ist es, Taffilo's Regierungsantritt möglichst fest zu bestimmen, da es sonst ganz unmöglich ist, in seine Geschichte eine chronologische Ordnung zu bringen. Der Todestag seines Vaters Datilo fiel nach dem älteren Nekrologium von St. Emmeram in Regensburg 2c. auf den 18. Januar (Mon. Boica XIV, 368). Hienach und nach den Freisinger Urkunden bei Meichelbeck u. s. w. setzt Graf Hundt in Abhh. der Münchner Akad., hist. Cl. XII, 1, S. 167 ff., den Tod Herzog Datilo's auf den 18. Januar, den Regierungsantritt Taffilo's auf Ende Januar 748. Durch seine Feststellung können, wie auch Mühlbacher (Regesten S. 28) annimmt, die früheren Untersuchungen über diese Frage von Mederer, Beyträge zur Geschichte von Baiern, St. 4, S. 248 ff.; Holzinger, in den historischen Abhandlungen der k. bair. Akademie der Wissenschaften, Jahrg. 1807, S. 149 ff.; Rudhart, Aelteste Geschichte Bayerns S. 292; Merkel, in der Ausgabe der Lex Baiuariorum, Legg. III, 243 N. 38; Hahn, Jahrbücher des fränkischen Reichs 741—752, S. 212—215, als antiquirt gelten. Mederer setzt Taffilo's Regierungsantritt in die Zeit zwischen Juli und September 747. Holzinger will nachweisen, daß Datilo erst 749 gestorben, Taffilo aber seit 748 sein Mitregent gewesen sei und deshalb seine Regierungsjahre seit 748 gezählt würden; aber nur den letzten Punkt hat er bewiesen. Rudhart setzt den Tod des Herzogs Datilo, also den Beginn von Taffilo's Regierung (wobei natürlich die Zeit, während welcher er noch unter Vormundschaft stand, mitgerechnet wird, Waitz III, 2. Aufl. S. 105 N. 3), zwischen den 12. Febr. und 10. Juli 748. Seine Ansicht wiederholt Büdinger, Oesterreichische Geschichte bis zum Ausgang des dreizehnten Jahrhunderts S. 104 N. 1, aber auch sie ist unerwiesen, da das Jahr der betreffenden Urkunden, Meichelbeck I a, 43 f. und eines gewissen Wilhelm für Mondsee (Urkundenbuch des Landes ob der Enns I, 49 Nr. 83) keineswegs feststeht. Merkel, dessen Berechnung sich auf die Vergleichung der Angaben über die Regierungsjahre Taffilo's und Pippin's in den Urkunden bei Meichelbeck, Historia Frisingensis I a 54, I b 29 Nr. 8, stützt und dem auch Riezler, Gesch. Baierns I, 83 (Allg. D. Biogr. XXIV, 84) folgt, verlegt in der Ausgabe der Lex Baiuariorum, Legg. III, 243 N. 38 den Regierungsantritt Taffilo's in die Zeit von August bis November, genauer zwischen den 23. Juli und 13. Dezember 748. Hahn glaubt eine doppelte Epoche constatiren zu können, deren Anfänge vor den 18. Februar, resp. erst hinter den 24. Juni 748 fallen.

[3]) Oelsner, König Pippin S. 380.

4*

in Baiern wie ein unabhängiger Fürst. Die Regierungsjahre des
Königs werden in den Urkunden fortgelassen und die Tassilo's allein
gezählt, Ausdrücke, die sonst nur von der Herrschaft des Königs
gebraucht werden, sind angewandt auf Tassilo; ja Tassilo selbst
spricht von seiner eigenen Herrschaft wie von einer königlichen[1])
und wird häufig als Fürst bezeichnet[2]). Er schaltet nicht blos
im Innern seines Herzogthums ganz selbständig, sondern führt auch
auf eigene Hand Kriege mit den Nachbarvölkern. Im Innern
aber sind es namentlich die Synoden, auf welchen die kirchlichen
und weltlichen Angelegenheiten geordnet werden, in denen die
selbständige Stellung Baierns zu Tage tritt. Keine Provinz des
fränkischen Reichs hatte damals ihre eigenen Synoden, es gibt
blos allgemeine Reichsversammlungen; Baiern allein macht eine
Ausnahme, die eben ein Beweis dafür ist, daß es weniger mehr
eine abhängige Provinz als ein selbständiger Staat war. Eine
solche Synode war die ungefähr im Jahr 769 auf dem Hofgut
Dingolfing an der Isar abgehaltene.

Was von den großen Reichsversammlungen gilt, dasselbe gilt
auch von den besonderen bairischen Synoden; geistliche und weltliche
Große nahmen daran Theil und beriethen und beschlossen sowohl
über kirchliche als über weltliche Angelegenheiten; und wie im
ganzen Reiche die Kirche eine überaus mächtige Stellung einnahm, so besaß namentlich in Baiern die Geistlichkeit einen über=
wiegenden Einfluß[3]). Die Synoden konnten nur dazu beitragen,
denselben zu erhöhen. Nachdem schon 756[4]) in Aschheim eine solche
stattgefunden hatte, wurde um 769 eine zweite in Dingolfing ge=
halten. Sicher ist das Jahr freilich nicht, und auch manche andere
Punkte bleiben dunkel. Die Beschlüsse der Synode bilden einen
Theil der sogenannten „Gesetze des Herzogs Tassilo", welche dem
bairischen Volksrecht angehängt sind[5]). Diese Gesetze zerfallen in vier
Bestandtheile, die zu verschiedenen Zeiten entstanden sein müssen[6]).
Der erste kündigt sich schon durch seine Aufschrift an als die „Ge=
setze, welche die heilige Synode in Dingolfing unter Mitwirkung
des Herrn Tassilo" erlassen hat[7]). Allein über die Zeit der Ver=
sammlung in Dingolfing ist keine Angabe darin enthalten. Eine Zeit=

---

[1]) Tassilo sagt: anno regni mei; Privaturkunden datiren regnante domino
Tassilone, vgl. Waitz III, 2. Aufl. S. 106 N. 1.

[2]) Vgl. die Stellen bei Waitz III, 2. Aufl. S. 107 N. 1.

[3]) Büdinger S. 110. 116.

[4]) Vgl. Oelsner S. 297. 507; anders Riezler I, 158 N. 1.

[5]) Decreta Tassilonis ducis werden sie genannt, aber erst von späteren Her=
ausgebern, Merkel, Legg. III, 240.

[6]) Die Unterscheidung von vier verschiedenen Bestandtheilen tritt schon äußerlich
in den Handschriften hervor, Merkel a. a. O., dann aber durch den Inhalt der einzelnen Theile. Daß einige davon unter sich zusammenhängen, wird dadurch nicht
ausgeschlossen, ist jedoch schwer mit Sicherheit zu bestimmen; vgl. oben den Text,
unten S. 54 f. und zu 771 bei der Synode von Neuching.

[7]) Legg. III, 459: Haec sunt decreta, quae constituit sancta synodus
in loco qui dicitur Dingolvinga domino Tassilone principe mediante.

angabe findet fich nur im dritten Theil der „Gefeße Taffilo's", wonach auf den 14. Oftober 772 eine Verfammlung der Großen nach Dingolfing berufen war[1]); es liegt jedoch hier unzweifelhaft eine Verwechfelung der Dingolfinger Verfammlung mit der Synode von Neuching vor, die einige Jahre fpäter ftattfand. Die Hand= fchriften felbft haben nicht alle Dingolfing, fondern zum Theil auch Neuching, und fchon die Reihenfolge, in welcher die verfchiedenen Beftandtheile der „Gefeße Taffilo's" aufgezählt find, fowie der In= halt diefes dritten Theils zeigt, daß derfelbe der Dingolfinger Synode nicht angehören kann[2]). Auf diefe kann daher auch jenes Datum nicht bezogen werden, fie muß allem Anfchein nach früher fallen, und eben deshalb ift es auch unmöglich anzunehmen, daß garnicht zwei verfchiedene Synoden in Dingolfing und Neuching ftattgefunden, fondern nur eine in Dingolfing, mit welcher die Neuchinger zufammenfalle[3]). Aber auch die leßtere wird irrthüm= lich ins Jahr 772 gefeßt; fie muß ein Jahr früher, auf den 14. Oftober 771 fallen[4]), woraus fich für die Dingolfinger Ver= fammlung ergibt, daß fie einem der Jahre vor 771 angehört[5]). So viel darf wohl als ficher betrachtet werden, hingegen das Jahr genau zu beftimmen ift kein Anhaltspunkt vorhanden. Nur vom zweiten Theile der „Gefeße Taffilo's" glaubt man annehmen zu können, daß er nicht vor 769 entftanden fei[6]). Wäre dies gewiß

---

[1]) Legg. III, 462 f.: In anno . . 24. regni religiosissimi ducis Tassilonis gentis Baioariorum sub die consulem quod erat 2. Idus Octob. atque anno ab incarnatione dominica 772. indictione 10. divina perflatus inspiratione, ut omne regni sui praenotatus princeps collegium procerum coadunaret in villam publicam Dingolvingam nuncupatam. (Vgl. jedoch Graf Hundt a. a. O. S. 176 f. 200. 222.)

[2]) Neuching gibt die Tegernfeer Handfchrift; im Uebrigen vgl. den Auffaß von Winter in den hiftor. Abhandl. der k. bair. Akad. der Wiffenfchaften, 1807 S. 62 ff., dem fich auch Hefele, Conciliengefchichte III, 2. Aufl. S. 607 ff. anfchließt; f. auch unten zu 771 beim Concil von Neuching. Die Auffchrift über den dritten Theil der De= creta Tassilonis: de concilio quod dux Tassilo apud Dingolvingam cele- bravit haben vollends nur zwei Handfchriften des 12. Jahrhunderts, Merkel, S. 243.

[3]) Das ift die alte Anficht, über deren Vertreter zu vgl. Winter S. 56 ff. Sie wird auch noch getheilt von Mannert, Die ältefte Gefchichte Pajoariens und feiner Bewohner S. 238 f., und ohne irgendwelchen Verfuch eines Gegenbeweifes gegen die Ausführungen Winter's von Büdinger S. 117 N. 2.

[4]) Merkel S. 243; Riezler I, 161; vgl. zu 771, Synode von Neuching.

[5]) Gewöhnlich wurde die Synode ins Jahr 772 gefeßt, z. B. von Baronius, Annales ecclesiastici ad a. 772; Pagi ibid.; Mabillon, Annales II, 225; Mannert S. 238 u. a., was aber meift daher kam, daß man die Dingolfinger Ver= fammlung mit der von Neuching zufammenwarf und jedenfalls jene Angabe oben N. 1 auf Dingolfing bezog. Leibniz entfcheidet fich für 771, Annales imp. I, 29. Dagegen wollen Rudhart, S. 302 Note, und Conßen, Gefchichte Bayerns, S. 221 N. 2, die Synode gar erft nach 772, etwa 774 anfeßen. Allerdings deukt auch Graf Hundt (a. a. O. S. 176—177. 204) an den Auguft 773, weil Taffilo am 28. jenes Monats mit Bifchof Arbeo von Freifing in Dingolfing verweilte.

[6]) Es ift der Todtenbund bairifcher Bifchöfe und Aebte, der nicht vor 769 foll fallen können, weil der darin vorkommende Bifchof Alim von Seben erft 769 Bifchof geworden fei; vgl. aber unten S. 54. 55 N. 8.

unb wäre es außerdem gewiß, daß er der Dingolfinger Versamm=
lung angehört, so müßte auch diese zwischen 769 und 771 gesetzt
werden. Nichts hindert dieses anzunehmen[1]); aber es ist eine
bloße Vermuthung, und das Jahr 769 hat kaum etwas vor 770
oder auch einem der vorhergehenden Jahre voraus[2]).

Auch der Inhalt der Beschlüsse von Dingolfing bietet keine
Handhabe um die Zeit der Synode zu bestimmen, sondern führt
eben nur ganz im allgemeinen auf die Zeit, da der fränkische König
von jeder Einwirkung auf die bairischen Verhältnisse ausgeschlossen
war, wie schon aus der Aufschrift unzweideutig hervorgeht. Sie
zerfallen in 12 Kanones, welche zum Theil bürgerliche Rechts=
fragen betreffen, zum Theil aber auch kirchliche Angelegenheiten.
Sie schärfen mit Nachdruck die Sonntagsfeier ein; sie treffen An=
ordnungen zur Regelung der Schenkungen an die Kirche[3]). Sie
mahnen die Bischöfe, nach den kanonischen Gesetzen, die Aebte, nach
ihrer Regel zu leben. Sie drohen mit den kanonischen Strafen
denen, welche eine Nonne heiraten. Sie enthalten Bestimmungen
über das Wergeld der Adalschalke und der niederen Ministerialen,
über den sichern Besitz und die freie Vererbung der Schenkungen,
welche die bairischen Großen von den Herzögen erhalten haben,
über die Fälle, in welchen ein Freier seines Erbes verlustig gehen
solle. Sie verfügen, daß eine abliche Frau, welche mit einem Un=
freien sich verheirate, ohne zu wissen, daß er ein Unfreier sei, die
Ehe löse und wieder frei sei. Sie beschränken den gerichtlichen Zwei=
kampf und beschützen endlich die abliche Frau für den Fall, daß der
Mann sein Eigenthum verwirkt haben sollte, vor dem Verlust ihrer
Rechte. Bestimmungen, welche sich auf die verschiedensten Gebiete
der Gesetzgebung erstrecken, ohne auch nur des fränkischen Königs
zu erwähnen, und die Selbständigkeit Baierns ins hellste Licht
setzen. Auf keinen Fall ist an ihrer Echtheit ein Zweifel[4]).

Auf die 12 Kanones folgt als zweiter Theil der Gesetze
Tassilo's „der Bund, welchen die Bischöfe und Aebte in Baiern

---

[1]) Vgl. unten S. 55.
[2]) Vgl. auch Riezler I, 160. — Winter S. 79 will dem Jahr 769 den
Vorzug geben, weil 770 und 771 Synoden in Freising stattgefunden hätten und
wohl nicht mehrere in einem Jahre anzunehmen seien. Ueber eine Synode zu
Freising im September 770 vgl. unten S. 57; 771 war die Synode von Neuching,
an die Winter freilich nicht denkt.
[3]) Dahin gehören die Kanones 2 und 6. Sehr schwer verständlich ist die Be=
stimmung 5; sie lautet: de eo quod ius ad legem, quam habuerunt in diebus
patris sui nobiles et liberi et servi eius, ita donaverat ut firma fieret.
Schwerlich mit Recht schlägt Hefele III, 2. Aufl. S. 610 vor: „Daß das was
Adlige und Freie und Knechte gemäß dem gesetzlichen Rechte, das ihnen bei Lebzeiten
ihres Vaters zustand, verschenkten gültig sei"; unannehmbar ist jedenfalls die Ueber=
setzung Wunter's S. 80: „Adliche, Freie und Sklaven sollen die Befugnis haben,
bei Lebzeiten ihres Vaters giltige Geschenke zu machen". Soll es etwa vielleicht
heißen, daß er (Tassilo) den Adlichen, Freien und Knechten die Besitzungen bestätigte,
welche sie bei Lebzeiten seines Vaters (Datilo) rechtmäßig gehabt hatten? Vgl. auch
Leibniz, Annales I, 28; Riezler I, 160.
[4]) Ueber die Zweifel an der Echtheit vgl. Winter S. 67 ff., wo sie aus=
reichend widerlegt sind.

unter sich geschlossen haben für die verstorbenen Brüder"[1]). Es ist nicht ausgemacht, ob dieser Bund auf der Versammlung in Dingolfing geschlossen wurde, wenn er auch nichts enthält, was auf seine Entstehung bei einer anderen Gelegenheit hindeutet[2]); sicher ist aber nicht einmal, daß er nicht vor 769 geschlossen wurde, sondern nur, daß er vor die Synode von Neuching, also nicht nach 771 fällt[3]). Wir haben es hier zu thun mit einem Todtenbund, wie solche damals nicht ungewöhnlich waren. Seine Aehnlichkeit mit dem wahrscheinlich im Jahr 762 auf der fränkischen Synode in Attigny gestifteten beweist, daß die bairischen Bischöfe dabei diesen im Auge hatten[4]). Die theilnehmenden Bischöfe und Aebte verpflichten sich, wenn einer aus ihrer Mitte sterbe, solle jeder der Ueberlebenden für den Gestorbenen hundert Messen lesen, beziehungsweise hundert Psalter singen lassen. Außerdem sollte jeder Bischof oder Abt selber dreißig Messen lesen oder von den ihm untergebenen Geistlichen lesen lassen[5]). Stürbe aber ein Presbyter oder Mönch, so sollte der Bischof oder Abt für diese durch einen Presbyter resp. Mönch 30 Messen lesen und eben so viele Psalter singen lassen[6]). Theilnehmer an diesem Bunde sind es 19, 6 Bischöfe und 13 Aebte, und zwar die Bischöfe Manno von Neuburg[7]), Alim von Seben[8]), Virgil von Salz-

---

[1]) Legg. III, 461: De collaudatione, quam episcopi et abbates in Baioaria inter se fecerunt pro defunctis fratribus.

[2]) Die äußere Trennung des Todtenbundes von den 12 Dingolfinger Beschlüssen in den Handschriften widerspricht der Zusammengehörigkeit der beiden Stücke nicht, die nicht widerlegt, aber freilich auch nicht bewiesen werden kann. Das Gegentheil anzunehmen, stünde ebenso wenig im Weg. Mit Unrecht scheinen Winter und Hefele die Zusammengehörigkeit für selbstverständlich zu halten.

[3]) Vgl. oben S. 53; unten N. 8. Merkel S. 245 glaubt nicht einmal soweit die Zeit begrenzen zu dürfen, sondern setzt den Bund nur zwischen die Jahre 769 und 782 oder höchstens 778, S. 245 N. 49. Aeußerste Grenze ist aber jedenfalls schon 774, da spätestens in diesem Jahre Bischof Wisurich von Passau gestorben sein muß, Rettberg II, 249 N. 22; 160; vgl. unten z. J. 774.

[4]) Capp. I, 221 f.; vgl. Oelsner S. 360 ff. 474 ff.; Rettberg II, 227.

[5]) Legg. III, 462: ipse vero de propria persona sua 30 speciales missas compleat vel a religiosis sibimet subiectis implere omnino praenotatum faciat numerum. Nach Hefele's wohl richtiger Uebersetzung III, 2. Aufl. S. 612 hatte der Bischof oder Abt die Wahl, die 30 Messen selbst zu lesen oder sie lesen zu lassen; vel steht hier wohl nicht für et, wie Rettberg II, 227 anzunehmen scheint.

[6]) Legg. l. c.: Presbiteris autem sive monachis, cum de hoc saeculo migraverint, episcopus seu abbas uno presbitero vel uno monacho 30 missas speciales, totidem psalteria faciant celebrare. Rettberg II, 227 bezieht diese Bestimmung irrthümlich auf die beim Tode eines Bischofs oder Abtes verordneten Messen und Psalter (vgl. oben N. 5). Es handelt sich hier aber um Bestimmungen über den Tod von Presbytern und Mönchen.

[7]) Es sind im Todtenbund nur die Namen der Bischöfe und Aebte angegeben, nicht die ihrer Bisthümer und Klöster; doch unterliegen diese in der Mehrzahl keinem Zweifel. Nur bei Manno fügen einige jüngere Handschriften den Bischofssitz hinzu; er ist als Bischof von Neuburg so gut beglaubigt, daß es keinen Grund gibt, ihm dies Bisthum streitig zu machen, vgl. Rettberg II, 159 f.

[8]) Unter Berufung auf Resch, Annales ecclesiae Sabionensis I, 667, behauptet Winter S. 78 und ihm folgend andere, Alim sei nicht vor 769 Bischof von Seben geworden. Davon steht aber bei Resch kein Wort; Alim kann schon ein paar Jahre früher Bischof geworden sein. Wisurich kann erst seit 770 als Bischof von Passau nachgewiesen werden, Urk. bei Meichelbeck I a 69, Rettberg, II, 249; aber auch

burg, Wisurich von Passau, Sindpert von Regensburg und Heres (Arbeo) von Freising; ferner die Aebte Oportunus von Mondsee (Diö= cese Passau), Wolfpert von Niederaltaich (Diöc. Passau), Adalpert von Tegernsee (Diöc. Freising), Atto von Scharnitz (Schledorf, Diöc. Freising)[1], Uto von Ilmünster (Diöc. Freising), Landfrit von Bene= dictbeuern (Diöc. Augsburg), Alpuni von Sandau (Diöc. Freising), Roadhart von Isana (Diöc. Freising)[2], Ernst von Oberaltaich (Diöc. Regensburg), Reginpert von Mosburg (Diöc. Salzburg)[3], Wolchan= hart von Osterhofen (Diöc. Passau), Perahtcoz von Schliersee (Diöc. Freising)[4], Sigidio von Weltenburg (Diöc. Regensburg). Der Bund umfaßte demnach sämmtliche Bischöfe Baierns, von den Aebten wenigstens eine beträchtliche Anzahl[5].

Auf Veranlassung des Bischofs Arbeo von Freising wurde auf einer Zusammenkunft bairischer Bischöfe die Uebertragung der Ge= beine des h. Corbinian aus Mais in Tyrol nach Freising be= schlossen, wie der Bischof Arbeo (Aribo) selbst in seiner Lebens= beschreibung Corbinian's ausführlich erzählt[6]. Der Plan wurde ausgeführt, die Reliquien in Mais abgeholt und unter großen Feier= lichkeiten in Gegenwart des Herzogs Tassilo in der Marienkirche zu Freising beigesetzt. Allein über die Zeit der Translation er= fährt man nichts Bestimmtes; die Angabe, sie habe 40 Jahre nach dem 730[7] (8. September)[8] erfolgten Tode Corbinian's statt= gefunden, ist nicht ganz glaubwürdig und wohl nur annähernd richtig[9]. Gewiß ist vielmehr nur, daß die Reliquien am 24. Fe= bruar 769 bereits in Freising ruhten[10]; sie mögen daher kurz

hier läßt sich keineswegs sagen, er sei erst in diesem Jahr Bischof geworden, da der Tod seines Vorgängers mehrere Jahre früher angesetzt wird (Rettberg II, 248), er selbst spä= testens 774 gestorben sein kann (vgl. o. S. 55 N. 3) und die Diöcese 9 Jahre (also seit 765?) verwaltet haben soll (Series episcopor. Pataviensium, SS. XIII, 362).

[1]) Bald darauf wurde das Kloster von Scharnitz nach Schledorf verlegt, Rettberg II, 263.

[2]) Meichelbeck I a, 71. 73; Merkel S. 462 N. 96. Winter S. 85; Rettberg II, 226 machen ihn zum Abt von Wessobrunn.

[3]) v. Karajan, Verbrüderungsbuch von St. Peter in Salzburg S. XXXIII. XLV. 110, 1; Resch I, 697 N. 436; Merkel S. 462 N. 98; irrthümlich wird Reginpert von anderen, so Winter S. 85; Rettberg II, 226, als Abt von Pfaffen= münster bezeichnet.

[4]) Nicht von Chiemsee, Merkel S. 426 N. 1.

[5]) Mit Mannert, Die älteste Geschichte Bajoariens S. 240 f. an der Echtheit der collaudatio zu zweifeln ist kein genügender Grund vorhanden.

[6]) Vita s. Corbiniani, bei Meichelbeck I b, 18, c. 39.

[7]) Vgl. Mabillon, Annales II, 82 ff.; Rettberg II, 216.

[8]) Freisinger Todtenbuch, Forsch. z. D. Gesch. XV, 164: VI. Id. Sept. Series epp. Prising. SS. XIII, 357: 7. Idus Sept.

[9]) Meichelbeck I a, 65 erinnert, daß sie sich nur in den jüngeren Handschriften der Vita Corbiniani finde, in der von Benedictbeuern nicht, und daß der Abschreiber selbst damit wohl nur eine runde Zahl habe geben wollen. — Den noch ungedruckten Originaltext dieser Vita enthält eine Handschrift des britischen Museums (11,880 additional Nr. 51); vgl. Nagel im Anz. d. Germ. Mus. XXIII, 232; Riezler I, 99 N. 1; Wattenbach DGQ. I, 5. Aufl. S. 116 N. 5.

[10]) Das zeigt die Urkunde bei Meichelbeck I b, 41 f. vom 24. Februar des 22. Regierungsjahres Tassilo's, also des Jahres 769, vgl. oben S. 51 N. 2; Graf Hundt a. a. O. S. 199.

vorher dahin gebracht sein. Die Berathung der Bischöfe über
die Translation des h. Corbinian wird als eine Synode be=
zeichnet[1]), obwohl sie sich vielleicht blos auf diesen Gegenstand
bezog. Daß sie in Freising stattfand, ist nicht gesagt, aber wahr=
scheinlich[2]). Im September 770 finden wir Tassilo dort mit einer
zahlreichen Versammlung des Klerus, worunter die Bischöfe Arbeo
von Freising und Alim von Seben[3]).

Die selbständige Stellung Tassilo's beschränkte sich aber nicht
blos darauf, daß eigentlich aller Einfluß des Königs auf die inne=
ren Angelegenheiten Baierns ausgeschlossen war; sie äußerte sich
hauptsächlich auch in seinem Verhältniß zu fremden Staaten und
Völkern, namentlich zu dem langobardischen Reich und zu seinen
slavischen Grenznachbarn, mit denen sich Baiern an seiner südöst=
lichen Grenze berührte. Gerade hier, im Südosten, war die Stel=
lung Tassilo's eine gebieterische; hier war er durch die Rücksicht
auf die fränkischen Könige am wenigsten gehindert, seine Macht
frei zu entfalten; die Eroberungen aber, die er hier zunächst für
Baiern machte, waren für das ganze fränkische Reich ein bleibender
Gewinn. Hat er auch später durch sein Bündniß mit den Avaren
seinen Namen befleckt, seinem Beruf als Grenzhüter gegen die
Slaven ist er niemals untreu geworden. Mit den Böhmen und
Mährern, die an die Grenzen Baierns im Nordosten stießen, stand
er, soviel man sieht, in keiner näheren Berührung; dagegen war
er gleich im Anfang seiner Regierung in die Angelegenheiten der
Karantanen verwickelt worden, einer andern Abtheilung der Slaven,
welche die Grenzgebiete im Südosten Baierns, Kärnten, Steier=
mark und den östlichen Theil Tyrols, inne hatten[4]). Von den
Karantanen um Unterstützung gegen die Avaren angerufen, halfen
die Baiern zwar jenen die Angriffe der Avaren zurückweisen, be=
nutzten aber zugleich diese Gelegenheit, um die Karantanen selbst
wenigstens durch Fortführung von Geiseln aus ihren vornehmsten
Familien in Abhängigkeit zu bringen[5]). Als wirksamstes Mittel
zur Bewältigung der Karantanen diente die Verbreitung des
Christenthums, welche mit steigendem Erfolg von Salzburg aus

---

[1]) Arbeo selbst in der Vita Corbiniani c. 39 l. c. redet von einer synodus;
vgl. auch die von Graf Hundt a. a. O. S. 175 N. 2 angeführte Stelle aus Con=
radus sacrista (12. Jahrh.): cum coepiscoporum suorum consilio; Rudhart
S. 304.

[2]) Mabillon, Annales II, 198 vermuthet, die translatio sei auf der Dingol=
finger Synode beschlossen worden, was deshalb unwahrscheinlich ist, weil Arbeo nach
seiner Erzählung die Versammlung eigens zu diesem Zweck berufen hat.

[3]) Graf Hundt S. 176. 200. 222; unter den Zeugen der betreffenden Urkunde,
Meichelbeck I[a], 68 f. (vom 26. September), befinden sich auch 6 Presbyter und 3
Diakonen und außerdem 3 Judices. Rudhart S. 304, der nach Meichelbeck I[b], 38
noch eine Synode zu Bozen annimmt, weil auch hier unter den Zeugen einige Bi=
schöfe vorkommen.

[4]) Ueber die Ausdehnung der Karantanen vgl. Büdinger I, 113; Dümmler,
Geschichte des ostfränkischen Reichs I, 32.

[5]) De conversione Bagoar. et Carant. libellus, SS. XI, 7. Büdinger I,
113; Rettberg II, 557 f.

unter der Leitung des Bischofs Virgil gefördert wurde, nachdem zuerst das regierende herzogliche Haus selbst dafür gewonnen war. Die raschen Fortschritte der neuen Lehre regten freilich auch den verzweifelten Widerstand der Gegner derselben an, wiederholte Aufstände drohten die neuen christlichen Stiftungen wieder zu zerstören, und als der Herzog Chotimir (Cheitmar), ein eifriger Freund des Christenthums, starb, gewannen die Anhänger des alten heidnischen Glaubens so entschieden das Uebergewicht, daß die christlichen Priester das Land verlassen mußten und die so vielverheißenden Erfolge der letzten Jahrzehnte ernstlich gefährdet wurden[1]). Es war ungefähr zur Zeit des Thronwechsels im fränkischen Reich, wie man gewöhnlich annimmt kurz nach dem Regierungsantritt Karl's und Karlmann's, etwa im Jahr 769[2]). Mehrere Jahre befand sich kein christlicher Priester mehr im Lande[3]), die Abhängigkeit von Baiern hörte auf und mußte im Laufe der folgenden Jahre erst mit Waffengewalt wiederhergestellt werden.

Hier erlitt also die Macht Tassilo's zur Zeit der Thronbesteigung der Söhne Pippin's einige Einbuße, aber in der Hauptsache that dies seiner Machtstellung keinen Eintrag. Was ihn den fränkischen Königen besonders gefährlich machte, waren seine nahen Beziehungen zu den Langobarden, die gerade in diesen Jahren einen Ausdruck erhielten in der Vermählung Tassilo's mit Liutperga, der Tochter des langobardischen Königs Desiderius. Genaueres über diese Begebenheit ist nicht bekannt, namentlich nicht über die Zeit derselben. Die Vermählung selbst wird nirgends ausdrücklich berichtet, Liutperga begegnet uns nur eben später als Tassilo's Gemahlin[4]); blos innere Gründe führen zu der Annahme, daß die Ehe in den sechziger Jahren jenes Jahrhunderts geschlossen wurde. Auf keinen Fall geschah es wohl vor 764[5]), aber auch nicht später

---

[1]) De conversione Bagoar. et Carant. libellus, SS. XI, 8; Kämmel, Die Entstehung des österreichischen Deutschthums I, 198.

[2]) 769 geben als Todesjahr Chotimir's Kopitar, Glagolita Clozianus p. LXXVII; Rudhart S. 312; Schafarik, Slavische Alterthümer, deutsch von Aehrenfeld, herausgeg. von Wuttke, II, 319; Rettberg II, 558, doch alle ohne Beleg. Dagegen macht Büdinger S. 113 N. 3 auf das Mißliche der versuchten näheren Zeitbestimmungen für die Bekehrungsgeschichte der Karantanen aufmerksam. 769 läßt sich daher als Todesjahr Chotimir's nur mit annähernder Gewißheit vermuthen. Vgl. auch Riezler I, 155.

[3]) De conversione Bagoar. et Carant. l. c.

[4]) Ann. Lauriss. mai. 788, SS. I, 172. 174; Ann. Einh. 788, SS. I, 173; Einh. V. Kar. 11; Urk. vom 13. Januar 804 (aus Conradus sacrista) bei Graf Hundt a. a. O. S. 219 (Nr. 13); Meichelbeck I b, 185 Nr. 350; Capitulare Baiwaricum (810?) c. 8, Capp. I, 159. Vgl. hinsichtlich jener Ehe übrigens auch die Grabschrift der Langobardenkönigin Ansa, Mutter Liutperga's, v. 12—14, Poet. Lat. aev. Carolin. I, 46 N. 4.

[5]) Das ergibt der Brief des Papstes Paul I. an Pippin, Codex Carolin. Nr. 36, bei Jaffé, Bibl. rer. Germ. IV, 127; Regesta pontificum Romanorum ed. 2 a, Nr. 2363, aus den Jahren 764—766, durch welchen der Papst bemüht war, Versöhnung zwischen Pippin und Tassilo zu stiften. Mannert S. 232 bemerkt mit Recht, daß der Papst für einen Schwiegersohn des Langobardenkönigs sich um keinen Preis verwendet haben würde; die Vermählung Tassilo's muß später fallen.

als 769[1]); die Reiſe Taſſilo's zu Deſiderius in dieſem Jahr[2]), die Reiſe der Königin Bertrada zu Taſſilo unmittelbar vor der Vermählung Karl's mit einer Tochter von Deſiderius[3]) deuten darauf, daß die Verbindung damals ſchon beſtanden haben oder doch ſchon ſo gut wie abgeſchloſſen geweſen ſein muß. Aber um ſie mit Beſtimmtheit in unmittelbare Beziehung zu einem dieſer Ereigniſſe zu ſetzen[4]), fehlt jeder Anhaltspunkt. Auch der Beſitz der Etſchgebiete, welche unter Herzog Grimoald an die Lango= barden verloren gegangen waren[5]), bietet einen ſolchen Anhaltspunkt nicht; denn es iſt eine bloße, wenn auch zuläſſige Vermuthung, daß Taſſilo dieſelben bei Gelegenheit ſeiner Vermählung von Deſi= derius zurückerhalten habe[6]). Wir ſehen nur, daß er ſpäteſtens 768 ſie wieder beſaß. Eine Urkunde, welche Taſſilo im Jahr 769 in dem zu jenen Etſchgebieten gehörigen Bozen ausſtellt[7]), läßt dieſelben wieder als Beſtandtheil von Taſſilo's Land erſcheinen. Auch erzählt Arbeo, ſchon vor der Translation des h. Corbinian nach Freiſing habe Taſſilo die Reliquien des h. Valentin, welche die Langobarden von Mais nach Trident geſchafft hatten, nach Paſſau übertragen laſſen[8]). Dies ſetzt voraus, daß er ſich wieder im Beſitz der Etſchlande befand, und zwar vor der Translation des h. Corbinian, welche jedenfalls auch ſchon zu Anfang 769 ge= ſchehen war[9]); die Translation des h. Valentin kann alſo ſpäteſtens

---

[1]) So auch Rudhart S. 314. Büdinger I, 108 N. 2 vermuthet 769—770, Rettberg II, 263 beſtimmter 769, während er dieſe Vermählung II, 248 ſchon ins Jahr 765 ſetzt; Riezler I, 153 N. 2 nimmt den Zeitraum von 765 bis 769 an.

[2]) Urkunde bei Meichelbeck Iᵇ, 38, vgl. unten.

[3]) Annales Laur. mai. SS. I, 148; Annales Mosellan. SS. XVI, 496; Annales Petav. cont. SS. I, 13, etc., vgl. unten zum Jahr 770.

[4]) Das thun Mannert S. 232, der Taſſilo zuſammen mit Bertrada nach Italien reiſen läßt zum Zwecke der Vermählung mit Liutperga, und Rettberg II, 263, der ebenfalls die Reiſe Taſſilo's zu Deſiderius im Jahr 769 in unmittelbare Ver= bindung damit bringen will. Allein die Schenkung für Scharnitz (von Mannert irr= thümlich als Schenkung für Freiſing bezeichnet) in der Urkunde oben N. 2 ent= hält keine bezügliche Andeutung. Der Ausdruck, Taſſilo habe ſie hilari vultu ge= macht, auf den ſich Mannert und Rettberg berufen, lautet zu allgemein, um daraus einen ſolchen Schluß zu ziehen; vgl. auch Graf Hundt a. a. O. S. 175.

[5]) Rudhart S. 267 f.; Riezler, Geſch. Baierns I, 80.

[6]) Dieſe Vermuthung wird gewöhnlich als eine feſtſtehende hiſtoriſche Thatſache ausgeſprochen; ſo von Buchner, Geſchichte von Baiern I, 225; Rudhart S. 314; Rettberg II, 184 f. 248; Büdinger I, 108; auch Riezler I, 154. Nur Mannert, S. 232 f. erklärt ſich dagegen, freilich aus einem ungenügenden Grunde, und die Vermuthung, die er an die Stelle ſetzt, Aiſtulf habe nach ſeiner Beſiegung durch die Franken 755 die Etſchgebiete an Taſſilo abtreten müſſen, der Pippin nach Italien begleitet, ſchwebt ganz in der Luft.

[7]) Meichelbeck Iᵇ, 38 Nr. 22.

[8]) Vita Corbin. c. 39, Meichelbeck Iᵇ, 18: dum a Langobardorum gente corpus b. Valentini confessoris Christi de eodem castro (Mais) ablatum fuerat et in Tredentinam urbem deportatum ac postea a venerando Tassi- lone duce in Pataviam civitatem . . evectum . . caepi ego Haeres (Arbeo = Erbe) . . cogitare, quid de tanti patris (Valentini) corpore agere debuissem; vgl. die Stelle aus Conradus sacrista bei Graf Hundt S. 175 N. 2.

[9]) Vgl. oben S. 56 f.

768 fallen[1]). Etwas mehr Anhalt um die Zeit der Vermählung Taffilo's mit Liutperga annähernd zu bestimmen als die bisher er=wähnten Thatsachen gewährt uns dagegen der Umstand[2]), daß Taffilo's Sohn Theodo bereits im Jahre 777, bei der Stiftung von Kremsmünster, von ihm als Mitregent hinzugezogen wird. Aus diesem Umstande könnte man geneigt sein zu folgern, daß jene Ehe schon mehrere Jahre vor 769 geschlossen worden sei.

Liutperga, allem Anschein nach gleich ihrer Schwester, der Her=zogin Adalperga von Benevent, eine Frau von geistiger Bedeutung, muß einen sehr erheblichen Einfluß auf ihren Gemahl und die Regierung ausgeübt haben; sie erscheint nach gewissen Zeugnissen fast im Lichte einer Mitregentin[3]). Die Zerstörung ihres väterlichen Reichs, das Exil ihres Vaters, des Königs Desiderius, machten sie später zu einer entschiedenen Feindin des Frankenreichs[4]). Wir hören, daß Taffilo und Liutperga dem Bischof Arbeo von Frei=sing, welchen sie der Hinneigung zu Karl und den Franken beschul=digten, eine große Anzahl von Pfarrkirchen unrechtmäßig entzogen, um sie theilweise dem Kloster Awa (jetzt Frauenchiemsee) zuzuwenden[5]). Bei seinem großen Eifer für Stiftung von Klöstern mag es dem Herzoge überhaupt nahe gelegen haben, in die Rechte der Bis=thümer in solcher Weise einzugreifen[6]). Das Zerwürfniß mit Arbeo von Freising scheint aber schon in eine verhältnißmäßig frühe Zeit zurückzureichen, schon im Jahr 777 sich die Spur des=selben zu zeigen[7]). In der letzten Zeit seines Lebens war Arbeo die Leitung seines Bisthums wohl gänzlich entzogen; 782 führt be=reits sein Nachfolger, der Abt Atto von Schledorf, die Geschäfte[8]). Wir kommen später, bei den Ereignissen, die unmittelbar dem Sturze ihres Gemahls vorausgingen, auf den Einfluß Liutperga's

---

[1]) Rettberg I, 220 setzt sie ohne Beweis bestimmt ins Jahr 768; das Richtige („etwas vor 769") hat er II, 248.

[2]) Diesen Umstand betont wohl mit Recht Graf Hundt S. 175; vgl. unten z. J. 777.

[3]) Vgl. Capitulare Baiwaricum (c. a. 810?) c. 8, Capp. I, 159: de temporibus Tassilonis seu Liutpirgae; Graf Hundt a. a. O. S. 186. 219 (unten Anm. 5); Meichelbeck I, 185 Nr. 350 (temporibus Luitpiriga ducissa).

[4]) Ann. Einh. 788 SS. I, 173: quae ... post patris exilium Francis inimicissima semper extitit; Einh. V. Kar. 11: quae ... patris exilium per maritum ulcisci posse putabat.

[5]) S. die Urkunde vom 13. Januar 804, in welcher dies in richterlicher Ent=scheidung durch die Missi anerkannt wird, bei Graf Hundt a. a. O. S. 219 (aus Conradus sacrista): quod Tassilo dux atque Liutpirga uxor eius non solum istas ecclesias, sed et multas alias de eodem episcopatu iniuste abstulerunt propter invidiam, quam habebant super Arbonem episcopum, dicentes, eum fideliorem esse Karolo regi et Francis quam illis. Vgl. auch Riezler, Allg. D. Biogr. I, 511.

[6]) Graf Hundt S. 186.

[7]) Er fehlt bei der Stiftung von Kremsmünster; vgl. Graf Hundt S. 186 und unten z. J. 777.

[8]) Vgl. Graf Hundt S. 186. 211.

zurück[1]); wenden uns aber jetzt wieder der früheren Zeit zu, die wir zunächst zu betrachten haben.

So dürftig die Quellen über die Geschichte Tassilo's sind, lassen sie doch erkennen, mit welcher Rührigkeit er nach den verschiedensten Seiten thätig war[2]). Die Verbindung mit den Longobarden war aber geradezu eine Lebensfrage für ihn, denn sie waren die einzigen Bundesgenossen, auf die er bei einem doch immer drohenden Kampfe mit den Franken um die Behauptung seiner selbständigen Stellung rechnen und beren Freundschaft ihm bei der unmittelbaren Grenznachbarschaft des Longobardenreichs von Werth sein konnte. Auf die Unterstützung des Papstes hätte ihm zwar die Gunst, die er in seinem eigenen Herzogthum der Kirche bewies, Anspruch verschaffen sollen, und er hat in der That auch früher und später die Unterstützung, wenigstens die freundschaftliche Vermittlung des Papstes nachgesucht[3]); aber dem römischen Stuhl war an der Verbindung mit den mächtigen fränkischen Königen mehr gelegen als an der mit dem bairischen Herzog, und die tödtliche Feindschaft zwischen Rom und den Longobarden stand ohnehin jedem näheren Anschluß Tassilo's an den Papst störend im Wege. Es war daher für ihn um so wichtiger, daß sich ihm die Aussicht auf eine Annäherung an die Franken selbst eröffnete, im Zusammenhang mit einer Wendung der fränkischen Politik, die hauptsächlich das Verhältniß des fränkischen Reichs zu Italien, zu den Longobarden sowohl wie zu dem Papste, betraf.

Die Verbindung des fränkischen Königs mit dem päpstlichen Stuhl war verhältnißmäßig jung. Papst Gregor III. hatte sich in seiner Bedrängniß durch die Longobarden wiederholt um Hilfe an Karl Martell gewandt; aber dieser leistete dem Rufe keine Folge[4]). Er hatte einst durch den Longobardenkönig Liutprand an seinem Sohn Pippin die feierliche Handlung des Haarabschneidens vornehmen lassen[5]); als Karl Martell's Verbündeter war Liutprand ruhmvoll gegen die Ungläubigen geeilt[6]); Karl war augenscheinlich

---

[1]) Vgl. Annales Laur. mai. 788; Ann. Einh. 788; Einh. V. Kar. 11 und unten z. J. 787.

[2]) Die socordia, welche Einhard, Vita Karoli c. 11. dem Herzoge vorwirft, bezieht sich nur auf die Haltung, durch welche Tassilo zuletzt den entscheidenden Bruch mit Karl herbeiführte, nicht auf Tassilo's Persönlichkeit und Politik im allgemeinen.

[3]) Siehe oben S. 58 N. 5; ferner Annales Lauriss. mai. SS. I, 170; Annales Einh. SS. I, 173 und unten zum Jahre 787.

[4]) Jaffé I, 14 f., Cod. Carolin. Nr. 1. 2; V. Gregor. III., (Zus.). Stephan. II., Duchesne I, 420. 444; Fredegar. contin. c. 110, Bouquet II, 457 f.; Chron. universale bis 741, SS. XIII, 19; Ann. Mett. 741, SS. I, 326 f.; Gest. abb. Fontanell. c. 9. 12, SS. II, 281. 286 (ed. Löwenfeld, Hannover 1886, S. 28 f. 36); Chron. Moissiac. SS. I, 291—292; über die Aufeinanderfolge der päpstlichen Hilferufe vgl. Jaffé, Regest. pontif. Roman. ed. 2ᵃ, I, 260 f., Nr. 2249. 2250. 2252; Mühlbacher S. 17—18; dazu Simson in Forsch. zur Deutschen Gesch. XX, 395 ff.; außers Breysig, Karl Martell S. 93 ff.

[5]) Pauli Hist. Langobardor. VI, 53, SS. rer. Langob. S. 183; Breysig S. 86; Hahn, Jahrbücher des fränkischen Reichs 741—752 S. 4—5.

[6]) Pauli Hist. Langobardor. VI, 54 l. c.; Breysig S. 86; F. Dahn, Allg. Deutsche Biogr. XIX, 10 f.

nicht gewillt, die alte Freundschaft mit den stammverwandten Lango=
barden dem Papst zu Liebe aufzugeben. Erst sein Sohn Pippin
schlug andere Wege ein. Noch bei Lebzeiten Karl Martell's hatte
Bonifaz seine Wirksamkeit zum Behuf der Einfügung der fränki=
schen Kirche in den Organismus der allgemeinen römischen be=
gonnen; während aber Karl diese Bestrebungen nicht unbedingt
begünstigt hatte, ging Pippin mit dem größten Eifer darauf ein.
Dazu kam Pippin's Wunsch, für die von ihm beabsichtigte Ueber=
nahme der königlichen Würde für sich und sein Geschlecht die Weihe
der Kirche zu erhalten. Beides bewog ihn, in die Verbindung
mit dem Papst einzutreten. Stephan II. kam ins fränkische Reich
und vollzog in Person die Salbung an Pippin, seiner Gemahlin
und seinen Söhnen; Pippin dagegen zog mit Heeresmacht zweimal
nach Italien, sicherte und erweiterte die von den Langobarden
aufs äußerste bedrohte weltliche Herrschaft des Papstes. Für
Pippin war die vom Papst an ihm und seiner Familie vollzogene
königliche Salbung von unschätzbarem Werthe, aber dennoch muß
man fragen, ob sie die von Pippin dem römischen Stuhl geleisteten
Dienste unmittelbar aufwog. Wir wissen nicht, ob Pippin auch
ohne die päpstliche Unterstützung sein Vorhaben durchgeführt haben
würde; der Papst aber war ohne die fränkische Hilfe unzweifelhaft
verloren. Die Verbindung zwischen ihm und Pippin war keine
gleiche; er stand thatsächlich in einem Verhältnisse der Abhängig=
keit von den Franken.

So beschaffen waren die Grundlagen, auf welchen die Be=
ziehungen Roms zum Frankenreiche ruhten, als die Söhne Pippin's
zur Regierung gelangten. Ihre Aufgabe schien ihnen in dieser
Hinsicht bestimmt vorgezeichnet, und Karl ist auch in der That
später auf dem vom Vater eingeschlagenen Wege weitergegangen.
Aber eine Zeit lang war diese Entwicklung doch ernstlich in Frage
gestellt, nicht blos durch die persönliche Gesinnung der Herrscher,
sondern durch die Verhältnisse selbst. Es ist eine naheliegende
Vermuthung, daß die Partei, welche früher gegen den Anschluß
Pippin's an den Papst so lebhaften Widerspruch erhoben hatte[1]),
aus Veranlassung des Thronwechsels aufs neue versuchte, ihre An=
schauungen zur Geltung zu bringen[2]), und unverkennbar wurde
dieser Versuch durch die nach Pippin's Tode eintretenden Verhält=
nisse begünstigt. Auch für die Stellung zu Italien war es von
größter Bedeutung, daß nach dem Tode Pippin's eine Theilung
der Herrschaft zwischen seinen Söhnen eintrat. Beide, Karl und
Karlmann, waren bereits Patricier der Römer und als solche nicht
in der Lage, den italischen Händeln unthätig zuzuschauen; sie
mußten Partei ergreifen, aber wie durfte man erwarten, daß sie
in der Auffassung dieser hochwichtigen Verhältnisse übereinstimmen
würden? Mit der Politik seines Vaters Karl Martell stand ja
der von Pippin eingeschlagene Weg durchaus nicht im Einklang;

---

[1]) Einhard. V. Kar. c. 6.
[2]) Vgl. auch Geo. Wolff, Krit. Beiträge S. 50 ff.

nicht der Papst, sondern die Langobarden waren die alten Verbün=
deten der Franken, und Desiderius ließ es gewiß nicht an Be=
mühungen fehlen, wenigstens den einen der Brüder auf seine
Seite zu ziehen. Die Trennung des fränkischen Reichs in zwei
Herrschaften, auch die persönliche Spannung, welche von früh auf
die Brüder entzweite, kam ihm dabei unzweifelhaft zu statten.
Augenscheinlich hatte Karlmann, dessen Reichstheil unmittelbar an
Italien grenzte, an den dortigen Vorgängen ein näheres Interesse
als Karl, welcher durch das Gebiet Karlmann's und Taffilo's da=
von abgeschnitten war; welche Stellung nahm Karlmann, welche
Karl zu Italien ein?

Der früheste Fall, in dem sie beide mit dem Papste in Ver=
kehr treten, betrifft ausschließlich eine kirchliche Frage und hat
weder mit dem Verhältniß des Papstes noch mit dem der Könige
zu Desiderius etwas zu schaffen, ist für die Parteistellung ohne
Belang. Diesen ersten Anlaß mit den Verhältnissen Roms sich zu
befassen erhielten die jungen Könige von Seiten des Papstes; sie
hatten kaum den Thron bestiegen, als von Stephan der Ruf dazu
an sie erging. Denn in Rom hatte arge Verwirrung geherrscht; länger
als ein Jahr hatte der Usurpator Constantin den päpstlichen Stuhl
innegehabt, bis er endlich mit langobardischer Hilfe beseitigt und
Stephan III. als Papst eingesetzt ward, 1. August 768[1]). Stephan
verdankte seine Erhebung hauptsächlich der Thätigkeit des Christo=
phorus und seines Sohnes Sergius, welche beide schon unter
Paul I. die höchsten Würden bekleidet hatten, dann aber von Con=
stantin daraus entfernt worden waren. Sie wußten sich zur Be=
seitigung Constantin's die Unterstützung von Desiderius zu ver=
schaffen, kehrten sich jedoch, sobald sie ihren Zweck erreicht, aufs
entschiedenste von ihm ab und warfen sich den Franken in die
Arme. Auf die Verbindung mit diesen legten sie ein so großes
Gewicht, daß Sergius sich persönlich ins fränkische Reich begab[2]).
Er war der Ueberbringer eines päpstlichen Schreibens an Pippin
und seine Söhne, worin dieselben aufgefordert wurden, einige frän=
kische Bischöfe zu einer Kirchenversammlung nach Rom zu schicken,
um über das frevelhafte Beginnen Constantin's zu Gericht zu
sitzen. Während jedoch Sergius noch unterwegs war, starb Pippin;
er richtete deshalb nach seiner Ankunft seine Aufforderung un=
mittelbar an Karl und Karlmann. Diese erklärten sich bereit dem
Rufe zu folgen und ordneten demgemäß zwölf Bischöfe nach Rom
ab; Sergius erreichte mithin bei ihnen die Bewilligung der ihm
anvertrauten Anträge vollkommen[3]).

Am 12. April 769 wurde die Synode auf dem Lateran er=

---

[1]) Vita Stephani III. bei Duchesne, Lib. pontif. I, 468 ff.; Papencordt,
Geschichte der Stadt Rom im Mittelalter S. 91 f.; Gregorovius, Geschichte der
Stadt Rom II, 3. Aufl. S. 301 ff.
[2]) Vita Stephani, bei Duchesne l. c.
[3]) Vita Steph. l. c. S. 473: cuncta nihilominus, pro quibus missus
est, ab eorum excellentia impetravit. Dirigentes scilicet ipsi christianissimi
reges XII episcopos ex eisdem Francorum regionibus ...

öffnet[1]). Dem Stellvertreter des Erzbischofs von Ravenna, welcher
die erste Stelle nach dem Papst einnahm, saß der Erzbischof
Wilcharius von Sens zur Seite, und an den Kardinalbischof
Georg von Ostia, der auf ihn folgte, schlossen sich unmittelbar die
eilf übrigen fränkischen Erzbischöfe und Bischöfe an[2]). Es waren
die Bischöfe Wulfram von Meaux, Lul von Mainz, Gavienus von
Tours, Ado von Lyon, Herminar von Bourges, Daniel von Narbonne, Verabulp von Bordeaux, Erlulf von Langres, Tilpin von
Reims, Giselbert von Noyon und Hermenbert, dessen Bisthum
nicht mit Sicherheit zu ermitteln ist[3]). Erst nach den Franken
folgten dann die übrigen italienischen Bischöfe. Die Synode hielt
vier Sitzungen, worin sie zuerst über Constantin ein feierliches
Verdammungsurtheil aussprach und alle von ihm vollzogenen kirchlichen Handlungen, mit Ausnahme der Taufen und Firmungen,
für ungiltig erklärte. Hierauf wurde, um der Wiederholung der
bei der Erhebung Constantin's vorgefallenen Unordnungen vorzubeugen, festgesetzt, daß künftig nur ein Kardinaldiakon oder Kar-
dinalpriester zum Papst gewählt werden, und daß keine Laien,
keine Bewaffneten bei der Wahl sollten zugegen sein dürfen. In
der vierten Sitzung endlich gab die Synode, angesichts des schwebenden Bilderstreits, ihre Stimme für die Bilderverehrung ab[4]).

Die enge Verbindung der Franken mit dem päpstlichen Stuhl,
welche in der Theilnahme fränkischer Bischöfe an jener Lateransynode hervortritt, erfuhr aber bald eine Lockerung. So wenig
die gemeinsame Beschickung der Synode schon als ein Beweis der
Einigkeit zwischen Karl und Karlmann betrachtet werden kann, so
ist es doch gewiß, daß dieselbe wenig später wirklich hergestellt
wurde. Es war ein Ereigniß von großer Tragweite, das erst im
folgenden Jahre in vollem Umfang zur Erscheinung kam, dessen
Vorbereitung aber ins Jahr 769 zurückreicht.

[1]) Dieses Datum gibt das noch vorhandene Fragment der Verhandlungen bei
Mansi, Conciliorum coll. ampliss. XII, 713. Dagegen hat ein in der Kanonen-
sammlung des Rotger von Trier enthaltenes Fragment den 7. April, Wasserschleben,
Beiträge zur Geschichte der vorgratianischen Kirchenrechtsquellen S. 162.

[2]) Das Fragment zählt sie der Reihe nach auf, Mansi XII, 714—715, vgl.
n. a. Eine andere, zum Theil abweichende, aber jedenfalls nicht fehlerfreie Liste in
einer Handschrift des Lib. pontif., Duchesne I, 473 f. vgl. p. CLXXVIII,
482 u. unten z. J. 785.

[3]) Das Fragment redet von Hermenberto episcopo Joahione und führt ihn
zwischen Daniel und Verabulp auf. Cenni, welcher das Fragment unter dem Titel:
Concilium lateranense Stefani III. zuerst herausgab, deutt, S. 67—71, bei
Joahione an Iuvavia Salzburg, und ihm folgt Hefele III, 2. Aufl. S. 435. Doch
ist diese Annahme mehr als bedenklich. Die Voraussetzung beider, „daß in dieser
bischofslosen Zeit durchreisende oder anderwärts vertriebene Bischöfe öfters gebeten
wurden, bischöfliche Functionen in Salzburg zu verrichten" und daß Hermenbert „ein
solcher fremder, aber temporär in Salzburg lebender Bischof" gewesen sei, trifft hier
nicht zu. Gerade damals war Salzburg nicht bischofslos, sondern schon seit längerer
Zeit vom Bischof Virgil geleitet, Rettberg II, 233 ff. Nach der andern Liste war es
der Bischof von Worms (vgl. Rettberg I, 637).

[4]) Einen Bericht über die Verhandlungen gibt, außer den beiden Fragmenten
bei Mansi und Wasserschleben, die Vita Stephani III. l. c. S. 475 ff.; vgl. auch
Hefele III, 2. Aufl. S. 434 ff.; Hinschius, Kirchenrecht I, 228 f.

In den beiden Jahren 769 und 770 ist eine lebhafte Be=
wegung im Kreise der leitenden Persönlichkeiten bemerkbar. Wir
lesen von einer Zusammenkunft der Königin=Mutter Bertrada mit
Karlmann in Selz, von einer Reise derselben nach Baiern und
Italien[1]), zu Desiderius und dem Papst[2]), von einer Reise des
Abts Sturm aus Fulda zu Tassilo[3]) und Tassilo's nach Italien[4]).
Aus derselben Zeit ist die Vermählung Karl's mit Desiderius'
Tochter und die Rückgabe vieler Städte an den heiligen Petrus
berichtet[5]). Alle diese Angelegenheiten treten uns nur in allge=
meinen Umrissen entgegen, aber es unterliegt keinem Zweifel, daß
sie unter einander in nahem Zusammenhange stehen und gleichzeitig
ebenso im Zusammenhang mit einer zwischen den beiden königlichen
Brüdern erzielten Verständigung. Man schlug ein politisches Sy=
stem ein, welches vielleicht als ein weises bezeichnet werden darf
und darauf hinauslief, gleichzeitig mit Tassilo von Baiern, dem
Langobardenreich und dem päpstlichen Stuhle in gute und nahe
Verhältnisse zu treten. Man beabsichtigte eine Familienverbin=
dung mit dem langobardischen Hofe, wollte diesen aber zugleich dazu
vermögen, in den Gebietsstreitigkeiten mit dem Papste den An=
sprüchen des letzteren, insofern sie nach den früheren Zusagen und
Verträgen berechtigt erschienen, zu genügen.

Als die eigentliche Trägerin dieser Politik und zugleich allem
Anschein nach als Vermittlerin zwischen ihren Söhnen erscheint
die Königin=Mutter Bertrada. Gleich ihrer Reise nach Italien ist
ausdrücklich bezeugt, daß auf ihr Zureden Karl die Tochter von
Desiderius zur Frau nahm[6]). Allein so groß auch das Gewicht
ihrer Stimme war, so gab es doch wohl nicht allein den Aus=
schlag[7]). Die Aussöhnung der Könige war ein Schritt von allge=
meiner politischer Bedeutung und ist deshalb weniger aus persön=
lichen Rücksichten als aus der Lage der Verhältnisse überhaupt zu
erklären. Deutlich erkennen läßt sich der innere Zusammenhang
nicht; aber, wenn nicht alles trügt, haben wir es hier zu thun

---

[1]) Annales Lauriss. mai.; Annales Einh. 770, SS. I, 148. 149;
Fragm. Basil. 770, SS. XIII, 27.

[2]) Annales Petav. SS. I, 12; Annales Mosellan. SS. XVI, 496; Ann.
Lauresham. 770, SS. I, 30, alle drei aus derselben, für uns verlorenen Quelle;
vgl. auch Ann. Max. SS. XIII, 21.

[3]) Vita Sturmi, SS. II, 376, vgl. unten S. 66 N. 3.

[4]) Urkunde bei Meichelbeck I b, 38 Nr. 22; darüber und über das, was da=
mit zusammenhängt, vgl. S. 67 und unten z. J. 770.

[5]) Annales Petav. 770, SS. I, 13; Ann. Mosellan. l. c.; Ann. Lau=
resham. l. c.

[6]) Nach Einhard, Vita Kar. c. 18, heiratete Karl seine langobardische Ge=
mahlin auf Zureden Bertrada's (matris hortatu — illa suadente); vgl. auch Ann.
Mosellan. SS. XVI, 496; Lauresham. SS. I, 30; Petav. SS. I, 13; Ann.
Sithiens. und Enhard. Fuld. 770, SS. XIII, 35; I, 348.

[7]) Der Einfluß Bertrada's wird häufig gar zu hoch angeschlagen, so von Ba=
ronius, Annales ecclesiast. a. 770; Pagi ib.; P. T. Hald, Donatio Karoli
Magni ex codice Carolino illustrata p. 21 n. Gaillard II, 20 spricht so=
gar von einem empire absolu der Königin über ihre Söhne.

mit dem Versuche, ein umfassendes politisches System durchzu=
führen, den Gesichtspunkt der Einheit des ganzen fränkischen Reichs
in der Politik der beiden Könige wieder mehr zur Geltung zu
bringen und unter diesem Gesichtspunkt in den wichtigsten schweben=
den Fragen eine bestimmte Stellung einzunehmen, um auf diesem
Wege die allenfalls drohenden Verwicklungen friedlich zu um=
gehen[1]).

Soweit die Kunde reicht, wurden die Unterhandlungen, durch
welche dieser Entwurf ins Leben gerufen werden sollte, eröffnet
durch den Abt Sturm von Fulda, der ein Baier von Geburt war[2])
und bei Karl in hohem Ansehen stand. Es wird berichtet, Sturm
habe eine Sendung an Tassilo übernommen und zwischen ihm und
Karl auf mehrere Jahre ein freundschaftliches Verhältniß hergestellt[3]).
Sturm fand also mit seinen Vorschlägen bei Tassilo Gehör; die
Bedingungen müssen dabei wohl sehr vortheilhaft für den letzteren
gewesen sein; wenigstens wurde die selbständige Stellung, die er seit
einer Reihe von Jahren eingenommen, auch in der nächsten Zeit
von den Franken nicht angetastet, und diese Thatsache, freilich auch
sie allein, führt zu der Vermuthung, es könnten ihm gerade bei
dieser Gelegenheit Versprechungen hinsichtlich der Fortdauer der=
selben gemacht sein[4]). Vermuthlich hängt es hiemit zusammen,
daß Bertrada, als sie im folgenden Jahre nach Italien reiste, den
Weg durch Baiern nahm, der keineswegs der kürzeste für sie war
und den sie nicht ohne besondere Veranlassung eingeschlagen haben
wird[5]). Auf die Entfremdung, welche schon zur Zeit Pippin's
zwischen Tassilo und den Franken bestanden hatte, mußte also wohl
eine Annäherung gefolgt sein, und da das Verdienst dieselbe ver=
mittelt zu haben ausdrücklich Sturm zugeschrieben wird, so ging
demnach, wie wir annehmen dürfen, seine Gesandtschaft der Reise
Bertrada's voraus. Wir dürfen uns also wohl als berech=

---

[1]) Pagi a. 770 Nr. 3 führt aus, das fränkische Reich sei von einem innern
Krieg bedroht gewesen wegen der Uneinigkeit der Könige und weil, auch wenn sie
sich versöhnten, ein gemeinsamer Krieg beider gegen Tassilo bevorgestanden hätte. Für
letztere Annahme ist gar kein Anhaltspunkt vorhanden; bei der ersteren denkt Pagi
vielleicht an die Angabe Einhard's, Vita Kar. c. 3, einige aus der Umgebung
Karlmann's hätten Krieg zwischen ihm und Karl herbeizuführen gesucht; allein man
sieht nicht, ob diese Stelle hieher gehört, ob sie nicht vielleicht eher auf die letzten
Zeiten vor Karlmann's Tode zu beziehen ist (vgl. Wolff, Krit. Beitr. S. 55 N. 3).
Aehnlich äußern sich übrigens auch Eckhart I, 606 und Martin II, 253. Die
Vermuthung von la Bruère I, 77 f., als habe der glückliche Erfolg Karl's in Aqui=
tanien Karlmann eingeschüchtert und bewogen einer Verständigung mit Karl sich nicht
länger zu widersetzen, schwebt in der Luft. Richtiger äußert sich Gaillard II, 21 ff.,
der nur Bertrada zu sehr an die Spitze stellt.

[2]) Vita Sturmi c. 2, SS. II, 366: Norica provincia exortus, nobilibus
et christianis parentibus generatus et nutritus fuit.

[3]) Vita Sturmi c. 23, SS. II, 376: Illis quoque temporibus, suscepta
legatione inter Karolum regem Francorum et Thasilonem Noricae pro=
vinciae ducem, per plures annos inter ipsos amicitiam statuit. — Ein
späterer Text setzt dies erst ins 4. Regierungsjahr Karl's (771—772).

[4]) Vgl. auch Rudhart S. 315.

[5]) Vgl. unten zum Jahr 770.

tigt ansehen, sie nicht später als 769 zu setzen[1]). An Tassilo
wandte man sich vom fränkischen Reiche aus natürlich zuerst, schon
weil er ein Glied des Reiches selber und deswegen ein Abkommen
mit ihm das dringendste Bedürfniß war. Vermöge seiner Verwandt=
schaft mit dem fränkischen Königshause durch seine Mutter Chiltrud,
die Schwester Pippin's, einerseits und mit Desiderius durch seine
Vermählung mit dessen Tochter Liutperga andrerseits, sowie durch
die geographische Lage seines Landes mochte er außerdem ganz als
der geeignete Mann erscheinen, um die beabsichtigte Verbindung
zwischen den Franken und Langobarden zu vermitteln. Wie es
scheint, machte Tassilo in diesem Jahre 769 eine Reise nach
Italien[2]). Nehmen wir an, daß dies nach dem Besuche Sturm's
bei ihm und den mit diesem gepflogenen Verhandlungen geschah,
und erwägen wir, daß kurz darauf die Verbindung zwischen Karl
und Desiderius abgeschlossen wird, so erscheint die Vermuthung
wenigstens statthaft, daß alle diese Ereignisse in einem unmittel=
baren Zusammenhange mit einander standen. Indessen fehlt alle
weitere Kunde, auch darüber, ob Tassilo damals mit Desiderius
zusammenkam[3]). Auf dem Rückweg kam er durch Bozen und
schenkte dort dem Abt Atto von Scharnitz den Ort Judia (Innichen)
im Pusterthal an der Grenze der Slaven, mit der Bestimmung,
dort ein Kloster zu gründen und von demselben aus das un=
gläubige Geschlecht der Slaven auf den Pfad der Wahrheit zu
führen[4]).

---

[1]) Der Verfasser der V. Sturmi, Eigil, setzt sie wenigstens offenbar in die ersten
Jahre der Regierung Karl's und, wie es scheint, vor den Beginn des Sachsenkrieges.
Freilich erwähnt er schon vorher, in demselben Zusammenhange, die Schenkung von
Hammelburg an Fulda, welche erst mehrere Jahre später fällt, s. unten zu 777. Der
obigen chronologischen Anordnung der Ereignisse stimmt auch bei G. Wolff, Kritische
Beiträge u. s. w. S. 43—44, indessen gibt es auch entgegenstehende Ansichten
Anderer. So werden die Unterhandlungen Sturm's mit Tassilo von Rudhart S. 315
erst nach der Reise Bertrada's nach Italien, in die Jahre 771, 772 oder 773 ge=
setzt, und Rudhart's Ansicht theilt Pertz, SS. II, 376 N. 19. Büdinger S. 119
läßt die Reise Sturm's auch erst auf die Reise Bertrada's folgen und legt ihr in
der Voraussetzung dieses Zusammenhanges den Zweck unter, Tassilo zu bewegen der
Unterwerfung des Langobardenreichs unthätig zuzuschauen; eine Vermuthung, für die
sich garnichts anführen läßt.

[2]) Vgl. die auch sonst schon erwähnte Urkunde Tassilo's bei Meichelbeck I b,
38, welche er auf der Rückreise aus Italien ausgestellt zu haben scheint, unten
N. 4.

[3]) Rudhardt S. 314 glaubt, daß die Reise Tassilo zu Desiderius geführt und
dem Verhältniß zu Karl gegolten habe, aber nicht dem Verhältniß von Desiderius,
sondern dem Tassilo's zu Karl, der wohl Tassilo an seinen in Compiegne Pippin ge=
leisteten Vasalleneid habe erinnern lassen. Letztere Voraussetzung ist aber ohne jeden
Beweis. Leibniz I, 19 dehnt die Reise Tassilo's bis Rom aus, wofür ebenfalls
kein Grund vorliegt.

[4]) Urkunde bei Meichelbeck I b, 38 Nr. 22: Ego Tassilo dux Bajouarorum
vir inluster . . . dono atque transfundo locum nuncupantem India, quod
vulgus campo Gelau vocantur Attoni abbati ad ecclesiam s. Petri apostolorum principis . . . in aedificatione monasterii atque ipsius servitio, a rivo
quae vocatur Tesido usque ad terminos Sclavorum, id est rivolum montis
Anarasi . . . Propter incredulam generationem Sclavorum ad tramitem

5*

Von anderen Vorgängen, welche etwa noch auf diese Verhält=
nisse Bezug haben mochten, wissen wir aus dem Jahr 769 nichts,
und auch sonst sind nur noch wenige dürftige Angaben über Vor=
gänge im Innern des Reichs erhalten. Die Hauptsache wäre ein
Capitular, das erste unter der Regierung Karl's erlassene, wenn
man sicher wüßte, daß es diesem Jahr angehört, und wenn nicht
vielleicht selbst ein leiser Zweifel an seiner Echtheit sich regen mag.
Es steht nichts im Wege, dasselbe, wie gewöhnlich geschieht[1]), schon
ins Jahr 769 zu setzen, obschon auch nichts dazu zwingt. Die
Schlußbestimmung, in welcher von einer Reichstheilung die Rede
ist und der Verwirrung der Eigenthumsverhältnisse vorgebeugt
werden soll, welche eine solche Theilung etwa zur Folge haben
konnte[2]), beweist allerdings nichts, da sie nur aus den Akten einer
älteren Synode aus der Merovingerzeit übernommen ist[3]). Es kann
aus dem Inhalt daher kaum gefolgert werden, daß das Capitular
bald nach dem Regierungsantritt der beiden Könige, jedenfalls so
lange die Theilung noch bestand, also bei Lebzeiten Karlmann's,
erlassen sein müsse. Ebenso wenig ist über den Ort der Versamm=

veritatis deducendam concessi et hilari vultu tradedi . . . Actum in Bau-
zono rediente de Italia anno ducatui ejus XXII. Die Urkunde, welche ohne
Monats= und Tagesdatum überliefert ist, fällt nach dem angegebenen Regierungsjahr
Tassilo's ins Jahr 769 oder spätestens in den Anfang d. J. 770 (vgl. oben S. 51
Anm. 2). Die Vermuthung, Tassilo sei zusammen mit Bertrada, deren Reise freilich
erst 770 fällt, nach Italien gereist (vgl. Mabillon, Ann. ord. s. Ben. II 204;
Eckhart, I, 610; Mannert S. 232), ist ohne jeden Halt. Auch Zahn, Font.
rer. Austr. II, 31, S. 3, setzt die Urkunde ins Jahr 770. Vgl. Graf Hundt a. a. O.
S. 175. 199; Riezler I, 156. Der erstere hält für möglich, daß sich in die Zahl
der Regierungsjahre ein Irrthum eingeschlichen habe.

[1]) So von Baluzius, Capitularia reg. Franc. I, 190; Bouquet V, 649;
Pertz, Legg. I, 32 f.; Boretius, Capp. I, 44, die übrigens selbst diese Zeitbestim=
mung nur für eine annähernd zutreffende halten. Mühlbacher Nr. 136 schlägt vor, den
Erlaß dieses Capitulars auf den ersten Reichstag unter Karl's Regierung, zu Worms
im Jahr 770, zu verlegen, bemerkt aber, daß es auch dem nächsten (771) oder einem
der nächsten Jahre angehören könne. Vgl. ferner Waitz III, 2. Aufl. S. 179 N. 4.
Die Titulatur des Königs (K. gratia Dei rex regnique Francorum rector
et devotus sanctae ecclesiae defensor atque adiutor in omnibus) sehr ähnlich
wie in der Admonitio generalis vom 23. März 789 S. 53. Einige Bedenken
könnte der Umstand erregen, daß Baluzius dies Capitular aus einer Handschrift her=
ausgegeben hat, welche verschollen ist, und dasselbe sich sonst nur bei Benedictus
Levita (III, 123—137) findet, und zwar — wenn auch nicht ganz vollständig und
nicht ganz in derselben Reihenfolge — in correcterem Texte als bei Baluze. Auf=
fällig ist immerhin auch das Apostolicae sedis hortatu u. s. w. (vgl. unten S. 69
N. 2 und Excurs V).

[2]) Capp. I, 46, c. 18: Ut nullus episcoporum vel secularium cuius-
cunque alterius episcopi sive ecclesiae sive privati res, aut regnorum divisione aut provinciarum sequestratione, competere aut retinere praesumat.

[3]) Aus Concil. Aurelian. V. a. 549 c. 14, vgl. Waitz a. a. O.; Sickel II,
227 (zu K. 7). Boretius hält außerdem für möglich, daß dies Capitel, sowie c. 17,
welches den Akten einer Pariser Synode von 614 entlehnt ist, ein fremder Zu=
satz seien, obschon sie auch bei Benedictus Levita (III, 139. 140, Legg. IIb, 110)
fast unmittelbar auf den übrigen Inhalt dieses Capitulars folgen. Vgl. indessen
Waitz IV, 2. Aufl. S. 444 N. 1.

lung, auf welcher dies Capitular beschlossen wurde, etwas bekannt,
man müßte denn an die erste Reichsversammlung, die unter Karl
überhaupt erwähnt wird, zu Worms im Jahr 770, denken[1]). Es
war jedenfalls eine gemischte Versammlung[2]), und ebenso betreffen
auch ihre Beschlüsse sowohl kirchliche als weltliche Verhältnisse.
Doch treten die letzteren darin sehr zurück; denn abgesehen von der
Schlußbestimmung, welche beide, Geistliche und Weltliche, im Auge
hat, begegnet unter den 18 Canones des Capitulars nur ein ein=
ziger weltlichen Inhalts, welcher das Gebot einschärft, die Gerichts=
versammlungen pünktlich zu besuchen, sowohl die regelmäßigen im
Sommer und Herbst als die besonders berufenen[3]). Alle übrigen
Bestimmungen gelten kirchlichen Verhältnissen und enthalten meist
nur eine Wiederholung früherer, auf einem im Jahr 742 unter
Karlmann gehaltenen Concil erlassener Verordnungen[4]), die also bis
dahin noch nicht vollständig durchgeführt gewesen sein müssen. Diese
Verordnungen, welche sich auch als durch die Ermahnung des
päpstlichen Stuhls veranlaßt bezeichnen[5]), beabsichtigen zunächst
dem ärgerlichen Lebenswandel vieler Geistlichen zu steuern und da=
für zu sorgen, daß dieselben wirklich ihrem Berufe leben; dann
aber die Herstellung einer festen hierarchischen Ordnung. Die
Geistlichen sollen keine Waffen tragen und nicht mehr in den Krieg
ziehen, mit Ausnahme solcher, welche zur Besorgung des Gottes=
dienstes nöthig sind. Geistliche sollen kein Blut vergießen, weder
christliches, noch heidnisches; auch der Jagd, des Herumschweifens
in den Wäldern mit Hunden, Habichten und Falken sollen sie sich
enthalten[6]). Die Bischöfe sollen mit Unterstützung des Grafen der
Ausübung der zahlreichen heidnischen Gebräuche entgegentreten,
die unter der christlichen Bevölkerung noch im Schwange waren[7])';
wenn Geistliche mehrere Frauen haben, menschliches Blut vergießen
oder den kirchlichen Vorschriften zuwiderhandeln, sollen sie der
Strafe der Amtsentsetzung verfallen[8]). Sie sollen vielmehr ihre
besondere Sorge den sündhaften und verbrecherischen Leuten zu=

---

[1]) Vgl. oben S. 68 N. 1. Martin II, 252 nennt Rouen, aber ohne Beweis,
vgl. oben S. 42 N. 5.

[2]) Das zeigt der Eingang, Capp. I, 44: Apostolicae sedis hortatu omniumque fidelium nostrorum, et maxime episcoporum ac reliquorum sacerdotum
consultu . . .

[3]) c. 12: Ut ad mallum venire nemo tardet, primum circa aestatem,
secundo circa autumnum. Ad alia vero placita, si necessitas fuerit vel
denunciatio regis urgeat, vocatus venire nemo tardet. Boretius (S. 44) meint
sogar, daß auch die Zugehörigkeit dieses Capitels zu dem betreffenden Capitular
zweifelhaft erscheinen könne, eben seines weltlichen Inhalts wegen; vgl. über diesen
Waitz IV, 2. Aufl. S. 367; III, 2. Aufl. S. 560 N. 1.

[4]) Auf dem Concil vom 21. April 742, Capp. I, 24 ff.; Rettberg I, 354 ff.;
Hahn S. 34 ff.

[5]) Vgl. o. N. 2.

[6]) Capp. I, 44—45, c. 1. 2. 3, vgl. das Capitular von 742 c. 2; Rett=
berg I, 357; Hahn S. 36.

[7]) c. 6, vgl. das Capitular von 742 c. 5; Hahn S. 38 f.

[8]) c. 5.

wenden, damit diese nicht in ihren Sünden sterben, und der Kranken und Bußfertigen sich annehmen, auf daß dieselben nicht ohne die Salbung mit dem heiligen Oele, ohne Wegzehrung und Aussöhnung mit Gott aus dem Leben scheiden müssen[1]). Sie sollen auf die Beobachtung der Quatemberfasten bringen und selbst darin mit ihrem Beispiel vorangehen[2]). Andere Bestimmungen betreffen den hierarchischen Verband. Unbekannte fremde Bischöfe und Priester dürfen ohne vorhergehende Genehmigung einer Synode nicht zum Dienst der Kirche zugelassen werden[3]). Jeder Priester ist dem Bischof unterworfen, in dessen Sprengel er wohnt, und hat zur Fastenzeit dem Bischof Rechenschaft abzulegen über seine Amtsführung. Bereist der Bischof seinen Sprengel, so soll der Priester ihn aufnehmen unter Beihilfe der Gemeinde; der Bischof aber soll jedes Jahr in seinem Sprengel herumreisen um zu lehren und heidnischen Gebräuchen zu steuern[4]). Ohne Genehmigung seines Bischofs soll Niemand eine Kirche in einem Sprengel erhalten noch von der einen zur andern übergehen dürfen[5]). Kein Richter soll einen Geistlichen ohne Vorwissen seines Bischofs auf eigene Hand vor Gericht ziehen und verurtheilen[6]). Es ist den Geistlichen verboten, an anderen als Gott geweihten Stätten (auf Reisen in Zelten und an Steintischen, die vom Bischof geweiht sind) Messe zu halten[7]). Außerdem wird die Pflicht der Ablegung angekündigter Fürbitten für den König und seine Getreuen eingeschärft[8]) und, was bezeichnend scheint für den Geist, worin Karl schon seine Regierung antrat, mit Entschiedenheit darauf gedrungen, daß die Geistlichen sich die nothwendigen Berufskenntnisse aneignen; wer dies versäume, solle seiner Kirche verlustig gehen, denn wer das Gesetz Gottes selbst nicht kenne, sei auch nicht im Stande es zu predigen[9]).

Diesem vielleicht ersten Erzeugniß der gesetzgeberischen Thätigkeit Karl's hat Karlmann, soviel man sieht, kein gleiches an die Seite zu stellen. Die einzigen Spuren seiner Wirksamkeit während dieses Jahres sind, abgesehen von jener Zusammenkunft mit Karl in Duasdives, einige Urkunden, welche Verleihungen an Klöster enthalten. Wir sahen schon, wie reich er St. Denis und daß er Münster im Gregorienthal bedachte[10]); außerdem verlieh er wäh-

---

[1]) c. 10.
[2]) c. 11.
[3]) c. 4, wörtliche Wiederholung von Capit. 742, c. 4, Rettberg I, 356; mit Hahn S. 37 darin die Keime einer „Fremdenpolizei und Censur" zu erblicken liegt kein Grund vor.
[4]) c. 8, vgl. mit Capit. 742 c. 3; c. 7.
[5]) c. 9.
[6]) c. 17, vgl. o. S. 68 N. 3; Waitz IV, 2. Aufl. S. 444 und über distringere ebd. S. 450 N. 1.
[7]) c. 14.
[8]) c. 13, vgl. Waitz III, 2. Aufl. S. 265.
[9]) c. 15. 16.
[10]) In den Urkunden oben S. 41 N. 1—4.

rend feines Aufenthalts in der Pfalz Calminciacum im Oktober
dem Abt Afinarius von Novalese bei Susa in Burgund die Zoll=
freiheit für sein Kloster[1]) und im November, als er in der Pfalz
Pontio (Ponthion, Dep. Marne, zwischen Vitry=le=Français und
Bar=le=Duc) verweilte, bestätigte er dem Kloster Argentoialum
(Argenteuil, Dep. Seine et Oise) auf Bitten der Aebtissin Ailina
die Immunität, die schon seine Vorgänger demselben verliehen
hatten[2]). Und ebenso erhielt im ersten Regierungsjahre Karl=
mann's auch das einst von Willibrord erbaute Kloster Echternach
an der Sauer im Bidgau die Bestätigung seiner Immunität[3]),
sowie der Erzbischof Tilpin von Reims für seine Kirche die Be=
stätigung aller der Rechte und Freiheiten, welche frühere Könige
ihr verliehen; ja, Karlmann fügte im Laufe der nächsten Zeit noch
weitere Verleihungen hinzu[4]).

Das Bisthum Lüttich (Tongern) erhielt in diesem Jahr an=
geblich einen neuen Bischof. Auf Fulcarius (Fulcricus) folgte,
wie es heißt, damals Agilfred[5]). Freilich, nach einer andern An=
gabe[6]), scheint der Tod des Fulcarius schon Ende 762 erfolgt zu
sein. Agilfred war früher Mönch in Elnon (St. Amand) im
Hennegau, dann zu St. Bavon in Gent, später Abt von Elnon[7])

---

[1]) Muratori, Antiquitates Italicae II, 19, vgl. Oelsner, König Pippin
S. 198. Der Ausstellungsort in den Drucken Cadmoniaco; nach der Abschrift
Bethmann's aber Calmi(n)ciaco pal. publ. vgl. Sickel II, 13. 223; Mühlbacher
Nr. 117; Menke, Handatlas, Vorbem. S. 16. Kroeber in der Bibliothèque de
l'Ecole des Chartes l. c. S. 344 denkt an Communiacum, Commugny bei Genf;
Datta an Caen in der Normandie, was ganz unzulässig scheint; Abel an Coconiagum
in der Urk. für St. Denis, Bouquet V, 734 (Tardif S. 45 Nr. 54); Menke an
Chamoumix, Chamoux in Mauriana an der Straße nach Novalese oder Chougny
(Dep. Nievre); Mühlbacher dagegen an Calmiciacus (Chamouzy, Dep. Marne, Arr.
Reims) oder Verschreibung für Salmunciago (Samoussy). — Nach dem Regierungs=
jahr (1.) ist die Urkunde vor dem 9. Oktober ausgefertigt.
[2]) Mühlbacher Nr. 120; Bouquet V, 718.
[3]) Mühlbacher Nr. 118; Sickel, Beitr. V, Wien. S.=B. XLIX, 392, aus
dem 1. Regierungsjahre, wie auch die bei Flodoard erwähnte Urkunde für Reims,
also vor 9. Oktober 769.
[4]) Flodoard. Historia Remensis ecclesiae l. II, c. 17, SS. XIII, 464—
465; vgl. auch Marlot, Histoire de la ville, cité et université de Rheims II,
340 f.
[5]) Ann. Lobiens. SS. XIII, 228; vgl. Ann. Laubiens. und Leodiens.
774, SS. IV, 13.
[6]) Bei dem späten, aber glaubwürdigen Aegidius (Gilles) von Orval, Gest.
epp. Leodiens. SS. XXV, 47, wo ihm eine fünfzehnjährige Amtsführung zuge=
schrieben wird, während sein Vorgänger 747 gestorben zu sein scheint, er jedenfalls
748 bereits Bischof war; vgl. Pagi a. 762 Nr. 4; Eckhart I, 577; Le Cointe V,
628. 732 und besonders Oelsner, König Pippin S. 475. Die noch späteren An=
nales s. Bavonis Gand. SS. II, 187 lassen irrig Agilfred schon 752 Bischof werden
und 762 sterben, vielleicht infolge einer Verwechselung. Rettberg I, 562—563 meint,
daß die Angabe der Ann. Lobiens. sich doch vielleicht aufrecht erhalten lasse (vgl.
auch SS. XXV, 47 N. 6).
[7]) Vgl. Series abb. s. Amandi Elnonens. SS. XIII, 386. Agelfredus
episcopus steht hier zwischen Gislebertus episcopus (von Noyon u. Tournai) und
Arno archiepiscopus (von Salzburg). Der erstere starb 782, 23. Mai (vgl. Ann.
s. Amandi SS. I, 12; brev. SS. II, 184; breviss. SS. XIII, 38), mag aber die

und St. Bavon[1]). Er mag sich des besonderen Vertrauens Karl's
erfreut haben, da dieser später den gefangenen König Desiderius
seiner Haft anvertraut zu haben scheint[2]).

Andrerseits liefert das Kloster St. Gallen einen Beitrag zur
Geschichte des Jahres 769. Am 16. November 759 war der Abt
Otmar von St. Gallen, von seiner Abtei gewaltsam entführt, auf
einer Rheininsel bei Stein gestorben[3]), ein Opfer des Streites
zwischen dem um seine Selbständigkeit kämpfenden Kloster und dem
Bischof von Constanz, welcher die reiche Abtei unter seiner bischöf-
lichen Gewalt behalten wollte und dafür Unterstützung fand bei den
Grafen Warin und Ruodhart, jener Graf vom Thurgau und Linz-
gau, dieser im Argengau[4]). Aber in St. Gallen ehrte man sein
Gedächtniß nur um so mehr, da er sein unglückliches Ende im
Kampfe um die Unabhängigkeit des Klosters gefunden hatte, und
zehn Jahre nach seinem Tode wurde den Klosterbrüdern durch eine
Vision die Aufforderung, den Leichnam Otmar's, der auf jener
Insel bei Stein begraben war, nach St. Gallen zurückzubringen.
Sie leisteten der Aufforderung Folge; eilf der Brüder begaben sich
bei Nacht an Ort und Stelle und öffneten das Grab. Sie fanden
den Leichnam von aller Verwesung unberührt, mit Ausnahme der
untersten Spitze des einen Fußes, wo die Verwesung sichtbar war.
Dieses Wunder, meint Otmar's Biograph, Walahfrid Strabo, war
das erste Zeichen seiner Heiligkeit, indem es ihn ebenso frei von
der Verwesung zeigte, wie er im Leben frei von Schuld war[5]).

Abtei von St. Amaud schon früher aufgegeben haben; Arno wurde 782 Abt. Rettberg nimmt mit Mabillon, Ann. Ben. II, 245 an, daß Agilfred früher Abt zu
Elnon als Bischof von Lüttich war.

[1]) Nach Rettberg I 563 erhielt er die Abtei St. Bavon erst nachdem er schon
Bischof geworden. Er stützt sich dabei auf die Annales s. Bav. Gand., aber diese
sind zu unzuverlässig, um auf sie Gewicht legen zu können; übrigens vgl. Mabillon,
Annales II, 263; Gallia christ. III, 831.

[2]) Vgl. unten zum Jahr 774.

[3]) Vita s. Galli c. 55; Vita s. Otmari c. 6, SS. II, 24. 44; Ausg. von
Meyer von Knonau in den St. Galler Mittheilungen zur vaterländ. Gesch. XII, 77
N. 228. 103; Herim. Aug. SS. V, 99. Die Annales Sangail. mai. SS. I, 74,
neue Ausg. von Henking ebd. XIX, 268—269, N. 183, geben irrthümlich das
Jahr 760 nach Iso (ebd. XII, 123 N. 66). Le Cointe V, 613 f. setzt Otmar's
Tod ohne Grund schon ins Jahr 758 und demgemäß die Translation, die zehn
Jahre später stattfand, 768. Das richtige haben Mabillon, Annales II, 191; Ild.
v. Arx, Geschichte des Kantons St. Gallen I, 29. 30 N. d; Rettberg II, 115;
Oelsner S. 513 ff.; Dümmler und Wartmann, St. Galler Todtenbuch und Ver-
brüderungen, Mitth. XI, 74; Ladewig, Regesten zur Geschichte der Bischöfe von
Constanz I, 8 Nr. 34. Wartmann, Urkundenbuch von St. Gallen I, 31 gibt nur
aus Versehen den 28. Nov. 759 an.

[4]) Ueber diese Verhältnisse vgl. die Vita s. Galli c. 55; Vita s. Otmari
c. 4 ff., Mitth. zur vaterländ. Gesch. a. a. O. S. 74 ff. 99 ff.; Rettberg II, 113 ff.
Die Frage, ob die genannten beiden Grafen, wie angegeben wird, wirklich ganz Ala-
mannien verwalteten, kann hier unerörtert bleiben; vgl. über dieselbe Chr. Fr. Stälin,
Wirtembergische Geschichte I, 241—242; Hahn, Jahrbücher 741—752 S. 85;
Oelsner, König Pippin S. 329; Meyer von Knonau, St. Galler Mitth. XII. 75
N. 224; Forsch. z. deutsch. Gesch. XIII, 72 N. 3; Waitz III, 2. Aufl. S. 369 N. 1.

[5]) Vita s. Otmari (Bearbeitung der nicht mehr vorhandenen, von Gozbert
verfaßten Lebensbeschreibung) c. 7, SS. II, 44; St. Galler Mittheil. XII, 103—104:

Die Mönche aber legten den Leichnam in einen Kahn, stellten eine brennende Kerze bei seinem Haupte, eine zweite zu seinen Füßen auf und begannen dann die Rückfahrt. Schon unterwegs verrichteten die Reliquien Wunder. Nachdem die Mönche dann ans Land gestiegen, kamen ihnen die Klosterbrüder entgegen und geleiteten mit ihnen die Reliquien nach dem Kloster, wo sie zwischen dem Altar des h. Johannes des Täufers und der Wand beigesetzt wurden und zahlreiche Wunder verrichteten. Später wurden diese Gebeine erhoben und in anderen Kirchen beigesetzt; über diese Ereignisse und die dabei geschehenen Wunder hat der Vorsteher der Klosterschule Iso eine eigene Schrift verfaßt[1].

Eine ähnliche kostbare Erwerbung hatte ein paar Jahre früher das Kloster Gorze in der Diöcese Metz gemacht. Sein gefeierter Stifter, der Erzbischof Chrodegang, hatte vom Papst Paul I. die Reliquien dreier Heiliger erhalten, des h. Nazarius, des h. Nabor und des h. Gorgonius, und die des letzteren dem Kloster Gorze geschenkt[2]. Sie waren schon am 15. Mai 765 dort angekommen, aber, wie es scheint, war der Bau der Kirche in dem neuen Kloster noch nicht vollendet, worin der Heilige beigesetzt werden sollte[3]. Erst im Jahr 769 konnte seine feierliche Beisetzung in der neuen Kirche erfolgen[4]. Chrodegang selbst erlebte die Festlichkeit nicht mehr; Abt des Klosters war damals Theomar, wahrscheinlich der erste Abt, den Chrodegang noch selber eingesetzt haben wird[5]. Theomar ließ sich von Karl eine ausdrückliche Bestätigung

---

Et congruo satis miraculo prima sanctitatis eius indicia claruerunt, ut videlicet tam inlesum a corruptione corpus eius inveniretur quam liber ipse fuerat a crimine, cuius oppositione superatus videbatur ad tempus.

[1] Ysonis de miraculis s. Otmari libri II, SS. II, 48 ff.; St. Galler Mitth. XII, 114 ff. (im Auszug).

[2] Pauli Gest. epp. Mett., SS. II, 268; Annales Lauriss. min. ed. Waitz S. 412, wo aber das Jahr (Pippin 26 = 767) falsch ist, vgl. unten N. 3; Ann. Enh. Fuld. a. 765 SS. I, 347. Eine sagenhafte Schilderung der Translatio gibt im 10. Jahrhundert der Abt Johannes in den Miracula s. Gorgonii, SS. IV, 238 ff.; vgl. auch Rettberg I, 494; Oelsner, König Pippin S. 394 N. 4 und die daselbst angeführten Stellen.

[3] Annales Petav. SS. I, 11; Annales Mosell. SS. XVI, 496; der 15. Mai ist Zusatz der Ann. Lauresh. SS. I, 28; vgl. ferner auch Ann. Max. SS. XIII, 21; Ann. Sith. SS. XIII, 35; Ann. Lobiens. SS. XIII, 228. Raban notirt in seinem Martyrologium die Uebertragung dieser Heiligen zum 12. Juni, vgl. Dümmler, Forsch. z. D. Gesch. XXV, 200. Keine dieser letzterwähnten Quellen redet von der Beisetzung, alle nur von der Ankunft der Reliquien; daß aber die Kirche damals noch nicht ausgebaut und dadurch die Beisetzung verzögert ward, ist eine Vermuthung, welche die Angabe zu 769 (unten N. 4) nahe legt und auch Mabillon, Annales II, 218 theilt.

[4] Annales Mosell. l. c.: Positum est corpus s. Gorgonii in basilica, que est constructa in Gorzia monasterio. Et Thrudgang abbas obiit. Wörtlich gleichlautend die Annales Lauresh. SS. I, 30, die nur den Abt Drochgangus nennen. Ann. Lauriss. min. l. c.: et condidit sanctum Gorgonium in monasterio suo, quod ipse a novo aedificaverat, cui vocabulum est Gorzia; Ann. Euhard. Fuld. 766, SS. I, 347—348.

[5] Die Abtsreihe ist streitig. Die Gallia christiana XIII, 881 nennt Theomar erst als 4. Abt, dem Chrodegang, Gundelard, Droctegang vorausgegangen sein

des dem Kloster von Chrodegang verliehenen Privilegiums er=
theilen[1]), für welches die Bischöfe auf dem Concil zu Compiegne
(757) durch ihre Unterschrift die Mitbürgschaft übernommen hatten[2]).
Auch soll unter ihm das Kloster durch einige Schenkungen Angil=
ram's bereichert sein, der ihm angeblich die Villa Varangesi (Va-
rangeville in der Gegend von Chaumont) und in einer zweiten
Schenkung die Villa Faho (Fau) im Wibgau unweit Trier und
Gaudiacum (Jouy) überließ; allein beide Schenkungen Angilram's
sind sehr verdächtig[3]).

---

sollen. Gundelard ist vorweg zu beseitigen, da die Urkunde von 769, in welcher er be=
gegnen soll, garnicht existirt. Droctegang aber ist ein und dieselbe Person mit Chrodegang (Sickel II, 234 glaubt sogar, aber mit Unrecht, daß man die in der vorigen
Note citirte Todesnachricht auf diesen beziehen könne) und ganz irrig von ihm unter=
schieden worden, z. B. auch von Mabillon, Annales I, 218 und mit besonders aus=
führlicher Begründung von Le Cointe V, 231. 414 ff. Ein Abt Droctegang be=
gegnet in einer Sendung von Pippin an Papst Stephan II., Lib. pontif. ed.
Duchesne I, 444. 457; Jaffé IV, 32—33, Codex Car. Nr. 4. 5, sowie von
Karl und Karlmann an Papst Paul I., ib. S. 108. 106 Nr. 26. 28, und Le
Cointe V, 414 f. bemerkt richtig, daß er von Chrodegang zu unterscheiden ist. Er
war aber nicht Abt von Gorze, wie man daraus gefolgert hat, daß die Notiz über
den Tod des Abts Droctegang, oben N. 4, unmittelbar an die Nachricht über die
Beisetzung des h. Gorgonius daselbst sich anschließt, sondern Abt von Jumieges.
Ein Druhtgangus abbas de Gemedico unterschreibt den Todtenbund von Attigny
(760—762), Capp. I, 222, und schon Mabillon, Annales II, 162 sieht diesen für
jenen Bevollmächtigten an; vgl. auch Rettberg I, 513; Jaffé ll. cc.; Oelsner,
K. Pippin S. 121. 123. 363. 374. 381. 388. Ungewiß bleibt nur, wann Theo=
mar sein Amt antrat; ob schon 758, wie ein Abtskatalog in den Acta SS. Boll.
Febr. III, 688 angibt, oder etwa erst nach dem Tode Chrodegang's († 6. März
766; Oelsner S. 401 N. 2), wie Sickel II, 234 annimmt.
    [1]) Die Urkunde, Bouquet V, 714, ist undatirt und wird von Calmet I,
preuves p. 283; Rettberg I, 513 schwerlich richtig schon 768 angesetzt. Nach dem
Titel des Königs kann sie 768 — (Mai) 774 gesetzt werden; Sickel K. 23, Anm.
S. 234 gibt ihr die engere Zeitbestimmung 772 bis dahin, aus Gründen, die nicht
zutreffend sein dürften.
    [2]) Vgl. Oelsner S. 315 ff.
    [3]) Die Urkunden stehen bei Calmet I, pr. 285. 288. Anstoß erregt schon die
Rechnung nach Jahren Christi, überdem stimmt das Jahr 770, das sie nennen,
nicht zum ersten Regierungsjahr Karlmann's, in dem sie ausgestellt sein sollen. Le
Cointe V, 748 streicht daher einfach die chronologischen Bestimmungen und glaubt
dadurch sehr mit Unrecht den Inhalt der Urkunden zu retten. Gegen ihre Echtheit
spricht vielleicht auch, daß jene Bestätigungsurkunde Karl's, oben N. 1, garnichts von
Verleihungen Angilram's weiß; doch ist freilich in dieser Urkunde nicht die Bestätigung
der Schenkungen, sondern des bischöflichen Privilegs die Hauptsache.

Die Politik, welche schon das Jahr zuvor eingeleitet worden zu sein scheint, kam im Jahr 770 zum Abschluß. „Die Königin Bertha war in Italien zum Behuf einer Zusammenkunft mit König Desiderius, und sehr viele Städte wurden dem heiligen Petrus zurückgegeben, und Bertha führte die Tochter des Desiderius ins fränkische Reich[1]"; so berichten die Annalen über das Ergebniß jener Unterhandlungen, das sind die Hauptereignisse des Jahres 770, über deren inneren Zusammenhang jedoch manches dunkel bleibt.

Sturm hatte sich bei Tassilo seiner Aufgabe mit Erfolg entledigt. Aber das Wichtigste blieb noch zu thun übrig: die Verbindung mit den Langobarden und gleichzeitig die Herstellung eines friedlichen Verhältnisses zwischen diesen und dem päpstlichen Stuhle durch Befriedigung der territorialen Ansprüche des letzteren, sowie die Verständigung zwischen Karl und Karlmann. Im Vordergrunde als Trägerin dieser Politik erblicken wir die Königin-Mutter Bertrada. Karl hatte den Winter in dem Heimatlande seines Geschlechts zugebracht; Weihnachten hatte er in Düren gefeiert[2], im März hielt er sich in Heristal auf, wo er dem Bischof Mauriolus von Angers die Immunität des St. Stephansklosters bei Angers verlieh[3]. Auch Ostern, 22. April, verweilte er noch in jenen

---

[1] Annales Mosellan. SS. XVI, 496: Fuit Berta regina in Italia ad placitum contra Desiderio rege, et reddite sunt civitates plurime ad partem sancti Petri, et Berta adduxit filiam Desiderii in Francia. Ebenso die aus denselben verlorenen Quelle herfließenden Annales Lauresh. SS. I, 30 und, nur etwas verkürzt, die Annales Petav. SS. I, 13; vgl. ferner Ann. Max. SS. XIII, 21; Ann. Lobiens. SS. XIII, 238; Ann. Sithiens. SS. XIII, 35; Ann. Enh. Fuld. SS. I, 348 — auch Ann. Lauriss. mai. SS. I, 148; Ann. Einh. SS. I, 149; Fragm. Basil. SS. XIII, 27 etc.

[2] Annales Laur. mai. 769, SS. I, 148; Ann. Einh. 769, SS. I, 149.

[3] Mühlbacher Nr. 134; Bouquet V, 719. Falsch ist die Urkunde für Ebersheim (Ebersheimmünster) im Elsaß, Schöpflin, Alsatia diplomatica I, 104, die im März in Ingelheim ausgestellt sein soll; Mühlbacher Nr. 135.

Gegenden, zu St. Lambert in Lüttich[1]). Dann aber hielt er, jedenfalls wohl noch zu Anfang des Sommers, die allgemeine Reichsversammlung in Worms[2]). Was dort berathen wurde, ist nicht überliefert[3]). Dahingestellt muß bleiben, ob hier auch die Regelung der Beziehungen zu Karlmann, Tassilo, Desiderius und dem Papst zur Sprache kam und die Zustimmung der Versamm= lung eingeholt wurde, ehe man dazu schritt, die Verhandlungen zum Abschluß zu bringen; indessen wird man mindestens das erstere wahrscheinlich finden[4]). Auch Karlmann hatte sich im März in Austrasien befunden, in der Pfalz Diedenhofen an der Mosel, wie eine Urkunde zeigt, worin er dem Abt Stephan vom St. Michaels= kloster auf der Rheininsel Honau die Immunität ertheilt[5]). Im Mai verweilte er im Elsaß; eine in der Pfalz Brocmagad (Brumpt) ausgestellte Urkunde bestätigt dem Pfalzgrafen Chrodoin einen Walo zu Benutzfeld in den Ardennen, den schon Pippin seiner Familie geschenkt hatte[6]); dann, am 26. (?) Juni bestätigt Karl= mann in der Pfalz Neumagen an der Mosel dem Kloster Novalese, auf Bitten des Abts Asinarius, die Immunität unter gleichzeitiger Verleihung der freien Abtswahl[7]); er hatte sich also inzwischen

---

[1]) Annales Laur. mai. l. c.; Ann. Einh.; Fragm. Basil.; vgl. Ann. Mett. SS. XIII, 27; Ann. Lobiens.

[2]) Annales Laur. mai.; Ann. Einh.; Fragm. Basil.; vgl. Ann. Mett. Ann. Lobions.

[3]) Vgl. Mühlbacher S. 57, Nr. 135[b] über die bei Petrus a Thymo, Hist. dipl. Brabantiae, ed. Reiffenberg I, 196 überlieferten angeblichen Beschlüsse dieser Wormser Synode, welche aus dem Decret Gratian's, mittelbar aus der Canonensammlung Burchard's von Worms und Ansegis stammen. Wie Mühlbacher meint, sollten auch die Fälschungen des Benedictus Levita, II. 370, 371, Legg. II[b], 91 f. 24, auf diesen Wormser Reichstag Bezug nehmen. Es folgen bei Benedikt auf 371 aber (372—380) vielmehr Stücke aus der Admonitio generalis v. J. 789, vgl. ebd. S. 92—93. 24. Ueber den Vorschlag Mühlbacher's (Nr. 136), das anscheinend früheste Capitular Karl's (Boretius, Capp. I, 44 ff. Nr. 19) auf diesen ersten Reichstag Karl's zu verlegen, vgl. oben S. 68 N. 1; dazu unten Excurs V.

[4]) Auch Eckhart, Francia orient. I, 606, nimmt an, daß in Worms über diese Gegenstände verhandelt wurde; nur würde dadurch jedenfalls nicht die Ein= leitung, sondern der bevorstehende Abschluß der Unterhandlungen bezeichnet sein. Daß die Versammlung in Worms der Reise Bertrada's nach Selz voranging, zeigt wohl der Bericht der Annales Laur. mai. SS. I, 148: Carolus rex habuit synodum in Warmatiam civitatem, et Carlomannus et Berta regina iungentes se ad Salossa; vgl. auch Ann. Einh. ib. S. 149.

[5]) Mühlbacher Nr 121 (nach einer Vorlage Pippin's, der auch schon die Im= munität ertheilt hatte, ebend. Nr. 85); Bouquet V, 720: data in mense Martio anno II. regni nostri. Actum Theudone-villa palatio.

[6]) Sickel C. 10, Anm. S. 225; Mühlbacher N. 123; Beyer, Mittelrheinisches Urkundenbuch I, 26 f. Nr. 22, bei Böhmer Nr. 35 und allen Früheren irrthümlich als Schenkung für Prüm angegeben, vgl. auch oben S. 35 N. 8. Ueber den Aus= stellungsort vgl. Grandidier, Histoire de l'église de Strasbourg II, CIV n. c. Ebendaselbst ausgestellt ist die überarbeitete, aber im Protokoll echte Urkunde vom 6. Mai für Ebersheimmünster, Mühlbacher Nr. 122, vgl. Sickel II, 224—225.

[7]) Muratori, Antiquitates II, 19 ff.: Actum Neum(a)go in palatio pu= blico. Ueber diesen Ort (Neumagen, R.=B. Trier, Kr. Berncastel) vgl. Menke, Handatlas, Vorbem. S. 16; Mühlbacher Nr. 124. Kroeber in der Bibliothèque

weiter nach Norden begeben. Noch vorher aber, während er noch im Elsaß verweilte, hatte er eine Zusammenkunft mit seiner Mutter in Selz am Rhein[1]). Die Quellen schweigen über die Gegenstände und den Verlauf der Besprechung. Jedenfalls wird es sich aber um die wichtigen Verhältnisse, denen dann Bertrada's Reise nach Italien galt[2]), wahrscheinlich auch zugleich um die Verständigung zwischen ihren Söhnen gehandelt haben[3]).

Thatsache ist, daß um diese Zeit, und allem Anschein nach noch bevor Bertrada die Reise nach Italien antrat[4]), dem Papste seitens der Könige Mittheilung von der Wiederherstellung eines guten Einvernehmens zwischen ihnen und von ihrer Uebereinstimmung in dem Entschluß die Rechte des h. Petrus zu wahren gemacht ward. Vier fränkische Bevollmächtigte, der Bischof Gauzibert, ein anderer Geistlicher Namens Fulcbert, Ansfred und Helmgar, reisten mit einem Schreiben der Könige nach Rom, welches Stephan davon in Kenntniß setzte, daß die Streitigkeiten zwischen Karl und Karlmann beigelegt seien, und daß beide Könige „energisch dahin wirken würden, dem h. Petrus und der Kirche ihre rechtmäßigen Besitzungen

---

de l'École des Chartes IV, 2 (1856) S. 344 vermuthete Neomagus, Nyon am Genfer See; Sickel II, 225 ebenfalls unrichtig Noyon (Dep. Oise). S. jedoch ebb. über die Emendation der Datirung.

[1]) Ann. Laur. mai. (vgl. o. S. 76 N. 4) wie auch Ann. Einh. (apud Salusiam); Fragm. Basil. (in castro quod dicitur Salussa); Ann. Mett. Der Ort ist keineswegs zu verwechseln mit Salz, dessen Lage auf einer Insel der fränkischen Saale der Poeta Saxo (l. H. v. 490 ff., Jaffé IV, 573) beschreibt, sondern Selz im Unterelsaß (Kr. Weißenburg). Der Grund, welchen Schöpflin, Alsatia illustrata, I, 706 f. für das Flüßchen Salusia bei Ingelheim anführt, ist verkehrt, ungeachtet der Lesart Salusia in den Annales Einhardi, da die Zusammenkunft in Karlmann's Gebiet stattgefunden haben wird. Noch verfehlter ist es vollends, den Ort nach Ligurien zu verlegen, wie Mabillon, Annales II, 219; Leibniz, Annales I, 26 u. a. thun.

[2]) Hahn, S. 21, vermuthet, Betrada habe den Karlmann in Selz wegen der Vermählung Karl's mit einer Tochter des Langobardenkönigs beruhigen, seine Zustimmung dazu einholen wollen, nur spricht er diese Vermuthung jedenfalls in einem ganz unrichtigen Zusammenhange aus, vgl. unten.

[3]) Daß Bertrada in Selz Frieden zwischen ihren Söhnen gestiftet habe, ist längst die geläufige Ansicht, vgl. Le Cointe V, 751; Mabillon, Annales II, 219; Eckhart I, 606; Leibniz, Annales I, 26; de la Bruère I, 78; Dippoldt S. 27; Ebrard in Forsch. z. D. Gesch. XIII, 449; Mühlbacher S. 53. Man darf dieselbe indessen nicht auf Ann. Einh. stützen, wo die Worte pacis causa nur den Zweck der Reise nach Italien bezeichnen, vgl. auch v. Sybel, Kl. hist. Schriften III, 22 (gegen Ebrard a. a. O.). Luden, Geschichte des teutschen Volkes IV, S. 253 malt die Ereignisse so aus als hätte man dicht vor einem Bruderkrieg gestanden. Schon hierin geht er wohl zu weit (vgl. o. S. 66 N. 1). Aus der Zusammenkunft Karlmann's mit Bertrada in Selz macht er aber gar ein Maifeld, das gleichzeitig mit dem von Karl in Worms gehaltenen tagte; so hätten die Heere nur noch in geringer Entfernung von einander gestanden, als Bertrada dazwischen trat und die Könige versöhnte. Es sind dies unbegründete Vermuthungen.

[4]) Aus den Worten der Annales Laur. mai. (oben S. 76 N. 4) . . . iungentes se ad Salossa, et in eodem anno perrexit domna Berta regina per Baioariam partibus Italiae geht nicht hervor, daß Bertrada von Selz gleich nach Italien reiste. Die Darstellung der Annales Einh. scheint dies zwar zu ergeben, kann es aber auch kaum beweisen.

zu verschaffen, treu dem Versprechen der Liebe, das sie einst mit ihrem Vater Pippin dem Fürsten der Apostel und seinen Stellvertretern gegeben"[1]). Die Könige kündigten also dem Papste an, daß sie die italienischen Besitzverhältnisse in einer die gerechten Forderungen des Papstes befriedigenden Weise ordnen würden; sie hielten ausdrücklich den Zusammenhang mit der von ihrem Vater dem römischen Stuhle gegenüber befolgten Politik fest. Allein der Papst war durch ihre Versicherungen noch nicht beruhigt. Er drückt zwar in seinem Antwortschreiben die größte Freude über die Aussöhnung der Könige aus, deren Zwistigkeiten ihm wohlbekannt gewesen waren und nach seiner Versicherung tiefen Kummer verursacht hatten[2]), zeigt sich aber auch sehr beflissen, sie mit ihren Ergebenheitsbezeigungen gegen den h. Petrus sogleich beim Wort zu nehmen. Er freut sich, daß sie lieber Gott und dem Apostelfürsten als einem gebrechlichen Menschen, der sie durch Bestechung zu verführen gesucht (dem Langobardenkönige?), haben gefallen wollen[3]); er bringt darauf, daß sie die Besitzungen der Kirche unverzüglich den Langobarden abfordern lassen und das Schenkungsversprechen von 754 zu voller Ausführung bringen.

---

[1]) Schreiben Stephan's an Karl und Karlmann bei Jaffé IV, 155 ff., Codex Car. Nr. 46. Stephan schreibt S. 156: Nam sic vero in is (his) ipsis vestris ferebatur apicibus: tota vestra virtutae vos esse decertaturos pro exigendis iustitiis protectoris vestri beati Petri et sanctae Dei ecclesiae atque in ea promissione amoris, (quam cum add. Jaffé) vestro pio genitore sanctae recordationis domno Pippino eidem principi apostolorum et eius vicariis polliciti estis, esse permansuros et plenarias iustitias sanctae Dei ecclesiae atque eius exaltationem esse operaturos. Gauzibert hält Mabillon, Annales II, 220 für den Bischof von Chartres; ob mit Recht, ist nicht zu sehen; über die drei anderen Gesandten ist außer den Namen nichts bekannt.

[2]) Cod. Carolin. l. c. S. 155—156: Ipse enim redemptor noster, preces clamantium ad se exaudiens, merentium tribulationes ad gaudium convertit. Quod certae nunc in vobis atque universo peculiare populo sanctae Dei ecclesiae eius divinae piaetatis clementiam et misericordiae benignitatem cernimus esse diffusam; in eo quod, nostra oratione vota exaudiens, meroris nostri lamentationem, quam usque hactenus habuimus ipsa divisione ex discordia illa, quam antiquus hostis inimicus pacis intra vestram fraternitatem inmiserat — nunc Deo propitio, eodem pestifero aemulo confuso, in communem dilectionem et concordiam ut vere uterinos et germanos fratres vos conexos esse discentes — in magnam laetitiam convertere dignatus est — honorabiles et nimis desiderabiles syllabas vestras … per quas innotuistis: contentionis rixas ac litigia inter vos versata fuissent, sed annuentae Domino nunc ad veram dilectionem et unitatis concordiam et fratornam amorem conversi extitisse videmini.

[3]) L. c. S. 157: Tamen nunc firmitatem vestram comprobavimus, dum non corruptori et fragili homini sed Deo omnipotenti et eius apostolorum principi placere procurastis. Hienach und nach den vorhergehenden Worten (S. 156—157): Et quidem nos … omnino de hoc certi atque in omnibus satisfacti sumus: quod nulla hominum suasio aut thesaurorum copiosa datio vos poterit declinare aut ab eadem vestra promissione, quod beato Petro spopondistis, quoquo modo inmutare scheint es, daß vom langobardischen Hofe Versuche gemacht waren, die fränkischen Könige durch große Geschenke auf seinen Standpunkt in den Territorialstreitigkeiten mit dem päpstlichen Stuhle zu ziehen. Jedenfalls imputirt der Papst jenem solche Versuche.

Wenn Einer (der Langobardenkönig?) behaupten ſollte, die Kirche
habe bereits das Ihrige zurückerhalten, ſo ſollten ſie ihm ja nicht
Glauben ſchenken [1]). Der Papst gab den heimkehrenden Geſandten
der Könige daher auch ein ſchriftliches vollſtändiges Verzeichniß
ſeiner Territorialanſprüche mit [2]). Er will zwar an der Aufrichtigkeit des Verſprechens der Könige nicht zweifeln, faßt aber
doch die Möglichkeit ins Auge, daß es unausgeführt bleiben könnte:
„Wenn Ihr, was wir nicht glauben wollen, dem heiligen Petrus
jene ihm rechtmäßig zukommenden Beſitzungen zu ſchaffen verſäumt
oder zögert, ſo wiſſet, daß Ihr darüber dem Apoſtelfürſten vor
Chriſti Richterſtuhl ſchwere Rechenſchaft werdet ablegen müſſen [3]).“
Der Papst bezeigt alſo ſeine Freude über das Verſprechen der
Könige, ſeinem Stuhle zur Befriedigung ſeiner territorialen Anſprüche zu verhelfen, er lobt ſie, daß die Sache Petri über die der
Langobarden bei ihnen den Sieg davongetragen habe: aber er iſt
doch im Ungewiſſen, ob ſie ihr Verſprechen und den Umfang ſeiner
Anſprüche auch in ſeinem Sinne auffaſſen und zur Ausführung
bringen werden. Er fürchtet die Möglichkeit, daß ſie ſich von den
Langobarden überreden laſſen, dieſe Anſprüche, inſoweit ſie begründet ſeien, für bereits erfüllt zu erklären. Wie würden ſeine Be-
ſorgniſſe noch geſtiegen ſein, wenn er von der beabſichtigten Familienverbindung zwiſchen dem fränkiſchen und dem langobardiſchen
Königshauſe, von der bevorſtehenden Vermählung Karl's mit einer
Tochter des Deſiderius etwas gewußt hätte! Aber hievon hatte
er offenbar noch keine Ahnung; er würde ſonſt in jenem Briefe
dieſen Punkt gewiß nicht übergangen haben.
Unterdeſſen trat Bertrada die Reiſe nach Italien an. Sie
nahm den Weg durch Baiern [4]), hatte alſo wahrſcheinlich eine
Beſprechung mit Taſſilo, dem Schwiegerſohn des Langobardenkönigs, mit dem die Verſtändigung allem Anſchein nach ſchon früher

---

[1]) L. c. S. 158: Si quis autem vobis dixerit, quod iustitias beati
Petri recepimus, vos ullo modo ei non credatis. Auch hier dürfte unter quis
Deſiderius zu verſtehen ſein, wenn es auch nicht ſicher iſt. Die unbeſtimmte Aus-
drucksweiſe, deren ſich der Papſt hier ſowie in den S. 78 N. 3 angeführten Stellen
bedient, ſcheint aber bezeichnend für ſeine Lage. Stephan, der ſich anderwärts aufs
rückſichtsloſeſte über die Langobarden geäußert hat, wird triftige Gründe gehabt haben,
Deſiderius hier nicht mit Namen zu nennen. Dieſe Gründe werden in der Beſorgniß
des Papſtes zu ſuchen ſein, durch einen Tadel des Deſiderius bei den fränkiſchen
Königen anzuſtoßen. Vgl. übrigens auch Cod. Carolin. Nr. 47 S. 163.
[2]) L. c. S. 157: — ut plenarias iustitias beati Petri sub nimia velocitate secundum capitulare, quod vobis per praesentes fidelissimos missos
direximus, exigere et beato Petro reddere iubeatis, sicut et vestra continet
promissio. Er gab den Geſandten außerdem auch ausführliche mündliche Erläuterungen mit, ibid.: Tamen et de hoc et de omnibus iustitiis beati Petri
praedictis vestris missis subtilius locuti sumus vestro regali culmini cuncta
enarrandum.
[3]) L. c. S. 157 f.: Nam si, quod non credimus, ipsas iustitias exigere
neglexeritis aut distuleritis, sciatis: vos de istis rationes fortiter ante tri-
bunal Christi eidem principi apostolorum esse facturos.
[4]) Ann. Laur. mai.; Fragm. Basil.

durch Sturm bewerkstelligt war[1]). In Italien gelang ihr Frie=
denswerk[2]) zunächst. Zuerst suchte sie Desiderius auf, dem über=
haupt ihre Reise vorzugsweise galt[3]). Sie kam bei ihm, soviel zu
sehen, ohne erhebliche Schwierigkeiten zum Ziel. Wir hören, es
seien in diesem Jahr zahlreiche Städte dem h. Petrus zurückgegeben
worden[4]). Desiderius verstand sich also dazu, in dieser Beziehung
dem Willen der Frankenkönige und den Forderungen der römischen
Curie entgegenzukommen. Er opferte die Städte der Verbindung
mit den Franken, welche durch die Vermählung seiner Tochter[5])
mit Karl besiegelt werden sollte. Auch die Verhandlungen über
diese Ehe, welche ihr Gedanke und Wunsch war, brachte Bertrada
zum Abschluß; wie es scheint, standen fränkische Große, welche
Bertrada begleitet hatten, mit einem Eidschwur für den Bestand
dieses Bündnisses ein[6]).

Als dem Papste die erste unbestimmte Kunde von dem Plan
einer solchen Familienverbindung zukam, gingen ihm die Augen
auf, seine schlimmsten Befürchtungen waren noch übertroffen. Man
hatte ihn von der Herstellung der Einigkeit zwischen Karl und
Karlmann in Kenntniß gesetzt und die Versicherung beigefügt, daß
ihm seine rechtmäßigen Besitzungen verschafft werden sollten; aber
die geplante enge Verbindung der Franken mit Desiderius, die er
am meisten fürchten mußte, war vor ihm sorgfältig geheim gehalten

---

[1]) Vgl. oben S. 66 f. Ganz ohne Grund sprechen Le Cointe V, 754 und
Pagi a. 770 N. 5 von einem mißlungenen Versuch der Königin Tassilo mit Karl
zu versöhnen.

[2]) Ann. Einh.: pacis causa in Italiam proficiscitur, peractoque propter
quod illo profecta est negotio . . .

[3]) Das ergibt unzweideutig der Wortlaut der Annales Mosellan., Lauresham., Petav., Max. etc.; oben S. 75 N. 1.

[4]) Vgl. ebd.

[5]) Der Name derselben ist bestritten. Es kommt auf die Stelle der Vita
Adalhardi in der folgenden Note an, ob hier Desiderata als Eigenname ge=
nommen werden darf. Bei Andreas von Bergamo, SS. rer. Langob. S. 223—224,
lautet der Name Berterad, vgl. auch Riezler, S.=B. der Münchner Akad. 1881
S. 253. 262; O. Abel zur Uebers. von Einhard's Leben Karl's (Geschichtschreiber
der deutschen Vorzeit IX. Jahrh. 1. Bd.), 2. Aufl. S. 44 N. 1; Dümmler in der
Allgem. D. Biogr. XV, 128. Alle anderen Namen, die angeführt und von Leibniz,
Annales I, 26 aufgezählt werden, Irmengard, Sibylla, Theodora, haben nicht den
geringsten Grund in den Quellen und sind bloße Vermuthungen Späterer. Die
übrigen Töchter des Desiderius tragen deutsche, auf perga endigende Namen (Adalperga, Liutperga, Ansilperga). Auch scheint bei Andr. Bergom. ursprünglich Gerberga gestanden zu haben (wie die Gemahlin Karlmann's hieß); Berterad beruht
nur auf Correctur.

[6]) Vita Adalhardi c. 7, SS. II, 525: Unde factum est, cum idem imperator Carolus Desideratam (desideratam) Desiderii regis Italorum filiam repu-
diaret, quam sibi dudum etiam quorumdam Francorum iuramentis petierat
in connubium, ut nullo negotio beatus senex persuaderi posset, dum adhuc
esset tiro palatii, ut ei, quam vivente illa rex acceperat, aliquo commu-
nicaret servitutis obsequio, sed culpabat modis omnibus tale connubium et
gemebat puer beatae indolis, quod et nonnulli Francorum eo essent per-
iuri atque rex inlicito uteretur thoro, propria sine aliquo crimine repulsa uxore. Uebrigens liebt der Verfasser, Radbert, bekanntlich Pseudonyme.

worden; erst nachdem sie eine abgemachte Sache war, kam sie ihm zu Ohren[1]). Er gerieth in die äußerste Bestürzung und gab seiner Stimmung in einem langen Briefe an die Könige einen offenen Ausdruck[2]). „Was für ein Wahnsinn ist es", schreibt er, „daß Euer edles fränkisches Volk, das alle Völker überstrahlt, und Euer so glänzendes und edles Königsgeschlecht befleckt werden sollte durch das treulose und stinkende Volk der Langobarden, das garnicht unter die Völker gerechnet wird und von welchem bekanntlich die Aussätzigen stammen; denn kein vernünftiger Mensch kann glauben, daß so gefeierte Könige durch eine so verwünschens- und verabscheuenswerthe Berührung sich beflecken. Denn was für Gemeinschaft hat das Licht mit der Finsterniß oder welchen Theil der Gläubige mit dem Ungläubigen? (2. Corinth. 6, 14, 15[3]).)" Stephan warnt die Könige, sich nicht von den Schlingen des bösen Feindes umgarnen zu lassen, welcher einst den ersten Menschen im Paradiese durch die Schwäche des Weibes zur Uebertretung des göttlichen Gebotes verführte, wodurch das Verhängniß des Todes

---

[1]) Wohl nicht erst durch Bertrada, als sie nach Rom kam, sondern schon früher; aber auch Luden IV, 257 hebt mit Recht hervor, daß das Vorhaben vor dem Papste möglichst lange geheimgehalten wurde.

[2]) Jaffé IV, 158 ff. Codex Car. Nr. 47. — Muratori, Annali d'Italia a. 770 und noch Hefele III, 2. Aufl. S. 606 wollen wegen der maßlosen und heftigen Sprache des Briefes ihn für unecht erklären, aber ganz mit Unrecht; vgl. auch Troya, Codice dipl. long. V, 575 ff. Jaffé, Regesta, 1a ed. S. 201 setzt den Brief vor der Reise Bertrada's nach Italien an; so auch in der Bibl. rer. Germ. 769—770. Nach der Ansicht von Mabillon, Annales II, 215 hat Bertrada den wahren Zweck ihrer Reise, die Ehe Karl's mit der langobardischen Prinzessin zu Stande zu bringen, hinter dem Vorwande in Rom zu beten zu verbergen gesucht. Dem Anschein nach dürfte Stephan erst nachdem die Vermählung eine fest beschlossene Sache war Nachricht davon erhalten haben. Aus dem Gefühl einer unabänderlichen Thatsache gegenüber zu stehen erklärt sich wohl auch seine maßlose Sprache; hätte der Papst Hoffnung gehabt die Ehe verhindern zu können, so würde er gewiß mit größerer Besonnenheit und Ueberlegung sich ausgesprochen haben. Vgl. auch G. Wolff, Krit. Beitr. S. 61—62.

[3]) Jaffé l. c. S. 159: Quae est enim, praecellentissimi filii magni reges, talis desipientia, ut penitus vel dici liceat: quod vestra praeclara Francorum gens, quae super omnes gentes enitet, et tam splendiflua ac nobilissima regalis vestrae potentiae proles perfidae — quod absit — ac foetentissimae Langobardorum gente polluatur, quae in numero gentium nequaquam computatur, de cuius natione et leprosorum genus oriri certum est etc. Richter und Kohl, Annalen d. fränkischen Reichs im Zeitalter der Karolinger I, 36 N. 1 behaupten, perfidae ac foetentissimae seien hier keineswegs als abjektivische Formen, sondern vielmehr als Adverbien aufzufassen, der Papst sage mithin, er würde es „den Franken als eine Treulosigkeit schlimmster Art anrechnen, wenn sie sich mit den Langobarden in eine Verbindung einließen". Allein dieser Auslegung, welche bereits A_0 (Dümmler) im Lit. Centralbl. 1885 Nr. 51 Sp. 1731 als eine sehr fragliche bezeichnet hat, möchten wir doch widersprechen. Die betreffenden Prädikate der gens Langobardorum bilden den entsprechenden Gegensatz zu der praeclara Francorum gens, zu der splendiflua ac nobilissima proles der Karolinger. Die Parenthese quod absit, welche jene Auslegung begründen soll, weil sie angeblich sonst sinnlos wäre, bezieht sich auf die Wegweisung des Gedankens einer solchen Verbindung überhaupt.

über das Menschengeschlecht gebracht ward. Stephan behauptet, jede Ehe mit einem Weibe aus fremdem Volk sei für Machthaber vom Uebel, und erinnert die Könige daran, daß auch keiner ihrer Vorfahren, weder Pippin noch Karl Martell noch Pippin der Mittlere, Frauen aus anderen Reichen und Nationen gehabt hätten. Vor allem betont er, daß sie beide, Karl und Karlmann, bereits „in rechtmäßiger Ehe nach der Vorschrift ihres Vaters" mit schönen Gemahlinnen aus ihrem eigenen Volke verbunden seien und es daher Sünde von ihnen sein würde, andere Frauen zu nehmen[1]). Er erinnert sie auch daran, wie sein Vorgänger Stephan II. ihren Vater Pippin bei der Salbung im Jahre 754 zur Aufrechterhaltung der Ehe mit ihrer Mutter ermahnt und jener dieser Ermahnung gemäß gehandelt habe[2]). Aufs Eindringlichste beschwört der Papst zugleich die Könige, ihrem Freundschaftsbunde mit dem apostolischen Stuhl treu zu bleiben und sich deshalb in keine Verbindung mit den Langobarden, den Feinden desselben, einzulassen. Er wiederholt, daß dieselben ihm die streitigen Besitzungen nach wie vor vorenthalten und sogar in sein Gebiet einfallen. Auch sendet er zugleich mit diesem Briefe eine Gesandtschaft, bestehend aus dem Presbyter Petrus und dem Regionardefensor Pamphylus, an die fränkischen Könige, um dieselben über alle seine Beschwerden genau zu unterrichten. Die feierliche Beschwörung, welche der Brief enthält, wird vom Papste zugleich im Namen der ganzen römischen Geistlichkeit, Beamtenschaft und Bevölkerung ausgesprochen. Auch hatte der Papst das Schreiben auf Petri Grab gelegt und darüber Messe gehalten. Er bedroht die Könige mit dem Anathem, falls sie dieser Ermahnung und Beschwörung zuwiderhandeln.

So erschöpfte sich Stephan in den maßlosesten Vorstellungen, um das gefürchtete Ereigniß zu verhindern, und unter den Gründen, die er geltend macht, war wenigstens einer von Bedeutung. Einen triftigeren Einwand konnte er gewiß nicht erheben als den, daß die Könige bereits vermählt seien. War nun dieser Einwand begründet? Karlmann war vermählt mit Gerberga[3]), deren Her-

---

[1]) Jaffé IV, 159 f.: Etenim . . . iam Dei voluntate et consilio coniugio legitimo ex praeceptione genitoris vestri copulati estis; accipientes, sicut praeclari et nobilissimi reges, de eadem vestra patria, scilicet ex ipsa nobilissima Francorum gentae pulchrissimas coniuges . . . Et certae non vobis licet, eis dimissis, alias ducaere uxores . . . S. 160: Impium enim est, ut vel penitus vestris ascendat cordibus alias accipere uxores super eas, quas primitus vos certum est accepisse. 163: Nec vestras quoquo modo coniuges audeatis dimittere.

[2]) L. c. S. 160. Es ist dies nicht so zu verstehen, als ob Pippin die Absicht bekundet hätte, seine Gemahlin zu verstoßen, vgl. Oelsner S. 160 N. 5, 495 f.

[3]) Fragm. Basil.; Ann. Mett. 771, SS. XIII, 28; in einer Pariser Hdf. von Einh. V. Karoli (c. 3, ed. Waltz S. 5) wird sie Teoberga genannt. Wohl nicht zu vgl. die Urkunde Mühlbacher Nr. 196; Grandidier, Hist. de l'église de Strasbourg II, preuves, S. 118 f. Bald darauf wird der Papst Pathe eines Sohnes Karlmann's, und zwar nicht des ältesten, Jaffé IV, 167, vgl.

kunft übrigens unbekannt ist[1]); dagegen ist außer in diesem Briefe Stephan's nirgends sonst bezeugt, daß auch Karl schon eine recht=mäßige Ehe geschlossen hatte. Die Behauptung Stephan's muß sich daher wohl auf Karl's Verbindung mit Himiltrud beziehen, die von edler Geburt war[2]) und damals vielleicht als seine legi=time Ehegenossin betrachtet wurde, während man sie später als Concubine und ihren Sohn Pippin als Bastard bezeichnete[3]). Jedenfalls erscheint es unglaublich, daß die vom Papste in diesem feierlichen Schriftstücke kundgegebene Auffassung, daß Karl ebenso wie sein Bruder vermählt sei, in offenem Widerspruch mit dem wirklichen Sachverhalt gestanden haben sollte[4]). Der Papst mußte wissen, ob Karl vermählt war oder nicht, und konnte es nicht in dieser Weise ihm gewissermaßen ins Antlitz behaupten, wenn es nicht der Fall war. Uebrigens hatte er, wie berührt, allem Anschein nach nur im allgemeinen gehört, daß das Projekt einer Familienverbin=dung zwischen dem fränkischen und langobardischen Königshause be=stehe, dessen Urheberschaft er in kluger Berechnung dem Langobarden=könige in die Schuhe schiebt[5]). Außer dem Plan einer Vermählung Karl's oder Karlmann's[6]) mit einer Tochter des Langobarden=

unten S. 87. Karlmann war also schon seit längerer Zeit vermählt. In dem be=treffenden Briefe bezeichnet der Papst die Gemahlin desselben als regina. Vgl. im übrigen Einh. V. Karoli c. 3 u. s. w. (unten S. 87 N. 4 u. z. d. JJ. 771 u. 774).

[1]) Die Ann. Lobiens. SS. XIII, 228 machen sie zu einer Tochter des De=siderius, wohl um ihre Flucht zu dem Langobardenkönige nach dem Tode ihres Ge=mahls zu erklären (ad Desiderium regem patrem suum confugit), vgl. Bar=mann, die Politik der Päpste I, 272 N. 3; Forschungen zur Deutschen Gesch. XX, 403 N. 5.

[2]) S. Paulus Diaconus in den Gest. epp. Mett. SS. II, 265.

[3]) Vgl. Waitz III, 2. Aufl. S. 280 N. 2, sowie unten Bd. II, z. J. 792. Völlig in der Luft schwebt die Annahme, welche Alberdingk Thijm, Karl d. Gr. (Deutsche Ausg.) S. 322. 354, im Anschluß an Giuseppe Brunengo vertritt, daß Karl damals noch ein anderes fränkisches Weib als Himiltrud zur Gemahlin ge=habt habe. S. dagegen auch G. Wolff, Krit. Beitr. S. 60 f. — L. v. Ranke, Weltgeschichte VI, 1, S. 181 spricht auffallenderweise von dem „Rücktritt Karl's des Großen von der lombardischen Fürstentochter zu Hildegarde, mit der er sich ohne kirchliche Formen verbunden, sie verstoßen hatte und dann doch wieder zurückberief"; ebd. V, 2, S. 113 findet sich nichts von einer solchen Auffassung. Auch war Hilde=gard nicht Frankin, sondern Schwäbin.

[4]) Man hat allerdings gemeint, der Papst habe sich nur den Anschein gegeben, als ob er nicht wisse, daß lediglich von einer Vermählung des unverheiratheten Karl, nicht des verheiratheten Karlmann die Rede sei, um in der angeführten Weise gegen die projektirte Familienverbindung argumentiren zu können, vgl. auch Wolff a. a. O. S. 58 ff. Aber der Papst behauptet ja, daß auch Karl verheiratet sei. Berechtigter ist die Bemerkung von Leibniz (Annales I, 27), daß man im fränkischen Reiche der Verstoßung einer rechtmäßigen Gemahlin Karl's nicht lautlos zugesehen haben würde; eine Ansicht, welche durch den Widerspruch gegen die spätere Verstoßung seiner lango=bardischen Gattin bestätigt wird, vgl. die Stelle oben S. 80 N. 6 u. unten S. 96.

[5]) Vgl. Wolff a. a. O. S. 57 N. 1, während Andere die Anregung in der That von Desiderius ausgehen lassen.

[6]) Hald a. a. O. meint, Desiderius habe die fränkischen Könige gebeten, daß einer von beiden seine Tochter zur Frau nehmen möchte, worauf Bertrada, welche Karl besonders liebte, ihm dieselbe als Frau bestimmt habe, um zwischen ihm und Desiderius den Frieden herzustellen. Dann habe sie in Selz Karlmann dadurch zu beschwichtigen gesucht, daß sie ihm vorspiegelte, sie reise nach Italien um die Prinzessin für ihn,

königs berührt er auch den einer Ehe der Schwester der beiden
Frankenkönige, Gisla, mit Adelchis, dem Sohne des Desiderius[1]).
Hinsichtlich dieser Schwester der Könige erinnert der Papst auch daran,
daß Pippin die Hand derselben einst dem byzantinischen Kaiser
Constantin V. für seinen Sohn Leo versagt habe[2]). Sicher ist,
daß aus dieser Ehe nichts wurde; Gisla, die einzige Schwester
der Könige, war damals erst dreizehn Jahre alt[3]) und widmete sich
schon in früher Jugend dem klösterlichen Leben[4]).

Aber auch ohne eine Doppelheirat, schon allein durch die
Vermählung Karl's mit einer langobardischen Prinzessin konnte der
Zweck der Reise Bertrada's, eine feste Verbindung zwischen Karl
und Desiderius herbeizuführen, für erreicht gelten. Bertrada begab
sich, nachdem die Unterhandlungen mit Desiderius wohl schon völlig
zum Abschluß gebracht waren, auch noch nach Rom, um dort an
den Stätten der Apostel zu beten[5]). Ob auch noch ein politischer
Zweck bei dieser Reise mit unterlief, ist nicht zu sehen. Vielleicht
versuchte Bertrada den Papst zu beschwichtigen und seine Befürch=
tungen, daß die Rechte und Interessen des römischen Stuhls durch
die Annäherung der Franken an die Langobarden gefährdet seien,
zu zerstreuen; hatte sich ja Desiderius gleichzeitig zur Rückgabe
einer Anzahl von Städten an ihn verstanden. Auf keinen Fall
aber glaubte man wohl der Zustimmung des Papstes zu der be=
absichtigten Vermählung Karl's zu bedürfen[6]); man hatte den

---

Karlmann, zur Frau zu holen. Es sind dies Vermuthungen, welche er an den Brief
des Papstes anspinnt, die aber zum Theil nicht nur grundlos, sondern absurd sind.
Le Cointe V, 758 glaubt, Bertrada sei mit der langobardischen Prinzessin zuerst
zu Karlmann gereist, damit er sie zur Frau nehme, da er sich dessen geweigert,
zu Karl, und dieser sei darauf eingegangen. Ganz ähnliches vermuthet Dippoldt
S. 30 f. Auch Gregorovius, Geschichte der Stadt Rom im Mittelalter II, 3. Aufl.
S. 321 nimmt im Grunde wieder die Ansicht von Le Cointe auf und meint, Karl=
mann habe sich durch den Brief Stephan's abhalten lassen sich von Gerberga zu
trennen. Dafür liegt nirgends ein Beweis vor; auch alle diese Vermuthungen sind
völlig grundlos.

[1]) Jaffé IV, 163: Nec iterum vestra nobilissima germana Deo ama-
bilis Ghysila tribuatur filio saepe fati Desiderii.

[2]) Jaffé l. c. S. 161; vgl. Oelsner S. 397. 426 N. 2.

[3]) Sie war geboren 757; Ann. Petav. SS. I, 11.

[4]) Einhard. Vita Kar. c. 18: Erat ei (Karl) unica soror nomine Gisla,
a puellaribus annis religiosae conversationi mancipata. Vgl. über dieselbe
Oelsner S. 426 N. 2 und unten Bd. II. z. J. 804.

[5]) Annales Einhardi, SS. I, 149: adoratis etiam Romae sanctorum
apostolorum liminibus. — Le Cointe V, 754 behauptet, nicht um jener Ehe=
stiftung willen, sondern um in Rom zu beten sei Bertrada nach Italien gereist. Erst
auf dem Rückwege aus Rom sei sie nach Pavia gekommen, und dort habe Desiderius
sie für den Heirathsplan gewonnen. Diese Auffassung läßt sich mit dem gedachten
Schreiben des Papstes, aber nicht mit den andern Quellen vereinigen (vgl. o. S. 81
N. 1). Die unrichtige Behauptung, daß Bertrada zunächst nach Rom und erst auf
dem Rückwege zu Desiderius gekommen sei, findet sich übrigens u. a. auch bei Gre=
gorovius II, 3. Aufl. S. 319.

[6]) Nach der Ansicht von Eckhart I, 606 wollte Bertrada die Einwilligung
Stephan's zu der Scheidung Karl's von seiner Frau und zur Vermählung desselben

Papst bisher in dieser Angelegenheit so sorgfältig aus dem Spiele gelassen, daß man unmöglich daran denken konnte, nun plötzlich das Endergebniß von seiner Einwilligung abhängig zu machen.

Bertrada begab sich von Rom vermuthlich noch einmal an den Hof des Desiderius[1]); in Begleitung der zu Karl's Gemahlin er= korenen Tochter desselben reiste sie ins fränkische Reich zurück[2]). Die Abmahnungen des Papstes fanden kein Gehör[3]); die Ver= mählung Karl's mit der langobardischen Prinzessin wurde voll= zogen[4]). Stephan hatte sich durch sein Auftreten nur selbst ge= schadet und durch seine fruchtlosen Einreden seinen Einfluß unter= graben; indessen, ward auch seine Stellung durch die enge Ver= bindung der Frankenkönige mit Desiderius unstreitig geschwächt, so war doch auch seine Sache bei dem Abkommen keineswegs ver= gessen worden. Die fränkischen Könige zeigten durch ihr Auftreten, daß es ihnen mit ihrem Versprechen, die territorialen Rechte des h. Petrus zu wahren[5]), Ernst war. Sie hatten ja Desiderius ver= anlaßt, dem römischen Stuhl zahlreiche Städte zurückzugeben[6]).

---

mit der Tochter des Desiderius einholen. Diese Einwilligung wenigstens für die Vermählung war wohl erwünscht, wurde aber jedenfalls nicht für nothwendig gehalten.

[1]) Auch Luden IV, 257 nimmt an, daß Bertrada auf der Hinreise sowie auf der Rückreise von Rom bei Desiderius gewesen sei, verlegt aber die entscheidenden Verhandlungen zwischen Bertrada und Desiderius auf ihren zweiten Aufenthalt in Pavia, während er glaubt, Bertrada habe in Rom den Heiratsplan vor Stephan geheimgehalten.

[2]) Ann. Mosellan. SS. XVI, 496: Berta adduxit filiam Desiderii in Francia; Ann. Lauresham. SS. I, 30; Ann. Lobiens. SS. XIII, 228; die Hersfelder Annalen (Quedlinb. Weissemb. Lambert. SS. III, 36; Ottenburan. SS. V, 2; Lorenz, die Jahrbücher von Hersfeld S. 86). Ann. Sithiens. SS. XIII, 35: Berta regina filiam Desiderii regis Langobardorum Carlo filio suo coniugio sociandam de Italia adduxit; Ann. Enhard. Fuld. SS. I, 348. — Andr. Bergom. hist. c. 3, SS. rer. Langob. S. 224 ungenau in einem sagen= haften Bericht, von Karl: unde (sc. Ticino) dudum eam duxerat; vgl. unten z. J. 771 S. 95 N. 6.

[3]) Auch was Luden IV, 261 über Karl's Verhalten nach seiner Vermählung mit der Langobardin erzählt, er habe infolge des Widerspruchs des Papstes die Ver= mählung seiner Schwester mit Adelchis nicht zugelassen und Gisla veranlaßt ins Kloster zu gehen, ist ohne Anhalt in den Quellen.

[4]) Vgl. Einh. V. Karoli c. 18; die Grabschrift der Königin Ansa, Gemahlin des Desiderius, v. 12 ff., Poet. Lat. aev. Carolin. I, 46: Libell. de imp. pot. in urbe Roma, SS. III, 720; Agnell. Lib. pont. eccl. Ravenn. c. 160, SS. rer. Langob. S. 381; ferner unten Excurs VI. Sagenhaftes bei Andr. Bergom. c. 3 ibid. S. 223 f., dem Monachus Sangallensis II, 17, Jaffé IV, 691, im Chron. Salernitan. SS. III, 476 und im Chron. Novalic. III, 14, SS. VII, 101. Der Mon. Sangall. erzählt: Post mortem victoriosissimi Pippini cum iterato Longobardi Romam iam inquietarent, invictus Karolus, quamvis in cisalpinis partibus nimium occupatus esset, iter in Italiam haut segniter arripuit. Et incruento bello sive spontanea deditione humiliatos in servitium accepit Longobardos; et firmitatis gratia, ne unquam a regno Francorum discederent vel terminis sancti Petri aliquam irrogarent iniuriam, filiam Desiderii Longobardorum principis duxit uxorem. In dem letzteren liegt ein Korn Wahrheit, insofern Desi= derius ja gleichzeitig mit dieser Vermählung den Territorialansprüchen des päfstlichen Stuhls entgegenkommen, eine Anzahl Städte an denselben ausliefern mußte.

[5]) Vgl. oben S. 78 N. 1.

[6]) Vgl. oben S. 75 N. 1; S. 80.

Außerdem kam Karl's Kanzler Hitherius (Itherius) mit anderen fränkischen Bevollmächtigten nach Italien, um für die Rückgabe der Patrimonien der römischen Kirche in Benevent Sorge zu tragen, und erfüllte seinen Auftrag mit solchem Eifer, daß Stephan in einem Brief an Bertrada und Karl seine vollste Zufriedenheit mit ihm aussprach[1]. Auch sonst wurde von den Franken nichts versäumt, um den billigen Beschwerden des Papstes abzuhelfen und ihn in der Durchführung seiner Rechte zu unterstützen. In Ravenna saß damals der Usurpator Michael auf dem erzbischöflichen Stuhl, der trotz des päpstlichen Widerspruchs schon länger als ein Jahr sein Wesen getrieben hatte; Stephan war außer Stande, denselben aus seiner mit Hilfe des Desiderius widerrechtlich erworbenen Würde zu entfernen; erst die Bevollmächtigten Karl's, unter welchen Hucbald genannt ist, machten auf Veranlassung des Papstes seinem Treiben ein Ende[2].

So hatte der Papst keinen Grund, sich über die Haltung der fränkischen Könige zu beschweren; dennoch befriedigte sie seine Wünsche nicht. Er hatte mit der äußersten Heftigkeit das Zustandekommen einer Vereinigung zwischen den Franken und Langobarden bekämpft; daß sie dennoch erfolgte, muß ihm sehr unerwünscht gewesen sein. Er war ohne Zweifel mit den Zugeständnissen, die ihm Desiderius auf Verlangen der Franken gemacht, nicht zufrieden; nachdem die Könige seinen Forderungen gegen Desiderius in gewissem Umfang Geltung verschafft und mit letzterem darüber ein Abkommen getroffen hatten, stand zu befürchten, daß sie alle darüber hinausgehenden Ansprüche des Papstes zurückweisen würden. Dem Papste war nun der Vorwand genommen oder es wenigstens erschwert, bei den Franken fortwährend über die Beeinträchtigung seiner Rechte durch die Langobarden Klage zu führen und daran, wie es zu geschehen pflegte, bald mehr bald weniger dehnbare Forderungen zu knüpfen. Es blieb Stephan nichts übrig als sich in das Unvermeidliche zu fügen. Die Ereignisse des nächsten Jahres zeigen, wie schwer er seine durch die Verständigung zwischen den Franken und Langobarden herbeigeführte Lage empfand. Vor der Hand war er darauf angewiesen, die Freundschaft mit den fränkischen Herrschern möglichst zu pflegen; seine Briefe an sie, welche in diesen Zeitabschnitt zu fallen scheinen, sind in einem entgegenkommenden, höflichen, dankbaren Ton gehalten. Wie mit Karl und Bertrada verkehrte er in dieser Weise auch mit Karlmann[3].

---

[1] Jaffé IV, 164 ff., Codex Car. Nr. 48, von Jaffé 770—771 angesetzt, vgl. auch Reg. Pont. ed. 2a I, Nr. 2386.

[2] Vita Steph. III. bei Duchesne I, 477 f.; Jaffé IV, 266, N. 3. Erzbischof Sergius von Ravenna war am 25. August 769 gestorben, Amadesi, Antistitum Ravennatium chronotaxis II, 19; und da Michael etwas länger als ein Jahr (per unius anni circulum et eo amplius, Vita Steph. l. c.) als Erzbischof sich behauptete, so fällt seine Beseitigung gegen Ende 770.

[3] Die Annahme, daß Stephan zu Karlmann schon früher in näheren Beziehungen gestanden und an diesem auch jetzt noch vorzugsweise eine Stütze gesucht habe, entbehrt der Begründung, vgl. E. Wolff, Krit. Beitr. S. 47 f. 64. 70.

Dieser seinerseits hatte auf die Verhältnisse Italiens ein wachsames Auge; wir begegnen wenig später in Rom einem Bevollmächtigten Karlmann's, Dodo, umgeben von einer Anzahl fränkischer Truppen[1], und schon um diese Zeit kommen der Abt Beraldus (von Echternach?) und Aubbertus in besonderer Scudung Karlmann's nach Rom[2]. Deren Zweck ist nicht überliefert[3]; der Papst gab den Gesandten mündlich Bescheid. Da jedoch Karlmann im Jahr 770 sein zweiter Sohn, Pippin, geboren war, drückte ihm Stephan in dem Antwortschreiben, welches er seuen Gesandten mitgab, den lebhaften Wunsch aus, Pathenstelle bei demselben versehen zu dürfen und so durch ein Compaternitätsverhältniß die nahen Beziehungen zu ihm zu befestigen[4].

Im Uebrigen ist während des Jahres 770 aus dem fränkischen Reiche nichts Bemerkenswerthes überliefert. Von Karlmann verlieren wir seit seiner Anwesenheit in Neumagen in der zweiten Hälfte des Juni[5] jede Spur, von Karl sogar schon seit der Reichsversammlung in Worms[6]; er begegnet uns erst Weihnachten wieder, welches Fest er in Mainz zubrachte[7].

---

[1] Jaffé IV, 168 ff.; Codex Car. Nr. 50, vgl. unten S. 92.

[2] Jaffé IV, 166 f.; Codex Car. Nr. 49. Daß dieser Beraldus derselbe mit dem gleichnamigen Abt von Echternach sei, der später Erzbischof von Sens wurde, vermuthet, ohne es behaupten zu wollen, Mabillon, Annales II, 220; vgl. auch Le Cointe, V, 766; Jaffé l. c. N. 1.

[3] Die Vermuthungen von Eckhart I, 605 und Halb S. 22 über den Gegenstand der Verhandlungen sind unbegründet, jedoch scheint derselbe wichtiger und vertraulicher Art gewesen zu sein. Vgl. Wolff, Krit. Beitr. S. 71 N. 1.

[4] Jaffé IV, 167: — magna nobis desiderii ambicio insistit, praecellentissime regum : ut Spiritus sancti gratia, scilicet compaternitatis affectio, inter nos eveniat. Pro quo obnixae quaesumus christianitatem tuam . . . ut de praeclaro ac regali vestro germine, quod vobis Dominus pro exaltatione sanctae suae ecclesiae largiri dignatus est, in nostris ulnis ex fonte sacri baptismatis aut etiam per adorandi chrismatis unctionem spiritalem suscipere valeamus filium . . . Den Namen Pippin und das Jahr der Geburt geben die Annales Petav. SS. I, 13. Daß dieser Pippin nicht Karlmann's ältestes Kind war, beweist der Wunsch Stephan's l. c., daß Gott Karlmann nebst seiner Gemahlin und seinen Kindern (amantissimis natis) erhalten möge. Da Einh. V. Karoli c 3 (hier auch) liberis) sowie die Annales Einh. SS. I, 149 etc. von den filii Karlmann's reden, in anderen Annalen noch bestimmter von zwei Söhnen desselben die Rede ist (vgl. unten z. J. 771), so war auch sein ältestes Kind ein Knabe. Die Vermuthung von Le Cointe V, 779, daß es ein Mädchen gewesen sei, ist ohne Begründung.

[5] Vgl. o. S. 76.

[6] Vgl. o. S. 76.

[7] Annales Laur. mai. SS. I, 148; Ann. Einh. SS. I, 149; Fragm. Basil.; Ann. Mett. SS. XIII, 27.

771.

Das Werk der letzten Jahre hatte keinen Bestand. Die Einigkeit zwischen den königlichen Brüdern machte schon 771 einer neuen Spaltung Platz, deren Folgen nur deshalb keinen größeren Umfang annahmen, weil Karlmann noch in demselben Jahre starb.

Die fränkischen Annalen lassen uns in Betreff dieses neuen Umschlags in der fränkischen Politik völlig im Stich. „Karl feierte Ostern (7. April) in der Villa Heristal; nachdem er in gewohnter Weise zu Valenciennes an der Schelde die große Reichsversammlung gehalten hatte, begab er sich an seinen Winteraufenthalt", soviel wissen, am ausführlichsten unter allen, die sogen. Einhard'schen Annalen[1]) über das ganze Jahr bis zum Tode Karlmann's zu sagen. Das Schweigen der Annalisten hatte wenigstens zum Theil wohl darin seinen Grund, daß die entscheidenden Begebenheiten mehr oder weniger ihrem Gesichtskreis sich entzogen; hatten schon bei dem Umschwung des letzten Jahres die Verhältnisse Italiens eine große Rolle gespielt, so waren diese allem Anschein nach auf den nun eintretenden Rückschlag vollends von maßgebendem Einfluß. Die Ereignisse, deren Schauplatz zu Anfang des Jahres 771 Rom wurde, mußten für die Franken so überraschend sein und lagen für sie so sehr außer aller Berechnung, daß dadurch das künstliche Friedenswerk des letzten Jahres nur zu leicht erschüttert werden konnte.

Papst Stephan III. empfand tief die Zurücksetzung, welche ihm die Franken bereitet, indem sie mit seinem Todfeind Desiderius unterhandelt hatten ohne ihn etwas davon wissen zu lassen und sich mit demselben vereinigt hatten ohne auf seinen Widerspruch zu achten. Mit der Zeit fand sich jedoch Stephan auch in dieser

---

[1]) 770. 771, SS. I, 149. Vgl. über die Osterfeier in Heristal auch Ann. Lauriss. mai. SS. I, 148; Fragm. Basil. SS. XIII, 27 etc.; über die Reichsversammlung in Valenciennes auch Ann. Lauriss. mai.; Fragm. Basil.; Ann. Mett.; Ann. Lobions. SS. XIII, 228; Ann. Enh. Fuld. SS. I, 348 u. unten Excurs VI über eine angeblich dort im Juli ausgestellte Urkunde.

Die Urk. Mühlbacher Nr. 137, von Sickel z. J. 772 gesetzt, kann jedenfalls nicht einen Aufenthalt Karl's in Worms im April 771 beweisen.

neuen Lage zurecht, ſo gut, daß er auf Grund derſelben der päpſt=
lichen Politik eine ganz überraſchende Wendung zu geben wußte.
Das größte Opfer, welches ihm die Verſtändigung der Franken
mit den Langobarden auferlegt, war, daß er ſich mit Deſiderius
in Zukunft friedlich vertragen ſollte; und es kam alles darauf an,
ob ihm das gelang, wie ſein Verhältniß zu den Langobarden ſich
geſtaltete. Karl und Karlmann glaubten wohl, indem ſie von De=
ſiderius die Rückgabe vieler ſtreitigen Städte an den päpſtlichen
Stuhl verlangten, die Urſache des Zwieſpalts zwiſchen Rom und
Deſiderius beſeitigt zu haben; aber einem Vergleich Stephan's mit
dem Langobardenkönige ſtand noch ein anderes Hinderniß im Wege.
Wir kennen die Politik des apoſtoliſchen Stuhls während der letzten
Jahre. Chriſtophorus und Sergius, die Hauptrathgeber des Papſtes,
hatten Deſiderius aufs ſchwerſte gekränkt und im engſten Anſchluß
an die Franken einen Rückhalt gegen ihn geſucht[1]); ſie beſonders
hatten den Papſt zu den wiederholten dringenden Aufforderungen
an Karl und Karlmann veranlaßt, die Beſitzungen des h. Petrus
von dem Langobardenkönige zurückzufordern[2]). Mit dieſer Politik
war es zu Ende, ſeitdem die Verbindung zwiſchen Franken und
Langobarden zu Staube gekommen war. Stephan ſelbſt täuſchte
ſich am wenigſten über die Nothwendigkeit, es mit einer anderen
Politik zu verſuchen. Er mußte Alles daran ſetzen, ſich mit Deſi=
derius zu verſtändigen, aber davon konnte nicht die Rede ſein, ſo
lange Chriſtophorus und Sergius noch am Ruder waren; ſie,
welche eine entſchiedene, vielleicht auch von ihm als drückend em=
pfundene Herrſchaft über den Papſt ausübten, hinderten jede Eini=
gung. Mochten ſie auch bei Karl und namentlich bei Karlmann wohl=
gelitten ſein, Deſiderius war ihr tödtlicher Feind[3]). Dazu kam die
gereizte Stimmung Stephan's gegen die fränkiſchen Könige infolge der
jüngſten Ereigniſſe; warum ſollte, da ſie mit Deſiderius auf eigene
Hand ſich vereinigt hatten, nun nicht auch der Papſt ſeinerſeits
ohne Zuthun der Franken mit Deſiderius ſich auseinanderſetzen?
Unter ſolchen Umſtänden faßte Stephan den Entſchluß, Chriſto=
phorus und Sergius fallen zu laſſen. Deſiderius ſelbſt hatte kein
Mittel geſcheut, den Papſt in dieſem Sinne zu bearbeiten. Er
hatte ſich namentlich mit dem päpſtlichen Cubicularius Paul Afiarta
in Verbindung geſetzt und mit ſeiner Hilfe die Stellung von
Chriſtophorus und Sergius völlig untergraben[4]). Dann rückte er,

---

[1]) Vgl. oben S. 63.
[2]) Vita Stephani III. bei Duchesne I, 478: Nam sedule isdem beatissimus pontifex suos missos atque litteras ammonitorias dirigere studebat
antedicto excellentissimo Carulo regi Francorum et eius germano Carulomanno .. inminentibus atque decertantibus in hoc sepius nominatis Chri-
stoforo primicerio et Sergio secundicerio, pro exigendis a Desiderio rege
Langobardorum iustitiis beati Petri; vgl. o. S. 77 f.; G. Wolff, Krit. Beitr. S. 66.
[3]) Vita Stephani III. l. c.: Unde nimia furoris indignatione contra
praenominatos Christophorum et Sergium exardescens ipse Desiderius, nite-
batur eos extinguere ac delere.
[4]) Vita Stephani III. l. c.: dirigens clam munera Paulo cubicu-

in der ersten Hälfte des Jahres 771, selbst vor Rom[1]), wie er vorgab, um am Grabe des h. Petrus zu beten[2]). Inzwischen täuschte sich in Rom Niemand über seine wahren Absichten. Christophorus und Sergius sammelten Truppen um sich[3]); noch genauer als sie scheint aber der Papst in seine Pläne eingeweiht gewesen zu sein. Ein Blick auf die Lage Stephan's überhaupt, auf die Willfährigkeit, womit er Desiderius entgegenkam, und den angelegentlichen Eifer, womit er nachher sein eigenes und das Verhalten des Desiderius bei Karl zu rechtfertigen suchte, läßt kaum einen Zweifel daran übrig, daß schon ehe Desiderius vor Rom erschien ein geheimes Einverständniß zwischen ihm und Stephan bestand[4]). Sobald Desiderius eingetroffen war, hatte Stephan mit ihm eine Unterredung in St. Peter, welche zu einem bestimmten

---

lario cognomento Afiarta et aliis eius impiis sequacibus, ǀsua lens eis ut in apostolicam indignationem eos deberent inducere; eique hisdem Paulus consentiens de eorum perditione absconse decertabat.

[1]) Vita Stephani III. l. c.: Jaffé IV, 168 ff., Codex Car. Nr. 50. Die gewöhnliche Ansicht ist, daß die Ankunft des Desiderius vor Rom und die sich daran knüpfenden Ereignisse ins Jahr 769 fallen, wobei man sich auf Sigebert, Chronicon SS. VI, 333 und auf die chronologische Anordnung bei Cenni berufen kann. Allein Jaffé, Regest. Pont. ed. 2 a I, 287 bemerkt mit vollem Recht, daß die Reihenfolge der Erzählung in der Vita Stephani augenscheinlich auf das Jahr 771 führe und daß dem gegenüber die Angabe Sigebert's ohne Belang ist. Dann muß also auch der erwähnte Brief, den Cenni 769 ansetzt, ins Jahr 771 verlegt und die Reihenfolge der Briefe Stephan's so verändert werden, wie dies durch Jaffé geschehen ist; vgl. auch G. Wolff, Krit. Beitr. S. 67 ff., Duchesne, Lib. pont. I, 484. 514; schwankt zwischen 771 und 770. — Le Cointe V, 736; Eckhart I, 604; Leibniz, Annales I, 25 u. a. setzen diese Vorgänge ins Jahr 769; auch noch die Neueren, außer Sugenheim, (Geschichte der Entstehung und Ausbildung des Kirchenstaats S. 34, der aber dennoch keine richtige Darstellung gibt. Daß endlich jener Zug des Desiderius schon in die erste Hälfte und nicht erst in den Sommer 771 fällt, läßt eine Urkunde dieses Königs für das St. Salvatorkloster iu Brescia vermuthen, die iu Brescia im Juli 771 ausgestellt ist, Troya, Codice diplomatico V, 602 ff. Später kann das Unternehmen nicht angesetzt werden, es muß vor dem Juli stattgefunden haben. S. auch Langobardische Regesten von Bethmann und Holder-Egger, Neues Archiv III, 310 (Nr. 467); unten S. 91 N. 2 und Excurs VI.

[2]) Vita Stephani III. l. c.: Pro quo suo maligno ingenio simulavit se quasi orationis causa ad b. Fetrum hic Romam properaturum, ut eos capere potuisset.

[3]) Vita Stephani l. c.; Codex Carol. Nr. 50 S. 168.

[4]) So auch Gaillard II, 14 ff.; Sugenheim S. 34; Hald S. 12 u. a. Das endgiltige Abkommen wurde aber ohne Zweifel erst nach Desiderius' Ankunft vor Rom in St. Peter getroffen, nicht, wie Hald will, schon vorher. Stephan stellt allerdings die Sache in seinem Brief an Karl, Jaffé l. c. S. 168—169, so dar, als wäre Desiderius nur wegen der Herausgabe von Gebieten an den Stuhl Petri nach Rom gekommen (dum hic apud nos excellentissimus filius noster Desiderius Langobardorum rex pro faciendis nobis diversis iustitiis beati Petri existeret); er schrieb jedoch diesen Brief offenbar unter dem Einfluß des Desiderius — wie er frühere, im entgegengesetzten Sinne gehaltene unter dem Einflusse des Christophorus und Sergius geschrieben hatte — und durfte Karl keineswegs die volle Wahrheit sagen. Vgl. indessen hierüber und über den von der Erzählung Stephan's wesentlich abweichenden Bericht über diese Vorgänge in der Vita Stephani unten S. 92 N. 3.

Abkommen führte[1]). Desiderius verpflichtete sich eidlich, der Kirche ihre Rechte zurückzugeben, Stephan gab offenbar Christophorus und Sergius preis. Als diese in ihrer verzweifelten Lage einen Hand=streich gegen den Papst selbst versuchten, wobei Karlmann's Bevoll=mächtigter Dobo mit seinen Leuten sie unterstützte, begab sich Stephan zum zweiten Male zu Desiderius nach St. Peter; Christo=phorus und Sergius aber, vom Papste aufgefordert entweder in ein Kloster zu gehen oder zu ihm nach St. Peter herauszukommen, verweigerten ihm zu gehorchen und wollten bewaffneten Widerstand leisten. Aber das römische Volk, sobald es von jener Aufforderung des Papstes Kunde erhielt, ließ sie im Stich, so daß sie zuletzt doch zu Stephan nach St. Peter kamen. Sodann wurden sie, un=geachtet der Bemühungen Stephan's, ihre Personen zu sichern, von der langobardischen Partei und nach dem Willen des Desiderius geblendet. Infolge davon starb Christophorus nach drei Tagen, Sergius wurde in ein Kloster gebracht und nachher im Lateran gefangen gehalten[2]). An ihrer Stelle nahm die langobardische Partei, deren Haupt Afiarta war, in Rom das Ruder in die Hand.

Diese Umwälzung in Rom konnte natürlich auf das Verhält=niß des Papstes zu den Franken nicht ohne Einfluß bleiben, und ebenso erfuhr dadurch auch ihre Stellung zu Desiderius eine wesent=liche Veränderung. Der Papst hatte den Franken Gleiches mit Gleichem vergolten, sich Desiderius ebenso ohne ihr Vorwissen in die Arme geworfen wie das Jahr zuvor sie selbst ohne Zuziehung Stephan's mit Desiderius sich verglichen hatten. Den Absichten der fränkischen Könige konnte dieses Verfahren Stephan's nicht entsprechen. Sie hatten freilich ein friedliches Uebereinkommen, ein gewisses Gleichgewicht zwischen den Langobarden und dem

---

[1]) Das ergibt die Vergleichung der Stellen Vita Stephani S. 478 f. und Vita Hadriani S. 487. Es heißt in der Vita Stephani: coniunxit ad b. Petrum antedictus Desiderius rex cum suo Langobardorum exercitu. Et continuo direxit suos missos praefato pontifici, deprecans ad eum egredi deberet; quod et factum est. Dum vero cum eo praesentatus fuisset pariterque pro iustitiis b. Petri loquerentur, rursum ipse beatissimus pontifex reversus, ingressus est in civitate. Und die Vita Hadriani erzählt: . . . inquiens (Stephanus), quod omnia illi (Stephano) mentitus fuisset (Desiderius) que ei in corpus b. Petri iureiurando promisit pro iustitiis s. Dei ecclesiae faciendis, et tantummodo per suum iniquum argumentum erui fecit oculos Christo-phori primicerii et Sergii secundicerii filii eius suamque voluntatem de ipsis duobus proceribus ecclesiae explevit. Stephan selbst schreibt, bei Jaffé IV, 170: — eo quod . . . nos convenit cum praelato excellentissimo et a Deo servato filio nostro Desiderio rege, et omnes iustitias beati Petri ab eo plenius et in integro suscepimus, erklärt sich also in dieser Hinsicht vollständig befriedigt. Vgl. Jaffé, Regest. Pont. ed. 2 a l. c.; S. Abel, der Untergang des Langobardenreiches S. 83. Die gewöhnliche Annahme ist, die erste Besprechung Stephan's mit Desiderius in St. Peter sei ohne Ergebniß geblieben, Eckhart I, 604; Leo, Geschichte von Italien I, S. 197 u. a.

[2]) Vita Stephani III. S. 479 f.; Jaffé IV, 169. Vgl. übrigens auch die Nachträge zu Aventin's Annales aus Crantz, dem angeblichen Kanzler Tassilo's von Baiern, Riezler, S.=Ber. der Münchner Akd. phil.=hist. Cl. 1881, I, S. 253—254 und unten Excurs VI. Hienach wären die betreffenden Ereignisse in die Fastenzeit gefallen.

päpstlichen Stuhle herzustellen gesucht, aber keineswegs in dem
Gedanken, ihren eigenen entscheidenden Einfluß auf die Angelegen=
heiten Italiens aufzugeben.   Das eigenmächtige Verfahren von
Stephan und Desiderius durchkreuzte diese Politik; der fränkische
Einfluß wurde dadurch aufs Empfindlichste beeinträchtigt, daß von
den Franken angestrebte Gleichgewicht gestört und umgeworfen.
Desiderius und Stephan selbst konnten darüber von Anfang an
sich keinen Täuschungen hingeben.   Der Bevollmächtigte Karl=
mann's, der sich damals in Rom befand, Dodo, nahm entschieden
Partei für Christophorus und Sergius[1]), und es hat wenig zu
bedeuten, daß Stephan behauptete, Dodo habe gegen die Weisungen
Karlmann's gehandelt, und seine feste Ueberzeugung aussprach,
Karlmann werde Dodo's Auftreten mißbilligen[2]).   Für den Papst
wie auch für Desiderius war es von der höchsten Wichtigkeit,
dem übeln Eindruck zuvorzukommen, welchen die Nachricht von
den Vorgängen in Rom bei den beiden fränkischen Königen her=
vorbringen mußte; er entwarf daher von dem Geschehenen ein
Bild, wonach sein Verfahren in einem möglichst günstigen Lichte er=
schien und welches den Einflüssen, unter denen er jetzt stand, des
Desiderius und Afiarta, entsprach.   Er that dies in einem Schreiben
an Karl und Bertrada[3]), bei denen er eher hoffen mochte seine
Verbindung mit Desiderius rechtfertigen zu können als bei Karl=

---

[1]) Jaffé l. c. S. 168—170. Es ist wohl derselbe Dodo, der uns schon
um 762 und dann 767 als Gesandter Pippin's in Rom begegnet, Jaffé IV, 95. 146,
Codex Car. Nr. 22. 43 (hier als Graf bezeichnet); Oelsner S. 353. 407 N. 1.
St. Marc, Abrégé chronologique de l'histoire générale d'Italie I, 362, nimmt
an, daß Karl und Karlmann jeder einen ständigen Bevollmächtigten nebst einigen
fränkischen Truppen in Rom unterhielten, und zwar infolge des Raths, den ihnen
Sergius bei seiner Anwesenheit im fränkischen Reich (vgl. o. S. 63) gegeben habe.
Es ist aber nirgends angedeutet, daß ihnen Sergius einen solchen ertheilt hat; auch
scheint es nicht so als ob neben Dodo auch ein Bevollmächtigter Karl's in Rom war,
und selbst bei Dodo sieht man nicht, ob er als bleibender Vertreter oder nur zu vor=
übergehendem Aufenthalt nach Rom geschickt war, obschon das erstere einige Wahr=
scheinlichkeit zu haben scheint; vgl. auch Papencordt, Geschichte der Stadt Rom im
Mittelalter, herausgegeben von Höfler, S. 135. Mit den missi, welche Stephan in
dem betreffenden Briefe Cod. Carolin. 50, S. 170 erwähnt (vgl. unten S. 93 N. 2),
hat es eine andere Bewandtniß.
[2]) Jaffé IV, 169—170: Ecce quantas iniquitates et diabolicas immis=
siones hic seminavit atque operatus est praedictus Dodo; ut, qui debuerat
in servitio b. Petri et nostro fideliter permanere, ipse e contrario animae
nostrae insidiabatur, non agens iuxta id, quod a suo rege illi praeceptum
est, in servitio b. Petri et nostra oboedientia fideliter esse permansurum.
Et certe credimus, quod, dum tanta eius iniquitas ad aures . . . Carlo=
manni regis pervenerit, nullo modo ei placebit . . .
[3]) Jaffé IV, 168 ff.; Codex Carol. Nr. 50. Wegen des Widerspruchs,
worin sich dieser Brief in wesentlichen Punkten mit der Darstellung der Vita Stephani
l. c. befindet, glauben mehrere, der Brief drücke nicht die wahre Gesinnung Stephan's
aus, sondern sei ihm durch Anwendung von Gewalt durch Desiderius, der ihn so
lange in der Peterskirche eingeschlossen, abgezwungen; so Pagi a. 770 N. 2; Cenni I,
261 ff.; Eckhart I, 604; Duchesne l. c. S. 484 u. a. Dagegen nimmt schon
Muratori, Annali a. 769 an, daß nicht die Darstellung der Vita, sondern die
Stephan's selbst den Vorzug verdiene, und ihm folgen Hahn S. 12; Ellendorf, Die

mann, dem Herrn des Dodo, dem Freunde des Christophorus und
Sergius. Er theilte ihnen in dem Briefe nicht nur mit, daß er
mit Desiderius sich geeinigt und dieser dem heiligen Petrus nun=
mehr alle seine rechtmäßigen Besitzungen vollständig zurückgegeben
habe[1]), daß ihnen in dieser Beziehung auch durch ihre Missi voll=
ständige Befriedigung zutheil werden würde[2]), sondern suchte
namentlich auch sein Verhalten gegen Christophorus und Sergius
zu rechtfertigen. Während er selber jede Schuld an der ihnen zu=
gefügten Strafe von sich ablehnte, klagte er sie an, ihm nach dem
Leben getrachtet zu haben; nur die Anwesenheit des Desiderius
vor Rom habe ihm Gelegenheit gegeben, sich mit seinem Klerus
nach St. Peter zu flüchten und sein Leben zu retten. Ja, selbst
Dodo beschuldigte er, sich gegen sein Leben verschworen zu haben.
Allein diese Anklagen sind offenbar übertrieben. Christophorus
und Sergius hatten Gelegenheit gehabt, Hand an den Papst zu legen
(als sie mit bewaffneter Schaar in den Lateran, dann in die Basilika
des Papstes Theodor gedrungen waren, wo Stephan saß)[3]), und hatten
es nicht gethan, und von Dodo ist es vollends undenkbar, daß er
zu einem solchen Zwecke seine Hand lieh. Stephan sprach gewiß
mit vollem Rechte seine zuversichtliche Erwartung aus, daß Karl=
mann einer solchen Handlungsweise Dodo's fremd sei; aber die
Anklage, welche er gegen Dodo erhob, war eben überhaupt un=
begründet. Dodo trat allerdings auf die Seite von Christophorus
und Sergius; allein er handelte dabei im Sinne Karlmann's, der
über das Verfahren Stephan's, über seinen Anschluß an die Lango=
barden äußerst erbittert war[4]). Wenn es daher Stephan darauf
ankam, gegen Dodo eine Anklage zu erheben, die auch Karlmann
gerechtfertigt finden sollte, so mußte dieselbe sehr schwer sein. Sein
Hauptabsehen war darauf gerichtet, zu zeigen, daß er unschuldig
sei an dem unglücklichen Schicksal von Christophorus und Sergius;
daß ihm kein anderer Ausweg geblieben sei als der Anschluß an
Desiderius und daß Desiderius seine Pflichten gegen den heiligen

---

Karolinger und die Hierarchie ihrer Zeit S. 154 N. 131; Papencordt S. 95
N. 2; Troya V, 498 f. u. a. Vgl. Untergang des Langobardenreiches S. 80 ff.
und Wolff, Krit. Beitr. S. 69 f., der mit Recht beiden Darstellungen die lautere Wahr=
heit abspricht, sowie unten S. 94.
[1]) Vgl. die Stelle oben S. 91 N. 1.
[2]) Jaffé IV, 170: Tamen et per vestros missos de hoc plenissime
eritis satisfactum.
[3]) Vita Stephani S. 479; Jaffé IV, 168.
[4]) Desiderius sagte später den Gesandten Papst Stephan's, Vita Hadr.
S. 487: Sufficit apostolico Stephano, quia tuli Christophorum et Sergium
de medio, qui illi dominabantur, et non illi sit necesse iustitias requi=
rendum. Nam certe si ego ipsum apostolicum non adiuvavero, magna per=
ditio super eum eveniet. Quoniam Carulomannus rex Francorum, amicus
existens praedictorum Christophori et Sergii, paratus est cum suis exerci=
tibus ad vindicandum eorum mortem Roma properandum ipsumque capien=
dum pontificem. Ellendorf S. 154 schließt daraus mit Recht, daß Dodo im Ein=
verständniß mit Karlmann, genauer im Sinn Karlmann's gehandelt habe. Die Vor=
aussetzung Stephan's, daß Karlmann das Verhalten Dodo's mißbilligen würde, war
also, wie Hahn S. 13 ff. mit Grund bemerkt, ungerechtfertigt.

Petrus erfüllt habe. Er trug, um diesen Beweis zu führen, kein Bedenken, Vieles zu übertreiben, Anderes zu verschweigen[1]); so suchte er sich und Desiderius die Gunst der Franken zu erhalten.

Dennoch ließ die Rückwirkung dieser Ereignisse auf die fränkische Politik nicht lange auf sich warten. Sie bestand in einer vollkommenen Erschütterung des von der Königin Bertrada in Bezug auf die italienischen Verhältnisse durchgeführten Friedenswerks, welches für die fränkischen Interessen so unerwünschte Früchte gezeitigt hatte[2]). Die näheren Umstände sind in tiefes Dunkel gehüllt. Es begreift sich — zumal nach der Rolle, welche Karlmann's Bevollmächtigter Dodo bei den jüngsten römischen Vorgängen gespielt hatte —, daß Karlmann von Unwillen gegen den Papst erfüllt war; wie es heißt in dem Grabe, daß er drohte, um Christophorus und Sergius zu rächen, mit Heeresmacht gegen Rom ziehen und Stephan selbst gefangen nehmen zu wollen[3]). Aber auch Karl brach, sei es jetzt oder schon früher, seine Verbindung mit Desiderius ab, indem er dessen Tochter, mit welcher er erst seit kurzem vermählt war, wieder verstieß.

Einhard erzählt, ein Jahr nachdem Karl diese Prinzessin zur Frau genommen, habe er sie verstoßen[4]); allein seine chronologischen Angaben sind nicht zuverlässig. Manche glauben, daß die Angelegenheit, die jedenfalls einen politischen Hintergrund hatte, oder, wenn nicht sie selbst, doch die damit zusammenhängenden allgemeinen politischen Fragen auf der Reichsversammlung in Valenciennes zur Sprache gekommen seien[5]). Ueber die Gründe, welche Karl zu diesem Schritt bestimmten, liegen glaubwürdige Angaben nicht vor. Einhard bezeichnet sie als unbekannt[6]), will aber vielleicht nur deshalb nichts darüber wissen, weil man von der ganzen Sache nicht gern redete[7]). Bezeugt und glaubwürdig

---

[1]) So auch Hahn S. 14, der aber außerdem viele grundlose Vermuthungen aufstellt. Auch Papencordt S. 95 N. 2 glaubt, „daß der Papst, um die durch Besiegung ihres Sendboten Dodo und ihrer Partei gewiß sehr erbitterten Franken zu begütigen, die Farben etwas zu stark aufzutragen sich veranlaßt sehen mußte". Vgl. Wolff, Krit. Beitr. S. 69 N. 5.

[2]) Vgl. G. Wolff a. a. O. S. 71 ff.

[3]) Vgl. die Stelle o. S. 93 N. 4. Natürlich ist dieses nicht gerade für den Wortlaut der von Desiderius abgegebenen Erklärung zu halten; von dem Tode des Sergius konnte er nicht reden, da dieser erst nach Karlmann's Tod ermordet wurde, Vita Hadr. S. 489. Der Biograph Hadrian's konnte nur den Sinn der Erklärung im allgemeinen angeben wollen, wie soweit wird seine Darstellung durch die Angaben Stephan's selbst über die Haltung Dodo's bestätigt. Christophorus und Sergius, die Häupter der fränkisch-antilangobardischen Partei in Rom, stützten sich, wie aus Dodo's Haltung hervorgeht, hauptsächlich auf Dodo, das heißt auf Karlmann, so daß ihr Schicksal die Erbitterung Karlmann's über den Papst hinlänglich erklärt.

[4]) Einhard. Vita Kar. c. 18: post annum eam repudiavit — in divortio filiae Desiderii regis. Monach. Sangall. II, 17, Jaffé IV, 691: nou post multum temporis. Vgl. hiezu unten Excurs VI.

[5]) So vermuthen auch Leibniz, Annales I, 29; Eckhart I, 614; Dippoldt S. 35; vgl. Excurs VI.

[6]) Vita Kar. l. c.: incertum qua de causa.

[7]) So übergeht Paulus Diaconus in den Gest. epp. Mett. SS. II, 265 diese Ehe Karl's ganz; vgl. unten Bd. II. z. J. 792.

ist aber wenigstens, daß die Königin ihrem Gemahl durch ihr
Verhalten keine Veranlassung zu seinem Schritte gegeben hat[1]).
Der Mönch von St. Gallen meint freilich den Grund zu kennen
und behauptet, Karl habe seine Gemahlin wegen Kränklichkeit
und Unfruchtbarkeit, und zwar gestützt auf den Ausspruch seiner
Geistlichkeit, entlassen[2]). Aber dies Zeugniß des mehr als ein
Jahrhundert später schreibenden redseligen Mönchs beruht schwer=
lich auf wirklicher Kunde jener von Anfang an mit dem Schleier
des Geheimnisses umgebenen Verhältnisse, sondern ist vermuthlich
eben nur ein Versuch, den Schritt Karl's zu erklären, mag nun
der Mönch selbst oder, was eher zu glauben ist, schon eine frühere
Zeit diesen Erklärungsversuch gemacht haben[3]). Man wird auch
kaum sagen dürfen, daß dieser Grund innere Wahrscheinlichkeit
habe — wenigstens insofern nicht, als z. B. die Königin=Mutter
Bertrada, welche mit der Scheidung sehr unzufrieden war[4]), dem=
selben ihre Anerkennung wohl kaum versagt haben würde[5]). Bloße
Fabel ist es auch, daß Karlmann seinen Bruder gezwungen habe,
sich von seiner langobardischen Gemahlin eidlich loszusagen[6]).
Wahrscheinlich ist wenigstens soviel, daß, wie bei der Schließung,
so auch bei der Auflösung dieser Ehe politische Rücksichten mit=
wirkten, und zwar vorzugsweise die Rücksicht auf die Verhält=

---

[1]) Vgl. die Stelle der Vita Adalhardi oben S. 80 N. 6: propria sine
aliquo crimine repulsa uxore.

[2]) Monachus Sangall. II, 17, Jaffé IV, 691: Qua non post multum
temporis, quia esset clinica et ad propagandam prolem inhabilis, iudicio
sanctissimorum sacerdotum relicta velut mortua . . .

[3]) Aehnlich Dippoldt S. 35 f. Andere halten den von dem Mönch ange=
gebenen Grund für den wahren, so Leibniz l. c.; Mabillon, Annales II, 221;
Eckhart I, 614; Gaillard II, 39; Martin II, 254.

[4]) Vgl. unten.

[5]) Es gibt eine Erzählung, nach welcher das Gerücht, Karl's langobardische
Gemahlin sei unfruchtbar, dadurch widerlegt worden wäre, daß die Verstoßene, nach=
dem sie in elendem Zustande, verhungert und halbtodt nach Italien gebracht worden
war, daselbst eines Sohnes genas, aber bei der Geburt starb. Dieselbe findet sich in
Aventins Annales Boi. III, 253: Eodem anno Bercthraeda regina expulsa
est a Carolo rege Francorum; ipse aliam uxorem antea sibi (ut aiunt) de-
sponsam ducit; illa fame psa (pressa?) pene exanimata de Francia in Italiam
ducta est; enixa est ibi filium, cum sterilem iam esse divulgatum esset;
periit in partu. Vgl. Riezler in Münchner S.=B. 1881 S. 253. 262, der auch
dies auf eine alte Quelle, das angebliche Geschichtswerk von Tassilo's Kanzler Crantz,
zurückführen will; aber schwerlich mit Recht, jedenfalls dürfte die Erzählung als ganz
unglaubwürdig zu betrachten sein. Nach der V. Adalhardi geht Karl seine neue
Ehe mit Hildegard bei Lebzeiten seiner früheren langobardischen Gemahlin (vivente
illa) ein; vgl. o. S. 80 N. 6.

[6]) Andr. Bergom. hist. c. 3, SS. rer. Langob. S. 223—224: Causa
autem discordiae (zwischen Desiderius und Karl) ista fuit. Habebat Carolus
suus germanus maior se (?) Karlemannus nomine, ferebundus (furibundum
v. l.) et pessimus; contra Carolus iracundus surrexit, eum iurare fecit, ut
ipsa (Berterad) ultra non haberet coniuge. Quid multa? Remisit eam
Ticino, unde dudum eam duxerat. Richtig ist nur, daß Karlmann die Ehe
seines Bruders mit der Langobardin mit ungünstigen Augen angesehen haben wird.

niſſe in Rom[1]). Es wird dadurch die Möglichkeit nicht aus=
geſchloſſen, daß auch rein perſönliche Gründe mit ins Spiel kamen;
aber ob es wirklich der Fall war, ob ſolche perſönliche oder ob
politiſche Gründe den Ausſchlag gaben, iſt nicht zu erkennen.
Ohne Zweifel hat das unvorſichtige und gewaltthätige Vorgehen
von Deſiderius Karl's Unzufriedenheit ebenſo ſehr erregt wie das
Verfahren des Papſtes die Erbitterung Karlmann's. Es mag da=
mals am Hofe Karl's zu einem harten Kampfe gekommen ſein.
Sein Vetter Adalhard verabſcheute die willkürliche Auflöſung einer
durch Eide fränkiſcher Großer gewährleiſteten Verbindung und die
neue Ehe, welche Karl ſodann einging[2]); er zog ſich im Unmuth
darüber ins Kloſter zurück. Zwiſchen Bertrada, welche dieſe Ehe
geſtiftet und ihrem Sohne die Gemahlin zugeführt hatte, und Karl
trat, was nach Einhard's Zeugniß weder früher noch ſpäter vor=
gekommen iſt, aus dieſer Veranlaſſung eine Spannung ein[3]). In=
ſofern es eine langobardiſch geſinnte Partei am Hofe Karl's gab,
hatte dieſelbe eine vollſtändige Niederlage erlitten.

So war die durch die Vermählung Karl's mit der Tochter des
Deſiderius, wie man glaubte, für immer befeſtigte Politik der engſten
Vereinigung mit den Langobarden, die zugleich eine Politik der Ver=
mittlung und des Friedens war, geſcheitert; binnen Kurzem ſtanden
die verſchiedenen Mächte ſich wieder feindlich gegenüber. Theils
kehrten die alten Gegenſätze noch verſchärft zurück, theils traten
neue Gegenſätze hervor. Deſiderius verweigerte dem Papſte höhniſch
die Erfüllung der kürzlich gegen ihn übernommenen Verpflichtungen;
Karlmann machte Miene, mit gewaffneter Hand von dem Papſt,
ſeinem alten Verbündeten, Genugthuung für den Sturz und das
Schickſal des Chriſtophorus und Sergius zu fordern[4]).

Aber auch zwiſchen Karl und Karlmann hatte ſich aufs Neue
das frühere feindſelige Verhältniß eingeſtellt. Es iſt nirgends
überliefert, wodurch die erneute Entzweiung der Brüder her=
beigeführt ward; in den Zuſammenhang einzubringen macht die
Schweigſamkeit der Quellen unmöglich. In der Wendung, welche

---

[1]) In den italiſchen Verhältniſſen finden den Grund Le Cointe V, 768 f.;
Dippoldt S. 36; Luden IV, 260 ff. u. a.; alle aber irren darin, daß ſie die Auf=
löſung der Ehe der Rückſicht auf den Papſt zuſchreiben, deſſen Abmahnungsſchreiben
ſchließlich doch Eindruck auf Karl gemacht und ihn veranlaßt habe, die Langobardin
zu verſtoßen. Dieſer Irrthum (den auch Ranke, Weltgeſchichte V, 2, S. 113 N. 1
theilt; vgl. indeſſen Richter und Kohl, Annalen I, 36 N. 1) rührt aber wohl daher,
daß der Sturz des Chriſtophorus und Sergius fälſchlich ſchon ins Jahr 769 ſtatt
771 geſetzt ward. Vgl. G. Wolff, Kr. Beitr. S. 74.
[2]) Vgl. die Stelle o. S. 80 N 6.
[3]) Vita Kar. c. 18: Colebat enim (Karolus) eam (matrem) cum ſumma
reverentia, ita ut nulla umquam invicem ſit exorta discordia, praeter in
divortio filiae Desiderii regis, quam illa ſuadente accepcrat. Fabelhaftes
bei Andr. Bergom. l. c. S. 224, welcher nach den oben (S. 95 N. 6) angeführten
Worten fortfährt: Mater vero eorum haec ſeparatio audiens, Carlemanni
filii ſui blasphemiam intulit; oculorum cecitate perculsus eſt, cum periculo
vita finivit. Alſo die eigene Mutter verflucht Karlmann, welcher hierauf erblindet
und ſtirbt (vgl. unten).
[4]) Vita Hadr. S. 487; oben S. 91 N. 1; 93 N. 4.

die Verhältnisse in Italien genommen hatten, läßt sich kein Grund dazu erkennen: im Gegentheil, Karlmann war voll Unwillen gegen den Papst, der sich Desiderius angeschlossen, und Karl brach mit Desiderius; das scheint gut miteinander zu harmoniren. Dennoch scheint es so, als ob die Entzweiung zwischen Karl und Karlmann, die eben tief in ihren Charakteren begründet gewesen und gleichsam naturgemäß wieder aufgelebt sein muß, gerade jetzt eine sehr bedenkliche Schärfe erreichte.

Einhard erzählt, Einige aus Karlmann's Umgebung hätten darauf hingearbeitet, ihn mit Karl in Krieg zu verwickeln[1]), und man meint wohl, diese Angabe werde bestätigt und erläutert durch jenen Brief des Cathvulf an Karl[2]), worin diesem unter Anderm auch dazu Glück gewünscht wird, daß Gott Karlmann von der Erde genommen und Karl ohne Blutvergießen über das ganze fränkische Reich gesetzt habe. Man meint wohl, der von Karl so tief gekränkte Desiderius habe Karlmann in sein Interesse gezogen und für den Entschluß zu einem gemeinschaftlichen Kriege gegen Karl gewonnen. Einhard scheint ja den Anstoß zum Kriege auf der Seite Karlmann's zu suchen; und Cathvulf's Worte stehen dem wenigstens nicht entgegen. Andrerseits ist eine Verbindung zwischen Desiderius und Karlmann in dieser Zeit keineswegs erwiesen und nach ihrer Stellung zu den römischen Dingen eigentlich ganz unwahrscheinlich, wenn sich auch später Karlmann's Wittwe mit ihren Söhnen zu dem Langobardenkönige flüchtete und bei diesem Schutz und Vertretung ihrer Interessen fand[3]). Auch ist Einhard hier, wo es sich um das Zerwürfniß zwischen den Brüdern handelt, nicht unbefangen; seine und Cathvulf's Angaben lassen auch die Möglichkeit zu, daß nicht Karlmann, sondern Karl den Krieg zu beginnen drohte. Sollten etwa die dunkeln Andeutungen des Briefes eine Hinweisung darauf enthalten, daß Karl den Plan gehabt habe, sich mit Waffengewalt des ganzen Reiches zu bemächtigen, seinen Bruder vom Throne zu stoßen[4])? Auch darüber läßt sich aus den Quellen ein sicherer Aufschluß nicht gewinnen, aber die allgemeine Lage nach der Lossagung Karl's von der Verbindung mit den Langobarden läßt auch diese Wendung als möglich erscheinen. Von Desiderius war nicht zu erwarten, daß er die seiner Tochter zugefügte Unbill ruhig hinnehmen werde; in Karlmann durfte eher Desiderius als Karl einen Bundesgenossen zu finden hoffen; die Verbindung mit dem Papst, wenn eine solche in diesem

---

[1]) Vita Kar. c. 3, vgl. oben S. 36 N. 3: . . . adeo ut quidam eos etiam bello committere sint meditati.

[2]) Vgl. oben S. 37 N. 1: — quod Deus transtulit illum de regno (Franco)rum et exaltavit te super omne hoc regnum sine sanguinis effusione . . . mira pietas et magna clementia Dei in illa die, cum exercitu Francorum stultus . . . et sapiens gratia agens, reliqua.

[3]) S. unten S. 104.

[4]) Vgl. auch G. Wolff, Krit. Beitr. S. 73 N. 2, 75.

Augenblick bestand, legte Karl nur die Pflicht auf, auch noch diesen
zu schützen. Aber wie wollte Karl seinen Einfluß in Italien zur
Geltung bringen, wenn er mit Karlmann entzweit war? Das
Reich Karlmann's lag wie ein Wall zwischen Italien und dem
Reiche Karl's; wider den Willen seines Bruders schien es fast unmöglich für ihn, in die Verhältnisse handelnd einzugreifen; will
man nicht glauben, daß er darauf gutwillig verzichtet habe, so muß
er entschlossen gewesen sein, schon um seiner Beziehungen zu Italien
willen es auf einen Krieg mit seinem Bruder ankommen zu lassen,
das Hinderniß aus dem Wege zu räumen, das seinem unmittelbaren Einschreiten in Italien entgegenstand.

Zu solchen und ähnlichen Vermuthungen hat man die ganz
unzulänglichen Andeutungen der Ueberlieferung ausgesponnen.
Dieselben sind jedoch mit größter Vorsicht aufzunehmen. Die betreffende Stelle in dem Briefe Cathvulf's bezieht sich, nach ein-
facher Auslegung, nur auf die Thatsachen, welche durch und nach
dem Tode Karlmann's eintraten, nicht auf die Verwickelungen
und Absichten, die vor demselben bestanden. Wenn Karlmann
starb und hienach Karl auch dessen Reichshälfte ohne Blutvergießen
zufiel, so folgt daraus nicht, daß dieser sich mit der Absicht getragen
habe, die Herrschaft über das ganze Reich bei Lebzeiten des Bruders an sich zu reißen. Eher läßt sich aus den Worten Einhard's
herauslesen[1]), daß zwischen den Brüdern, kurz ehe Karlmann starb,
ein Krieg bevorstand — ein Krieg, wie man wohl angenommen
hat, der für Karl bei der Stärke seiner Gegner und bei der Unzufriedenheit, welche sein Verfahren gegen die langobardische Gemahlin in seinem eigenen Reiche vielfach hervorgerufen hatte, sehr
gefährlich zu werden drohte[2]).

Jedenfalls war es ein sehr kritischer Augenblick, in welchem
Karlmann abberufen wurde. Er starb in der Pfalz zu Samoussy[3])
(Dep. Aisne, Arr. Laon) am 4. Dezember 771[4]). In früher

---

[1]) Daß indessen der ganze Zusammenhang bei ihm gerade hier an bedauerlicher
Unklarheit leidet, ist im VI. Excurs des 2. Bandes auszuführen versucht.

[2]) So die Auffassung von Leibniz I, 29 f., der die gefährliche Lage Karl's
hervorhebt, ähnlich Luden IV, 262 f., welcher irrthümlich auch die Scheidung Sturm's
zu Tassilo hier herbeizieht.

[3]) Annales Laur. mai. SS. I, 148; Ann. Einh. SS. I, 149; Ann.
Laur. min. ed. Waitz S 413; Ann. s. Amandi SS. I, 12 etc.

[4]) Ann. Laur. mai.: prid. Non. Dec.; Ann. Einh.; Ann. s. Amandi;
Ann. Petav. SS. I, 16; Ann. Sangall. Baluzii; Ann. Guelferb., Nazar.,
Alamann., Sangall. mai. SS. I, 40; St. Galler Mitth. z. vaterl. Gesch. XIX,
203. 235. 270; Ann. Weissemburg. SS. I, 111 etc. Abweichend Ann. Flaviniacens. ed. Jaffé (Abhh d. k. sächs. Ges. d. Wiss. VIII) S. 687: 3. feria
3. Non. Decembris (Dinstag 3. Decbr.). Unrichtig Ann. Stabulens. 770,
SS. III, 42: secundo Nonas Octobris (6. Oktober); desgl. Ann. Ausciens.
SS. III, 171 (vgl. Forschungen z. D. Gesch. XXV, 376); Ann. Lausann.
SS. XXIV, 778 und die von Goldmann mitgetheilten Annalen, Neues Archiv XII,
405. Einhard gibt die Dauer der Regierung Karlmann's unrichtig an, V. Karoli 3: post administratum communiter biennio regnum; sie hatte vielmehr
über 3 Jahre (9. Okt. 768 — 4. Dez. 771) gewährt; daher Hincmar. richtig: Post

Jugend, falls wir über die Zeit seiner Geburt glaubwürdig unterrichtet sein sollten[1]), sogar erst zwanzigjährig, erlag er einer Krankheit[2]). Er hatte noch wenige Tage vor seinem Tode dem Kloster
St. Denis die Villen Faberolä (Faverolles) im Gau Mabriacum
(Mabrie) und Noronte im Gau Carnotis (Chartres) geschenkt, wie
er in der Urkunde selber sagt: um sich vorzubereiten, vor den
höchsten Richter zu treten und die Gnade des Höchsten zu erlangen[3]).
Begraben ward er bei Reims in der Kirche des heiligen Remigius[4]), wie er denn die Reimser Kirche während seiner Regierung wiederholt bedachte[5]). Es waren in jener Zeit bei einem
Brande viele Urkunden zu Grunde gegangen, Karlmann bestätigte
in einer neuen Urkunde dem Erzbischof Tilpin alle Besitzungen der
Reimser Kirche und machte dadurch den Verlust wieder gut. Er
bestätigte ihr die Immunität; er verlieh ihr verschiedene neue Privilegien und schenkte ihr und St. Remi, da er dort begraben zu
werden wünschte und um seines Seelenheils willen, zuletzt auch
noch die Villa Noviliacum[6]).

---

tres circiter annos — Anno quarto regni sui (Ad Ludovicum Balbum: De
villa Novilliaco, Opp. ed. Sirmond II, 180. 832). Ohne Angabe von Ort und
Tag erwähnen Karlmann's Tod auch noch viele andere Jahrbücher, wie Ann.
Mosell. SS. XVI, 496; Ann. Luresham. SS. I, 30; Ann. Max. SS. XIII,
21; die meisten Ableitungen der Hersfelder Annalen (Herm. Lorenz, S. 86) u. s. w.;
ferner V. Hludowici c. 1, SS. II, 607: post (obitum paternum) fratrisque
Karlomanni infaustum occubitum.

[1]) Vgl. o. S. 13 N. 7.

[2]) Einh. V. Karoli c. 3: morbo decessit; Hincmar. De villa Novilliaco l. c. S. 832: Anno quarto regni sui infirmatus est Carlomannus infirmitate, qua et mortuus est in Salmontiaco. Andere Nachrichten sind werthlos
und zum Theil fabelhaft, Vetust. Ann. Nordhumbr. SS. XIII, 154: subita
praeventus infirmitate defunctus est; Aventin. Ann. Boior. III, 10 Nachtr.:
profluvio sanguinis e nare (also an einem Blutsturz) periit morte inaudita, vgl.
Riezler, Münchner S.-B. 1881 S. 253. 262, der auch dies auf Crantz zurückführen
möchte; Andr. Bergom. l. c. S. 224, wo er nach dem Fluch der Mutter erblindet
und stirbt (vgl. oben S. 96 N. 3).

[3]) Mühlbacher Nr. 125; Bouquet V, 721: Data in mense Decembri,
anno quarto regni nostri; Ausstellungsort: Salmunciago palatio publico.

[4]) Fragm. Basil. SS. XIII, 27: sepultusque est in basilica sancti
Remigii confessoris iuxta urbem Remorum; Ann. Mett. ibid.; Flodoard.
hist. Rem. eccl. II, 17, SS. XIII, 464: ad basilicam vel monasterium
sancti Remigii, ubi sepulturam quoque habere dinoscitur; Ann. Laur. min.:
sepelitur Remis (hienach Ann. Enh. Fuld.). Hincmar. De villa Novilliaco
S. 832, vgl. unten N. 6.

[5]) Vgl. o. S. 71 N. 4.

[6]) Hincmar. De villa Novilliaco l. c. S. 832: et ante obitum suum
per praeceptum regiae suae auctoritatis, quod habemus, tempore Tilpini
archiepiscopi tradidit villam Novilliacum cum omnibus ad se pertinentibus
pro animae suae remedio et loco sepulturae ad ecclesiam Remensem
sanctae Mariae et basilicam s. Remigii, in qua et sepultus est. Flodoard.
l. c.: villam Noviliacum (Novilliacum v. l.) in pago Urtinse (Urcinse v. l.),
vgl. ebd. S. 465 u. III, 10. 20. 26, S. 484. 513. 544; Bd. II. z. J. 804. Die
Lage des betreffenden Gaues ist ungewiß. Gegen die Vermuthung, daß derselbe nach
der Urta (Ourthe), einem Nebenfluß der Maas, genannt sei, s. Menke, Handatlas,
Vorbem. S. 16 und Mühlbacher Nr. 126. Menke denkt an den pagus Orcinsis
und hält, übereinstimmend mit Lejeune (in dessen Ausgabe des Flodoard I, 323 N. 3),

Durch Karlmann's Tod erhielten die Verhältnisse plötzlich eine andere Gestalt. Eben noch hatte, wie es scheint, der Zwiespalt der Brüder die Gemeinschaft zwischen den beiden Theilen des fränkischen Reiches zu zerreißen gedroht; der Tod Karlmann's beseitigte nicht blos diese Gefahr, sondern hatte die augenblickliche Herstellung der Einheit des Reichs zur Folge. Mit überraschender Schnelligkeit nahm Karl von dem Lande seines Bruders Besitz. Er eilte in dieser Absicht[1]) nach der Villa Corbonacum (Corbeny, unweit Laon; Dep. Aisne, Arr. Laon, Cant. Craonne), wo sich eine Anzahl von Großen seines verstorbenen Bruders, geistlichen und weltlichen, bei ihm einfand[2]). Als die vornehmsten unter ihnen werden Karlmann's Kapellan Fulrad, Abt von St. Denis, sowie der Erzbischof Wilcharius[3]) und von weltlichen Großen die Grafen Warin und

---

Noviliacum oder Nobiliacus für Neuilly=St.=Front am Ourcq (Dep. Aisne, Arr. Château=Thierry).

[1]) Ann. Einh. SS. I, 149: ad capiendum ex integro regnum animum intendens. — Am 3. November 771 (nicht 772) urkundet Karl, wie es scheint, in Longlier, unfern von Corbeny. Er hatte dort mit seinen Bischöfen und Großen zu Gericht gesessen und auf die Klage des Abts Sturm von Fulda gegen Sinleus (oder Dagaleich) gewisse Güter in dem von Pippin dem Kloster Fulda geschenkten Umstadt im Maingau (Großh. Hessen, Prov. Starkenburg) dem Abt wiederholt zugesprochen, Mühlbacher Nr. 139; Dronke, Cod. dipl. Fuld. S. 26 Nr. 41; vgl. (über die betreffende Schenkung Pippin's an Sturm vom Juli 766) Mühlbacher Nr. 100; Dronke S. 18 Nr. 28; Eigil. V. Sturmi c. 22, SS. II, 375; Catal. abb. Fuld. SS. XIII, 272; Oelsner S. 392. 402 N. 2. 516.

[2]) Ann. Laur. mai.; Ann. Einh.; Fragm. Basil.; Hincmar. Opp. II, 180.

[3]) Die Annales Laur. mai. nennen ihn blos Wilcharius archiepiscopus; ebenso Fragm. Basil.; dagegen die Ann. Einh.: Wilcharium episcopum Sedunensem, also Bischof von Sitten; während Regino SS. I, 557 falsch oder wenigstens ungenau hat: Folcarius et Folradus capellani (hiernach auch Ann. Mett. SS. XIII, 27). Man ist vielfach geneigt, die Angabe der Ann. Einh. zu verwerfen und an den Erzbischof Wilcharius von Sens zu denken, aber es muß immerhin fraglich bleiben, ob mit Recht. Beglaubigt scheint jener Bischof Wilcharius von Sitten auch durch die Erzählung des Chronicon Laureshamense von der Translation der hh. Gorgonius, Nabor und Nazarius, SS. XXI, 343, obschon Oelsner S. 394 N. 4 hier statt Sedunensem (die Hdschr. hat Sedunsem) Senonensem episcopum setzen will. Ferner ist urkundlich bezeugt ein Abt dieses Namens von St. Maurice in Wallis, welcher den Bischofstitel führt; er unterschreibt die Beschlüsse von Attigny, 760—762, Capp. I, 221 (Willicharius episcopus de monasterio sancti Mauricii; vgl. Oelsner S. 9. 106. 125. 367), und erhält für sein Kloster eine Schenkung, 766 (Monumenta historiae patriae, Chartarum tom. II, 4 Nr. 1). Von diesem Abte weiß man, daß er früher Erzbischof von Vienne gewesen, dann Abt in St. Maurice geworden war, Ado, Chronicon, SS. II, 319: Wilicarius, relicta Viennensi sede, Romam primum abiit, ibique papae Stephano notus efficitur; interiecto non multo tempore, Agauni monasterium martyrum in curam suscepit; Fragm. chron. Vienn.; Series epp. Vienn. SS. XXIV, 814. 818. Als Erzbischof von Vienne soll er vom Papst Gregor III. (731—741) das Pallium erhalten haben (V. Gregorii III. Zusatz. Duchesne, Lib. pont. I, 421, dessen betreffende Vermuthung S. 425 wohl nicht nothwendig ist). Daß dieser Abt von St. Maurice ferner identisch sei mit dem gleichzeitigen und gleichnamigen Bischofe von Sitten, ist eine Vermuthung, welche Mabillon, Annales II, 208 bestreitet, die man aber ohne Frage gelten lassen muß, vgl. auch Mühlbacher S. 59. Dagegen beruht die Angabe, er sei 764 Bischof von Sitten geworden, Furrer, Geschichte, Statistik und Urkundensammlung über Wallis I, 32; Gelpke II, 90, nur auf der Thatsache, daß Wilcharius von Sitten bei der — übrigens nicht 764, sondern 765 — stattgehabten Translation jener drei Heiligen zum ersten Male be=

gegnet. Auch verträgt ſie ſich nicht mit der Erzählung Ado's, da der Pontifikat des dort gemeinten Papſtes Stephan II. in die Jahre 752—757 fällt (vgl. Roth, Geſch. des Beneficialweſens S. 339; Oelsner S. 106; wohl nicht zutreffend Hahn, Jahrbücher 741—752, S. 188); hienach übernahm Wilcharius alſo die Abtei St. Maurice ſchon in einem früheren Zeitpunkt. Da in dem Verzeichniſſe der Biſchöfe von Sitten und der Aebte von St. Maurice die größte Verwirrung herrſcht, die nicht vollſtändig zu entwirren iſt, ſo läßt ſich auch das Todesjahr des Wilcharius nicht feſtſtellen. Nach den Angaben der älteren Gallia christiana III, 1004, folgt auf Wilcharius als Biſchof von Sitten Aloborgus, der 768 und 774 in Urkunden begegnen ſoll, dann Altheus, etwa ſeit 788, Le Cointe VI, 371; als Abt von St. Maurice dagegen folgt auf Wilcharius Benedict, dann Adalongus, dann Altheus, ältere Gallia christiana IV, 14. Hingegen gibt die neue Gallia christiana XII, 737, den Aloborgus nicht als Nachfolger, ſondern als Vorgänger des Wilcharius, als Nachfolger deſſelben in Sitten und St. Maurice gleich den Altheus, und ihr folgen Gelpke II, 89 ff. 129 ff. und v. Mülinen, Helvetia sacra I, 25. 156. Le Cointe V, 780 ſetzt in Uebereinſtimmung mit den Angaben der älteren Gallia christiana den Tod des Wilcharius von Sitten und St. Maurice 768 an (auch v. Mülinen I, 25 ſetzt ihn ſchon 769) — doch verdienen die Angaben der jüngeren Gallia christiana, wenn auch manches dunkel bleibt, den Vorzug. Denn der älteſte Abtskatalog von St. Maurice, etwa vom Jahr 830, in den Origines et documents de l'abbaye de St. Maurice d'Agaune, par l'abbé I. Grémaud, S. 27 nennt als Nachfolger des Vuilicharius abbas gleich den domnus Abteus (Alteus) episcopus et abbas, dann Adalongus episcopus et abbas; von Aloborgus weiß er garnichts; iſt dieſer am Ende nur hereingekommen durch falſches Leſen des Namens Adalongus? Auch in Sitten iſt ſonſt ein Biſchof Aloborgus unbekannt, und der Angabe der älteren Gallia christiana, daß einer 768 und 774 in Urkunden begegne, ſteht gegenüber die Ausſage von Grémaud, Catalogue des évêques de Sion, in den Mémoires et documents publiés par la société d'histoire de la Suisse romande, t. XVIII, S. 489, wonach Wilcharius in den Urkunden bis 780 als Abt begegnen ſoll. Gewicht hat aber weder dieſe Angabe von Grémaud noch jene der älteren Gallia christiana: die Urkunden, auf die ſie ſich berufen, ſind garnicht vorhanden und wohl auch nicht vorhanden geweſen, müſſen jedenfalls hier als unbekannt ganz aus dem Spiele gelaſſen werden. Mit Recht ſtreicht Grémaud S. 496 den Aloborgus aus der Biſchofsreihe von Sitten, beſtimmt ſie analog der Abtsreihe von St. Maurice nach dem Abtskatalog von c. 830, wobei es freilich auffällt, daß Wilcharius darin blos als Abt aufgeführt iſt, ſeine Nachfolger ausdrücklich als Biſchöfe und Aebte. Doch hindert das nicht, die Angaben des Abtskatalogs als die einzigen halbwegs zuverläſſigen, aber außerdem Wilcharius auch als Biſchof von Sitten gelten zu laſſen, der um 780 geſtorben ſein mag.

Wie man ſieht, liegt kein zwingender Grund vor, die poſitive Angabe der Ann. Einh. zu verwerfen. Als früherem Erzbiſchof von Vienne konnte dem Biſchof von Sitten wohl auch allenfalls noch der erzbiſchöfliche Titel beigelegt werden (vgl. Mühlbacher a. a. O.), ſo daß dann dieſe Angabe mit der Ann. Laur. mai. (und des Fragm. Basil.) auch nicht in Widerſpruch ſtehen würde. Ferner hatte Burgund ja zum Reichsantheil Karlmann's gehört. Dagegen bleibt zweifelhaft, ob der Biſchof von Sitten eine ſo hervorragende Stellung einnahm, als es bei den hier genannten Prälaten der Fall geweſen zu ſein ſcheint, während der Erzbiſchof Wilcharius von Sens in Rom ſogar als archiepiscopus provinciae Galliarum bezeichnet zu werden pflegt (Jaffé IV, 235. 293), auch auf dem Lateranconcil im J. 769, oben S. 64, eine dem entſprechende Stellung vor den übrigen fränkiſchen Biſchöfen aus beiden Reichshälften einnahm; vgl. Duchesne l. c. S. 461. 473. 482.

Gallia christ. XII, 13 und Leibniz, Annales I, 30 nehmen an, daß der Erzbiſchof von Sens gemeint ſei. Umgekehrt hält Boccard, Histoire du Vallais, S. 30, den in Corbonacum erſcheinenden Wilcharius für den Biſchof von Sitten; ebenſo Duchesne l. c. S. 425, und auch Mühlbacher S. 59 iſt mehr geneigt an der Angabe der Ann. Einh. feſtzuhalten. Entſchieden unrichtig iſt es aber, wenn Boccard zugleich behauptet, eben bei dieſer Gelegenheit, um ihn für die Schnelligkeit zu belohnen, womit er nach Karlmann's Tode ſich für Karl erklärt, habe letzterer dem Biſchof das Kloſter St. Maurice geſchenkt, deſſen Abt um dieſe Zeit zugleich Biſchof von Sitten iſt.

Adalhard[1] genannt. Es scheint eine förmliche Reichsversammlung gewesen zu sein, auf welcher über die Thronfolge entschieden wurde. Karlmann hatte zwei Söhne hinterlassen[2], die aber wegen ihres kindlichen Alters zur Thronfolge nicht geeignet waren, denen überdies ein bestimmter Anspruch auf dieselbe keineswegs zustand. Eine feste Ordnung in Betreff der Erbfolge bestand überhaupt, so weit man sieht, nicht; regelmäßig scheint nur der Grundsatz gegolten zu haben, daß die verschiedenen Mitglieder der königlichen Familie in ihren Erbansprüchen sich gleich standen[3]; dann hatte Karl auf die Krone Karlmann's dasselbe Recht wie dessen Söhne, ja sein kräftiges Alter verschaffte ihm neben den unmündigen Kindern noch ein besseres Recht. Dazu kam die Rücksicht auf die Wohlfahrt des Reiches, für die eine Wiedervereinigung der getrennten Theile von höchstem Werthe war. Unter solchen Umständen konnte es Karl nicht schwer werden, von der Versammlung der Großen in Corbonacum die Bestätigung als Nachfolger in der Herrschaft seines Bruders zu erhalten[4]; die Gefahr eines Bruchs

---

[1] Ueber die beiden Grafen ist Streit. Pagi a. 771 Nr. 5, Leibniz I, 30. 41 u. a. halten Adalhard für jenen Vetter Karl's, der wegen der Verstoßung seiner langobardischen Gemahlin sich mit ihm entzweite, und Luden IV, 514 N. 41, der ihre Ansicht theilt, kann diese Entzweiung mit dem Auftreten Adalhard's in Corbonacum nicht recht zusammenreimen. Es ist aber hier ein anderer Adalhard gemeint, über den sich freilich genaueres nicht ermitteln läßt, vgl. Mabillon, Annales II, 221; Eckhart I, 615; Enck, De s. Adalhardo (Diss. Münster 1873) S. 8 N. 11; vielleicht der Graf von Chalon-sur-Saone, der 764 gegen den Grafen Chilping von der Auvergne kämpfte, Fredegar. chronic. contin. IV, c. 128, bei Bouquet V, 6, Oelsner S. 384, vgl. Phillips, Deutsche Geschichte II, 38 N. 14, oder der Graf in der Berchtoltsbaar, Urk. bei Wartmann Nr. 39. 63; vgl. Stälin, Wirtembergische Geschichte I, 284 ff.; 329 N. 7. Bei Warin kann gedacht werden an den Grafen im Linzgau und Thurgau, der dem Abte Otmar von St. Gallen so hart zusetzte, Vita s. Otmari c. 4, SS. II, 43; Mitth. des hist. Vereins von St. Gallen zur vaterländ. Gesch. XII, 99, aber auch noch 774 begegnet, Wartmann, Urkundenbuch der Abtei St. Gallen I, 60 Nr. 60; Ann. Guelferb. 774, SS. I, 40, oder an den Grafen im Lobbengau, vgl. Oelsner S. 357 N. 3. 395, Mühlbacher Nr. 752, wie Stälin, Wirtembergische Geschichte I, 241 N. 5 will. Der erstere Warin war Alamanne, vielleicht Welfe (vgl. Meyer v. Knonau, Forsch. z. D. Gesch. XIII, 72—76). Zwei Grafen des Namens Warin unterzeichnen die Schenkung Pippin's an Prüm vom 13. August 762, Mühlbacher Nr. 93; Beyer, Mittelrhein. Urkb. I, 22 Nr. 16. Vielleicht ist auch an jenen Grafen Garin (oder Warin) zu denken, an welchen ein urkundlicher Erlaß Karlmann's vom 22. März 769 in Angelegenheiten des elsässischen Klosters Münster im Gregorienthal gerichtet ist, Mühlbacher Nr. 115; Schöpflin, Als. dipl. I, 42 (Bouquet V, 715), oben S. 41. Im 9. Jahrhundert tritt ein Graf Warin von Mâcon hervor, vgl. Jahrbb. Ludwig's d. Fr. I, 141 N. 3 nebst den daselbst citirten Stellen u. s. w.

[2] Vgl. o. S. 87 N. 4 und unten S. 104 N. 4.

[3] Waitz III, 2. Aufl. S. 100. 275 f. (Vgl. auch G. Wolff, Krit. Beitr. S. 75 N. 5.)

[4] Einh. V. Karoli c. 3: Karolus autem, fratre defuncto, consensu omnium Francorum rex constituitur (ähnlich vorher: Franci ... ambos sibi reges constituunt), was allerdings mit Einschränkung zu verstehen ist, vgl. G. Wolff a. a. O. S. 75 N. 1 und unten S. 103 f.; hienach Chron. Moiss. cod. Anian. SS. I, 294; vgl. ferner Astronom. V. Hlud. 1, SS. II, 607: — populi regnique Francorum suscepisset unicum gubernaculum. Eine Nachricht sagt, daß Karl als nunmehriger König auch im Reiche Karlmann's gesalbt worden sei, Fragm.

unter den Brüdern, die vorher gedroht, konnte sie dazu nur noch
geneigter machen; der Wiederkehr solcher Gefahren vorzubeugen
gab es nur ein en sicheren Weg, die Vereinigung des ganzen
fränkischen Reichs unter einer einzigen Herrschaft. Trotzdem setzt
die Schnelligkeit, mit welcher die Angelegenheit erledigt wurde, in
Erstaunen. Enthalten auch die Quellen keine Andeutung darüber,
so kann man doch den Eindruck erhalten, als müßten die Vorbereitungen zu einem solchen Schritt schon früher, noch bei Lebzeiten Karlmann's, getroffen sein[1]); und, wenn auch dieses nicht,
so hat Karl wenigstens vielleicht mit einzelnen Großen in Karlmann's Reich schon früher in Verbindung gestanden, welche es ihm
möglich machte, nach des Bruders Tod rasch den günstigen Augenblick zu benutzen. Die Versammlung in Corbonacum fand fast
unmittelbar nachher statt[2]). Weihnachten konnte Karl bereits in
Attigny als anerkannter Herrscher des ganzen Frankenreiches
feiern[3]). Auffallend ist, wie Karl auch später noch die kurze Regierung seines Bruders ignorirte[4]).

Von Widerstand, auf welchen Karl im Gebiete Karlmann's
gestoßen, ist nirgends die Rede[5]). Die Söhne des verstorbenen
Königs hatten wohl einige Anhänger, aber diese fühlten sich zu
schwach, um Karl mit Gewalt entgegen zu treten. Es waren einige
seiner vornehmsten Großen, ohne Zweifel eben jene, welche früher
zwischen den Königen Zwietracht gesäet[6]) und von Karl nichts

---

Basil. SS. XIII, 28, wo es von den in Corbeny erschienenen Großen Karlmann's
heißt: et unxerunt super se Karolum gloriosissimum regem (Ann. Mett.
ibid.; vgl. Poeta Saxo l. I, v. 5—6; V, v. 182, Jaffé IV, 544. 611; unten
Bd. II, Excurs III); nicht ganz richtig hierüber Waitz III, 2. Aufl. S. 100 N. 2.
lingenau drücken sich die Hersfelder Jahrbücher dahin aus, daß Karlmann dem Bruder
das Reich hinterlassen habe (fratri Karolo regnum relinquens, vgl. a. 768, Lorenz
S. 85. 86; Mühlbacher S. 59).

[1]) Vgl. auch G. Wolff, Krit. Beitr. S. 75.
[2]) Verkehrt ist es, wenn in den Annales Enhardi Fuld. SS. I, 348 die
Reichsversammlung in Valenciennes erst nach Karlmann's Tod erwähnt wird und
dann nach ihr die Versammlung in Corbonacum. Die Versammlung zu Valenciennes hat auf keinen Fall so spät stattgefunden, sondern die gedachten Jahrbücher
verwirren hier nur die Anordnung der Ereignisse. Falls die Ann. Enh. Fuld. die
Ann. Sithienses benutzt haben (vgl. über diese controverse Frage Wattenbach DGQ.
I, 5. Aufl. S. 212—213 u. unten Excurs IV), so ist diese ungehörige Reihenfolge
dadurch entstanden, daß die Fuld. hier zunächst den Inhalt der Sith. herübernahmen
(vgl. Simson, Jahrbb. Ludw. d. Fr. I, 400 N. 8).
[3]) Ann. Laur. mai.; Ann. Einh.; Fragm. Basil. etc
[4]) Sickel, Beiträge z. Diplomatik III. 20 (Wien. S.-B. phil.-hist. Cl. XLVII,
194); Act. Karolin. I, 128; II, 240 (Anm. zu K. 33), macht darauf aufmerksam,
daß Karl, so oft er in der Lage ist von Karlmann erlassene Urkunden zu bestätigen,
mit einer einzigen Ausnahme, oben S. 28 N. 1, es durchgehends vermeidet Karlmann zu nennen, während er bei der Bestätigung von Verleihungen seines Vaters
diesen in der Regel erwähnt. Aeußere Gründe kann das, wie auch Sickel bemerkt,
nicht gehabt haben, es wird eben nur aus Karl's Absicht seines Bruders Regierung
ganz der Vergessenheit anheimfallen zu lassen erklärlich. Eine Erwähnung der
Theilung des Reichs zwischen ihm und seinem Bruder findet sich allerdings Div.
regnor. 806. c. 4, Capp. I, 128 (vgl. o. S. 25 N. 3).
[5]) Vgl. die S. 97 N. 2 angeführte Stelle aus dem Briefe Cathvulf's an Karl.
[6]) Vgl. o. S. 36 N. 3.

Gutes zu erwarten hatten, und welche jetzt bei Desiderius, seit der Verstoßung seiner Tochter Karl's erbittertem Gegner, ihre Zuflucht suchten. Aber es waren ihrer nur wenige[1]). Genannt ist aus ihrer Zahl Autcharius, der später als treuer Begleiter der jungen Königssöhne begegnet[2]). Von diesen Großen, wie es scheint, überredet, wagte Gerberga nicht, sich und ihre Söhne dem Schutze Karl's anzuvertrauen; sie hätte in diesem Falle die Ansprüche ihrer Kinder auf die Thronfolge aufgeben müssen[3]), und dazu mochte sie sich nicht entschließen. Sie begab sich vielmehr mit ihren Söhnen und jenen wenigen vornehmen Großen ihres verstorbenen Gemahls an den Hof des Desiderius, der ihre Ansprüche unterstützte, dadurch aber nur sein eigenes Schicksal beschleunigte[4]).

Kaum war die Verstoßung seiner langobardischen Gemahlin erfolgt, so schritt Karl zu einer neuen Ehe. Vielleicht noch in diesem, spätestens zu Anfang des nächsten Jahres[5]) vermählte

---

[1]) Die Ann. Laur. mai. l. c. sagen ausdrücklich, cum aliquibus paucis Francis sei Gerberga nach Italien geflohen; Regino SS. I, 557 macht daraus: cum perpaucis Francis; Fragm. Basil.: cum . . . paucis principibus de parte coniugis sui Carolomanni; Einh. V. Kar. c. 3: cum quibusdam, qui ex optimatum eius numero primores erant; Annales Einhardi: cum parte optimatum.

[2]) V. Hadriani bei Duchesne I, 488. 493. 495. 496; vgl. unten zu den Jahren 773 und 774. Die Quellen der fränkischen Geschichte, insoweit sie ihn erwähnen, nennen ihn Oggerius, Otkerus, Otgarius (Chron. Moiss. SS. XIII. 29; Monach. Sangall. II, 17, Jaffé IV, 691—693; Ann. Lobiens. SS. XIII. 228). Die Ann. Lobienses bezeichnen ihn wohl ungenau als marchio; beim Monachus Sangallensis flüchtet O., früher einer der ersten und vertrautesten Großen Karl's, zu Desiderius, weil er sich Karl's Zorn zugezogen hat. Ein Vassall Karlmann's Audegarius, welcher aber damals vielleicht schon todt war, erscheint in einer Urkunde des ersteren für St. Denis vom Dezember 771, Mühlbacher Nr. 125 (vgl. Nr. 171), Bouquet V, 721; ein Herzog Autcharius unter Pippin, Oelsner S. 124. 344. An den letzteren möchte man am ehesten denken. Vgl. hiezu Wattenbach DGQ. I, 5. Aufl. S. 164 N. 2 u. unten S. 152 f.

- [3]) Die Darstellung Einhard's in der Vita Karoli c. 3: nullis existentibus causis spreto mariti fratre, sub Desiderii regis Langobardorum patrocinium se cum liberis suis contulit setzt die Anerkennung Karl's durch Gerberga voraus und kann nur sagen wollen, die persönliche Sicherheit Gerberga's und ihrer Kinder sei nicht gefährdet gewesen. Daß sie in dieser Hinsicht nichts zu fürchten hatten, sagen auch die Annales Einh. l. c.: Rex autem profectionem eorum quasi supervacuam patienter tulit. Impatienter, worauf Le Cointe V, 785 u. a. Gewicht legen, ist nur eine falsche Lesart in der Ausgabe Freher's. Vgl. indessen über den unklaren Zusammenhang der betreffenden Stelle in Einh. V. Kar. (Sed in hoc plus suspecti quam periculi fuisse, ipse rerum exitus adprobavit) Bd. II. Excurs VI.

[4]) Annales Laur. mai.; Ann. Einh.; Fragm. Basil.; Ann. Mett.; Ann. Lobiens.; Ann. Sith.; Ann. Enhard. Fuld.; Einh. V. Karoli c. 3 etc.; Vita Hadr. l. c. S. 488. 493 (arg entstellt in Pauli cont. tertia c. 48, SS. rer. Langob. S. 212), vgl. unten. — Daß Gerberga sich zu Desiderius flüchtete, sagt ausdrücklich das Papstbuch und die V. Kar. (Poeta Saxo l. I. v. 16—17, Jaffé IV, 544); die übrigen Quellen sprechen nur von einer Reise nach Italien. Daß auch die Söhne Karlmann's von der Mutter dahin mitgenommen wurden, erwähnen nur die V. Hadr. und die gedachten fränkischen Quellen mit Ausnahme der Ann. Laur. mai. (auch Regino sagt es nicht). Am genauesten ist in Fragm. Basil. (Ann. Mett.; Lobiens.) von zwei Söhnen die Rede: cum duobus parvulis.

[5]) Hildegard starb am 30. April 783, im 13. oder 12. Jahr ihrer Ehe nach ihrer von Paulus Diaconus verfaßten Grabschrift, Poet. Lat. aev. Carolin. I, 59,

er sich mit Hildegard, einer vornehmen Schwäbin[1]). Den Namen ihres Vaters erfahren wir nicht; ihre Mutter war Imma aus dem Geschlechte des Alamannenherzogs Gottfrid[2]). Als ihre Brüder begegnen uns der Graf Udalrich, der um seiner Schwester willen von Karl mit ausnahmsweise reichen Besitzungen bedacht sein soll; und der Graf Gerold, welchen der König später an die Spitze von Baiern stellte[3]).

Schon zu Anfang des Jahres, am 19. Januar[4]), war Karl's Oheim, der Halbbruder seines Vaters[5]), Erzbischof Remedius[6])

vgl. Mühlbacher Nr. 253 und unten z. J. 783 sowie Excurs VI; sie muß sich also spätestens vor dem 30. April 772 vermählt haben, vgl. Leibniz, Annales I, 30 gegen Pagi a. 771 Nr. 2 und Le Cointe V, 786 f. Letzterer behauptet mit Unrecht — aber wohl durch Paulus Diaconus, Gest. epp. Mett. SS. II, 265 verleitet —, Karl habe nach der Verstoßung der langobardischen Prinzessin die Himiltrud, die er als rechtmäßige Gattin ansieht, wieder zu sich genommen, erst nach deren Tode, 773 (? das Todesjahr der Himiltrud wird nirgends angegeben), Hildegard geheiratet. Freilich scheint Paulus Diaconus, im Widerspruch mit seiner eigenen Zeitangabe, von der irrigen Ansicht auszugehen, daß Karl die Hildegard erst nach der Eroberung des Langobardenreichs (774) geheiratet habe, Poet. Lat. I, 58, v. 17—20:
Cumque vir armipotens sceptris iunxisset avitis
Cigniferumque Padum Romuleumque Tybrim,
Tu sola inventa es, fueris quae digna tenere
Multiplicis regni aurea sceptra manu.
Dümmler, Poet. Lat. l. c. N. 7, berechnet 770 als das Jahr der Vermählung Karl's mit Hildegard; Allg. Deutsch. Biogr. XV, 460 stellt er sie in den Anfang des Jahres 771; Havet, Bibl. de l'École des Chartes XLVIII (1887), S. 50 bis 51, in den Herbst 770.
[1]) Einhard. Vita Kar. c. 18: Hildigardem, de gente Suaborum praecipuae nobilitatis feminam, in matrimonium accepit.
[2]) Thegani Vita Hludowici c. 2, SS. II, 590; vgl. auch Wartmann, Urkdb. der Abtei St. Gallen I, 102; Stälin, Wirtembergische Gesch. I, 245 N. 2.
[3]) Monachus Sangall. I, 13, Jaffé IV, 542; über Gerold die Casus s. Galli, SS. II, 64; St. Galler Mitth. z. vaterl. Gesch. XIII, 14; Walahfrid. Visio Wettini v. 813—814, Poet. Lat. aev. Carolin. II, 329; unten zum Jahr 781 und 799 (Bd. II).
[4]) V. Remigii, Martène, Thesaur. anecd. III, 1670 (auch Kollarii Analecta monumentorum omnis aevi Vindobonensium I, 942): 14. Cal. Febr. 771; dagegen Necrologium Novaliciense, SS. VII, 130: 6. Kal. Febr. (27. Januar), vgl. Hahn, Jahrbücher des fränkischen Reichs 741—752 S. 9. Die Vita Remigii ist eine äußerst dürftige, blos für erbauliche Zwecke bestimmte Schrift, vor 1090 verfaßt, da sie die in diesem Jahr erfolgte Rückübertragung der Reliquien des Heiligen von Soissons nach Rouen nicht mehr kennt, Pagi a. 771 Nr. 7; Roth, Gesch. des Beneficialwesens S. 340 setzt sie ins 10. Jahrhundert. — In der Ann. Mosellan. 787 (788), SS. XVI, 497 scheint der Tod des Remedius allerdings, aber doch wohl unrichtig erst viel später angesetzt zu werden: In ipso anno Remigius et Bernehardus defuncti sunt, vgl. ebb. N. 53, aber auch Enck, De s. Adalhardo S. 4 N. 1. — Sagenhafte Nachricht, der zufolge dieser Erzbischof erst 802 gestorben wäre, in Chron. Roberti de Monte, SS. VI, 477; Ann. Gemmeticens. SS. XXVI, 493.
[5]) Vgl. Adrevald. Mirac. s. Ben. c. 16, SS. XV, 1, 485; Genealogia comitum Flandriae (aus der Mitte des 10. Jahrh.), SS. IX, 302; Chron. Roberti de Monte l. c.: frater uterinus P. regis; Acta archiepp. Rothomagens., Mabillon, Vet. Analect. nov. ed. S. 223, wo er als Sohn Karl Martell's und Bruder Karlmann's und Pippin's bezeichnet wird; Hahn S. 8 N. 4; Oelsner S. 425 N. 4.
[6]) Remedius vocatus episcopus civitas Rodoma unterschreibt er den Todtenbund von Attigny (760—762), Capp. I, 221; ebenso nennen diesen Erzbischof die Ann. Petav. SS. I, 11; vgl. auch Jaffé IV, 87. 139; Hahn S. 8 N. 8.

von Rouen gestorben. In seiner Jugend hatte ihm Pippin viele Güter in Burgund, darunter auch solche des Bisthums Langres überlassen, jedoch soll Remedius dieselben willkürlich unter seine Leute verzettelt und sogar das Kloster Bèze einer verheiratheten Frau, welche ihm sträflichen Umgang gestattete, gegeben haben[1]). Seit 755 hatte er die Kirche von Rouen geleitet[2]), scheint aber in den allgemeinen Reichsangelegenheiten keine große Rolle gespielt zu haben[3]). Er ward in Rouen in der Kirche der h. Maria bei-gesetzt, jedoch im Jahre 841 nebst vielen anderen Heiligen in die neue Klosterkirche von St. Medard bei Soissons übertragen[4]). Erst mehrere Jahrhunderte später, 1090, wurden seine Gebeine wieder zurück nach Rouen übertragen[5]).

Nachdem zu Ende des Jahres 771 das Reich Karlmann's mit dem Karl's vereinigt war, fehlte zur vollständigen Herstellung der Reichseinheit blos noch e i n e s, die Beendigung der Sonderstellung Baierns. Doch ließ Karl, von dessen Verständigung mit Tassilo wir gehört haben[6]), jene vorderhand noch fortdauern. So gefähr-lich die Vereinigung des ganzen Reiches unter der Herrschaft Karl's für Tassilo's Selbständigkeit war, so wenig ihm seine nahen Fa-milienbeziehungen zu Desiderius nach dem Umschlage in Karl's Politik diesem gegenüber zu Statten gekommen sein können, so ist doch keine Spur davon vorhanden, daß Karl in den nächsten Jahren seine unabhängige Stellung irgendwie antastete. Und ge-rade während der beiden letzten Jahre bis zu Karlmann's Tode hatte er sie wohl ganz ungestört befestigen können, da zuerst der künstlich geschaffene vorübergehende Friedenszustand zwischen dem langobardischen und fränkischen Reich, dann wohl auch der von Neuem klaffende Zwiespalt zwischen Karl und Karlmann jede Gefahr einer Anfechtung von dieser Seite für ihn entfernte. Er kämpfte unterdessen im Osten gegen die Karantanen, die sich 769 der Abhängigkeit von ihm entzogen hatten[7]), und im Innern fuhr

---

Remigius wird er erst später genannt, vgl. aber auch schon Gest. abb. Fontanell. c. 12. 15, SS. II, 286. 291 (ed. Löwenfeld S. 36. 45); Nithard. III, 2; Adrevald. l. c.; Geneal. com. Flandr. l. c.; Chron. Besuense, d'Achéry, Spicil. I, 503; Sigebert. chron. 751, SS. VI, 332; Chron. Roberti de Monte l. c.; Act. archiepp. Rothomag. l. c.

[1]) Chron. Besuense l. c.; Roth, Gesch. des Beneficialwesens S. 339—340; Hahn S. 8; Oelsner S. 8.

[2]) Annales Petav. l. c.; Gest. abb. Fontanell. ll. cc.; Chron. Roberti de Monte l. c.; Ann. Rotomagens. (754), Uticens., Gemmeticens. SS. XXVI, 490; Hahn S. 8; Oelsner S. 360. In den Act. archiepp. Rothomag. l. c. wird seine Amtsführung sehr gelobt.

[3]) Außer auf der oben S. 105 N. 6 erwähnten Versammlung in Attigny be-gegnet er uns als Gesandter Pippin's bei Desiderius und dem Papste, Jaffé IV, 87; später liest man von seinen Bemühungen, den römischen Kirchengesang in Rouen ein-zuführen, Jaffé IV, 139 f.; Sigebert. chron. 751, SS. VI, 332; Hahn S. 8—9; Oelsner S. 344. 346.

[4]) Nithardi Historiar. l. III. c. 2, SS. II, 663.

[5]) Acta SS. Boll. 19. Januar. II, 236; Pagi l. c.

[6]) Vgl. o. S. 66 N. 3 die Stelle aus der Vita Sturmi, nach welcher Sturm Freundschaft zwischen beiden per plures annos stiftete.

[7]) Vgl. oben S. 58 und unten z. J. 772.

er fort eine umfassende gesetzgeberische Thätigkeit zu entfalten, bei welcher jede Mitwirkung des fränkischen Königs ausgeschlossen blieb.

Der Versammlung von Dingolfing folgte im Jahre 771 eine Synode in Neuching. Ihre Beschlüsse gehören zu den sogenannten Gesetzen Tassilo's, können aber nicht auf derselben Versammlung wie die Dingolfinger Satzungen und der Todtenbund bairischer Bischöfe und Aebte gefaßt sein[1]). Sie sind in einer eigenen Aufschrift bezeichnet als die „Verordnungen, welche die heilige Synode an dem Orte Niuchinga unter Mitwirkung des Herrn Fürsten Tassilo erlassen hat"[2]), haben also mit jenen anderen Gesetzen, die sich ausdrücklich für die Beschlüsse einer Versammlung in Diugolfing ausgeben, nichts gemein. Aber wie bei dieser ist es auch bei der Neuchinger Synode schwer, ihre Zeit mit Bestimmtheit anzugeben. Spätere bairische Geschichtschreiber haben aus einer älteren Quelle die Nachricht, im 27. Regierungsjahre Tassilo's, am 14. Oktober sei eine Synode gehalten worden, deren Beschlüsse aus 18 Capiteln bestanden, an einem Orte, dessen verstümmelter Name Niunh . . . in Niunhing ergänzt wird[3]). Die große Aehnlichkeit des Namens, noch mehr die Zahl der 18 Capitel, welche genau die Zahl der Neuchinger Satzungen ist, beweist, daß diese Nachricht auf die Synode von Neuching sich bezieht, die also am 14. Oktober 774 stattgefunden haben müßte[4]). Allein dem steht ein anderes, weit glaubwürdigeres Zeugniß entgegen. In den sogen. „Gesetzen Tassilo's" geht den 18 Beschlüssen von Neuching unmittelbar voran ein Aktenstück, in dessen Eingang es heißt, die folgenden Beschlüsse seien gefaßt worden auf einer Versammlung, die Tassilo auf den 14. Oktober im 24. Jahre seiner Regierung berufen habe[5]).

---

[1]) Vgl. oben S. 52 f.; 53 N. 2.

[2]) Legg. III, 464: Haec sunt decreta, quae constituit sancta synodus in loco qui dicitur Niuhinga sub principe domino Thessilone mediante.

[3]) Der erste ist der sog. Bernardus Noricus aus dem Anfang des 14. Jahrhunderts, der nach seiner Aussage in seiner Chronik von Kremsmünster in dem liber synodalium statutorum (von Passau, wie Veit Arnpeck hinzusetzt) die Notiz fand: Anno 27. regni gloriosissimi ducis Wawarie Tassilonis, pridie Ydus Oct. habitum concilium in Niunh . . . (l. Niunhing) 18 scilicet capitulorum; Bernardi, ut videtur de origine et ruina monasterii Cremifanensis, Marginalnote zu I, 5, SS. XXV, 641. Aehnlich zu Ende des 15. Jahrhunderts Vitus Arnpeck in seinem Chronicon Baioariorum II, 35, bei Pez, Thesaurus anecdotorum novissimus III, 3, S. 99, welcher das Jahr 774 ausdrücklich hinzufügt, dafür den Ort wegläßt. Was der Anonymus von Weltenburg hat, Monumenta Boica XIII, 506, ist lediglich dem Bernardus Noricus nachgeschrieben, vgl. Westenrieder, Beiträge zur vaterländischen Historie I, 3 ff.; Merkel in den Legg. III, 244. (Lorenz, Deutschlands Geschichtsquellen im MA. seit der Mitte des 13. Jahrh. I, 3. Aufl. S. 218 ff.)

[4]) Hieher gehört auch die Erzählung von Aventin in seiner bayer. Chronik ed. Lexer, Werke V, S. 108, von einer Versammlung in Noiching, welche mit der Neuchinger Versammlung gleichbedeutend sein muß.

[5]) Vgl. die Stelle o. S. 53 N. 1. Die Lesart der Handschrift von Tegernsee lautet, Legg. III, 462 f.: Regnante in perpetuum domino nostro Jesu Christo, in anno 24. regni gloriosissimi ducis Tassilonis gentis Baiuvariorum sub die consule quod erat 2. Idus Octob. indictione 14. divino perflatus inspiramine, ut omne regni sui praenotatus princeps collegium procerum coad-

Als Ort ist die Villa Niuihhinga (Neuching) angegeben, in mehreren Handschriften hingegen die Villa Dingolfing und als Zeit das Jahr nach Christus 772. Die Verlegung dieser Synode nach Dingolfing beruht aber jedenfalls auf einer Verwechselung mit der einige Jahre früher dort gehaltenen, welche von der hier in Frage stehenden bestimmt zu unterscheiden ist[1]). Richtig muß die Lesart sein, die als Ort der Versammlung Neuching angibt. Offenbar ist dieses dieselbe Versammlung, welche jene späteren Geschichtschreiber im Auge haben; sie fand auch am 14. Oktober statt; die abweichende Angabe des Jahres berechtigt nicht, zwei verschiedene Versammlungen anzunehmen. Gegenüber den Angaben des Aktenstückes selbst verlieren aber die Nachrichten jener Geschichtschreiber alles Gewicht[2]); nur die ersteren kommen für die Bestimmung der Zeit der Synode in Betracht. Aber auch da erheben sich Schwierigkeiten. Die (nicht übereinstimmende) Angabe des Jahres Christi 772 ist ohne Werth und allem Anscheine nach erst ein späterer Zusatz[3]); außerdem ist jedoch auch die 14. Indiction mit dem 24. Regierungsjahre Tassilo's nicht in Einklang zu bringen, da sie aufs Jahr 775 führen würde. Das richtige Verfahren ist, sich an das Regierungsjahr Tassilo's zu halten, denn diese Rechnung war bei weitem die geläufigste[4]), wozu noch kommt, daß die meisten Handschriften nicht die 14te, sondern die 10te Indiction nennen, welche genau mit dem 24. Regierungsjahre Tassilo's stimmt. So ergibt sich als Tag der Synode der 14. Oktober 771[5]). An diesem Tage fand die Versammlung statt, von welcher das den 18 Capiteln von Neuching vorangehende Aktenstück redet.

Man kann noch fragen, ob die Neuchinger Versammlung vom 14. Oktober 771 dieselbe ist, auf welcher die 18 Capitel beschlossen wurden. Der Inhalt der Satzungen widerspricht dieser Annahme nicht, es ist möglich das erste Aktenstück als Prolog zu den 18 Ca-

---

hunaret in villam publicam Niuihhingas nuncupatam: ut ibidem ... Die Aufschrift: de concilio quod dux Tassilo apud Dingolvingam celebravit kommt nicht mit in Betracht, vgl. oben S. 53 N. 2.

[1]) Vgl. oben S. 52 f.

[2]) Es ist überdem sehr wohl denkbar, daß die Angabe des 27. Regierungsjahrs Tassilo's blos auf Verwechselung mit dem 24. beruht, daß aus XXIIII irrthümlich XXVII gemacht wurde, vgl. Merkel l. c. S. 244.

[3]) Die Angabe der Jahre Christi war damals noch nicht üblich, vgl. Merkel S. 243. 325 N. 35, übrigens auch Ideler, Lehrbuch der Chronologie S. 418. Mit Unrecht stellt Winter S. 130 ff. bei seiner Beweisführung das Jahr 772 gerade in den Mittelpunkt.

[4]) Auch Winter S. 133 meint, „daß sich ein Baier wohl bei weitem eher in der Indiction als in den Regierungsjahren seines Fürsten irren wird", berechnet aber die Regierungsjahre selber falsch, wenn er auf sie gestützt sich für den 14. Oktober 772 entscheidet.

[5]) Die gewöhnliche Annahme, veranlaßt durch das Jahr der Incarnation, lautet auf 772, wie die Aufzählung bei Merkel S. 243 N. 35 ergibt. Für 771 entscheiden sich, außer Merkel, früher schon Le Cointe V, 770 und Leibniz, Annales I, 29, die nur beide diese Synode mit der Dingolfinger zusammenwerfen; ferner auch Riezler I, 161, während Graf Hundt a. a. O. S. 176. 200 (Nr. 41) schwankt.

piteln anzuſehen, aber beſtimmt entſcheiden läßt ſich nichts[1]). Werden die 18 Capitel der Synode vom 14. Oktober 771 abgeſprochen,
ſo fehlt jeder Anhalt um ſie irgendwo unterzubringen; ſie können
nur hier ihre Stelle finden.

Die Verſammlung faub ſtatt auf dem Hof Neuching im Erding-
gau zwiſchen Iſar und Inn[2]). Der Inhalt ihrer Beſchlüſſe, ſowohl des Prologs als der 18 Capitel, betrifft die verſchiedenſten
Gegenſtände der Geſetzgebung, doch mit dem Unterſchiede, daß der
Prolog ſich blos mit kirchlichen, die 18 Capitel ausſchließlich mit
weltlichen Verhältniſſen beſchäftigen. Der Prolog gibt den Zweck
der Synode und die Berathungsgegenſtände an. Taſſilo habe auf
den 14. Oktober eine Verſammlung aller Großen ſeines Landes
nach Neuching berufen, „um dort über die Beobachtung der Kloſterregel durch Mönche und Nonnen, ſowie über die Amtsthätigkeit der
Biſchöfe Beſtimmungen zu treffen; außerdem aber die Geſetze
ſeines Volkes durch die angeſehenſten und erfahrenſten Männer
mit Zuſtimmung des ganzen Volks in Ordnung bringen zu laſſen,
und zwar ſo, daß er das, was er durch die Länge der Zeit ver-
borben faub und was entbehrlich zu ſein ſchien, beſeitigte und,
was einer geſetzlichen Feſtſtellung bedurfte, anordnete". Der Prolog ſelbſt enthält dann nur noch Beſtimmungen gegen die Eingriffe
der Mönche in die Befugniſſe der Kleriker, welche die Synode
ſtreng unterſagt und nur in den dringendſten Ausnahmefällen zu-
läßt[3]); Veränderungen in der bürgerlichen Geſetzgebung enthält er
nicht, und dieſer Umſtand beſtätigt die Vermuthung, daß die 18 Capitel und der Prolog e i n e r Verſammlung angehören; jene erſcheinen als die im Prolog angekündigten Veränderungen in der
Geſetzgebung.

Die 18 Capitel geben ſich gleich in ihrer Aufſchrift als
„Volksgeſetze" aus[4]). Beſonders zahlreich ſind darin die Verordnungen gegen Diebſtahl[5]); andere betreffen das Verfahren vor

---

[1]) Einen ſolchen Prolog ſieht darin Winter S. 110 ff.; Rettberg II, 225;
Heſele III, 2. Aufl. S. 612. Merkel S. 245 hält es für möglich, daß die im angeblichen Prolog enthaltenen Beſchlüſſe in Dingolfing oder Neuching gefaßt oder aber
dort gefaßt, hier wiederholt wurden. Eine dritte Möglichkeit aber iſt, daß die 18 Capitel einer zweiten ſpäteren Verſammlung in Neuching angehören.

[2]) Vgl. die Stellen bei Merkel S. 244 N. 45 und über die verſchiedenen älteren
Anſichten über die Lage des Ortes Winter S. 105 ff.; auch die Gaubeſchreibung
bei Rudhart S. 529 f.

[3]) Legg. III, 463: Inter tot collegia sacerdotum evolutis episcoporum,
abbatum praesentia paginis regulari ordine vitae atque canonum normas
vel decreta patrum nullis comprobare quiverant testimoniis, ut apud mo-
nachos parochiae commodari deberentur vel publica baptismatis obsequia,
nisi forte si infirmum coactos contingeret eventus, et nihil eorum implerent
commorandi negotia excepto vicissitudinis villarum propriarum singulis
annis obedientialis curis commissis ab abbate proprio fuerint determinata.
Vgl. auch Rettberg II, 693.

[4]) Der Aufſchrift oben S. 107 N. 2 folgt noch der Zuſatz: de popularibus
legibus.

[5]) cap. 2. 3. 7. 11. 14.

Gericht, namentlich das Verfahren beim gerichtlichen Zweikampf[1]);
es werden Bestimmungen getroffen zur Erleichterung des Looses
der Sklaven[2]) und zum Schutze der Freigelassenen[3]); solche, die
vom Herzog freigelassen, sollen zum Gottesurtheil zugelassen werden[4]); auf Widerstand gegen gerichtliche Haussuchung und die
Weigerung eine gestohlene Sache zurückzugeben wird strenge Strafe
gesetzt[5]). Wer das herzogliche Siegel nicht achtet und damit ver-
sehene Anordnungen nicht vollzieht, soll schwerer Strafe verfallen
bis zur Amtsentsetzung[6]). Säumige Richter, welche die Diebe los-
lassen, haben dem Bestohlenen selber Schadenersatz zu leisten[7]).
Niemand, der wegen Ehebruchs seiner Frau sich von ihr hat scheiden lassen, soll deshalb von den Verwandten derselben verfolgt
werden können[8]). Endlich wird denen, welche die Tonsur genommen, untersagt ihre Haare nach weltlicher Art wachsen zu
lassen, Jungfrauen, welche den Schleier genommen, ihn wieder abzulegen[9]).

Weitere Beschlüsse der Synode von Neuching sind nicht bekannt. Zwar folgen in einer Handschrift auf die 18 Capitel noch
ausführliche Pastoralvorschriften über den Lebenswandel der Geistlichen, über die Amtspflichten des Bischofs, über die für einen
Priester nothwendigen Eigenschaften und Kenntnisse, namentlich
auch über die dem Bischof obliegende Verpflichtung, jährlich zwei
Synoden in seiner Diözese zu halten und selbst jedes Jahr einmal
die Metropolitansynode zu besuchen[10]). Es ist jedoch kein Grund
vorhanden, welcher uns nöthigte oder auch nur berechtigte diese
Verordnungen der Versammlung von Neuching zuzuweisen. So
sehr die Bestimmungen im Einklang stehen mit den kirchlichen Bestrebungen der Zeit[11]), so wenig folgt daraus, daß sie zur Zeit

---

[1]) c. 4. 5. 6.
[2]) c. 1.
[3]) c. 9. 10. Hier wird unter den Formen der Freilassung in zwei Handschriften auch die durch den König aufgeführt; die einzige Erwähnung des Königs in
diesen Gesetzen, welche aber als spätere Interpolation erscheint, vgl. Waitz III, 2. Aufl.
S. 108 N. 2.
[4]) c. 8. Ganz unverständlich macht Hefele III, 2. Aufl. S. 615 aus manus
ducalis manus cucalis und schiebt überdem Winter eine Deutung von manus ducalis unter, die Winter garnicht hat.
[5]) c. 12. 13.
[6]) c. 15.
[7]) c. 16.
[8]) c. 17.
[9]) c. 18.
[10]) Scholliner bei Westenrieder, Beiträge I, 22 ff.; Auszüge daraus bei Winter
S. 143 ff.; Hefele III. 2. Aufl. S. 617 ff.
[11]) Rettberg II. 227 meint, die Vorschrift regelmäßig die Metropolitansynode zu
besuchen passe nicht für die Zeit Tassilo's, da Baiern erst später durch die Erhebung
Salzburgs zum Erzbisthum einen Metropoliten erhalten habe, mit Mainz aber die
bairischen Bisthümer nur in einem sehr losen Verbande gestanden hätten. Diese Einwendungen sind an sich richtig, verlieren aber jedenfalls durch die Ausführungen von
Winter S. 123 an Beweiskraft, weil daraus, daß Verordnungen nicht ausgeführt
sind, nicht folgt, daß sie garnicht erlassen wurden. Was Hefele a. a. O. S. 619
gegen Rettberg anführt, hat hingegen gar kein Gewicht.

Taffilo's erlaffen find. Eher darf man vermuthen, daß sie den
Zweck gehabt haben, diejenigen Einrichtungen, welche im übrigen
fränkischen Reich schon durchgeführt, in Baiern aber bei der Ab=
schließung des Herzogthums nicht vollständig zur Geltung gekommen
waren, nachträglich auch hier einzuführen, daß sie also erst der
Zeit nach dem Sturze Taffilo's angehören[1]). Die Angabe des
Prologs, wonach in Renching auch über kirchliche Gegenstände, ins=
besondere über die Amtsthätigkeit der Bischöfe Bestimmungen ge=
troffen werden sollten, gestattet noch nicht jene Pastoralvorschriften
hieher zu ziehen, sie als die willkommene Ergänzung einer sonst
vorhandenen Lücke anzusehen, da die 18 Capitel hauptsächlich nur
von bürgerlichen Verhältnissen handeln[2]). Eine solche Lücke ist
nicht unbedingt vorhanden; der Prolog selbst enthält ja Beschlüsse
über kirchliche Angelegenheiten; eine getrennte Aufzählung der Be=
schlüsse über weltliche und kirchliche Verhältnisse aber und gar eine
Hintanstellung der letzteren wäre äußerst auffallend[3]); beide werden
regelmäßig bunt durcheinander aufgeführt. Mit der Versammlung
von Reuching haben die Pastoralvorschriften, wie wir annehmen
dürfen, nichts zu thun.

---

[1]) Zu demselben Ergebniß kommt Rettberg II, 227 f., und noch weiter geht
Merkel S. 246, welcher die Verordnungen nicht bloß der Reuchinger Synode ab=
spricht, sondern garnicht unter die bairischen Gesetze aufnimmt.

[2]) Dieser Ansicht ist Winter S. 116 ff., und ihm folgt Hefele a. a. O. S. 617.

[3]) Aehnlich auch Merkel S. 246 N. 52.

772.

Die Vereinigung des ganzen fränkischen Reichs unter der Herrschaft Karl's, schon an und für sich ein Ereigniß von großer Bedeutung, erhielt noch eine erhöhte Wichtigkeit durch die persönliche Größe des Herrschers. Dem ist es zuzuschreiben, daß die Folgen des Ereignisses so rasch und durchgreifend sich geltend machten. Kaum hat Karl die Herrschaft des Ganzen übernommen, so gewinnt Alles ein anderes Aussehen. Bei Lebzeiten seines Bruders war er durch den Gegensatz zu diesem gelähmt; die künstliche Ausgleichung der Gegensätze, die man eine Weile versucht, mochte fast noch mehr geeignet gewesen sein ihm die Hände zu binden. Der Zug nach Aquitanien war blos der Abschluß eines Werkes, an dem das meiste schon Pippin gethan, dem Karl sich garnicht entziehen konnte[1]). Die großen Unternehmungen, die er selber ins Werk setzte, mit welchen er eigentlich erst heraustritt aus der relativen oder scheinbaren Unthätigkeit seiner ersten Regierungsjahre, werden erst nach Karlmann's Tod in Angriff genommen, dann aber auch sogleich. Karl kann sich jetzt frei bewegen, was ihn wohl schon länger beschäftigt endlich durchzuführen versuchen; kaum tritt seitdem in der Ausführung auch nur einmal ein Stillstand ein[2]).

Obenan steht der Krieg gegen die Sachsen, den Karl gleich im Jahre 772 eröffnet. Auch hier knüpfte Karl zunächst an die Unternehmungen seiner Vorgänger an, aber unter seiner Führung nehmen die Kämpfe gleich einen neuen Charakter an, das Ziel des Königs wird ein anderes, und neben den durchschlagenden Erfolgen Karl's verschwinden die Ergebnisse der früheren Kämpfe beinahe gänzlich.

---

[1]) Vgl. Einh. V. Kar. c. 5.

[2]) Ein ähnlicher Gedanke liegt den Ausführungen von Luden IV, 265 ff. zu Grunde, der nur den Contrast in der Erscheinung Karl's vor und nach dem Tode Karlmann's übertreibt. Auch Dippold S. 37 hebt den Unterschied in dem Auftreten Karl's vor und nach 771 hervor, führt ihn aber zu sehr auf die Persönlichkeit Karl's zurück, statt auf die veränderten Verhältnisse überhaupt.

Doch ist durch diese Karl mannigfach vorgearbeitet, und es besteht zwischen ihnen und dem entscheidenden Kriege Karl's ein wenn auch loser Zusammenhang.

Schon die Merovinger waren mit den Sachsen früh in feindliche Beziehungen gekommen, welche zur Folge hatten, daß ein Theil der Sachsen tributpflichtig wurde, dann zwar die Leistung verweigerte, aber 556 die Sachsen an der thüringischen Grenze doch Chlothar I. einen jährlichen Tribut von 500 Kühen versprechen mußten[1]). Dieses Abhängigkeitsverhältniß war jedoch nur ein scheinbares, 632 entledigten sich die Sachsen des Tributs[2]), um 700 gelang ihnen sogar eine Erweiterung ihres Gebietes: durch die Unterwerfung der Bructerer erlangte ihr Laub seinen größten Umfang[3]). Plündernd drangen sie 715 ins Gebiet der Chattuarier ein[4]), selbst in Thüringen schickten sie sich an festen Fuß zu fassen[5]). Allein diese Erfolge verdankten sie vorzugsweise der Schwäche des fränkischen Reiches unter den letzten Merovingern; seit der Erstarkung des Reiches unter den Arnulfingern hatte es mit ihren Fortschritten ein Ende. Karl Martell und seine Söhne traten dem Umsichgreifen der Sachsen mit Entschiedenheit entgegen. Die den fränkischen Grenzen zunächst wohnende Abtheilung der Sachsen, die Westfalen, machte schon Karl Martell den Franken zinspflichtig, 738[6]), aber freilich ohne dauernden Erfolg. Kaum war Karl gestorben, so lehnten sie sich aufs Neue auf. Sie machten gemeinschaftliche Sache mit den Gegnern der Franken, mit Herzog Oatilo von Baiern[7]), mit Karl Martell's natürlichem Sohne Grifo[8]); Sachsen wurde der Sammelplatz aller Unzufriedenen aus dem fränkischen Reich. Karlmann und Pippin sahen sich genöthigt, den Kampf wieder aufzunehmen. Sie scheinen es diesmal auf eine nachdrückliche Einschüchterung der Sachsen abgesehen zu haben.

---

[1]) Gregor von Tours, Historia Francorum IV, 14, ed. Arndt et Krusch, MG. SS. Meroving. I, 151—152; Fredegar. chronicon c. 74, bei Bouquet II, 442; chron. cont. c. 117, ib. S. 459. Diekamp, Westfäl. Urkb. Suppl. S. 3 Nr. 15. Vgl. hiezu übrigens v. Ranke, Weltgeschichte IV, 2, S. 334—337, N. 1.

[2]) Fredegar. chronicon c. 74 l. c.; Diekamp a. a. O. S. 4 Nr 21; Gloël, Forsch. IV, 228 N. 2.

[3]) Baeda, Historia ecclesiast. gentis Anglorum V, 11.

[4]) Annales s. Amandi SS. I, 6; Ann. Petav. SS. I, 7 etc.

[5]) Willibald. vita Bonifatii c. 6, Jaffé III, 453.

[6]) Fredegar. chron. cont. c. 109, Bouquet II, 455; Ann. Laur. min. ed. Waitz S. 410; Ann. Mosellan. SS. XVI, 495, Ann. Lauresham. SS. I, 26 etc.; Breysig, Karl Martell S. 86.

[7]) Im Heere Oatilo's sollen Sachsen mitgefochten haben, berichtet wenigstens der Metzer Annalist 743, SS. I, 327 f., und diese Nachricht des an sich nicht eben zuverlässigen Gewährsmanns erhält einige Bestätigung dadurch, daß Karlmann noch in demselben Jahre nach Sachsen zieht, Annales Laur. mai. SS. I, 134; Ann. Einh. SS. I, 135 etc. (anders Hahn, Jahrbücher S. 174—175), wurde von ihm auch wohl bereits aus seiner Quelle übernommen, vgl. Ann. Lobiens. 742, SS. XIII, 227; Hahn S. 44.

[8]) Annales Laur. mai. SS. I, 136; Ann. Einh. SS. I, 137; Ann. Mett. 748—749, SS. I, 330 etc.; Hahn, Jahrbücher S. 92 ff.

Während ihr Vater seine Angriffe nur gegen den westlichen Theil Sachsens gerichtet hatte, eröffneten sie den Krieg im Osten. Sie drangen von Südosten her wiederholt bis zur Ocker vor[1]); auch die Ostfalen wurden gezwungen, einen Tribut von 500 Kühen zu entrichten[2]). Bald darauf brach aber auch im Westen der Kampf wieder aus; 753 und 758 rückte Pippin über den Rhein in West= falen ein, wovon die Folge war, daß ihm die Sachsen, das heißt wohl ohne Zweifel nur die Westfalen, in Allem Gehorsam an= gelobten und sich verpflichten mußten, ihm jährlich bei der großen Reichsversammlung ein Geschenk von 300 Pferden darzubringen[3]). Ein noch wichtigeres Ergebniß des Krieges war, daß dadurch da und dort auch dem Christenthum Eingang in Sachsen verschafft wurde. In den Jahren 744 und 747 ließ sich, wie erzählt wird, eine große Anzahl Sachsen taufen[4]), ja, wenn eine spätere Nach= richt Recht hätte[5]), so hätten sie eidlich angeloben müssen, keinen christlichen Priester, der nach Sachsen käme, an der Predigt des Christenthums und am Taufen zu verhindern. Noch Pippin er= zwang von ihnen das Versprechen, alle seine Forderungen zu er= füllen[6]); der freie Zutritt der christlichen Glaubensboten nahm darunter jedenfalls eine Hauptstelle ein.

Für die Verbreitung des Christenthums in Sachsen war von besonderer Wichtigkeit, was inzwischen in Friesland geschehen war. Hier hatte die fränkische Herrschaft und das Christenthum verhält= nißmäßig schneller sich befestigt. Schon 719, nach dem Tode Rad= bod's, konnte Karl Martell den Willibrord, der schon früher in Friesland gewirkt hatte, aber verjagt worden war, aufs Neue als Bischof in Utrecht einsetzen[7]); bei Willibrord's Tod, 739[8]), war der ganze Süden Frieslands, von der Sincfala bis zum Fli, dem Christenthum gewonnen; bereits 734 war Friesland bis zum Lou= bach im wesentlichen der fränkischen Herrschaft unterworfen[9]), wenn

---

[1]) Annales Laur. mai. SS. I, 136; Ann. Einh. SS. I, 137; Ann. Mett. 748. 749, SS. I, 330 etc.

[2]) Fredegar. chron. cont. c. 117, Bouquet II, 459.

[3]) Annales Laur. mai. SS. I, 140; Ann. Einh. SS. I, 141 etc.; Ann. Mett. 758, SS. I, 333, aber auch schon 753, S. 331, vgl. Ann. Lobiens. 753. 757, SS. XIII, 228 (Fredegar. chron. cont. c. 118, Bouquet V, 1); Transl. s. Alexandri ed. Wetzel (Kiel 1881), wohl nach Ann. Euhard. Fuld. 758, SS. I, 347; Oelsner S. 76 f. 322 f.; Diekamp a. a. O. S. 7 Nr. 47.

[4]) Fredegar. chron. cont. c. 113. 117, Bouquet II, 459, Ann. Mett., Lobiens. 745, SS. I, 328, XIII, 227.

[5]) Die Annales Mettenses 753, die aber hier leicht ausgeschmückt haben können; v. Ranke, Weltgeschichte V, 2 S. 116 legt auf diese Stelle großen Werth.

[6]) Annales Laur. mai. 758, SS. I, 140; Ann. Einh. SS. I, 141. (Frede= gar. chron. cont. c. 118 l. c)

[7]) Alouin. vita Willibrordi I, 13, Jaffé VI, 49 N. 1. Mühlbacher Nr. 34; M. G. Dipl. imp. I, 99 Nr. 11; Breysig, Karl Martell S. 39—41; Alberdingt Thijm, Willibrord (Münster 1863).

[8]) Oder 738?

[9]) Fredegar. chron. cont. c. 109, Bouquet II, 455; Annales Petav SS. I, 9 etc., vgl. Rettberg II, 504; Waitz III, 2. Aufl. S. 117.

auch das Christenthum in dem Striche zwischen Fli und Loubach
erst nachher Wurzel faßte. Aber nur die äußersten Gebiete im
Nordosten, jenseits des Loubach bis zur Weser, vermochten ihre
Selbständigkeit und ihr Heidenthum noch etwas länger zu bewahren.
Dieses hinderte jedoch nicht, daß schon früher gerade von Fries=
laub aus das Christenthum mit großem Eifer unter den Sachsen
verbreitet wurde.

In Utrecht blühte damals unter der Leitung Gregor's, eines
Schülers von Bonifaz, eine Schule, in welcher Zöglinge aus allen
Theilen Deutschlands zu Lehrern des Christenthums gebildet wur=
den, Franken, Baiern und Schwaben, ja auch schon Friesen und
Sachsen[1]), außerdem Angeln. Das waren die Männer, welchen
nachher die Aufgabe zufiel in Sachsen das Christenthum zu pre=
digen; hier war Liudger Schüler und später Lehrer, von hier aus
wurde die Mission unter den Sachsen planmäßig betrieben.

Als Karl zur Regierung kam, stand die Schule in Utrecht in
voller Blüthe; sie hatte augenscheinlich eine große Bedeutung für
das Gelingen seiner Entwürfe; es wäre von großem Interesse ge=
nauer zu wissen, in welchem Verhältniß er zu ihr stand. Während
es nun aber feststeht, daß er im späteren Verlaufe des sächsischen
Kriegs mit den hervorragendsten Angehörigen des Utrechter Stifts
in unmittelbare Verbindung trat, ist dies aus den früheren Jahren
nicht bekannt und, soviel man sieht, auch wirklich nicht der Fall
gewesen. Wir wissen nur, daß Karl, wie schon im Jahr 753
Pippin, den Mönchen und Kanonikern, welche dort die Heiden=
mission trieben, die Fiskaleinkünfte zuwies, welche bereits die
früheren Karolinger dem Stifte geschenkt hatten[2]). Gregor war
ein Sprößling des merovingischen Königshauses, was vielleicht der
Grund war, daß er gegen die Ansprüche des Erzbischofs von Köln
auf die Utrechter Kirche weder bei Pippin noch bei Karl Unter=
stützung fand und daher nie zur bischöflichen Würde gelangte[3]).
Dennoch kam die Wirksamkeit Gregor's den Plänen Karl's un=
gemein zu Statten.

Noch ehe Karl seine Waffen nach Sachsen trug, waren die
Zöglinge der Schule von Utrecht dort für das Christenthum thätig.
Die Lebensbeschreibungen einiger der angesehensten Glaubensboten
gewähren ein anschauliches Bild von dem Staude der Mission
unter Sachsen und Friesen in dieser Zeit. Hieher gehört namentlich

---

[1]) Vita Gregorii abb. Traiect. c. 11, SS. XV, 75; Mühlbacher Nr. 68,
129; Oelsner S. 50.
[2]) Mühlbacher Nr. 129, vgl. o. S. 42 N. 3.
[3]) Rettberg II, 530. 532, vgl. auch Royaards, Geschiedenis der invoering
en vestiging van het christendom in Nederland S. 252 ff. Zu widersprechen
scheint die gedachte Urkunde Karl's für Gregor vom 1. März 769, Mühlbacher Nr.
129, welche Gregor Bischof nennt. Sie ist aber, wenn man sie auch mit Unrecht
deshalb als falsch angesehen hat, wahrscheinlich an dieser Stelle interpolirt, vgl.
Rettberg II, 533; Sickel II, 16 K. 2. (Mühlbacher scheint keine Interpolation anzu=
nehmen.)

die Wirksamkeit Liafwin's, dessen Leben der Abt Hucbald von St.
Amand beschrieben hat und dessen auch in der Lebensbeschreibung
des h. Liudger von Altfrid Erwähnung geschieht[1]). Der Angel=
sachse Liafwin[2]) oder, wie er später auch genannt wurde, Lebuin
war nach Utrecht zu Gregor gekommen und hatte ihm seine Dienste
zur Bekehrung der Friesen und Sachsen angeboten. Mit der Ge=
nehmigung Gregor's und in Begleitung eines anderen Angelsachsen,
Marchelm, eines Schülers von Willibrord, den ihm Gregor als
Gefährten beigesellte, begab sich Liafwin an die Yssel, um dort an
der Grenzmark zwischen Franken und Sachsen „wie ein geringer
Grenzstein an Stelle des lebendigen höchsten Ecksteins zwei Völker,
die von da= und dorther kommen, in einem Glauben zu ver=
einigen"[3]). Bei ihrer Ankunft an der Yssel fanden sie bereits
einige Gläubige vor, darunter eine Wittwe Averhild, welche ihnen
gastliche Aufnahme gewährte[4]). Ihre Wirksamkeit war von solchem
Erfolge begleitet, daß bald eine Kapelle in Wulpen[5]), westlich von
der Yssel erbaut werden konnte; auch auf der östlichen Seite der
Yssel erstand eine christliche Kirche; zu Ehren von Davo, heißt es,
einem angesehenen und mächtigen Manne, der mit Liafwin aufs
Innigste verbunden war, wurde der Ort Deventer genannt[6]), und
die Bevölkerung strömte zahlreich herbei.

Die Zeit dieser Vorgänge ist nirgends angegeben und läßt
sich nicht genau ermitteln; sie müssen aber wohl in die letzten Jahre
Pippin's und in die ersten seiner Söhne fallen. Doch blieb ein
Rückschlag nicht lange aus. Die benachbarten Sachsen fürchteten
Gefahr von dem raschen Umsichgreifen der christlichen Lehre, „welche
durch ihr Blendwerk die Geister entfremde, die Sinne berücke und
die heimische Sitte untergrabe"[7]). Sie überfielen die Christen,
verjagten sie und brannten die Kirche nieder[8]). Liafwin rettete
wenigstens sein Leben und begab sich wieder zu Gregor nach
Utrecht[9]). Nach einer späteren Erzählung schickte er sich sogar an,
„gerüstet mit dem Schilde des Glaubens und dem Helme des
Heiles" neuen und größeren Gefahren entgegenzugehen. Er zog
mitten hinein in das Land der Sachsen und fand zunächst Auf=

---

[1]) Altfridi Vita Liudgeri I, 13 (ed. Diekamp, Geschichtsquellen des Bis=
thums Münster IV, 17 f.), woraus auch Hucbald geschöpft hat.
[2]) Vgl. in Betreff desselben auch Holder-Egger, in Hist. Aufsätze dem Andenken
an G. Waitz gewidmet, S. 656 ff.
[3]) Vita Lebuini, SS. II, 361, in der Hauptsache aus der Vita Liudg. l. c.;
über Marchelm vgl. auch Rettberg II, 396. 532. 536.
[4]) Vita Liudg. l. c. S. 18.
[5]) Huilpa in Altfrid's Vita Liudgeri; es ist Wulpen oder Wilp, südlich von
Deventer (nicht Velp, unweit Arnhem, Royaards S. 294); vgl. Vita rhythm. s.
Liudgeri, letan. I, v. 549 ff. ed. Diekamp l. c. S. 151.
[6]) Altfrid. v. Liudgeri I, 14, S. 18; Vita rhythm. l. c. v. 553—556;
Vita Lebuini, SS. II, 361. 364.
[7]) Vita Lebuini l. c. S. 361.
[8]) Altfrid. l. c. S. 19; Vita rhythm. Liudgeri l. c. v. 557 ff.
[9]) Altfrid. l. c.; V. rhythm. l. c. v. 565 ff.

nahme bei einem vornehmen Manne mit Namen Folcbert, dem er
durch herzliche Liebe verbunden war, der alſo ſchon damals Chriſt
geweſen zu ſein ſcheint[1]). Ihm entdeckte er ſein Vorhaben, die
jährliche Verſammlung von Abgeſandten des Volkes aus ganz
Sachſen in Marklo (Grenzwald) an der Weſer zu beſuchen[2]), „um
entweder ſeinem König eine zahlreiche Heerde von Gläubigen zuzuführen oder aber im tapferen Kampf gegen den Feind ruhmvoll zu triumphiren”. Umſonſt wies ihn Folcbert auf die Gefahren
hin, die ihn da bedrohen würden. Liafwin fand ſich auf der Verſammlung ein. In feuriger Rede hielt er den Anweſenden ihre
Sünden vor und ermahnte ſie, ſich taufen zu laſſen auf den Namen
des dreieinigen Gottes. Thäten ſie das nicht, ſo drohte er ihnen
mit dem göttlichen Strafgericht. „Denn der König des Himmels
und der Erde hat einen tapfern, klugen und eifrigen König beſtellt,
der nicht ferne, ſondern ganz nahe iſt; der heraneilt wie ein
reißender Strom, um zu erweichen eures Herzens Härtigkeit und
euern trotzigen Nacken zu beugen. Er wird im Sturm euer Land
angreifen, mit Feuer und Schwert, mit Zerſtörung und Verderben
alles verheeren und als ein Rächer des Zornes Gottes, den ihr
immer erbittert habt, die einen von euch mit der Spitze ſeines
Schwertes tödten, die anderen in Noth vergehen laſſen, noch
andere durch den Schmerz ewiger Verbannung verzehren. Euere
Weiber und Kinder wird er als Sklaven da und dort vertheilen,
und die zurückbleiben mit Schimpf und Schande unter ſeine Herrſchaft beugen, ſo daß auch von euch ſchon jetzt das Wort gilt:
Und es ſind ihrer wenige geworden, und ſie ſind geplagt von der
Trübſal ihrer Leiden und von Schmerz[3]).”

Dieſe Worte legt Hucbald ſeinem Heiligen in den Mund, doch

---

[1]) Vita Lebuini, SS. II 362: Contigit divertisse ad domum cuiusdam
illustris ac potentis viri, nomine Folcberti, cui inter plures, quos charos
habebat quibusque ipse charus erat, familiare praestabat contubernium.

[2]) Vgl. Waitz I, 3. Aufl. S. 366 N. 4; III, 2. Aufl. S. 123 N. 2, der jedoch die Glaubwürdigkeit der auf dieſe Verſammlung bezüglichen Stelle in Frage
zieht, eher an die Verſammlung einer der Abtheilungen des ſächſiſchen Stammes
denken möchte; ferner Kentzler in Forſch. z. Deutſchen Geſchichte VI, 343 ff.; beſonders S. 352—353, welcher vermuthet, daß in Hucbald's Quelle von einer Verſammlung der Engern die Rede war. Noch weiter gehen Schaumann, Geſchichte des nieder-
ſächſiſchen Volks S. 73 f.; W. Sickel, Geſch. der deutſch. Staatsverfaſſung I, 197 N.,
wo die betreffende Litteratur ausführlich angegeben iſt. Auch der Ort iſt unſicher.
Pertz, SS. II, 362 N. 3, denkt an Markenah in der Grafſchaft Hoya; Grupen,
Disceptationes forenses p. 874 an das frühere Marslo bei Leeſe, wogegen aber
Pertz mit Recht ſprachliche Einwendungen erhebt. Mooyer bei Ledebur, Allgemeines
Archiv für die Geſchichtskunde des Preußiſchen Staates VIII, 2 S. 173 ff. ſucht es
in Maſſeloh bei Minden; Wippermann, Beſchreibung des Bukkigaues S. 178 f.,
ungefähr in derſelben Gegend, im Schaumburger Wald im Bukkigau; vgl. ferner
Grimm, Geſch. der deutſchen Sprache S. 437.

[3]) Vita Lebuini l. c. S. 363. Die Vitae Liudgeri wiſſen von dem Auf-
treten Liafwin's in Marklo nichts, während Hucbald die Rückkehr deſſelben nach
Utrecht fortläßt, vgl. die zutreffende Auseinanderſetzung von Kentzler, Forſch. a. a. O.
S. 350 f.

zeigt schon die genaue Angabe des späteren Schicksals der Sachsen, daß Liafwin so nicht gesprochen haben kann; es ist aber überhaupt nicht anzunehmen, daß Liafwin von dem bevorstehenden Kriege wußte, etwa die Sachsen durch die Hinweisung darauf einzuschüchtern suchte; die ganze Rede ist freie Erfindung seines Jahrhunderte später lebenden Biographen. Und auch vorausgesetzt, Liafwin habe den Sachsen mit den Strafen Gottes gedroht, so erreichte er jedenfalls seinen Zweck nicht. Die Sachsen waren über sein Auftreten aufs äußerste erbittert und hätten ihn getödtet, wenn nicht einige aus ihrer Mitte, darunter Buto genannt ist, das Wort für ihn ergriffen hätten. Die Gesandten der Normannen, Slaven und Friesen, soll er gesagt haben, behandle man ehrenvoll und lasse sie reich beschenkt nach Hause ziehen, um wie viel mehr habe der Gesandte des höchsten Gottes Anspruch auf Schonung. In der That beschloß die Versammlung Liafwin unverletzt zu entlassen.

Diese ausführliche Erzählung in der Lebensbeschreibung Liafwin's enthält mithin jedenfalls im Einzelnen vielfache Ausschmückungen und Zuthaten Hucbald's[1]), selbst wenn sie in den Hauptpunkten Anspruch auf Glaubwürdigkeit haben sollte[2]). In diesem Falle ginge wenigstens daraus hervor, daß in Marklo Männer waren, welche für Liafwin Partei ergriffen, wenn sie ihn auch vielleicht nicht, wie Hucbald es darstellt, als den Gesandten des höchsten Gottes anerkannten. Aber auch dieses ist möglich, Folebert muß ein Christ gewesen sein, und gewiß war er nicht der einzige[3]). Außerdem hat Hucbald aber allem Anschein nach, was er über die Verfassung der Sachsen und die Versammlung in Marklo wußte, an einer willkürlich gewählten Stelle in dasjenige eingeschoben, was er aus Altfrid's Leben des Liudger über die Thaten und Schicksale seines Helden Liafwin entnahm. Mithin läßt sich weder für die Zerstörung von Deventer noch für die angeblichen Vorgänge in Marklo eine Zeitbestimmung aus ihm schöpfen[4]). Jedenfalls ist es unwahrscheinlich, daß das letztere Ereigniß schon mehrere Jahre vor Beginn des Krieges stattfand[5]);

---

[1]) Vgl. Kentzler a. a. O. S. 351 ff.

[2]) Vgl. Pertz in der Vorrede zu seiner Ausgabe, SS. II, 360.

[3]) Vgl. oben S. 117 Nr. 1.

[4]) Vgl. Kentzler a. a. O. S. 351, dem in diesem Punkte auch Abel (ebd. S. 356) beitritt. — Hucbald läßt die zerstörte Kirche in Deventer wieder aufbauen zu der Zeit, wo Liafwin die Sachsen besucht (V. Lebuini l. c. S. 364). Nach Altfrid l. c. erfolgte der Wiederaufbau sedato tumultu reversisque praedonibus in sua, durch Liafwin selbst.

[5]) Leibniz, Annales I, 27 setzt wenigstens die Zerstörung der Kirche von Deventer schon früh an, vor 770; über die Zeit der Versammlung in Marklo äußert er sich nicht bestimmt, S. 32. Erhard, Regesta historiae Westfaliae S. 64 Nr. 137 setzt die Versammlung ins Jahr 772, dagegen Nr. 142 die Zerstörung der Kirche in Deventer erst 773, während die Vita Lebuini umgekehrt erzählt, daß Liafwin erst nach Zerstörung der Kirche durch die Sachsen nach Marklo ging. Dennoch stellt auch Royaards S. 280 die Sache so dar, die Sachsen hätten zwar in Marklo

wenigstens Hucbald denkt, wie aus der angeblichen Rede Liafwin's hervorgeht, an die Zeit unmittelbar vor dem Kriege. Schwerlich aber steht der Vorfall in Marklo, wo Liafwin gezwungen wurde Sachsen wieder zu verlassen, mit dem Ausbruch des Kriegs in irgendwelchem Zusammenhang; auf den Entschluß Karl's kann er nicht wohl eingewirkt, höchstens die Ausführung beschleunigt haben, wiewohl auch dieses nicht wahrscheinlich ist.

Was Karl zum Kriege veranlaßte, war nicht ein bestimmter einzelner Vorfall, etwa die Weigerung der Sachsen den schuldigen Tribut zu bezahlen [1]) oder der Einfall, womit sie die jungen christlichen Pflanzungen in Friesland heimgesucht hatten [2]), sondern die Ueberzeugung von der Nothwendigkeit dem ganzen seitherigen Verhältnisse des fränkischen Reiches zu den Sachsen ein Ende zu machen. „Es waren", wie Einhard bemerkt, „Veranlassungen vorhanden, welche täglich den Frieden stören konnten und daher rührten, daß die fränkischen und die sächsischen Grenzen beinahe überall in der Ebene zusammenstießen, außer an wenigen Stellen, wo größere Wälder oder dazwischenliegende Bergrücken das beiderseitige Gebiet bestimmt begrenzten; infolge davon hörten Mord, Raub und Brand auf beiden Seiten nicht auf, wodurch die Franken so gereizt wurden, daß sie es für angemessen hielten nicht mehr Gleiches mit Gleichem zu vergelten, sondern einen offenen Krieg gegen die Sachsen zu beginnen [3])." Einhard deutet hier wenigstens an, daß der Krieg unter Karl sogleich einen anderen Charakter erhielt, daß er nicht blos einen größeren Umfang annahm, sondern auch der Plan, welchen Karl dabei verfolgte, verschieden war von den Beweggründen seiner Vorgänger. Bei den früheren Kämpfen war die Absicht im Wesentlichen nur dahin gegangen, die Sachsen zu zwingen sich ruhig zu verhalten und die Grenzen gegen ihre Ueberfälle sicher zu stellen, wobei der den Sachsen auferlegte Tribut den Schein einer fränkischen Oberhoheit hervorbringen mochte. Karl blieb hierbei nicht mehr stehen. Er wollte den Belästigungen der fränkischen Grenzgebiete durch die Sachsen nicht nur vorübergehend, sondern ein für allemal ein Ende machen. Aber er wollte

beschlossen Liafwin überall frei und unverletzt ziehen zu lassen, trotzdem aber die Christen an der Yssel überfallen und die Kirche in Deventer niedergebrannt. Vgl. auch Diekamp, Supplement S. 8. 9, Nr. 54. 58.

[1]) So vermuthet z. B. Hegewisch S. 68.

[2]) Keine Quelle sagt etwas davon, daß Karl speziell durch einen einzelnen Einfall der Sachsen zum Kriege bestimmt worden sei. Die Annales Einhardi, SS. I, 151 stellen sogar vielmehr Karl ausdrücklich als den angreifenden Theil dar: Saxoniam bello adgredi statuit (vgl. Ann. Sith. SS. XIII, 35; Ann. Enhard. Fuld., SS. I, 348; Poeta Saxo lib. I, v. 24—25. 58—60, Jaffé IV, 544—546).

[3]) Einhard. Vita Kar. c. 7: Suberant et causae, quae cotidie pacem conturbare poterant, termini videlicet nostri et illorum poene ubique in plano contigui, praeter pauca loca, in quibus vel silvae maiores vel montium iuga interiecta utrorumque agros certo limite disterminant, in quibus caedes et rapinae et incendia vicissim fieri non cessabant. Quibus adeo Franci sunt irritati, ut non iam vicissitudinem reddere, sed apertum contra eos bellum suscipere dignum iudicarent.

noch mehr als dieses. Von allen deutschen Stämmen waren die Sachsen der einzige, der sich seither der Unterordnung unter das fränkische Reich entzogen hatte; Baiern stand, trotz der thatsächlich selbständigen Stellung seines Herzogs, doch schon als ein christliches Land ganz anders zu dem fränkischen Reich als die heidnischen Sachsen; die Ordnung des Verhältnisses zu den letzteren war daher insofern eine viel dringendere Aufgabe als die Herstellung der Abhängigkeit Baierns. Der Plan Karl's war, Sachsen dem fränkischen Reiche vollständig einzuverleiben; die Vereinigung aller deutschen Stämme in seinem Reiche war das bewußte Ziel, dem er nachstrebte und das er auch wohl gleich beim Beginn des Sachsenkrieges im Auge hatte[1]. Und darauf war es von bestimmendem Einflusse, daß Karl seinem ganzen Wesen nach ein Deutscher war. Er hat wohl die Vereinigung der deutschen Stämme nicht um ihrer selbst willen erstrebt; der ausschließlich deutsche Gesichtspunkt lag ihm ferne; aber es war ihm darum zu thun, das deutsche Element im fränkischen Reiche möglichst zu verstärken, weil er sah, daß die Kraft des Reichs in seinen deutschen Bestandtheilen ruhte[2]. Die Wiedervereinigung der getrennten Theile nach Karlmann's Tod brachte Karl vorwiegend romanische Länder zu; das Bedürfniß, durch die Verstärkung des deutschen Elements ein Gegengewicht gegen sie zu bilden, machte sich seitdem noch nachdrücklicher geltend.

---

[1] Hierauf deutet das ganze planmäßige Auftreten Karl's von Anfang an hin, vgl. auch unten S. 125; Waitz III, 2. Aufl. S. 127. — v. Richthofen, Zur Lex Saxonum S. 131. 201, und Kentzler, Forschungen zur Deutschen Gesch. XI, 82 f. 88 f., sind allerdings der Meinung, daß der Krieg erst im J. 775 den oben bezeichneten Charakter angenommen, Karl erst seitdem die völlige Christianisirung und die Einverleibung der Sachsen in das fränkische Reich ins Auge gefaßt habe. Auch kann sich diese Auffassung in der That auf Ann. Einh. 775, SS. I, 153 stützen (Cum rex in villa Carisiaco hiemaret, consilium iniit, ut perfidam ac foedifragam Saxonum gentem bello adgrederetur et eo usque perseveraret, dum aut victi christianae religioni subicerentur aut omnino tollerentur). Ganz haltlos ist es dagegen, wenn Kentzler annimmt, Papst Hadrian I. habe den König zu diesem Entschlusse bestimmt, als derselbe Ostern 774 in Rom verweilte. Auch Luden IV, 274 meint, Karl habe wohl bei Beginn des Kriegs die förmliche Vereinigung Sachsens mit dem fränkischen Reiche noch nicht in Auge gehabt; erst der Kampf selbst, nachdem er einmal übernommen, habe ihn festgehalten und immer weiter geführt. Die Vermuthung Luden's, die übrigens schon Hegewisch S. 68 äußert, Karl habe sich durch den Zug gegen die Sachsen den Rücken sichern wollen für den von ihm bereits beabsichtigten Krieg gegen Desiderius, entbehrt jedoch ebenfalls jeder Begründung in den Quellen. Die Vita Karoli sieht den italienischen Krieg vielmehr als eine Unterbrechung des sächsischen an (c. 7: Post cuius finem Saxonicum, quod quasi intermissum videbatur, repetitum est).

[2] Französische Geschichtschreiber, welche dieses übersehen, kommen zu einer ganz verkehrten Auffassung von Karl's Politik, wie namentlich Gaillard II, 37 ff. 212 ff., wo es Karl als Unklugheit angerechnet wird, daß er den Sachsen ihre Unabhängigkeit nicht gelassen (S. 39), und die Verwunderung darüber ausgesprochen ist, daß er seine Waffen nicht lieber gegen die Griechen und Sarazenen gekehrt, die schon mehrfach Beweise ihrer Schwäche gegeben und leichter zu besiegen gewesen wären als die kräftigen Sachsen. Ein Tadel, der Karl nur zum Lobe gereicht.

Zur Erreichung dieses Zwecks gab es für Karl nur einen einzigen Weg, die gänzliche Unterwerfung Sachsens und, was damit aufs engste zusammenhing, die Bekehrung der Sachsen zum Christenthum und ihre Einordnung in den Organismus der römisch-fränkischen Kirche. Mit Unrecht würde man fragen, was für Karl nur Mittel, was Zweck war, ob ihm das Christenthum nur ein Werkzeug sein sollte zur Durchführung der Eroberung oder umgekehrt. Weder das eine noch das andere wäre zutreffend, sondern Karl erstrebte beides, die Eroberung und die Bekehrung, als gleich hohe Ziele seiner Politik; das eine bedingte das andere, eines ohne das andere zu vollführen war gar nicht möglich[1]). Nur durchs Schwert konnte Karl dem Christenthum Eingang und dauernde Geltung in Sachsen erkämpfen; nur mit Hilfe des Christenthums konnte er Sachsen fest ans fränkische Reich knüpfen und es theilhaftig machen der höheren Gesittung, welche die übrigen deutschen Stämme bereits besaßen und deren Träger das fränkische Reich war. Einhard bezeugt es ausdrücklich, daß der zähe Widerstand der Sachsen seine hauptsächlichste Nahrung in ihrer heidnischen Religion fand; „kein Krieg", sagt er, „den das Frankenvolk führte, war so langwierig, blutig und mühevoll wie der sächsische, weil die Sachsen, wie fast alle deutschen Völkerschaften, von Natur wild, dem Götzendienste ergeben und Feinde unserer Religion, sich nicht scheuten, göttliches und menschliches Recht zu schänden und zu übertreten"[2]). Aber ebenso unzweideutig hebt Einhard auch die doppelte Bedeutung des Krieges, seine politische und religiöse Seite, hervor, indem er als Ergebniß desselben angibt, „daß die Sachsen dem Götzendienst entsagten, von den heidnischen Religionsgebräuchen abließen, die Sakramente des christlichen Glaubens und der christlichen Religion annahmen und, mit den Franken vereinigt, ein Volk mit ihnen bildeten"[3]).

In beiden Beziehungen war Karl schon vorgearbeitet worden,

---

[1]) Vgl. Rettberg II, 383 f.; Waitz III, 2. Aufl. S. 127. Gaillard II, 212 ff. hebt den religiösen Gesichtspunkt zu wenig hervor. Völlig verkannt wird derselbe von Wippermann, Beschreibung des Bukligaues S. 179 ff., der in dem Krieg einen „Kampf um die nationale Herrschaft über Deutschland", einen Kampf zwischen der „den Römern entlehnten monarchischen Regierungsform der Franken und der altgermanisch demokratischen Regierungsform der Sachsen" erblickt und behauptet, die Verbreitung des Christenthums unter den Sachsen hätte schon deshalb nicht der Zweck Karl's sein können, weil der Zustand der Kirche in seinem eigenen Lande traurig genug gewesen sei. Erst allmählich habe der beiderseitige Fanatismus „den wahren politischen Zweck unter dem Schilde eines Religionskrieges verdeckt", um so mehr, „da Karl in der von dem christlichen Klerus ausgesprengten Lehre über den göttlichen Ursprung des Zehntrechts eine Handhabe fand, den Sachsen einen Tribut zum Vortheil seiner Anhänger aufzuerlegen, ohne selbst als gewinnsüchtiger Eroberer zu erscheinen". Hier fehlt jedes Verständniß für Karl's Politik.

[2]) Vita Karoli l. c.

[3]) Vita Karoli l. c.: Eaque conditione ... bellum constat esse finitum, ut, abiecto daemonum cultu et relictis patriis caerimoniis, christianae fidei atque religionis sacramenta susciperent et Francis adunati unus cum eis populus efficerentur.

aber doch nur in einem sehr geringen Umfange. Durch die frühe=
ren Kämpfe war kein dauernder Erfolg davongetragen, das Christen=
thum hatte nur erst ganz vereinzelte Anhänger gewonnen, die
Predigt des Christenthums war noch immer mit Lebensgefahr ver=
bunden. Karl hatte noch eine ungeheuere Aufgabe vor sich, und
selbst solche Umstände, die ihm dieselbe zu erleichtern schienen,
trugen dazu bei die Schwierigkeiten zu vermehren. Es ist wahr,
daß der Mangel an innerer Einheit unter den Sachsen zunächst
diesen selber nachtheilig war; die vier Hauptabtheilungen, in welche
der ganze Stamm zerfiel, die Ostfalen, Engern, Westfalen und
Transalbinger oder Nordleute, bildeten nicht einmal jeder einzeln
für sich eine geschlossene Einheit[1]); nur im Kriege, aber auch da
wohl nicht regelmäßig, vereinigten sich die verschiedenen Gaue der
einzelnen Abtheilungen zu gemeinschaftlichem Angriff oder Wider=
stand unter einem Führer; die Sachsen, welche Karl gegenüber
stehen, sind nie der ganze Stamm auf einmal, höchstens die eine
oder andere jener Abtheilungen, zuweilen gewiß auch diese nicht
vereinigt, sondern nur einzelne Gaue derselben. Durch diesen
Mangel an Zusammenhang wurde allerdings die Widerstandskraft
der Sachsen gelähmt, aber auch Karl die Besiegung derselben be=
trächtlich erschwert. Es ist zweifelhaft, ob es nicht für Karl noch
ungünstiger als für die Sachsen war, daß diese nicht dazu kamen
ihr Schicksal auf einen Wurf zu setzen; eben weil sie dieses nicht
thaten, waren sie im Stande so lange Widerstand zu leisten[2]).

Der Sommer 772 war für den Beginn des Krieges bestimmt;
er konnte schon deshalb nicht früher eröffnet werden, weil erst die
Genehmigung der Reichsversammlung eingeholt werden mußte, die
vor Anfang des Sommers nicht zusammentrat. Aus der Zeit vor=
her erfahren wir sehr wenig über Karl. Am 13. Januar befand er
sich in der Pfalz Blanciacum (Blanzy?), laut einer Urkunde, wo=
rin er dem Abt Haribert vom Kloster Murbach im Elsaß die Im=
munität seines Klosters bestätigt[3]). Ostern feierte er in Heristal,
29. März[4]). In einer Urkunde vom 1. April aus Diedenhofen
bestätigt er dem Erzbischof Weomad von Trier die Immunität
seines Klosters[5]). Dann ist sein Aufenthalt in Diedenhofen jedoch

---

[1]) Vgl. Waitz III, 2. Aufl. S. 121 ff.
[2]) Diesen Gesichtspunkt führt weiter aus Luden IV, 278 f., vgl. auch Giese=
brecht, Geschichte der deutschen Kaiserzeit I, 5. Aufl. S. 111.
[3]) Schöpflin, Alsatia diplomatica I, 44; Mühlbacher Nr. 140; der Aus=
stellungsort wahrscheinlich Blanzy, Dep. Ardennes, Arr. Réthel, Cant. Asfeld, vgl.
Spruner=Menke, Handatlas, Vorbem. S. 16, während Sickel II, 229 Blagny, Dep.
Ardennes, Arr. Sedan, empfehlen möchte.
[4]) Annales Laur. mai. SS. I, 150; Ann. Einh. SS. I, 151; Fragm.
Basil. SS. XIII, 28. — Bei dem Poeta Saxo l. I, v. 19, Jaffé IV, 544, sowie
in den Ann. Mett. SS. XIII, 28 wird diese Osterfeier unrichtig nach Attigny verlegt.
[5]) Urkunde bei Beyer, Mittelrheinisches Urkundenbuch I, 28 f. Nr. 24, zwar in
der Fassung eigenthümlich und anscheinend an einer Stelle interpolirt, neuerdings
auch wieder von Löning, Gesch. des deutschen Kirchenrechts II, 734 N. 1 verworfen,
jedoch von Waitz, II, 2, 3. Aufl. S. 377 N. 1; IV, 2. Aufl. S. 451 N. 1, als

erst wieder im Mai bezeugt durch zwei Urkunden für Lorsch und
für das Kloster St. Michael's im Gau von Verdun. In dieser
Pfalz, wie es scheint, bestätigt er dem Abt vom Kloster des h.
Michael (St. Mihiel) am Flüßchen Marsupia (Marsoupe) in der
Diözese Verdun, Bischof Hermengaud, die Immunität seines Klosters,
wie schon Pippin sie demselben verliehen hatte[1]), und in demselben
Monat verleiht er in jener Pfalz zu Diedenhofen an der Mosel
dem Kloster Lorsch an der Weschnitz in der Diözese Mainz die
Immunität[2]).

Die Angelegenheiten des Klosters Lorsch hatten Karl schon
mehrfach beschäftigt. Es war noch eine ganz junge Stiftung, die
aber schnell zu großem Reichthum und Ansehen emporstieg. Die
Stifter, eine Gräfin Williswinda und ihr Sohn Cancor, waren
Verwandte Chrodegang's von Metz, der auf ihren Wunsch die Einrichtung des Klosters besorgen sollte, dieselbe aber bald seinem
Bruder Gundeland übertrug, obgleich er selbst als erster Abt gezählt wird[3]). Als Papst Paul I. dem Chrodegang die Gebeine
des h. Gorgonius, Nazarius und Nabor schenkte[4]), überließ Chrodegang dem Kloster Lorsch die Reliquien des h. Nazarius, welche
dann von den Grafen Cancor und Warin selbst in feierlichem
Zuge von dem Hardtgebirge bis ins Kloster getragen wurden[5]).
Nach dem Tode Cancor's (771)[6]) kam es jedoch zu Streitigkeiten
zwischen seinem Sohne Heimerich und dem Abte Gundeland. Ver-
lockt durch den zunehmenden Reichthum der Stiftung erhob Heimerich Anspruch auf den Besitz des Klosters, indem er behauptete,
daß ihm sein Vater denselben übertragen habe[7]). Der Streit
wurde vor Karl gebracht, vor welchem beide, Heimerich und Gundeland, in Heristal persönlich ihre Sache vertraten, vielleicht um

---

echt anerkannt; ebenso von Sickel, der (Beiträge zur Diplomatik, Wien. S.-B. XLVII,
225. 233. 579; XLIX, 342. 360; Acta Karolin. I, 203. 404 N. 14; H, 18.
228—230) genauer auf diese Urkunde eingeht, und desgl. von Mühlbacher Nr. 142.
Freilich macht die Urkunde auch in Bezug auf das Itinerar Schwierigkeit, da Karl
kaum drei Tage nach dem 29. März, wo er in Heristal war, bereits in Diedenhofen
gewesen sein kann. Vielleicht ist vor kal. apr. eine Ziffer ausgefallen, viel wahrscheinlicher jedoch kal. in id. zu verändern.
[1]) Bouquet V, 722, vgl. Chron. s. Michaelis, SS. IV, 80; auch Rettberg
I, 531 f.; Oelsner S. 237—239. — Actum Drippione in palatio regio
publico; aber der Name des Ausstellungsorts ist ohne Zweifel von dem Copisten
verunstaltet und höchst wahrscheinlich in Theodone villa zu emendiren, vgl. Mühlbacher Nr. 144; Sickel II, 230. 231. Der Bach Marsoupe mündet in die Maas.
[2]) Chronicon Laureshamense, SS. XXI, 345—346; vgl. auch unten
S. 124 N. 2.
[3]) Codex. Lauresh. I, 3; Paul. Gest. epp. Mett. SS. II, 268; vgl. Rettberg I, 584; Oelsner S. 377—379.
[4]) Vgl. oben S. 73.
[5]) Chron. Lauresham. SS. XXI, 343; Ann. Lauresham. 765, SS. I,
28; Ann. Lauriss. min ed. Waitz S. 412: et condidit . . . sanctum . . Na-
zarium in monasterio nostro Lauresham; Mühlbacher Nr. 148, Chron. Lauresh.
SS. XXI, 345; Oelsner S. 395.
[6]) Ann. Mosellan. SS. XVI, 496; Ann. Lauresham. SS. I, 30.
[7]) Urkunde Karl's für Gundeland, Chron. Lauresh. SS. XXI, 344.

Oftern, die Karl ja in Heriftal verlebte. Karl wies die Forde=
rungen Heimerich's zurück und urtheilte im Königsgericht, Gundeland
habe das Kloſter erſtritten[1]. Infolge hievon erhielt Lorſch nun
auch die Immunität[2], und außerdem verlieh Karl dem Kloſter,
da Gundeland es ihm übergab, den Königsſchutz und das Privi=
legium der freien Abtswahl[3], in der Zeit zwiſchen dem Mai 772
und Januar 773[4]. Vielleicht ebenfalls während jenes Aufenthalts
zu Diedenhofen im Frühjahr 772 iſt eine Urkunde für das Kloſter
Echternach ausgeſtellt[5]. Sie iſt faſt wörtlich gleichlautend mit der
oben erwähnten Urkunde Karlmann's[6] für Echternach, deren Vor=
handenſein ſie jedoch, nach einem ſchon berührten Prinzipe der
Kanzlei Karl's[7], ignorirt. Am 5. Juli ſtellt der König in einer
Pfalz, deren Name nicht unverſtümmelt erhalten, wahrſcheinlich
aber auf Brumpt (Brumat) im Elſaß zu ergänzen iſt, eine Ur=
kunde aus, worin er den Presbyter Arnald in ſeinen Schutz
nimmt[8].

Hierauf begab ſich Karl auf die allgemeine Reichsverſamm=

---

[1] Ibid.

[2] Vgl. oben S. 123 N. 2; auch Waitz IV, 2. Aufl. S. 290.

[3] Urkunde Karl's ohne Datum, Mühlbacher Nr. 148; Chron. Lauresh. l. c.
S. 344 f.; Necrolog. Lauresh., Böhmer, Fontt. III, 144.

[4] Die Zeit für alle dieſe Vorgänge iſt nicht genau zu ermitteln. Falſch iſt die
Angabe des Chron. Lauresh., welches den Streit zwiſchen Heimerich und Gunde=
laud erſt 776 anſetzt. Zwar ſind zwei der hierher gehörigen Urkunden, Mühlbacher
Nr. 141 und 148, ohne Datum, ſie gehören aber jedenfalls vor 774, da in der
Eingangsformel Karl noch nicht als rex Langobardorum bezeichnet iſt. Die dritte
Urkunde, die Immunität betreffend (Mühlbacher Nr. 143), iſt ausgeſtellt im Mai
772. In einer Urkunde vom 20. Januar 773 nennt Karl das Kloſter bereits mo-
nasterium nostrum, vgl. unten S. 137 N. 1; Mabillon, Annales II, 234;
Eckhart I, 644 halten mit Unrecht das Jahr 776 feſt; richtiger Rettberg I, 584 f.

[5] Mühlbacher Nr. 145; Sickel, Beitr., Wien. S.=B. XLIX, 393, mit dem
Regierungsjahr IV, alſo zwiſchen 9. Oct. 771 und 8. Oct. 772 ausgeſtellt.

[6] Vgl. oben S. 71 N. 3.

[7] Vgl. oben S. 103.

[8] Wartmann, Urkundenbuch der Abtei St. Gallen I, 64 Nr. 65. Der Name
der Pfalz iſt nur verſtümmelt überliefert, Actum Broc....g..l palacio, was Wyß
und Wartmann S. 88, II, 412, ſowie Mühlbacher Nr. 146 wahrſcheinlich richtig auf
Brocmagad, Brumpt (Brumat) im Elſaß deuten, wo auch Karlmann Urkunden aus=
ſtellte (vgl. o. S. 76). K. Pertz, bei Wartmann I, 358, denkt an die bei Mabillon,
De re diplomatica S. 254, erwähnte Pfalz Brocariaca villa ſeu Brucariacus,
Bourcheresse zwiſchen Châlon und Autun, wonach Brocariaco regali palacio
zu ergänzen wäre. Außerdem iſt, wie Sickel II, 232 bemerkt, noch ein Brocaria
(jetzt Brière in der Nähe von Sens) urkundlich betannt. Gegen die Erklärung von
K. Pertz ſpricht ſchon, daß für ſeine Ergänzung auf der betreffenden Stelle kein ge=
nügender Raum zu ſein ſcheint. Gegen beide Erklärungen Sickel a. a. O., welcher
ſich jedes poſitiven Vorſchlags enthalten zu müſſen glaubt, jedoch dadurch beirrt war,
daß er annahm, die in Rede ſtehende Urkunde müſſe nach dem Wormſer Reichstage
— demnach etwa an einem Orte zwiſchen dem Rhein und der Grenze Sachſens —
erlaſſen ſein.

Uebrigens mag auch ein undatirtes Mandat zu Gunſten des Schottenkloſters
auf der Rheininſel Honau, Mühlbacher Nr. 152, Mabillon, Ann. Ben. II, 699,
welches nach dem Titel des Königs vor den Mai 774 fallen muß, während ſeines
damaligen Aufenthaltes im Elſaß im Juli 772 erlaſſen ſein.

lung, welche dieses Jahr in Worms zusammentrat[1]). Da wurde
der Beschluß des Königs vom Volke bestätigt und der Feldzug, zu
dem gewiß schon lange Vorbereitungen getroffen waren, ohne
Zweifel gleich von Worms aus angetreten. Eine große Zahl
christlicher Priester begleitete das Heer[2]); die Bekehrung sollte von
Anfang an Hand in Hand gehen mit der Eroberung, beide in
großem Maßstab ins Werk gesetzt werden; wir lesen, daß Karl
gleich für den ersten Feldzug ein starkes Heer aufgeboten habe[3]).
Auch die Wahl des Feldzugsplanes zeigt, daß Karl es auf voll-
ständigere Erfolge abgesehen hatte als seine Vorfahren. Karl
Martell, Karlmann und Pippin hatten bald von Westen, bald von
Osten her in Sachsen vorzudringen versucht; sie hatten von Westen
her kommend die Weser, von Osten her die Ocker mehrere Male
erreicht, nur das Land zwischen Weser und Ocker noch nicht betreten. Alle drei, Westfalen, Engern und Ostfalen, waren schon
mit ihnen zusammengestoßen, doch waren von den früheren Kriegen
die Engern bei weitem am wenigsten betroffen worden, standen
daher noch mehr als Westfalen und Ostfalen in ungebrochener Kraft
da. Nun wählte Karl das Gebiet der Engern zum Zielpunkt
seines Angriffs, beschloß gegen sie den ersten Stoß zu führen; seine
Absicht scheint gewesen zu sein, sogleich im Mittelpunkte Sachsens
festen Fuß zu fassen, dann von dort aus nach Westen, Osten und
Norden erobernd vorzudringen; ein Plan, der freilich, wenn er
bestand, in der Ausführung mehrfache Abänderungen erfuhr.

Im Sommer brach Karl mit seinem Heere von Worms auf
und rückte gegen die Engern[4]). Unter Verwüstungen mit Feuer
und Schwert drang er vor, betrat das Land der Engern im Südosten, nahe der Grenze, die sie von Westfalen scheidet. Sie hatten
dort einen festen Platz angelegt, Eresburg an der Diemel, an der
Stelle des heutigen Stadtberge[5]); dort kam es, soviel man sieht,

---

[1]) Annales Laur. mai. SS. I, 150; Ann. Einh. SS. I, 151; Fragm.
Basil. SS. XIII, 28 etc.
[2]) Eigil. Vita Sturmi c. 23, SS. II, 376: Congregato tam grandi exercitu, invocato Christi nomine, Saxoniam profectus est adsumtis universis
sacerdotibus, abbatibus, presbyteris et omnibus orthodoxis atque fidei cul-
toribus, eine Stelle, die wohl gleich auf den ersten Feldzug bezogen werden darf, da
Eigil selbst sie allem Anschein nach darauf bezogen hat. Kentzler in Forsch. zur
deutschen Gesch. XI, 89 N. 5 bezieht sie willkürlich erst auf den Feldzug vom J. 775.
[3]) Vgl. die vorige Note; allenfalls auch Vetust. ann. Nordhumbran. SS. XIII,
154: collecta manu valida et bellicosis suae maiestatis viris coniunctis.
[4]) Daß der Feldzug gleich angetreten wurde, war Regel, wird aber auch in
der Erzählung der Quellen besonders angedeutet; Annales Laur. mai.: synodum
tenuit ad Wormatiam, et inde perrexit .... Ann. Einh.: Congregato
apud Wormatiam generali conventu, Saxoniam bello adgredi statuit,
eamque sine mora ingressus ... Die Angabe Luden's IV, 281, Karl habe den
Rhein bei Mainz überschritten, ist bloße Vermuthung ohne Halt in den Quellen. —
Der Feldzug wird auch in vielen anderen Annalen erwähnt.
[5]) Die Lage von Eresburg war viel bestritten, hauptsächlich deshalb, weil man
die Ermensul auf die Eresburg selbst versetzte und die Erzählung von dem Wassermangel des fränkischen Heeres bei der Ermensul nicht auf einen Ort an der Diemel
paßte, vgl. oben den Text, unten S. 128 N. 5. Die Ermensul war jedoch von

zuerſt zum Kampf, aber Karl nahm den Platz weg[1]) und ſetzte hierauf den Marſch nach Norden fort. So gelangte er zu einem alten Heiligthum der Sachſen, der Ermenſul, Irminſäule, einem Baumſtamm von ungewöhnlicher Größe, welchen die Sachſen unter freiem Himmel verehrten als die das All tragende Säule[2]). Die Ermenſul ſtand in einem Haine, auf welchen die Verehrung ſich wohl auch noch erſtreckte[3]); es müſſen außerdem verſchiedene Bauanlagen dazu gehört haben, Behälter für die Schätze an Gold und Silber, welche an der heiligen Stätte aufbewahrt wurden[4]),

---

Eresburg eine beträchtliche Strecke entfernt, vgl. unten S. 128, wodurch der Einwand gegen die Lage von Eresburg an der Diemel fortfällt. Dieſe Lage iſt nachgewieſen von Wigand, Geſchichte und Alterthumskunde Weſtfalens Bd. 1, S. 35 ff., doch auch ſchon von mehreren älteren Forſchern angenommen; über die abweichenden Anſichten vgl. v. Ledebur, Kritiſche Beleuchtung einiger Punkte in den Feldzügen Karl's des Großen gegen die Sachſen und Slaven, S. 6. 13. Die Bedeutung des Namens wird verſchieden erklärt, als „Heeresburg, die das Heer ſchützte" von Wigand S. 36; als Berg des Kriegsgottes Zio, auch Ear, von Grimm, Deutſche Mythologie, 4. Ausgabe S. 167. Der Name Mons Martis, deutſch Marsberg, kommt jedenfalls erſt mehrere Jahrhunderte ſpäter vor, Wigand S. 37; Grimm, a. a. O. und S. 165, und kann eben nur als ein gelehrter Erklärungsverſuch des Namens gelten. Eresburg iſt aber älter als Eresberg; die Annales s. Amandi SS. I, 12; Annales Petav. SS. I, 16; Annales Laur. mai. l. c. mit Ausnahme eines einzigen Textes; Annales Einh. l. c. haben Eresburg. Irrig iſt alſo die Annahme von Grimm, die älteſte Form ſei Eresberg geweſen.

[1]) Ann. Laur. mai. SS. I, 150; Ann. Einh. SS. I, 151; Ann. Petav. SS. I, 16; Ann. Laur. min. ed. Waitz S. 413; Ann. s. Emmerammi Ratisp. mai. SS. I, 92 etc. Regino, SS. I, 557: et primo impetu Heresburgh castrum cepit. — Ann. s. Amandi, SS. I, 12: Karlus rex bellum habuit contra Saxones in Heresburgo (vgl. Ann. Laubac. ibid. S. 13). Die letztere Angabe deutet auf einen Kampf; Unhiſtoriſches und Verwirrtes über eine Schlacht, welche der Einnahme des Platzes vorausgegangen ſein ſoll, jedoch bei Gaillard II, 222.

[2]) Translatio s. Alexandri ed. Wetzel: Truncum quoque ligni non parvae magnitudinis in altum erectum sub divo colebant, patria eum lingua Irminsul appellantes, quod latine dicitur universalis columna, quasi sustinens omnia. Abweichend Poeta Saxo l. I, v. 64 ff., Jaffé IV, 546, der an ein künſtlich errichtetes ſäulenartiges Heiligthum denkt:

Gens eadem coluit simulacrum, quod vocitabant
Irminsul, cuius similis factura columne
Non operis parvi fuerat parvique decoris.

Uebrigens vgl. Grimm, Mythologie S. 95 ff. und unten S. 127 N. 1.

[3]) Die Ann. Laur. min. l. c. ſagen: fanum et lucum eorum famosum Irminsul; den Ausdruck fanum gebrauchen auch Ann. Laur. mai. etc.; Ann. Einh. etc.: idolum.

[4]) Annales Laur. mai. l. c.: Aurum et argentum, quod ibi repperit, abstulit; Fragm. Basil. SS. I, 28: aurumque et argentum, quod superstitiosum ibi adunatum fuerat. Es iſt kein Grund und ſogar keine Berechtigung vorhanden, dieſen Gold- und Silberſchatz mit Grimm S. 97 für ſagenhafte Ausſchmückung zu halten. An Münzen braucht man nicht gerade zu denken, eher an rohes Metall; aus Gold und Silber waren vielleicht auch die heiligen Geräthe verfertigt, die an den heiligen Orten des Kultus wegen aufbewahrt wurden, Grimm S. 58. Da aber ſolche Schätze da waren, müſſen Behältniſſe für ihre Aufbewahrung da geweſen ſein. Vgl. auch Diekamp, Suppl. S. 8 N. 55, der auf die Schätze hinweiſt, welche Liudger an den Kultusſtätten der Frieſen fand (Altfr. v. Liudgeri, c. 16, Geſchichtsquellen des Bisthums Münſter IV, 20).

auch Wohnungen für die, welche den Kultus besorgten[1]). Es waren so umfangreiche Anlagen, daß Karl durch ihre Zerstörung etwa drei Tage aufgehalten wurde, obgleich sich keine Spur da-

[1]) Der Name der Irminsäule ist aufs verschiedenste erklärt und hat eine ganze Litteratur aufzuweisen, die zusammengestellt ist bei v. Ledebur a. a. O. S. 4. ff. Am häufigsten ward er hergeleitet von Arminius, die Irminsäule sollte ein Denkmal des Arminius sein, wie z. B. noch Luden IV, 282 f. weitläufig ausführte; oder man verstand darunter die Säule des Gottes Irmino, des sächsischen Mars oder Merkur, wie z. B. Leibniz, Annales I, 34 annimmt. Diese und andere Erklärungs-versuche werden aber beseitigt durch die Aussage Rudolf's von Fulda in der Trans-latio s. Alexandri oben S. 126 N. 2, welche hier als das älteste Zeugniß entscheidend ist und bestätigt wird durch die Ausführungen von J. Grimm, Deutsche Mythologie, 4. Ausg. S. 95 ff. Zu widersprechen scheint die Erzählung Widukind's I, 12, SS. III, 423, daß die Sachsen nach ihrem Sieg über die Thüringer bei dem Ueberfall von Burgscheidungen an der Unstrut vor dem östlichen Thor einen Siegesaltar er-richtet und ein Heiligthum verehrt hätten, das dem Namen nach an Mars, der Säulengestalt nach an Herkules, der Lage nach an den Sonnengott (Sol), den die Griechen Apollo nennen, erinnert habe; wodurch Widukind die Vermuthung anderer bestätigt findet, die Sachsen stammten von den Griechen, weil — wie er recht confus hinzusetzt — Hirmin oder Hermis griechisch Mars bedeute. Offenbar sollen die Sachsen bei Burgscheidungen eine Irminsäule errichtet haben, deren es also mehrere gab, und Widukind denkt an einen Gott Hirmin, der dadurch (neben Herkules, d. i. Thunar, und Sol) geehrt und nach dem jene so benannt sei. Grimm, der a. a. O. S. 95 ff. der Aussage Rudolf's von Fulda folgt, Irmin für ein Präfix hält, bemerkt nachher, S. 292, daß Irmin trotzdem in früheren Jahrhunderten eine persönliche Be-deutung gehabt haben, daß die Irminsäule zu Ehren eines Gottes Irmin errichtet worden sein werde, sei es des Mars oder Merkur. Allein die Thatsache, die Widu-kind erzählt, ist blos die Errichtung einer Irminsäule; was er über den Gott Hirmin, seine Identität mit Mars beifügt, ist an sich sehr verwirrt (Mars ist bekanntlich kein griechischer Göttername und Hermes vielmehr der griechische Name Merkur's) und könnte auch blos eine Combination Widukind's oder aber eine von ihm zuerst wieder-gegebene Bildung der Volkssage sein, die aus der Irminsäule die Säule eines Gottes Irmin gemacht hat. Auch fügt er selbst nach den Worten quia Hirmin vel Her-mis Graece Mars dicitur hinzu: quo vocabulo ad laudem vel ad vitupera-tionem usque hodie etiam ignorantes utimur, was wiederum sehr undeutlich ist und verschiedene Erklärungen hervorgerufen hat, sich aber wohl auf Hirmin, nicht auf Mars bezieht; vgl. SS. III, l. c. N. 23; Grimm, Deutsche Mythologie 4. Ausg. S. 292—293; Müllenhoff bei Schmidt, Zeitschrift für Geschichtswissenschaft VIII, 242 ff.; Zeitschr. f. deutsches Alterthum XXIII, 3; Rieger, ebd. XI, 182. Aeltere Zeugnisse als bei Widukind gibt es für einen Gott Irmin nicht. Rudolf weiß von einem solchen noch nichts; man wird bei seiner Erklärung der Irminsäule stehen bleiben müssen. Daß es mehrere Irminsäulen gab, wird dadurch nicht ausgeschlossen; noch heute führt ein Dorf in der Gegend von Hildesheim, im Kreise Marienburg, den Namen Irmseule, Irmenseule, der wenigstens möglicherweise auch aus einer dort früher vorhandenen Irminsäule hergeleitet werden könnte. Giefers, in der Zeitschrift für vaterländische Geschichte und Alterthumskunde, herausgegeben von Erhard und Rosenkranz, Bd. 8 S. 261 ff., will in Betreff der von Karl zerstörten Irminsäule nachweisen, daß sie ein von dem im Jahr 14 n. Chr. durch die Römer zerstörten Hain der Tanfana übriggebliebener Baumstamm gewesen sei, und hat dies wenigstens bis auf einen gewissen Grad wahrscheinlich gemacht; bedenklich ist jedoch, daß er sie 3 Stunden entfernt vom Bullerborn, zwischen Kleinenberg und Wülbadessen bei der sogen. Karlsschanze sucht, welche Karl's Lager gewesen sein soll; dies ist in keiner Weise erwiesen. Vollends unglaublich aber ist, was über das spätere Verbleiben der Irminsäule gefabelt wird: sie sei auf Karl's Befehl heimlich an der Weser vergraben, aber bei der Gründung des Klosters Korvei zufällig wieder aufgefunden und auf Ludwig's d. Fr. Befehl nach Hildesheim gebracht, vgl. Kratz, Der Dom zu Hildes-heim, S. 93, wo N. 70 die Stellen angegeben sind. Die im Dom zu Hildesheim aufbewahrte sogen. Irminsäule wird erst seit dem Anfang des 17. Jahrhunderts so

von findet, daß die Sachsen die heilige Stätte zu vertheidigen
suchten. Dagegen hatte das fränkische Heer infolge großer Trocken-
heit durch Wassermangel zu leiden, der aber durch eine über-
raschende Erscheinung bald gehoben wurde. „Durch die göttliche
Gnade", erzählen die alten Annalen, „entströmte plötzlich um Mittag,
als das ganze Heer ausruhte, aus einer Quelle, von welcher niemand wußte, Wasser in reichster Fülle, so daß das ganze Heer zu
trinken hatte[1]." Dieser Vorfall, in welchem die Annalen ein göttliches Wunder erblicken[2], muß eine natürliche Ursache gehabt
haben, und man hat sogar angenommen, er mache es möglich den
Ort des Heiligthums genau zu bestimmen. Bei Altenbeken, unweit
Lippspringe im Osninggebirge befindet sich nämlich eine Quelle,
der sogenannte Bullerborn, welcher noch im 17. Jahrhundert die
Eigenschaft hatte jeden Tag um Mittag zu versiegen, dann wieder
eine ansehnliche Wassermasse sprudelnd auszuströmen[3], und dieser
Punkt, glaubt man, müsse hier gemeint sein. Die Richtigkeit dieser
Ansicht ist freilich zweifelhaft genug[4]. Sollte sie zutreffen, so
würde demnach das fränkische Heer dort gelagert und dort, etwa
6 Stunden nördlich von Eresburg, auch die Ermensul gestanden
haben[5].

Karl gab das ganze Heiligthum der Zerstörung durch Feuer[6]

genannt, vgl. Kratz, S. 95 f. Was den Namen betrifft, so haben die ältesten Annalen theils Ermensul, wie die Annales Petaviani, SS. I, 16, und die Annales
Laur. mai. l. c.; theils, wie die Annales Mosell. l. c., Irminsul. Bedeutung
hat der Unterschied nicht.

[1] Annales Laur. mai l. c.; Ann. Einh. l. c. etc.; vgl. Dünzelmann im
Neuen Archiv u. f. w. II, 480 und in Betreff des Mittagsschlafs Pückert in Ber.
der k. sächs. Ges. d. Wiss. phil.-hist. Cl. 1884. I, II, S. 186 N. 8. — Bei Ademar
von Chabannes, Duchesne II, 70, ist der Vorfall noch einigermaßen ausgeschmückt.

[2] Vgl. Ann. Laur. mai. l. c.; Ann. Einh. l. c.; besonders aber Ann.
Mett. SS. XIII, 28 und Ann. Lobiens. ib. S. 229.

[3] Dies bezeugt Fürstenberg in den Monumenta Paderbornensia S. 216 ff.

[4] Vgl. v. Sybel, Kleine hist. Schriften III, 23 N.; Erhard, Regest. hist.
Westf. S. 64; Mühlbacher S. 61. Sybel weist darauf hin, daß der Bullerborn,
nach Fürstenberg, ja gerade sonst immer Wasser hatte und nur jeden Mittag versiegte,
während jene Wunderquelle umgekehrt plötzlich um Mittag hervorgesprudelt sein soll
— wie eine Art Geiser.

[5] Ueber den Ort des Heiligthums sind die verschiedensten Vermuthungen aufgestellt. Irrthümlich ist es zunächst, die Irminsäule in Eresburg zu suchen; Eresburg wird in den Annalen als castrum bezeichnet und hat mit der Irminsäule nichts
zu thun. Schon Leibniz, Annales I, 34 macht darauf aufmerksam, daß die Quellen
Eresburg und die Irminsäule als von einander entfernt darstellen: Aeresburgum
castrum coepit, ad Ermensul usque pervenit, sagen die größeren lorscher Annalen; die Annahme, daß die Irminsäule in Eresburg gestanden, beruht nur auf
Thietmar. II, 1, SS. III, 744 und der Aussage des falschen Chronicon Corbeiense,
bei Wedekind, Noten zu einigen Geschichtschreibern des Mittelalters, I, 378: Haec
est Aresburg quam Karolus obsidionis fraude caepit atque destructo
idolo Irmin devastavit. Ueber andere Vermuthungen vgl. v. Ledebur, Kritische
Beleuchtung S. 4 ff., durch welchen die Frage nach dem Orte des Heiligthums
dahin erledigt wird, daß wir es unweit Altenbeken zu suchen hätten.

[6] Ann. Petav. SS. I, 16: et succendit ea loca; Ann. Max. SS. XIII,
21: et incendit eam et quicquid illi adorabant; Ann. Iuvav. min.
SS. I, 88: combussit. Die übrigen Quellen, wie Ann. Laur. mai., Annales
Einh. etc. gedenken nur einfach der Zerstörung.

preis, führte die Schätze, die er vorfand, Gold und Silber, als
Beute mit fort und vertheilte sie, wie es heißt, unter seine Großen[1]).
Der Zweck des Krieges brachte es mit sich, daß dem Heiligthum
keine Schonung zu Theil ward; eher ließe sich vermuthen, daß
Karl gerade um die Ermensul zu zerstören diesen Weg eingeschlagen
hatte; der Krieg war dadurch von vornherein für einen Religions=
krieg erklärt; als solcher wurde er nun auch von den Sachsen auf=
gefaßt, wie sie gleich durch ihre nächste Unternehmung zu erkennen
gaben[2]).

Von der Ermensul rückte Karl an die Weser[3]). Von einem
Kampf mit den Sachsen liest man nichts; sie waren durch die
raschen Fortschritte Karl's dermaßen eingeschüchtert, daß sie Unter=
handlungen mit ihm anknüpften, an der Weser sich bei ihm ein=
fanden und einem Ueberschreiten des Flusses durch die Franken
dadurch zuvorkamen, daß sie auf seine Forderungen eingingen[4]).
Der Inhalt derselben ist aber nicht überliefert, und es ist daher
sehr zweifelhaft, ob sich das Abkommen etwa auf die Anerkennung
der fränkischen Oberhoheit und auf die freie Predigt des Christen=
thums bezog[5]). Fast wahrscheinlicher ist, daß die Sachsen nur
gelobten sich in Zukunft feindlicher Uebergriffe zu enthalten, sicher
aber nur, daß die Sachsen als Bürgschaft für die Erfüllung ihrer
Versprechungen zwölf Geiseln stellten, welche Karl mit ins frän=
kische Reich nahm[6]). Schwerlich aber hat er sich dadurch alle
Sachsen verpflichtet; von dem ganzen Feldzuge waren nur die
Engern betroffen, und auch das Abkommen ist gewiß nur mit ihnen
geschlossen[7]).

So wenig wie über die Zeit des Aufbruchs nach Sachsen, so

---

[1]) Vgl. die Stellen oben S. 126 N. 4; Fragm. Basil l. c. sagt dort: suis
fidelibus distri(buit).

[2]) Durch den Ueberfall der Kirche in Fritzlar, vgl. unten zum Jahr 774.

[3]) Annales Laur. mai.; Annales Einh. etc. Wo Karl an die Weser kam,
ob südöstlich vom Osning beim Einfluß der Diemel, wie Leibniz I, 38 will; oder
nördlich, wie Giesers bei Erhard und Rosenkranz, Zeitschrift VIII, 282, annimmt,
ist nicht zu entscheiden; die Vermuthungen von Giesers haben gar keinen Halt.
Leibniz bezieht auf den damaligen Lagerplatz Karl's den Namen Herstelle, aber ohne Grund,
da dieser Name erst geraume Zeit später begegnet (vgl. Bd II. z. J. 797); man
weiß nicht, ob Karl 772 nach dem später sogenannten Herstelle kam.

[4]) Von einem Kampf ist hier so wenig wie bei der Zerstörung der Irmin=
säule die Rede.

[5]) Mit Unrecht stellt Erhard, Regesta hist. Westfal. S. 64 Nr. 140, dieses
so dar, als ob in den Quellen von einem Versprechen der Sachsen, sich der Ein=
führung des Christenthums nicht zu widersetzen, die Rede wäre; vgl. Kentzler in
Forsch. zur Deutschen Gesch. XI, 85.

[6]) Annales Laur. mai. l. c.; Ann. Einh. etc.; Ann. Laur. min. l. c.:
Saxones ad regem super Wisarhaha venientes, obsidibus datis, pacem faciunt (rogant: Ann. Hildesheim.); Ann. Mett. SS. XIII, 28: Acceptisque
ab illis obsidibus quot voluit; vgl. Chron. Vedastin. SS. XIII, 703. Die
umfassenden Anordnungen, welche Eckhart I, 622 den König schon jetzt zum Behufe
der Christianisirung Sachsens treffen läßt, gehören erst einer späteren Zeit an, nach=
dem Karl schon festeren Fuß in Sachsen gefaßt.

[7]) Dies hebt mit Recht auch Hegewisch S. 90 hervor; vgl. auch oben S. 122.

wenig ist auch über die Zeit der Rückkunft Karl's[1] etwas Genaueres
bekannt. Am 20. Oftober befindet er sich wieder in seiner Pfalz
zu Heristal und bestätigt dem Abte Lantfred von St. Germain des
Prés alle Besitzungen seines Klosters mit voller Immunität[2]).
Von da ab bis zum Schlusse des Jahres erfahren wir über Karl
nichts mehr, außer daß er auch Weihnachten in Heristal zubrachte[3]).
Gewöhnlich wurde zwar noch ein Gesetz über den Königsbann in
dieses Jahr verlegt; doch zeigt der Eingang wie der Schluß des
angeblichen Capitulars, daß es sich hier um gar kein förmliches
Gesetz, sondern um eine bloße Rechtsaufzeichnung handelt[4]), die
zwar möglicherweise auf Veranlassung des Königs veranstaltet sein
könnte, viel wahrscheinlicher jedoch eine Privatarbeit ist. Was die
Zeit der Aufzeichnung betrifft, so läßt sich dieselbe nicht mit Sicherheit ermitteln, fällt jedoch vermuthlich erst um 780[5]). Gegenstand
derselben sind die sogenannten acht Banne, eine Reihe von acht
besonders ausgezeichneten Verbrechen, weil sie sich auf Verhältnisse
beziehen, welche betrachtet werden als unter der unmittelbaren Aufsicht des Königs stehend, die daher für eine Verletzung des königs-
lichen Bannes selber gelten. Diese acht Verbrechen sind: Ent-
weihung von Kirchen, Ungerechtigkeit gegen Wittwen und Waisen,
gegen Bedürftige, die sich nicht selbst vertheidigen können[6]), Entführung einer freien Frau gegen den Willen ihrer Verwandten,
Brandstiftung, gewaltsamer Einbruch in die Umzäunung oder die
Thür oder das Haus eines Anderen, endlich Versäumniß des Heer-
dienstes. Auf jedes dieser acht Verbrechen wird eine Strafe von
60 Solidi gesetzt.

Die Geschichte Karl's umfaßt aber noch nicht ganz zugleich
die Geschichte Deutschlands. Jene ist, soweit unsere Kenntniß

---

[1]) Ann. Laur. mai.: et reversus est in Franciam; Ann. Einh.: Inde
(von der Weser) in Franciam reversus etc. — In Vetust. ann. Nordhumbr.
SS. XIII, 154 die unzuverlässige Nachricht von zahlreichen Verlusten seiner Großen,
die Karl auf diesem Feldzuge erlitten habe (Multisque ex principibus ac nobilibus
viris suis amissis, in sua se recepit, vgl. ebb. N. 8).

[2]) Sickel K. 16. Anm. S. 232—233; Mühlbacher Nr. 147; Bouquet V,
722 f., allerdings auf keinen Fall ganz unverfälscht, jedoch ist es unrichtig, wenn
die Ann. S. Germani Paris. SS. III, 167 den Tod des betreffenden Abts bereits
ins Jahr 765 setzen. Dagegen ist die Urkunde für Weomad von Trier, Sickel II,
437; Mühlbacher Nr. 164; Görz, Mittelrhein. Regesten I, 84—85 Nr. 238; Beyer,
Mittelrheinisches Urkundenbuch I, 30 Nr. 26 falsch, Rettberg I, 471 N. 10. Sie
würde übrigens jedenfalls erst ins Jahr 774 gehören, da sie das 6. Regierungsjahr
Karl's zählt; offenbar nur, weil am 1. September 774 Karl sich nicht in Heristal
befunden haben kann, da er am 2. Sept. in Worms war, hat man sie 772 angesetzt.

[3]) Ann. Laur. mai.; Ann. Einh.

[4]) Der Eingang lautet, Capp. I, 224: De octo bannus unde domnus
noster vult, quod exeant solidi 60; der Schluß: Isti sunt octo banni domino
regis unde exire debent de unoquisque solido 60. Vgl. Waitz III, 2. Aufl.
S. 319 N. 1.

[5]) Boretius, Capp. 1 c.

[6]) Contra pauperinus qui se ipsus defendere non possunt, qui dicuntur
unvermagon (= minus potentes).

reicht, für dieses Jahr erschöpft, diese noch nicht. Während Karl im Norden die Sachsen bekämpfte, vollbrachte im Südosten Tassilo eine wichtige Eroberung für Baiern, für deutsches Wesen und für das Christenthum. Etwa im Jahre 769, nach dem Tode des Karantanenherzogs Chotimir (Cheitmar) war Kärnten für Tassilo und das Christenthum wieder verloren gegangen[1]), im Jahre 772 wurde es für beide zurückerobert[2]). Ueber den Verlauf des Kampfes ist nichts bekannt, wahrscheinlich hatte ihn Tassilo nicht erst 772, sondern schon früher wieder aufgenommen[3]). Soviel man sieht, trug ebenso viel als die bairischen Waffen die Predigt des Christenthums, die Tassilo mit demselben Eifer wie den Krieg betrieb, zur Unterwerfung Kärntens bei. Die Stiftung des Klosters Innichen im Pusterthale im Jahre 769 war, wie Tassilo im Stiftungsbriefe selbst ausdrücklich sagt, zum Zweck der Bekehrung der heidnischen Slaven in jenen Gegenden, das heißt der Karantanen, geschehen[4]); außerdem war wohl auch Bischof Virgil von Salzburg thätig für die Mission. Durch die Mission allein würde aber Kärnten wohl nicht so schnell wieder für Baiern gewonnen sein, wenn nicht auch kriegerische Erfolge hinzugekommen wären. Man liest, nachdem das Land mehrere Jahre lang ohne christliche Priester gewesen, habe der neue Herzog Waltunc zu Bischof Virgil geschickt und ihn gebeten neue Priester dahin zu senden[5]); das war jedoch ohne Zweifel erst das Ergebniß der Unterwerfung Kärntens im Jahre 772[6]). Es ist möglich, daß Tassilo in dem nach Chotimir's Tode in große Verwirrung gerathenen Kärnten die Ruhe herstellte und Waltunc als Herzog einsetzte[7]); aber die Quellen gewähren jedenfalls für diese Vermuthung keinen sicheren Anhaltspunkt[8]). Es ließe sich ferner denken, daß Waltunc, der ein so entschiedener Freund des Christenthums, also auch wohl selber Christ war, Tassilo die Hand zur Unterwerfung Kärntens geboten habe[9]), indessen diese Annahme erscheint sogar mit der quellenmäßigen Ueberlieferung kaum vereinbar[10]). Dagegen darf man annehmen, daß die Unterwerfung unter Tassilo ganz Kärnten traf; auch die rasche Verbreitung, welche das Christenthum im ganzen Lande fand, läßt es vermuthen. Zwischen Salzburg und

---

[1]) Vgl. oben S. 58.

[2]) Annales s. Emmerammi Ratispon. mai. SS. I, 92: Carolus in Saxonia conquesivit Eresburc et Irminsul, et Tassilo Carentanus (Auctar. Garstense, SS. IX, 563); unten S. 132 N. 3.

[3]) Vgl. oben S. 106; der Ausdruck conquesivit in der vorigen Stelle deutet doch ohne Zweifel auf eine Eroberung mit den Waffen hin.

[4]) Vgl. die Urkunde oben S. 67 N. 4.

[5]) De conversione Bagoar. et Carant. SS. XI, 8.

[6]) Büdinger S. 113 f. setzt die Sendung Waltunc's an Virgil mit Recht in Verbindung mit der Unterwerfung der Karantanen.

[7]) Vgl. Hansiz, Germania sacra II, 93; Rettberg II, 558.

[8]) Noch weniger für die Vermuthung von Linhart, Versuch einer Geschichte von Krain II, 162, Waltunc sei durch den fränkischen König eingesetzt.

[9]) Dies scheint Büdinger anzunehmen.

[10]) Vgl. oben N. 2 u. 3.

9*

Kärnten herrschte seitdem der regste Verkehr; Virgil sandte zahlreiche Priester aus um die Bekehrung der Slaven zu fördern und
unter thätiger Beihilfe Waltunc's das Kirchenwesen im Anschluß
an die Salzburger Kirche zu ordnen. Von mehreren dieser Glaubensboten sind die Namen überliefert, die Priester Heimo, Reginbald, Dupliterus, Majoranus, Gozharius, Erchanbert, Reginharius,
Augustinus, Gundharius werden genannt[1]). Natürlich kam, troß
der angestrengtesten Thätigkeit, bei Lebzeiten Virgil's die Christianisirung Kärntens noch nicht zum Abschluß; aber das von ihm
begonnene Werk wurde von seinem Nachfolger Arn mit Eifer fortgesetzt, und die Salzburger Kirche, deren Sprengel die neubekehrten
Slavenländer zum größten Theile zugewiesen wurden, gewann dadurch an Ansehen und Macht einen beträchtlichen Zuwachs.

In demselben Jahre schickte Tassilo, der troß seiner nahen
Beziehungen zu Desiderius auf das gute Einvernehmen mit dem
Papst immer einen hohen Werth gelegt hatte[2]), seinen jungen Sohn
Theodo nach Rom, um ihn durch den Papst selber taufen zu
lassen[3]).

---

[1]) De conversione Bagoar. et Caraut. SS. XI, 8 f.
[2]) Vgl. oben S. 61.
[3]) Annales Admunt. SS. IX, 572: Tassilo Carenthiam subjugavit, et
Theodo filius eius Romae baptizatus est; vgl. auch die Annales s. Rudberti
Salisburg. SS. IX, 769. Die Nachricht ist zwar erst aus dem 12. Jahrhundert,
beruht aber doch wohl auf einer älteren Quelle.

773.

Während des Jahres 772 scheinen die Beziehungen Karl's zu Italien fast ganz geruht zu haben; 773 werden sie wieder aufgenommen und drängen sogleich alle übrigen Angelegenheiten in den Hintergrund. Der Anstoß zu dem nachdrücklichen Eingreifen Karl's in die italienischen Verhältnisse ging von Italien selber aus; von Rom, wo in der päpstlichen Politik ein neuer Umschlag eingetreten war, und von Desiderius, der sich um die Nachfolge der Söhne Karlmann's in dem Reiche ihres Vaters bemühte.

Papst Stephan III. hatte den Bruch Karl's mit Desiderius und den Tod Karlmann's nur wenige Monate überlebt; noch ehe die Rückwirkung der Vorfälle im fränkischen Reich auf die Stellung des Papstes sich entschieden geltend machen konnte, starb er Ende Januar 772[1]). Die langobardische Partei unter der Führung des Paul Afiarta, welche ein Jahr vorher ans Ruder gekommen war, hatte sich bis zu Stephan's Tod noch in solcher Stärke behauptet, daß sie es wagen konnte, acht Tage ehe der Papst starb den geblendeten Sergius aus dem Wege räumen zu lassen und viele andere ihrer Gegner unter den römischen Großen theils ins Gefängniß zu werfen, theils in die Verbannung zu schicken[2]). Afiarta und seine Anhänger hatten gehofft, auf diesem Wege ihren Einfluß auf die bevorstehende Papstwahl zu sichern. Aber ihre Erwartung war nicht in Erfüllung gegangen. Sogleich nach Stephan's

---

[1]) Hadrian wurde gewählt am 1. Februar, Annales Stabulenses, SS. XIII, 42 (Adrianus pontificatum suscepit Kalendis Februarii), Ann. Auscienses, SS. III, 171; Ann. Laubacenses, SS. I, 13 (vgl. Forsch. zur D. Gesch. XXV, 375—377; auch die von Goldmann mitgetheilten Annalen, Neues Archiv XII, 405. Das Wahldekret (vgl. unten S. 134 N. 2) ist datirt: mense Februario indictione 10. Neun Tage lang war der päpstliche Stuhl erledigt, Vita Steph. Duchesne I, 480, d. h. wohl bis zu Hadrian's Weihe (9. Febr.). Daß Hadrian noch bei Lebzeiten Stephan's gewählt wurde, wie Jaffé in der ersten Ausgabe der Regest. Pont. S. 202 behauptet hatte, sagen die Worte: dum de hac vita migraret . . . Stephanus papa, ilico nicht; vgl. Jaffé, Regest. Pont. ed. 2a. I, 288—289; dazu Duchesne l. c. p. CCLIX.

[2]) Vita Hadriani l. c. S. 486 ff.

Tode, am 1. Februar, wurde Hadrian I. zum Papſte gewählt[1]), der ſofort zeigte, wie wenig ſie auf ihn rechnen durften.

Der neue Papſt, deſſen Wahl nach ſeinem uns erhaltenen Wahldekret mit großer Einmüthigkeit erfolgte[2]), war ein Römer von ſehr vornehmer Herkunft[3]); einer ſeiner Oheime und einer ſeiner Neffen, Theodorus, waren Conſul und Dux[4]). Als kleines Kind verlor er ſeinen Vater; nachdem auch die Mutter geſtorben war, übernahm der erwähnte Oheim, der Conſul und Dux Theodot, welcher ſpäter Primicerius wurde, ſeine Erziehung. Unter Papſt Paul I. war er in den Klerus aufgenommen worden und Regions = Notar, ſpäter Subbiaconus geworden; Stephan III. hatte ihn ſpäter zum Diakon befördert[5]). Wie es heißt, von glücklicher Körperbildung[6]), ſoll er ſich ſchon früh durch Askeſe und Wohlthätigkeit ausgezeichnet haben. Seine Weihe erfolgte am 9. Februar[7]). Hadrian nahm nun von vornherein eine ſehr beſtimmte Haltung ein, wobei ihm die Gunſt der Verhältniſſe zu Hilfe kam. Es muß dahingeſtellt bleiben, ob er ſich etwa früher mehr auf die langobardiſche Seite geneigt hatte oder nicht; jedenfalls ſtand er ſeit ſeiner Erhebung auf den päpſtlichen Stuhl nicht mehr auf dieſer Seite. Die Ereigniſſe, welche ſeiner Wahl vorausgegangen waren, konnten auf ſeine Stellung natürlich nicht ohne maßgebenden Einfluß ſein. Zwei Monate vorher hatte Karl das ganze fränkiſche Reich unter ſeiner Herrſchaft vereinigt und dadurch eine Macht aufgerichtet, von welcher Deſiderius die größte Gefahr drohte. Bei der Spannung zwiſchen den Langobarden und Franken waren auch die Intereſſen der rö= miſchen Kirche weſentlich betheiligt; Hadrian konnte kaum im Zweifel darüber ſein, welche Partei er ergreifen ſollte. Von Deſiderius war er durch die unverſöhnliche Feindſchaft zwiſchen Rom und den

---

[1]) Vgl. oben S. 133 N. 1. Den damaligen Papſtwechſel erwähnen auch noch manche andere Jahrbücher, wie Ann. Einh. 772, SS. I, 151; Ann. Max., SS. XIII, 21; Ann. Iuvav. min. SS. I, 88; Ann. s. Emmerammi Ratispon. mai. SS. I, 92; Ann. s. Vincentii Mett. SS. III, 156 etc.

[2]) S. Vita et textus epistolarum Hadriani I., Mabillon, Mus. Ital. I, 2, S. 38; dazu L. v. Ranke, Weltgeſch. V, 2, S. 117—118. Benedicti s. Andreae mon. chron. c. 22, SS. III, 707.

[3]) V. Hadriani, Duchesne I, 486: nobilissimi generis prosapia ortus atque potentissimis Romanis parentibus editus; Mabillon, Mus. Ital. l. c.; Benedict. s. Andreae mon. chron. l. c.; Chron. Vedastin. SS. XIII, 703. Bazmann, die Politik der Päpſte I, 273, hier zum Theil unrichtig.

[4]) Cod. Carolin. Nr. 74, Jaffé IV, 228; Nr. 61. 62 S. 200. 202—203; vgl. Duchesne I, 486. 514 u. unten z. J. 778.

[5]) V. Hadriani l. c. Als Diakon wird er auch in dem Wahldekret und dem von ihm aufgeſetzten Glaubensbekenntniß (Mabillon, Mus. Ital. l. c. S. 38 bis 39) bezeichnet.

[6]) V. Hadriani l. c. (elegans et nimis decorabilis persona).

[7]) Hienach die Berechnung der Zeitdauer ſeines Pontifikats auf 23 Jahre, 10 Monate und 17 Tage, vgl. unten Bd. II. z. J. 796 und die daſelbſt angeführten Stellen; Mabillon, Mus. Ital. l. c. S. 38 N. a wird allerdings bemerkt, daß Hadrian's Ordination in einem Kalendarium Gellonense aus Karl's Zeit auf den 4. März geſetzt wird; jedoch beruht dies auf Verwechſelung, Duchesne p. CCLIX 68. 1.

Langobarden getrennt, welche durch die vorübergehende Verbindung
im Jahr 771 von ihrer Schärfe nichts verloren hatte; dagegen
stand Karl nicht blos Deſiderius gleichfalls feindlich gegenüber,
ſondern hatte nunmehr auch eine ſo gebietende Stellung inne, daß
von ſeiner Freundſchaft für Rom Großes zu hoffen war.

So arbeitete denn Hadrian vom erſten Tage ſeines Pontifikats
an darauf hin, die näheren Beziehungen zu den Franken wieder
anzuknüpfen[1]). Er rief ſofort die vor Stephan's Tod verbannten
päpſtlichen Hofbeamten und militäriſchen Beamten wieder zurück
und ſetzte die Verhafteten in Freiheit[2]). Dem Langobardenkönig,
der ihm gleich nach ſeiner Wahl durch eine eigens dazu abgeordnete
Geſandtſchaft ein Freundſchaftsbündniß anbieten ließ, erwiderte er
mit dem Hinweis auf ſeine Wortbrüchigkeit gegenüber Stephan III.[3]).
Umſonſt ſtellte ihm Deſiderius die Erfüllung aller ſeiner Forde=
rungen in Ausſicht, wenn er ſich nur zu einer Zuſammenkunft mit
ihm verſtehen wollte; ſelbſt der Einfall der Langobarden ins Er=
archat, die Wegnahme zahlreicher Städte, ihr Vordringen bis
Blera und Otricoli, Raub und Plünderung des römiſchen Ge=
bietes vermochten nicht die Beharrlichkeit Hadrian's zu erſchüttern[4]).

Man durchſchaute in Rom recht wohl die wahren Abſichten
von Deſiderius. Er wünſchte Hadrian dahin zu bringen, daß er
die Söhne Karlmann's zu Königen ſalbe, um auf dieſe Weiſe das
fränkiſche Reich wieder zu ſpalten, den Papſt mit König Karl
zu entzweien und Rom und ganz Italien der langobardiſchen Herr=
ſchaft zu unterwerfen[5]). So ſehr nun aber auch die langobardiſche
Macht der römiſchen überlegen war, ſo wenig befand ſich doch De=
ſiderius in der Lage dieſe umfaſſenden Pläne durchzuführen. Nur
wenn Hadrian aus freien Stücken auf ſeinen Wunſch einging und

---

[1]) Sugenheim, Geſchichte der Entſtehung und Ausbildung des Kirchenſtaats
S. 34 ſagt wohl mit Recht, Hadrian habe den apoſtoliſchen Stuhl mit dem Ent=
ſchluſſe beſtiegen, der das päpſtliche Intereſſe gefährdenden Herrſchaft der langobar=
diſchen Partei ein Ende zu machen.

[2]) Vita Hadriani l. c. S. 486 f.: Hic (Hadrianus) namque in ipsa
electionis suae die, confestim eadem hora qua electus est, reverti fecit iu=
dices illos huius Romanae urbis, tam de clero quamque militia, qui in
exilium ad transitum domni Stephani papae missi erant a Paulo cubiculario
cognomento Afiarta et aliis consentaneis impiis satellitibus; sed et reliquos,
qui in arta custodia mancipati ac retrusi erant absolvi fecit. Vgl. in Betreff
der iudices de clero und iudices de militia W. v. Gieſebrecht, Geſch. d. deutſch.
Kaiſerzeit I, 5. Aufl. S. 870.

[3]) Vita Hadriani S. 487; Abel, Der Untergang des Langobardenreiches
S. 95; oben S. 91 N. 1.

[4]) Vita Hadriani l. c. S. 488; Untergang des Langobardenreiches S. 96 ff.

[5]) Vita Hadriani S. 488: et ob hoc ipsum sanctissimum praesulem (Ha=
drianum) ad se properandum seducere conabatur, ut ipsos antefati quondam
Carulomanni filios reges ungueret, cupiens divisionem in regno Francorum
inmittere ipsumque beatissimum pontificem a caritate et dilectione ex=
cellentissimi Caruli regis Francorum et patricii Romanorum separare et
Romanam urbem atque cuncta Italia sub sui regni Langobardorum pote=
state subiugare. (Pauli contin. Romana c. 7; contin. tertia c. 48. 49, SS.
rer. Langob. S. 201. 212.)

die Söhne Karlmann's salbte, konnte zwischen Karl und Hadrian ein Riß entstehen; geschah dem Papst dagegen Gewalt, so wurde er noch entschiedener Karl in die Arme getrieben und wurde Karl zum Eingreifen entschiedener herausgefordert. Hadrian hatte aber den Desiderius über seine Gesinnung von Anfang an nicht im Zweifel gelassen, und bald genug brach auch die letzte Stütze für dessen Hoffnung, den Papst noch auf seine Seite zu ziehen, zusammen. Paul Afiarta hatte sich auch unter Hadrian noch einige Zeit in seiner hohen Stellung behauptet und setzte seine Thätigkeit im Interesse der Langobarden unablässig fort. Als aber seine Schuld an der Ermordung des Sergius zu Tage kam, war es um ihn geschehen. Er wurde, auf dem Rückwege von einer im Auftrage des Papstes zu Desiderius unternommenen Reise, auf Befehl Hadrian's in Ravenna verhaftet. Es wurde ihm der Prozeß gemacht, und obschon Hadrian seine Verbannung nach Constantinopel gefordert hatte, wurde er doch auf den Befehl des Erzbischofs Leo von Ravenna hingerichtet[1].

Auf die Haltung von Desiderius hatte indessen dieser Vorfall keinen Einfluß[2]. Er drohte dem Papste gegen Rom zu ziehen und setzte sich, da Hadrian immer noch nicht nachgab, mit einem starken Heere in Bewegung gegen die Stadt; sein Sohn und Mitregent Adelchis, Gerberga mit ihren Söhnen und der Franke Autcharius waren in seiner Begleitung[3].

Während so die Gefahr Rom immer näher rückte, entschloß sich Hadrian, um die Hilfe König Karl's zu bitten. Er schickte eine Gesandtschaft an Karl und ersuchte ihn, „gleichwie sein Vater Pippin seligen Andenkens, möge auch er der heiligen Kirche Gottes und der bedrängten römischen Provinz nebst dem Exarchat von Ravenna Hilfe und Unterstützung leihen und von Desiderius das volle Recht des heiligen Petrus und die weggenommenen Städte zurückfordern"[4]. Desiderius beherrschte die Landwege; daher machten die Gesandten, unter denen Petrus genannt ist, die Reise zur See. In Marseille stiegen sie ans Land und begaben sich von da weiter nach Diedenhofen, wo sie ungefähr im Februar oder der ersten Hälfte des März ankamen[5].

Karl brachte den Winter, wie gewöhnlich, in den Gegenden am Niederrhein und an der Mosel zu. Am 20. Januar 773

---

[1] Vita Hadriani S. 490 f.; vgl. auch Papencordt, Geschichte der Stadt Rom im Mittelalter, herausgegeben von Höfler S. 97; Leo, Geschichte der italienischen Staaten I, 198 ff.; Hegel, Geschichte der Städteverfassung von Italien I, 259 ff.

[2] Leo I, 200 bemerkt mit Recht, daß er eher dazu beitrug, Desiderius in seiner feindseligen Haltung gegen Rom zu bestärken.

[3] Vita Hadriani S. 493.

[4] Vita Hadriani l. c.; Ann. Laur. mai. SS. I, 150; Ann. Einh. SS. I, 151; Chron. Moiss., Ann. Mett., SS. XIII, 28 etc.; vgl. Einh. V. Karoli c. 6; Ann. Laur. min. ed. Waitz S. 413. — Die Ansicht von Luden IV, 288, Hadrian sei gleich nach seiner Erhebung auf den päpstlichen Stuhl mit Karl in Verbindung getreten, ist ohne Begründung.

[5] Vgl. die Urkunde unten S. 137 N. 3.

befindet er sich in der Pfalz Longolare (Longlier), wo er dem
Kloster Lorsch schon wieder eine Schenkung macht, bestehend in der
Villa Heppenheim im Rheingau[1]). Sodann scheint er für den
Rest des Winters nach Diedenhofen übergesiedelt zu sein[2]). Am
7. März bestätigt er daselbst dem Bischof Hebbo von Straßburg
für seine Kirche den Besitz des Oertchens Stella im oberen Breusch-
thale[3]). Einige Wochen später, am 25. März, verweilt er in der
Pfalz Quierzy an der Oise, zufolge einer Urkunde, worin er dem
Abte Frodoën von Novalese die Immunität seines Klosters verleiht[4]). Ostern, 18. April, beging er in Heristal[5]). Seine Anwesenheit in Diedenhofen ist also bestimmt nur nachzuweisen für
den Anfang des März, doch muß er auch schon im Februar dort
gewesen sein; in diese Zeit muß demnach die Ankunft der päpstlichen Gesandten fallen.

Hier in seiner Pfalz, wo er eben Hof hielt[6]), sah Karl die
Abgeordneten der beiden Hauptmächte Italiens. Die Gesandten
des Papstes riefen seine Hilfe gegen Desiderius an, und von Desiderius erschienen Gesandte, um zu versichern, daß Desiderius dem
heiligen Petrus die eroberten Städte und alle seine Gerechtsame
bereits zurückerstattet habe[7]), und dadurch die Beschwerden des
Papstes zu widerlegen. Aber Hadrian war nicht der Einzige,
welcher Karl's Hilfe gegen Desiderius in Anspruch nahm. Auch
unter den Langobarden selbst fanden sich Männer, welche in Verbindung mit Karl traten, um mit seiner Hilfe auf den Sturz des
Königs hinzuarbeiten. Man liest von einem gewissen Augino, der
sich ins fränkische Reich begeben hatte und der Untreue gegen Desiderius beschuldigt ward[8]). Man muß annehmen, daß er in einer

---

[1]) Mühlbacher Nr. 149; Urkunde im Chron. Lauresham. SS. XXI, 346 ff.;
vgl. Necrolog. Lauresham., Böhmer, Fontt. III, 144.

[2]) Ann. Laur. mai. SS. I, 150: Tunc domnus Carolus rex perrexit
ad hiemandum in villa quae dicitur Theodone-villa; Ann. Einh. SS. I,
151: in Theodone villa, ubi tunc hiemaverat; Ann. Mett. SS. XIII, 23:
Cum hiemaret rex Carolus in villa quae dicitur Theodonis (kommt der
päpstliche Gesandte).

[3]) Mühlbacher Nr. 150 (vgl. Nr. 607); Grandidier, Histoire de l'église
de Strasbourg II b, S. 106 Nr. 63; Wiegand, Urkb. der Stadt Straßburg I, 6.

[4]) Mühlbacher Nr. 152; Muratori, Antiquitates V, 967. Der Name des
Kanzlers Tesius ist aus Hitherius verderbt.

[5]) Annales Laur. mai. l. c.; Ann. Einh. l. c. (Falsche Urkunde von
Ostern 773 aus Mühlbacher Nr. 154.)

[6]) Ann. Laur. mai.; Ann. Einh.; Chron. Moiss., Ann. Mett.

[7]) Dies ergibt die Stelle in der Vita Hadriani S. 494: coniunxerunt
ad sedem apostolicam missi saepiusdicti Caroli excellentissimi regi Francorum et patricio Romanorum . . . inquirentes, si praefatus Langobardorum
rex abstultas civitates et omnes iustitias b. Petri reddidisset, sicut false
Franciam dirigebat, adserens se omnia reddidisse. Daß die langobardischen
Gesandten um dieselbe Zeit wie Petrus bei Karl ankamen, vermuthet Leibniz, Annales I, 39. Vermuthlich schickte Desiderius sie ab, sobald er von der päpstlichen
Sendung hörte, in der Absicht die Beschwerden Hadrian's zu entkräften.

[8]) Das zeigt die Urkunde, worin des Desiderius Sohn und Mitregent Adelchis
dem St. Salvatorkloster in Brescia das wegen Untreue confiscirte Vermögen des

unerlaubten Verbindung mit Karl stand, die schon ins Jahr 772 hinaufreicht, und neben ihm ist noch eine Reihe Anderer genannt, die seine Schuld theilten. Es waren, wie es scheint, vorzüglich Große des Landes, welche auf diesem Wege Karl zur Einmischung in die Verhältnisse Italiens aufforderten [1]).

So kamen die verschiedensten äußeren Einflüsse zusammen, um auf das Verhalten Karl's in den italischen Angelegenheiten ein= zuwirken; man darf jedoch ihr Gewicht nicht überschätzen. Die Verbindung mit den unzufriedenen Langobarden war, seitdem durch die Sendungen von Hadrian und Desiderius die Aussicht auf das Eingreifen Karl's näher gerückt war, gewiß nicht ohne Bedeutung; daß sie aber Karl vorher schon für ihre Pläne gewonnen, daß ihre Anerbietungen ihn bewogen haben sollten, den Krieg zu unter= nehmen, wie ein Salernitaner es zwei Jahrhunderte später dar= stellt [2]), steht im Widerspruch mit allem, was sicher überliefert ist. Karl faßte den Entschluß erst nach der reiflichsten Erwägung und wurde dabei von ganz anderen Rücksichten geleitet.

Es ist zwar kaum möglich die Beweggründe Karl's, durch welche seine Stellung zu den Verhältnissen Italiens damals be= stimmt ward, sicher zu ermitteln. Daß er aber von vornherein

---

Augino und anderer Langobarden schenkt, Troya V, 711 ff. Es heißt in der Ur= funde S. 715: Concedimus etenim in ipso domini Salvatoris monasterio omnes res vel familias Augino, qui in Francia fuga lapsus est, et omnes curtes vel singula territoria atque familia, que fuerunt Sesenno, Raidolfi, Radoaldi, Stabili, Coardi (Eoardi?), Ansaheli, Gotefrid et Teodori vel de alii consentientes eorum, quam ipsi pro sua perdiderunt infedelitate et po= testate palatii nostri devenerunt . . . Acto civitate in Brexia undecima die mensis novembris anno felicissimi regni nostri in dei nomine quarto decimo per indictione X ima. Die Urkunde gehört unzweifelhaft ins Jahr 772 und nicht, was Troya V, 711 vorzuziehen scheint, erst ins Jahr 773. Die Angabe der Indiction ist allerdings nicht zutreffend, vielleicht ist statt X ima zu lesen XI ma. Den Ausschlag gibt das Regierungsjahr des Adelchis. Die Urkunden führen auf den August 759 als Anfangspunkt seiner Mitherrschaft, und dann fällt der 11. No= vember 772 in das 14. Jahr. Vgl. Neues Archiv III, 287. 313—314, Langobard. Regesten Nr. 492; Oelsner S. 440.

[1]) Hieher gehört die Angabe des Chronicon Salernitanum, SS. III, 476, wonach langobardische Große Gesandte an Karl schickten, ihn aufforderten Desiderius zu stürzen und ihm versprachen ihm denselben auszuliefern. Der Bericht ist im Einzelnen unzuverläßig, bestätigt aber doch die verrätherische Haltung vieler Großer. Vgl. auch unten z. J. 774.

[2]) Ebenso einseitig ist die Darstellung bei Agnellus, Liber pontificalis eccl. Ravenn. c. 160, SS. rer. Langob. S. 381, als sei Karl durch die Einladung des Erzbischofs Leo von Ravenna zum Zug nach Italien bewogen worden (Hic primus Francis Italiae iter hostendit per Martinum diaconum suum, qui post eum quartum ecclesia regimen tenuit; et ab eo Karolus rex invitatus Ytaliam venit). Die Urkunde aber bei Troya V, 688 f., worin jener Diaconus Martin von Ravenna der bischöflichen Kirche der h. Maria in Cremona sein Besitzthum in dieser Stadt schenkt und in deren Eingang von seiner auf Befehl des Erzbischofs Leo unternommenen Reise zu Karl gesprochen wird, ist falsch. Wie es scheint, wollte man in Ravenna das Verdienst, Karl nach Italien gezogen zu haben, welches der Papst in Anspruch nehmen durfte, auf den dortigen fortwährend mit Rom rivalisirenden Erz= stuhl übertragen. That Leo wirklich einen derartigen Schritt, so hat Agnellus minde= stens die Bedeutung desselben maßlos übertrieben.

den Plan gehabt, schon jetzt das langobardische Reich zu erobern,
oder daß die Aufforderungen langobardischer Großen ihn zu diesem
Entschluß geführt, darf man bestimmt verneinen. Das langobardische Reich stand der Verbindung der Franken mit Rom störend
im Wege und mußte erliegen, sobald diese Verbindung inniger
wurde. Unzweifelhaft hatte Karl die Unterwerfung bereits ins Auge
gefaßt, aber sie schon so schnell auszuführen kann nicht in seinem
Plan gelegen haben. Die Vorfälle in Rom im Jahre 771 hatten
ihn zwar mit Desiderius verfeindet, dagegen sieht man nicht, daß
in der nächsten Zeit eine Annäherung zwischen ihm und dem Papst
erfolgte. Karl verlor Italien gewiß nicht aus dem Auge, vorderhand jedoch verhielt er sich zuwartend, bis Hadrian seine Einmischung anrief; hätte er schon vorher an eine solche gedacht, so
würde er nicht gerade um diese Zeit den Sachsenkrieg begonnen
haben.

Doch auch der Hilferuf Hadrian's allein genügte nicht, um
Karl zum Eingreifen zu bewegen. Der bestimmende Grund für
ihn war das Auftreten von Desiderius, theils dessen feindselige Haltung gegen den Papst, theils und hauptsächlich die gute Aufnahme,
welche Karlmann's Wittwe mit ihren Söhnen und einigen unzufriedenen fränkischen Großen am Hofe in Pavia gefunden, und die
kühnen Entwürfe, welche Desiderius an ihre Anwesenheit knüpfte.
Es ist kein Grund, an der Richtigkeit der Nachricht zu zweifeln,
daß Desiderius die Söhne Karlmann's auf den von Karl eingenommenen Thron ihres Vaters zurückführen wollte [1]; er scheint
wirklich den Plan verfolgt zu haben, die Einheit des fränkischen
Reiches zu sprengen, Karl im eigenen Lande zu schaffen zu machen [2].
Zunächst war Karl von Desiderius bedroht; dieser baute darauf,
daß Karl durch den Sachsenkrieg beschäftigt sei, Karl wünschte
eben um des Sachsenkrieges willen den Verwickelungen in Italien
aus dem Wege zu gehen. Er konnte dem Auftreten von Desiderius
nicht ruhig zusehen, aber auf seinen Sturz hatte er es im Augenblick nicht abgesehen, sondern gab sich vielmehr die größte Mühe
einen friedlichen Vergleich mit ihm zu Staude zu bringen [3]. Nur
die Hartnäckigkeit, womit Desiderius alle Vergleichsvorschläge zurückwies, ließ ihm keine andere Wahl als den Krieg zu beginnen.

Die Unterhandlungen, welche dem Ausbruch des Krieges
vorangingen, nahmen längere Zeit in Anspruch. Die sogen. Lorscher
Annalen erzählen, nachdem der päpstliche Gesandte in Diedenhofen
seine Bitte vorgetragen, habe Karl mit den Franken Rath gehalten,
was er thun solle, und es sei beschlossen worden, der Aufforderung

---

[1] Vgl. oben S. 135; V. Hadriani S. 488.

[2] Richtig wird dies hervorgehoben von Niehues, Geschichte des Verhältnisses
zwischen Papsthum und Kaiserthum im Mittelalter I, 2. Aufl. S. 514.

[3] Dies betont auch Gaillard II, 93, obschon die Beweggründe, die er Karl
unterschiebt, nicht zutreffend sind.

Hadrian's Folge zu leisten[1]). Es wäre aber ein Irrthum, dies so zu verstehen, als habe Karl dem Petrus sofort seine Hilfe zugesagt[2]). Genauer als die sogen. Lorscher Annalen erzählt ihr Ueberarbeiter in den sogen. Einhard'schen Annalen, daß Petrus, nachdem er seine Botschaft überbracht, wieder nach Rom zurückgekehrt sei und dann die Berathungen Karl's mit seinen Großen stattgefunden haben[3]). Auch die Gesandtschaft des Desiderius verließ, wie es scheint, Karl's Hoflager ohne einen bestimmten Bescheid von ihm erhalten zu haben. Nun erst, nachdem die Parteien gehört, die Gesandten abgereist waren, unterzog Karl die zwischen dem Papst und den römischen Bewohnern Italiens einerseits und den Langobarden andererseits obwaltenden Streitigkeiten einer sorgfältigen Prüfung. Der Bischof Georg, der Abt Wulfard und Albuinus, einer seiner Vertrauten, reisten in seinem Auftrag nach Italien, um sich über den wahren Thatbestand zu unterrichten[4]). Sie begaben sich zuerst nach Rom, von da in Begleitung päpstlicher Bevollmächtigter zu Desiderius; dann kehrten sie, zusammen mit den letzteren, zu Karl zurück[5]).

Desiderius war auf die päpstlichen Forderungen nicht ein-

---

[1]) Annales Laur. mai. l. c. (Regino, SS. I, 558: omnibus hoc collaudantibus).

[2]) Sigonius, De regno Italiae S. 138 sagt das Gegentheil. Auch Giesebrecht I, 5. Aufl. S. 113, Karl habe keinen Augenblick gezögert dem Hilferuf des Papstes zu folgen. Allerdings findet sich diese Auffassung bereits in jener Bearbeitung der Reichsannalen, auf welche hier Chron. Moiss., Ann. Mett. und Chron. Vedastin., SS. XIII, 28. 704, zurückgehen. Es heißt dort: Karolus igitur rex per consilium optimatum suorum voluntati domni apostolici se adimpleturum esse cum Dei auxilio, devota mente spopondit. Allein diese Auffassung ist nicht maßgebend und stimmt mit dem weiteren Gange der Begebenheiten nicht überein. Noch viel weniger in's Gewicht fällt die ähnliche Auffassung bei dem Poeta Saxo l. I, v. 107 ff., Jaffé IV, 547.

[3]) Ann. Einh. l. c.: Qui (Petrus) cum . . . ei legationis suae causam aperuisset, eadem qua venerat via Romam regressus est. Rex vero, rebus, quae inter Romanos ac Langobardos gerebantur, diligenti cura pertractatis, bellum sibi contra Langobardos pro defensione Romanorum suscipiendum ratus . . . Nach dieser Darstellung war noch kein Beschluß gefaßt, als Petrus Diedenhofen verließ; erst wird von der Abreise des Petrus, dann nachher von den Berathungen Karl's mit den Franken gesprochen. Daß die Berathungen längere Zeit dauerten, liegt in den Worten: diligenti cura pertractatis. Die Bemerkung von Bückert zu dieser Stelle (Ber. der k. sächs. Gesch. d. Wiss. phil.-hist. Cl. 1884. I, II. S. 168 N. 16) ist nicht recht klar.

[4]) Vgl. die Stelle oben S. 137 N. 7. Wulfard ist ohne Zweifel der Abt von St. Martin in Tours, der schon zur Zeit Pippin's wiederholt als Gesandter nach Rom geschickt worden war, Jaffé IV, 72. 103. 106. 133; Le Cointe VI, 26; Mabillon, Annales II, 226; Oelsner S. 319. 372. 381. 384; Mühlbacher Nr. 611. Er wird zuletzt in einer Urkunde Karl's vom 16. Juli 774 (nicht 773, wie Sickel I, 77 hat) erwähnt (Mühlbacher Nr. 163, vgl. auch Nr. 880), scheint aber bald darauf gestorben zu sein (vgl. ebd. Nr. 182). Bei dem betreffenden Albuinus, welcher in der V. Hadriani als deliciosus ipsius regis (vgl. über diesen Ausdruck Waitz III, 2. Aufl. S. 539 N. 1) bezeichnet wird, wollte Jaffé — jedoch mit Unrecht — an Alkuin denken, Bibl. rer. Germ. VI, 17 N. 3. 144 N. 1. 903; Dümmler, Poet. Lat. I, 160 N. 9; derselbe im Lit. Centralbl. 1885 Nr. 51 Sp. 1732 (gegen Richter und Kohl, Annalen I, 46. 77).

[5]) Vita Hadriani S. 494.

gegangen; dennoch zögerte Karl dem Papste mit Heeresmacht zu
Hilfe zu eilen. Man liest, die päpstlichen Gesandten, welche die
Bevollmächtigten Karl's begleiteten, hätten Karl über Alles genauer
unterrichtet und ihn in Kenntniß gesetzt von dem böswilligen Vor=
haben des Desiderius[1]). Von dem Berichte der fränkischen Be=
vollmächtigten selbst dagegen hört man nichts; daß er aber anders
lautete als der der Römer, geht daraus hervor, daß Karl, statt
dem Wunsche des Papstes gemäß die Verhandlungen mit Desiderius
abzubrechen, ihm neue und günstigere Bedingungen vorschlug; er
bot ihm, wenn er dem Papste die weggenommenen Städte in
Frieden zurückgeben würde, sogar eine Summe von 14 000 Gold=
solidi an[2]). Es muß ihm augenscheinlich viel daran gelegen haben,
dem Zusammenstoß mit Desiderius wenigstens vorläufig auszu=
weichen; erst da dieser auch die letzten Vorschläge Karl's mit Schroff=
heit zurückwies, traf er Anstalten zum Krieg[3]).

Nachdem Karl sich zum Krieg entschlossen, berief er die große
Reichsversammlung nach Genf[4]). Hier ward der Feldzug fest=
gestellt und sofort angetreten. In zwei Abtheilungen zog 'das
fränkische Heer über die Alpen, die eine unter Karl's unmittelbarer
Führung auf derselben Straße, die einst sein Vater gezogen war[5]),
über den Mont Cenis, die andere unter der Führung seines Oheims
Bernhard[6]) über den großen Bernhard[7]). Mithin bewegte sich die

---

[1]) Vita Hadriani l. c.: Accepto vero hoc responso, reversi sunt
ipsi antefati missi Francorum in regionem suam, properantes simul et
apostolicae sedis missi; qui subtilius cuncta referentes et de maligno proposito praenominati Desiderii adnuntiantes antefato excellentissimo et a
Deo protecto Carulo magno regi . . .

[2]) Vita Hadriani l. c. Ganz unrichtig behauptet Luden IV, 288, schon
Georg und Wulfard hätten nicht sowohl die Lage der Dinge näher untersuchen als
den Papst durch das Versprechen schneller Hilfe zum Festhalten und zur Ausdauer
ermuntern sollen; die Gesandten des Desiderius seien garnicht gehört worden oder
hätten wenigstens mit ihren Anträgen keinen Eingang gefunden.
Aehnlich soll Pippin dem Langobardenkönige Aistulf, im J. 754, 12 000 Solidi
für die Herausgabe der Pentapolis u. s. w. angeboten haben, Chron. Moiss., Ann.
Mett. SS. I, 293. 332; V. Stephani II., Duchesne I, 449; Oelsner S. 194.

[3]) Vita Hadriani l. c.; vgl. auch Gaillard II, 94.

[4]) Annales Laur. mai. l. c.; Ann. Einh. (Genuam, Burgundiae civi-
tatem, iuxta Rhodanum sitam venit); Chron. Moiss., Ann. Mett. SS. XIII,
28; Ann. Guelferb., Nazar., Alamann. SS. I, 40 (Magi campus ad Genua).
Hefele III, 2. Aufl. S. 620 redet ganz irrthümlich von einer Versammlung in
Genua. — Auf dem Wege nach Genf stellte Karl vielleicht in Auxerre das merk=
würdige, aber nur verstümmelt erhaltene Diplom Mühlbacher Nr. 155 (Sickel K. 25,
Anm. S. 234—235); Eichhorn, Ep. Curiensis, cod. prob. S. 11 Nr. 3, aus.
Er nimmt darin, auf ihm übersandte Bitte des Bischofs Constantius von Chur, den
er zum Rector Rätiens bestellt hat, und des rätischen Volkes diese in seinen Schutz
auf und bestätigt ihnen ihr altes Recht und Herkommen.

[5]) Vgl. die eingehende und werthvolle Schilderung von Oelsner S. 196 ff.

[6]) Vgl. über diesen Hahn, Jahrbücher S. 7—8; Oelsner S. 425 N. 4; auch
unten Bd. II. z. J. 811; besonders aber Wilmans, Kaiserurkk. der Prov. West=
falen I, 279 ff.; Enck, De s. Adalhardo S. 4 N. 1 — ferner über seine un=
richtige Bezeichnung als avunculus Karl's (N. 7) Oelsner S. 385 N. 3; Pückert
a. a. O. S. 182 N. 3.

[7]) Ann. Laur. mai.: ibique exercitum dividens iamfatus domnus rex

cine Abtheilung dem Thale von Sufa, die andere dem Thale von Aosta zu[1]). Beide Heeresabtheilungen erreichten, wie be= richtet wird, die Klusen[2]), das würde also heißen müssen diejenigen

et perrexit ipse per montem Caenisium et misit Bernehardum avunculum suum per montem Iovem (Iovis v. l.) cum aliis eius fidelibus; Ann. Einh.: copias quas secum adduxerat divisit et unam partem cum Bernhardo patruo suo per montem Iovis ire iussit; alteram ipse ducens, per montem Cinisium Italiam intrare contendit. Superatoque Alpium iugo . . .; Chron. Moiss., Ann. Mett. SS. XIII, 28; Chron. Vedastin. ibid. S. 704; V. Ha- driani l. c. S. 495: Tunc aggregans . . . universam regni sui Francorum exercituum multitudinem atque ad occupandas clusas ex eodem suo exer- citu dirigens, ipse quoque cum pluribus fortissimis bellatoribus Francis per montem Cinisem ad easdem adpropinquavit clusas; Adonis chron. SS. II, 319: divisoque ibi exercitu suo, partem misit per Alpes Cottias et per iuga Gibennica, id est per montem, quem accolae Cenisium vocant, quae latera aperiunt in agros Taurinorum. (Chron. No- valiciense III, 7, SS. VII, 99: — pervenitque in montem Geminum, sive ianuam regni Italiae dici potest, in quo olim templum ad honorem cuius- dam Caco deo [cacodemonis?], scilicet Iovis, ex quadris lapidibus plumbo et ferro valde connexis mirae pulchritudinis quondam constructum fuerat etc.) Die Stelle Einh. V. Karoli c. 6: Italiam intranti quam difficilis Alpium transitus fuerit quantoque Francorum labore invia montium iuga et emi- nentes in caelum scopuli atque asperae cautes superatae sint, hoc loco describerem etc. wird von Mühlbacher S. 64 wohl mit Recht als phrasenhaft an= gesehen. Werthlos und, was die Sachsen betrifft, natürlich falsch ist die Angabe des Chron. Salern. c. 9, SS. III, 476: cum Francis et Alemannis, Burgundio- nis necnon et Saxonis, cum ingenti multitudine Italiam properavit (vgl. Chron. mon. Casin. l. I. auct. Leone c. 12, SS. VII, 589: cum valido Francorum [späterer Zusatz des Autors: Alamannorum atque Saxonum] ex- ercitu; Chron. Vulturn. lib. III. Muratori, SS. Ib, 402, wo Karl mit diesen Streitkräften aliarumque gentium multitudine Pavia einschließt). Daß unter dem mons Iovis der große St. Bernhard zu verstehen sei, ist die allgemeine Annahme, obschon mit diesem Namen auch der kleine St. Bernhard (Mont Jour) bezeichnet wurde, vgl. Sickel L. 388, II, S. 205. 477; Formul. imp. Nr. 50, Leg. Sect. V, 324 (Vultgarius abbas ex monasterio, quod est situm in monte Iovis), dazu ib. N. 2.

Erwähnt wird der damalige Feldzug nach Italien auch noch in vielen anderen Jahrbüchern, so Ann. s. Amandi SS. I, 12; Ann. Petav. SS. I, 16; Ann. Max. SS. XIII, 21; Ann. Mosellan. SS. XVI, 496; Lauresham. SS. I, 30; Ann. Guelferb., Nazar., Alam. SS. I, 40; Annales Flaviniacens. ed. Jaffé S. 687 etc.

[1]) Vgl. hiezu auch Divisio regni Francor. a. 806. c. 3, Capp. I, 127 (ita ut Karolus et Hluduwicus viam habere possint in Italiam ad auxilium ferendum fratri suo . . . Karolus per vallem Augustanam, quae ad regnum eius pertinet, et Hluduwicus per vallem Segusianam; vorher c. 1: vallem Segusianam usque ad clusas).

[2]) Ann. Laur. mai.: Et tunc ambo exercitus ad clusas se coniungentes. Diese Worte sind allgemein so verstanden worden, daß sich die beiden Abtheilungen vor den Klusen, bei Sufa wieder vereinigt hätten. Eben deshalb hat man den Ann. Lauriss. mai. den Vorwurf gemacht, daß sie hier etwas geographisch Un= mögliches berichten; denn vom St. Bernhard aus konnte Bernhard's Heer nicht von Westen her vor die Klusen von Sufa gelangen; dazu hätte es über weglose Gebirgs= ketten gehen müssen. So v. Sybel, Kl. hist. Schriften III, 26, welchem sich Mühl= bacher S. 64; Pückert S. 115 N. 11 u. a. anschließen. Sybel sagt: „Jene Klausen liegen am Ausgang des Thales von Sufa, im letzten Engpaß der Straße des Mont Cenis. Wenn nun des Königs Oheim den großen Bernhard überstiegen hatte,

am Eingange der betreffenden Alpenthäler. An einen Durchmarsch durch den Engpaß von Susa war vorerst nicht zu denken; bereits war Desiderius von der italienischen Seite herbeigeeilt, hatte die Klusen mit seinem Heere besetzt und legte starke Befestigungen an[1]).

---

so mußte er durch das Thal von Jvrea in die piemontesische Ebene und damit den Klausen bei Susa in den Rücken gelangen. Unser Annalist läßt den Oheim nebst seinen Truppen noch vor den Klusen sich mit dem Könige vereinigen; er gibt ihm also Flügel oder Luftschiffe, um aus dem Passe des Bernhard quer über zwei Alpenketten hinüber in das Thal von Susa zu gelangen und dann ebenso wie der König durch die feindlichen Schanzen im Marsche aufgehalten zu werden. Es ist deutlich, daß ein solcher Bericht für die Erkenntniß des Feldzugs überhaupt unbrauchbar ist." Die Argumentation, mit welcher sich Harnack, Das karolingische und byzantinische Reich S. 95—97 (Excurs) hiegegen wendet, scheint mir nicht gelungen zu sein. H. räumt ein, daß der Annalist sich ein mangelhaftes geographisches Bild von den Vorgängen gemacht habe, sucht den Bericht desselben jedoch zu retten, indem er annimmt, daß der König jene Theilung des Heeres behufs Umgehung der Klusen vorgenommen und die Vereinigung beider Heereskörper am südöstlichen Ausgange der Klusen stattgefunden habe; ad clusas heiße nur: "an den Klusen" nicht: "vor den Klusen". Eine analoge Auffassung hatte auch schon Leibniz sich gebildet, Annales I, 39. Allein dann würden die Worte Et — coniungentes eine verwirrende Anticipation enthalten, wie sie denn Harnack auch nur durch die Vermuthung zu erklären sucht, daß der Annalist, welcher die Umgehung des Passes nachher ausdrücklich erwähnt, zwei verschiedene Berichte kritiklos und äußerlich mit einander verbunden habe. Ferner schreiben die Ann. Lauriss. mai. unmittelbar darauf: Carolus . . . castra metatus est ad easdem clusas, ganz unzweifelhaft in dem Sinne: vor (westlich von den Klusen.) Eine andere Frage ist dagegen, ob die Ann. Laur. mai. mit den Worten ad clusas se coniungentes wirklich sagen wollen, daß die beiden Heere sich an den Klusen vereinigten, und diese Frage dürfte zu verneinen sein. Der Sprachgebrauch dieser Annalen, wie er unten im Excurs III festzustellen versucht wird, berechtigt uns vielmehr zu der Interpretation, daß sie nur sagen wollen, beide Heere seien zu den Klusen gekommen, vgl. auch den Bericht der V. Hadriani (oben S. 141 N. 7). Ist diese Auslegung richtig, dann begehen die Ann. Laur. mai. hier keinen eigentlichen Fehler, denn unter clusae verstand man nicht nur die Klusen von Susa (vgl. Ann. Einh. 817, SS. I, 204: omnes aditus quibus in Italiam intratur, id est clusas). Immerhin bleibt jedoch bestehen, daß ihre Darstellung eine ungenaue, undeutliche und unvollständige ist, da sie die einzelnen Klusen nicht von einander unterscheiden und nicht berichten, wie die von Bernhard geführte Heeresabtheilung weiter in die Operationen eingriff. Sehr falsch stellt sich die Verhältnisse der Poeta Saxo l. I, v. 120 ff., Jaffé IV, 547, vor, indem er den Bericht der Ann. Einhardi auszumalen sucht.

[1]) Ann. Laur. mai.: Desiderius ipse obviam domni Caroli regis venit; Ann. Einh.: Desiderium regem frustra sibi resistere conantem; genauer Chron. Moiss. SS. XIII, 28 f.: Desiderius vero rex . . . clusas fortiter contra regem Karolum exercitumque eius firmare precepit — valli, quod Langobardi defenderant; beinahe wörtlich gleich, aus gemeinsamer Quelle, Ann. Mett. ibid. und kürzer Chron. Vedastin. ibid. S. 704 (Desiderio vero frustra clusas muniente et magno defendente milite); Ann. Laur. min. ed. Waitz S. 413: Desiderius rex obsistere nititur, clusas Alpium obseratas, obviam pergit (hienach Ann. Enhard. Fuld. SS. I, 348); Vita Hadriani l. c. S. 495; Adonis chron. SS. II, 319: Desiderius rex tunc iuxta clusas Langobardorum exercitum composuerat. — Nach dem Chron. Novalic. III, 9, SS. VII, 99 f. waren noch im 11. Jahrhundert die Fundamente dieser Befestigungen zwischen dem Mons Pyrchirianus (Monte Picare) und dem Mons Caprasus, welche den engen Eingang des Thals von Susa beherrschen, bezw. dem vicus Cabrius (Chiavrie) zu sehen (Nam usque in presentem diem murium fundamenta apparent; quemadmodum faciunt de monte Porcariano usque ad vicum Cabrium,

Karl, der diesen Verschanzungen gegenüber ein Lager bezog[1]), hatte keine Hoffnung den Durchmarsch sogleich zu erzwingen und knüpfte daher, als er schon vor den Klusen stand, aufs neue Unterhandlungen mit Desiderius an, und zwar ganz auf der Grundlage der früheren Bedingungen; er hätte auch jetzt noch den Kampf lieber vermieden[2]). Allein Desiderius scheint auf die Unangreifbarkeit seiner Stellung so fest gebaut zu haben, daß er Karl's Anerbietungen abermals zurückwies. In der That gelang es den Franken nicht den Durchzug durch die Klusen zu erzwingen; Karl mußte sich entschließen, Desiderius neue Vorschläge wegen eines Vergleichs zu machen. Die neuen Anerbietungen Karl's lauteten für Desiderius in gewisser Art noch entgegenkommender als die früheren. Karl erklärte sich bereit, ohne Schwertstreich in sein Reich zurückzukehren, sobald ihm Desiderius drei Söhne langobardischer Beamter als Geiseln für die Rückgabe der eroberten Städte an den Papst überliefern würde[3]); von der Bezahlung einer Entschädigungssumme ist dabei allerdings nicht weiter die Rede. Auch fand Karl Mittel und Wege, um ungeachtet des versuchten Widerstandes der Langobarden in Italien einzudringen; nur weil er einer friedlichen Lösung den Vorzug gab, bot er Desiderius noch einmal die Hand zu einem Vergleich, aber freilich ohne Erfolg, da dieser jede Nachgiebigkeit verschmähte.

Die Nachrichten der Quellen über die hieher gehörigen Vorgänge sind mangelhaft; der einzige ausführliche Bericht, in der Lebensbeschreibung Hadrian's, scheint den Hergang sehr anders darzustellen. Da heißt es: „Da der allmächtige Gott die Schlechtigkeit des bösen Desiderius und seine unerträgliche Dreistigkeit erblickte, so schickte er, den Tag ehe die Franken nach Hause abziehen wollten, Angst und Schrecken über ihn, seinen Sohn Adelchis und sämmtliche Langobarden: und in derselben Nacht ließen sie ihre

---

ubi palacium illis diebus ad hoc spectaculum factum fuerat); Oelsner S. 196—197 meint, daß jene Fundamente vielleicht schon von dem ersten Kriege zwischen Pippin und Aistulf im J. 754 herrühren mochten.

[1]) Ann. Laur. mai. (vgl. o. S. 143 N. 1).

[2]) Vita Hadriani l. c. S. 495: At vero qua hora praenominatus christianissimus Francorum rex ad easdem adproximavit clusas, ilico suos denuo missos ad praefatum direxit Desiderium, deprecans, sicut pridem, ut quantitatem praedictorum solidorum susciperet rex et easdem pacifice redderet civitates. Sed nequaquam penitus adquiescere maluit. Es geht hieraus hervor, daß Karl die neuen Unterhandlungen sogleich nach seiner Ankunft vor den Klusen anknüpfte, noch ehe er einen Versuch gemacht hatte den Durchgang mit Gewalt zu erzwingen. Mit quantitatem praedictorum solidorum dürfte, auch nach dem sicut pridem zu schließen, eine Summe solcher Solidi, nicht ein Theil der früher angebotenen Summe (von 14 000 Goldsolidi) gemeint sein.

[3]) Vita Hadriani l. c. S. 495: Et dum in tanta duritia ipse protervus permaneret Desiderius rex, cupiens antedictus christianissimus Francorum rex pacifice iustitias b. Petri recipere, direxit eidem Langobardorum regi, ut solummodo tres obsides Langobardorum iudicum filios illi tradidisset pro ipsis restituendis civitatibus, et continuo sine ulla inferta malitia aut commisso proelio ad propria cum suis Francorum exercitibus reverteretur. Sed neque sic valuit eius malignam mentem flectere.

Zelte und alle ihre Geräthschaften dahinten und ergriffen, ohne daß Jemand sie verfolgte, alle zusammen die Flucht. Als das Heer der Franken dieses sah, verfolgte es sie und tödtete viele von ihnen[1]). Hiernach war Karl, obgleich Desiderius seine Forderungen zurückgewiesen hatte, dennoch im Begriff den Rückmarsch anzutreten, ohne irgend etwas erreicht zu haben[2]); er hätte also auch keine Aussicht gehabt sich den Zugang nach Italien zu bahnen. Allein seine Lage kann nicht so verzweifelt gewesen sein, um nach Ablehnung seiner wiederholten Friedensanträge unverrichteter Sache umzukehren. Der Vorfall, welchen die Lebensbeschreibung Hadrian's als ein Wunder darstellt, hatte einen ganz natürlichen Verlauf, und darüber gewähren die sogen. Lorscher Annalen Auskunft. „Karl schickte seine Schaar über das Gebirge; Desiderius aber, als er das erfuhr, verließ die Klusen, und nun zog König Karl sammt den Franken, da durch den Beistand des Herrn und die Fürbitte des h. Apostels Petrus ohne Verlust oder irgend einen Zusammenstoß die Klusen geöffnet waren, in Italien ein, er und alle seine Getreuen[3]).“ Man sieht nun, worin das angebliche Wunder bestand, von welchem Hadrian's Biograph erzählt. Karl ließ durch

---

[1]) Vita Hadriani S. 495 (Andr. Bergom. hist. c. 4, SS. rer. Langob. S. 224: divino iudicio terror in Langubardus irruit, absque grave pugna Italiam invasit).

[2]) Muratori, Annali a. 773 sagt, nach Ablehnung dieser Forderung sei das fränkische Heer in die Klusen hineingerückt, habe aber so tapfern Widerstand gefunden, daß es sich zur Umkehr angeschickt habe. Daraus würde folgen, daß ein Kampf stattgefunden, was aber nirgends angedeutet ist und von Muratori selbst gleich nachher geleugnet wird. Die Vermuthung ist ohne Grund.

[3]) Annales Laur. mai. l. c.: et mittens scaram suam per montana, hoc sentiens Desiderius clusas relinquens, supradictus domnus Carolus rex una cum Francis, auxiliante Domino et intercedente beato Petro apostolo, sine laesione vel aliquo conturbio clusas apertas, Italiam introivit ipse et omnes fideles sui. Erst einzelne Bearbeitungen dieser Quelle bezeichnen — vielleicht das suam ausspinnend — jene Schaar als eine auserlesene. So die in Chron. Moiss., Ann. Mett. und Chron. Vedastin. benutzte (Chron. Moiss. l. c.: Misit autem per difficilem ascensum montis legionem ex probatissimis pugnatoribus, qui transcensu montis Langobardos cum Desiderio rege eorum et Oggerio in fugam converterunt; Ann. Mett. l c., wo Oggerius nicht erwähnt wird, vgl. o. S. 104 N. 2; Chron. Vedastin. l. c.: probatissima legio per facilem — so hier unrichtig statt difficilem — montis cursum mittitur a rege. Quos videntes Longobardi, fugam iniere); ferner Regino SS. I, 558: et misit occulte unam scaram de electis viris per montana. Entsprechend die Uebersetzung von O. Abel und Wattenbach, 2. Aufl. (Geschichtschreiber der deutschen Vorzeit IX. Jahrh. 2. Bd.) S. 58; vgl. auch v. Ranke, Weltgeschichte, der bei einer andern Gelegenheit, V, 2 S. 133 irrthümlich schreibt: „Die fränkische Schaar Scara Francisca, eine zum raschen Dienst ausgebildete Truppe, die besonders aus Alemannen und Franken bestand.“ Indessen wird das Wort scara damals für Heerhaufen, kleinere oder größere Truppenabtheilungen, Heere überhaupt gebraucht, besonders aber für solche, welche vom Könige entsandt werden, ohne daß er selbst mitzieht, vgl. Waitz IV, 2. Aufl. S. 611 N. 2 und die daselbst angeführten zahlreichen Stellen, welche sich noch vermehren lassen, z. B. durch Ann. Laur. mai. 784 S. 166: cum scara (wofür Ann. Einh. S. 167: cum parte exercitus), dann die besonders bezeichnende Stelle Ann. Laur. mai. 785 l. c.: multotiens sacra misit et per semet ipsum iter peregit (wofür Ann. Einh. l. c.: tam per se ipsum quam per duces, quos miserat); Ann. Guelferb. 793, SS. I,

einen Theil feiner Truppen die Langobarden umgehen und [ver=
eitelte dadurch den Plan des Defiderius, ihm den Zugang nach
Italien zu verfperren[1]). Die Franken hatten Erfahrung auf diefem
Boden; in ganz ähnlicher Weife waren fie auch fchon in den
Jahren 754 und 756 vorgegangen[2]). Von den Franken über=
rafcht und in einer unhaltbaren Stellung ergriffen die Lango=
barden fchleunigft die Flucht. Als Karl dem langobardifchen
Könige feine letzten Bedingungen ftellte, war feine Schaar vielleicht
bereits auf dem Wege über das Gebirge[3]). Jedenfalls fah Defi=
derius zu fpät, daß er umgangen war; die Gefahr von vorne und
im Rücken angegriffen zu werden nöthigte ihn zum Rückzug.

Wie kam es aber, daß der noch immer fo mächtige König der
Langobarden die Franken ohne Schwertftreich[4]) in Italien einziehen
laffen mußte? Daß er fich gegen die Kriegslift der Franken, die
fie fogar in ganz ähnlicher Art einft fchon feinem Vorgänger
gegenüber angewandt hatten, nicht bei Zeiten ficher geftellt hatte?
Die Berichte der Zeitgenoffen gewähren darüber keine Auskunft;
aber die fpäteren Gefchlechter haben Defiderius von der Schuld an
diefem Ausgange freigefprochen und denfelben Urfachen zugefchrieben,
die zu befeitigen nicht in feiner Macht ftand. Viel genaueren Be=
fcheid über Karl's Eindringen in Italien als die gleichzeitigen Quellen
will die drei Jahrhunderte jüngere Chronik von Novalefe wiffen[5]).
Sie fchildert ausführlich, wie Karl, außer Stande den Durchzug

---

45; Cod. Carolin. Nr. 84, Jaffé IV, 253—254; auch Neues Archiv XII, 537.
539 N. 3. — Leibniz, Annales I, 39 nimmt an, daß es die Abtheilung Bernhard's
gewefen fei, welche diefe Aufgabe ausgeführt habe, vgl. indeffen oben S. 142 N. 2.
    Daß Defiderius ohne Kampf zur Flucht genöthigt wurde, fagen auch Ann.
Finh. (Desiderium regem . . . citra congressionem fugavit) und beftätigt der
Brief Cathbulf's an Karl, Epist. Carolin. Nr. 1, Jaffé IV, 337: quod Langobardorum exercitus ante faciem (tuam) sine publico bello in fugam con-
versus — Alpes intrasti, inimicis (fugienti)bus. — Unbeftimmter Ann. Laur.
min. ed. Waitz l. c.: Franci clusas reserant (hienach Ann. Euhard. Fuld.
l. c.); noch unbeftimmter Ann. Petav. SS. I, 16: et concitato bello fugivit
Desiderius rex Langobardorum (vgl. Ann. Max. SS. XIII, 21). — Vgl. ferner
über die Flucht der Langobarden bei den Klufen V. Hadriani l. c. S. 495 f.: dum
a clusis fugam arripuissent — dum a clusis Langobardorum fugientes reversi sunt (auf die Spoletiner bezw. die Bewohner von Fermo, Ofimo, Ancona und
von Città di Caftello bezüglich); Mühlbacher S. 64 Nr. 155 f.
    [1]) Vgl. auch Ranke, Zur Kritik fränkifch=deutfcher Reichsannaliften S. 423.
    [2]) Oelsner S. 199 N. 4; 266 N. 1; S. Abel, der Untergang des Lango=
barbenreiches S. 44. 51.
    [3]) Auch der Angabe der Vita Hadriani, oben S. 144, wonach gerade den
Tag ehe Karl den Rückzug antreten wollte über die Langobarden der panifche
Schreck kam, in welchem fie die Flucht ergriffen, liegt die Vorausfetzung zu Grunde,
daß die abfchlägige Antwort von Defiderius auf die letzten Vorfchläge Karl's erft un=
mittelbar vorher erfolgte. Der befchwerliche Marfch über das Gebirge nahm aber
wohl längere Zeit in Anfpruch.
    [4]) Vgl. außer den oben S. 145 N. 3 citirten Stellen auch noch Pauli Gest.
epp. Mett. SS. II, 265: Langobardorum gentem . . . universam sine gravi
praelio suae subdidit dicioni (Andr. Bergom. hist. c. 4, SS. rer. Langobard. S. 224).
    [5]) Chron. Novaliciense III, 10 ff., SS. VII, 100 ff.

durch die Klusen zu erzwingen, lange in Novalese selbst sich auf=
gehalten habe. Endlich sei ein langobardischer Spielmann zu ihm
gekommen und habe sich erboten, gegen glänzenden Lohn die
Franken auf geheimen Pfaden über das Gebirge zu führen. Karl
sei darauf eingegangen und mit seinem Heere hinüber nach Italien
gelangt; so habe sich Desiderius umgangen und genöthigt gesehen
die Flucht nach Pavia zu ergreifen. Noch andere Erzählungen
fügt die Chronik bei[1]), die alle zusammen eine lange Sagenkette
bilden, aber so wenig wie die Erzählung vom Spielmann als
historische Zeugnisse brauchbar sind. Höchstens könnten einzelne
lokalgeschichtliche Angaben, wie die, daß jener Gebirgspfad noch im
eilften Jahrhundert Via Francorum genannt worden sei und daß
die Umgehungsschaar bei Giaveno im Süden der Klusen die Ebene
erreicht habe, allenfalls Anspruch auf Beachtung und Glaubwürdig=
keit besitzen[2]). Allein wenigstens ein geschichtlicher Kern liegt
dieser wie den übrigen Sagen zu Grunde. Durch alle zieht sich
der Gedanke hindurch, daß es nur durch Verrath den Franken ge=
lang, den Weg durchs Gebirge zu finden; aber beglaubigt ist diese
Anschauung nicht. Wahr ist, daß Karl vor den Klusen auf Schwie=
rigkeiten stieß, die zuletzt von ihm nicht überwunden, sondern um=
gangen wurden, und ebenso ist es wahr, daß Desiderius vor dem
Krieg und während desselben mit dem Verrath seiner eigenen Unter=
thanen zu kämpfen hatte[3]); das sind die historischen Thatsachen,
auf welchen die Sage weiter baute. Aber schon indem sie dieselben
in unmittelbare Beziehung zu einander setzte, ging sie über die
Grenzen des geschichtlich Beglaubigten hinaus. Wohl wäre es
denkbar, daß Karl's Heer bei seinem Einzug in Italien und auch
bei dem Marsch über das Gebirge von Langobarden begleitet war,
die verrätherischerweise von Desiderius abgefallen waren, aber auf
keinen Fall war es ihr Verdienst allein, daß es Karl gelang die
Klusen zu umgehen. Denn — wir wiesen bereits darauf hin[4]) —
schon zweimal hatten fränkische Truppen, noch zur Zeit Pippin's,
durch die Berge sich Bahn nach Italien gebrochen, und vielleicht
befanden sich im Heere Karl's selbst noch Männer, welche von jenen
Zügen her die Gebirgspfade kannten. Die Hindernisse, welche
Pippin bei den ersten Zügen der Franken nach Italien zu über=
winden mußte, können auch für Karl bei dem dritten Zuge nicht
unübersteiglich gewesen sein. Es wäre ein Irrthum zu glauben,
daß Karl vor den Klusen wieder hätte umkehren müssen, wenn ihm
nicht von Italien herüber die Hand geboten worden wäre; wobei
es immerhin möglich bleibt, daß langobardische Wegweiser seinen
Truppen bei dem Marsch über das Gebirge nützliche Dienste

---

[1]) Chronicon Novaliciense l. c.; vgl. auch S. Abel, Untergang des Lango=
bardenreiches S. 119 ff.
[2]) Vgl. Delsner S. 266 N. 1; Mühlbacher S. 64.
[3]) Vgl. o. S. 137 f. und unten.
[4]) Vgl. oben S. 146 N. 2; auch Troya V, 693 f. hebt dies mit Recht
hervor.

leifteten. Aber nicht biefem zufälligen Umſtande verbankte er feinem
Erfolg; es muß von Anfang an in feinem Plane gelegen haben,
nöthigenfalls auf demſelben Wege den Widerſtand von Deſiderius
unfchädlich zu machen, auf welchem fchon fein Vater den Aiftulf's
unfchädlich gemacht hatte, und diefen Plan führte er aus, nachdem
an der Halsftarrigkeit von Deſiderius alle Verſuche eines friedlichen
Vergleichs gefcheitert waren.

Deſiderius begab ſich mit feinen Großen und feinem Heere
nach Pavia, zu deffen Vertheidigung er die nöthigen Anſtalten
traf[1]); Abelchis zog ſich nach Verona zurück, welches für die feſteſte
aller langobardiſchen Städte galt und wo nun auch Gerberga mit
ihren Söhnen und Autcharius Schutz fuchte[2]). Karl aber, der in=
zwifchen in Italien eingedrungen war, rückte vor Pavia, fchloß
Deſiderius darin ein und eröffnete die Belagerung der Stadt etwa
Eube September[3]). Er machte ſich vielleicht fogleich auf eine
längere Dauer der Belagerung gefaßt. Jedenfalls reifte infolge
feiner Aufforderung feine Gemahlin Hildegard mit den Kindern zu
ihm ins Lager vor Pavia[4]); dort gebar fie, ob noch im Jahre 773

---

[1]) Vita Hadriani S. 495; Ann. Petav.: et retrusus est Papia; Ann.
Max.: fugit Desiderius rex in Pabiam civitatem.

[2]) Vita Hadriani l. c.: Adelgis vero eius filius adsumens secum
Autcharium Francum et uxorem atque filios saepedicti Carulomanni, in
civitate quae Verona nuncupatur, pro eo quod fortissima prae omnibus
civitatibus Langobardorum esse videtur, ingressus est. Autcharius befand
ſich alfo nicht bei Deſiderius in Pavia, wie Dippoldt S. 47 f. aus der bekannten
märchenhaften Erzählung des Mönchs von St. Gallen über das Anrücken des
fränkiſchen Heeres vor Pavia II, 17, Jaffé IV, 691—693, fchließen will.

[3]) Mühlbacher S. 64 f. (Nr. 155 f. 156a). Diefe Zeit ergibt ſich aus der
Angabe in der Vita Hadriani S. 496, Karl habe, als er kurz vor Oſtern
(3. April), alfo Ende März 774, nach Rom ging, bereits 6 Monate vor Pavia ge=
ſtanden. Neues Archiv III, 316 wird c. Okt. angenommen. Lupi, Codice dipl.
Bergom. I, 591 f. fucht darzuthun, daß die Belagerung Pavia's bereits im Juni
oder Juli begonnen habe, aber ohne hinreichenden Beweis. Meo, Annali del
regno di Napoli III, 81 ff. behauptet fogar, Pavia fei fchon im Juni 773 nach
fechsmonatlicher Belagerung gefallen; aber feine Berechnungen find gänzlich verfehlt;
doch erklärt ſich auch Borgia, Breve istoria del dominio temporale della sede
apostolica nelle due Sicilie S. 56. 275 dafür, während Troya V, 739 ſich
entfchieden dagegen ausfpricht. Pavia fiel im Juni 774 (f. unten). Nach Chron.
Moiss. SS. XIII, 28 hätte die Belagerung allerdings 10 Monate (decem annos
cod., SS. I, 295 e) gedauert, mithin etwa fchon im Auguſt 773 begonnen; nach
Pauli contin. tertia c. 55, SS. rer. Langob. S. 213, erfolgt die Einnahme im
zehnten Monat (Decimo demum mense . . . civitas Papiensium capitur).
Laut einem Catalog. reg. Langob. et Ital., ib. S. 503, wäre Karl im Juli nach
Italien gekommen.

Vgl. übrigens hinfichtlich diefer Belagerung Ann. Laur. mai. SS. I, 150.
152; Ann. Einh. SS. I, 151. 153; Ann. Petav. SS. I, 16, Ann. Max. SS.
XIII, 21; ausführlicher Chron. Moiss. l. c. (In qua Desiderio incluso, ipsam
civitatem obsedit et vallo firmissimo circumdedit), Ann. Mett. ibid., Chron.
Vedastin. ib. S. 704; V. Hadriani; Ann. Laur. min. ed. Waitz S. 413 (Desiderius Papiae includitur — Karlus Papiam civitatem obsedit, nullum ingredi vel egredi permittit); Pauli contin. Lombarda, SS. rer. Langob.
S. 218 (et hedificavit munitiones in giro et in tantum ipsam coangustavit,
ut nullus egrediendi aditus pateret obsessis); Ann. Einh. (unten S. 150 N. 1).

[4]) Vita Hadriani S. 496: Dirigensque continuo Franciam, ibidem

ober erst 774 ist unbekannt, wahrscheinlich jedoch erst im letzteren, eine Tochter, Adalheid[1]). Weihnachten feierte Karl im Lager[2]).

apud se Papiam adduci fecit suam coniugem excellentissimam Hildigardis reginam et nobilissimos filios. Unter den filii ist der Sohn der Himiltrud, Pippin, und der Sohn der Hildegard, Karl, zu verstehen, der auch schon früher geboren war. Vgl. übrigens auch die Urkunde Karl's vom 16. Juli 774 aus Pavia, Mühlbacher Nr. 163 und unten; Ann. Laur. mai. 774, SS. I, 152, wo Karl cum uxore zurückkehrt ꝛc.

[1]) Paulus Diaconus, Gesta episcop. Mett. SS. II, 267 (vgl. auch Poet. Lat. aev. Carolin. I, 59), führt die Grabschrift dieser Tochter Karl's an, worin es heißt:

Sumpserat haec ortum prope moeuia celsa Papiae,
   Cum caperet genitor Itala regna potens.

Einhard, Vita Karoli c. 18, nennt unter den Töchtern Karl's keine Adalheid; eine leicht erklärliche Ungenauigkeit, da dieselbe alsbald starb. Als älteste Tochter wird später Rotrud bezeichnet (vgl. unten Bd. II, z. J. 810), wahrscheinlich aber nur, weil jene Adalheid so kurze Zeit gelebt hatte. Auf keinen Fall sind wir zu der An= nahme berechtigt, daß die vor Pavia geborene Tochter Karl's nicht Adalheid sondern Rotrud gewesen sei; Paulus Diaconus, der selbst die Grabschrift der ersteren verfaßte, kann eine solche Verwechselung nicht begangen haben.

[2]) Annales Lauriss. mai. l. c.; Chron. Moiss., Ann. Mett., Chron. Vedastin.

774.

Zum erften Male brachte Karl den Winter in Feindesland unter den Waffen zu[1]). Es war schon ungewöhnlich, daß ein fränkisches Heer auch während des Winters im Felde blieb; die beträchtliche Entfernung des Kriegsschauplatzes allein erklärt Karl's Verfahren nicht[2]), sondern nur sein Entschluß, nachdem er einmal, durch Desiderius' Hartnäckigkeit genöthigt, so weit gegangen, nun auch gleich einen entscheidenden Schlag gegen ihn auszuführen. Jetzt war der Sturz von Desiderius bei Karl beschlossene Sache.

Die Belagerung Pavia's, welches Karl streng absperrte und durch starke Umwallungen blokirte[3]), zog sich lange hin. Der Sitz der Regierung des Reiches war im Lager; wir haben wenigstens eine Urkunde, die dort vor Pavia während dieser Zeit ausgestellt ist, am 19. Februar[4]). Der Bischof Merolbus von Le Mans und der Abt Rabigaudus vom Kloster Anisola (St. Calais) hatten sich selbst bei Karl im Lager eingefunden, um seine Genehmigung zu einem zwischen ihnen vorgenommenen Gütertausche einzuholen, die ihnen Karl auch ertheilte. Unterdessen begnügte sich aber Karl nicht blos Pavia eingeschlossen zu halten, sondern that, ohne den Fall der Stadt abzuwarten, Schritte, um sich auch anderwärts im langobardischen Reiche festzusetzen. Von besonderer Wichtigkeit war für ihn der Besitz von Verona, das ja die Hauptfestung des Landes und überdem jetzt auch der Zufluchtsort von Gerberga war. Karl ließ den größten Theil seines Heeres vor Pavia zurück, nur von seinen Kerntruppen begleitet rückte er gegen Verona[5]). Der Zug

---

[1]) Annales Einh. 773, SS. I, 151 sagen: et in obpugnatione civitatis, quia difficilis erat, totum hiberni temporis spacium multa moliendo consumpsit.

[2]) Auch Luden , 291 f. hebt diesen Gesichtspunkt mit Recht hervor.

[3]) Vgl. o. S. 148 N. 3.

[4]) Mühlbacher Nr. 156; Bouquet V, 723 f.

[5]) Vita Hadriani S. 496: . . . relinquens plurimam partem ex suis exercitibus Papiam, ipse quoque cum aliquantis fortissimis Francis in eandem Veronam properavit civitatem. Et dum illuc coniunxisset, protinus Autcarius et uxor adque filii saepius nominati Carolomanni propria

hatte einen günstigen Erfolg. Kaum war er dorthin gekommen,
so lieferten sich ihm Autcharius, die Frau und die Söhne Karlmann's freiwillig aus, worauf er wieder vor Pavia zurückkehrte.
Darüber, ob Verona selbst bei dieser Gelegenheit in die Hände
Karl's fiel, erhalten wir keine zugleich deutliche und glaubwürdige
Nachricht[1]), jedoch ist es anzunehmen. Ein Widerstand scheint
überhaupt nicht geleistet worden zu sein. Karlmann's Wittwe hätte
sich mit ihren Söhnen vermuthlich ihrem Schwager nicht ergeben,
und ebenso wenig Autcharius, wenn Verona und Adelchis ihnen
noch Schutz bieten konnten; man würde sie bei solcher Sachlage
wahrscheinlich auch daran gehindert haben. Auch in Bezug auf
Adelchis bleiben wir im Unklaren; man sieht nicht, ob er etwa
Verona schon früher verlassen hatte oder ob er es jetzt verließ oder
endlich sich bis zuletzt, bis zum Fall des Reichs, in Verona gehalten
hat[2]). Ein unbekannter Fortsetzer des Paulus Diaconus[3]) erzählt,
einige Tage nachdem Karl vor Verona erschienen sei, habe Adelchis
heimlich sich aus der Stadt geflüchtet, in Pisa ein Schiff bestiegen

---

voluntate eidem benignissimo Carulo regi se tradiderunt. Eosque recipiens
eius excellentia denuo reppedavit Papiam. Unrichtig behauptet Luden IV, 292 f.,
Gerberga und Autcharius seien von den Langobarden an die Franken ausgeliefert
worden, woraus er noch weiter schließt, daß zwischen den Langobarden und Franken
Friedensverhandlungen stattgefunden hätten, die von den Langobarden angeknüpft
seien, und daß um diese Unterhandlungen zu erleichtern Gerberga von den Langobarden geopfert worden sei. Diese Ansicht, der sich übrigens auch Gaillard II, 97
nähert und die sogar auch Mühlbacher S. 64 wieder auffrischt, schwebt völlig in
der Luft.

Nicht entscheiden läßt sich, ob die Unternehmung gegen Verona, welche in den
Annalen nicht erwähnt wird, noch ins Jahr 773 oder erst 774 fällt.

[1]) Die Lebensbeschreibung Hadrian's sagt, wie in der vorigen Anmerkung gesehen, nur, daß Karl nach Verona kam und daß Autcharius u. s. w. sich ihm sogleich freiwillig auslieferten, worauf er wieder vor Pavia zog. Als ganz unzuverlässig zu betrachten aber ist, was die späte Contin. Lombarda des Paulus Diaconus
(aus dem 12. Jahrhundert), SS. rer. Langob. S. 218, berichtet: uxor et filii
condam regis Karoli (sic) similiter cum Autchario, tutore suo, regi Karolo
civitatem tradiderunt, et ad eum exeuntes, benigne recepti sunt. Cives
vero Veronenses, videntes, quod Franci civitatem habebant, ad obediendum regi Karolo unanimiter consenserunt.

[2]) Muratori, Annali a. 774; Meo, Annali III, 92 nehmen an, daß
Adelchis sich bis zuletzt (Juni 774) in Verona behauptet habe. Als positives Zeug-
niß hiefür ließe sich jedoch wohl nur die ganz späte und unzuverlässige Nachricht in
Pauli contin. tertia c. 57. 67, SS. rer. Langob. S. 214. 215, citiren, wo
Adelchis auf die Kunde, daß sein Vater gefangen sei, verzweifelt und flieht. Auch
die bis in den Juni 774 fortdauernde Zählung der Regierungsjahre von Desiderius
und Adelchis in den Urkunden liefert offenbar keinen Beweis, vgl. Troya V, 723—737;
Neues Archiv III, 317; Mühlbacher S. 65. Die letzte Urkunde trägt das Datum:
In Christi nomine regnantes dominis nostris Desiderio et Adelchis viri
excellentes anno regni eorum in dei nomine octabo decimo et quincto
decimo mense Iunio ind. duodecima.

[3]) Es ist die sog. Continuatio Romana, c. 7, SS. rer. Langob. S. 201,
über welche zu vergleichen Bethmann, die Geschichtschreibung der Langobarden, in
Pertz, Archiv X, 376 f. Noch weniger Werth hat das Zeugniß von Sigebert,
Chronicon, SS. VI, 334 und in Pauli contin. Lombarda, SS. rer. Langob.
S. 218, wo Adelchis flieht, nachdem die Einwohner von Verona in die Unterwerfung
unter Karl gewilligt haben. Der Darstellung der Contin. Romana des Paulus
folgen Leibniz I, 40; Hegewisch S. 104; Dippoldt S. 49; Leo I, 202 u. a.

und sei nach Constantinopel geflohen, aber er verdient wohl kaum
Glauben, obschon was er berichtet an sich wenig Bedenken hervor-
rufen würde. Weit mehr ist dies der Fall bei dem verwirrten
Berichte des Agnellus von Ravenna, nach welchem Adelchis mit
seinem Heere vor Karl die Flucht ergreift, sich nach Epirus flüchtet,
dann einige Tage in Salerno bleibt, endlich, als Karl nach Rom
gekommen ist, mit einigen Getreuen nach Constantinopel flieht[1]).
Feststehende Thatsache ist nur Adelchis' Flucht nach Constantinopel,
auf die wir zurückkommen.

Gerberga mit ihren Söhnen verschwindet seitdem aus der Geschichte. Einer derselben wird in einer späteren Aufzeichnung erwähnt unter dem Namen Siacrius und als Bischof von Nizza[2]).
Seine Lebensbeschreibung weiß, daß er mit Erlaubniß seines Oheims
Karl zu Ehren des h. Pontius das Kloster St. Pons baute, dann
aber im Jahr 777 Bischof von Nizza wurde. Diese Angaben sind
jedoch völlig aus der Luft gegriffen, nicht einmal der Name
Siacrius ist für einen Sohn Karlmann's irgendwie beglaubigt[3]).

Auch das Schicksal des Autcharius ist in Dunkel gehüllt. Es
gibt aus dem eilften Jahrhundert eine Nachricht über einen gewissen Othgerius, einen Mann von vornehmer Herkunft, „einen
tapferen Kämpfer und Streiter", der unter Kaiser Karl im höchsten
Ansehen gestanden, zuletzt aber von ihm die Erlaubniß erwirkt habe,
um Buße thun zu können für seine Uebelthaten, in das Kloster
des heiligen Faro in Meldi (Faremoutier in Meaux) als Mönch
einzutreten[4]). Allein es läßt sich nicht ausmachen, ob dieser h.
Othgerius derselbe ist, den wir als Gefährten der Gerberga
kennen[5]), ob derselbe, dessen sich später die Sage bemächtigt, den

---

[1]) Agnell. Lib. pontif. eccl. Ravenn. c. 160, SS. rer. Langob. S. 381:
Adelgisus . . . una cum exercitu suo ante eum (Karl) terga dedit, et in
partes Chaonides (Epirus) fugit, et per aliquantos dies Salerno commoratus,
exinde cum Karolus Romam venisset, timidus cum suis aliquantis fidelibus
Constantinopolim perrexit. Von dem Aufenthalt des Adelchis in Verona und
dem Zuge Karl's dorthin erwähnt Agnellus nichts. Sein Bericht ist aber namentlich
dann absurd, wenn unter den partes Chaonides — wie man zunächst annehmen
muß — wirklich Epirus (nicht etwa Unteritalien) zu verstehen ist. Jedenfalls kann
man sich auf ihn nicht stützen, nicht aus ihm mit Mühlbacher (S. 64—65) erweisen
wollen, daß Adelchis schon geraume Zeit bevor Karl nach Rom kam aus Verona
geflohen sein müsse.

[2]) In der Vita s. Siacrii episcopi Niciensis bei Vincentius Barralis,
Chronologia sanctorum et allorum virorum illustrium ac abbatum sacrae
insulae Lerinensis, S. 132 f.; AA. SS. Boll. Mai. V, 255.

[3]) Schon Le Cointe V, 785 spricht sich entschieden gegen die Glaubwürdigkeit
der Vita aus und hebt namentlich die Unmöglichkeit hervor, daß ein Sohn des angeblich 751 (jedenfalls ungefähr um jene Zeit) geborenen Karlmann im Jahr 777
bereits sollte Bischof geworden sein. Auch Leibniz I, 30 zweifelt, wogegen Gaillard II,
100 f. trotz der chronologischen Schwierigkeit der Nachricht Glauben schenkt. In den
AA. SS. Boll. l. c. S. 256 wird die Vermuthung geäußert, Siacrius sei ein Sohn
des älteren Karlmann, ein Vetter Karl's d. Gr. gewesen. Vgl. Alliez, Histoire
du monastère de Lérins II, 19 ff.

[4]) Bei Mabillon, Acta SS. cod. s. Benedict. saec. IV, p. 1, S. 662
(ed. Paris.).

[5]) Dies vermuthen Mabillon, Annales II, 376 f.; Eckhart I, 632; Leibniz I, 40.

fie zu einem Kampfgenoffen Roland's gegen die Sarazenen', ja zu
einem dänifchen König gemacht hat[1]).

Der Zug gegen Verona war aber nicht die einzige Unter=
nehmung Karl's während der Belagerung Pavias; einen Theil
feines Heeres bot er gegen das umliegende Land auf und nahm
allmählich verfchiedene langobardifche Städte am linken Ufer des
Po weg[2]). Dagegen wurde Pavia felbft von Defiderius mit
großer Ausdauer vertheidigt, und wenn auch Karl die fchließliche
Bewältigung diefes Widerftandes mit Sicherheit in Ausficht nehmen
durfte, fo drohte doch fchon die lange Dauer der Belagerung, durch
welche ihm die Hände gebunden waren, feine Intereffen ernftlich
zu gefährden. Er war nun fchon über ein halbes Jahr aus feinem
Reiche entfernt, wo feine Anwefenheit aus verfchiedenen Gründen
fehr wünfchenswerth war, und doch konnte er Italien nicht ver=
laffen, ehe er auch dort in die verwirrten Verhältniffe Ordnung
gebracht hatte. Auch wenn die Unterwerfung des Defiderius ge=
lang, fo blieb noch viel anderes zu thun übrig. Ueber das Schick=
fal des langobardifchen Reiches mochte Karl allein die nöthigen
Beftimmungen treffen, fobald es in feine Gewalt fiel; aber außer=
dem handelte es fich auch um die Ordnung der römifchen Verhält=
niffe, um die Befriedigung der päpftlichen Anfprüche, und darüber
konute Karl nicht allein entfcheiden, fondern nur gemeinfam mit
dem Papfte, darüber konnten aber auch fchon jetzt, ohne daß der
vollftändige Sturz von Defiderius abgewartet zu werden brauchte,
Verabredungen zwifchen Karl und Hadrian getroffen werden. Es
war um fo nöthiger, fchnell eine Vereinbarung herbeizuführen, da
der Papft inzwifchen ganz auf eigene Hand zu Maßregeln ge=
fchritten war, welche die Intereffen Karl's aufs Nächfte berührten,
das ganze Herzogthum Spoleto in Abhängigkeit vom römifchen
Stuhl gebracht[3]) und dadurch der Entfcheidung Karl's über die Zu=
kunft des langobardifchen Reichs aufs Eigenmächtigfte vorgegriffen
hatte. Hadrian fuchte offenbar die Zeit, da Karl noch mit der
Bekämpfung von Defiderius befchäftigt war, zum Vortheil der
römifchen Kirche möglichft zu benutzen, ohne jede Rückficht auf
Karl[4]).

---

[1]) Diefe fagenhaften Ueberlieferungen ftammen aus Turpin und gehören nicht
hieher; ausführlich redet übrigens über die Sage von Othger Leibniz, Annales I,
81 ff.; vgl. auch Mabillon, Annales II, 377 f.; Eckhart I, 632 f.; ferner
Gafton Paris, Hiftoire poétique de Charlemagne S. 249 ff. 305 ff. 416;
Mone, Anz. f. Kunde der deutfchen Vorzeit 1836, S. 63 ff. 314 f. Im Chron.
S. Martini Colon. SS. II, 214 ift — nach Wattenbach, D.G.Q. II, 5. Aufl.
S. 125 N. 1 — die Lesart der Handfchrift: per Olgerum Daniae ducem feftzu=
halten und nicht in Otgerum zu verändern.
[2]) Vita Hadriani S. 496. Unverbürgtes in Pauli contin. Lombard. SS.
rer. Langob. S. 218 und befonders im Chron. Novalic. III, 14, SS. VII, 101,
wo Ivrea, Vercelli, Novara, Piacenza, Mailand, Parma, Tortona genannt werden
und vorher von der Einnahme Turins die Rede ift.
[3]) Vita Hadriani S. 495 f. (Pauli contin. Lombarda l. c.); vgl. darüber
unten S. 185 f.
[4]) So auch Leibniz, Annales I, 42.

Alle diese Verhältnisse bestimmten Karl, nachdem er bereits sechs Monate vor der feindlichen Hauptstadt ˡgestanden hatte[1]), ohne ihre Einnahme zu erwarten nach Rom zu gehen, um sich dort mit dem Papste persönlich zu besprechen. Er ließ sein Heer vor Pavia zurück[2]) und trat selber in Begleitung zahlreicher weltlicher und geistlicher Großer, Bischöfe und Aebte, Herzöge und Grafen sowie eines starken kriegerischen Gefolges die Reise nach Rom an[3]), wo er am 2. April, dem Samstag vor Ostern, ankam[4]). Der Papst war, dem Zeugnisse seiner Lebensbeschreibung zufolge, durch die Nachricht von Karl's bevorstehender Ankunft in hohem Grade überrascht[5]); es scheint, daß Karl den Entschluß zur Reise entweder sehr plötzlich faßte oder wenigstens dem Papst, wenn überhaupt, jedenfalls sehr spät davon Mittheilung machte[6]). Hadrian traf in

---

[1]) Vgl. oben S. 148 N. 3 (auch Pauli contin. Romana, SS. rer. Langob. S. 201).

[2]) Die Angabe der Vita Hadriani, S. 496: tunc abstollens secum diversos episcopos, abbates etiam et iudices, duces nempe et grafiones cum plurimis exercitibus, hic Romam per Tusciae partes properavit (vgl. S. 497: simulque et omnes episcopi, abbates et iudices et universi Franci, qui cum eo advenerant; 498: universos episcopos, abbates, duces etiam et grafiones; 499: Reversusque cum suis exercitibus Ticino) ist nicht so zu verstehen, als hätte Karl den größten Theil seines Heeres mit nach Rom genommen, sondern eben nur dahin, daß er ein zahlreiches kriegerisches Gefolge mitnahm; vgl. allenfalls Pauli contin. Romana, SS. rer. Langob. S. 201 (relicta ibi exercitus multitudine); Contin. tertia c. 54, ib. S. 213 (relicto exercitu); Contin. Lombard. ibid. S. 218—219 (venit Romam cum plurimis episcopis et abbatibus et cetera parte sui exercitus. Robur vero exercitus et universos duces, principes ac bellatores ad obsidendum Papiam reliquit). Wichtiger ist, daß die Annales Einhardi, SS. I, 153, ausdrücklich sagen: dimisso ad obsidionem atque expugnationem Ticeni exercitu, orandi gratia Romam proficiscitur. Der Zweck zu beten (Annales Einh. darauf: peractis votis) war aber natürlich nicht der einzige, obschon er auch anderwärts in den Vordergrund gerückt wird (Annales Laur. min. S. 413; Einh. V. Car. c. 27 etc.); vgl. ferner V. Hadr. S. 497 unten S. 155.

[3]) Diese Reise nach Rom wird auch in vielen andern Quellen erwähnt, so Ann. Mosellan. SS. XVI, 496; Ann. Lauresh. SS. I, 30; Ann. Alam.; Ann. Sangall. Baluzii (St. Galler Mitth. zur vaterländ. Gesch. XIX, 203, 236); Libell. de imp. pot. in urbe Roma, SS. III, 720 etc.; ferner Cod. Carolin. Nr. 54. 56. 57, Jaffe IV, 181. 186. 188; Epist. Carolin. 1, ibid. S. 337; Poet. Lat. aev. Carolin. I, 91 Nr. 3, bes. v. 20 f.

[4]) Vita Hadriani l. c. S. 496: Ita enim festinanter adveniens, ut in ipso sabbato sancto se liminibus praesentaret apostolicis. (Pauli contin. Lomb. l. c. S. 219: Cum autem sacratissima pascalis festivitas appropinquaret).

[5]) Vita Hadriani l. c.: Cuius adventum audiens antedictus beatissimus Adrianus papa, quod sic repente ipse Francorum advenisset rex, in magno stupore et extasi deductus, direxit in eius occursum universos iudices . . . Die Worte in magno stupore et extasi drücken, wie wir gegen W. Martens, Die römische Frage unter Pippin und Karl d. Gr. S. 144—145 bemerken, nur einen hohen Grad von Ueberraschung aus, können aber nach dem ganzen Zusammenhang und Ton des V. Hadriani unmöglich das Eingeständniß oder auch nur die Andeutung enthalten, daß diese Ueberraschung eine unwillkommene gewesen sei. Eine andere Frage ist, ob dies thatsächlich der Fall war; vgl. die folgende Anmerkung.

[6]) Es ist sehr wohl möglich, daß Karl den Papst ganz absichtlich unversehends überraschen wollte; irrig ist jedenfalls die Ansicht von Muratori, Annali a. 774,

aller Schnelligkeit noch die nöthigen Vorbereitungen, um Karl, den Patricius der Römer, mit den seiner Würde entsprechenden Ehren zu empfangen, und Hadrian's Biograph hat es nicht unterlassen, eine ausführliche Schilderung von Karl's Einzug zu entwerfen[1]).

„Als Papst Hadrian vernahm, daß der König der Franken so plötzlich heranziehe, wurde er fast überwältigt von Staunen und schickte sämmtliche Behörden etwa 30 Miglien weit ihm entgegen an den Ort, der Novä heißt, wo sie ihn mit dem Banner empfingen. Und als er sich ungefähr bis auf einen Meilenstein Rom genähert hatte, schickte er alle Scholen der Miliz mit ihren Befehlshabern und die Schulknaben aus, welche Palm- und Oelzweige trugen und unter dem Gesang von Lobliedern und jauchzend den König der Franken empfingen. Auch ließ der Papst, wie es bei dem Empfang des Exarchen oder des Patricius Sitte ist, dem König die Zeichen des heiligen Kreuzes entgegentragen und ihn mit der höchsten Auszeichnung empfangen. Karl selbst aber, der große König der Franken und Patricius der Römer, stieg, als er die Zeichen des Kreuzes näher kommen sah, von seinem Pferde ab und machte sich so mit seinen Großen zu Fuße auf den Weg nach St. Peter. Der heilige Vater aber stand schon in der Frühe des Sabbaths auf und eilte mit seinem ganzen Klerus und dem römischen Volk nach St. Peter, um den Frankenkönig zu empfangen, und auf den Stufen zu der Kirchenhalle erwartete er ihn mit seinem Klerus.

„Als aber Karl kam, küßte er die einzelnen Stufen der Kirche und kam so zu dem Papste, der oben in der Vorhalle neben der Pforte der Kirche stand. Sie umarmten sich, dann ergriff Karl die rechte Hand des Papstes. So traten sie unter Lobgesängen auf Gott und den König in die Peterskirche ein, und der ganze Klerus und alle Diener Gottes riefen mit lauter Stimme: Gelobet sei der da kommt im Namen des Herrn! Darauf begaben sich mit dem Papste der Frankenkönig und alle seine Begleiter zu dem Grabe des heiligen Petrus; dort fielen sie nieder, beteten zu dem allmächtigen Gott und dem Apostelfürsten und priesen die göttliche Macht, weil sie ihnen auf Fürbitten des Apostelfürsten einen solchen Sieg verliehen habe. Nachdem dieses Gebet zu Ende war, bat der Frankenkönig den Papst um die Erlaubniß, nach Rom gehen und in den verschiedenen Kirchen seine Andacht verrichten zu dürfen. Und beide, der Papst und der König mit den römischen und fränkischen Großen, stiegen zusammen hinab zu dem Sarge des heiligen

und Luden IV, 293, als ob Karl's Besuch in Rom dem Papste äußerst erwünscht gewesen wäre.
[1]) Vgl. über den Empfang Karl's auch Poet. Lat. aev. Carolin. l. c. v. 27:
Nimis laudibus ymnisque populo celebratur ab omni;
Ann. Laur. min. l. c.: Adrianus papa gaudens cum magna gloria regem advenientem suscepit (hienach Ann. Enhard. Fuld. SS. I, 348); Benedict. s. Andreae mon. chron. c. 22, SS. III, 707.

Petrus und schworen sich gegenseitig Treue[1]); darauf zog der König
mit dem Papste, seinen Großen und dem Volke am selbigen heiligen
Sabbath in Rom ein. Und sie begaben sich in die Kirche des
Heilands bei dem Lateran, und hier blieb der König mit den
Seinigen, so lange der Papst das Sakrament der heiligen Taufe
spendete. Dann ging er in die Peterskirche zurück.

„In der Frühe des andern Tages, am heiligen Osterfeste
(3. April)[2]), schickte der Papst alle Beamte und die ganze Miliz
zum König: und er wurde mit großer Ehre empfangen und mit
seinem ganzen Gefolge in die Kirche der heiligen Mutter Gottes
zur Krippe geleitet. Und nachdem das Meßopfer verrichtet war,
begab er sich mit dem Papste in den Lateran; dort speisten sie an
der päpstlichen Tafel. Am Tage darauf feierte der Papst aber=
mals in der Peterskirche das Meßopfer und ließ das Lob Gottes
und Karl's, des Frankenkönigs und Patricius der Römer, verkün=
bigen. Auch am dritten Tage las er, wie es Sitte ist, in der
Paulskirche die Messe vor dem Könige.

„Am vierten Wochentage aber (Mittwoch, den 6. April) zog
der Papst mit den Hofbeamten und städtischen Beamten[3]) in die
Peterskirche hinaus, um sich mit dem König zu unterreden, und
drang beharrlich und inständig in ihn und ermahnte ihn mit väter=
licher Liebe, jenes Versprechen vollständig zu erfüllen, das sein
Vater Pippin und Karl selbst mit seinem Bruder Karlmann und
alle fränkischen Großen dem seligen Petrus und seinem Stellver=
treter, dem Papst Stephan dem Jüngeren, als dieser ins fränkische
Reich kam, gegeben hatten, nämlich verschiedene Städte und Territorien dieser Provinz Italien (b. h. des römischen, im Gegensatz
zu dem langobardischen Italien) dem seligen Petrus und allen
seinen Stellvertretern zu ewigem Besitze zu übergeben[4]). Nachdem

---

[1]) V. Hadr. l. c. S. 497: seseque mutuo per sacramentum munientes.
Ganz willkürlich hält Martens a. a. O. (S. 134. 295) diese Stelle für ein=
geschoben.

[2]) Vgl. über die Feier dieses Osterfestes in Rom auch Ann. Laur. mai. 773;
Chron. Moiss., Ann. Mett., Ann. Lobiens., Chron. Vedastin. 773, SS. XIII,
29. 229. 704; Ann. Laur. min. l. c.: diem sanctum paschae sollemniter ce-
lebrant (Ann. Enh. Fuld.) etc.

[3]) V. Hadr. S. 498: cum suis iudicibus tam cleri quamque militiae;
vgl. oben S. 135 N. 2.

[4]) Vita Hadriani l. c. S. 498: — ut promissionem illam, quam eius
sanctae memoriae genitor Pippinus quondam rex et ipse praecellentissimus Carulus cum suo germano Carulomanno atque omnibus iudicibus
Francorum fecerant beato Petro et eius vicario sanctae memoriae domno
Stephano iuniori papae, quando Franciam perrexit, pro concedendis diversis civitatibus ac territoriis istius Italiae provinciae et contradendis beato Petro eiusque omnibus vicariis in perpetuo possidendis,
adimpleret in omnibus; vgl. vorher ib. S. 494: adiurans eum fortiter, ut ea,
quae b. Petro cum suo genitore sanctae memoriae Pippino rege pollicitus
est, adimplere et redemptionem sanctae dei aecclesiae perficere seu universa, quae abstulta sunt a perfido Langobardorum rege, tam civitates

Karl sich selbiges Versprechen, welches in Francien an dem Orte, der Carisiacus (Quierzy) heißt, gegeben worden, hatte vorlesen lassen, erklärten er und seine Großen sich mit allen seinen Bestimmungen einverstanden[1]), und freiwillig und gern ließ Karl eine

et reliquas iustitias suo (so alle Hss.; Muratori: sine) certamine reddere b. Petro principi apostolorum fecisset.

Den Ausdruck istius Italiae provinciae fassen Thelen, Zur Lösung der Streitfrage über die Verhandlungen Pippin's mit Stephan II. zu Ponthion und das Schenkungsversprechen Pippin's und Karl's d. Gr. (Göttinger Diss. 1881) S. 13 bis 14 sowie Scheffer-Boichorst, Mitth. d. Inst. f. österreich. Geschichtsforschung V (1884), S. 200—204 scharf ins Auge; vgl. auch Hegel, Gesch. d. Städteverfassung von Italien I, 223 N. 1. Scheffer-Boichorst sucht zu beweisen, daß unter ista Italia provincia, nach dem Sprachgebrauch des Liber pontificalis, nur der Exarchat von Ravenna und der Dukat von Rom zu verstehen seien. Dieser Nachweis stößt aber auf einige Schwierigkeiten, vgl. ebb. S. 203 N. 4. Nach einigen Stellen scheint der betreffende Ausdruck noch eine weitere Bedeutung zu haben, vgl. z. B. Vita Gregorii III. Duchesne l. c. S. 416. Jedenfalls ist er aber identisch mit dem, was die Päpste damals auch res publica Romanorum nannten, im Gegensatz zum langobardischen Italien. So auch Lib. diurnus ed. Rozière Nr. 60 S. 117: huius servilis Italiae provinciae; S. 110: exarcho Italiae; patricio per Italiam (Hegel a. a. O. S. 176 N. 1).

Die in der Donation nicht genannten Theile Süditaliens, Neapel, Bruttien, Calabrien, gehörten zum Thema Sicilien. Keineswegs ist — wie Sybel, Kl. hist. Schriften III, 93 meint — davon die Rede; daß nach der Meinung des Biographen Hadrian's Pippin zu Quierzy und dann Karl zu Rom „dem Papste alle italischen Lande südwärts einer Linie von der Mündung der Magra bis zur Nordspitze des Adriatischen Meeres nebst Corsica und Istrien geschenkt habe, also mit anderen Worten ganz Italien mit einziger Ausnahme der heutigen Lombardei, Piemonts und Genuas".

[1]) V. Hadriani l. c. S. 498: Cumque ipsam promissionem, quae Francia in loco qui vocatur Carisiaco lacta est, sibi relegi fecisset, conplacuerunt illi et eius iudicibus omnia, quae ibidem erant adnexa . . .

Einige neuere Forscher glauben annehmen zu müssen, daß jenes Schenkungsversprechen Pippin's garnicht in Quierzy, sondern in Ponthion erfolgt sei. So namentlich v. Sybel, Die Schenkungen der Karolinger an die Päpste (Kleine histor. Schriften III), besonders S. 75. 102; Ferd. Hirsch, Die Schenkungen Pippin's und Karl's d. Gr. an die röm. Päpste (Festschrift der Königstädt. Realschule zu Berlin, 1882) S. 12—13. 22. 39. Aehnlich W. Martens, Die römische Frage, S. 22 ff., welcher annimmt, daß Pippin das Versprechen sodann unmittelbar vor seiner Salbung durch den Papst in St. Denis wiederholt habe, und hierin, wie in vielen anderen Punkten, den Beifall von Weiland gefunden hat (s. dessen unten genauer citirte Anzeige von Martens' Buch S. 371). Die gedachten Gelehrten stützen sich auf die Fortsetzung des Fredegar, c. 119, und die Vita Stephani III., Duchesne I, 447 f. Allein nach der letzteren Quelle beschloß Pippin in Quierzy mit seinen Großen die Ausführung dessen, was er früher mit dem Papste vereinbart hatte, l. c. S. 448: in loco qui Carisiacus appellatur pergens ibique congregans cunctos proceres regiae suae potestatis et eos tanti patris ammonitione imbuens, statuit cum eis que semel Christo favente una cum eodem beatissimo papa decreverat perficere. Gegen die Vermuthung von Martens, a. a. O. S. 34, daß hier eine Verwechselung des Orts mit Bernacus vorliege, vgl. auch Hirsch a. a. O. S. 13 N. 15. Zweifelnd äußern sich Waitz III, 2. Aufl. S. 87 N. 1. 2; v. Ranke, Weltgeschichte V, 2 S. 35 N. 1. Daß Pippin Ostern (14. April) 754 in Quierzy war, wird bestätigt durch eine Handschrift der Ann. Laur. mai. 753, SS. I, 138. Auch stimmt es mit der citirten Stelle der V. Stephani ganz gut, wenn V. Hadriani, wie wir sahen, sagt, Pippin und seine Söhne hätten das Versprechen zu Quierzy cum omnibus iudicibus Francorum gegeben. Die Differenzen, welche Martens a. a. O. S. 286 f. zwischen beiden Stellen finden will, sind zum Theil

andere Schenkungsurkunde nach dem Muster der früheren durch
seinen Kapellan und Notar Etherius (Hitherius) auffetzen, worin
er diese Städte und Territorien dem seligen Petrus zugestand und
ihre Uebergabe an den gedachten Papst gelobte[1]), innerhalb bestimmter Grenzen, wie sie in dieser Schenkungsurkunde angegeben
sind, nämlich von Luna angefangen mit Einschluß der Insel Corsica,
dann in Surianum (Sarzana), Mons Bardo (Monte Bardone,
Apenninenpaß La Cisa zwischen Pontremoli und Parma) resp.
Vercetum (Berceto), Parma, Regium (Reggio), Mantua, Mons-
silicis (Monselice), den ganzen Exarchat von Ravenna in seinem
alten Umfange und die Provinzen Venetien und Istrien sowie auch
das ganze Herzogthum von Spoleto und von Benevent[2]). Und

---

gesucht. Endlich darf man auch auf Ann. Einh. 753, SS. I, 139, verweisen,
deren Mittheilung: Eodem anno Stephano papa venit ad Pippinum regem
in villa quae vocatur Carisiacus, suggerens ei, ut se et Romanam ecclesiam
ab infestatione Langobardorum defenderet zwar sehr ungenau ist, aber vermuthlich mit der Thatsache zusammenhängt, daß das schriftliche Versprechen in
Quierzy gegeben war. Demnach dürfen wir wohl mit Mühlbacher S. 33 Nr. 72;
Thelen a. a. O. S. 4—5. 22 N. 1; Scheffer-Boichorst a. a. O. S. 210 N. 5
insoweit an Quierzy festhalten.

[1]) V. Hadriani l. c. S. 498: Et propria voluntate, bono ac libenti
animo aliam donationis promissionem ad instar anterioris ipse antedictus
praecellentissimus et revera christianissimus Carulus Francorum rex adscribi iussit per Etherium, religiosum ac prudentissimum capellanum et
notarium suum — adscribi steht hier einfach für aufzeichnen, wie auch nachher
wiederholt; V. Hadr. l. c. S. 490 (adscribi fecit suggestionem suam Constantino); Cod. Carolin. Nr. 29. 55, Jaffé IV, 108. 183 (adscriptum —
ascripta). — Hitherius war damals allerdings Kanzler Karl's, vgl. unten Bd. II,
den Abschnitt über die Hofbeamten; dagegen ist es mindestens ungenau, daß er als
capellanus bezeichnet wird, vgl. Sidel I, 77—78. 101 N. 6; Scheffer-Boichorst
a. a. O. S. 199. 210—211; anders Waitz III, 2. Aufl. S. 515 N. 5.

[2]) Vita Hadriani l. c. S. 498: per designatum (so sämmtliche Handschriften; Muratori: designationem) confinium, sicut in eadem donationem continere monstratur, id est: a Lunis cum insula Corsica, deinde in Suriano,
deinde in monte Bardone, id est in Verceto, deinde in Parma, deinde
in Regio et exinde in Mantua atque Monte Silicis, simulque et universum exarchatum Ravennantium, sicut antiquitus erat, atque provincias
Venetiarum et Istria, necnon et cunctum ducatum Spolitinum et Beneventanum. — Auch bei Leo von Ostia (Chron. mon. Casin. I, 8, SS. VII, 585)
und Gregor. Catinens. (c. 21, SS. XI, 570): designatum; bei jenem: inde in
Vercetum; bei diesem: id est in Verceto. In Betreff der Topographie der genannten Orte vgl. Ficker, Forschungen zur Reichs- und Rechtsgeschichte Italiens II,
330; Genelin, Das Schenkungsversprechen Pippin's S. 27. 29; Mühlbacher S. 66
Nr. 159. Hier wird die Frage aufgeworfen, ob statt Mantua nicht Mutina (Modena)
stehen müßte — mit Rücksicht auf die Stelle in der Divisio regnorum v. J. 806,
c. 4, Capp. I, 128 (et ipsam Regiam et civitatem Novam atque Mutinam
usque ad terminos sancti Petri). Martens S. 292 N. 2 weist jedoch diese Vermuthung ab, da das Fantuzzische Fragment ebenfalls Mantua hat.
Von größter Wichtigkeit ist die Frage, ob die Accusative hinter simulque et
ebenfalls noch von der Präposition zu abhängen. Neuerdings hat Thelen a. a. O.
S. 26—27 diese Auslegung vertreten. Gegen dieselbe haben sich erklärt Weiland,
Ztschr. f. Kirchenrecht XVII, 383; Scheffer-Boichorst a. a. O. S. 196 N. 1;
Langen, Gesch. der röm. Kirche von Leo I. bis Nikolaus I. S. 722 N. 1. Diese
Gegenargumentationen sind jedoch zum Theile schwach. Wir können auch Scheffer-
Boichorst nicht beipflichten, wenn er behauptet: „Die Willkür dieser Interpretation

nachdem diese Schenkung aufgesetzt war, unterzeichnete sie derselbe christlichste Frankenkönig eigenhändig und ließ auch die Namen aller Bischöfe, Aebte, Herzöge und Grafen darunter setzen[1]). Darauf legten er und seine Großen sie auf dem Altar des seligen Petrus und nachher innen auf dem Grabe desselben nieder und übergaben sie dem seligen Petrus und seinem Stellvertreter dem Papste Hadrian, indem sie mit einem entsetzlichen Eidschwure gelobten, alles zu halten, was jene Schenkung bestimme. Auch ließ er ein zweites Exemplar dieser Schenkungsurkunde, gleichfalls durch Etherius (Hitherius), anfertigen und legte es innen auf dem Leib des seligen Petrus, unter den Evangelien, die sich da befinden und geküßt werden, als sicherste Bürgschaft und zum ewigen Gedächtniß seines und des fränkischen Namens, mit eigenen Häuden nieder[2]). Ein drittes, von der Kanzlei dieser unserer Kirche ausgefertigtes Exemplar der Schenkungsurkunde nahm er mit sich nach Hause[3])".

Die Ausführlichkeit und Genauigkeit, womit Hadrian's Biograph die Zusammenkunft Karl's mit dem Papste schildert, ist ein

leuchtet ein" und hervorhebt, daß das per so weit vorausgehe. Hiergegen läßt sich vielmehr einwenden, daß ein großer Theil der dazwischen stehenden Worte, nämlich id est a Lunis — Monte Silicis, sich als Parenthese zu dem per designatum confinium, sicut in eadem donationem continere monstratur auffassen läßt. Noch mehr fällt ins Gewicht, daß der Biograph Hadrian's vorher ganz ausdrücklich und wiederholt sagt, daß sowohl die Schenkung von Quierzy als auch diejenige Karl's sich nur auf eine Anzahl von civitates und territoria bezogen habe (pro concedendis diversis civitatibus ac territoriis istius Italiae provinciae — ubi concessit easdem civitates et territoria b. Petro). Unter territoria haben wir Gebiete der civitates, nicht ganze Landschaften wie die Herzogthümer Spoleto und Benevent u. s. w. zu verstehen, vgl. unten. Wenn wir dennoch nicht gewagt haben Thelen's Interpretation gemäß zu übersetzen, so ist das in Rücksicht auf die Bedenken geschehen, welche die Ausdrücke universum vor exarchatum Ravennantium und cunctum ducatum Spolitinum et Beneventanum in dieser Beziehung einflößen. Eine andere Frage ist, ob der Verfasser der Vita Hadriani die ihm vorliegende Urkunde hier nicht mißverstanden hat, ob er ihren Inhalt nicht correcterweise so hätte wiedergeben müssen, wie Thelen ihn auffaßt. Hierüber unten; auch von der Schenkung Ludwig's des Frommen an Papst Stephan IV. von 816, welche sich nach Inhalt und Form an diejenige seines Vorgängers angeschlossen haben wird, hören wir, daß sie ertheilt worden sei de quibusdam plurimis locis per Italiam diverse sitis (s. Hist. Farfens. Gregor. Catin. Opp. c. 29, SS. XI, 576; Ficker II, 346 u. unten).

Mit den Worten sicut in eadem donationem continere monstratur wird auf die Schenkungsurkunde Karl's, nicht auf die Pippin's verwiesen, wie nachher: Factaque eadem donatione — qui in eadem donatione continentur — Aliaque eiusdem donationis exempla. Vgl. Oelsner S. 137 N. 2; Waitz III, 2. Aufl. S. 219—220; anders v. Sybel a. a. O. S. 95.

[1]) V. Hadriani l. c. S. 498: universos episcopos, abbates, duces etiam et grafiones in ea adscribi fecit; vgl. oben S. 158 N. 1.

[2]) L. c. S. 498: Apparem vero ipsius donationis eundem Etherium adscribi faciens ipse christianissimus Francorum rex, intus super corpus beati Petri, subtus evangelia, quae ibidem osculantur, pro firmissima cautela et aeterna nominis sui ac regni Francorum memoria propriis suis manibus posuit. Vgl. hiezu Malfatti II, 96f.

[3]) L. c.: Aliaque eiusdem donationis exempla per scrinium huius sanctae nostrae Romanae ecclesiae adscriptam eius excellentia secum deportavit.

Beweis für die große Bedeutung, welche man in Rom dem Er=
eignisse beilegte. Es wurde dabei von Anfang an mit großer
Förmlichkeit verfahren[1]. Der Papst versäumte nichts, um zum
voraus seine und des römischen Volkes Rechte gegen jeden Eingriff
von Seiten des Königs sicher zu stellen. Hauptsächlich deshalb
empfing er Karl nicht in Rom selbst, sondern außerhalb der Stadt.
Erst nachdem er am Grabe des heiligen Petrus Treue geschworen,
geleitete ihn Hadrian in die Stadt. Denselben Eid, welchen Karl
dem Papste geschworen, leistete übrigens auch Hadrian dem Könige.
Der Inhalt des Gelöbnisses ist nicht genauer überliefert; zunächst
bezog er sich aber ohne Zweifel auf gegenseitige Sicherheit und
gegenseitigen Schutz während Karl's Aufenthalt in Rom, auf die
Versicherung, daß man keinerlei feindselige Absichten gegen einander,
gegen die römische Kirche u. s. w. hege. Aber der Papst beruft
sich später auch sehr oft und bestimmt auf ein in der Peterskirche,
am Grabe des Apostelfürsten von ihm und Karl gelobtes Bündniß
ewiger Treue und Liebe[2]. Karl selber redet von einem Pactum,
welches er mit Hadrian geschlossen — einem Pactum, in welchem er
offenbar seinerseits den Schutz von Rom und St. Peter übernahm[3].
Wir hören, daß der König dem Papste erklärte, wie er nicht um
Schätze, Gold, Silber oder Edelsteine zu gewinnen oder Erobe=
rungen zu machen sich den Mühen des beschwerlichen Heereszuges
nach Italien unterzogen habe, sondern um St. Peter zu seinen

---

[1] Auch später, bei den Kaiserkrönungen, blieb das Ceremoniell in vieler Hinsicht
dasselbe; vgl. Waitz VI, 177 ff.

[2] Cod. Carolin. Nr. 53. 54. 55. 57. 63. 98, Jaffé IV, S. 176. 181. 183.
189. 191. 204. 287. 290 2c.; Waitz III, 2. Aufl. S. 180 N. 3, wo der Inhalt
einiger dieser Stellen angeführt ist.

[3] Epist. Carolin. 10 (Schreiben Karl's an Papst Leo III. v. J. 796), Jaffé
IV, 356: Sicut enim cum beatissimo patre praedecessore vestro sanctae
compaternitatis pactum inii, sic cum beatitudine vestra eiusdem fidei et
caritatis inviolabile foedus statuere desidero; quatenus, apostolicae sanctitatis vestrae divina gratia advocata precibus, me ubique apostolica benedictio
consequatur et sanctissima Romanae ecclesiae sedes Deo donante nostra
semper devotione defendatur etc. — compaternitatis beruht auf Emendation
von Jaffé; die älteren Ausgaben haben paternitatis. Martens a. a. O. S. 141
N. 1 will dagegen lesen: vestrae . . paternitatis (vgl. Weiland a. a. O. S. 377).
Das Compaternitätsverhältniß zwischen Karl und Hadrian datirt allerdings erst von
Ostern 781, s. unten; die Emendation von Martens ist aber auch höchst wahrscheinlich
unrichtig.
Vgl. übrigens die unten Bd. II. z. J. 796 angeführten Stellen Ann. Einh.
817, SS. I, 203—204; Astron. V. Hludowici c. 27, SS. II, 621; Divisio
regnorum 806 c. 15, Capp. I, 129, sowie Einh. V. Karoli c. 27; V. Hlud.
55, S. 641; Ermold. Nigell. In honorem Hludowici, l. II. v. 387 ff., Poet.
Lat. aev. Carolin. II, 35 und Flodoard. De pontif. Romanis, Muratori,
SS. rer. It. III, 1, 192 (unten S. 169 N. 2).
Halb, Donatio Karol. M. S. 83 ff., will die einzelnen Bestimmungen des Ver-
trags ausfindig gemacht haben, aber ohne irgend ausreichenden Beweis. Es ist vielmehr anzunehmen, daß nur allgemeine Festsetzungen, nicht ins Einzelne gehende
Bestimmungen getroffen wurden; vgl. auch Waitz a. a. O.

rechtmäßigen Besitzungen zu verhelfen, die Kirche zu erhöhen und die Stellung des Papstes zu sichern[1]). Wir hören ferner, daß er den Papst ersuchte, Gebete für die Vergebung seiner Sünden anzustellen und dann, losgesprochen, das Gelübde ablegte, die römische Kirche und die Gerechtsame des h. Petrus zu erhalten und zu schützen[2]).

Demgemäß bildeten die Ansprüche des Papstes auf die Auslieferung und den sichern Besitz der schon von Pippin dem heiligen Petrus zugestandenen Gebiete den hauptsächlichsten Gegenstand der Besprechung zwischen Karl und Hadrian. Das Ergebniß dieser Verhandlungen ist jenes von Karl am Mittwoch nach Ostern, 6. April, aufs neue vollzogene Schenkungsversprechen.

Ohne Grund ist an der Echtheit der auf die Schenkung bezüglichen Stelle in der Lebensbeschreibung Hadrian's[3]), ohne ausreichende Berechtigung auch an der Glaubwürdigkeit der Erzählung des Biographen gezweifelt worden[4]); der Bericht ist nicht interpolirt,

---

[1]) Cod. Carolin. Nr. 57 (Hadrian an Karl, Ende 775), Jaffé IV, 190: Sed recordari te credimus . . . qualiter nobis benignissimo vestrum ore affati estis, dum ad limina beatorum principum apostolorum Petri et Pauli properati estis: quia non aurum neque gemmas aut argentum vel litteras (terras?) et homines conquirentes, tantum fatigium cum universo a Deo protecto vestro Francorum exercitu sustinuissetis, nisi pro iustitiis beati Petri exigendis et exaltatione sanctae Dei ecclesiae perficienda et nostram securitatem ampliare certantes. Martens S. 149 hält das für eine vermuthlich nur privatim gethane Aeußerung des Königs, aber schwerlich mit Recht. Vgl. über eine einigermaßen ähnliche Erklärung Pippin's einem byzantinischen Gesandten gegenüber Thelen a. a. O. S. 18; Oelsner S. 265.

[2]) Vgl. das gleichzeitige Gedicht Poet. Lat. aev. Carolin. I, 91 Nr. 3, v. 28 ff.:

Obnixe pro se summum orari antistitem poscit
Redimi sibi noxa a iuventute commissa.
Exutus suffragiis almis spondebat lingua magistro
Genium servare sanctae ecclesiae in aevo Romanae,
Iustitias almi Petri sui protectoris tueri.

Es erinnert hieran, wenn die Päpste öfters sagen, Pippin und Karl hätten ihre Schenkungen an den römischen Stuhl um ihres Seelenheils, der Vergebung ihrer Sünden willen gemacht, vgl. Oelsner S. 130 und die daselbst angeführten Stellen, sowie Cod. Carolin. Nr. 58, 60, 61, 70, Jaffé IV, 193, 196, 199, 218.

[3]) Das thun Muratori, Antiquitates dissert. 2; auch Hegel II, 215 N. 1; ferner Martens, der a. a. O. (bes. S. 283 ff. 295) den ganzen zweiten Theil der Vita Hadriani für das Werk eines Fälschers, den betreffenden Abschnitt jedoch für bereits um 780—781 geschrieben hält. Die Arbeit von Martens (vgl. dazu auch Neue Erörterungen über die römische Frage u. f. w. 1882), welche Weiland günstig beurtheilt hat und die auch Ranke zu schätzen scheint, ist allerdings fleißig, jedoch nicht frei von Dilettantismen und Willkürlichkeiten. Der Verfasser erlaubt sich zuviel Conjecturen und fehlt namentlich darin, daß er diese Vermuthungen wieder als Grundlage weiterer Folgerungen benutzt.

[4]) So Leo I, 202; Sugenheim, Geschichte der Entstehung und Ausbildung des Kirchenstaats S. 39; Papencordt S. 99 N. 1; Gregorovius, Geschichte der Stadt Rom im Mittelalter II, 3. Aufl. S. 337 ff.; Niehues; Krofta, De donationibus a Pippino et Carolo M. sedi apostolicae factis, Diss. Königsberg 1862, S. 47—53; Malfatti, Imperatori e papi ai tempi della signoria dei Franchi in Italia II, 97 ff.; H. v. Sybel, Kl. hist. Schriften III, 65 ff., bes.

die Thatsache der Schenkung oder des Schenkungsversprechens, welche der Biograph meldet, nicht unglaubwürdiger als der sonstige Inhalt seiner Schrift[1]).

S. 112—114; Kaufmann, Deutsche Geschichte bis auf Karl d. Gr. II, 308, 415 ff.; Ferd. Hirsch, die Schenkungen Pippin's und Karl's d. Gr. an die röm. Päpste (a. a. O.) bes. S. 30; Weiland, Ztschr. für Kirchenrecht XVII, 385; Funk in Tübing. theol. Quartalschrift 1882, S. 482. 630 ff.; v. Ranke, Weltgeschichte V, 2, S. 122 N. 1; Langen, Gesch. der röm. Kirche von Leo I. bis Nikolaus I. S. 720 ff.

Leo und Sugenheim beschuldigen den Biographen der Fälschung und Lüge; auch Papencordt und Gregorovius denken an Fälschung; und ebenso will Niehues lieber den Biographen des Irrthums oder der Fälschung anklagen als „Karl eines wissentlich fortgesetzten Meineides, Hadrian einer feigen Nachlässigkeit" bezichtigen. Sybel hält die Schenkungen von Quierzy und Rom für erdichtet und weist darauf hin, daß Hadrian I. ja auch die angebliche Schenkung Constantin's an Silvester in die Geschichte eingeführt habe. Hirsch stimmt in vielen Punkten mit Sybel überein. Ranke ist für die Verwerfung der Echtheit des angeblichen Dokuments, obgleich er gesteht, daß er seine Entstehung nicht zu erklären wisse. Krosta sucht darzuthun, daß der Verfasser der V. Hadriani vier verschiedene Schenkungen Karl's — aus den Jahren 774, 781, 787 und 800 — in eine zusammengezogen habe.

[1]) Vgl. Pertz, Legg. II b, 7 und hauptsächlich Mock, De donatione a Carolo magno sedi apostolicae anno 774 oblata, p. 8 ff., wo die Einwürfe gegen die Zuverlässigkeit der Nachricht zurückgewiesen sind; ferner S. Abel, Forschungen zur deutschen Geschichte I, 453 ff.; Ficker, Forschungen zur Reichs- und Rechtsgeschichte Italiens II, 348 ff., III, 448; Genelin, Das Schenkungs-Versprechen und die Schenkung Pipins S. 27; Sickel II, 380 ff.; Mühlbacher S. 66 ff. Nr. 159; Baxmann, Die Politik der Päpste I, 275 ff.; Wattenbach, Gesch. des röm. Papstthums (Vorträge) S. 48 ff.; Oelsner S. 135; Döllinger, Das Kaiserthum Karls d. Gr., a. a. O. S. 327 ff.; Waitz III, 2. Aufl. S. 218—220; G. Hüffer im hist. Jahrbuch der Görres-Gesellschaft II, 241 ff.; Thelen, Zur Lösung der Streitfrage u. s. w.; Scheffer-Boichorst in Mitthl. d. Inst. f. österreich. Geschichtsforschung V, 193 ff. Duchesne l. c. p. CCXXXVI ff. Schwankend v. Reumont, Gesch. der Stadt Rom II, 126. Waitz ist wenigstens überzeugt, daß dem Biographen eine echte Urkunde, wenn auch abweichenden Inhalts, vorlag. Scheffer-Boichorst hält die Grenzbestimmung für interpolirt; vgl. auch Sickel, Das Privilegium Otto's d. Gr. für die röm. Kirche, S. 26 N. 1, S. 133 ff. — Ficker nimmt an, daß die betreffende Urkunde im Jahr 781, weil damals ein anderer Vertrag an ihre Stelle trat, zurückgegeben und vernichtet worden sei.

Alle sonstigen Nachrichten über jene Schenkung gehen auf die V. Hadriani zurück, vgl. Mühlbacher S. 66 Nr. 159; so Leonis chron. Casin. I, 8. 12, SS. VII, 585 f. 589; Hist. Farf., Gregor. Catinens. opp. c. 21, SS. XI, 570; Chron. Vulturn. l. III, Muratori I b, 402.

Wir dürfen annehmen, daß die V. Hadriani das Werk eines kundigen Zeitgenossen, eines römischen Geistlichen ist. Die Beweisführung von Krosta (a. a. O.), wonach diese Vita von demselben Verfasser wie die Biographien Leo's III., Stephan's IV. und vielleicht auch Paschalis' I. und erst nach dem Jahre 829 geschrieben wäre, ist großentheils recht schwach; vgl. dagegen auch Weiland a. a. O. S. 370; Duchesne p. CCXXXIV ff.

Sybel a. a. O. S. 91 glaubt aus der Stelle Duchesne l. c. S. 505: Quae et domocultam s. Edisti vocatur usque in odiernum diem schließen zu müssen, daß die Vita mindestens ein Menschenalter nach dem Schenkungsversprechen von 774 aufgezeichnet sein müsse. Aber auch diese Folgerung ist nicht zwingend. Abgesehen von einer Parallelstelle in V. Zachariae, ib. S. 434, die schon Scheffer-Boichorst anführt: quae et domus culta s. Caeciliae usque in hodiernum diem vocatur, heißt es z. B. in Ann. Einh. 797, SS. 1, 183, in Bezug auf Heristelle: qui locus ab incolis usque in praesens ita nominatur. Vgl. auch Thelen a. a. O. S. 5—7; Scheffer-Boichorst a. a. O. S. 197—201, der wenigstens den ersten, die politischen Verhältnisse betreffenden Theil der Vita für gleichzeitig hält.

Da der in der ersten Hälfte des 9. Jahrhunderts (in Uncialschrift) geschriebene

Nichts kann vielfacher und stärker bestätigt sein als die That=
sache, daß Karl ein Schenkungsversprechen abgab, welches im wesent=
lichen eine Wiederholung desjenigen seines Vaters war, daß er eine
Oblation dieses Inhalts am Grabe Petri darbrachte. Die Päpste
erinnern ihn in ihrer Correspondenz mit ihm sehr häufig daran;
Hadrian that es geradezu unaufhörlich [1]). Hienach erscheint es also
auch durchaus gerechtfertigt, daß der Biograph Hadrian's die Do=
nation oder Promission, welche Karl dem Papste machte, als eine
Wiederholung der 20 Jahre früher von Pippin in Quierzy ertheilten
Promission bezeichnet [2]).

Codex Lucensis mit der V. Hadriani abschließt, so ist ihr Alter insoweit gesichert.
Daß dieselbe die politischen Verhältnisse nicht über 774 hinaus verfolgt, ist allerdings
befremdlich; es verhält sich aber auch mit anderen dieser Papstbiographien in dieser
Hinsicht ähnlich, z. B. mit der V. Leonis III.

[1]) Nach dem bezeichnenden Ausdruck von Ranke a. a. O. S. 122. S. unter den
betreffenden Stellen besonders Cod. Carolin. Nr. 54, Jaffé IV, 180: — ut velo-
citer ea, quae beato Petro . . . per tuam donationem offerenda spo-
pondisti, adimplere iubeas; Nr. 55 S. 184: omnia, quae beato Petro per
vestrum donationem offerenda promisistis; ferner Nr. 56 S. 186: cunctaque perficere et adimplere dignemini, quae s. m. genitor vester domnus
Pippinus rex b. Petro una vobiscum pollicitus et postmodum tu ipse . . .
dum ad limina apostolorum profectus es, ea ipsa spopondens confirmasti
eidemque Dei apostolo praesentaliter manibus tuis eandem offeruisti
promissionem; Nr. 77 S. 234: et inlibata oblatio, quae a sanctae recordationis genitoris vestri domni Pipini magni regis allata et vestris prae-
fulgidis regales manibus in confessione b. Petri clavigeri regni celorum
offerta atque nimirum confirmata sunt, inconcussa et inmacula in eternum
permaneant; desgl. Nr. 51 S. 171—172; Nr. 52 S. 174; Nr. 53 S. 177;
Nr. 54 S. 181; Nr. 55 S. 183; Nr. 56 S. 185. 188; Nr. 58 S. 193; Nr. 59
S. 194; Nr. 60 S. 196; Nr. 61 S. 199; Nr. 80 S. 246; Nr. 98 S. 290 ff.;
Leonis III. epist. Nr. 9, ib. S. 331: oblatio, quam vestri dulcissimi parentes
et vos ipsi b. Petro apostolo obtulistis — de vestra a Deo accepta donatione,
quam praedicto Dei apostolo obtulistis; Nr. 10 S. 334: oblatio, quam
dulcissimus genitor vester domnus Pippinus rex b. Petro apostolo obtulit
et vos confirmastis — cum ipsa donatione.
Vgl. auch das erwähnte Gedicht Poet. Lat. I, 91: Habilem ut super
donans in eius confessione livabit (wohl = libavit). Die Emendation von Martens
a. a. O. S. 140 N. 3, der statt Habilem ut vielmehr Calicemque lesen wollte,
ist, wie er sich später (Neue Erörterungen S. V) selbst überzeugt hat, unzulässig, da
das Gedicht ein Akrostichon ist und diese Zeile mit einem H anfangen muß. Der
von ihm erwähnte Vorschlag von Berrisch: Habitum ist ohne Zweifel ebenfalls
verfehlt. (Ueber habilis vgl. Du Cange-Favre, Glossar. IV, 149).

[2]) Freilich gehen auch über diese Frage — ob die Donation oder Promission
Karl's mit derjenigen Pippin's thatsächlich oder wenigstens im Sinne der Vita
Hadriani identisch gewesen sei — die Ansichten auseinander.
In bejahendem Sinn wird sie entschieden von S. Abel in der Abhandlung:
Papst Hadrian I. und die weltliche Herrschaft des römischen Stuhls, Forschungen
zur Deutschen Geschichte I, 459 ff. (über die frühere Litteratur vgl. namentlich S. 470
N.); ferner von Sickel II, 381; desgl. in einer Abhandlung in der Civiltà
cattolica anno XVI. serie VI. vol. III. 15. Luglio 1865, S. 180 ff.: Il
patriziato romano di Carlomagno. XV. Ampliazione dello stato di s. Pietro
sotto Adriano I, worin die erwähnte Schrift von Mock eingehend widerlegt wird;
auch von Alberdingk Thijm S. 323; Genelin a. a. O. S. 30 ff.; Sybel a. a. O.
S. 68. 93—96. 99; Hirsch S. 30; G. Hüffer a. a. O.; Thelen a. a. O. S. 23.
64 ff.; Scheffer-Boichorst a. a. O. S. 194—195.
Die entgegengesetzte Ansicht, die Schenkung von Quierzy sei kleiner ge-

Es ist ferner sichere, durch andere Zeugnisse wohlbestätigte That=
sache, daß Karl dem römischen Stuhl eine Anzahl von Städten,
Territorien und Castellen, welche die Langobarden an sich gerissen
hatten, um jene Zeit, im Jahr 774, restituirt hat[1]). Auch liegt
durchaus kein Grund zu der Annahme vor, daß dies Donations=
versprechen Karl's nur ein mündliches, formloses, kein in einer Ur=
kunde niedergelegtes gewesen sei[2]). Die Thatsache, daß die Bio=

---

wesen als die Karl's, nur die letztere habe den in der Vita Hadriani angegebenen
Umfang gehabt, hat Mock a. a. O. S. 34 ff. ausführlich zu begründen versucht.
Ihm stimmt bei Krosta a. a. O. S. 49 (vgl. jedoch S. 47); auch Oelsner S. 135—139;
Niehues I, 2. Aufl. S. 522 N. 1 und im histor. Jahrb. der Görresgesellschaft II,
76 ff. 201 ff. huldigen derselben Ansicht; ebenso Döllinger a. a. O. u. selbst Waitz a. a.
O. S. 219. Darin sind wir übrigens, wie bereits oben (S. 158 N. 2) bemerkt,
einverstanden, daß die Grenzbestimmung in der Vita Hadriani als in der Schenkung
Karl's enthalten bezeichnet wird; ob sie auch in derjenigen Pippin's stand, wird
nicht ausdrücklich gesagt.
    Man hat wohl Gewicht darauf legen wollen, daß Karl die Verleihung Pippin's
nach einer Stelle des Cod. Carolin. amplius bestätigte (Nr. 98, Jaffé IV, 290:
et vestra excellentia amplius confirmavit — et a vobis amplius confirmatum). Hiedurch werde, meint man, die Donation Karl's als Erweiterung
derjenigen seines Vorgängers gekennzeichnet; so Baxmann I, 276 N. 1; Martens
S. 180. Aber amplius hat wohl unzweifelhaft hier nur temporale Bedeutung;
vgl. Sybel S. 95 N., der mit Recht bemerkt, daß amplius confirmare sonst
beinahe einen Widerspruch in sich schließen würde, und mit dem in diesem Punkte auch
Scheffer=Boichorst S. 195 N. 2; Thelen S. 23 N. 3, 64 und selbst Weiland
S. 381 übereinstimmen. Anders Hirsch S. 39—40, der dies auf eine spätere
Schenkung Karl's bezieht, durch welche er dem Papst den Exarchat in weiterem Um=
fange als Pippin überlassen hätte.
    In einigen Geschichtswerken des späteren Mittelalters findet sich die Auffassung,
daß Karl's Verleihung im übrigen eine Restitution und Wiederholung derjenigen
Pippin's, dagegen die Herzogthümer Spoleto und Benevent von ihm hinzugefügt
worden seien; vgl. Pauli contin. tertia c. 58, SS. rer. Langob. S. 214; Andr.
Dandul. chron., Muratori XII, 146.
    [1]) Einh. V. Karoli c. 6: Karolus vero post inchoatum a se bellum
non prius destitit, quam . . . omnia Romanis erepta restitueret — et res
a Langobardorum regibus ereptae Adriano Romanae ecclesiae rectori restitutae (Sermon Papst Johann's VIII., Bouquet VII, 695); Ann. Petav. SS. I,
16: et domnus rex Karolus, missis comitibus per omnem Italiam, laetus
sancto Petro reddidit civitates quas debuit. Vgl. ferner das gleichzeitige, im
Auftrage des Papstes verfaßte Gedicht Poet. Lat. aev. Carolin. I, 90 Nr. 3, v.
20—21: Reddidit prisca dona ecclesiae matri suae — Urbesque magnas,
fines simul et castra diversa sowie v. 41—42, S. 91: Pollicita sacra dona
clavigeri aulae Petri; allenfalls auch Libell. de imp. pot. in u. Roma, SS. III,
720: deditque ibi donaria multa, quae usque hodie Romanum tenet dominium,
de regni huius (des italienischen Königreichs) confinibus; Hist. Langobardor.
Florentin., SS. rer. Langob. S. 601: et terras ecclesie restituit; Waitz III,
2. Aufl. S. 181 N. 1.
    [2]) So Martens a. a. O. S. 137 ff. 152. 156. 180. 297 und Neue Er-
örterungen S. 21; desgl. Weiland S. 377. Nach dieser Ansicht hätte auch Pippin
nur eine mündliche Promission ertheilt. In Bezug auf Karl hat dieselbe aber bereits
Hirsch, S. 35 N. 30, 31 N. 28, mit Recht, wenn auch zum Theil mit unzutreffender Argumentation zurückgewiesen. Von allem andern abgesehen, wäre es
fraglich, ob man die Stellen des Cod. Carol., wo von einer durch Karl dem h. Petrus
an dessen Grabe „eigenhändig" dargebrachten Promission oder Oblation die Rede ist,
rein bildlich auffassen darf (Nr. 56. 58. 77, Jaffé IV, 186. 193. 234). Noch ungünstiger für jene Auffassung scheint die Stelle, N. 98 S. 290: — simili modo

graphie Hadrian's den damaligen Kanzler des Königs (Hitherius), von welchem zugleich festfteht, daß er damals mit dem König in Italien war[1]), richtig zu nennen weiß, erhöht die Wahrscheinlich= keit, daß ihrem Bericht eine echte Urkunde zu Grunde liegt.

Dagegen ift es leider nicht möglich über den Inhalt der Schenkungsurkunde fichere Auskunft zu gewinnen. Die Urkunde felbft liegt nicht vor, der Biograph Hadrian's gibt nicht ihren Wortlaut, fondern blos eine Aufzählung der verschiedenen Gebiete, auf welche die Schenkung fich bezog. Nach feiner Darstellung fcheint es zunächft, als ob alle diese Gebiete dem Papste geschenkt oder verheißen wären. Allein hiemit fteht was er felber fagt auch wieder kaum in Uebereinstimmung. Sodann ift es undenkbar, daß Karl dem römischen Stuhle einen fo großen Theil Italiens überlaffen haben foll. Dies ftünde auch mit verschiedenen Um= ftänden im Widerspruch, welche zeigen, daß die Urkunde nicht fo fchlechthin die Ueberweisung jener Gebiete an die Kirche ausgesprochen haben kann. Was den erften Punkt betrifft, fo bezeichnet der Bio= graph andererseits als Gegenstand der Donationen Karl's wie Pippin's nur verschiedene Städte (civitates) und Stadtgebiete (territoria), welche dem päpstlichen Stuhl darin zugestanden und deren Auslieferung an denselben darin gelobt[2]) fein foll. Mit diesen Städten und Territorien der „Provinz Italien" können doch kaum ganze Landschaften und Herzogthümer gemeint fein[3]). Wir

---

ipsum patriciatum b. Petri fautoris vestri, tam a sanctae recordacionis domni Pippini magni regis genitoris vestri in scriptis in integro con- cessum et a vobis amplius confirmatum, infragabili iure permaneat (vgl. unten). Die übrigen Stellen, auf die Martens feine Auffaffung ftützt, beziehen fich auf das gegenseitige Freundschafts= und Treugelöbniß, welches er mit dem Schenkungs= versprechen Karl's ohne weiteres zufammenwirft.

[1]) Vgl. Scheffer=Boichorft a. a. O. S. 211; Duchesne S. 517 N. 34.

[2]) et contradendis b. Petro eiusque omnibus vicariis in perpetuum possi- dendis -- easque praefato pontifici contradi spopondit.

[3]) Vgl. o. S. 158 N. 2. Unter territoria find die zu den civitates ge= hörigen Stadtgebiete zu verstehen. In dieser Bedeutung wird das Wort damals in Italien, insbesondere in der päpstlichen Kanzlei gebraucht, vgl. Jaffé IV, S. 64. 87. 256. 283; V. Zachariae, Duchesne I, 431; Div. regnor. a. 806 c. 4, Capp. I, 128; Ann. Einh. 815, SS. I, 202; Pabst in Forsch. z. d. Gesch. II, 469. So auch Pompon. Dig. 50, 16, 239 (Territorium est universi- tas agrorum intra fines cuiusque civitatis); vgl. ferner Du Cange-Henschel, Glossar. VI, 556.

Schon hienach können wir Sybel (S. 94), Martens (S. 310) und Weiland (S. 383) keines
wegs zugeben, daß „alle Theile" dieser Erzählung „plan und folge= richtig zufammenschließen": daß die Relation der V. Hadriani eine klare und daher in Bausch und Bogen anzunehmen oder zu verwerfen fei; vgl. auch Thelen S. 26.

Freilich rühmt Hadrian I. in einem Schreiben an Constantin VI. und Jrene aus dem Jahr 785 von Karl: Unde per sua laboriosa certamina eidem Dei apostoli ecclesie ob nimium amorem plura dona perpetuo obtulit possidenda, tam provincias quam civitates seu castra et cetera territoria, imo et

können ferner deutlich ersehen, daß Karl dem Papste das Patrimonium in der Sabina erst im Jahre 781, daß er ihm weiterhin
gewisse Städte in Tuscien und in Benevent, wie Capua, erst 787
durch Schenkungen bestimmteren und beschränkteren Inhalts überließ [1]).

Man ist auf den Ausweg gekommen, die ganze Grenzbestimmung als Interpolation zu betrachten [2]) — und es ist sicherlich
nicht der schlechteste, den man gewählt hat. Immerhin heißt jedoch
auch dies den Knoten einigermaßen gewaltsam durchhauen. Es
wird stets zweifelhaft bleiben müssen, ob wir zu einem solchen Verfahren berechtigt sind, um so mehr, als sich auch diese Grenzbestimmung auf einige Anhaltspunkte stützen kann. Allerdings, wenn der
Papst später Karl gegenüber behauptet, daß dieser damals auch das
Herzogthum Spoleto der Kirche dargebracht habe [3]), so wird man
dies kaum buchstäblich glauben dürfen — obschon es immerhin
zeigt, daß Hadrian die Oblation so aufgefaßt hatte oder in dieser
Weise auslegen zu können glaubte. Ferner scheint eine Stelle in
einem Schreiben Leo's III. an Karl dafür zu sprechen, daß sich
die Donation auch auf die Insel Corsica bezog [4]). Hinsichtlich der
Provinzen Venetien und Istrien ist vielleicht ein Schreiben des
Papstes Stephan III. [5]) an den Patriarchen Johannes von Grado [6])
zu beachten, dessen Echtheit zwar zweifelhaft erscheinen mag [7]), aber

patrimonia, que a perfida Longobardorum gente detinebantur, brachio
forti eidem Dei apostolo restituit, cuius et iure esse dignoscebantur (Jaffé,
Reg. Pont. ed. 2a, Nr. 2448; Mansi XII, 1075—1076). Aber auch dies kann
keineswegs als Bestätigung einer so umfassenden Schenkung angesehen werden.
Entsprechend sagt jenes gleichzeitige Gedicht Poet. Lat. I, 90:

> Reddidit prisca dona ecclesiae matri suae
> Urbesque magnas, fines simul et castra diversa.

Auch Ludwig's d. Fr. Schenkung von 816 war, wie bereits bemerkt, de quibusdam
plurimis locis per Italiam diverse sitis, vgl. o. S. 158 N. 2, unten S. 168 N. 2.

[1]) Vgl. v. Sybel a. a. O. S. 105—106; Hirsch a. a. O. S. 36 ff. und
unten zu den betreffenden Jahren.

[2]) Dies ist, wie schon berührt, die mit großem Scharfsinn begründete Ansicht
von Scheffer-Boichorst. Die Grenzbestimmung congruirt nämlich nach seiner Meinung
nicht mit dem vorhergehenden istius Italiae provinciae; vgl. o. S. 156 N. 4,
sowie Sickel, Das Privilegium Otto's d. Gr. für die röm. Kirche S. 133 ff. Scheffer's
Meinung tritt auch vollkommen bei Diekamp im Hist. Jahrb. der Görres-Gesellschaft
VI, 637 f.; Kohl II, 674 ff.; dagegen bekämpft sie W. Martens, Theol. Quartalschrift 68. Jahrg. (1886), S. 601 ff.

[3]) Cod. Carolin. Nr. 57 (Hadrian an Karl, Ende 775), Jaffé IV, 191
(Quia et ipsum Spoletinum ducatum vos praesentaliter offeruistis protectori
vestro beato Petro principi apostolorum per nostram mediocritatem pro
animae vestrae mercaede); vgl. unten.

[4]) Epist. Carolin. Nr. 1 (808, Ende März), Jaffé IV, 310 ff., vgl. unten
Bd. II.

[5]) 768—772.

[6]) Jaffé, Reg. Pont. ed. 2a Nr. 2391; Andr. Dandul. Muratori, SS.
rer. It. XII, 144.

Das Datum fehlt; Oelsner S. 139 setzt dies Schreiben ins J. 771.

[7]) Diesen Zweifel äußert Waitz III, 1. Aufl. S. 532; vgl. indessen auch
Weiland a. a. O. S. 386—387.

jedenfalls nicht ohne weiteres geleugnet werden darf. In diesem
Schreiben getröstet jener Papst den bedrängten Patriarchen, daß
ihm, gleich weiland Stephan II., die Sicherheit und das Heil
des Patriarchats von Grado nicht weniger als das eigene am
Herzen liege. Er weist den Patriarchen darauf hin, daß in dem
allgemeinen Pactum zwischen Römern, Franken und Langobarden
auch Istrien und Venetien einbegriffen seien; daß die Getreuen
des seligen Petrus schriftlich versprochen hätten, wie Rom nebst
seinem Gebiet und dem Exarchat von Ravenna, auch Istrien und
Venetien gegen alle feindlichen Bedrückungen zu beschützen[1]). Unter
jenem Pactum ist wohl der Friedensvertrag zu verstehen, welcher
754 nach der Besiegung des Langobardenkönigs Aistulf durch Pippin
zu Stande kam und 756 von neuem bestätigt wurde[2]). Auch beruht die angegebene Grenzlinie von Luna bis Monselice schwerlich
auf Erfindung, sondern scheint in correcter Weise das langobardische
Gebiet im Norden Italiens von der Promission auszuschließen.
Sie umschreibt die Grenzen des alten Exarchats einschließlich der
von Rothari an der ligurischen Küste und von Agilulf später dem
Langobardenreich hinzugefügten Eroberungen[3]).

---

[1]) Quippe nos, carissime frater, Deo propitio totis viribus inhianter
satagimus decertandum, sicut praedecessor noster sanctae recordationis
dominus Stephanus papa, ut vestra redemptio atque salus et immensa
securitas, quemadmodum nostra, opitulante divina misericordia proficiat.
Quoniam in vestro pacto generali, quod inter Romanos, Francos et Longobardos dignoscitur provenisse, et ipsa vestra Istriarum provincia, ut constat, est confirmata atque annexa simul cum Venetiarum provincia. Ideo
confidat in Deo immutabili sanctitas tua, quia ita fideles beati Petri studuerunt ad serviendum iureiurando beato Petro apostolorum principi et
eius omnibus vicariis in sede ipsius apostolica usque in finem seculi sessuris
in scriptis contulerunt promissionem, ut, sicut hanc nostram Romanorum
provinciam et exarchatum Ravennatium, et ipsam quoque vestram provinciam pari modo ab inimicorum oppressionibus semper defendere procurent;
vgl. Oelsner a. a. O.; G. Hüffer im Hist. Jahrbuch der Görres-Gesellschaft II, 249
N. 1 (gegen Gfrörer, Gesch. Venedigs S. 72); Weiland a. a. O. S. 386.
Besonders auffällig ist das in vestro pacto generali; der Abdruck bei
Troya hat nostro (s. Oelsner), und allerdings scheint diese oder eine ähnliche Emendation nothwendig. Den Worten ut constat gibt Oelsner wohl eine irrige Auslegung, wenn er darunter versteht: also nicht urkundlich nachweisbar. Unter den
fideles b. Petri sind nach Weiland unzweifelhaft die Frankenkönige zu verstehen.
[2]) Vgl. Vita Stephani II., Duchesne I, 451. 453; V. Hadriani ib. S. 487:
in scripto foedera pactum adfirmantes inter Romanos, Francos et Langobardos — denuo confirmato anteriore pacto — in ea foederis pace, quae
inter Romanos, Francos et Langobardos confirmata est; Gest. epp. Neapol.,
SS. rer. Langob. S. 424: Et iussit in conspectu suo pacti ordinem sub ius-
iurando conscribi, ut a tunc et deinceps nullo tempore finibus Romaniae
lederent aut per aliqua occasione vel in magno vel in modico aliquid pacis
foedere contaminare temptarent. Quem Langobardi stabilien . . .; Weiland
a. a. O. S. 386; Duchesne l. c. p. CCXXXVII. 515 N. 6.
[3]) Vgl. Spruner-Menke, Hist. Handatlas Nr. 21. Auffällig erscheint das folgende simulque et universum exarchatum Ravennantium, sicut antiquitus
erat, da schon vorher die Grenzen des Exarchats umschrieben werden; allein im damaligen päpstlichen Latein wird simulque oder simul et auch sonst in solcher Weise,

Auch Pippin's Schenkungsverſprechen hatte allem Anſchein nach nur einen allgemeinen Charakter gehabt[1]). Aus einer ſolchen allgemeinen Faſſung des Schenkungsverſprechens erklären ſich ferner am leichteſten die vielen Differenzen, zu denen daſſelbe Anlaß gab, die häufigen Mahnungen der Päpſte, es zu erfüllen. Nicht auf genaue Beſtimmungen, ſondern nur auf ſeinen allgemeinen Inhalt und Sinn kann man ſich von päpſtlicher Seite berufen und eben dieſen von fränkiſcher Seite bei jeder Gelegenheit anders auslegen[2]).

---

etwa in der Bedeutung „und damit denn zugleich" gebraucht, vgl. Scheffer-Boichorſt a. a. O. S. 203 N. 4. Es dürfte nicht zu verkennen ſein, daß Thelen's Aus-legung (vgl. o. S. 158 N. 2) hiedurch erheblich an Wahrſcheinlichkeit gewinnt; die Ver-bindung der Worte simulque etc. mit dem Vorhergehenden erſcheint hienach als eine ganz enge.

[1]) Vgl. Oelsner S. 129—139; Sybel a. a. O. S. 76. 79. 84. 86; Hirſch a. a. O. (z. B. S. 28. 35—36. 39). — Dies im Frankenreiche gegebene allgemeine Schenkungsverſprechen darf mit der Schenkungsurkunde, welche Pippin dem Papſte nach dem erſten Siege über Aiſtulf ausſtellte und durch die er ihm eine Anzahl be-ſtimmter Städte reſtituirte (vgl. u. a. Hirſch S. 16—22), nicht confundirt werden, wie es durch Oelsner S. 130 N. 2 geſchieht. Wenn noch Sickel II, 381 beſtritt, daß jene Schenkungsurkunde durch die Quellen bezeugt ſei, ſo geſchah es mit Unrecht.

[2]) Nicht ganz ohne Intereſſe iſt es auch zu vergleichen, wie der Dichter Er-moldus Nigellus ſich den Inhalt der Urkunde vorſtellt, welche Kaiſer Ludwig im Oktober 816 zu Reims dem Papſte Stephan IV. ausfertigen ließ, l. II. v. 381 ff., Poet. Lat. aev. Carolin. II, 35. Ludwig befiehlt dort ſeinem Kanzler Helisachar (v. 391 ff.):

„Excipe, vade cito et firmis haec insere chartis
 Quae volo perpetuo fixa manere quidem.
Censeo per regnum nostro moderamine septum
 Atque per imperium dante tonante meum
Ut res ecclesiae Petri sedisque perennis
 Inlaesae vigeant semper honore dei,
Ut prius ecclesia haec pastorum munere fulta
 Summum apicem tenuit, et teneat volumus.
Crescat honor Petri nostro sub tempore, crevit
 Temporibus Caroli patris et utque mei."

Ebenſo ſagt der Kaiſer vorher (v. 387—388) zum Papſte:

„Ut mea progenies Petri servavit honorem,
 Sic ego servabo, praesul, amore dei."

Als Inhalt der Urkunde wird alſo angegeben, daß der Kaiſer die Beſitzungen des römiſchen Stuhls innerhalb ſeines Reichs in ſeinen Schutz nimmt und den Primat deſſelben anerkennt. Ann. Einh. SS I, 203 ſprechen von einer Erneuerung des Freundſchaftsbündniſſes, vgl. Sickel, Die Urkunden der Karolinger II, 380 f.; Das Privilegium Otto's I. S. 52 N. 1, 88 N. 1; Ficker, Forſchungen zur Reichs- und Rechtsgeſchichte Italiens II, 346. 367; Mühlbacher S. 239; Simſon, Jahrbb. Ludw. d. Fr. I, 70. — Ficker verweiſt auf eine Urkunde v. J. 1105 (Hist. Farf., Gregor. Catin. opp. c. 29, SS. XI, 576), worin jenes Privileg Ludwig's v. J. 816 als quoddam preceptum domni Hludovici imperatoris Stephano papae quarto concessum de quibusdam plurimis locis per Italiam di-vorse sitis b. Petri apostoli ecclesiae donatis allegirt wird. Auch hier iſt alſo nur von der Schenkung einer ſehr großen Anzahl von Orten in ver-ſchiedenen Theilen Italiens die Rede.

Außerdem läßt ſich aus ſpäterer Zeit u. a. heranziehen, was wir über das Pactum der Kaiſer Wido und Lambert mit dem päpſtlichen Stuhl (891. 892) er-

Der Biograph Hadrian's selbst nennt die Urkunde abwechselnd
eine Schenkung und nur das Versprechen einer Schenkung[1]); die
Päpste forderten von den Karolingern, wie zahlreiche Stellen in
den päpstlichen Briefen und Lebensbeschreibungen bezeugen, nicht
neue Besitzungen, sondern solche, auf die sie von früher her Ansprüche zu haben behaupteten, theils als früheres Eigenthum der
Kirche, theils als Bestandtheile des römischen Staats[2]), für dessen
Vertreter im Abendlande der Papst sich ausgab, seitdem der
griechische Kaiser durch das Verbot der Bilder der Ketzerei verfallen
war. Hiezu kommt noch, daß die in der Urkunde genannten Gebiete nie alle in den Besitz des Papstes übergegangen sind und
Karl niemals Anstalten traf dem Papste zu dem Besitze ihrer Gesammtheit zu verhelfen. Aus dem allem geht hervor, daß die
Schenkung nur eine sehr bedingte war. Sie betraf, abgesehen
von dem Exarchat und der Pentapolis, wahrscheinlich nur einzelne Städte u. s. w., welche in jenen verschiedenen Landschaften
Italiens zerstreut lagen; nur solche können gemeint sein bei
den übrigen Gebieten, welche der Biograph außerdem noch auf-
zählt[3]). Aber der allgemeine, unbestimmte Charakter der Schen-

---

fahren, vgl. Conv. Ravenn. 898 c. 6—8, Leg. I, 563: Ut pactum, quod a
beatae memoriae vestro genitore domno Widone et a vobis, piissimis imperatoribus, iuxta praecedentem consuetudinem factum est, nunc reinte-
gretur et inviolatum servetur. — De locis autem atque rebus quae in
eodem pacto continentur praecepta nonnulla illicita facta sunt, quae petimus ut in eadem synodo terminentur et quae non recte facta praecepta
sunt corrumpantur. — Ut patrimonia seu suburbana atque massae et co-
lonitiae necnon civitates, quae contra rationem quasi per praecepta largita
sunt, petimus reddantur . . . ; Dümmler, Gesch. des ostfränk. Reichs II, 367.
371. 429—430; v. Ranke, Weltgeschichte VI, 1, S. 304.
   [1]) Vgl. oben S. 158 N. 1. 2. Ebenso ist vorher von der promissio Pippin's
die Rede. Diese Ausdrücke werden eben promiscue gebraucht, wie auch in den
Papstbriefen donatio, oblatio, promissio; vgl. oben S. 163 N. 1; Thelen a. a. O.
S. 46.
   [2]) Regelmäßig wird von den Besitzungen, welche der Papst fordert, der Ausdruck restituere oder reddere gebraucht, worin liegt, daß sie ihm schon früher gehörten; vgl. z. B. Vita Stephani II. bei Duchesne I, 448: — exarchatum Ravennae et reipublice iura seu loca reddere modis omnibus; 449:
propter pacis foedera et proprietatis s. Dei ecclesie reipublice restituenda iura; Cod. Carolin. Nr. 46, Jaffé IV, 157: fortiter eos cum Dei
virtute distringentes, ut sua propria isdem princeps apostolorum atque
sancta Romana rei puplice ecclesia recipiat; Döllinger, Kaiserthum Karl's d. Gr.
a. a. O. S. 326. 375; Oelsner S. 132 N. 1; Martens S. 62 ff.; Waitz III,
2. Aufl. S. 88 N. 1; anders Thijm S. 320—321. — Dagegen gebraucht die betreffende Stelle der V. Hadriani allerdings in Bezug auf die Schenkungen von 754
und 774 die Ausdrücke concedere und contradere; nur Flodoard, De Pontif.
Roman., Muratori l. c. III b, 192 D:
      Cessaque iamdudum reparantur culmina iuri
      Sedis apostolicae scriptisque manenda seruntur.
   [3]) Vgl. Hald S. 31 ff.; ferner die Ausführung in den Forschungen z. deutschen
Geschichte I, 471 f., wo der Versuch gemacht ist darzuthun, daß der Papst in Bezug
auf den Exarchat und die Pentapolis, aber nur in Bezug auf diese, die Rechte des
römischen Reichs für sich in Anspruch genommen habe, während er in den übrigen

kung ging noch weiter. Alle diese Besitzungen sollten dem Papste keineswegs unmittelbar üb ergeben werden, sondern nur in Aussicht gestellt wurde ihre Uebergabe [1]), und zwar unter Bedingungen, welche die späteren Ereignisse kennen lehren. Hadrian beruft sich nachher wiederholt auf Schenkungsurkunden, welche seine Ansprüche auf diese und jene Patrimonien als begründet nachweisen sollen [2]). Und so wurde gewiß überhaupt verfahren; der Papst hatte überall seine Rechtsansprüche erst nachzuweisen, ehe der König ihm die Besitzungen ausliefern ließ. Die Schenkungsurkunde kann nur das Versprechen enthalten haben, für die Rückgabe derjenigen Besitzungen an die römische Kirche Sorge zu tragen, auf welche der Papst im Stande war seine Rechtsansprüche zu erhärten.

Der Gewinn für den päpstlichen Stuhl war unter diesen Umständen nicht sehr groß. Karl hätte vielleicht das Schenkungsversprechen nicht gemacht, wenn nicht der Papst sich auf den Vorgang seines Vaters hätte berufen können; er selbst zeigte durch seine ganze spätere Haltung, daß ihm die Rückgabe der vom Papste geforderten Ländereien an den römischen Stuhl nicht sehr am Herzen lag. Er konnte sich aber allenfalls zu dem Versprechen entschließen, da seine Erfüllung von Bedingungen abhängig gemacht war, welche es leicht machten die Ausführung hinauszuschieben, wenn nicht zuweilen zu umgehen [3]). Hätte Karl den ernsten Willen gehabt, dem Papst den Besitz aller jener Ländereien zurückzugeben, so hätte er dies unstreitig bewerkstelligen können; doch aber folgt daraus, daß dies nicht geschah, keineswegs, daß Karl der Ausführung seiner Zusage sich geradezu entziehen wollte, sondern nur, daß er kein rechtes Interesse für sie hatte; schon die Verhältnisse selbst brachten es mit sich, daß die Angelegenheit nur langsam erledigt werden konnte und man dabei auf zahlreiche Hindernisse stieß [4]).

Die Schwierigkeiten, welche sich im Laufe der Zeit bei der Ausführung der Schenkung erhoben, kamen aber auch noch von anderer Seite.

Es wird damals im Zusammenhang mit dem neuen Freundschaftsbündniß und Schenkungsversprechen naturgemäß auch die

Gebieten lediglich die Rechte der Kirche, die Patrimonien, gefordert habe; ferner Sickel II, 381, nach dem es sich „ebenfalls nicht überall um die gleichen Rechte handelte, sondern an gewissen Orten nur um privatrechtlichen Besitz, an andern um Hoheitsrechte"; Waitz III, 2. Aufl. S. 220. Auch Niehues I, 2. Aufl. S. 523 nimmt an, daß die Schenkung nicht alle in der Vita angegebenen Gebiete, sondern zum großen Theile nur deren Patrimonien umfaßte, macht aber einen Unterschied zwischen der Schenkung Karl's und der von Quierzy, S. 522 N. 1. Anders Duchesne l. c. p. CCXXXVII—CCXXXVIII.

[1]) V. Hadriani l. c. S. 498: easque praefato pontifici contradi spopondit.

[2]) Vgl. hauptsächlich den Brief Hadrian's, Codex Car. Nr. 61, Jaffé IV, 200; ferner Nr. 73 S. 226; Forschungen z. d. Gesch. I, 473; v. Sybel a. a. O. S. 105—106.

[3]) Die wichtigsten Fälle sind zusammengestellt bei Hald S. 55 ff.

[4]) Am ausführlichsten verbreitet sich darüber Hald S. 59 ff., der nur oft zu genau Bescheid wissen will.

Stellung zur Sprache gekommen sein, welche Karl als Patricius in Rom, überhaupt im römischen Italien, einnehmen sollte. Stephan II. hatte einst Pippin und seine Söhne zu „Patriciern der Römer" ernannt, in dem Sinne, daß sie in die Rechte der früheren Exarchen von Ravenna, welche man gelegentlich auch schon als Patricier der Römer bezeichnet hatte[1]), eintreten sollten[2]). Sie sollten also gewissermaßen Statthalter im römischen Italien werden, aber natürlich ohne jede Abhängigkeit vom Kaiser, da dessen Oberherrschaft über Rom thatsächlich aufgehört hatte, wie ja auch der Papst und nicht mehr der Kaiser den Patricius oder die Patricier ernannte. Daß in den Urkunden noch nach den Regie= rungsjahren der ostcömischen Kaiser gerechnet wurde, war eine leere Formalität, welcher Hadrian I. alsbald ein Ende gemacht hatte[3]). Die Karolinger hatten die Würde, welche der Papst ihnen kraft einer lediglich angemaßten Befugniß ertheilte, nicht eigentlich acceptirt, wenigstens nicht in ihren Titel aufgenommen, ließen es sich indessen gefallen, daß die Päpste sie fo bezeichneten[4]). Aber

---

[1]) Vgl. Pauli Hist. Langobardor. IV, 38, SS. rer. Langob. S. 132, welcher den Exarchen Gregorius von Ravenna patricius Romanorum nennt. Noch bezeichnender ist die ältere Stelle in Fredegar. chron. c. 69, Bouquet II, 410, wo die C.zählung abweichend ist, der Patricius Hisicius (Isaak) genannt, dann aber auch gesagt wird: Duo tantum centenaria auri deinceps ad partem Lango- bardorum a patricio Romanorum annis singulis implentur; eine Stelle, auf deren Bedeutung schon bei Bouquet in der Note aufmerksam gemacht ist; vgl. auch Oelsner S. 145, der ebenfalls mit Recht bemerkt, daß der Patricius der Römer hier als „der eigentliche Beherrscher des Exarchats, der Vertreter und Träger des Imperiums in Italien" erscheint; Papst in Forschungen zur deutschen Geschichte II, 429—430; Döllinger, Das Kaiserthum Karl's d. Gr. S. 320; Martens S. 81. Die Thatsache, daß diese Bezeichnung im Papstbuche und anderwärts nur auf die Frankenfürsten angewendet wird, berechtigte Martens — wie schon die Parallelstelle aus Fredegar zeigt — keineswegs zu der Annahme, daß Paulus Diaconus sich hier ungenau oder incorrect ausgedrückt habe, noch zu der Behauptung, daß jene Be- zeichnung des Exarchen von Ravenna als patricius Romanorum zu dem späteren Patriciat Pippin's und seiner Söhne schlechthin in keiner Beziehung stehe. — Vgl. auch V. Hadriani l. c. S. 497: sicut mos est exarcum aut patricium suscipiendum (oben S. 155). Bezeichnend ist ferner, daß Karl's späterer Titel lautet: rex Francorum et Langobardorum ac patricius Romanorum. Den Römern, den Mitgliedern der res publica Romanorum in Italien, gegenüber be- ruht seine Macht auf dem Patriciat, wie den Langobarden gegenüber auf dem König= thum. Sobald Karl Kaiser der Römer wurde, fiel der Patriciustitel fort, vgl. unten Bd. II, z. J. 800.

[2]) Hegel, Geschichte der Städteverfassung von Italien I, 209 f. 176, der oben nur an die Statthalterschaft im römischen Ducat denkt; Oelsner S. 144 ff.; Kauf- mann, Deutsche Gesch. bis auf Karl d. Gr. II, 293—294. Auch Döllinger S. 319. 321 erkennt in dieser Beziehung insofern das Richtige, als er diesen Patriciat nicht blos auf den Ducat von Rom, sondern auf die ganze römische res publica in Ita- lien bezieht. Es ist entsprechend, wenn, wie derselbe Gelehrte (S. 320. 374) an- führt, sich später Fürsten von Benevent „Patricii des langobardischen Volkes und des Kaiserreichs" nennen, wie auch von einem Patricius von Afrika, einem Patricius von Sicilien gesprochen wird u. s. w.

[3]) Zuletzt geschah es in einer Urkunde Hadrian's für das Kloster Farfa vom 20. Februar 772, Jaffé, Regest. Pont. Rom. ed. 2a I, 289—290 Nr. 2395.

[4]) Döllinger S. 320 f.; Martens S. 83—85. 194; Genelin S. 46 f. Auch

auch diese letzteren erwähnen diesen Titel meist nur in der Adresse ihrer Schreiben an die karolingischen Fürsten, wenn auch da mit großer Stetigkeit[1]); es lag auch nicht in ihrem Interesse, denselben mehr als nöthig zu betonen, insofern in ihm der Begriff einer Herrschaft lag[2]). Das Papstthum hatte den Karolingern diese Würde auferlegt, um ihnen Pflichten aufbürden zu können, nicht um ihnen Rechte zu verleihen[3]). Auf diese Weise war die Stellung des Patricius, die sich, wie man sieht, garnicht auf die Kirche, sondern auf den sogenannten römischen Staat in Italien bezog, beeinträchtigt worden. Indem der Papst ihn ernannte, maßte er sich ein kaiserliches Recht an und setzte den Patricius außer Stand, seine Rechte als Statthalter in der römischen Provinz Italien in ihrem ganzen Umfang auszuüben. Er wurde fast beschränkt auf die Pflicht des Schutzes und der Vertheidigung jener sogenannten res publica Romanorum; die Rechte, welche mit der Vertretung des Kaisers, auch dem Papste gegenüber, zusammengehangen, ruhten

---

in den Papstleben wird der Titel öfters erwähnt; ebenso in der Inscription des Schreibens der Römer an Pippin, Cod. Carolin. Nr. 13, Jaffé IV, 69.

[1]) Vgl. Martens S. 82—83.

[2]) Oelsner S. 144. Auch in Bezug auf die Consekration des Papstes werden von Paul I. Pippin kaum annähernd ähnliche Rechte zugestanden, wie sie der Exarch von Ravenna besessen hatte (Cod. Carolin. Nr. 12, Jaffé VI, 68; Lorenz, Papstwahl und Kaiserthum S. 31 ff.; Martens S. 114 ff.).

[3]) Orsi, Della origine del dominio della sovranità de' Romani pontefici sopra gli stati loro temporalmente soggetti S. 216 ff.; Papencordt S. 134 u. a. sehen in dem Patricius nur den defensor ecclesiae. Dann hat auch noch Döllinger a. a. O. S. 318 ff. den Patriciat Pippin's und Karl's lediglich als eine Schutzgewalt über die römische res publica in Italien, insbesondere als eine Schirmvogtei über die römische Kirche nachzuweisen gesucht, alle politische Bedeutung der Würde geleugnet, aber mit Unrecht. Daß jeder byzantinische Patricius ein Schirmvogt der Kirche und der Armen sein sollte, kann dies wohl beweisen. Hier handelt es sich um einen Patriciat im Sinne einer Statthalterschaft (Hegel I, 209), so daß seine politische Bedeutungslosigkeit höchstens eine thatsächliche, aber nicht eine im Begriff selbst liegende sein konnte. Man wird selbst Hegel (I, 210) nicht unbedingt zugeben können, daß der Papst aus dem patricius eben nur einen defensor ecclesiae machen wollte. Die Schutzpflicht über Rom und die Kirche knüpft der Papst nicht sowohl an den Patriciat als an die von ihm vollzogene Salbung Pippin's und seiner Söhne zu Königen, bei welcher er sie allerdings zugleich zu Patriciern der Römer ernannte: vgl. Genelin S. 46—47; Martens S. 83; Waitz III, 2. Aufl. S. 86 2c. 1. — Ganz verfehlt ist es, wenn Martens S. 80 ff. 110 ff. 195 ff. meint, durch den Patriciat sei den karolingischen Königen nur die Ehrenmitgliedschaft der res publica Romanorum übertragen worden. Nach Genelin S. 46 verlieh ihnen der Papst gar nur den Adel Roms. Gegen derartige Auffassungen auch Waitz a. a. O., welcher die Erklärung dieses Patriciats indessen für zweifelhaft hält, wie auch Giesebrecht I, 5. Aufl. S. 105 von dem „dunklen und vieldeutigen Namen eines Patricius der Römer" spricht. Wenn in einigen Briefen Hadrian's an Karl von dem honor des Patriciats des letzteren die Rede ist (Cod. Carolin. Nr. 88, Jaffé IV, 267: pro honore vestri patriciati; Nr. 98 S. 290: honor patriciatus vestri — so beweist das keineswegs, daß es ein bloßer Ehrentitel war. An der ersteren Stelle heißt es bald darauf, nach Jaffé's Berichtigung des Textes: honorem regni vestri. Will man das regnum auch nur als Ehrentitel ansehen?

dagegen mehr oder minder[1]), da eben der Papst selber in dem Punkte der Ernennung des Patricius sich an die Stelle des Kaisers gesetzt hatte.

Seit Karl's Anwesenheit in Italien tritt hierin eine Aenderung ein, nimmt er in seinen Titel auch seine Würde als Patricius der Römer auf: aber nicht schon seit seinem damaligen Osteraufenthalt in Rom, sondern erst nach dem vollständigen Sturz des langobardischen Reichs[2]). Er wollte die Pflichten und Rechte dieser Stellung zur Geltung bringen, aber nicht im Namen des Kaisers, auch nicht in dem des Papstes, sondern in seinem eigenen[3]). Die Eroberung des Langobardenreiches, durch die er in Italien festen Fuß faßte, war für ihn die natürliche Veranlassung, von seiner Stellung als Patricius der Römer nunmehr ausdrücklicher und nachdrücklicher als vorher Gebrauch zu machen, und wenn auch seine Befugnisse im einzelnen nicht genau bestimmt und abgegrenzt waren, so leitete er doch aus dem Patriciat verschiedene Rechte her, welche über die demselben seitens des päpstlichen Stuhls zugedachte Bedeutung und Stellung weit hinausgingen: nämlich, wie es scheint, oberhoheitliche Rechte über das römische, den Griechen nicht mehr unterthänige Italien. Er setzte sich als Patricius gewissermaßen an die Stelle des Kaisers und nahm daher eben auch die Oberhoheit in Anspruch.

Mit diesen Verhältnissen hingen die berührten weiteren Schwierigkeiten bei der Ausführung der Schenkung zusammen. Auch in den Gebieten, in deren Besitz der Papst wirklich gelangte, waren seine Herrschaftsrechte nicht unbestritten. In keinem Theile der Besitzungen der Kirche war er ganz unabhängig[4]), überall hatte neben ihm auch der fränkische König gewisse Rechte, über deren beiderseitige Grenzen jedoch bestimmte Festsetzungen offenbar nicht getroffen sind[5]). Es kam infolge dieser mangelhaften Regelung

---

[1]) Vgl. oben S. 172 N. 2; dagegen auch oben S. 64 über die Theilnahme fränkischer Bischöfe an der Lateransynode vom J. 769, auf welcher die Papstwahl neu geregelt wurde.

[2]) Vgl. Sickel I, 257—258. 175; Waitz III, 2. Aufl. S. 180 N. 2. Dem Titel rex Francorum et Langobardorum wurde das ac patricius Romanorum sogar erst etwas später hinzugefügt. Auch dies spricht entschieden dagegen, daß etwa Ostern 774 die Stellung des Patricius durch ausdrückliche, ins einzelne gehende Bestimmungen besonders geregelt; daß die Rechte, die Karl nachher aus seinem Patriciat herleitete, ihm etwa vom Papste vertragsmäßig einzeln und ausdrücklich zugesichert worden seien.

[3]) Was Alberdingk Thijm S. 325 gegen diese Auffassung bemerkt, ist ohne Bedeutung.

[4]) Seine vollständige Souveränität behaupten, abgesehen von den früheren Schriftstellern wie Baronius, Cenni, Borgia, Orsi u. a., von den neueren noch Phillips, Deutsche Geschichte II, 250 f.; Papencordt S. 99 N. 1; v. Sybel, Die Deutsche Nation und das Kaiserreich S. 11; Duchesne p. CCXXXVIII. Vgl. Waitz III, 2. Aufl. S. 181 N. 2, wo die Litteratur in weiterem Umfange angeführt ist.

[5]) Vgl. Waitz a. a. O. S. 181 f.; Oelsner S. 139 ff. 143 ff.; Martens S. 194 ff.; Guizot, Histoire de la civilisation en France II, 318 ff.; auch unten S. 175 N. 2. 3.

der Verhältniſſe zwiſchen dem Papſte und den königlichen Beamten, auch wohl dem Könige ſelber häufig zu lebhaften Erörterungen, aus welchen wenigſtens ſoviel mit Sicherheit hervorgeht, daß in allen Gebieten der Kirche die Oberhoheit nicht dem Papſte, ſondern dem fränkiſchen Könige zuſtand[1]). Zwiſchen dem Exarchat und den übrigen Beſitzungen des Papſtes beſtand in dieſer Hinſicht kein Unterſchied; auch im Exarchat übte Karl die Rechte der Ober= hoheit[2]), gerade hier zeigte ſich am deutlichſten, wie gering ſein Eifer für die Erweiterung des Gebiets der Kirche war, denn er ließ es geſchehen, daß der Exarchat faſt ganz vom Erzbiſchof von Ravenna in Beſitz genommen und mehrere Jahre lang von ihm dem Papſte vorenthalten wurde[3]). Karl war oberſter Herrſcher

---

[1]) Vgl. Waitz III, 2. Aufl. S. 181 N. 2; Forſchungen z. D. G. I, 475 N. 1. Zu den neueren und neueſten Forſchern, welche ſich für die Oberhoheit Karl's ausſprechen, gehören Döllinger, Kirche und Kirchen, Papſtthum und Kirchenſtaat S. 495; Das Kaiſerthum Karl's des Großen S. 328 f.; Baxmann I, 276; Oelsner a. a. O.; Thelenj a. a. O. S. 55 ff. und Niehues I, 2. Aufl. S. 523, letzterer aber mit einer Beſchränkung, vgl. die nächſte Anmerkung.

[2]) Niehues a. a. O. S. 527 ff. führt gegen Döllinger aus, daß wenigſtens im Exarchat nicht Karl, ſondern der Papſt die Oberhoheit beſeſſen habe, aber ohne die Anſicht Döllinger's genügend zu widerlegen; ähnlich übrigens ſchon v. Sa= vigny I, 362. Irrthümlich iſt die Anſicht von Cenni I, 294; Gieseler, Kirchen= geſchichte II, 1, 38; Gfrörer, Papſt Gregorius VII. Bd. 5 S. 43. 48, Hadrian habe im Exarchat die Rechte eines Patricius beſeſſen, was aus dem Briefe Hadrian's bei Jaffé IV, 290 folgen ſoll. Dort beſchwert ſich Hadrian über die Mißachtung ſeiner Rechte in Ravenna und fordert Karl auf, wie er, der Papſt, die Stellung Karl's als Patricius unverbrüchlich achte, ſo möge auch Karl den dem h. Petrus von Pippin verliehenen und von ihm ſelbſt beſtätigten Patriciat in Ehren halten. Aber dieſe Be= zeichnung der Schenkungen von 754 und 774 (denn dieſe ſcheinen auch hier gemeint zu ſein) kommt in jenem, der Zeit von 784—791 angehörenden Briefe Hadrian's zum erſten und letzten Mal vor, iſt jedenfalls nicht buchſtäblich zu nehmen und er= klärt den Papſt auf keinen Fall ausdrücklich für den Patricius im Exarchat; vgl. Waitz III, 2. Aufl. S. 86 N. 1: Forſchungen z. D. G. I, 475 N. 2, 530, 141 N. 11 (anders Hirſch a. a. O. S. 39). Man könnte ſogar auf die Vermuthung verfallen, daß die Worte ipſum patriciatum b. Petri der Emendation bedürften, daß ſonſt nie in dieſem Sinne gebrauchte patriciatum ſich durch eine Wiederholung des vorhergehenden patriciatus veſtri eingeſchlichen habe und in patrimonium oder dergleichen zu ändern wäre, oder aber, daß die Wiederholung eine abſichtliche, ein Spiel mit dem Ausdruck wäre. Ueber den Sinn laſſen mehrere vorangehende Sätze des nämlichen Schreibens (dicione, ſicut a vobis b. Petro apoſtolo et nobis concessa est — holocaustum, quod b. Petro sanctae recordationis genitor vester optulit et vestra excellentia amplius confirmavit) kaum einen Zweifel. Döllinger, Das Kaiſerthum Karl's d. Gr. S. 322 und Martens S. 202 ff. legen dem Ausdruck jedenfalls zuviel Gewicht bei und knüpfen daran verfehlte Ausführungen. Döllinger behauptet, dieſer Patriciat des Papſtes habe aus ſehr beſtimmten Rechten einer Regierungsgewalt beſtanden, die unter der damals noch fortbeſtehenden nomi= nellen Oberhoheit der griechiſchen Kaiſer ſich kaum beſchränkt fand, während Karl als Patricius nur auf jene Gewalt und Unterwerfung Anſpruch machen konnte, welche Schützlinge im eigenen Intereſſe ihrem Schirmherrn gewähren und die freilich, wie Döllinger beifügt, damals ſehr groß war. — Martens meint, Hadrian lege ſich das eigentliche Regiment über den Exarchat bei, während er dem König bedeute, ſich mit ſeinem Ehrentitel als Patricius (vgl. oben S. 172 N. 3) und den Funktionen zu beſcheiden, die ihm vom Papſte zugewieſen oder überlaſſen würden. Das ſoll der Papſt gewagt haben dem Könige anzudeuten, während er ausdrücklich ſagt, daß der betreffende „Patriciat Petri" demſelben von Pippin und Karl verliehen worden ſei!

[3]) Jaffé IV, 170 ff.; Forſchungen I, 477 ff.; vgl. unten.

in allen Gebieten der Kirche; für ihn mußte auf Hadrian's An=
ordnung in den römischen Kirchen gebetet werden, wie im frän=
kischen Reiche selbst[1]); ihm mußte das Volk in den päpstlichen
Besitzungen neben dem Papste Treue schwören[2]); schon lange vor
der Kaiserkrönung wurden die Römer in Italien als seine Unter=
thanen, Rom selbst als eine Stadt seines Reiches angesehen[3]).

Dagegen sind andere Angaben über Befugnisse, welche Karl
in jenem Jahre übertragen worden sein sollen, erst viel später ver=
breitet worden und ganz unglaubwürdig. Es gibt eine Nachricht,
Karl sei nach der Einnahme von Pavia und der Gefangennahme
des Desiderius noch einmal nach Rom gegangen und habe dort
in der Kirche des Laterans mit Hadrian und vielen Bischöfen,
Aebten u. f. w. eine Kirchenversammlung gehalten, in welcher der
Papst und alle Anwesenden ihm den Patriciat und das Recht ver=
liehen haben sollen den Papst zu ernennen; außerdem habe man
ihm die Investitur aller Erzbischöfe und Bischöfe zugestanden und
verordnet, daß ohne des Königs Zustimmung und Investitur nie=
mand die Weihe erhalten sollte. Allein diese Nachricht stammt aus
einem erst in der Zeit des Investiturstreits angefertigten falschen
Berichte[4]), wie denn Karl darin bereits als Kaiser und der Pa=
triciat in der Bedeutung gedacht ist wie er später Heinrich III. über=
tragen wurde. Ein Auszug hieraus ist dann in die um den Anfang

---

[1]) Ordo Romanus bei Mabillon, Museum It. II, 17: Tempore Hadriani
institutum est, ut flecteretur pro Carolo rege: antea vero non fuit consuetudo; S. 19: dicit orationem pro rege Francorum, deinde reliquas per ordinem. Vgl. Cod. Carolin. Nr. 64, Jaffé IV, 205; Cenni I, 369 N. 3;
Waitz III, 2. Aufl. S. 182 N. 1 und die Stellen bei Hald. S. 86 ff.
[2]) Vgl. die Stellen bei Waitz III, 2. Aufl. S. 182 N. 2, namentlich Jaffé
IV, 187: — dirigentes ibidem nostrum missum . . . qui . . . sacramenta in
fide beati Petri et nostra atque excellentiae vestrae a cuncto earum (civitatum) populo susciperet, wo es sich gerade ums Exarchat (die Städte Imola
und Bologna) handelt, vgl. oben S. 174 N. 2; Oelsner S. 144, der aus der an=
geführten Stelle allerdings keine ganz bestimmte Folgerung zieht; Martens S. 198,
welcher hierin nur ein thatsächliches, freiwilliges Entgegenkommen Hadrian's gegen
den König sieht. Vgl. auch Cod. Carolin. Nr. 86 (v. J. 788) S. 260 und dazu
Gfrörer, Papst Gregorius VII. Bd. 5 S. 44.
[3]) Pauli Gest. epp. Mettens. SS. II, 265: Romanos praeterea ipsumque
urbem Romuleam . . . suis addidit sceptris; Poet. Lat. I, 58 Nr. 22 (Epitaphium Hildegardis reginae) v. 17—18: Cumque vir armipotens sceptris
iunxisset avitis — Cignifera umque Padum Romuleumque Tybrim; Brief an
Karl bei Uebersendung der Excerpte aus Festus, SS. rer. Langob. S. 19 N. 5:
civitatis vestrae Romuleae); vgl. jedoch Bd. II, zum Jahre 796.
[4]) Vgl. namentlich Bernheim in Forschungen zur Deutschen Geschichte XV,
618 ff., besonders 632 ff. Es heißt in jenem Bericht (ebb. S. 633—634, Text nach
Kunstmann, Theol. Quartalschrift 1888, S. 339, verbessert): Post sanctam vero
resurrectionem reversus Papiam, cepit Desiderium regem duxitque in captivi-
tatem. Deinde reversus Romam constituit ibi sanctam synodum cum Adriano
papa in patriarchio Laterani in ecclesia s. Salvatoris, quae reverentissime
celebrata est a C et III religiosissimis episcopis et abbatibus, adhuc etiam
a iudicibus et legis doctoribus et ab universis ordinibus et regionibus huius
almae urbis et a cuncto clero s. Romanae ecclesiae, exquirentibus usus
legesque et mores et quemadmodum haereses absolvere possent et de
apostolica sede et de dignitate patriciatus atque Romano imperio, ex qui-

des 12. Jahrhunderts verfaßte Panormia des Juo von Chartres[1]) und von da wiederum in das etwas später, um 1150, entstandene Defret Gratian's[2]) sowie auch in die im Kloster Anchin verfaßten Zusätze zu der Chronif des Sigebert von Gembloux[3]) übergegangen. Außerdem erwähnt auch eine Anzahl anderer Schriften, namentlich späterer italienischer Chronifen, jene angeblichen Vorgänge, zum Theil unmittelbar aus dem falschen Bericht über das Defret Hadrian's schöpfend[4]). Es ist jedoch im Hinblick auf die gleichzeitigen

bus omnibus nimius error crescebat in universo orbe. Populus itaque Romanus more solito legem condebat, sed difficile erat pro unoquoque negotio totiens tot in unum congregare. Inde ergo suum ius et potestatem imperatori concesserunt, prout legitur: populus itaque Romanus concessit ei omne suum ius et potestatem. Ad hoc quoque exemplum praefatus Adrianus papa cum omni clero et populo et universa sancta synodo tradidit Karolo augusto omne suum ius et potestatem eligendi pontificem et ordinandi apostolicam sedem, dignitatem quoque patriciatus ei concessit. Insuper archiepiscopos, episcopos per singulas provincias ab eo investituram accipere definiunt, post haec consecrationem unde pertinent, ita tamen ut abolita sit veterum sententia moresque in posterum, quatenus nemo per cognationem vel per amicitiam aut per pecuniam sibi eligat episcopum, sed soli regi huiusmodi reverenda tribuatur facultas. Verumtamen, quamvis a clero et populo aliqua praesumptione vel religionis causa episcopus eligatur, nisi a rege laudetur et investiatur, a nemine consecretur.

Bernheim führt scharffinnig aus, daß dieser falsche Bericht (er nennt ihn nicht zutreffend ein Defret Hadrian's I.) höchst wahrscheinlich von einem Anhänger des Gegenpapstes Wibert um 1084—1087 geschmiedet worden sei. — Vgl. auch Baronius, Annales a. 774 Nr. 10 ff.; Pagi Nr. 13 ff.; Leibniz, Annales I, 50 f., der zwar geneigt ist die Kirchenversammlung als solche gelten zu lassen; Petrus de Marca, De concordia sacerdotii et imperii VIII, 12, wo Leo VIII. als Urheber der falschen Nachrichten über jene Synode betrachtet wird (vgl. unten); Rettberg I, 579, II, 607; Hefele, Conciliengeschichte III, 2. Aufl. S. 621; Hinschius, Kirchenrecht I, 229f.; Waitz, III, 2. Aufl. S. 182 N.3; Mühlbacher S. 67; Jaffé, Reg. Pont. ed. 2 I, 292; besonders aber S. Hirsch, De Sigeberti Gemblacensis vita et scriptis S. 42 ff. — Anders Gfrörer, Papst Gregorius VII. und sein Zeitalter V, 39 f. 294 ff.; Thijm S. 325 ff. (vgl. unten S. 178).

[1]) Ivonis Carnot. episc. Panormia VIII, 124. — Wie Bernheim a. a. O. S. 636 bemerkt, findet sich das Excerpt auch schon vor 1100 in einer italienischen Sammlung von Rechtsmaterialien zur Papstwahl (Bethmann in Pertz, Archiv XI, 843 ff.).

[2]) Gratiani decretum p. I dist. 63 c. 22.

[3]) S. das um 1148 verfaßte, an Sigebert sich anschließende Auotarium Aquic. SS. VI, 393: (Karolus) Papiam cepit; iterumque Romam rediit, synodum constituit cum Adriano papa absque 153 religiosis episcopis et abbatibus, in qua Adrianus papa cum universa synodo dedit ei ius eligendi pontificem et ordinandi apostolicam sedem, dignitatem quoque patriciatus. Insuper archiepiscopos et episcopos per singulas provincias ab eo investituram accipere diffinivit et ut, nisi a rege laudetur et investiatur, episcopus a nemine consecretur. Omnesque huic decreto rebelles anathematizavit et, nisi resipiscerent, bona eorum publicari, vgl. Bernheim S. 636; Rettberg I, 579 N. 57. — Meo III, 85 f. hält diese Stelle für glaubwürdig, ebenso Sigonius S. 146, der nur noch beifügt, auf das Recht dem Papst zu ernennen habe Karl aus ganz besonderer Mäßigung zu Gunsten der Römer verzichtet. Vgl. ferner Thijm a. a. O.

[4]) Die erste Spur der Kunde von der Existenz eines solchen Defrets findet sich in der Zeit von 1086—1092 bei Wido von Ferrara in seiner Streitschrift De scismate Hildebrandi (SS. XII, 177), wo es in Bezug auf die Invesitur heißt: Hanc

Quellen nicht möglich, nach der Einnahme Pavias eine neue Reise des Königs nach Rom anzunehmen[1]), und ebenso wenig ist jene Kirchenversammlung[2]) beglaubigt; vielmehr sind alle diese Nachrichten durchaus ohne historischen Werth. Allerdings geschieht auch schon in der jüngeren Fassung eines Privilegs, welches Papst Leo VIII. Otto dem Großen verliehen haben soll und das in doppelter Gestalt überliefert ist, ähnlicher Vorgänge Erwähnung[3]);

---

concessionem Adrianus apostolicus Karolo, Leo tercius Ludoico, alii vero Romani pontifices aliis atque aliis imperatoribus confirmaverunt. Die zweit-früheste Erwähnung begegnet uns in der ums Jahr 1100 verfaßten Historia Mediolanensis von Landulf (SS. VIII, 49). Da ist auch die Rede von einer großen Kirchenversammlung, welche Hadrian in Rom gehalten habe. Dann heißt es weiter: Proficiscens . . . Eugenius (ein Bischof und angeblicher Pathe Karl's d. Gr.) . . . causa concilii Romam, invenit apostolicum Adrianum, qui primus annulos et virgas ad investiendum episcopatus Karloni donavit, iam per tres dies celebrasse concilium; ferner in den Annales Romani, SS. V, 469, wo gelegentlich der Kaiserkrönung Heinrich's III. gesagt wird: ordinationem pontificum ei concesserunt (die Römer) et eorum episcoporum regaliam (sic) abentium: ut a nemine consecretur, nisi prius a rege investiatur; almus pontifex (Clemens II.) una cum Romanis et religiosis patribus, sicut sanctus Adrianus papa et alii pontifices confirmaverunt per privilegii detestationem, sic per privilegii detestationem in potestate regis Heinrici . . . et futurorum regum patriciatum et cetera, ut supradictum est, sancivit, confirmavit et posuit. Vgl. Floß, Die Papstwahl unter den Ottonen S. 55; Steindorff, Jahrbücher des Deutschen Reichs unter Heinrich III. Bd. I, S. 470 ff.; Giesebrecht II, 5. Aufl. S. 665; Bernheim a. a. S. 635 f. 636 N. 4; Thijm a. a. O. S. 327 und außer den dort citirten Stellen auch Pauli contin. tertia c. 58. 59, SS. rer. Langob. S. 214 (dazu N. 2 u. S. 203 N. 1).

[1]) Dies ist selbst Thijm geneigt anzuerkennen (S. 323 f. 147 N. 7); vgl. Bernheim a. a. O. S. 632 N. 3.

[2]) Die Zahl der auf derselben anwesenden Bischöfe und Aebte wird in dem Bericht über das Dekret Hadrian's auf 103, in den Zusätzen zu Sigebert auf 153 (vgl. oben S. 175 N. 5; S. 176 N. 3), in der dritten Fortsetzung des Paulus Diaconus auf 150 angegeben. Die Zahl 153 findet ihre Erklärung vielleicht darin, daß Flodoard in seinen Hexametern De Pontif. Roman. (Muratori, SS. rer. It. III b, 194 B) von den 350 Vätern des zweiten Concils zu Nicäa im J. 787 sagt:

Concilioque loco patrum coeunte priorum
Dogma pium centum ter quinquaginta que firmant.

Diese Zahl konnte durch ein Versehen in 153 mißverstanden werden; vgl. Bernheim a. a. O. S. 632 N. 2 (gegen S. Hirsch a. a. O. S. 48).

[3]) Leg. II b, 167: Idcirco ad exemplum beati Adriani sedis apostolice episcopi . . . qui eiusmodi sanctam synodum constituit et domno Karolo victoriosissimo regi Francorum ac Longobardorum ac patricio Romanorum patriciatus dignitatem ac ordinationem apostolicae sedis et episcopatuum concessit. Dies ist der Keim jener falschen Nachrichten; derselbe hat sich wiederum aus folgender Stelle der älteren Fassung des betreffenden unechten Dekrets Leo's VIII. (Floß a. a. S. 149) entwickelt: Tunc factum est, ut populus Romanus et clerus sibi Karolum victoriosissimum regem Francorum patricium constituerent. Qui diu post hec . . . Italiam ingressus est . . . Romam tempore resurrectionis iter direxit. Quem papa Adrianus universusque populus Romanus et clerus cum magno honore susceperunt, acclamantes: „Karole victoriosissime patricius Romanorum, rex Francorum et Longobardorum!" . . . Sed . . . sancta celebrata resurrectione Papiam repedavit.

allein biefes Dekret Leo's VIII. ift in beiden Faffungen felber
ebenfalls unecht und ohne Zweifel auch in der Zeit des Invefti=
turftreits entftanden [1]). Nicht ebenfo fchlecht beftellt ift es mit der
Nachricht, Karl fei in Rom mit den Römern und dem Papft über=
eingekommen, daß bei den Ordinationen der Päpfte ein fränkifcher
Bevollmächtigter zugegen fein folle [2]). In den Zeiten nach Karl's
Kaiferkrönung mußte allerdings die Genehmigung des Kaifers zur
Confecration des gewählten Papftes eingeholt werden und diefe in
Gegenwart eines oder auch mehrerer kaiferlicher Miffi ftattfinden [3]).
Indeffen ftammt auch diefe Angabe aus einer fpäten, zum Theil
unzuverläffigen Quelle und erweift fich als unglaubwürdig [4]).

Unglaubwürdig ift endlich auch die Nachricht, daß Karl, nach
der Einnahme von Pavia, in Rom von Hadrian gekrönt worden
fei [5]). Nicht vom Papfte erhielt Karl die Würde eines Königs der
Langobarden, fondern er legte fich felbft diefen Titel bei, fobald
Pavia eingenommen war [6]); Hadrian hatte damit nichts zu fchaffen [7]).

----

[1]) Vgl. hierüber ebenfalls die erwähnte Abhandlung von Bernheim. Die
Faffung der urfprünglicheren, ausführlicheren Form des in Rede ftehenden Dekrets
Leo's VIII. fetzt er um 1084; die fpätere Form vindicirt er demfelben Fälfcher,
welcher das angebliche Dekret Hadrian's I. verfertigte. Vgl. ferner Waitz V, 98
N. 3; VI, 197 N. 5; v. Giefebrecht, Gefch. d. deutfchen Kaiferzeit I, 5. Aufl. S.
837—838; Dümmler, Kaifer Otto d. Gr. S. 365; Jaffé, Reg. Pont. ed. 2ª Nr.
3704. 3705. Vertheidigt ift die Echtheit dagegen von Gfrörer a. a. O. Bd. V,
S. 294 ff.; Thijm a. a. O. S. 325 ff.

[2]) Sie findet fich im Libellus de imperatoria potestate in urbe Roma,
etwa aus der erften Hälfte des 10. Jahrhunderts, SS. III, 720: fecitque pactum
cum Romanis eorumque pontifice et de ordinatione pontificis, ut interesset
quis legatus et ut contentiosas lites ipse deliberaret.

[3]) Vgl. unten Bd. II. z. J. 801. Leo III. zeigte Karl feine Wahl durch ein
Schreiben, unter gleichzeitiger Mittheilung des Wahldekrets an, vgl. ebd. z. J. 796;
ein Miffus des Königs war aber bei feiner Weihe nicht zugegen.

[4]) Vgl. Waitz III, 2. Aufl. S. 182 N. 3, der diefe Nachricht für fagenhaft
erklärt; Ferd. Hirfch in Forfchungen z. D. Gefch. XX, 139 ff.

[5]) Chronicon Salernitanum c. 34, SS. III, 488: Ipse iam dictus (Karolus) ... dum ab eo eiusque exercitus mensis unius (d. h. wohl Iunius) dies
Martis capta esset Papia, Romam venit, ibidem introybit et ab Adriano
papa in capite eius ... preciosam imposita est coronam. Schon der Zu=
fammenhang, in welchem diefe Angabe begegnet, verbietet Gewicht auf fie zu legen.
Dennoch nimmt Meo, Annali III, 86. 92 an, daß Karl von Hadrian in Rom ge=
krönt worden fei, und derfelben Anficht ift Lupi, Codice dipl. Bergom. I, 546 ff.
597; Thijm S. 147. 323. Lupi beruft fich auf eine Angabe des Chronicon Farfense, bei Muratori, SS. rer. It. IIᵇ, 503: Carolus rex Francorum et Romanorum imperator pius filius Pipini regis Francorum coronatus 774.
Diefe erft dem 11. Jahrhundert angehörige Nachricht hat jedoch keinen Werth, abgefehen davon, daß fie nicht einmal ausdrücklich von einer Krönung in Rom fpricht.
In dem falfchen Privileg Leo's VIII. bei Floß a. a. O. S. 150, wo ebenfalls von
einer Krönung Karl's durch den Papft in Rom geredet wird, ift Karolus fogar
nur Schreibfehler für Otto (Bernheim a. a. O. S. 632—633). Ueber eine Krönung
Karl's in Monza oder Pavia vgl. unten.

[6]) Vgl. unten.

[7]) Luden IV, 296 ff. nimmt zwar keine Krönung Karl's an, aber er glaubt,
„daß der Papft, weil er die Macht der Franken nicht wieder über die Alpen zurück=
zubringen vermochte, wenigftens durch den Namen diefes Gebirges zu begrenzen und den
Namen der Langobarden in Italien aufrecht zu erhalten geftrebt" und deswegen „Karl

Obwohl nun Karl zunächst und hauptsächlich in politischen Absichten nach Rom gekommen war, so kamen doch auch noch andere Verhältnisse zwischen ihm und dem Papst zur Sprache. Es unterliegt keinem Zweifel, daß namentlich auch die kirchlichen Verhältnisse des fränkischen Reiches Gegenstand der Besprechungen Karl's mit Hadrian waren. Allerdings liegen darüber bestimmte Angaben nicht vor, doch lesen wir von einem Vorgang, welcher deutlich darauf hinweist. Hadrian hat nämlich dem König Karl, als dieser sich in Rom befand, eine Sammlung sämmtlicher in der römischen Kirche im Gebrauch befindlicher Rechtsquellen zum Geschenk gemacht, und zwar bei Karl's Besuch zu Ostern 774[1]). Die Widmung, welche an der Spitze der Sammlung steht, deutet ganz bestimmt auf diesen Zeitpunkt. Sie ist in Versen abgefaßt und rühmt Karl's Erfolge über die Langobarden und seine Freigebigkeit gegen die Kirche, welcher er alte Geschenke, große Städte, verschiedene Gebiete und Vesten zurückgegeben habe[2]). Augenscheinlich ist damit die Bestätigung der Schenkung von Quierzy gemeint. Am Schlusse der Widmung aber sagt Hadrian dem Könige seine Triumphe voraus: Petrus und Paulus würden für ihn kämpfen und ihm den Sieg verleihen; mit ihrer Hilfe werde er siegreich in Pavia einziehen, des treulosen Desiderius Nacken zertreten und des Langobardenreiches Herr werden. Dann solle er dem heiligen Petrus sein Versprechen erfüllen, damit ihm dieser auch fernerhin

---

als den König der Franken und Langobarden begrüßt" habe. Infolge davon soll Karl den Titel „König der Franken und Langobarden und Patricius der Römer" angenommen haben. Eine solche Annahme ist aber ganz unzutreffend; es liegt für sie auch durchaus kein Beweis in den Inscriptionen der päpstlichen Briefe an Karl, zunächst Codex Carolin. Nr. 51. 52, Jaffé IV, 171. 173 (Carolo regi Francorum et Langobardorum atque patricio Romanorum), vor, worauf sich Luden allein zu berufen weiß; denn der Papst redet hier Karl lediglich mit dem Titel an, dessen dieser sich selbst bediente.

[1]) Eine Würzburger Handschrift der Sammlung führt die Aufschrift: Iste codex est scriptus de illo authentico, quem domnus Hadrianus apostolicus dedit gloriosissimo Carolo regi Francorum et Longobardorum ac patricio Romanorum, quando fuit Romae, Eckhart I, 768; Cenni I, 299. Daß Karl hier schon rex Longobardorum heißt, kann nicht auffallen, da die Handschrift sich ja selbst nur für eine spätere, wenn auch, wie es scheint, noch vor der Kaiserkrönung angefertigte Abschrift der Originalhandschrift ausgibt. Die Aufschrift einer Epitome canonum bei Canisius, Lectiones ant. II, 266 lautet: Incipit compendiosa traditio canonum orientalium sive Africanorum, quos b. Hadrianus papa in uno volumine cum superioribus conciliis ad dispositionem occidentalium Francorum Carolo Romae posito dedit regi Francorum et Langobardorum ac patricio Romanorum.

[2]) Poet. Lat. aev. Carolin. I, 90—91 Nr. 3 v. 19—22:
Arma sumens divina gentes calcavit superbas,
Reddidit prisca dona ecclesiae matri suae
Urbesque magnas, fines simul et castra diversa.
Languvarda ac Erula virtute divina prostravit gente.
Die Anfangsbuchstaben aller einzelnen Verse der Widmung ergeben die Worte: Domino excell. filio Carulo magno regi Hadrianus papa.

Ruhm und Sieg verleihen möge[1]). Pavia war demnach, als Ha=
brian die Widmung schreiben ließ — wie es scheint — noch nicht
gefallen, aber dem Falle nahe; und da Hadrian das Geschenk bei
seiner Anwesenheit in Rom machte, so muß dieses Ostern 774, un=
mittelbar nach Bestätigung der Schenkung von Quierzy geschehen
sein[2]). Es war die von Dionysius Exiguus ums Jahr 500 ver=
anstaltete Zusammenstellung der Canones, der apostolischen wie der
auf den allgemeinen Concilien festgesetzten, nebst der Sammlung
der päpstlichen Decretalen[3]). Beide Sammlungen, zu einer ein=
zigen verbunden, hatten schon im 6. Jahrhundert in der römischen
Kirche Geltung erlangt und die Bedeutung eines förmlichen Rechts=
buchs für dieselbe erhalten[4]). Sie wurden daher durch spätere
Zusätze fortwährend vermehrt und in dieser erweiterten Gestalt von
Hadrian dem König überreicht[5]).

Die Bedeutung dieses Geschenks ist leicht zu erkennen. Die
Vereinigung und Verschmelzung der fränkischen Landeskirche mit
der allgemeinen römischen Kirche, zu der Bonifaz den Anstoß ge=
geben, wurde von Karl, wie schon von Pippin, mit Eifer betrieben;
bei Gelegenheit seiner Anwesenheit in Rom nahm daher Karl wohl
selbst Veranlassung, sich mit dem kanonischen Rechte, um dessen
Einführung in der fränkischen Kirche es sich handelte, bekannt zu
machen, und der Papst kam diesem Wunsche dann natürlich bereit=
willigst entgegen[6]). Jedenfalls ist nach jenem Geschenk Hadrian's

---

[1]) L. c. S. 91 v. 34—43:

Ad haec Hadrianus praesul Christi praedixit triumphos,
Dextera protegi divina Petro comitante Pauloque;
Rompheam victoriae donantes atque pro te dimicantes,
Inlaesus cum tuis victor manebis: nempe per ipsos
Aditum patunt urbis Papiae te ingredi victorem.
Nefa perfidi regis calcabis Desiderii colla,
Vires eius prosternens mergis barathrum profundi.
Septus Languvardorum regnum munus reddis tuum,
Pollicita sacra dona clavigeri aulae Petri,
Amplius donans tibi victoriam simulque honorem.

[2]) So auch Rudolph, Nova commentatio de codice canonum, quem
Hadrianus I. Carolo magno dono dedit, S. 60 ff.; Cenni I, 299; Leibniz I,
52; Richter, Kirchenrecht (8. Aufl.) S. 78; Maassen, Gesch. der Quellen und der
Literatur des canonischen Rechts I, 444 ff. 965—967; Dümmler, Neues Archiv IV,
145; Poet. Lat. I, 87. 90 N. 3; 91 N. 1. 2. Dagegen denkt Bacnage, bei Canisius II, 264, ans Jahr 781, Rettberg I, 426 ans Jahr 787, vielleicht, weil das
Capitular, welches der Sammlung auch im fränkischen Reich Giltigkeit beilegte, erst
vom 23. März 789 zu datiren scheint (Admonitio generalis, Capp. I, 52 ff.).
[3]) Codex canonum vetus ecclesiae Romanae, ed. Pithou; vgl. Richter
a. a. O. S. 76—78; Rettberg I, 426.
[4]) Rudolph l. c.
[5]) Ausführlich ist dies nachgewiesen von den Ballerini, De antiquis collectionibus et collectoribus canonum, bei Galland, De vetustis canonum
collectionibus sylloge S. 485—491.
[6]) Ozanam, La civilisation chrétienne chez les Francs S. 355 stellt
die Sache so dar, als hätte Hadrian, um die „religiöse, politische und wissenschaftliche
Erziehung Karl's zu vollenden", neben den bewährten Lehrern, die er ihm mitgegeben

anzunehmen, daß Karl seinen Aufenthalt in Rom zu Ostern 774 zu Berathungen mit ihm über diese Angelegenheit benutzte.

Auch noch andere Angaben über Karl's Thätigkeit in dieser Richtung sind aufbewahrt, die aber unzuverlässig und ohne Werth sind. Dahin gehört ein Brief Hadrian's an den Bischof Bertherius in Vienne vom 1. Januar 775[1]). Hadrian theilt dem Bischof mit, er habe, da Karl in Rom Ostern feierte, diese Gelegenheit benutzt, um den König an die Herstellung der Metropolitangewalt, die Bisthümer, welche in den Händen von Laien seien, und das Darniederliegen der bischöflichen Würde seit ungefähr 80 Jahren zu erinnern. Diese und andere ähnliche Uebelstände habe Karl am Leibe Petri geschworen, der Besserung durch den Papst zu über= lassen. Allerdings war das Bestreben Roms auf die Einsetzung fester Metropolen gerichtet; dennoch ist die Echtheit des Briefes mit vollem Grund bezweifelt und sein Zeugniß zu verwerfen[2]). Sein Inhalt ist offenbar aus einem Schreiben des Bonifatius an den Papst Zacharias entlehnt, in welchem die kirchlichen Zustände im Frankenreich mehr als drei Jahrzehnte früher, nach dem Tode Karl Martell's geschildert werden[3]).

Mit Karl's Besuch in Rom ist noch eine andere Verfügung in Zusammenhang gebracht, die er als getreuer Sohn der römischen Kirche getroffen haben soll. Ein später, irrthümlich dem Bischof Liudprand von Cremona zugeschriebener Papstkatalog enthält die Nachricht, Karl habe am Ostermontage 774 in der Peterskirche neben anderen Geschenken, die er dem Papste gemacht, auch einen Theil Sachsens in der Provinz Westfalen, die er zum Christenthum bekehrt hatte, Gott zum Opfer dargebracht und versprochen, wenn er wohlbehalten nach Hause zurückkehre, an dem Ort Osnabrück ein Bisthum zu gründen und dasselbe mit den Zehnten der Neubekehrten

---

(vgl. unten Bd. II, Excurs VIII), ihm auch die Sammlung der heiligen Kanones geschenkt, als hätte durch dieses Geschenk Hadrian den Anstoß gegeben, dessen Karl be= durfte, um die Durchführung der Entwürfe des Bonifaz in die Hand zu nehmen.

[1]) Hugonis Flaviniacensis chronicon, SS. VIII, 344: Dilectus et illustris ac religiosus filius noster, Carolus rex et patricius Romanorum, Romam venit et pascha domini apud s. Petrum nobiscum egit, ubi inter alia monuimus eum de metropolitanorum honore et de civitatibus, quae laicis hominibus traditae erant, et quia episcopalis dignitas fere per 80 annos esset conculcata. Cum haec et his similia gloriosus rex audisset, promisit ante corpus b. Petri apostoli, quod omnia ad emendationem nostram venirent. — Data Kal. Ian. imperante piissimo augusto Constantino, anno X. et a deo coronato piissimo rege Karolo, anno primo patriciatus eius.

[2]) Den Schluß des Briefes hält schon Pagi a. 774 Nr. 6 für untergeschoben; Jaffé, Reg. Pont. ed. 2ᵃ Nr. 2412 verwirft das ganze Schreiben unbedingt, im Grunde auch Waitz III, 2. Aufl. S. 180 N. 2; 195 N. 2. Dagegen scheint Mabillon, De re diplomatica S. 73 es für echt zu halten; ebenso Rettberg I, 426 N. 14.

[3]) Jaffé III, 112 Nr. 42 (742 Ian. — Mart.): Franci enim, ut seniores dicunt, plus quam per tempus octuginta annorum synodum non fecerunt nec archiepiscopum habuerunt . . . Modo autem maxima ex parte per civitates episcopales sedes traditae sunt laicis cupidis ad possidendum . . .

auszuſtatten; das habe der Papſt befohlen und durch ſeine Privi=
legien beſtätigt[1]). Die Nachricht verdient jedoch keinen Glauben.
Bis Osnabrück war Karl damals noch garnicht vorgedrungen, und
auch ſpäter kam die Schenkung nie zur Ausführung. Ein ſicheres
Zeugniß dafür iſt überhaupt garnicht vorhanden. Hadrian's Bio=
graph weiß nichts davon, und doch würde er, der den Inhalt der
durch Karl beſtätigten Schenkung von Quierzy ſo ausführlich an=
gibt, gewiß auch dieſes neue Zugeſtändniß Karl's nicht vergeſſen
haben[2]). Jener Papſtkatalog redet zuerſt davon, iſt aber ein un=
zuverläſſiges Machwerk einer ſpäteren Zeit[3]), und zwar ohne
Zweifel eines Sachſen[4]), vielleicht eines Geiſtlichen in Osnabrück
oder eines Mönchs in Korvei oder möglicherweiſe auch in Hers=
feld[5]). Vielleicht iſt die Nachricht erdichtet, um darauf gewiſſe
Zehntanſprüche zu ſtützen[6]), wenn nicht etwa der Zweck der Er=
dichtung der war, für den Papſt ein beſtimmtes Recht zum Ein=
greifen in die Angelegenheiten Sachſens nachzuweiſen[7]). Es könnte
ſcheinen, daß die ſpätere Erdichtung an eine Nachricht aus dem
9. Jahrhundert ſich anſchloß. In einer Chronik aus dem 15. Jahr=
hundert findet ſich die Nachricht, der Biſchof Egibert von Osna=
brück (860—887), der eine eifrige Thätigkeit entfaltete um ſeiner
Kirche die geraubten Zehnten und andere Rechte wieder zu ver=
ſchaffen, habe ſich dem Erzbiſchof Willibert von Köln (870—889)

---

[1]) Liudprandi Ticinensis diaconi opus de vitis Romanorum pontificum
ed. Busaeus, S. 101: Qui (Karolus) cum quinto anno regni sui illuc
(Romam) venisset, inter caetera, quae ab ipso ibi magnifice gesta sunt,
etiam partem aliquam Saxoniae in provincia Westfalia, quam ad fidem
christianitatis convertit, ut ipse iam praedictus papa praecepit et docuit,
secunda feria paschae in basilica s. Petri apostoli inter caetera, quae ad
manum papae offerebat, deo in sacrificium obtulit et in loco Osbrugge vo=
cato episcopatum constituere et decimis noviter ad fidem conversorum, si
sanus et incolumis remeasset, papa ita dictante et privilegiis suis confir=
mante, dotare devovit. Daraus entlehnt und faſt wörtlich gleichlautend iſt die
Erzählung des Annaliſta Saxo, SS. VI, 558, die daher keinen ſelbſtändigen Werth
hat (vgl. auch Mühlbacher S. 66; Diekamp, Suppl. 9 Nr. 59).
[2]) So auch Leibniz I, 43; Rettberg II, 415.
[3]) Lappenberg, in Pertz, Archiv VI, 741; Köpke, De vita et scriptis Liud=
prandi S. 22 f.; Wilmans, Kaiſerurkk. der Provinz Weſtfalen I, 129. 135. 371
(343. 366. 372); Wattenbach, Deutſchlands Geſchichtsquellen II, 5. Aufl. S. 229
N. 2.
[4]) Waitz in der Ausgabe des Annaliſta Saxo SS. VI, 544; Verfaſſungs=
geſchichte III, 2. Aufl. S. 163 N. 1; Göttingiſche gel. Anzeigen 1860 S. 153 f.;
für einen Mönch aus Korvei hält den Verfaſſer Potthaſt, Henricus de Hervordia
S. XII. Busaeus in der Vorrede zu ſeiner Ausgabe meint, es ſei Paſchius Rad=
bertus († zu Corbie 865) — während nach den Unterſuchungen von Wil=
mans erſt nach 1077 entſtanden iſt; vgl. unten Anm. 7.
[5]) Vgl. Wattenbach a. a. O.
[6]) Rettberg II, 415.
[7]) Dieſes vermuthet Waitz III, 2. Aufl. S. 163, weil Gregor VII. ſich der
vorgeblichen Schenkung als einer Waffe gegen Heinrich IV. bediente, vgl. die Stelle
ebend. N. 2 und unten S. 183 N. 3; auch hiernach würde die Erdichtung alſo erſt
dem 11. Jahrhundert angehören. Rettberg II, 415, der die Entſtehung früher ſetzt,
nimmt nur eine weitere Ausbildung dieſer Dichtung zur Zeit Heinrich's IV. an.

gegenüber barauf berufen, baß Karl der Große bei seinem erstcn
Besuch in Rom dem Papste Hadrian; versprochen habe ein Bis=
thum in Sachsen zu gründen. Diesem Gelübbe getreu habe Karl,
sobald er gekonnt, das Bisthum Osnabrück gegründet und mit
Zehnten ansgestattet[1]). Es bleibt im höchsten Grabe ungewiß, ob
Karl ein solches Versprechen wirklich gegeben hat[2]), und jedenfalls
ist hier mit keiner Silbe davon die Rede, baß Karl einen Theil
Sachsens dem Papste zum Geschenk machte, wie jener Papstkatalog
behauptet. Im Gegentheil würde die Behauptung Egibert's be=
weisen, baß noch in der zweiten Hälfte des 9. Jahrhunderts ge=
rabe benen, welche am ehesten davon wissen mußten, von einer
solchen Schenkung Karl's nichts bekannt war. Möglich bliebe
höchstens, baß eben auf Grund jenes angeblichen Versprechens
Karl's in Sachsen ein Bisthum zu stiften später die Schenkung
Sachsens an den Papst erbichtet wurde. Gregor VII. rebet frei=
lich von ihr als einer bekannten Sache[3]). In den gleichzeitigen
Quellen findet sich aber davon nirgends eine Spur[4]). In der
langen Reihe päpstlicher Briefe an Karl, worin Hadrian nicht
müde wird den König an die Erfüllung der ihm gemachten Ver=
sprechungen zu mahnen, geschieht einer Schenkung in Sachsen oder
gar ganz Sachsens nirgends Erwähnung; nur selten kommt Hadrian

---

[1]) Erwin Erdtmann, Chronicon episcop. Osnabrug., bei Meibom, Scriptores rerum Germanicarum II, 201: Carolus, qui gentem Saxoniam per
strenua bellorum certamina . . . ad fidem christianitatis convertit, in primo
eius adventu Romae in basilica s. Petri papae Adriano episcopatum in
honorem principis apostolorum b. Petri ibi se ordinaturum devovit. Hic
enim vota . . . adimplevit et decimis more suo . . . altare Osnabrugense
ab Egilfrido Leodiense episcopo primitus consecratum devovit. Also das
Versprechen lautete hienach nur auf ein Bisthum in Sachsen, nicht ausbrüdlich in
Osnabrück. Vgl. hiezu Diekamp, Suppl. S. 36 Nr. 266.
[2]) Erdtmann theilt zwar den Schluß des Briefes von Egibert an Willibert
und von des letzteren Antwort an Egibert wörtlich mit, hatte also die Briefe wohl
vor sich liegen; aber immer bleibt die Wahrscheinlichkeit, baß die Briefe selbst gefälscht
waren, wie schon Rettberg II, 413 richtig erinnert, vgl. Wilmans I, 327 N. 1;
370—371; Diekamp a. a. O.
[3]) In einem Schreiben von 1081, Registrum Gregorii VII., l. VIII, 23,
bei Jaffé, Monumenta Gregoriana (Bibl. rer. Germ. II), S. 469 (vgl. Deusdedit, Collectio canonum ed. Martinucci l. III, 150 S. 329; Mühlbacher
S. 66). In demselben Briefe erwähnt Gregor einer Verordnung Karl's, wonach
jährlich an drei Orten des fränkischen Reichs, in Achen, Puy en Belai und St. Gilles
(Diöcese Nimes) ein dem Papst zu entrichtender Zins im Betrage von 1200 Pfund
eingesammelt werden sollte. Auch diese Angabe wird, ungeachtet ihrer Vertheidigung
durch Friedr. Haggen, Gesch. Achens bis zum Ausgange des sächsischen Kaiserhauses
S. 27 N. 1, einfach zu verwerfen sein; vgl. Mühlbacher S. 183 und später im
2. Bd. z. J. 796, sowie oben S. 182 N. 7.
[4]) Gefälscht — und zwar wohl nicht schon in der ersten Hälfte des 9. Jahr=
hunderts (vor 853) — ist eine Bulle Papst Leo's III. für Eresburg, in welcher der
Oblation Sachsens durch Karl gedacht wird, Jaffé, Regest. pont. ed. 2a
Nr. 2502; Seibertz, Urfb. zur Landes= u. Rechtsgeschichte Westfalens I, 1; Rettberg II,
414 N. 4; 443 N. 29; Waitz III, 2. Aufl. S. 134 N. 3; 163 N. 1; Gött. gel.
Anz. 1868 St. 1, S. 11, sowie unten Bd. II. z. J. 799 und die dort citirten
Stellen.

auf die Sachſenkriege Karl's zu reden, aber dann blos um ihm
Glück zu wünſchen zu ſeinen glänzenden Siegen, durch die er die
Sachſen zum Chriſtenthum bekehrt und der fränkiſchen Herrſchaft
unterworfen habe[1]), oder um Karl auf ſeinen ausdrücklichen Wunſch
Rath zu ertheilen in Betreff dieſer oder jener kirchlichen Anordnung in Sachſen[2]); der Papſt ſelber weiß es garnicht anders als
daß das beſiegte Sachſen Karl unterworfen iſt, und macht mit
keinem Worte eigene Anſprüche geltend[3]); von irgend einer Verpflichtung, die Karl gegen den Papſt bezüglich Sachſens übernommen, hört man nirgends[4]).

Ueberhaupt wird aus Veranlaſſung der Anweſenheit Karl's
in Rom dem Papſte eine Einwirkung auf die Angelegenheiten des
fränkiſchen Reiches zugeſchrieben, die ihm nicht zukam. Eine falſche
Urkunde beſagt, der Biſchof Etto von Straßburg ſei zu Karl nach
Rom gereiſt, um ihm über die von ſeinen Vorgängern getriebene
Simonie bei Verleihung der Kapitelpfründen zu klagen und ihn
zu bitten, dieſer zu ſteuern. Darauf habe Karl mit Zuſtimmung
des Metropolitanbiſchofs Lul von Mainz und des Biſchofs Johannes von Conſtanz beſtimmte Anordnungen über die von den
ins Kapitel Eintretenden darzubringenden Gaben getroffen, freie
Biſchofswahl verliehen und die Trennung der Einkünfte des Biſchofs von denen des Kapitels befohlen[5]). Und dieſe Anordnungen
ſollen dann in Karl's Gegenwart beſtätigt ſein durch Hadrian in
einer Urkunde vom Oſtermontage, worin er die Trennung der
Einkünfte und die von Etto vorgenommene Eintheilung der Straß-

---

[1]) Codex Carol. Nr. 80, Jaffé IV, 246: . . . conperientes, qualiter
saevas adversasque gentes, scilices Saxonum, ad Dei cultum suae sanctae
catholicae et apostolicae ecclesiae rectitudinis fidei atque . . . sub vestra
eorum colla redacta sunt potestate ac dicione, eorumque optimatum
subiugantes, divina inspiracione regalem annisum universam illam gentem
Saxonum ad sacrum deduxistis baptismatis fontem etc.

[2]) Codex Carol. Nr. 81, Jaffé IV, 248 f.

[3]) Die Stelle bei Jaffé IV, 246: In hoc quippe freta vestra a deo fundata
existat potentia, quia si, sicut pollicita est fautori suo beato Petro apostolo
et nobis, puro corde atque libentissimo animo adimpleverit, maximas ac
robustiores illarum gentium suis precipuis suffragiis vestris substernet pe-
dibus; ut, nemine eos persequente, vestris regales subiciantur potentiis
verſteht Rettberg II, 414 von einem Verſprechen Karl's die Bekehrung der Sachſen
zu Ende zu führen; aber ſicherlich nicht richtig; Hadrian erwähnt das Verſprechen ſo
kurz, als eine bekannte Sache, daß nur an die Beſtätigung der Schenkung von
Quierzy gedacht werden kann; über ein Verſprechen in Betreff Sachſens, das er
noch nirgends angeführt, hätte er ſich genauer ausgeſprochen.

[4]) Was Erhard S. 65 Nr. 143 darüber wiſſen will, geht immer noch zu weit
und folgt nicht aus der von ihm angeführten Stelle.

[5]) Von Jacob Twinger von Königshofen in ſeine Chronik inſerirt (Schilter
S. 495); hieraus u. a. bei Wiegand, Urkb. der Stadt Straßburg I, 7 f. Nr. 12;
mit willkürlich corrigirter Datirung bei Grandidier, Histoire de l'église de Strasbourg IIb, S. CIX Nr. 65; vgl. Rettberg II, 69. 73; Sickel II, 435 f.; Mühlbacher Nr. 154. 158.

burger Diözese in 7 Archidiakonate genehmigte[1]). Auch diese Urkunde ist falsch, wie denn die Fälschungen in diesem Falle sich
schon durch ihre Datirung verrathen, welche auf der irrigen Voraussetzung beruht, daß Karl Ostern[2]) 773 (statt 774) in Rom zugebracht habe. Es ist überhaupt nicht anzunehmen, daß Karl's
Besprechungen mit dem Papste gleich bei ihrem ersten Zusammentreffen schon auf so spezielle Gegenstände sich erstreckten; für uns
jedenfalls ist keine einzige sichere Nachricht darüber aufbewahrt.

Nachdem Karl mit Hadrian die nöthigen Verabredungen getroffen, ihn auch wohl reich beschenkt[3]), kehrte er in sein Lager
vor Pavia zurück[4]) und übernahm die Leitung der Belagerung
wieder in Person. Desiderius befand sich in einer verzweifelten
Lage; seine eigenen Unterthanen trugen dazu bei seinen Fall zu
beschleunigen. Von jeher hatten die langobardischen Könige viel
mit Aufruhr und Abfall zu kämpfen gehabt; daß auch Desiderius
in diese Lage kam, war die natürliche Folge der gewaltsamen Art
wie er die Herrschaft gewonnen hatte[5]). Der Verrath, der ihm
schon im Frieden zu schaffen gemacht hatte[6]), griff während des
Krieges noch weiter um sich; statt ihm Entsatz und Hilfe zu bringen,
wandten sich seine Unterthanen massenweise von ihm ab. So hatte
sich das ganze Herzogthum Spoleto seiner Herrschaft entzogen.
Schon vor dem Ausbruche des Krieges, ehe Desiderius vor die
Klusen gerückt und genöthigt war den größten Theil seines Landes
von Streitkräften zu entblößen, herrschte in Spoleto große Unzufriedenheit. Angesehene Männer aus Spoleto und Reate (Rieti)
begaben sich nach Rom und schwuren dem heiligen Petrus und dem
Papste Treue. Als nun vollends Karl in Italien eingedrungen,
Desiderius in Pavia belagert und seine Macht schon beinahe gebrochen war, fiel das ganze Herzogthum Spoleto von ihm ab.
Diesem Beispiel folgten Firmum (Fermo), Auximum (Osimo), Ancona und das Castellum Felicitatis (Città di Castello); sie alle
begaben sich in den Schutz und die Gewalt des Papstes und leisteten
ihm den Eid der Treue. Hildiprand, einer von denen, welche den

---

[1]) Jaffé, Reg. pont. ed. 2a I, 291 Nr. 2401; Wiegand a. a. O. S. 8.
— Wie Sickel vermuthet, wären beide Stücke zugleich im 12. Jahrhundert angefertigt worden.
[2]) 18. April.
[3]) Baronius, Ann. eccles. 774 Nr. 6 erwähnt Geschenke Karl's und Hildegard's (Mühlbacher S. 67). Einh. V. Kar. c. 27.
[4]) Ann. Lauriss. mai. SS. I, 152; Ann. Einh. SS. I, 153; Chron.
Moiss., Ann. Mett. SS. XIII, 29; Ann. Sangall. Baluzii, St. Galler Mitth.
zur vaterländ. Gesch. XIX, 203; Ann. Laur. min. ed. Waitz S. 413; Vita
Hadriani I. Duchesne l. c. S. 499: Reversusque cum suis exercitibus
Ticino ipse excellentissimus Carulus Francorum rex fortiterque deballans
atque obsidens civitatem Papiam . . .; Pauli contin. Romana, SS. rer.
Langob. S. 202 etc. — Cod. Carol. Nr. 52, Jaffé IV, 174.
[5]) Vita Stephani II., Duchesne l. c. S. 454 f.; Untergang des Langobardenreiches S. 59 ff.
[6]) Vgl. oben S. 137 f.

Abfall eröffnet hatten, wurde von den Spoletinern mit Zustim=
mung des Papstes als Herzog von Spoleto eingesetzt[1]).

Gewiß blieb aber der Abfall nicht auf Spoleto und die ge=
nannten, diesem Herzogthum benachbarten Städte beschränkt; auch
sonst hatte Desiderius zahlreiche Gegner, von welchen vorauszusetzen
ist, daß sie gemeinschaftliche Sache mit seinen Feinden machten[2]).
Ueber einen der gefährlichsten dieser Gegner sind genauere Nach=
richten erhalten, über den Abt Anselm von Nonantola. Anselm,
ein Schwager von Desiderius' Vorgänger Aistulf, war früher Her=
zog von Friaul gewesen, im Jahre 749 jedoch in den geistlichen
Staub getreten und hatte 751 das Kloster Nonantola (bei Mo=
dena) gestiftet. „Einst ein Herzog von Kriegern, ward er nun ein
Herzog von Mönchen", deren 1144 seinen Befehlen gehorcht haben
sollen[3]). Dieser mächtige Mann nahm schon früher eine feindselige
Haltung gegen Desiderius ein und scheint demselben so gefährlich
geworden zu sein, daß der König sich genöthigt sah ihn zu ver=
bannen. Anselm's Ansehen wurde aber dadurch nur erhöht, und
es ist wahrscheinlich, daß er von Monte Casino aus, wo er in der
Verbannung lebte[4]), zum Nachtheil von Desiderius fortwährend
großen Einfluß ausübte. Nach dem Sturze von Desiderius wurde
er von Karl wieder in seine Abtei eingesetzt und mit reichen Schen=
kungen bedacht[5]), woraus man schließen darf, daß er sich besondere
Verdienste um den Fall von Desiderius und den Sieg der Franken
erworben hatte[6]).

Während so die Feinde von Desiderius überall geschäftig
waren, wissen die Quellen kein Wort von einem Versuch zu seiner
Rettung zu erzählen. Zwar fehlte es ihm und Adelchis nicht ganz
an treuen Unterthanen, die bis zuletzt bei ihrer verlorenen Sache
ausharrten, wie der spätere Abt Farbulf von St. Denis[7]); aber

---

[1]) Vita Hadriani S. 495 f.; dieses geschah ungefähr im November oder De=
zember 773, vgl. Fatteschi, Storia de' duchi di Spoleto S. 46; oben S. 153.

[2]) Ohne wirklichen geschichtlichen Werth dürfte die Angabe im Libell. de
imp. potestate in urbe Roma, SS. III, 720 sein: Transeunte autem eo (Karl)
per fines regni Desiderii, separavit ab eo quosdam de suis, dans quibusdam plurima dona, quibusdam iurat dari similia.

[3]) Vita Anselmi abb. Nonantulan. SS. rer. Langob. S. 566 ff.; append. de fundatione mon. Nonant. S. 570; Sigebert. chron. 752, SS. VI,
332 c.; Pauli contin. tertia c. 23, SS. rer. Langob. S. 208—209; vgl. auch
Muratori, Antiquitates V, 667 f.; Tiraboschi, Storia dell' augusta badia
di Nonantola I, 55 ff.; Oelsner, König Pippin S. 120.

[4]) Catall. abb. Nonantulan. SS. rer. Langob. S. 571; Catall. regg.
Langob. et Ital. ib. S. 503.

[5]) Urkunden bei Tiraboschi II, 24. 26. 32; Mühlbacher Nr. 199. 222. 329;
Sickel II, S. 33. 38. 60. 248—249. 377.

[6]) Muratori, Antiquitates l. c. und Annali a. 774, wo Anselm zu den
Großen gezählt wird, welchen der Mönch von Salerno die Schuld an dem Unter=
gang von Desiderius zuschreibt, vgl. oben S. 138 N. 1. Was Odorici, Storie
bresciane II, 319 f. über die Bemühungen Anselm's erzählt, Brescia zur Ueber=
gabe zu bewegen, beruht auf der Chronik des Ridolfus notarius und ist märchen=
haft; vgl. unten S. 188 N. 5.

[7]) Vgl. unten Bd. II. z. J. 792.

in dem weiten Umfang des Reichs scheint sich nirgends ein Arm
zu seiner Unterstützung erhoben zu haben, so daß er nach Karl's
Rückkehr nur noch kurze Zeit im Staube war sich in Pavia zu
behaupten. „Der Zorn Gottes kam über die Bewohner der Stadt",
meint der Biograph Hadrian's[1]), „und schwächte sie durch tödtliche
Krankheiten; so gelang es Karl, Desiderius und alle die mit ihm
waren in seine Gewalt zu bekommen und das ganze langobardische
Reich seiner Herrschaft zu unterwerfen." Nicht durch Sturm, sondern durch freiwillige Uebergabe wurde Karl zuletzt Herr der Stadt
und des feindlichen Königs, deren Widerstand endlich ermattete;
„der Belagerung überdrüssig, kamen die Langobarden mit ihrem
Könige Desiderius aus der Stadt heraus zu Karl, welcher dann
am folgenden Tage unter Hymnen und Lobgesängen seinen Einzug in dieselbe hielt[2])".

---

[1]) Vita Hadriani S. 499: dum ira Dei super omnes Langobardos,
qui in eadem civitate erant, crassaretur atque seviret et plus de lan-
goribus seu mortalitatis clade defecissent, ita Dei nutu eandem civitatem
simulque et Desiderium Langobardorum regem atque cunctos, qui cum
eo erant, ipse excellentissimus Francorum rex comprehendit et suae potestati cunctum regnum Langobardorum subiugavit.

[2]) Annales Laur. min. ed. Waitz S. 413 (hienach Ann. Enhard. Fuld.
SS. I, 348). Natürlich wird auch in den anderen Quellen der Fall von Pavia
und die Gefangennahme des Königs Desiderius und der Seinigen berichtet; vgl. u.
a. Ann. Laur. mai.; Ann. Einh.; Ann. Petav.; Ann. Mosellan.; Ann.
Lauresham.; Paul. Gest. epp. Mett. SS. II, 265: altero eorum (sc. Langobardorum) rege, cui Desiderius nomen erat, capto) etc. — Einh. V. Karoli
c. 6. — Epist. Carolin. 1, Jaffé IV, 337: opulentissimam quoque civitatem
etiam Papiam cum rege . . . adprehendisti. Die letztere Stelle scheint zu besagen, daß Karl sich auch Pavia's ohne Blutvergießen bemächtigt habe; in Ann.
Einh. und Einh. V. Karoli wird die Uebergabe der Stadt gleichfalls durch die
Ermattung derselben bezw. des Königs Desiderius infolge der langen Belagerung motivirt (fatigatam longa obsidione civitatem ad deditionem compulit — non
prius destitit, quam et Desiderium regem, quem longa obsidione fatigaverat, in deditionem susceperat). In den späteren Ueberlieferungen wird auch
die Uebergabe Pavia's der Verrätherei der Langobarden zugeschrieben. Der Mönch
von Salerno, c. 9, SS. III, 476, erzählt, Desiderius sei von seinen eigenen Leuten
an Karl ausgeliefert worden, dieser habe ihn gebunden seinen Kriegern übergeben und
nach einigen Nachrichten des Augenlichts berauben lassen. In den Gest. epp. Vir-
dunens. c. 14, SS. IV, 44 wird einer Ueberlieferung gedacht, nach welcher der
spätere Bischof Petrus von Verdun die Stadt ausgeliefert haben soll; vgl. unten z.
J. 776 und Bd. II. z. J. 792. Würde ferner die Chronik von Novalese Glauben
verdienen, SS. VII, 100 ff., so hätte Desiderius durch den Verrath seiner eigenen
Tochter Reich und Freiheit verloren. Allein diese Nachrichten sind unglaubwürdig,
größtentheils sogar durchaus sagenhaft und beweisen nur, wie die Erinnerung an den
so vielfach verübten Verrath alle übrigen Ursachen des verhängnißvollen Ausganges
aus dem Gedächtnisse der späteren Geschlechter verdrängte, wie groß in der That der
Antheil gewesen sein muß, welchen der Verrath an diesem Ausgang hatte. — Gleich
sagenhaft ist die Erzählung, wonach in offener Feldschlacht in einem dreitägigen heißen
Kampfe bei Mortara das Schicksal des Langobardenreiches entschieden wurde, Vita ss.
Amel. et Amic., Acta SS. Boll. Oct. VI, 124 ff.; vgl. hiezu allenfalls Pauli
contin. tertia c. 53, SS. rer. Langob. S. 213 N. 1, wo von einer Niederlage
des Desiderius in einer Schlacht im Anfange des Krieges die Rede ist; ebenso aber
auch die Erzählung des Mönchs von St. Gallen, wonach Karl sofort am Tage nach
seinem Erscheinen vor Pavia ohne Schwertstreich die Stadt genommen haben soll,
Jaffé IV, 693.

Der Fall der Hauptstadt Pavia, die Gefangennahme des Königs und die Besitzergreifung vom königlichen Schatze[1] entschied über das Schicksal des Reiches. Verona, nächst Pavia der wichtigste Platz im Lande, wohin Adelchis sich geworfen hatte, war wohl schon früher gefallen[2] oder folgte mindestens nun dem Beispiele Pavia's. Adelchis, auf welchen die Langobarden große Hoffnung gesetzt hatten[3], verzweifelte an seinem Vaterlande und flüchtete sich zum griechischen Kaiser nach Constantinopel, wo er mit der Würde eines Patricius bekleidet wurde[4]. Mit leichter Mühe wurde Karl vollends Herr des langobardischen Reiches[5]. Ohne König und Führer „kamen dorthin alle Langobarden aus allen Städten Italiens und unterwarfen sich der Herrschaft des ruhm-

---

[1] Sie wird ausdrücklich erwähnt in den Ann. Laur. mai. l. c. (vgl. Ann. Mett. SS. XIII, 29; Chron. Vedastin. SS. XIII, 704); Epist. Carolin. I. l. c. (cum omnibus thesauris eius); Ann. Lauriss. min. l. c.: thesauros regum ibidem repertos dedit exercitui suo (Ann. Enhard. Fuld.); über die Bedeutung des Schatzes vgl. Waitz I, 3. Aufl. S. 332; II, 1, 3. Aufl. S. 182 f. Einen Theil des Schatzes hatte auch schon Aistulf im J. 756 an Pippin ausliefern müssen, Oelsner S. 267.

[2] Vgl. o. S. 151 N. 1.

[3] S. die Grabschrift seiner Mutter, der Königin Ansa, von Paulus Diaconus, v. 9—11, Poet. Lat. aev. Carolin. I, 46: Protulit haec nobis, regni qui sceptra teneret, — Adelgis magnum formaque animoque potentem, — In quo per Christum Bardis spes maxima mansit (vgl. ib. II, 688); Ann. Einh.: in quo Langobardi multum spei habere videbantur; Einh. V. Kar. c. 6: in quem spes omnium inclinatae videbantur.

[4] Annales Einhardi l. c.; Ann. Laur. mai.; Ann. Laur. min.; Pauli Gest. epp. Mett. SS. II, 265: alteroque (so. Langobardorum rege), qui dicebatur Adelgisus et cum genitore regnantem (sic) suo, Constantinopolim pulso; Einh. V. Karoli c. 6; Catall. regg. Langob. S. 510—511; Andr. Bergom. hist. c. 4, ibid. S. 224 etc. Genaueres über die Flucht ist nicht mit Sicherheit festzustellen, vgl. o. S. 151—152. Es muß daher unentschieden bleiben, wo Adelchis sich einschiffte; Leibniz I, 40 vermuthet, in Venedig. Pauli contin. tertia c. 57 S. 214 läßt ihn cum paucis familiaribus suis fliehen.

[5] Im Widerspruche mit den beglaubigten Nachrichten weiß das Chronicon Ridolfi notarii bei Odorici, Storie bresciane III, 74 ff. von einem zähen Widerstande Brescia's zu erzählen. Danach hatte der Herzog Poto von Brescia, dem sein Bruder Ansoald als Bischof der Stadt zur Seite stand, die Absicht, nach der Gefangennehmung von Desiderius an seiner Statt selbst König der Langobarden zu werden, und schloß zu diesem Behufe ein Bündniß mit andern Herzögen. Als daher Karl ins fränkische Reich heimzog, ließ er den Ismondus mit einem fränkischen Heere in Italien zurück, um Poto zur Unterwerfung zu zwingen. Ein Versuch Anselm's, Poto auf friedlichem Wege zur Anerkennung Karl's zu bewegen, blieb erfolglos. Darauf soll Ismondus die Stadt erobert und den Poto gezwungen haben sich zu ergeben, ihn aber dann mit anderen Großen haben hinrichten lassen. Dieser Bericht ist der Erzählung bei Biemmi, Storia di Brescia II, 46; Lupi I, 555 ff.; Odorici III, 114 ff. zu Grunde gelegt. Allein die Chronik ist ein ganz spätes Machwerk, vgl. Bethmann in Pertz, Archiv X, 386 f. und völlig unbrauchbar; die Einwendungen von Odorici III, 87 f., der gegen Bethmann die Chronik zu retten sucht, sind nicht stichhaltig. Daher ist auch alles weitere, was Odorici und Biemmi über die Grausamkeit des Ismondus, der wie ein wildes Thier gewüthet habe, über den Aufstand des Caco, der seines Bruders Poto Hinrichtung zu rächen suchte, u. a. erzählen, ohne alle Begründung, da es nur aus der Chronik des Ridolfus notarius geflossen ist.

vollen Königs Karl und der Franken[1])". „Nachdem Karl den
einen König, Desiderius, gefangen genommen, den anderen, seinen
Mitregenten Adelchis, nach Constantinopel verjagt hatte", erzählt
Paulus, der Geschichtschreiber der Langobarden selber, „unterwarf
er das von seinem Vater schon zweimal besiegte Volk der Lango=
barden ohne schweren Kampf insgesammt seiner eigenen Herrschaft
und verfolgte, was selten zu geschehen pflegte, seinen Sieg mit
Mäßigung und Milde[2])."

Die Einnahme von Pavia geschah im Juni 774[3]). Sie machte
Karl zum Herrn des ganzen langobardischen Reiches, mit Aus=
nahme des Herzogthums Benevent, das unter dem Herzog Arichis,
dem Schwiegersohne von Desiderius, Gemahl von dessen Tochter
Adalperga, noch eine unabhängige Stellung behauptete, und des
Herzogthums Spoleto, das sich schon 773 dem Papst in die Arme
geworfen hatte[4]), aber wenige Jahre später sich der fränkischen

---

[1]) Annales Laur. mai.; vgl. Ann. Einh. und viele andere Quellenstellen,
in denen ebenfalls der Eroberung des Langobardenreichs gedacht wird, wie Einh.
V. Karoli c. 6. 15; Ann. Petav., Max. 773; Ann. Mosellan., Lauresham.;
Ann. Laur. min.; Ann. Weissemburg., SS. I, 111; die Urkunden Mühlbacher
Nr. 177. 429; die Grabschrift auf Karl's Tochter Adalheid, Poet. Lat. I, 59, vgl.
o. S. 149 N. 1; Versus de episcopis Mettensis civitatis, v. 58 - 60, ib.
S. 61; V. Hadriani S. 499 (oben S. 187 N. 1); Codex Carolin. Nr. 54
S. 181 etc.
[2]) Pauli Gest. episcop. Mettensium, SS. II, 265: Langobardorum
gentem bis iam a patre devictam . . . universam . . . suae subdidit dicioni et, quod raro fieri adsolet, clementi moderatione victoriam tempe-
ravit — cunctaque nihilominus Italia miti dominatione potitus est. Ueber
die Milde, welche Karl in Italien walten ließ, vgl. auch die unter der Regierung
seines Sohnes Pippin geschriebene Hist. Langobardorum cod. Gothan. c. 9,
SS. rer. Langob. S. 10: Nam nulli lucri cupiditas peragrare, sed bono
pius et misericors factus est adiuvator est, sicut poterat omnia demollire,
factus est clemens indultor — et innumerabilibus viris, qui eidem culpa-
runt incessanter, culpas dimisit. Pro quod illi omnipotens Deus centies
multiplicavit ubertates. Milde wird ja allerdings überhaupt als ein entschiedener
Charakterzug Karl's hervorgehoben, vgl. o. S. 33 N. 4.
[3]) Vgl. Ann. Mosellan. SS. XVI, 496: in mense Iunio; Ann. Lauresh.
SS. I, 30, Chron. Moiss. SS. XIII, 23; noch genauer Chron. S. Benedicti
Casin., SS. rer. Langob. S. 487: Capta est Papia civitas mense Iunio die
Martis (vgl. Catal. reg. Longobard. et duc. Beneventan., cod. Vindobon.,
SS. rer. Langob. S. 492 n) und Chron. Salern. c. 34, SS. III, 488:
dumque ab eo eiusque exercitus mensis unius [l. Iunius] dies Martis capta
esset Papia). Allein der erste Dienstag in diesem Monat fiel erst auf den 7.,
während die Kanzlei Karl's Regierung als König der Langobarden bereits von einem
zwischen dem 30. Mai und 2. Juni liegenden Epochentage an rechnete (Sickel I, 250
N. 9; Mühlbacher S. 67). Andererseits währt bis in den Juni 774 auch die
Zählung der Regierungsjahre des Desiderius und Adelchis in langobardischen Urkunden fort, vgl. Troya V, 723—737; Neues Archiv III, 317 Nr. 521, wo jedoch
die Einnahme Pavia's unrichtig auf den 11. oder 18. Juni verlegt wird. Die letzte
derartige Urkunde trägt das Datum: In Christi nomine regnantes dominis
nostris Desiderio et Adelchis viri excellentes anno regni eorum in dei
nomine octabo decimo et quincto decimo mense Iunio ind. duodecima. —
Im Chron. Vulturn. l. III., Muratori, SS. rer. It. Ib, 402 fehlerhaft: super
Papiam Carolus rex advenit tempore Adriani papae (vgl. Pauli contin.
Casin., SS. rer. Langob. S. 200 N. 1) mense Iunio.
[4]) Vgl. oben S. 153.

Herrschaft unterwarf[1]). So war auch der größte Theil Italiens
dem Könige der Franken unterthan; die Macht, welche bis dahin
den Papst gegen die Angriffe des Langobardenkönigs geschützt hatte,
wurde nach dessen Verdrängung selber in Italien die herrschende;
der neue König des langobardischen Reiches, Karl, war zugleich
König der Franken und Patricius der Römer, wie auch sein Titel
in den Urkunden besagte[2]), also noch weit mächtiger als Desiderius
gewesen war[3]).

Karl hatte, seines schließlichen Sieges gewiß, schon vor dem
Falle Pavias bei seiner Anwesenheit in Rom über die Verhältnisse,
bei denen der Papst betheiligt war, sich mit diesem auseinandergesetzt; aber außerdem waren noch zahlreiche andere Verhältnisse
zu ordnen. Die nächste Aufgabe für Karl war die Einrichtung
seines neu eroberten Landes, die ihn mindestens noch etwa anderthalb Monate in Italien zurückhielt[4]). Wahrscheinlich hat nur die
Lage der Dinge im fränkischen Reiche, namentlich die Nothwendigkeit die feindlichen Einfälle der Sachsen nachdrücklich zurückzuweisen, ihn verhindert seinen Aufenthalt in Italien noch zu ver-
längern. Zum Theil die vermuthlich nothgedrungene Abkürzung
seines Aufenthalts in Italien, zum Theil aber auch die herrschende
Ansicht über das Verhältniß des neu eroberten Landes zu dem
Eroberer waren die Ursache, weshalb sich Karl jeder durchgreifenden Aenderung in den inneren Angelegenheiten des langobardischen
Reiches enthielt. Wie früher, galt wohl auch damals noch der
Grundsatz, daß der König, nicht das Volk die Eroberung mache[5]);
so war auch das langobardische Reich unmittelbar nur eine Eroberung Karl's selber[6]); Karl betrachtete sich als Nachfolger der
früheren langobardischen Könige[7]). Deshalb fand eine förmliche
Einverleibung des langobardischen Reiches in das fränkische nicht
statt; die alte langobardische Verfassung blieb fast durchgehends

---

[1]) Vgl. unten z. J. 776; Forsch. z. Deutsch. Gesch. I, 489.
[2]) rex Francorum et Langobardorum ac patricius Romanorum; vgl.
Sickel I, 257 ff.; Mühlbacher Nr. 161.
[3]) Von dieser Betrachtung geht wohl auch Luden IV, 296 aus, wenn er vermuthet, der Papst habe versucht den König von der Absicht, das langobardische Reich
seiner Herrschaft zu unterwerfen, abzubringen. Daran, daß der Papst diesen Versuch
wirklich gemacht habe, ist freilich kaum zu denken, wie schon allein die oben S. 180
N. 1 citirten Verse beweisen dürften; aber daß die Unterwerfung des langobardischen
Reiches unter Karl dem Interesse des Papstes nicht in jeder Beziehung entsprach,
ist richtig.
[4]) Urkunde bei Bouquet V, 724; Mühlbacher Nr. 163, wonach Karl am
16. Juli noch in Pavia war; am 1. September befand er sich bereits in Lorsch,
Chron. Lauresh. SS. XXI, 348 u. unten.
[5]) Vgl. Waitz II, 1, 3. Aufl. S. 42; III, 2. Aufl. S. 166.
[6]) Zu widersprechen scheint der Ausdruck der Ann. Laur. mai., oben S. 189
N. 1: ... Langobardi ... subdiderunt se in dominio domni gloriosi
Caroli regis et Francorum; vgl. auch Ann. Einh. (anders Chron. Moiss., Ann.
Mett.; Regino). Daß aber Karl selbst die Eroberung anders auffaßte, zeigt eben
sein Verfahren mit dem eroberten Lande.
[7]) Hegel II, 2 f.; Waitz III, 2. Aufl. S. 166.

in Geltung[1]), auch die Herzöge wurden wenigstens theilweise in ihren Herzogthümern belassen[2]), Karl begnügte sich von ihnen als König anerkannt zu sein; wenn auch nicht das ganze Volk, so mußten jedenfalls sie und die übrigen Großen des Landes ihm die Huldigung darbringen[3]). Zum Schutze seiner Herrschaft legte er eine fränkische Besatzung nach Pavia[4]), setzte fränkische Beamte daselbst ein[5]) und schickte vielleicht auch sonst in einzelne Provinzen Grafen, welche dann die Stelle der früheren Herzoge einnahmen[6]). Von weiteren Maßregeln Karl's in Italien aus diesem Jahre ist

---

[1]) Namentlich auch Gaillard II, 123 hebt dies ausdrücklich hervor. In Bezug auf den bekannten Fortbestand des langobardischen Rechts sagt die Hist. Langobard. cod. Gothan. l. c.: Et paternae patriae leges Langobardis misertus concessit et suas, ut voluit, quae necessaria erant Langobardis, adiunxit.

[2]) Hegel II, 2; La Farina, Storia d'Italia II, 295; Waitz III, 2. Aufl. S. 167. Daneben ist Hrodgaud von Friaul, quem ipse (Carolus) Foroiuliensibus ducem dederat, Annales Einhardi SS. I, 155, ein Beispiel von einem Herzog, jedoch einem eingeborenen, den Karl einsetzte, vgl. unten. Unglaubwürdig und sagenhaft hierüber Andr. Bergom. hist. c. 4, SS. rer. Langob. S. 224; dazu N. 5. Die Erzählung desselben lautet etwa folgendermaßen: Die Herzöge Rotcausus (Hrodgaud) von Friaul und Gaidus von Vicenza rücken, bei der Noth des Landes durch die Verwüstung der Franken — ein Theil der Bewohner ging durchs Schwert zu Grunde, andere wurden von Hunger verzehrt, andere durch wilde Thiere getödtet, so daß in Dörfern und Städten nur eine ganz gelichtete Bevölkerung zurückblieb — und auf die Kunde, daß die Franken nach Friaul eilen, mit den Streitkräften, die sie zusammenzuraffen vermögen, den Franken nach der Livenza-Brücke (ad ponte qui dicitur Liquentia) entgegen, und richten hier ein großes Gemetzel unter denselben an. Als Karl dies hört, läßt er sie zu friedlicher Unterwerfung auffordern, unter der Verheißung, sie gnädig aufzunehmen und in ihrer Stellung zu belassen. Rotcausus und Gaidus berathen sich mit den Edlen Friauls und sind willens sich männlich zu behaupten. Allein einer von diesen ist durch Karl's Geschenke bestochen und gibt den Rath sich zu unterwerfen, da man nicht widerstehen könne und kein Haupt mehr habe. So geschieht es denn auch, wobei jedoch Karl dem Rotcausus und Gaidus wirklich ihre Stellungen läßt (Et tamen eorum Carolus servavit honorem).

[3]) Daß die Langobarden ausdrücklich ihre Unterwerfung unter Karl aussprachen, sagen die oben S. 189 N. 1 erwähnten Stellen an Ann. Laur. mai. und Ann. Einh.; doch huldigten, wie Waitz III, 2. Aufl. S. 291 N. 1 wohl mit Recht annimmt, nur die Großen. Hugo von Flavigny, SS. VIII, 351, redet von einem Eide, der Karl geleistet worden sei: Longobardia subiecta et sacramento firmata fuit; ähnlich auch Andr. Bergom. Hist. 5, SS. rer. Langob. S. 224: Deinde terra pacificata et sacramenta data. Sigonius S. 147 gibt ausdrücklich 2 Formeln dafür an, von denen die zweite auf keinen Fall in diese Zeit gehören kann, die erste wahrscheinlich auch erst dem 789 geleisteten Eide nachgebildet ist, Waitz III, 2. Aufl. S. 169 N. 1; S. 295 N. 2. Die Angabe des Hugo von Flavigny aber ist ohne Werth und ebenso wohl auch die des Andreas von Bergamo, der überdies die Ereignisse von 774 und 781 confundirt. Zu einem förmlichen Eide scheinen die Langobarden nicht angehalten worden zu sein; vgl. Waitz III, 2. Aufl. S. 290 ff.

[4]) Ann. Laur. mai. l. c.

[5]) Codex Carolin. Nr. 56, Jaffé IV, 185: direximus nostras apostolicas literas usque Papiam ad iudices illos, quos ibidem constituere visi estis.

[6]) Annales Petav. SS. I, 16: Domnus rex Carolus, missis comitibus per omnem Italiam, laetus sancto Petro reddidit civitates quas debuit. Man könnte diese Angabe so verstehen, als seien die Grafen in besonderer Sendung mit dem Auftrage, dem h. Petrus die Städte zurückzugeben, ausgeschickt worden. Aber nothwendig ist diese Erklärung nicht, Hadrian befand sich auch in den nächsten Jahren nicht im Besitz aller von ihm beanspruchten Städte; die Stelle kann vielleicht

nichts bekannt; die Langobarden Geiseln für ihre Treue stellen zu laffen, wozu er fich später wiederholt gezwungen fah, fcheint er damals noch nicht für nöthig gehalten zu haben[1]); bei der Abneigung der langobardifchen Großen gegen Defiderius, die fich in dem zahlreichen Abfall derfelben von ihrem Könige gezeigt hatte, mochte er über ihre Gefinnung beruhigt fein.

Von einer Krönung Karl's zum Könige der Langobarden ift nichts bekannt. Die Erzählungen fpäter Schriftfteller, wonach ihm Erzbifchof Thomas von Mailand in Monza die eiferne Krone aufs Haupt gefetzt haben foll, find ohne jeden Beweis[2]). Die Nachricht, von der fie ausgehen, fchon Papft Gregor der Große habe dem Erzbifchof von Mailand das Vorrecht verliehen, die langobardifchen Könige mit der von der Königin Theodelinde geftifteten eifernen Krone in Monza zu krönen[3]), entbehrt ebenfo aller Begrün-

auch mit Waitz III, 153 N. 1 (2. Aufl. S. 167 N. 2) von der Einfetzung fränkifcher Grafen in Italien verftanden werden, und zwar da, wo die langobardifchen Herzöge dem König die Anerkennung verweigerten. Zu bemerken ift in diefer Hinficht, daß die neuefte Ausgabe der Annales Petaviani, im Spicilegium Romanum VI, 185, die freilich nur auf einer einzigen Handfchrift beruht, abweichend von der Ausgabe bei Pertz lieft: Karolus mifit comites per omnem Italiam, laetus s. Petro. reddidit civitates quas debuit, eine Lesart, welche, wenn richtig, der Anficht von Waitz günftiger ift als der entgegengefetzten.' Wenn aber Hegel II, 12, die Gefammtzahl der Grafen auf 20 berechnet, fo kann doch diefe Zahl, abgefehen von anderen Bedenken, nicht für 774 gelten, weil damals noch vielfach die alten Herzöge fortbeftanden. — Ann. Laur. fagen im Allgemeinen: ipsa Italia fubiugata et ordinata; Ann. Einh.: fubacta et pro tempore ordinata Italia; Ann. Petav. (vgl. Ann. Max.): difpofitifque omnibus.

[1]) Aus einer Urkunde Karl's für Manfred von Reggio aus dem Jahr 808, Mühlbacher Nr. 429; Sickel I, 84 N. 7, II, 74 Nr. 215. 293—294; bei Muratori, Antiquitates III, 781, fchließen Affò, Storia della città di Parma I, 140; Waitz III, 2. Aufl. S. 167 N. 1; Mühlbacher, Mitth. des Inft. f. öfterreich. Gefchichtsforfchung 1, 263 N. 2; Regeften S. 176, Karl habe nach Eroberung des Langobardenreiches — wie in der Urkunde allerdings gefagt wird — 774 Geifeln mitgenommen. Da aber zugleich von einer Confifcation des Vermögens der Geifeln die Rede ift, für eine folche aber, die doch nur als Strafe verhängt wurde, 774 noch kein Anlaß vorlag, fo ift vielleicht an die Fortführung vornehmer Langobarden ins Frankenreich im Jahr 787 zu denken. Außerdem erfolgte eine folche Fortführung nebft Güterconfifcationen auch 776 nach dem Aufftande des Hrodgaud von Friaul; jedoch die Urkunden, welche fich auf diefe Empörung beziehen, gedenken derfelben ausdrücklich (Mühlbacher Nr. 198. 454), während dies bei jener Urkunde für Manfred aus Reggio nicht der Fall ift. Vgl. unten zu den Jahren 776 und 787 und Bd. II. z. J. 808, wo auch eine betreffende Stelle aus Andr. Bergom. hift. c. 5, SS. rer. Langob. S. 224, herangezogen ift; ferner Bd. II. z. J. 792 über die Exilirung des Fardulf, die allerdings 774 erfolgt zu fein fcheint.

[2]) Sigonius S. 145 weiß fogar den Hergang bei der Krönung genau zu befchreiben, überträgt aber ganz willkürlich fpätere Gebräuche auf die Zeit Karl's des Großen. Genaueres über das Auffommen der falfchen Nachricht findet fich bei Muratori, Anecdota II, 267 ff. in einer eigenen Abhandlung de corona ferrea; außerdem vgl. Le Cointe VI, 51 ff.; Leibniz, Annales I, 55 f.

[3]) Auch diefes Recht macht Sigonius l. c. geltend; im übrigen vgl. Le Cointe VI, 52.

bung. Im Gegentheil ist durch den glaubwürdigsten Gewährs=
mann, Paulus Diaconus, bezeugt, daß es bei den Langobarden
Sitte war die Thronerhebung durch die Ueberreichung eines
Speeres an den König zu feiern, wogegen er von einer Krönung
nichts weiß[1]). So wenig wie die früheren langobardischen Könige
ist Karl gekrönt[2]), die eiserne Kroue war damals noch garnicht
vorhanden, sondern ist Jahrhunderte jünger[3]).

Am 16. Juli verweilte Karl noch in Pavia und schenkte an
diesem Tage zusammen mit seiner Gemahlin Hildegard dem Kloster
des h. Martin in Tours ausgedehnte Besitzungen in Oberitalien
aus dem bisherigen langobardischen Pfalzgut: so eine Insel im
Gardasee mit dem Castell Sermione, Peschiera an demselben See,
Val Camonica und außerdem ein Hospital bei Pavia[4]). Bald
darauf, wohl noch in demselben Monat, trat er den Rückweg ins
fränkische Reich an[5]), von dem er ungefähr ein Jahr abwesend
gewesen war. Seine Gemahlin Hildegard begleitete ihn natürlich[6]).
Das Töchterchen, welches diese ihm im Lager von Pavia geboren
und das in der Taufe den Namen Adalheid empfangen hatte[7]),
war dagegen noch vor der Einnahme der Stadt ins Frankenreich
vorausgeschickt worden und auf der Reise nach der Rhone hin ge=
storben[8]); es wurde hernach im Chorherrenstift St. Arnulf bei

---

[1]) Pauli Historia Langobardorum VI, 55, SS. rer. Langob. S. 184,
bei der Erzählung der Thronerhebung Hildeprand's.
[2]) Für eine besondere Krönung Karl's spricht sich besonders eingehend Lupi I,
546 ff. aus, und zwar für eine Krönung in Rom, vgl. oben S. 178, namentlich die
Stelle des Mönchs von Salerno, N. 5; dazu kommt jene dort auch bereits er=
wähnte Angabe des Chronicon Farfense bei Muratori, SS. rer. It. IIb, 503:
Carolus rex Francorum et Romanorum imperator pius filius Pipini regis
Francorum coronatus 774, die aber erst aus dem 11. Jahrhundert stammt und
unglaubwürdig ist. Eine Krönung in Monza nehmen La Bruère I, 129; Gaillard
II, 124 und noch Gregorovius II, 1. Aufl. S. 399 an; dagegen erklären sich schon
Muratori, Anecdota l. c.; Leibniz l. c.; Le Cointe l. c.; Mabillon,
Annales II, 227.
[3]) Muratori, Anecdota II, 271 ff. 286 ff.; dazu aber Waitz VI, 170 N. 1.
[4]) Urkunde bei Bouquet V, 724 (vgl. o. S. 190 N. 4), von Lupi I, 575
irrthümlich einen Monat zu spät angesetzt. Ebenso schenkt Karl bereits in einer Ur=
kunde vom 5. Juni 774 dem Kloster Bobbio (Abt Guinibald) Güter aus dem Pfalz=
gut, Mühlbacher Nr. 161; Muratori, Ant. It. I, 1003—1005.
[5]) Vgl. u. a. Cod. Carolin. Nr. 51, Jaffé IV, 171: postquam vestra
excellentia a civitate Papia in partes Frantiae remeavit; Ann. Laur. mai.:
Deo adiuvante cum magno triumpho Franciam reversus est etc.
[6]) Ann. Laur. mai.: cum uxore et reliquis Francis.
[7]) Vgl. o. S. 148—149.
[8]) S. die von Paulus Diaconus auf Karl's Befehl verfaßte Grabschrift, Poet.
Lat. aev. Carol. I, 59 Nr. 23. Aus den betreffenden Versen (7—9):

Sed Rhodanum properans rapta est de limine vitae,
Ictaque sunt matris corda dolore procul.
Excessit patrios non conspectura triumphos

scheint klar hervorzugehen, daß Adalheid fern von ihrer Mutter starb und Karl's ent=
scheidenden Erfolg vor Pavia nicht mehr erlebte oder doch allermindestens nicht mehr
an Ort und Stelle erlebte. Die Verse 3: Huic sator est Karolus; gemino dia-

Metz bestattet[1]). Den Desiderius und seine Gemahlin Ansa nebst einer Tochter führte Karl gefangen mit sich fort[2]). Es heißt, Desiderius sei nach Lüttich verbannt und dort der Aufsicht des Bischofs Agilfrid übergeben worden[3]); eine andere, kaum etwas ältere Nachricht erzählt, er habe „unter Wachen und Beten, unter Fasten und vielen guten Werken bis an sein Ende in Corbie gelebt[4])". Vielleicht wurde er zuerst nach Lüttich, später von da

demate pollens; 5—6: Sumpserat haec ortum prope moenia celsa Papiae, — Cum caperet genitor Itala regna potens widerlegen dies nicht, noch weniger die Ueberschrift (quae in Italia nata est, quando sibi eam ipse subegit). Mühlbacher S. 68 wird also nicht mit Recht annehmen, daß Adalheid mit ihren Eltern ins Frankenreich gereist sei.

[1]) Pauli Gest. epp. Mett. SS. II, 265.

[2]) Vgl. besonders Ann. s. Amandi; Ann. Laur. min.; Chron. Moiss. (Desiderio rege et Oggerio et uxore et filia, vgl. o. S. 150 Anm. 5, 152 f.), Ann. Mett., Lobiens. (cum uxore et filius); Ann. Nazarian., Alamann., Sangall. mai. SS. I, 40, St. Galler Mitth. zur vaterländ. Gesch. XIX, 279; V. Hadriani, Duchesne l. c. S. 499; ferner über die Wegführung des Desiderius Einh. V. Karoli c. 6: et rex Desiderius perpetuo exilio deportatus, 11; Ann. Einh. 774. 788, SS. I, 153. 173; Ann. Petav., Mosellan., Lauresham. etc. Die Ann. Laur. mai. gedenken nur der Gefangennahme des Desiderius nebst Gattin und Tochter. Man fragt sich, an welche Tochter des Langobardenkönigs zu denken ist. Die Grabschrift der Königin Ansa (Poet. Lat. I, 46) kennt nur 4: die Herzogin Adalperga von Benevent, die Herzogin Liutperga von Baiern, die einstige Gattin Karl's und die Aebtissin Ansilperga von S. Salvatore in Brescia. Waren weitere Töchter nicht vorhanden, so hätten wir nur die Wahl zwischen den beiden letzteren. Vgl. übrigens über Ansa Neues Archiv III, 286 f. 289. 297. 310. 313. 317, Langobard. Regesten Nr. 296. 313. 374. 467. 488. 515; über Ansilperga ebd. S. 287. 299. 300. 303. 310. 313 Nr. 296. 391. 394. 413. 467. 492 u. s. w.

[3]) Ann. Lobiens. SS. XIII, 229: Desiderium captum cum uxore et filiis exulandum direxit in Frantiam ad locum qui dicitur Pausatio sancti Lantberti martyris; außerdem Ann. Laubiens. SS. IV, 13, Ann. Leodiens. ibid.; Anselm. Gest. epp. Leodiens. c. 18, SS. VII, 198; Aegid. Aureaevall. Gest. epp. Leodiens. II, 32, SS. XXV, 47.

[4]) Annales Sangall. mai., Mitth. zur vaterländ. Gesch. herausg. vom hist. Verein in St. Gallen XIX, 279: et rex Desiderius et Ansa uxor eius pariter exiliati sunt ad Chorbeiam et ibi Desiderius in vigiliis et orationibus et ieiuniis et multis bonis operibus permansit usque ad diem obitus sui, vgl. ebb. N. 184. Bis „exiliati sunt" stimmt diese Notiz wörtlich mit den Ann. Alam. überein. Diese St. Galler Annalen flammen aus der Mitte, die Ann. Lobiens. aus dem Ende des 10. Jahrhunderts. Unwillkürlich fällt einem allerdings bei dieser ganz vereinzelten Nachricht ein, daß ein heiliger Desiderius, Bischof von Vienne, in St. Gallen als Patron verehrt wurde, vgl. Mitth. u. s. w. XII, 16 N. 72; XV. XVI, 123 N. 421; 362 N. 1240. Derselbe war auch exilirt worden, obschon nicht nach Corbie. — Außerdem haben sich mannigfache sagenhafte Ueberlieferungen an das Ende des Langobardenkönigs geknüpft: Karl habe ihn blenden, in Fesseln legen lassen; er sei in Paris im Kerker gestorben; er sei in das Kloster St. Denis gesteckt worden und dort gestorben und begraben; er sei in Achen bestattet worden, vgl. Chron. Salern. SS. III, 476, oben S. 187 N. 2; Chron. Novalic. III, 14, SS. VII, 101; Hist. Langobardor. Florentin. SS. rer. Langob. S. 601; Hist. reg. Franc. mon. s. Dionysii, SS. IX, 400; Aegid. Aureaevall. l. c. (Randglosse in einem Excerpt), SS. XXV, 47 y; Pauli contin. Lombard. SS. rer. Langob. S. 219. — Andr. Bergom. Hist. c. 4, SS. rer. Langob. S. 224, läßt ihn schon zur Zeit der Eroberung des Langobardenreiches sterben (Desiderio vero eodem tempore mortuus est).

nach Corbie an der Somme gebracht, wo er dann sein Leben be=
schloß[1]). Die letzte Langobardenkönigin scheint, wie auch ihre
Töchter Adalperga und Liutperga, die Gemahlinnen der Herzöge
von Benevent und Baiern, eine Frau von ungewöhnlicher Bedeu=
tung gewesen zu sein[2]). Auch soll sie ihren Gemahl nach Kräften
in dem Bemühen unterstützt haben, das nach den Niederlagen
Aistulf's bereits tief gesunkene Reich wieder zu heben[3]). Vor
allem zeichnete sie sich durch ihre Frömmigkeit aus, erbaute eine
große Anzahl von Kirchen und Klöstern[4]); so das Klösterlein San
Salvatore im Castell Sermione im Gardasee[5]), ferner, in Gemein=
schaft mit ihrem Gemahl, die Abtei San Salvatore in Brescia,
wo eine ihrer Töchter, Ansilperga, Aebtissin wurde[6]) und sie selbst
dereinst ihre Ruhestätte zu finden gedachte. Auch die Pilger,
welche nach Rom oder nach Monte Gargano wallfahrteten, ver=
dankten ihr ein Hospiz[7]).

Karl begab sich, nachdem er wieder im Norden der Alpen an=
gelangt, zunächst an den Rhein. In Speier traf er Gundeland,
den Abt des Klosters Lorsch, das schon früher Beweise seiner be=
sonderen Gunst erhalten hatte[8]). Gundeland kam ihm entgegen,
um ihn einzuladen, die Einweihung der neu erbauten Kirche in
der schnell sich vergrößernden Stiftung durch seine Anwesenheit zu

---

[1]) So auch Leibniz I, 53; vgl. Le Cointe VI, 49 f. — In dem von Paulus
Diaconus gedichteten Epitaph auf den Herzog Arichis von Benevent, Poet. Lat.
aev. Carol. I, 67, v. 37—38, heißt es: Quique bibunt Ararim te flent
Histrumque Padumque — Extimus adfinis seu peregrina falanx. Hierauf
läßt sich aber wohl kaum die Vermuthung gründen, daß Verwandte des Arichis —
wie an der Donau (in Baiern) — auch an der Saône gelebt hätten, Desiderius mit
seiner Familie dahin gebracht worden sei. Ohnehin würde sich damit weder die An=
gabe der Lütticher noch die der St. Galler Annalen vereinigen lassen, obschon dies
allerdings nicht entscheidend wäre.

[2]) Vgl. die Grabschrift der Königin Anfa von Paulus Diaconus (Poet.
Lat. I, 45—46) und dazu unten Bd. II. z. J. 813. Dahn hat die Echtheit dieses
Epitaphs ohne ausreichende Begründung bestritten (am bestimmtesten in der Allg.
Deutschen Biographie V, 73).

[3]) So das erwähnte Epitaph, v. 7—8, S. 46:
Haec patriam bellis laceram iamiamque ruentem
Compare cum magno relevans stabilivit et auxit.

[4]) Ibid. v. 17—18:
Cultibus altithroni quantas fundaverit aedes,
Quasque frequentat egens, pandit bene rumor ubique.

[5]) Vgl. die oben S. 193 N. 4 erwähnte Urkunde Mühlbacher Nr. 163; Bou=
quet V, 724—725: etiam et monasteriolo illo infra ipso castro, quem Ansa
novo opere construxit, quod est in honore sancti Salvatoris.

[6]) Vgl. oben S. 194 N. 2. In Ansa's Epitaph wird über diese Tochter des
langobardischen Königspaares nur gesagt, daß sie in das gedachte Kloster getreten
sei, v. 15—16:
Quin etiam aeterno mansit sua portio regi,
Virgineo splendore micans, his dedita templis.

[7]) Vgl. unten Bd. II. z. J. 813.

[8]) Vgl. oben S. 124. 137.

verherrlichen[1]). Karl leistete der Aufforderung Folge. Mit seiner Gemahlin Hildegard, seinen Söhnen[2] und vielen der vornehmsten Männer des Reiches erschien er in Lorsch. Hier wurde durch die Bischöfe Lul von Mainz, Megingoz von Wirzburg, Weomad von Trier, Angilram von Metz und Waldricus von Passau[3], „mit großer Pracht und der tiefsten Andacht" die Einweihung der Kirche vollzogen und die Gebeine des h. Nazarius, des Schutzpatrons der Stiftung, in die neue Kirche übertragen. Dies geschah am 1. September[4]. Als Jahr der Festlichkeit nennt zwar die Chronik von Lorsch selber erst das Jahr 777[5]; aber nicht blos die Angaben anderer Quellen[6]), sondern auch die übrigen Aussagen der Lorscher Chronik selbst beweisen, daß dieses ein Irrthum ist und daß die Einweihung schon 774 stattfand[7]). Aus Veranlassung derselben

---

[1]) Chron. Lauresh. SS. XXI, 348, wonach Gundeland dem König bis Speier entgegenreiste. — Vgl. auch Ann. Laur. min. ed. Waitz S. 413 (danach Ann. Enhard. Fuld. SS. I, 348 und einige Texte der Ann. Einh., vgl. SS. I, 118 N. 1. 2. 139. 153); Ann. Lauresham. 775, SS. I, 30 (Chron. Moiss. SS. I, 296); Kalendar. necrol. Lauresh. (Ms. Vat.), Böhmer, Fontt. III, 149.

[2]) Das Chron. Lauresh. nennt außer Karl und Pippin auch Ludwig, was aber ein Irrthum ist, da Ludwig erst 778 geboren wurde.

[3]) Die Bezeichnung Lul's als Erzbischof in der Chronik ist falsch, da er diese Würde erst nach 774 erhielt. Waldricus kann kaum ein anderer als der Bischof von Passau sein, da um diese Zeit kein zweiter Bischof dieses Namens begegnet; vgl. Rettberg II, 249.

[4]) In capite Kalendarum Septembrium sagt die Chronik von Lorsch l. c. Dies steht nicht in Widerspruch mit die Kalend. Septembris, wie die Annales Laur. min. (und danach der cod. Trevirens. und die Freher'sche Ausgabe der Ann. Einh.) angeben; vgl. Weidenbach, Calendarium S. 185; Grotefend, Handbuch der hist. Chronologie S. 34; Mabillon, Annales II, 228; Böhmer-Will, Regest. archiepp. Maguntin. I, 38 f. Nr. 34; Falk, Gesch. von Lorsch S. 8. 142, N. 15—17; Hahn, Bonifaz und Lul S. 328 N. 5 und besonders auch Plückert, Ber. der k. sächs. Ges. d. Wissenschaften phil.-hist. Cl. 1884 I. II, S. 126 N. 6. Andere wollen darunter allerdings den Tag verstehen, welcher bei der Zählung nach den Kalenden der September der erste ist, also den 14. August, vgl. Le Cointe VI, 73; Eckhart I, 634; Rettberg I, 585 N. 7; K. Pertz SS. XXI l. c. N. 58; Göpfert, Lullus, Diss. (Leipzig 1880) S. 47; auch selbst Sickel I, 236; II, 239 und Mühlbacher S. 68—69. Zu Gunsten des 14. August (welcher übrigens eventuell immerhin das schlechter bezeugte Datum sein würde) wird auch geltend gemacht, daß dieser Tag, nicht aber der 1. September, auf einen Sonntag fiel und Feierlichkeiten dieser Art regelmäßig an Sonntagen stattzufinden pflegten, vgl. Eckhart und Rettberg a. b. a. O. Hingegen weist jedoch Plückert a. a. O. nach, daß weder damals noch später Kirchweihen ausschließlich Sonntags erfolgten. Ferner ist auch in den Not. Lauresh. SS. XXIV, 40, in welchen das Chron. Lauresh. benutzt ist, die Angabe desselben auf den 1. September gedeutet und mit Kalendis Septembris wiedergegeben. Endlich paßt der 1. September viel besser als der 14. August zu dem Datum der Schenkung Oppenheim's an Lorsch (2. September), vgl. unten.

[5]) Chron. Lauresh. l. c.: subsequente post hec anno, id est dominicae incarnat. 777, set a fundatione sive exordio Laureshamensis monasterii anno 10, regni vero Karoli, ex quo defuncto fratre suo Karlomanno monarchia ad eum transiit anno 6, Gundelandus regi occurrit.

[6]) Die Annales Laur. min. etc. nennen ausdrücklich das Jahr 774, die Annales Lauresh. wenigstens nicht 777, sondern 775; vgl. o. N. 1.

[7]) Mit dem Incarnationsjahr 777 stimmt wohl das 6. Jahr nach dem Tode Karlmann's (jenes mag sogar vielleicht nach dem letzteren berechnet sein), aber nicht

schenkte Karl, wie die Chronik selber bezeugt, dem Kloster den Ort Oppenheim, und diese Schenkungsurkunde ist ausgestellt am 2. September 774[1]). Karl befand sich damals in Worms[2]).

Von der friedlichen Feier in Lorsch wandte sich Karl ungesäumt wieder einer kriegerischen Aufgabe zu. Während er im Süden seines Reiches eine neue Eroberung machte, hatten die Nordgrenzen unter feindlichen Angriffen zu leiden. Karl hatte, als er nach Italien zog, die Grenze gegen die Sachsen unbedeckt zurückgelassen, ohne doch ihrer Treue hinlänglich versichert zu sein[3]). Die Sachsen[4]) benutzten diese Gelegenheit zu einem Einfall ins fränkische Reich, vielleicht schon 773 oder jedenfalls noch in der ersten Hälfte des Jahres 774[5]). Sie zerstörten Eresburg, das seit 772, wenn überhaupt, jedenfalls wohl nur mit einer schwachen fränkischen Besatzung versehen war[6]), überschritten dann mit einem

das 10. Jahr seit der Gründung des Klosters Lorsch. Die Worte subsequente anno, oben S. 196 N. 5, beziehen sich auf die unmittelbar vorher erwähnte Schenkung von Heppenheim, die 773 stattfand (vgl. o. S. 137); noch durchschlagender ist, daß die Schenkung von Oppenheim, welche am 2. September 774 erfolgte, ausdrücklich mit der Einweihung der Kirche in Zusammenhang gebracht wird. Uebereinstimmend entscheiden sich für das Jahr 774 Mabillon, Annales II, 228; Eckhart l. c.; Le Cointe l. c.; Leibniz I, 58; Rettberg I, 585; Mühlbacher S. 68.

[1]) Chron. Lauresham. l. c. S. 348—349; vgl. Kalendar. necrol. Lauresh., Böhmer, Fontt. III, 144.

[2]) Eine Urkunde vom 1. September aus Heristal, für Trier, ist gefälscht, Mühlbacher Nr. 164.

[3]) Annales Laur. mai. SS. I, 152: dimissa marca contra Saxones, nulla omnino foederatione suscepta. Die Worte dimissa marca bezeichnen hier einfach die von Karl unterlassene Grenzbewachung, Waitz III, 2. Aufl. S. 370 N. 1. Unter foederatio kann nur eine solche mit den Sachsen gemeint sein, die nach dieser Stelle nicht bestand; das Abkommen von 772 muß also den Sachsen sehr freie Hand gelassen haben. Regino, SS. 1, 558, sagt allerdings, die Sachsen seien eingefallen postpositis sacramentis.

[4]) Nach der Ansicht von Kentzler, Forschungen z. deutschen Gesch. XI, 86, und Diekamp, Widukind S. 5 N. 2, waren es die Engern, während Funck, in Schlosser und Bercht, Archiv für Gesch. und Literatur IV, 294, annahm, es seien Westfalen in Vereinigung mit Engern und Ostfalen gewesen.

[5]) Erhard S. 64 Nr. 141 setzt den Einfall schon ins Jahr 773, unter Berufung auf Chronicon S. Pantal., also die Chronica regia Coloniensis oder die sog. Annales Colonienses maximi, SS. XVII, 736. Eher hätte er sich schon auf Ekkehard, SS. VI, 165, berufen müssen, aus dem die Kölner Chronik geschöpft hat. Auch dieser hat aber die Verlegung des Ereignisses ins Jahr 773 nicht nach eigenem Ermessen vorgenommen, sondern dieselbe findet sich schon in den Ann. Bertiniani und anderen Texten der Reichsannalen, s. SS. I, 152 c, sowie in Ann. Mett., Ann. Lobiens. und Chron. Vedastin., SS. XIII, 29. 229. 704, welche auf eine Bearbeitung der Reichsannalen zurückgehen. Die Zuziehung des Berichts zu 773 in gewissen Texten erklärt sich auch nicht oder wenigstens nicht allein daraus, daß derselbe, wie schon der viel bessere Stil beweist, in den ursprünglichen Text der Ann. Laur. mai. erst nachträglich eingeschoben ist (vgl. Dünzelmann, Neues Archiv II, 481), sondern der Anfang des Berichts selbst: Et dum propter defensionem sanctae Dei Romanae ecclesiae eodem anno, invitante summo pontifice, perrexisset weist zunächst auf das Jahr 773 hin. Ann. Einh. sagen dafür allgemein: Dum haec in Italia geruntur. S. übrigens auch Diekamp, Supplement S. 8 Nr. 57.

[6]) Annales Einh. SS. I, 155: Aeresburgum . . . a Saxonibus destructum munivit, im Jahr 775; vgl. auch Ann. Laur. mai. 775, SS. I, 152 (Aeres-

ftarken Heere zwischen der Eder und Diemel die hessische Grenze
und breiteten sich plündernd in Hessen aus[1]). Nirgends scheinen
sie auf ernstlichen Widerstand gestoßen zu sein, wer konnte flüchtete
sich hinter die Eder, wo die Feste Buriaburg (Bürberg) auf dem
rechten Ufer des Flusses den Verjagten Schutz gewährte[2]). Hieher
wurden auch die Gebeine des h. Wigbert geflüchtet, des ersten
Abtes von Fritzlar, wo sie vorher bestattet waren[3]). Die Uebertragung geschah unter verschiedenen Wundern und erwies sich als
segensreich für Buriaburg. Unter dem Schutze des h. Wigbert
machten die Angegriffenen einen Ausfall auf die Sachsen und
blieben Sieger[4]). So erzählt der Biograph des h. Wigbert, und
es ist kein Grund, an einem solchen siegreichen Ausfall der in
Buriaburg Eingeschlossenen zu zweifeln. Buriaburg war ein überaus fester Platz, auf einem steilen Berge gelegen und vorn durch
die Eder gedeckt[5]); hier sahen die Sachsen sich genöthigt Halt zu
machen, waren aber außer Staube den Platz zu nehmen und mußten
daher auf ein weiteres Vordringen nach Süden verzichten. Sie
entschädigten sich dafür durch die Verheerung des umliegenden
Landes. Aber nicht blos auf Raub und Plünderung hatten sie es
abgesehen; sie wollten Vergeltung üben für die Zerstörung der
Irminsäule durch Karl, überhaupt dem Vordringen des Christenthums durch Zerstörung der christlichen Niederlassungen in den
Grenzgebieten wehren. Das Christenthum war dort noch eine sehr
junge und schwache Pflanze; gerade dort in den Edergegenden war
Bonifaz noch auf völlig heidnische Zustände gestoßen[6]); trotz seiner
beiden Stiftungen in Fritzlar und Buriaburg kann daher die christliche Lehre in jenen Gegenden noch nicht sehr fest begründet gewesen sein. Mit gutem Grunde hatte Bonifaz den abschüssigen,
unzugänglichen Bürberg zum Sitz des einen Bisthums gewählt;

burgum reaedificavit) sowie Ann. Mosellan. SS. XVI, 496 und Annales Lauresh. SS. I, 30, Ann. Laur. min. ed. Waitz S. 413 2c., wonach Karl Eresburg
775 wieder eroberte; namentlich aber Annales Petav. 774, SS. I, 16 (et eodem
anno bellum habuit contra Saxones in loco qui dicitur Herisburgo). Daß
772 in der Eresburg eine fränkische Besatzung zurückgelassen sei, wird allerdings
nicht bezeugt und von Kentzler, Forschungen I, 85, bestritten.
	[1]) Ann. Laur. mai.: ipsi vero Saxones exierunt cum magno exercitu
super confinia Francorum; Ann. Einh.: — Saxones . . . contiguos sibi Has-
sorum terminos ferro et igni populantur; vgl. Ann. Sith. SS. XIII, 35, Ann.
Euhard. Fuld. SS. I, 348.
	[2]) Annales Laur. mai. l. c.: Pervenerunt usque ad castrum quod
nominatur Buriaburg; attamen ipsi confiniales de hac causa solliciti, cum
hoc cernerent, castellum sunt ingressi.
	[3]) Lupi vita Wigberti, c. 13 ff., SS. XV, 41 f.; Rettberg I, 597.
	[4]) Vita Wigberti c. 16, l. c. S. 42: Atque illi (sc. oppidani) facta
eruptione, s. Wigberti suffragantibus meritis, prosperrime congressi sunt,
ac superiores inventi, plerosque adversariorum armis fuderunt profliga-
runtque, multos plagis tardantes debiliarunt, omnes postremo salutem sibi
coegerunt fugae praesidio querere.
	[5]) Vgl. Rettberg I, 598.
	[6]) Rettberg I, 593.

hier, nahe der sächsischen Grenze, war eine solche Anlage an einem
festen Punkte als Zufluchtsstätte bei den Einfällen der Sachsen
ungemein wichtig[1]), und 774 genügte Buriaburg dieser Aufgabe.

Fritzlar, das nicht ebenso günstig lag, fiel der Zerstörung an=
heim, nur die Kirche ward gerettet, aber von den Sachsen als
Pferdestall mißbraucht[2]). Doch auch die Rettung der Kirche vor
der Zerstörungswuth der Heiden wissen die Berichte nur durch ein
Wunder zu erklären. Schon der heilige Bonifaz soll geweissagt
haben, daß die Kirche nie durch Feuer verzehrt werden würde[3]).
Als nun die Sachsen, welche manche Gebäude anzündeten, auch
die Kirche in Brand zu stecken versuchten, erschienen zwei Jüng=
linge in weißen Kleidern[4]) — die Lebensbeschreibung des h. Wig=
bert sagt, eine leuchtende Erscheinung in Menschengestalt, aber von
übermenschlicher Kraft und Erhabenheit[5]) —, welche die Flammen
von der Kirche abwehrten. Die Sachsen, voll Entsetzen über die
Erscheinung, ergriffen schleunigst die Flucht und ließen reiche Beute
zurück[6]). Allein bald darauf kamen sie wieder und erneuerten ihren
Angriff. Sie erbrachen die Kirche, raubten ein silbernes Kreuz
und Reliquien von Heiligen; aber die Kirche anzuzünden gelang
ihnen auch diesmal nicht, der h. Wigbert beschützte sie, ein Sachse,
der schon die Hand erhoben hatte um Feuer hineinzuwerfen, wurde
gelähmt[7]); „mit gekrümmten Knieen, auf seine Füße sich lehnend“,
erzählen die Lorscher Annalen, „in seinen Händen Feuer und Holz,
als wollte er eben durch Anblasen die Kirche in Flammen setzen,
wurde er nachher todt neben der Kirche gefunden“[8]). Und um
die Zahl der Wunder voll zu machen, wurden die aus Fritzlar ge=
raubten Reliquien später in Geismar unversehrt aufgefunden[9]).

Es bleibt ungewiß, was die Sachsen bewog die Kirche in
Fritzlar zu verschonen; daß man später ihre Erhaltung göttlichen

---

[1]) Vgl. darüber Rettberg I, 598; Wenck, Hessische Landesgeschichte II, 258.

[2]) Vita Wigberti c. 22, l. c. S. 42.

[3]) Annales Laur. mai. l. c.

[4]) Annales Laur. mai. l. c. (vgl. Ann. Einh.; Dünzelmann, Neues Archiv
II, 481 und oben S. 197 N. 5). Ihre Erzählung stimmt in der Hauptsache über=
ein mit der in der Vita Wigberti gegebenen, nur ist die letztere ausführlicher; sie
gehört noch der ersten Hälfte des 9. Jahrhunderts an.

[5]) Vita Wigberti c. 17, l. c.

[6]) Annales Laur. mai.; Vita s. Wigberti c. 17. 18: (Saxones) relictis
impedimentis et omnibus aliis necessariis, vitae tantum consulere festinantes,
ad fugam se denuo contulere. — Mane igitur oppidum egressi, qui clausi
hostium impetu morabantur obiectu murorum, ut eos abisse . . . compe-
rerunt, divinae munificentiae gratulantes, adversariorum spolia viritim partiti
sunt . . . Also erst nach dem Abzug der Sachsen kamen die in Buriaburg Einge=
schlossenen heraus, keiner von beiden Berichten redet von einem Kampf.

[7]) Vita Wigberti c. 19, l. c.

[8]) Annales Laur. mai. l. c. Es ist offenbar derselbe Sachse gemeint,
welchen die Vita Wigberti gelähmt werden läßt, nur daß die Lorscher Annalen den
Vorfall schon mit dem ersten Erscheinen der Sachsen in Verbindung bringen.

[9]) Vita Wigberti c. 20, l. c.

Wundern zuschrieb, ist nur ein Beweis dafür, daß sie ihnen schutz=
los preisgegeben war.

Karl begab sich von Worms nach Ingelheim[1]). Die Jahres=
zeit war schon zu weit vorgerückt um noch einen größeren Feldzug
gegen die Sachsen zu beginnen, Karl begnügte sich daher vorläufig
damit, von Ingelheim aus vier Heerhaufen eiligst zu Streifzügen
nach Sachsen zu schicken, um die Feinde, bevor sie überhaupt Kunde
von seiner Rückkehr aus Italien hätten, zu überraschen[2]). Ver=
wüstend, brennend und plündernd drang man in dem feindlichen
Lande vor[3]). Drei von den vier fränkischen Abtheilungen geriethen
in Kampf mit den Sachsen und behielten die Oberhand; die vierte
kam garnicht zum Schlagen; alle vier kehrten noch vor Schluß des
Jahres beutebeladen ins fränkische Reich zurück[4]).

Unterdessen hatte sich Karl rheinabwärts in seine Pfalz nach
Düren begeben. Da schenkte er am 14. September auf Bitten des
Abtes Fulrad von St. Denis der von diesem gestifteten Zelle in
Fulradsweiler im Elsaßgau (Leberan in der Diözese Straßburg) an=
sehnlichen Besitz, bestehend in einer Waldstrecke aus der Gemar=
kung des Kronguts Kinzheim u. s. w.[5]). Am 24. September ver=
lieh er ebendaselbst die Immunität sowie die freie Abtswahl an
das Kloster Fulda[6]), das so auch den königlichen Beamten gegen=
über eine selbständigere Stellung erhielt, nachdem es schon einige
Jahre vorher sich der drückenden Abhängigkeit von dem Bischof von
Mainz entledigt hatte. Der Streit zwischen Mainz und Fulda
reicht zurück unter die Regierung Pippin's, aber seine Folgen machten
sich theilweise erst unter Karl's Regierung geltend.

---

[1]) Die Annales Laur. mai. l. c. reden nur von seiner Anwesenheit in Ingel=
heim; es versteht sich aber von selbst, daß er, von Lorsch kommend, sich über Worms
nach Jugelheim begab, nicht umgekehrt.

[2]) Annales Laur. mai. l. c.: mittens quatuor scaras in Saxoniam, tres
pugnam cum Saxonibus inierunt et auxiliante Domino victores fuerunt;
worin liegt, daß die Truppen getrennt auf verschiedenen Wegen anrückten; vgl. Ann.
Einh., welche nur die Heerhaufen, die zum Kampf kamen, erwähnen (Rex autem
domum regressus, priusquam eum Saxones venisse sentirent, tripertitum
in eorum regiones misit exercitum) und in Bezug auf den Sieg nur sagen:
compluribus etiam Saxonum, qui resistere conati sunt, interfectis. — Chron.
Vedastin. SS. XIII, 704 in eadem regressione — vorher ist von der Heimkehr
Karl's die Rede — Franci cum Saxonibus pugnas tres iniere, sed iuvante
Deo victores extitere).

[3]) Ann. Einh.: qui incendiis ac direptionibus cuncta devastans…

[4]) Ann. Laur. mai.: quarta vero scara non habuit pugnam, sed cum
praeda magna inlaesi iterum reversi sunt ad propria. Ann. Lobiens. l. c.
beziehen dies allerdings — und vielleicht mit Recht — nur auf die vierte scara,
während Ann. Einh. von dem tripertitus exercitus sagen: cum ingenti praeda
regressus est.

[5]) Mühlbacher Nr. 167; Tardif S. 58 Nr. 71. Um diese Zeit schenkte viel=
leicht Karl auch an Fulrad für die von demselben erbaute Kirche des h. Dionysius
zu Herbrechtingen das Krongut Herbrechtingen; vgl. über die betreffende Urkunde,
die gleichfalls in der Pfalz Düren ausgestellt, von deren Original jedoch die Datirung
weggerissen ist, Mühlbacher Nr. 166; Tardif S. 63—64 Nr. 82.

[6]) Mühlbacher Nr. 168. 169; Sickel II, 238; Dronke, Codex diplomaticus
Fuldensis Nr. 46. 47, vgl. unten S. 206.

Der Streit zwischen Fulda und Mainz rührte daher, daß Bischof Lul von Mainz dem Kloster gegenüber dieselbe Stellung beanspruchte, die sein Vorgänger Bonifaz zu demselben eingenommen hatte. Er wollte nicht blos die bischöfliche Aufsicht über das Kloster führen, sondern ebenso wie Bonifaz Abt des Klosters bleiben, den Abt Sturm nur als seinen Stellvertreter in der Leitung des Klosters gelten lassen[1]). Aber in Fulda wollte man den Lul als Nachfolger des Bonifaz in der Abtswürde nicht anerkennen, sondern die Selbständigkeit des Klosters wahren, nicht es als bloße Zugabe zu der bischöflichen Würde von Mainz behandeln lassen. Da Lul seine Ansprüche festhielt und sich für dieselben sogar auf den letzten Willen des Bonifaz selbst berief[2]), kam es zwischen ihm und dem Kloster zu langen heftigen Kämpfen, aus denen er zunächst als Sieger hervorging, zumal Pippin den widerspenstigen Sturm, wie es scheint aus politischen Gründen, verurtheilte und ins Kloster Jumièges bei Rouen verwies. Aber in Fulda dauerte die Auflehnung gegen Lul fort, und nach zwei Jahren, vielleicht 765, gelang es den Mönchen, bei Pippin die Zurückberufung Sturm's zu erwirken[3]). Lul mußte auf sein Eigenthumsrecht an dem Kloster, wie er es bisher geltend gemacht, verzichten und behielt nur die Befugnisse, die ihm als Diözesanbischof ohnehin zustanden[4]).

Die unmittelbare Folge dieser Erledigung des Streites zwischen Lul und Fulda war die Gründung des Klosters Hersfeld. Eine Lebensbeschreibung des Lul, welche der zweiten Hälfte des 11. Jahrhunderts angehört und offenbar niemand anders als den bekannten Lambert von Hersfeld zum Verfasser hat[5]), erzählt, da Lul ge-

---

[1]) Vgl. Rettberg I, 609 ff.; Oelsner S. 386 ff. 516—517. 58 ff.

[2]) Nach der Erzählung Willibald's, Vita s. Bonifatii, c. 8, Jaffé III, 462, hatte Bonifaz den Lul nicht nur im allgemeinen als Erben seiner Wirksamkeit berufen, sondern ihn auch ausdrücklich mit dem Ausbau der Kirche in Fulda beauftragt, was jedenfalls ein näheres Verhältniß zu dem Kloster voraussetzt als das eines bloßen Diözesanbischofs.

[3]) Vita s. Sturmi c. 16 (17) ff., SS. II, 373 ff., vgl. Rettberg I, 611 f., dazu aber Sickel, Wien. S.-B. XLIX, 634 N. 2.; Oelsner S. 516—517; Hahn, Bonifaz und Lul S. 268 N. 2. — Gegenbaur setzt Sturm's Exil bereits in die Jahre 758—760; Rettberg erst 765—767. Allerdings wird in einer Schenkung Pippin's an Fulda vom Juli 766 Sturm nicht genannt (Mühlbacher Nr. 100).

[4]) Genommen wurde ihm das dominium, Vita Sturmi c. 19 (20), die ditio c. 17 (18), über das Kloster, vgl. Rettberg I, 611.

[5]) Vita Lulli, SS. XV, 132 ff., auch in den Acta SS. Bolland. 16. Octob. VII, 2, 1083 ff., bruchstückweise schon früher veröffentlicht von Mabillon, Acta SS. saec. III. p. 2, S. 392 ff., und von ihm dem Sigebert von Gemblour zugeschrieben. Dagegen erklärte sich schon Wenck, Hessische Landesgeschichte II, 288 N. 3; und der Jesuit Vanhecke, in der Ausgabe der Vita, Acta SS. l. c. S. 1052 hielt für den Verfasser einen Mönch von Hersfeld, der vor 1040 geschrieben haben müsse. Daß Lambert der Autor sei, hat Holder-Egger bewiesen, Neues Archiv IX, 283 ff.; SS. XV, 132—133; Wattenbach DGQ. I, 5. Aufl. S. 128. Die Vita ergreift entschieden

sehen, wie die Möuche von Fulda alle seine Wohlthaten gegen das Kloster nur mit Undank lohnten, sei er es überdrüssig geworden, so viele Mühen umsonst daran zu verschwenden, und habe es vorgezogen, an einem andern Orte ein Denkmal seiner Frömmigkeit zu stiften[1]). Lul wünschte, wie Bonifaz, in unmittelbarem Besitze einer Abtei zu sein; bei allem Eifer, womit er als Bischof von Mainz die Gewalt des bischöflichen Amtes zu befestigen und zu erweitern strebte, konnte doch auch er dem Hange der Zeit nach der Beschaulichkeit des Klosterlebens sich nicht entziehen[2]), demselben die hohe Achtung, in der es überall stand, nicht versagen; ihm war es Ehrensache, an der Spitze einer eigenen Abtei zu stehen. Nachdem er mit seinen Ansprüchen auf Fulda nicht durchgedrungen war, blieb ihm keine andere Wahl als an einem anderen Orte eine neue Stiftung zu begründen. So entstand das Kloster Hersfeld.

Man sieht nicht, ob Lul schon früher mit dem Gedanken einer solchen Stiftung umgegangen war; den Ausschlag für die Durchführung desselben gab jedenfalls der Ausgang des Streites mit Fulda[3]); selbst wenn es wahr wäre, was sein Biograph erzählt, daß schon Bonifaz ihm den Ort Hersfeld geschenkt habe[4]), folgt daraus nicht, daß er bereits damals die Stiftung des Klosters im Sinn hatte, welche er dann ja keinen Grund gehabt hätte so lange hinauszuschieben. Bonifaz selbst hielt den Ort für die Stiftung eines Klosters nicht geeignet[5]) und hat dem Lul jene Schenkung ohne Zweifel garnicht gemacht.

Lul nahm, indem er Hersfeld als Ort für seine Gründung wählte, einen alten Plan Sturm's wieder auf. Als Bonifaz den Entschluß gefaßt eine eigene klösterliche Stiftung anzulegen, hatte

---

Partei für Lul gegen Sturm, ist aber deshalb, wegen ihrer späten Abfassungszeit (c. 1063—1074) und des bekannten schriftstellerischen Charakters ihres Verfassers mit Vorsicht zu benutzen.

[1]) Vita Lulli c. 14, l. c. S. 143: non mediocri tedio iam afficiebatur animus eius, cum videret tot tantosque labores suos incassum effluere, beneficiis invidiam non extingui, ... extremae vero dêmentiae esse huic loco tantas rerum impensas sine fructu insumere, quibus alio in loco perenne nullaque vetustate abolendum fidei et devocionis sue monimentum posset extruere. Diese Darstellung des Vertheidigers Lul's ist jedenfalls den Verhältnissen angemessen.

[2]) So auch Rettberg I, 611.

[3]) So auch Wenck, Hessische Landesgeschichte II, 287. Piderit, Denkwürdigkeiten von Hersfeld S. 13, meint, Lul habe deswegen nicht früher an eine Stiftung in Hersfeld denken können, weil Bonifaz sie nicht gebilligt haben würde, glaubt also doch, daß Lul schon früher den Wunsch gehabt habe. Er hätte dann aber nach Bonifaz' Tode lange Zeit gehabt ihn auszuführen und schwerlich etwa 10 Jahre gewartet.

[4]) Vita Lulli c. 15, SS. XV, 144: locus Herveldensis, tradente b. Bonifacio, in proprium cessit sancto Lullo, qui iam tum forsitan construendi illic monasterii desiderium animo conceperat. Die Angabe ist wohl sehr zweifelhaft, vielleicht gar nur eine Vermuthung des Biographen, wie der von ihm daraus gezogene und durch forsitan von ihm selbst als bloße Vermuthung bezeichnete Schluß, daß Lul schon damals an die Gründung gedacht; vgl. unten S. 204.

[5]) Eigil. Vita s. Sturmi c. 5, SS. II, 367; vgl. oben den Text.

er seinen treuen Begleiter Sturm in den buchonischen Wald ge=
schickt, um sich nach einer geeigneten Stelle umzusehen[1]. Nachdem
Sturm mit zwei anderen Begleitern drei Tage in der Wildniß, da
er nichts sah als Himmel und Erde und riesige Bäume, umher=
gewandert, kam er an einen Punkt, der Hersfeld hieß[2], und da
ihm dieser für die beabsichtigte Niederlassung angemessen schien, er=
richtete er mit seinen Gefährten Hütten aus Baumrinde, worin sie
längere Zeit verweilten und mit Wachen, Fasten und Beten Gott
dienten[3]. Darauf begab sich Sturm zurück zu Bonifaz und machte
ihm eine genaue Beschreibung von der Lage des Ortes, von dem
Laufe des Flusses, den Quellen und Thälern; aber Bonifaz billigte
die Wahl nicht wegen der zu großen Nähe der Sachsen und sandte
Sturm aufs Neue aus, um einen tiefer in der Einöde gelegenen
Ort zu suchen, wo keine Gefahr eines sächsischen Ueberfalls zu be=
fürchten sei. Nun erst kam Sturm an den Ort, wo dann das
Kloster Fulda gegründet wurde, 744. Ueber diesen Nachforschungen
waren aber Jahre vergangen, 8 bis 9 Jahre soll es nach der Er=
zählung von Sturm's Biographen Eigil von seiner ersten Ankunft
in Hersfeld bis zur Gründung Fulda's gedauert haben[4], und so
übertrieben diese Zeitangabe allem Anschein nach ist, da Sturm im
Jahre 736 nicht schon nach Hersfeld gekommen sein kann, so muß
doch längere Zeit eine kleine christliche Ansiedelung hier bestanden
haben. Sturm kehrte, ehe er die rechte Stelle gefunden, immer
wieder nach Hersfeld zurück[5]; er hatte dort eine Zelle errichtet,
einige seiner Gefährten blieben immer an Ort und Stelle[6]; erst

---

[1] Eigil. Vita s. Sturmi c. 4, SS. II, 367.

[2] Die ältesten urkundlich beglaubigten Formen des Namens, Haireulfisfelt,
Haereulfisfeld, Haerulfesfeld und einige andere ähnliche Bildungen, zeigen, daß
der Name gebildet ist nach dem Namen des Besitzers, etwa Herolf; vergl. Wenck II,
284 f. und die Zusammenstellung der ältesten Formen des Namens bei Rettberg I,
602 N. 52. Hersfeld ist bloße Zusammenziehung.

[3] Eigil. Vita s. Sturmi l. c.

[4] Eigil. Vita s. Sturmi c. 11, SS. II, 370: nono iam tunc ex quo in
eremo habitare coeperat anno ab Hersfelt regressus est. Daraus ergibt sich
als Jahr der Ankunft Sturm's in Hersfeld 736, was in der That die Annalen von
Quedlinburg, Altaich und Lambert, aus den verlorenen Hersfelder Annalen, als Jahr
der Gründung Hersfelds angeben, SS. III, 34; XX, 782; Ann. Weissemburg.
haben 737; Ann. S. Bonifatii, SS. III, 117: 738; vgl. Herm. Lorenz, Die Jahr=
bücher von Hersfeld S. 84. Die Angabe beruht aber wohl nur auf der Nachricht
Eigil's und diese kann nicht richtig sein, da sie im Widerspruche steht mit Eigil's
eigenen Angaben kaum anzugreifenden Nachrichten über das Leben Sturm's, wie Rettberg I,
603 N. 54 ausführt und schon Eckhart I, 460 bemerkt. Erst nach 736 kann Sturm
nach Hersfeld gekommen sein, wenn auch nicht erst 743, wie Eckhart annimmt. Jeden=
falls darf man diese erste Niederlassung nicht schon für die Klostergründung ansehen,
was in jener Angabe der Quedlinburger ꝛc. Annalen: Initium Herolfesfeldensis
monasterii zu liegen scheint und dazu geführt hat, Bonifaz für den Stifter von
Hersfeld zu halten. Haas, Versuch einer hessischen Kirchengeschichte S. 87 ff.

[5] Eigil. Vita s. Sturmi c. 5 ff.

[6] Vita Sturmi c. 6: Qui cum suam pervenisset ad cellam, quae in
loco superius iam comprehenso Hersfelt fuerat constructa, salutatis fratribus quos ibidem reperit ...; vgl. auch die Stelle in der folgenden Note.

nachdem die Niederlaſſung in Fulba beſchloſſen war, zog er mit ihnen von Hersfeld ab[1]).

Seit Sturm's und der Seinigen Entfernung blieb Hersfeld verlaſſen; nirgends findet ſich eine Spur davon, daß nachher noch chriſtliche Anſiedler ſich bort aufgehalten[2]). Erſt als Lul mit ſeinen Anſprüchen auf Fulba unterlegen war und ſich für ſeine beabſichtigte neue Stiftung nach einem geeigneten Orte umſah, kam Hersfeld wieder zu Ehren. ·Lul's Wahl fiel auf Hersfeld; er er= warb ſich das Eigenthum des Platzes[3]) und legte hier, auf eigenem Grund und Boden, ſeine Stiftung an, die er den Apoſteln Simon und Tabbäus weihte[4]). Die Zeit der Stiftung iſt nicht überliefert; da aber der Beſitz Fulbas erſt 765 Lul abgeſprochen wurde und über den Vorbereitungen zur Gründung Hersfelds jedenfalls einige Zeit verging, ſo wird dieſelbe nicht mehr bei Lebzeiten Pippin's, ſondern erſt unter Karl's Regierung ſtattgefunden haben[5]), wahr= ſcheinlich ſogar erſt im Sommer oder Herbſt 774, auf keinen Fall ſpäter, denn am 5. Januar 775 verleiht Karl dem neuen Kloſter bereits Königsſchutz und freie Abtswahl[6]) und macht ihm bann

---

[1]) Vita Sturmi c. 10: Igitur vir dei secundo die ad Hersfelt perve- niens, socios ibi suos sanctis insistere precibus reperiebat, loci reperitionem quibus referens, eos illuc profecturos secum properare imperavit; ferner die Stelle oben S. 203 N. 4.

[2]) Ganz ohne zureichenden Beweis vermuthet Piderit S. 13, daß der Stiftung der Abtei eine kleine klöſterliche Anſtalt in Hersfeld vorangegangen ſei, die um 758 Lul geſtiftet habe. Wenck II, 286; Rettberg I, 603 bemerken mit Recht, daß Hers= feld nach Sturm's Abzug verlaſſen blieb, und Vanhecke in den Acta SS. Boll. l. c. S. 1067 führt aus, daß dieſer Annahme auch die Nachricht der Vita s. Lulli, oben S. 202 N. 4, nicht widerſpreche.

[3]) In der Urkunde Karl's Wenck III 2, 6 Nr. 4 heißt es, daß Lul das Kloſter in sua proprietate erbaut habe. Vgl. SS. XV, 144 N. 2.

[4]) Judas ſtatt Tabbäus in der Urkunde bei Wenck II 2, 5 Nr. 3 iſt ein Irrthum.

[5]) Für die Gründung unter Karl beruft man ſich auf die Stelle in dem päpſt- lichen Privileg, Wenck II 2, 4 Nr. 2: Monasterium, quod ipse (Lullus) ex- struxit consilio et consensu domini Caroli regis; aber das Privileg iſt wohl falſch, vgl. unten S. 205 f. Im Frühjahr 769 war Lul auf der Lateranſynode in Rom anweſend, oben S. 64, die Stiftung muß alſo vorher oder nachher erfolgt ſein. Vanhecke S. 1068 verlegt die Stiftung unrichtig ſchon ins Jahr 766. — Wenck II 2, 4 N. bemerkt, nach einem hersfeldiſchen Urkundenextrakt habe Karl 772 die Kirchen in Altſtädt, Rieſtedt und Oſterhauſen nebſt dem Zehnten im Friſenfeld und im thüringiſchen Heſſengau an Hersfeld geſchenkt. Aber dieſer Urkundenauszug iſt ganz unbeglaubigt und beruht auf einer gefälſchten Urkunde vom 21. Oktober 777 (Mühlbacher Nr. 207; Sickel II, 416; Wenck III 2, 11 Nr. 8; Hahn, Bonifaz und Lul S. 281 N. 4; 286 N. 2). Verdächtig iſt auch das Güterverzeichniß des Kloſters, das Lul 775, als er Hersfeld dem Könige übergab, ſoll haben anfertigen laſſen und aus dem hervorgehen würde, daß ſeine Stiftung ſchon vor 775 reich mit Schenkungen bedacht ward.

[6]) Mühlbacher Nr. 172; v. Sybel u. Sickel, Kaiſerurkk. in Abbild. Taf. 2, Text S. 2; Wenck III 2, 6 Nr. 4. — Ausfeld, Lambert von Hersfeld und der Zehnt= ſtreit zwiſchen Mainz, Hersfeld und Thüringen, Diſſ. (Marburg 1879), S. 13 N. 4, glaubt hieraus mit Sicherheit entnehmen zu können, daß, wenn nicht die Gründung, ſo doch die Vollendung des Kloſters und der Beginn des klöſterlichen Lebens daſelbſt erſt kurz vorher ſtattgefunden habe. Aehnlich Hahn, Bonifaz und Lul S. 279 N. 2; Böhmer-Will, Regest. archiepp. Maguntin. I, 38 Nr. 33.

am nämlichen Tage[1]) sowie hernach am 3. August[2]) und am 25. Oktober 775 Schenkungen verschiedener Zehnten[3]).

So war schon die Gründung von Hersfeld im ausgesprochenen Gegensatz gegen Fulda erfolgt und die verhältnißmäßig nahe Nachbarschaft trug noch mehr dazu bei, daß auch noch später die beiden Stiftungen sich als Nebenbuhler betrachteten. Seit Hersfeld gegründet war, kam die Freigebigkeit der Bewohner jener Gegenden nicht mehr Fulda allein zu gute, die Schenkungen, welche früher blos Fulda zu empfangen gewohnt war, flossen nun zum Theile Hersfeld zu[4]). Lul gab sich natürlich alle Mühe seine Stiftung emporzubringen, und sein Biograph Lambert versichert, seine Bemühungen seien vom glänzendsten Erfolge begleitet gewesen[5]). So übertrieben das lautet, hat er doch nicht ganz Unrecht. Ist es auch wenigstens vorderhand Hersfeld nicht gelungen Fulda den Vorrang abzulaufen, so machte es doch frühzeitig bedeutende Erwerbungen. Wir berührten schon, wie freigebig Karl das Kloster alsbald bedachte, und als Lul demselben vollends den Besitz der Gebeine des h. Wigbert aus Fritzlar verschafft hatte, nahm auch die Freigebigkeit der Privatleute einen noch größeren Aufschwung[6]). Hersfelds Ansprüche gehen aber noch weiter. Es will durch päpstliche Urkunden[7]) verschiedene Begünstigungen erhalten haben: das Privilegium, unmittelbar nur unter der päpstlichen Gerichtsbarkeit zu stehen, zuerst noch mit[8]), dann ohne Vorbehalt der Rechte des Diözesanbischofs[9]); das Recht, keinen fremden Priester zu kirchlichen Verrichtungen zuzulassen ohne die ausdrückliche Erlaubniß

---

[1]) Mühlbacher Nr. 173; Wenck III 2, 7 Nr. 5.

[2]) Mühlbacher Nr. 188; Wenck III 2, 8 Nr. 6.

[3]) Mühlbacher Nr. 189. 190; Sickel II, 30 (Nr. 48. 49). 246. I, 254 N. 15; Wenck III 2, 9 Nr. 7 ad 775. II 2, 3 Nr. 1. III 2, 1 Nr. 1. — Gar keinen selbstständigen Werth hat der über die Gründung Hersfelds handelnde Anfang von Lambert's sonst zum großen Theile verlorener Geschichte von Hersfeld, dessen Erhaltung wir dem sogen. Mönch von Hamersleben verdanken, SS. V, 136 ff. Lambert's Darstellung der Gründung des Klosters beruht ganz auf jener (von ihm selbst verfaßten) Lebensbeschreibung Lul's, wie Lambert SS. V, 139 selber bemerkt; aber auch diese beruht offenbar nicht auf neuen, uns unbekannten Quellen, sondern ist eben ein Rechtfertigungsversuch Lul's, welcher die aus anderen Quellen bekannten Thatsachen zu Lul's Gunsten darstellt. Mit Recht zählt Mabillon, Acta SS. III, 2, 392 den Verfasser dieser Biographie nicht zu den probati auctores. Nur ein Auszug daraus ist die kurze Vita s. Lulli, Acta SS. Boll. l. c. S. 1052.

[4]) Vgl. auch Wenck II, 289 f., der aber vielleicht zu weit geht, indem er Lul zutraut, er habe um Fulda zu schaden das nahe Hersfeld gewählt.

[5]) Vita Lulli c. 16, l. c. S. 144.

[6]) Vgl. unten zum Jahr 780 und Wenck II, 294 ff.

[7]) Wenck II 2, 4 Nr. 2. III 2, 5 Nr. 3; Jaffé, Reg. Pont. Rom. ed. 2ᵃ Nr. 2383 (768—771). 2384 (769—771); vgl. Harttung, Dipl.-hist. Forsch. S. 140 f. Die Urkunden sollen von Papst Stephan III. († 772) erlassen sein und doch dem 6. Regierungsjahre Karl's (774) angehören!

[8]) Wenck, Urkundenbuch zu Bd. III der hessischen Landesgeschichte S. 5 Nr. 3; vgl. unten S. 206 N. 2.

[9]) Wenck II 2, 4 Nr. 2; vgl. unten S. 206 N. 2.

des Abtes; das Recht der freien Abtswahl und den besonderen Schutz der Kirche für seinen Güterbesitz durch die vom Papste aus= gesprochene Drohung mit dem Fluche der Kirche gegen Alle, die sich am Besitz des Klosters vergreifen würden[1]). Aber beide Ur= kunden sind ohne Zweifel falsch[2]), wenn auch der Verleihung Karl's, auf welche Lul dem Papste gegenüber sich berufen haben soll, nachgebildet[3]).

Aber auch Fulda hat gerade aus den ersten Jahren der Re= gierung Karl's zahlreiche Schenkungen von Privatleuten aufzu= weisen[4]), nicht blos in der Nachbarschaft des Klosters, sondern auch in größerer Entfernung, Weinberge bei Deidesheim im Speier= gau[5]) und viele Besitzungen im Wormsgau[6]). Dazu kommt die Verleihung der Immunität durch Karl am 24. September 774[7]) und das an demselben Tage durch den König verliehene Recht der freien Abtswahl[8]).

Welchen Einfluß die Gründung Hersfelds auf das Verhältniß Lul's zu Sturm hatte, ob ihr Zerwürfniß noch länger fortdauerte, ist nicht bekannt; aber die Worte, mit denen Sturm unmittelbar vor seinem Tode Lul's gedachte, lassen vermuthen, daß erst der Tod Sturm's der Spannung ein Ende machte[9]).

---

[1]) Die beiden letzten Bestimmungen finden sich nur in der S. 205 N. 9 ge= nannten Urkunde.

[2]) Die Urkunde vom 1. Juni, oben S. 205 N. 8, ist identisch mit der bei Wenck III S. 2 angeführten, obgleich diese vom 29. Mai datirt ist, und schon von Wenck S. 5 N. selbst für unecht erkannt. Rettberg I, 604 erwähnt sie garnicht, citirt dann aber I, 618 N. 44 eine Stelle aus ihr und will daraus einen Schluß ziehen auf den Inhalt des Privilegs von Zacharias für Fulda; die Urkunde ist aber ent= schieden falsch, wie Rettberg später, II, 677, selber bemerkt. Aber auch die Urkunde vom 27. Oktober, oben S. 205 N. 9, ist falsch und von Rettberg, der I, 604 an ihrer Echt= heit nicht zu zweifeln scheint, später II, 677 selbst aufgegeben. Ob das Ergebniß der Untersuchungen von Sickel, Beiträge zur Diplomatik IV, 35 ff., und Oelsner S. 58 ff. über die Fuldischen Privilegien, wonach das Privileg des Zacharias in der Haupt= sache echt ist, Sickel S. 57, auch den Hersfelder Privilegien irgendwie zu gut kommen kann, ist fraglich; vgl. auch Sickel, Wien. S.=B. phil.=hist. Cl. XXXVI, 371; Hart= tung a. a. O. S. 198 ff.; bes. S. 219 f.

[3]) Wenck III, S. 5: secundum privilegii seriem quod a gloriosissimo pre= fato principe inibi perpetualiter statutum nobis ostendere studuisti; das Privileg selbst, vom 5. Januar 773, steht Wenck III, S. 6 Nr. 4; vgl. auch Rett= berg II, 677; Mühlbacher Nr. 172 u. unten.

[4]) Dronke, Codex diplomaticus Fuldensis Nr. 31—45.

[5]) Urkunde vom 20. Dezember 770, bei Dronke Nr. 31.

[6]) Urkunden bei Dronke Nr. 33. 35. 36. 38—40. 43. 45.

[7]) Urkunde bei Dronke Nr. 46; vgl. o. S. 200.

[8]) Urkunde bei Dronke Nr. 47; vgl. o. S. 200.

[9]) Eigil. Vita Sturmi c. 24 (25), SS. II, 377: cunctis ex intimo corde convicia et omnes contumelias meas ignosco, necnon et Lullo, qui mihi semper adversabatur. Daß schon früher eine Versöhnung zwischen Lul und Sturm stattgefunden habe, wie die Herausgeber der Acta SS. Boll. l. c. S. 1006 ver= muthen, folgt daraus nicht. Die Schenkung Lul's an Fulda, worauf sie sich be= rufen, fällt jedenfalls nicht ins Jahr 774, sondern erst 785, also nach Sturm's Tod, da Lul darin als archiepiscopus bezeichnet wird.

Uebrigens müssen gegen Lul auch sonst Beschwerden laut ge=
worden sein, bie bis vor den Papst gebracht wurden. Ein Schrei=
ben Hadrian's an Tilpin von Reims, das allerdings wohl erst in
bie Zeit kurz vor 780 fällt[1]), erinnert diesen zuerst daran, daß
ihm Hadrian auf Ersuchen Karl's und infolge des günstigen Zeug=
nisses, das ihm Fulrad von St. Denis gegeben, das Pallium ver=
liehen habe, und bestätigt der Reimser Kirche wiederholt alle Be=
fugnisse einer Metropolitankirche; am Schlusse des Schreibens theilt
der Papst dem Erzbischofe mit, es seien ihm über die Ordination
des Bischofs Lul von Mainz Dinge zu Ohren gekommen, welche
ihn veranlaßten eine Untersuchung über dieselbe zu veranstalten,
auch seinen Glauben, seine Lehre und seinen Wandel einer Prü=
fung zu unterwerfen[2]). Mit dieser Prüfung beauftragt Hadrian
außer Tilpin noch den Erzbischof Weomad von Trier und den
Bischof Possessor; über das Ergebniß derselben sollen sie ein Zeug=
niß ausfertigen und nebst einem von Lul selbst unterschriebenen
Glaubensbekenntniß nach Rom schicken, damit der Papst über Lul's
Würdigkeit urtheilen könne und in den Staub gesetzt werde ihm
das Pallium zu übersenden und seine Ordination für giltig zu er=
klären.

Wir werden hiedurch wohl kaum zu dem Schluß genöthigt,
daß man Lul's Rechtgläubigkeit verdächtigt, an seinem Lebens=
wandel Anstoß genommen habe; nur soviel erhellt, daß der Papst
bis auf vorgängige Prüfung und Einsendung seines Glaubens=
bekenntnisses die Anerkennung seiner Ordination beanstandete. So
hatte ja auch Bonifaz vor seiner Bischofsweihe ein Glaubens=
bekenntniß ablegen müssen[3]). Bonifaz hatte dann schon frühe, 742,
den Papst Zacharias um die Erlaubniß gebeten, noch bei seinen

---

[1]) Jaffé „Reg. Pont. ed. 2'ª Nr. 2411 setzt das betreffende Schreiben des Papstes
um das Jahr 775, vgl. Nr. 2410; ebenso Böhmer-Will, Regest. archiepp.
Maguntin. I, 39 Nr. 40; Le Cointe VI, 100 genauer ans Ende 775; Eckhart
I, 641 f. ins Jahr 776. Le Cointe erinnert, daß der im Briefe genannte Bischof
Possessor Ende 775 in Rom war, vgl. unten zum Jahr 776. Marlot, Histoire de
Reims II, 342 sagt irrthümlich, das Schreiben sei aus dem 5. Regierungsjahre Karl's
datirt. Die Zeit ergibt sich aus dem Glaubensbekenntniß Lul's, welches dem Jahre
780 angehört oder wenigstens anzugehören scheint; vgl. Hahn a. a. O. S. 276 N. 1;
277 N. 1, der sich hier an Göpfert, Lullus S. 30 N. 2, anschließt.

[2]) Flodoard. Historia Rem. eccl. II c. 17, SS. XIII, 464 (vgl. ibid.
S. 463): Iniungimus etiam fraternitati tuae, ut, quia de ordinatione episcopi nomine Lul sanctae Mogontinae ecclesiae ad nos quaedam pervenerunt,
assumptis tecum Viomago et Possessore episcopis et missis gloriosi
ac spiritalis filii nostri Karoli Francorum regis, diligenter inquiras omnia
de illius ordinatione et fidem ac doctrinam illius atque conversationem et
mores ac vitam investiges etc. Viomagus ist Weomad von Trier, Possessor,
jedenfalls kein italienischer Bischof, wie Rettberg I, 575 vermuthet, sondern ein fränkischer, vgl. unten zum Jahr 776; ferner unten z. J. 780.

[3]) Willibald. V. Bonifatii c. 6, Jaffé III, 450.

Lebzeiten selbst seinen Nachfolger einsetzen zu dürfen[1]). Zacharias hatte das abgeschlagen, ihm aber wenigstens die Vergünstigung zugesagt, unmittelbar vor seinem Tode seinen Nachfolger zu bezeichnen, der dann nach Rom kommen und dort die Weihe empfangen solle[2]). Bonifaz wiederholte aber später seine Bitte mit Erfolg; Zacharias gestattete ihm, wenn er eine geeignete Persönlichkeit fände, dieselbe zu seinem Nachfolger zu weihen[3]), und von dieser Erlaubniß machte Bonifaz Gebrauch, indem er den Lul zu seinem Chorbischof und später mit Genehmigung des Königs zu seinem Nachfolger bestimmte und weihte[4]). Die Forderung, die Zacharias in seinem ersten Schreiben ausgesprochen hatte, daß der Nachfolger von Bonifaz die Weihe in Rom empfangen solle, ist nachher nirgends mehr berührt. Man liest auch nicht, daß Lul zur Weihe nach Rom reiste; indem der Papst Bonifaz das Recht einräumte Lul zu weihen, verzichtete er darauf dies selbst in Rom zu thun; die Giltigkeit der Weihe Lul's durch Bonifaz ist unzweifelhaft[5]). Erst zur Zeit Hadrian's wurde sie angefochten, und es ist kaum möglich, daß dabei die Nichterfüllung jener ursprünglichen Forderung des Zacharias als Grund oder als Vorwand diente[6]); denn wie hätte Hadrian in diesem Falle nicht nachträglich von Lul eben die Einholung der Ordination in Rom verlangt? Ueber andere Gründe, aus welchen die Weihe beanstandet werden konnte, liegt nirgends eine Andeutung vor[7]); jedoch ließe sich denken, daß sie sich auf den Modus der Weihe bezogen, vielleicht auch mit dem Umstande zusammenhingen, daß Lul zuerst nur

---

[1]) Bonifatii et Lulli epist. 42, Jaffé III, 113—114. Bonifaz bezieht sich hier auf eine Anweisung des vorhergehenden Papstes, Gregor III.

[2]) Brief des Zacharias bei Jaffé l. c. Nr. 43, S. 119—120: ea hora, qua te de praesenti saeculo migraturum cognoveris, praesentibus cunctis, tibi successorem designa, ut huc veniat ordinandus; vgl. Acta SS. Boll. l. c. S. 1058 ff.

[3]) Brief des Zacharias von 748, bei Jaffé III, 192: — si Dominus dederit iuxta tuam petitionem hominem perfectum, qui possit sollicitudinem habere et curam pro salute animarum, pro tui persona illum ordinabis episcopum.

[4]) Willibald. Vita s. Bonifatii c. 8, Jaffé l. c. S. 462: Et Lul, suum ingeniosae indolis discipulum, ad erudiendum tantae plebis numerositatem constituit et in episcopatus gradum provehit atque ordinavit...; Passio s. Bonifatii ib. S. 477; Othloni V. s. Bonifatii ib. S. 497. 502 f.; Bonifatii et Lulli epist. Nr. 85 ib. S. 232; Oelsner, König Pippin S. 36 ff.; Hahn, Bonifaz und Lul S. 248 ff.

[5]) Auch Mabillon, Acta SS. saec. III. p. 2, S. 394 f. hebt mit Recht hervor, daß Zacharias die Weihe Lul's durch Bonifaz für giltig hielt; vgl. auch Acta SS. Boll. l. c. S. 1072 Nr. 74.

[6]) So vermuthen Mabillon l. c., dessen Ansicht Le Cointe VI, 102 sich aneignet, und Rettberg I, 576.

[7]) Das ganze Schreiben Hadrian's an Tilpin mit der darin enthaltenen Anfechtung der Ordination Lul's für unecht zu erklären, wie die Herausgeber der Acta SS. Boll. l. c. Nr. 73 und auch Hinschius, Kirchenrecht der Katholiken und Protestanten in Deutschland I, 602 ff. thun, hat man aber wohl kein Recht; vgl. gegen den letzteren auch Hahn a. a. O. S. 276 N. 1; 346. Beachtenswerth ist die Ausführung von Hinschius allerdings.

Chorbischof gewesen war. Man hat wohl vermuthet, daß haupt=
sächlich sein Streit mit Sturm dazu beigetragen habe ihm Gegner
zu erwecken[1]) und daß von diesen die Klagen über seine Ordination
ausgingen, deren Untersuchung Hadrian anordnete. Ob dies be=
gründet ist, muß dahingestellt bleiben. Ueber das Ergebniß der
Untersuchung verlautet nichts; sie scheint aber nicht ungünstig aus=
gefallen zu sein, da Lul in den Besitz des Palliums gelangte[2]).

Man sieht nicht deutlich, aber es scheint beinahe, als ob mit
den Widerwärtigkeiten, welche er zu bestehen hatte, auch Lul's An=
sehen einigermaßen Noth litt. Früher hatte man sich in seiner
britannischen Heimath, mit deren Bischöfen, wie Cudberth und Bre=
gowin von Canterbury, Milret von Worcester, Cyneheard von
Winchester, er stets in regem Verkehr blieb[3]), große Vorstellungen
von seinem Einfluß auf Karl gemacht und sich seiner Fürsprache
bei dem Könige bedient. Der König Alchred von Northumberland
und seine Gemahlin Osgeofu wandten sich an Lul und ersuchten
ihn, die Bemühungen der Gesandten, die sie an Karl geschickt, zu
unterstützen, damit Friede und Freundschaft zwischen den beiden
Reichen wieder befestigt würde[4]). Das geschah vor 774, wahr=

---

[1]) Vgl. Mabillon l. c. S. 399; Le Cointe l. c.; Rettberg I, 576. An=
sprechender ist die Vermuthung Hahn's (S. 276), daß der Erzkapellan Fulrad die
Quelle der Bedenken gewesen sein möge (vgl. Bonifatii et Lulli epist. Nr. 84
S. 231).

[2]) Vgl. unten zum Jahr 780.

[3]) Vgl. Hahn, Bonifaz und Lul S. 256 ff.; der Brief Bregowin's an Lul,
Jaffé III, Nr. 113, welcher etwa 761 oder 762 geschrieben sein wird und in dem
es (S. 277) heißt: Dies multi elapsi sunt, ex quo sollicitus praeoptabam, ut
Deo favente tandem aliquando prosperum iter legatarii nostri perveniendi
ad beatitudinem vestram invenire potuissent. Quia per hos scilicet pro-
xime decurrentes priores annos plurimae ac diversae inquietudines apud
nos in Brittaniae vel in Galliae partibus audiebantur existere; et hoc videlicet nostrum desiderabile propositum saepius inpedivit et perterrendo
valde prohibuit de nostris aliquos ad vos dirigere per tam incertam tamque
.... (Lücke von etwa 4 Buchstaben) crebris infestinationibus (infestationibus?
Oelsner) inproborum hominum in provinciis Anglorum seu Galliae regionis
— zeigt nur, daß politische Wirren und Unsicherheit der angelsächsischen Reiche wie
des Frankenreichs Bregowin in den nächstvorhergehenden Jahren, seitdem er Erz=
bischof war (d. h. seit Herbst 759), abgehalten hatten Boten an Lul zu senden (er
fährt fort: Nunc vero pace ac tuitione nobis a principibus indubitanter
undique promissa) — nicht daß das Verhältniß zwischen den beiderseitigen Ländern
sich feindselig gestaltet hatte. Vgl. Hahn a. a. O. S. 262. 296 N. 7; Oelsner S.
428 N. 3, der nur zu bestimmt, mit Lappenberg, Geschichte von England I, 288
N. 4, an seeräuberische Einfälle in Britannien und Gallien denkt, gegen Mabillon,
Acta l. c. S. 396 f. und Rettberg I, 577.

[4]) Alchred und Osgeofu schreiben an Lul, bei Jaffé l. c. S. 285 (Nr. 119):
Nostris quoque, dilectissime frater, legationibus ad dominum vestrum gloriosissimum regem Carl obsecramus consulendo subvenias, ut pax et
amicitia, quae omnibus conveniunt, facias stabiliter inter nos confirmari.
Auch zwischen König Eadbert von Northumberland und dem fränkischen Reiche fehlte
es nicht an freundlichen Beziehungen; Pippin soll ihn mit Geschenken geehrt haben;
vgl. Lappenberg I, 208; Heinsch, Die Reiche der Angelsachsen zur Zeit Karl's d. Gr.,
Diss. Breslau 1875, S. 66.

scheinlich im Mai 773[1]); dagegen ist aus der späteren Zeit ein
Brief Lul's vorhanden, der auf seine Stellung ein ganz anderes
Licht wirft. Dem Coena (Aelbert?), Erzbischof von York[2]), schreibt
er von dem Schimpf und den Anfechtungen, die er erfahre, und
von der Bedrückung der Kirche durch die Fürsten der Gegenwart,
welche neue Gebräuche und neue Gesetze nach Willkür einführten[3]).
Man braucht diese Klagen nicht wörtlich zu nehmen, worauf sie sich
bezogen ist ohnehin nicht bestimmt zu ermitteln[4]); aber jedenfalls
enthalten sie starke Vorwürfe gegen Karl, sind sie ein Beweis, daß
Lul keineswegs alles nach Wunsch ging, daß vieles gegen seinen
Rath und Willen geschah. Ihm gelang es nicht ebenso sehr wie
seinem Gegner Sturm, sich das Vertrauen Karl's zu erwerben;
Sturm wurde von dem Könige fortwährend mit den wichtigsten
Aufgaben betraut, spielte bei der Bekehrung der Sachsen, wie sich
noch zeigen wird, eine hervorragende Rolle; von einer ähnlichen
Bevorzugung Lul's durch den König findet sich nirgends eine
Spur; es scheint nicht, daß er größeren Einfluß besaß als den ihm
seine Stellung als Bischof, später Erzbischof von Mainz von selbst
verschaffte. Die Gunst, welche Karl seit 775 durch zahlreiche Ver=
leihungen dem Kloster Hersfeld bewies, ist kein Maßstab für den
Einfluß, den er Lul in den allgemeinen Reichsangelegenheiten
einräumte.

Karl war erst wenige Monate aus Italien zurückgekehrt; aber
noch ehe das Jahr zu Ende ging, machten ihm die italienischen
Angelegenheiten aufs neue zu schaffen. Die Beziehungen zum
Papste waren nun unauflöslich geknüpft; weder die angestrengten
Bemühungen seiner mehr den Langobarden zugeneigten Mutter,
unterstützt durch andere gewichtige Stimmen aus seiner Umgebung,
noch die zweideutige Haltung des Papstes Stephan III. hatten

---

[1]) Alchred entsagte 774 der Krone, Lappenberg I, 209 f. Nach Lappenberg
wurde der Brief geschrieben zu einer Zeit, da Karl schon die Sachsenkriege begonnen
hatte, also zwischen 772 und 774; vgl. Hahn S. 296 f., welcher den Brief in den
Mai 773 setzt, weil er ihn mit den Schreiben des Abts Eanwulf an Lul und Karl
vom 24. und 25. Mai 773 (Jaffé III, 282 f. Nr. 117. 118) für gleichzeitig hält.
Pagi a. 769 Nr. IV; Eckhart I, 601 setzen ihn ohne genügenden Grund ins
Jahr 769, welches nur der terminus a quo ist.

[2]) Vgl. Alford alias Griffith, Annales ecclesiae Anglo-saxonicae II,
618; dagegen aber Hahn, Forschungen zur deutschen Geschichte XX, 565 ff.; Bonifaz
u. Lul S. 300.

[3]) Jaffé III, 288 (Nr. 122): Pro nomine enim Christi in contumeliis
et tribulationibus gloriari (Röm. 5, 3) et exaltatione aecclesiae eius nos
oportet, quae cotidie tunditur, premitur atque fatigatur. Quia moderni
principes novos mores novasque leges secundum sua desideria condunt.
Ohne Grund wird in den Acta SS. Boll. l. c. S. 1075 die Klage Lul's auf die
Ehe Karl's mit der Tochter des Desiderius bezogen. Der Brief muß von Lul in
seinem höheren Alter, nicht viel vor 781 geschrieben sein, da er sich darin schon ganz
lebensmüde äußert und über seine körperlichen Beschwerden klagt; vgl. Hahn S. 300 f.,
der ihn in die Zeit zwischen 773 und 778 setzt, da Aelbert, mit dem ihm Coena iden=
tisch zu sein scheint, 773 das Pallium empfing und 778 starb. In der Inscription
heißt es: summi pontificatus infula praedito.

[4]) Vgl. Hahn S. 301.

vermocht ihn dem apostolischen Stuhle dauernd zu entfremden. Als Karl 773 über die Alpen zog, trat er bereits wieder vollständig in die Fußstapfen seines Vaters; aber wie er überall das von Pippin Begonnene zur Vollendung führte, so blieb er auch hier nicht bei dem von diesem gewonnenen Ergebniß stehen. Er dachte, nachdem er einmal in Italien eingedrungen war, nicht mehr daran, auf Grundlage des 756 zwischen Pippin und Aistulf geschlossenen Friedens ein Abkommen mit Desiderius zu treffen, sondern hielt erst inne, nachdem er Desiderius gestürzt. Allein auch nach diesem entscheidenden Erfolge Karl's waren die Verhältnisse Italiens noch weit entfernt von einer festen dauerhaften Ordnung. Diese mußte erst geschaffen werden, und so wenig sich auch Karl dieser Aufgabe entzog, so wenig zeigte er doch besonderen Eifer sie zu erledigen. Und seine Haltung hatte ihren guten Grund. Die Schwierigkeiten, welche der Regelung der Zustände in Italien im Wege standen, kamen nicht hauptsächlich von den der Herrschaft Karl's unmittelbar unterworfenen Provinzen; gerade sie machten Karl verhältnißmäßig am wenigsten zu schaffen; aber unaufhörlich war er in Anspruch genommen von den Angelegenheiten des römischen Stuhls; hier, in den Forderungen der Kirche, lagen die Hauptschwierigkeiten, welche Italien nicht zu Ruhe und Ordnung kommen ließen. Diese Verhältnisse hatten aber für Karl nicht entfernt die Bedeutung wie für den Papst; auf die Verbindung mit Rom legte er den größten Werth, weil er ihrer für die Durchführung seiner kirchlichen und politischen Entwürfe im fränkischen Reiche bedurfte, aber kaum berührt wurden diese von der größeren oder geringeren Ausdehnung des weltlichen Herrschaftsgebiets des Papstes, diese konnte auch für Karl nur Nebensache sein.

Die Eroberung des langobardischen Reiches führte Verhältnisse herbei, welche weder Karl noch der Papst vorausgesehen zu haben scheinen; jeder täuschte sich über die Absichten des andern. Das Abkommen, das zu Ostern zwischen ihnen in Rom getroffen war, stellte sich noch in demselben Jahre als ungenügend heraus; Karl verstand es ganz anders als Hadrian, brachte es wenigstens nicht in der Weise zur Ausführung wie Hadrian erwartete. Ein Irrthum war es, wenn Hadrian glaubte, von Karl sofort den Besitz aller der Gebiete zu erhalten, auf die er Ansprüche zu haben glaubte: ein Irrthum von Karl, zu glauben, der Papst würde sich mit der Wiederholung des Versprechens von Quierzy zufrieden geben und nicht fort und fort auf seine vollständige Ausführung bringen. Ueberall zeigte das Auftreten des Papstes, daß er von Karl mehr erwartet hatte.

Der Briefwechsel Hadrian's mit Karl beginnt noch in diesem Jahre 774 und enthält sofort die heftigsten Klagen. Hadrian mochte erwarten, daß Karl während seiner Anwesenheit in Italien noch Anstalten treffen würde um das Schenkungsversprechen in umfassender Weise in Vollzug zu setzen. Allein Karl verließ Italien ohne die Hoffnung des Papstes zu erfüllen, der nun sogleich mit feinen Beschwerden hervortritt. Ja, noch mehr, kaum war der König über die Alpen zurückgekehrt, als dem Papste sogar diejenigen Gebiete streitig gemacht wurden, welche Pippin dem römischen Stuhle überlassen hatte. Der alte Nebenbuhler des Papstes um die Herrschaft in Oberitalien war der Erzbischof von Ravenna. Schon dem Erzbischof Sergius war es geglückt, einen großen Theil des Exarchats und die ganze Pentapolis in seine Gewalt zu bringen[1]); Leo, der zur Zeit Hadrian's auf dem erzbischöflichen Stuhle saß, behauptete sich nun im Besitze der wichtigsten Städte des Exarchats[2]). Hadrian wartete umsonst auf ihre Rückgabe, und Leo machte sogar den Versuch sich auch der Pentapolis wieder zu bemächtigen[3]). Zwar scheiterte dieses Unternehmen an dem Widerstande der Bevölkerung in der Pentapolis, aber als der Papst in die seither von Leo zurückbehaltenen Gebiete des Exarchats seine Beamten schickte, um für den römischen Stuhl davon Besitz zu ergreifen, wurden sie daraus wieder verjagt. Leo war soweit davon entfernt, was er besaß herauszugeben, daß er dem Papste gegenüber sich unverhohlen auf eine Schenkung von Imola und Bologna durch Karl berief[4]), und wenn es auch wohl nicht genau ist, daß in diese Schenkung auch die Pentapolis einbegriffen war, wie Hadrian den Leo versichern läßt, so scheint doch Leo wenigstens die wichtigsten Städte des Exarchats, Faventia (Faenza), Forum Populi (Forlimpopoli), Forum Livii (Forli), Cesena, Bobium (Bobbio), Comiaclum (Comacchio), Ferrara, Imola und Bologna mit Zustimmung Karl's für sich behalten zu haben[5]). Gesandte Leo's

---

[1]) Agnellus, Lib. pontif. eccl. Ravenn. c. 159, SS. rer. Langob. S. 380; vgl. Forschungen zur deutschen Geschichte I, 478.

[2]) Codex Carol. Nr. 51, Jaffé IV, 171: postquam vestra excellentia a civitate Papia in partes Frantiae remeavit, ex tunc tyrannico atque procacissimo intuitu rebellis b. Petro et nobis extitit. Et in sua potestate diversas civitates Emiliae detinere videtur, scilicet Faventias, Forumpopuli, Forolivi, Cesinas, Bobio, Comiaclum, ducatum Ferrariae seu Imulas atque Bononias, asserens, quod a vestra excellentia ipse civitates una cum universo Pentapoli illi fuissent concessae.

[3]) Jaffé IV, 171; vgl. Gregorovius II, 3. Aufl. S. 345.

[4]) Vgl. die Stelle in der vorletzten Note. Nach Hald S. 75 ff. schenkte Karl den ganzen Exarchat mit Einschluß der Pentapolis an Leo, was jedoch nicht sicher zu erweisen ist, vgl. Forschungen zur Deutschen Geschichte I, 478 f. — Martens, Die römische Frage S. 174, vermuthet, Karl werde Leo zugesagt haben, seine Ansprüche auf Ferrara, Faenza, Imola und Bologna zu prüfen und ihm diese eventuell zu überlassen, weil sie 756 nicht an Stephan II. überlassen waren. Diese Vermuthung erscheint ziemlich haltlos, dagegen beschränkte sich die betreffende Behauptung des Erzbischofs von Ravenna nach etwas späteren Briefen Hadrian's an Karl (Cod. Carolin. nr. 55. 56, Embolum, Jaffé l. c. S. 184. 187) auf Imola und Bologna. Mithin wird wohl auch die oben N. 2 angeführte Stelle so ausgelegt werden dürfen, daß ipse civitates nur auf diese, hinter dem seu genannten Städte zu beziehen ist. Hinsichtlich der meisten anderen erwähnten Städte hätte die Behauptung des Erzbischofs von Ravenna ohnehin durch die Schenkungsurkunde Pippin's vom Jahre 756 (Mühlbacher Nr. 80) widerlegen können.

[5]) Gregorovius a. a. O. meint, Leo habe dem Papste die streitigen Gebiete erst nach Karl's Abzug aus Italien entrissen; aber außer der Pentapolis muß Leo schon früher in ihrem Besitz gewesen sein, vgl. oben N. 2 und Forschungen I, 479 N. 2.

reiften zu Karl und erreichten durch ihre Vorstellungen wenigstens soviel, daß Karl den Erzbischof ungestört gewähren ließ.

Alle diese Vorgänge versetzten Hadrian in die größte Aufregung. Sein Cubicularius Anastasius begab sich an den fränkischen Hof[1] und überbrachte Karl ein Schreiben des Papstes, worin derselbe über Leo bittere Klage führte und den König um Unterstützung gegen die Uebergriffe des Erzbischofs bat. Der Papst sucht sein Recht auf den Exarchat ausführlich zu erweisen, indem er sich darauf beruft, daß schon Stephan II. denselben von Pippin erhalten und alle Rechte eines Herrschers im Exarchat ausgeübt, die Beamten daselbst bestellt habe; er bittet Karl dringend, seine Ansprüche zu prüfen[2]), ja, er macht gar kein Hehl daraus, daß er in der Saumseligkeit Karl's gegen Leo einzuschreiten eine Verletzung des in Rom gegebenen Versprechens erblickt. Was zur Zeit des Desiderius die römische Kirche ruhig besessen, das dürfe man ihr unter Karl's Regierung zu entreißen wagen; schon sei der Papst zum Spott seiner Feinde geworden. „Was nützt es Euch", hielten seine Gegner ihm vor, „daß das Volk der Langobarden vernichtet und der Herrschaft der Franken unterworfen ist? Nichts von dem, was versprochen wurde, ist erfüllt; nein, auch das, was schon früher von Pippin dem heiligen Petrus überlassen wurde, ist jetzt fortgenommen[3])." — Gleichzeitig mit Anastasius schickte er einen Langobarden aus Pisa Namens Gausfrid oder Gaidifrid an Karl[4]),

---

[1] Jaffé IV, 173; vgl. S. 174. 177—178. 180.

[2] Jaffé IV, 171—172: Etenim ipse noster praedecessor cunctas actiones eiusdem exarchatus ad peragendum distribuebat, et omnes actores ab hac Romana urbe praecepta earundem actionum accipiebant. Nam et iudices ad faciendas iustitias omnibus vim patientibus in eadem Ravennantium urbe residendum ab hac Romana urbe direxit etc.

[3] Jaffé IV, 171 f.: — et nos etiam in nimiam deminorationem atque despectum esse videmur; dum ea, quae potestativae temporibus Langobardorum detinentes ordinare ac disponere videbamur, nunc temporibus vestris a nostra potestate impii atque perversi, qui vestri nostrique existunt emuli, auferre conantur. Et ecce inproperatur nobis a plurimis nostris inimicis...

[4] Cod. Carolin. Nr. 52, Jaffé IV, 173 ff.: Reversus a vestris Deo dilectis regalibus vestigiis praesens Gausfridus, habitator civitatis Pisinae, nostrisque praesentatus optutibus, retulit nobis de inmensis victoriis, quas vobis omnipotens et redemptor noster dominus Deus per intercessiones b. Petri principis apostolorum concedere dignatus est; vgl. Nr. 53 S. 178 (de Langobardo illo, qui cum eodem Anastasio misso nostro apud vos properavit, nomine Gaidifridus). Die Anordnung der epist. 51 und 52 bei Jaffé ist offenbar richtig und wird von Martens S. 173 mit Unrecht angefochten; Nr. 51 wird dem Anastasius, Nr. 52 dem Gausfrid mitgegeben und S. 174—175 sowie S. 178 auf das klarste gesagt, daß beide zusammen reisten; daß Hadrian die bereits beschlossene Sendung des Anastasius benutzte, um den Wunsch des Gausfrid zu erfüllen und auch diesen an Karl zu schicken. Da ferner Nr. 51 erst einige Zeit nachdem Karl von Pavia nach dem Frankenreiche heimgekehrt war geschrieben ist (S. 171 postquam vestra excellentia a civitate Papia in partes Frantiae remeavit), so gilt das Gleiche auch für Nr. 52; auch dies Schreiben kann nicht bereits während Karl's Anwesenheit in Italien erlassen sein.

welcher schon vorher bei dem Könige gewesen war, aber zu demselben zurückzukehren wünschte[1]). Das Schreiben, welches Hadrian
diesem mitgab, ist viel höflicher und schmeichelhafter als das dem
Anastasius mitgegebene, enthält auch viele Glückwünsche zu den
Siegen des Königs, von denen Gausfrid ihm berichtet habe[2]); wenn
Karl sein Versprechen gegen den h. Petrus erfülle, werde es ihm
sicher auch ferner wohl ergehen[3]). Der Papst hielt es also für
gerathen, hier einen weit sanfteren Ton anzuschlagen, vielleicht um
das andere Schreiben, welches Anastasius überbrachte, zu mildern
und weil ihm Karl's Stellung nach Gausfrid's Mittheilungen
wieder imponirte. Zugleich aber spricht er hier eine Bitte aus,
nämlich Karl möge den Bischöfen von Pisa, Lucca und Reggio die
Rückkehr auf ihre Stühle gestatten[4]).

So war die Lage des römischen Stuhls, das Verhältniß des
Papstes zu Karl ein halbes Jahr nachdem Karl die Schenkung
seines Vaters feierlich erneuert, und die Vorstellungen Hadrian's
änderten daran nichts. Noch Jahre lang spielt der Streit
zwischen dem Papst und dem Erzbischof fort; vorläufig blieb Hadrian's Hilferuf ganz ohne Wirkung, er mußte bald noch schlimmeres erleben; Karl wandte seine Aufmerksamkeit anderen Angelegenheiten zu.

Inzwischen verlief der Schluß des Jahres ohne ein Ereigniß
von Bedeutung. Länger als zwei Monate ist Karl's Aufenthalt
unbekannt. Im Oktober hielt er vielleicht Gericht in seiner Pfalz
Verberie und sicherte auf die Klagen der Beamten vom Kloster
St. Denis demselben den Zoll der jedesmal am Feste dieses Heiligen
(9. Oktober) beginnenden Dionysiusmesse[5]), indem er zugleich den
Beamten des Pariser Gaues verbot, das Recht des Klosters auf
diese Zolleinnahmen anzutasten. Im Dezember begegnet er uns
wieder in seiner Pfalz zu Samoussy, bestätigt dem Kloster St. Denis aufs neue die Orte Faverolles und Noronte, die schon sein
Vater dem Kloster geschenkt, dann sein Bruder Karlmann ihm bestätigt hatte[6]), sowie den ebenfalls schon von Pippin geschenkten

---

[1]) Der Papst berichtet (S. 174), als Gausfrid von Karl zurückgekehrt sei, habe
der Dux Allo denselben tödten wollen und, als Gausfrid darauf wieder zum Könige
wollte, ihm auflauern lassen, um ihn auf der Reise umbringen zu lassen; daher habe
Gausfrid sich zu ihm, dem Papst, geflüchtet und ihn gebeten, er möge ihn zu Karl
befördern lassen.

[2]) S. 173: de inmensis victoriis etc. (vgl. oben S. 213 N. 4). Jaffé
bezieht dies auf die Erfolge über die Sachsen (vgl. oben S. 200), auf welche dieser
emphatische Ausdruck freilich kaum paßt, jedoch könnte auch die Eroberung des Langobardenreichs noch mit gemeint sein.

[3]) Jaffé l. c. S. 174.

[4]) Jaffé l. c. S. 175. Aus welchem Anlaß diese Bischöfe von ihren Sitzen
entfernt worden waren, ist unbekannt; eine unwahrscheinliche Vermuthung darüber bei
Cenni I, 319 N. 5.

[5]) Mühlbacher Nr. 170; Sickel II, 30 f. (K. 51). 246. 365; Tardif S. 60 f.
Nr. 77 (jedenfalls zwischen Juni 774 und Dezember 775); Verberie, Dep. Oise, Arr.
Senlis, Cant. Pont-St.-Maxence.

[6]) Vgl. oben S. 99.

dazu gehörigen Wald Jveline als immunen Besitz[1]); mit den Fellen des dortigen Wildes, der Hirsche und Rehe, sollten die Mönche ihre Bücher einbinden[2]). Von Samoussy begab sich der König nach Quierzy, wo er Weihnachten feierte[3]). —

Unterdessen führte das bairische Herzogthum sein gesondertes Dasein neben dem übrigen Reiche fort, ohne aber seiner Aufgabe, das Christenthum in den östlichen Grenzgebieten Deutschlands zu befestigen und weiter zu verbreiten, untreu zu werden. Die Begebenheit des Jahres 774, welche von dem regen kirchlichen Leben in Baiern ein neues Zeugniß gibt, ist die Vollendung des Baues der neuen Kirche zu Ehren des heiligen Rupert in Salzburg und ihre Einweihung, verbunden mit der Uebertragung der Reliquien des Heiligen.

Wir lernten die Salzburger Kirche schon bei Gelegenheit der Bekehrung Kärntens als den Hauptsitz, den Bischof Virgil von Salzburg als den Leiter der Missionsthätigkeit in jenen Grenzländern kennen[4]). Virgil hatte schon seit geraumer Zeit, etwa seit 745, der Kirche von Salzburg vorgestanden, aber lange nur in der Eigenschaft als Abt von St. Peter[5]). Die freieren kirchlichen Formen der älteren Zeit erhielten sich in der Salzburger Kirche besonders lange; Bonifaz hatte zwar auch in Salzburg einen Bischof bestellt, Johann[6]); dennoch bestand hier die alte Einrichtung, wonach der Abt von St. Peter mit voller bischöflicher Machtvollkommenheit dem ganzen Sprengel von Salzburg vorstand, auch unter Johann's Nachfolger Virgil noch geraume Zeit fort. Virgil, der schon als geborener Irländer und Zögling der brittischen Kirche ein Anhänger der alten Einrichtung war, konnte sich lange nicht entschließen, die Verbindung zwischen dem Kloster zu St. Peter und dem bischöflichen Stuhle anzutasten und übte noch 22 Jahre lang die bischöflichen Geschäfte in der Stellung eines Abts von St. Peter aus. Erst im Jahre 767 nahm er die bischöfliche Würde an[7]), und die Erbauung einer neuen Kirche, die in demselben Jahr begonnen wurde[8]), war wenigstens der erste Schritt zu der Durch-

---

[1]) Urkunde bei Bouquet V, 726 f., wo aber das Datum: data in mense Decembri, anno primo regni nostri mangelhaft ist. Nach dem Zeugnisse von Mabillon, Annales II, 229 lautet es in besseren, uns aber nicht bekannten Abschriften anno septimo et primo, was auch allein zu der Bezeichnung Karl's als König der Langobarden im Eingang paßt; Mühlbacher Nr. 171, vgl. Nr. 107. 125; Sickel II, 238—241.

[2]) Vgl. Wattenbach, Das Schriftwesen im Mittelalter, 2. Aufl. S. 326.

[3]) Annales Laur. mai. l. c.; vgl. Ann. Einh. 775 (Cum rex in villa Carisiaco hiemaret).

[4]) Vgl. oben S. 131 f.

[5]) Rettberg II, 233 f.; 743 als Jahr von Virgil's Amtsantritt muß Druckfehler sein statt 745.

[6]) Rettberg I, 349; II, 233.

[7]) Annales Salisburgenses, SS. I, 89; De conversione Bagoariorum et Carantanorum libellus, SS. XI, 6; vgl. auch Rettberg II, 233 f.

[8]) De conversione Bagoar. et Carant. SS. XI, 8; Auctarium Garstense, SS. IX, 563; vgl. Alcuin. carm. 109, 24, Poet. Lat. aev. Carolin. I, 340

führung der ſo lange verzögerten Trennung der Abtei von ǀdem Bisthum.

Der Bau der neuen Kirche geſchah zu Ehren des heiligen Rupert; wann aber ihre Einweihung erfolgte, iſt nicht ganz ſicher. Als Tag wird der 24. September angegeben in einem Salzburger Nekrolog des 12. Jahrhunderts[1]), und es hindert wenigſtens nichts dieſe Angabe gelten zu laſſen; und zu demſelben Tage iſt in mehreren anderen Nekrologien und Kalendarien die Uebertragung der Gebeine des heiligen Rupert und ſeiner Gefährten, der heiligen Chunialb und Giſilarius, angegeben[2]), wogegen ſich, ſo jung die Nachrichten ſind, nichts erhebliches einwenden läßt, da keine abweichenden Angaben entgegenſtehen. Schwankend ſind die Nachrichten über das Jahr; einige geben 773 für die Einweihung und die Translation[3]), andere 774[4]), und zwar wird letzteres von allen älteren Quellen genannt, während von 773 ausſchließlich die jüngeren reden. Deshalb verdient das Jahr 774 den Vorzug für die Weihe wie für die Translation; gerade in den älteren Nachrichten iſt zwiſchen Weihe und Translation ſo wenig ein Unterſchied gemacht[5]), daß beide als zwei zuſammengehörige Ereig-

---

N. 1; Carm. Salisburg. Nr. 2 v. 7—8, ibid. II, 639; Hanſiz, Germaniae sacrae tom. II. Archiepiscopatus Salisburgensis chronologice propositus S. 86; Rettberg II, 242.

[1]) SS. IX, 774 N. 67: 8. Kal. Oct. conceptio s. Johannis baptistae. Eodem die dedicatio basilicae sancti Ruodberti; vgl. SS. IX, 770 N. 54.

[2]) In dem in der vorigen Note erwähnten Nekrologium iſt von anderer Hand beigefügt: et translatio eiusdem. Nur die translatio erwähnen zum 24. September ein ziemlich ſpätes Kalendar, SS. XI, 8 N. 32, und ein Nekrologium aus dem 13. oder 14. Jahrhundert, Meiller im Archiv für Kunde öſterreichiſcher Geſchichtsquellen XIX, 277.

[3]) De conversione Bagoar. et Carant. l. c.: Anno incarnationis domini 773 dedicata est primo ecclesia s. Rudberti a s. Virgilio episcopo anno vigesimo sexto regni Tassilonis ducis. Eodem anno transtulit idem episcopus s. Rudbertum et duos eius capellanos beatum Kunialdum et Gisilarium; wozu Hanſiz II, 86 bemerkt, daß nur pars corporis s. Rudberti superior a pectore übertragen wurde, der Reſt blieb in ſeinem Grab in der Peterskirche.

[4]) Die Annales Iuvavenses mai. SS. I, 87, die ſeit 770 auf gleichzeitigen Aufzeichnungen beruhen, mit dem Supplement SS. III, 122; die Annales Iuvav. min. SS. I, 88, aus dem Anfange des 9. Jahrhunderts, und die Annales Salisburg. SS. I, 89, deren erſte Hälfte, bis 784, ebenfalls dem Anfang des 9. Jahrhunderts angehört; endlich, auch ſchon aus dieſer Zeit, die Annales s. Emmerammi Ratispon. mai. SS. I, 92. Alle dieſe Nachrichten geben nur das Jahr, ohne den Tag zu nennen. Vgl. außerdem Ann. Mellic. Auotar. Garst. SS. IX, 563.

[5]) Die Annales Iuvav. mai. mit ihrem Supplement und die Annales Salisburg. erwähnen die Weihe und die Translation, die Annales Iuvav. min. und die Annales s. Emmer. Ratisp. nur die Translation. Nicht entkräftet werden dieſe Zeugniſſe für 774 durch die Angabe der Vita s. Virgilii, SS. XI, 88, Virgil ſei begraben worden in latere meridiano monasterii, cuius ipse 12 annis fabricator et in tertio decimo consecrator extiterat. Dieſe Angabe, woraus ſich als Zeit der translatio 779 ergeben würde, ſteht vereinzelt da; die Bemerkung von Hanſiz II, 88, daß das Jahr 779 in einer andern Handſchrift ausdrücklich angegeben ſei, kann nichts dafür beweiſen, weil wir nicht wiſſen, ob dieſe Zeitangabe nicht lediglich auf jener Angabe der Vita beruht. Oder ſollte dieſe letztere im Zu-

nisse betrachtet werden, an demselben Tage erfolgt sein müssen, am 24. September 774 [1]).

Die Einweihung der neuen Kirche und die Uebertragung der Reliquien des heiligen Rupert und seiner Gefährten, der heiligen Chunialb und Gisilarius, aus der Peterskirche, wo sie früher ge= ruht, in den neuen Bau bezeichnet in der Geschichte der Kirche von Salzburg einen nicht unwichtigen Abschnitt. Seitdem war nicht mehr das Stift von St. Peter, sondern der neue Dom zu· St. Rupert der Sitz der bischöflichen Regierung [2]). Aber eine voll= ständige Scheidung zwischen Bisthum und Abtei fand auch jetzt noch keineswegs statt; die Grenzen zwischen beiden Gewalten wur= den nicht so scharf gezogen, wie es die von Bonifaz aufgestellten und anderswo bereits durchgeführten Regeln verlangten; den Mönchen von· St. Peter verblieben mehrere wichtige Befugnisse, welche genau genommen nur den Kanonikern von St. Rupert zu= kamen: eine bevorzugte Ausnahmestellung, welche das Stift von St. Peter bis in den Anfang des 12. Jahrhunderts behielt. Aber in der Hauptsache geschah allerdings den von Bonifaz aufgestellten Grundsätzen durch die Anordnungen Virgil's Genüge; die Leitung der Salzburger Diöcese war dem Kloster zu St. Peter genommen und ein ordnungsmäßiger Bischofssitz mit eigener Kathedrale ein= gerichtet; statt der Mönche von St. Peter konnten jetzt die Ka= noniker der neuen Kathedrale die geistlichen Amtsverrichtungen be= sorgen. Aber gleich dieser letzte Punkt wurde nicht streng durch= geführt. Die Mönche behielten das Recht der Seelsorge, un= geachtet der Satzungen von Neuching, bis 1139, wo es ihnen der Erzbischof Kunrat I. entzog [3]); sie behielten außerdem, wenn auch nicht ausschließlich, sondern nur im Verein mit dem Kapitel, das Recht den Bischof zu wählen [4]); ja, der Bischof selbst blieb auch

---

sammenhange stehen mit der Angabe der 7. Indiction im Libellus de conversione l. c., so daß der Bau der Kirche schon 754 angefangen und 766 oder 767 vollendet wäre? So vermuthet Wattenbach SS. XI, 8 N. 31, aber schwerlich richtig; denn es ist leichter anzunehmen, daß die Indiction falsch angegeben, als daß die verschie= denen Nachrichten, welche die dedicatio und translatio 773 oder 774 ansetzen, ganz aus der Luft gegriffen sein sollten.

[1]) Für 774 entscheidet sich auch Mabillon, Annales II, 130. Hansiz II, 86, welcher der Nachricht oben S. 216 N. 3 den Vorzug gibt, kennt als Zeugniß für 774 nur die Annales s. Emm. Ratisp., die freilich mehrere unrichtige Angaben ent= halten. Mabillon, Annales II, 213 nennt als Tag octav. Idus Oct., wie es scheint, nur aus Versehen, vgl. II, 230; Rettberg II, 242 gibt, ebenfalls aus Ver= sehen, als Jahr der Vollendung der Kirche 784 statt 774 an.

[2]) Vita s. Virgilii, SS. XI, 87: Corpus beatissimi Ruodberti . . . una cum sede episcopali . . . transtulit in eum videlicet locum, in quo usque ad presentia tempora perduravit; Catal. archiepp. Salisburg. SS. XIII, 355. (Ann. s. Rudberti Salisb. SS. IX, 757 ff.)

[3]) Urkunde Kunrat's bei Hansiz II, 237, vgl. auch Hansiz II, 87; Metzger, Historia Salisburgensis, hoc est vitae episcoporum et archiepiscoporum Salisburgensium necnon abbatum s. Petri ibidem, S. 210. Daß auch andere Fälle vorkamen, in welchen Klöster dieses ius plebesanum erhielten, bemerkt Rett= berg II, 693.

[4]) Urkunde Kunrat's bei Hansiz a. a. O.: Statuimus ut singulis electioni-

nach der Vollendung der Kathedrale noch in St. Peter wohnen, bis Erzbischof Kuurat im Jahre 1110 die Wohnung im Kloster aufgab[1]). Dazu kam, daß die Würde des Abts von St. Peter und des Bischofs in einer Person vereinigt blieb; der Abt Bertricus, welcher uns zur Zeit Virgil's als Abt von St. Peter begegnet, stand nicht selbständig an der Spitze des Stifts neben Virgil, der die bischöflichen Geschäfte versah, sondern war nur der Stellvertreter Virgil's, von diesem selber eingesetzt, weil ihn die Leitung des Bisthums ganz in Anspruch nahm[2]).

Ungeachtet seiner Annäherung an die Bonifazischen Grundsätze scheint also Virgil seine ursprüngliche Abneigung gegen dieselben doch nicht ganz überwunden zu haben[3]). Und vielleicht hing die Stellung, die er in kirchlichen Fragen einnahm, auch zusammen mit seinem politischen Standpunkt. Zwischen den Bemühungen Roms die deutsche Kirche nach dem Muster der römischen umzugestalten und dem Streben des fränkischen Königs, in seinem Reiche den neben dem Königthum vorhandenen selbständigen Gewalten ein Ende zu machen, bestand ein enger Zusammenhang. Virgil bekämpfte die strenge kirchliche Unterordnung unter Rom, für welche Bonifaz wirkte; er machte Rom gegenüber auf eine größere Selbständigkeit Anspruch; sollte er nicht auch die Erhaltung der nahezu selbständigen Stellung Baierns im fränkischen Reiche begünstigt haben? Wir wissen darüber nichts bestimmtes, aber es ist in hohem Grade wahrscheinlich; man darf Virgil für einen ergebenen Anhänger und eine Stütze Tassilo's halten[4]). Gewiß ist, daß er sich nicht blos um Salzburg, sondern um Baiern überhaupt, um die Erweiterung seiner Macht im Osten bedeutende Verdienste erworben hat, die dann freilich nicht Baiern allein, sondern dem ganzen Reiche zu gute kamen.

---

bus pro archiepiscopis Salisburgensibus per canonicos nostros iuxta apostolicas ordinationes faciendis abbati loco fratrum suorum (ad quos prius semper electio eiusmodi spectabat) interesse competat perpetuo, et quem ipse una cum canonicis ... elegerint archiepiscopus censeatur.

[1]) Urkunde bei Hansiz II, 206.

[2]) Bertricus wird als Abt aufgeführt in den Verzeichnissen der Bischöfe und Aebte der Salzburger Kirche und soll nach Virgil's Tode Bischof von Salzburg geworden sein; das Nähere darüber gibt Excurs I.

[3]) Ueber Virgil's früheren Gegensatz gegen Bonifaz vgl. Hansiz II, 79. 82; Rettberg II, 234 ff.; Büdinger I, 100 f.; Oelsner S. 176—177.

[4]) Vgl. Hansiz II, 54; Rettberg II, 236 f.; Büdinger I, 122.

775.

Die außerordentlichen Ereignisse der vorigen Jahre waren, obgleich Karl sie schon früher ins Auge gefaßt, doch für ihn selber unerwartet schnell hereingebrochen[1]); die Unternehmung, die er sich zunächst zum Ziel gesetzt, der Krieg gegen die Sachsen, hatte dadurch eine Unterbrechung erfahren, überhaupt war Karl durch seine Abwesenheit in Italien verhindert worden, den fränkischen Angelegenheiten seine ungetheilte Thätigkeit zu widmen; erst jetzt, nachdem der italienische Krieg zu Ende, konnte er auch seine Regierungsthätigkeit im Norden der Alpen ungehemmt entfalten. Der Krieg gegen die Sachsen wurde wieder aufgenommen, aber auch den inneren Angelegenheiten eine besondere Sorgfalt zugewandt.

Die Zahl der Verleihungen von Gütern und Privilegien an Kirchen und Klöster ist in diesem Jahre ungewöhnlich groß. Ihre Reihe wird eröffnet durch zwei Verleihungen an Hersfeld, die Karl am 5. Januar während seines Aufenthalts in Quierzy ertheilte. Lul hatte das Kloster dem Könige auf dem Reichstage, welchen derselbe dort hielt[2]), übergeben, um es des königlichen Schutzes theilhaftig zu machen; Karl nahm es nicht blos in denselben auf, sondern verlieh ihm außerdem die vollständigste Immunität gegenüber den Bischöfen und weltlichen Beamten nebst dem Recht der freien Abtswahl; Streitigkeiten im Kloster sollen, wenn auf anderem Wege keine Einigung zu erzielen ist, auf der königlichen Synode entschieden werden[3]). Die zweite Urkunde von

---

[1]) Vgl. oben S. 138 ff.

[2]) Die Urkunde spricht von einer Synode, vgl. Mühlbacher S. 70; Waitz III, 2. Aufl. S. 563. 568—569. — Eine scheinbare aber werthlose Bestätigung, weil nur willkürliche Paraphrase und Ausmalung des consilium iniit, ut . . . der Ann. Einh., bei dem Poeta Saxo l. I, v. 179 ff., Jaffé IV, 549.

[3]) Urkunde bei Wenck III 2, 6 Nr. 4, über die zu vergleichen Sickel, Beitr. IV, 585 f. Statt qualiter sub nostram tradicionem adesse debuisset ist natürlich zu lesen sub nostram tuitionem. Denselben Inhalt haben die Urkunden bei Wenck III 2, 3 (Vidimus aus dem 13. Jahrhundert) und II 2, 5 Nr. 3 (Transsumt von 1495), wo jedoch der Text verderbt ist. Uebrigens macht Sickel, Beiträge III, 35, darauf

demselben Tage enthält die Schenkung des Zehnten aus der königlichen Villa zu Salzungen an der Werra, welchen bisher Lul vom Könige zu Beneficium gehabt hatte, an Hersfeld[1]).

Karl dehnte seinen Aufenthalt in Quierzy noch länger aus. Er verweilte dort noch am 22. Januar und bestätigte an diesem Tage dem Bischof Angilram von Metz die Immunität seiner Kirche[2]); aber drei Ausnahmefälle fügt er ausdrücklich hinzu: der Heerdienst, Wacht= und Brückenbaudienst solle keinem Freien, der auf den Besitzungen der Kirche von Metz wohne, erlassen sein; wer eine dieser Verpflichtungen versäume, solle von den königlichen Beamten zur Rechenschaft gezogen werden[3]).

Die drei nächsten Verleihungen gelten dem immer vorzugsweise begünstigten St. Denis. Karl hatte dort eine neue Kirche erbauen lassen, deren Weihe eben damals stattfand[4]). Karl scheint der Festlichkeit selbst beigewohnt zu haben; gleich darauf befand er sich jedenfalls in St. Denis, am 25. Februar, und machte dem Kloster aus Veranlassung jener Festlichkeit die königlichen Villen in Lusarca (Luzarches) im Gau von Paris nebst der Kirche des h. Cosmas und Damianus sowie die königliche Villa Masciacum (Messy) im Gau von Meldi (Meaux) zum Geschenk. Dann begab er sich zurück nach Quierzy, von wo zwei weitere königliche Erlasse zu Gunsten von St. Denis ergingen[5]), beide datirt vom

merksam, daß in den 7 folgenden Urkunden für Hersfeld auf diese Uebergabe an den König gar kein Bezug genommen ist, erst wieder in der Urkunde vom 28. Juli 782 das Kloster als königlich bezeichnet wird. Die Ursache dieser Erscheinung ist nicht zu ermitteln, keineswegs darf man daraus schließen, daß erst 782 oder kurz vorher die Uebergabe an Karl erfolgt sei, wie Wenck II, 297 annimmt; auch die Worte der Urkunde von 782: ante hos dies beweisen nichts gegen die Urkunde von 775; Sickel II, 25 (K. 34). 241—242; Mühlbacher Nr. 172; Hahn, Bonifaz und Lul S. 290 N. 1.

[1]) Wenck III 2, 7 Nr. 5; Mühlbacher Nr. 173.

[2]) Urkunde bei Bouquet V, 727 ff. Nr. 23; Sickel II, 26 (K. 36). 242; Mühlbacher Nr. 174; vgl. auch Waitz IV, 2. Aufl. S. 448 N. 3, 451 N. 1; II, 2, 3. Aufl. S. 377 N. 1. Die Echtheit dieses Privilegs ist mit Unrecht verworfen von v. Bethmann=Hollweg, Der germanisch=romanische Civilproceß II, 49; Löning, Geschichte des deutschen Kirchenrechts I, 731.

[3]) Bouquet V, 728: Illud addi placuit scribendum, ut de tribus causis, de hoste publico, hoc est de banno nostro, quando publicitus promovetur, et wacta uel pontes componendum, illi homines bene ingenui qui de suo capite bene ingenui immunes esse videntur, qui super terras ipsius ecclesiae vel ipsius pontificis vel abbatis sui commanere noscuntur, si in aliquo exinde de istis tribus causis negligentes apparuerint, exinde cum iudicibus nostris deducant rationes.

[4]) Urkunde bei Bouquet V, 729: donamus . . . ad ecclesiam s. Diunysii, ubi . . . nos Christo propitio a novo aedificavimus opere et modo cum magno decore iussimus dedicare . . .; Tardif S. 58 f. Nr. 72 (abgekürzt); Mühlbacher Nr. 175; vgl. dazu die Miracula s. Dionysii bei Mabillon, Acta SS. saec. III. 2, 347, und Félibien, Histoire de l'abbaye royale de St. Denys S. 57; daß Karl bei der Einweihung zugegen war, ist aber bloße Vermuthung.

[5]) Vgl. auch oben S. 214 N. 5 über die undatirte, aber in diese Jahre fallende Tractoria (Mühlbacher Nr. 170), wonach das Kloster St. Denis bei dem

14. März. Der erste betrifft die Befreiung der Angehörigen des Klosters und aller, die mit demselben Handel treiben, von Zöllen im Umfang des ganzen Reichs und bestätigt dieses Privilegium, welches St. Denis schon früher besessen, nun auch in Betreff Italiens[1]). Der zweite ist ebenfalls hauptsächlich veranlaßt durch die Eroberung des langobardischen Reiches; Karl bestätigt darin die Immunität, in deren Genuß sich St. Denis längst befunden hatte, dem Kloster noch ausdrücklich für seine Besitzungen in der Lombardei und im Veltlin, wo St. Denis theils durch Karl, theils durch Privatleute auch bereits ansehnliche Schenkungen erhalten hatte[2]).

Auch Ostern, 26. März, verweilte Karl noch in Quierzy[3]), und am 4. April bestätigt er dort dem Abt Amicho von Murbach die Immunität seines Klosters[4]), durch welche dasselbe freilich weder vor Eingriffen des Bischofs noch der Grafen geschützt war. Es liegt ein Schreiben vor, worin Amicho sich bei Karl über Beraubung des Klosters durch einen fränkischen Grafen beschwert und um Abhilfe bittet[5]), und in einem andern Bittschreiben an Karl wird sogar ein Bischof, wie es scheint der von Chur, gewaltthätiger Beraubung des Klosters angeklagt[6]). Die Bestätigung der Immunität war jedenfalls nur ein schwacher Schutz gegen solche Uebergriffe.

---

in der Pfalz zu Verberie Gericht haltenden Könige Beschwerde darüber erheben ließ, daß ihm die Zölle der Dionysiusmesse vorenthalten würden, und Karl befahl, das Recht des Klosters auf diese Zolleinnahmen ungekränkt zu lassen. Die Zeit dieses Erlasses sowie einer offenbar gleichzeitig ertheilten, denselben Gegenstand betreffenden Urkunde Karl's ist, wie oben bemerkt, nicht genau zu ermitteln.

[1]) Mühlbacher Nr. 176; Bouquet V, 730.

[2]) Bouquet V, 731 f.; vgl. Tardif S. 106; Mühlbacher Nr. 987. 1003. 1076. 1098. Papst Hadrian verlieh den von Karl und Hildegard an St. Denis geschenkten Kirchen im Veltlin, im Sprengel des Bisthums Como, auf Bitten des Abts Fulrad, auch kirchliche Exemtion, Jaffé, Reg. Pont. ed. 2ᵃ Nr. 2443, von Hartung, Dipl.-hist. Forschungen S. 105—107, ohne Grund angezweifelt.

[3]) Annales Lauriss. mai. l. c.

[4]) Bouquet V, 732; Schöpflin, Alsatia diplomatica I, 48; Sickel I, 130 N. 6; 302 N. 6; 354; Mühlbacher Nr. 78. Amicho wurde Abt 774 und starb am 8. November 787 (Ann. Guelferb., Nazar. SS. I, 40. 43; Alam., St. Galler Mitth. zur vaterl. Gesch. XIX, 236); man sieht nicht, woher Henking ebd. N. 94 den Tod des Abts Haribert erst in die ersten Monate d. J. 775 setzt.

[5]) Formul. Alsat. Nr. 4, Leg. Sect. V, 330—331.

[6]) Formul. Alsat. Nr. 5, l. c. S. 331, für welche aber die Zeit sich noch weniger genau angeben läßt, da nur das Kloster, nicht aber der Name des Abts genannt ist. Nur der Eingang: Viro gloriosissimo, a Deo decorato illo gratia Dei regi Francorum et Langobardorum Romanorumque (vgl. Sickel I, 262 N. 2; Waitz III, 2. Aufl. S. 180 N. 2; 195 N. 2; 240 N. 2) weist auf die Jahre 774—800. Auch über die in der Formel als ante hos annos geschehen erwähnte turbatio inter Alamannos et Alsacenses, wobei dem Kloster viele Unfreie entliefen, ist sonst nichts sicheres bekannt; Zeumer l. c. N. 2 bezieht sie auf die im J. 744 besiegte Empörung des Theutbald — schwerlich mit Recht, da jene Zeit zu weit zurückliegt u. s. w. In unmittelbaren Zusammenhang mit diesem oder jenem anderen Bittschreiben an Karl braucht aber die Bestätigung der Immunität keineswegs gesetzt zu werden.

Von Quierzy begab sich Karl nach Austrasien, in seine Pfalz zu Diedenhofen, wo er am 3. Mai dem Kloster Flavigny im Gau Aurois (Diözese Autun) auf Bitten des Abts Manasses die Zollfreiheit verlieh[1]). Unter dem 10. Mai ließ er ebendaselbst, auf die Bitte des Abts Hitherius, eine Urkunde für die Mönche von St. Martin in Tours ausstellen[2]). Noch in demselben Monat kehrte er jedoch nach Quierzy zurück; am 25. (oder 24.) Mai ertheilt er, auf die ihm übersandte Bitte des Abts Probatus, dem Kloster Farfa im Herzogthum Spoleto gegenüber den benachbarten Bischöfen die Privilegien der Klöster Lérins, Agaunum (St. Maurice) und Luxeuil[3]). Am 29. Mai verleiht er dort demselben Kloster die Immunität[4]). Der Abt Beatus vom Schottenkloster Honau hatte ihm vorgestellt, daß alle älteren Urkunden des Klosters durch Fahrlässigkeit verloren gegangen seien, und bat den König um eine neue Bestätigung zur Sicherung des Klosters in seinem Besitzstand; dieselbe wurde am 9. Juni ertheilt[5]). Auch Fulrad von St. Denis erbat sich von Karl die Bestätigung der Besitzungen seines Klosters. Schon unter Pippin waren dieselben dem reichen Stifte vielfach streitig gemacht worden; Pippin hatte wiederholt eine Prüfung der Rechtsansprüche vornehmen lassen, hatte zwei Königsboten, Wiching und Ludio, in die einzelnen Gaue geschickt, um mit den Urkunden in der Hand an Ort und Stelle die Ansprüche zu untersuchen, und das Ergebniß war, daß dem Kloster seine Besitzungen im weitesten Umfange bestätigt wurden, Besitzungen in den Gauen von Famars, Brabant, la Brie (pagus Briegius), le Mulcien (pagus Melcianus), Beauvaisis (pagus Belva-

---

[1]) Bouquet V, 732; Sickel II, 27 (K. 41). 243; Mühlbacher Nr. 181; vgl. Hugonis Flaviniac. chron. SS. VIII, 351 und Necrol. Flavin. ib. S. 285. — Die Urkunde vom 20. April für das Kloster S. Vincenzo am Volturno, bei Muratori SS. I[b], 360, ist unecht, wie schon die Bezeichnung Karl's als Kaiser im Eingang und die Zählung nach Christi Geburt am Schlusse zeigt; Mühlbacher Nr. 180; desgleichen ein angeblich zu Aquileja unter dem 9. April ausgestelltes, ungedrucktes Diplom für das Kloster Sesto bei Cremona, Sickel II, 254—255. 383. 434; Mühlbacher Nr. 179.

[2]) Bouquet V, 737; Sickel II, 27 (K. 42). 243; Mühlbacher Nr. 182.

[3]) Muratori, SS. II[b], 350, Urkunde, über deren Form Sickel, Beiträge IV, 586; statt Carilego ist zu lesen Carisiago; Sickel II, 28 (K. 43). 246; Mühlbacher Nr. 183. Vgl. Catal. ch. Farf., Muratori, Ant. V, 694 (mit 24. Mai); Waitz IV, 2. Aufl. S. 292 N. 1.

[4]) Catal. ch. Farf., Muratori, Ant. l. c.; Sickel II, 28. 359; Beitr. z. Dipl. V, 313; Mühlbacher Nr. 184; Waitz a. a. O.

[5]) Schöpflin, Alsatia diplomatica I, 49; Sickel II, 28 (K. 44). 245; Mühlbacher Nr. 185. Wörtlich gleichlautend bis auf das Datum ist die Urkunde Karl's bei Mabillon, Annales II, 698, dat. X. Idus Iunias anno XIII. regni nostri; ebenso bei Laguille, Hist. de la province d'Alsace II, preuves S. 8. Ohne Zweifel ist sie aber identisch mit der ersteren, nur mit dem Datum ein Irrthum vorgefallen, X. Idus Iunias anno XIII. statt V. Idus Iunias anno VIII geschrieben, was das Datum der ersten Urkunde ist. Anfang Juni 781, wohin das Datum der zweiten Urkunde weist, war der in der Recognition genannte Hitherius nicht mehr Kanzler und befand sich Karl in Italien, vgl. Mühlbacher Nr. 230. 232 und unten; aber auch Mitte Juni 776 war er dort, Mühlbacher Nr. 197 und unten, weshalb in der ersten Urkunde statt anno VIII. vielleicht VII. et I. gelesen werden muß.

censis), le Chamblivis (pagus Camliacensis), le Vexin (pagus Vil-casinus), Madrie (pagus Madriacensis), le Talou (pagus Tellau), le Vimeux (pagus Vimnau), l'Ammiennois (pagus Ambianensis) und im Gau von Paris. Den Besitz aller dieser Güter bestätigt Karl in einer Urkunde vom 26. Juni dem Abte Fulrad, der dafür seinerseits die Verpflichtung übernimmt, für Karl, seine Söhne und den Bestand des Frankenreiches zu beten und täglich Karl's Namen in die Messe und in die besonderen Gebete am Grabe des heiligen Dionysius einzuschalten[1]).

So war es Sommer geworden, als Karl die allgemeine Reichs-versammlung in der Pfalz Düren abhielt[2]). Auch dort war er durch die Angelegenheiten von St. Denis wieder in Anspruch ge-nommen. Der Bischof Herchenrad von Paris erschien vor dem Gericht des Königs und führte Beschwerde über Fulrad, weil dieser das Kloster Placicius (Plaisir unweit St. Germain-en-Laye), das ein gewisser Aderalbus der Pariser Kirche geschenkt, widerrechtlich für St. Denis in Besitz genommen habe. Dagegen erklärte Ful-rad, der gleichfalls selbst anwesend war, das Kloster mit gutem Rechte zu besitzen, da ein gewisser Hagabeus es an St. Denis ge-schenkt habe. Beide, Fulrad und Herchenrad, wiesen ihre Urkunden vor, Karl wagte keine Entscheidung zu treffen und bestimmte da-her, daß ein Gottesurtheil entscheiden solle. In der königlichen Kapelle wurde mit den Leuten der beiden streitenden Theile die Kreuzprobe vorgenommen, wobei der vom Bischof gestellte Mann, Corellus, unterlag. Darauf erklärte Herchenrad öffentlich, kein Recht auf das Kloster Placicius zu haben, Karl und seine Großen erklärten ihn gleichfalls für überführt und sprachen das Kloster dem Fulrad zu[3]).

Aber auch wichtigere Angelegenheiten beschäftigten die Reichs-versammlung, vor allem der Krieg gegen die Sachsen. Es hätte des Einfalls der Sachsen ins fränkische Reich während Karl's Ab-wesenheit in Italien[4]) garnicht bedurft, um Karl zu veranlassen den Krieg gegen sie mit Nachdruck wieder aufzunehmen. Aber die glücklichen Erfolge in Italien waren natürlich ein Sporn mehr für den König, im Norden ebenso kräftig wie im Süden aufzutreten. Die sogen. Einhard'schen Annalen bezeugen ausdrücklich, daß er entschlossen war dem Kriege wo möglich schon jetzt eine entschei-

---

[1]) Bouquet V, 733 f.; Sickel II, 28 f. (K. 45). 245 f.; Mühlbacher Nr. 186; vgl. Waitz III, 2. Aufl. S. 264 f.

[2]) Annales Laur. mai. SS. I, 152: habuit synodum in villa quae di-citur Duria; Ann. Einh. ib. S. 153: Habitoque apud Duriam villam gene-rali conventu; Ann. Guelferb.: Mai campus ad Dura; Nazar., Alam. ib. S. 40, Henking S. 236; Waitz III, 2. Aufl. S. 562.

[3]) Mühlbacher Nr. 187; Tardif S. 59—60 Nr. 75 (Cum nos in Dei no-men Duria villa in palacio nostro ad universorum causas audiendum vel recta judicia termenandum resederimus — Datum quinto kalendas agustas in anno septimo regni nostri Duria villa in palacio publico); vgl. Félibien S. 57 f.

[4]) Vgl. oben S. 197 ff.

bende Wendung zu geben. „Noch während er in Quierzy über=
winterte", heißt es da, „beschloß er das treulose und bundbrüchige
Volk der Sachsen mit Krieg zu überziehen und nicht eher zu ruhen,
bis sie entweder besiegt und zur christlichen Religion bekehrt oder
aber vollständig vertilgt wären[1]." Vielleicht waren die Rüstungen
für den bevorstehenden Krieg, welche unter solchen Umständen eine
längere Zeit in Anspruch nahmen, der Grund, weshalb der Be=
ginn des Feldzugs so lange hinausgeschoben wurde. Noch am
3. August verweilte Karl in Düren, laut einer Urkunde, worin er
dem Kloster Hersfeld den Zehnten aus den königlichen Hofgütern
zu Milinga an der Werra und zu Dannstath (Tennstedt) im Alt=
gau, beide in Thüringen, verleiht[2]. Aber gleich darauf muß er
mit seinem Heere, zu dem alle Kräfte des Reichs aufgeboten waren[3],
gegen Sachsen aufgebrochen sein.

Karl eröffnete den Angriff diesmal von einer anderen Seite
her als im Jahre 772[4]. Er wandte sich zuerst gegen die West=
falen, die vom ersten Feldzug unberührt geblieben waren, und über=
schritt die sächsische Grenze, welche, gebildet durch die Wasserscheide
der Zuflüsse der Ruhr und der unmittelbaren Nebenflüsse des
Rheins, etwa in der Mitte zwischen Rhein und Lenne sich hinzog[5],
wie es scheint, ohne auf Widerstand zu stoßen. So gelangte er
bis zum Einfluß der Lenne in die Ruhr. Dort, in dem Winkel,
welcher durch die Vereinigung der beiden Flüsse gebildet wird, stand
zum Schutze der sächsischen Grenze die Feste Sigiburg (Hohen=
syburg)[6], versehen mit einer sächsischen Besatzung[7]. Sie ver=
mochte jedoch Karl's Vordringen nicht lange aufzuhalten; die
Franken bemächtigten sich des Platzes gleich beim ersten Angriff[8]

---

[1] Annales Einhardi, SS. I, 153: Cum rex in villa Carisiaco hiemaret,
consilium iniit, ut perfidam ac foedifragam Saxonum gentem bello adgrederetur et eo usque perseveraret, dum aut victi christianae religioni
subicerentur aut omnino tollerentur. Vgl. o. S. 120.

[2] Mühlbacher Nr. 188; Wenck III 2, 8 Nr. 6. Milinga ist nicht nachweis=
bar (Mihla an der Werra?), vgl. auch Hahn, Bonifaz und Lul S. 281 N. 1.

[3] Annales Einhardi l. c.: Rheno quoque transmisso, cum totis regni
viribus Saxoniam petiit (vgl. Vetust. ann. Nordhumbran. SS. XIII, 155).

[4] Eckhart I, 636; Dippoldt S. 58 sagen, Karl sei bei Bonn über den Rhein
gegangen, eine Behauptung, die nur daher rühren kann, daß beide Sigiburg, den
ersten Angriffspunkt Karl's, für Siegburg bei Bonn halten, vgl. unten N. 6. Es
ist nirgends gesagt, wo Karl den Rhein überschritt. Ganz irrig verlegen Le Cointe
VI, 92 und Leibniz das „Maifeld" in Düren und den Aufbruch nach Sachsen schon
in den Mai, weshalb sie mit jener von Karl in Diedenhofen ausgestellten Ur=
kunde, oben S. 222 N. 1, nichts anzufangen wissen.

[5] v. Ledebur, Land und Volk der Bructerer S. 152.

[6] v. Ledebur, Kritische Beleuchtung S. 15 ff., wo die verschiedenen Ansichten
über die Lage von Sigiburg aufgeführt sind und das spätere Hohensyburg zwischen
Lenne und Ruhr als die hier gemeinte Sigiburg nachgewiesen ist.

[7] Annales Einhardi l. c.; vgl. N. 8.

[8] Annales Einh. l. c.: et primo statim impetu Sigiburgum castrum,
in quo Saxonum praesidium erat (die Lorscher Annalen haben diese Notiz nicht),
pugnando cepit; Ann. Laur. mai. SS. I, 152; Ann. s. Amandi, ib. S. 12,
Petav. ib. S. 16, Max. SS. XIII, 21; Ann. Mosellan. SS. XVI, 496,

und rückten dann ungehindert weiter bis in das Land der Engern und vor Eresburg. Auf den Besitz dieses Platzes legte Karl offenbar einen sehr großen Werth, aber auch die Sachsen kannten seine Bedeutung. Als sie 774 zu den Waffen griffen, war ihr erstes gewesen die Befestigungen von Eresburg zu zerstören[1]); jetzt hatte Karl nichts eiligeres zu thun als neue Befestigungen anzulegen[2]). Er legte, wie er auch in Sigiburg gethan hatte, eine fränkische Besatzung hinein[3]), rückte dann tiefer ins Innere Sachsens vor und erreichte beim Brunisberg, unweit Höxter, an der Mündung der Nethe die Weser[4]).

Karl stand wieder, wie vor drei Jahren, an der Grenze, die noch kein fränkischer König überschritten hatte. Aber diesmal boten die Sachsen nicht, wie damals, eine freiwillige, wenn auch nur scheinbare, Unterwerfung an, sondern bereiteten sich eben dort, beim Brunisberg, zum Kampfe vor und versuchten das Ufer des Flusses zu vertheidigen[5]). Die Weser war die letzte und wichtigste Vertheidigungslinie für ganz Sachsen; trotzdem findet sich keine Spur davon, daß die Sachsen, um diese Linie zu behaupten, auch nur zu vorübergehendem Zusammenwirken alle ihre Streitkräfte vereinigten. Das sächsische Heer, welches sich den Franken beim Brunisberg entgegenstellte, war ohne Zweifel nur ein Heer der zunächst gefährdeten Engern[6]); wenn die Westfalen zum Widerstande entschlossen gewesen wären, so würden sie Karl gewiß nicht erst an der Weser erwartet, sondern ihm womöglich den Durchzug durch ihr eigenes Gebiet verwehrt haben[7]), und auch von den

---

Lauresham. SS. I, 30, Ann. Lauriss. min. ed. Waitz, S. 413 rc. — Den damaligen sächsischen Feldzug im allgemeinen erwähnen auch noch andere Jahrbücher, so Ann. Guelferb., Nazar., Alam. SS. I, 40; St. Galler Mitth. zur vaterl. Gesch. XIX, 236; Ann. Sangall. Baluzii, Sangall. mai., ib. S. 203. 270; Ann. Flaviniac. ed. Jaffé S. 687; vgl. ferner Cod. Carolin. Nr. 59, Jaffé IV, 194 (remeante vos a Saxonia; dazu ebd. N. 1).

[1]) Vgl. oben S. 197.

[2]) Ann. Laur. mai.: Aeresburgum reaedificavit; Ann. Einhardi S. 155: Aeresburgum, aliud castrum, a Saxonibus destructum, munivit.

[3]) Annales Einh. l. c. vgl. 776 S. 154—156, Ann. Laur. mai. 776 S. 155; Ann. Mosellan.: posuitque ibidem (in Eresburg und Sigiburg) custodias; Lauresham., Laur. min.

[4]) Annales Laur. mai. l. c.; Ann. Einh.

[5]) Annales Laur. mai. SS. I, 154; Ann. Einh.

[6]) So auch Diekamp, Widukind, der Sachsenführer S. 6 N. 4, während Kentzler, in Forschungen zur deutschen Geschichte XI, 91 ff., wahrscheinlich zu machen sucht, daß es die Westfalen waren. In der Abhandlung von Fr. Funck: „Ueber die Unterwerfung der Sachsen durch Karl den Großen", bei Schlosser und Bercht, Archiv für Geschichte und Literatur IV, 294, wird angenommen, daß beim Brunisberg die ganze sächsische Streitmacht vereinigt gewesen sei, aber ohne ausreichenden Grund.

[7]) La Bruère I, 132 f. behauptet willkürlich, auf die Nachricht von Karl's Anzug hätten die Sachsen das Land bis an die Weser, mit Ausnahme von Sigiburg, verlassen, um sich erst an der Weser ihm entgegenzustellen.

Oſtfalen ſieht man nicht, daß ſie am Kampfe an der Weſer theil=
nahmen. Die Engern allein waren dem Andrange der Franken nicht
gewachſen; ſie wurden mit beträchtlichen Verluſten in die Flucht
geſchlagen, worauf Karl ſeinen Uebergang auf das rechte Weſer=
ufer bewerkſtelligte[1]).

Der Beſitz beider Ufer der Weſer eröffnete Karl den Zugang
ins Innere Sachſens. Aber mit Gefahren war das weitere Vor=
bringen verbunden. Die Weſtfalen waren durch die Wegnahme
von Sigiburg gereizt und, da ſie den Franken einen ernſtlichen
Widerſtand bis jetzt noch nicht geleiſtet hatten, auch verhältniß=
mäßig wenig geſchwächt; die Engern (wie es ſcheint) geſchlagen,
aber nicht unterworfen, beide noch widerſtandsfähig und durch die
Fortſchritte Karl's zu kräftigem Handeln aufgerüttelt. Nachdem
Karl einmal den Uebergang über die Weſer erzwungen hatte, war
es natürlich, daß er dieſen Vortheil weiter verfolgte und ſich mög=
lichſt raſch auf die Oſtfalen warf, ehe ſie Zeit fanden umfaſſende
Rüſtungen zum Widerſtande gegen ihn zu treffen. Dabei war
aber die Gefahr, daß inzwiſchen die Weſtfalen und Engern ſich
hinter ſeinem Rücken wieder ſammelten und ihm entweder nach=
ſetzten oder den Rückweg zu verlegen ſuchten.

Unter ſolchen Umſtänden theilte Karl ſein Heer; die eine Ab=
theilung blieb an der Weſer zurück, und zwar vermuthlich auf dem
linken Ufer zur Deckung des Uebergangs, mit der anderen trat er
ſelbſt den Zug gegen Oſtfalen an. Er überſchritt die Leine[2]), die
Grenzſcheide zwiſchen Oſtfalen und Engern, und erreichte am nörd=
lichen Abhange des Harzes hinziehend die Ocker. Man lieſt nichts
von Kämpfen, die Karl zwiſchen Weſer und Ocker zu beſtehen ge=
habt, von Siegen, die er hier davongetragen; aber der Erfolg
ſeines Zuges war nichtsdeſtoweniger bedeutend; das Land zwiſchen
Weſer und Ocker war der Theil Sachſens, den früher noch kein
fränkiſches Heer betreten hatte, nun war Karl zum erſten Mal auf
dem geraden Wege von Weſten her bis zu dem Punkte vor=
gedrungen, welchen noch Pippin nur auf Umwegen, von Oſten
kommend, hatte erreichen können.

Die Oſtfalen waren wahrſcheinlich überraſcht durch dieſe Fort=
ſchritte der fränkiſchen Waffen und zum Widerſtande nicht hinläng=

---

[1]) Der Kampf fand noch auf dem linken Weſerufer ſtatt, denn erſt nach der
Niederlage der Sachſen bekamen die Franken, die zuerſt auf dem linken Ufer ſtanden,
beide Ufer, alſo auch das rechte, in ihre Gewalt, wie die Annales Laur. mai. be=
richten, und noch deutlicher iſt die Darſtellung der Annales Einhardi l. c.; dagegen
diejenige der Ann. Mett., SS. XIII, 29 (Sed Franci, transito flumine, multos
ex eis occiderunt, ceteris in fugam versis) nicht maßgebend. La Bruère
I, 134; Gaillard II, 224 laſſen mit Unrecht die Sachſen erſt auf dem rechten Ufer
Karl's Ankunft erwarten; auch Eckhart I, 637 ſucht die Aufſtellung der Sachſen
auf dem rechten Ufer, und Leibniz I, 59 denkt ohne Grund an einen Kampf auf
beiden Ufern. Vgl. auch Diekamp a. a. O. gegen Kentzler's Annahme eines Kampfes
auf freiem Felde (S. 91).

[2]) Nach Leibniz I, 59 geſchah der Uebergang über die Leine bei Alfeld. über
die Innerſte bei Hildesheim, worüber ſich aber nichts entſcheiden läßt.

lich vorbereitet; sie entschlossen sich daher vielleicht mit aus diesem
Grunde zu freiwilliger Unterwerfung unter die Forderungen Karl's.
Die ganze streitbare Macht der Ostfalen, an ihrer Spitze Hessi
(oder Hassio), der einer der Vornehmen des Volkes und damals
der erwählte Anführer dieser gesammten ostfälischen Streitkräfte
war [1]), erschien vor Karl, leistete ihm den Eid der Treue und stellte
die geforderten Geiseln [2]).

Durch diesen Schritt der Ostfalen fiel für den König die Ver=
anlassung seinen Zug noch weiter fortzusetzen weg, und er trat den
Rückmarsch an. Er schlug jedoch einen anderen Weg ein als auf
dem er gekommen war. Während des ganzen Feldzugs hatte er
sich von der südlichen Grenze Sachsens nie zu weit entfernt; erst
jetzt, nachdem auch die Ostfalen seine Oberhoheit anerkannt hatten,
wagte er sich tiefer ins Innere des Landes hinein. Den Sieg über
die Engern hatte er benutzt zur Einschüchterung der Ostfalen; nach=
dem dies geglückt, benutzte er die Unterwerfung der Ostfalen, um
die Engern und Westfalen noch vollständiger zu demüthigen.

Die fränkischen Truppen, welche beim Brunisberg auf dem
linken Ufer der Weser zurückgeblieben waren, stehen später bei
Hlibbeki oder Libbach (Lübbecke, westlich von Minden) [3]); sie waren
also, während Karl gegen die Ostfalen zog, an der Weser hinab
nach Norden vorgerückt. Sie hatten diese Bewegung auf den aus=
drücklichen Befehl Karl's gemacht [4]). Karl verfolgte, wie sich daraus
zeigt, neben der Unterwerfung der Ostfalen noch einen anderen
Plan, zu dem beide Abtheilungen des fränkischen Heeres zusammen=
wirken sollten. Seine Absicht war, die Engern und Westfalen im
Herzen ihres Landes anzugreifen; er selbst rückte mit dem einen
Heere von Osten an, das andere kam von Süden und blieb, ohne
Zweifel, weil es zugleich die Aufgabe hatte den Weserübergang
offen zu halten, immer auf dem linken Ufer. Sein Bestimmungs=
ort war Lübbecke, dort schlug es ein Lager und erwartete die An=
kunft Karl's, dem es für alle Fälle den Rückzug decken sollte. Der
Plan gelang vollständig. Karl drang auf dem Rückwege aus Ost=
falen in den Bukkigau ein, das Gebiet zwischen der Weser und dem

---

[1]) Ueber die von Hessi (diese niederdeutsche Form haben die Annales Einhardi
wie auch die Vita Liutbirgae c. 1, SS. IV, 158, während die Ann. Laur. mai.
Hassio schreiben) bekleidete Stellung eines Heerführers vgl. Baeda, Historia ecclesiastica gentis Anglorum V, 10; Widukind I, 14, SS. III, 424, und dazu Waitz
III, 2. Aufl. S. 122 f. Dux bezeichnet hier nur den Heerführer.

[2]) Annales Laur. mai.; Ann. Einh. — Ann. Mett., SS. XIII, 29 f. reden
irrthümlich von den Westfalen (vgl. dagegen auch Ann. Lobiens. ib. S. 229). Daß
Hessi sich schon damals taufen ließ, wie Dippoldt S. 58 angibt, steht nirgends; über
seine späteren Schicksale vgl. unten zum Jahr 777.

[3]) Ueber die Lage von Hlibbeki (Libbach haben die Annales Laurissenses
mai., vgl. Bd. II, Excurs VI.) und seine Identität mit Lübbecke vgl. v. Ledebur,
Krit. Beleuchtung S. 33 ff.

[4]) Nach den Annales Laur. mai. l. c. traf Karl die Truppen continentes
ripam, quam iussi fuerant. Ohnehin ist es selbstverständlich, daß Karl die Ober=
leitung über das ganze Heer auch nach der Trennung in zwei Abtheilungen beibehielt.

Deistergebirge, den Mittelpunkt des Engernlandes[1]); die Engern, durch den Kampf am Brunisberge schon geschwächt, versuchten keinen Widerstand mehr, sondern folgten dem Beispiele der Ost=falen. Sie fanden sich mit ihrem Heerführer Bruno und den an=deren Vornehmen des Landes bei Karl ein, leisteten ihm den Eid der Treue und stellten Geiseln[2]).

Es blieb Karl noch übrig, auch die Westfalen zur Anerkennung seiner Herrschaft zu zwingen. Aber diese wollten nichts wissen von gutwilliger Unterwerfung und brachten durch ihren Widerstand die Franken in eine bedenkliche Lage. Die Stellung bei Lübbecke war nicht blos wichtig, um Karl den Uebergang vom rechten Ufer der Weser aufs linke zu sichern, sondern ebenso sehr auch weil über Lübbecke der kürzeste Weg vom Bukkigau nach Westfalen führte. Die Westfalen nahmen den Augenblick wahr, so lange Karl noch jenseits der Weser stand, und warfen sich auf das andere fränkische Heer bei Lübbecke. Ueber diesen Kampf geht der sogen. Lorscher Annalist sehr flüchtig hinweg. Er erzählt gleich nach der Unter=werfung der Engern die Vereinigung Karl's mit dem anderen Heere bei Lübbecke, nachher Karl's Sieg über die Westfalen; die Angabe über den Angriff der Westfalen auf das fränkische Lager schiebt er nur so dazwischen ein und macht daraus einen weiteren Sieg der Franken[3]). Aber diese Darstellung ist nicht getreu; viel glaubwürdiger sind in diesem Punkte die sogen. Einhard'schen An=

---

[1]) S. auch Vetust. Ann. Nordhumbran. SS. XIII, 155: atque provin-ciam Bohweri olim a Francis oppressam, suo potenter adiecit summo im-perio; dazu ebb. N. 2 und Pauli in Forschungen zur deutschen Geschichte XII, 160. — Genauer über den Umfang und die Grenzen des Bukkigaues, dessen Name noch heute im Namen Bückeburg fortlebt, handelt Wippermann, Geschichte des Bukki-gaues S. 93—131. Vgl. auch v. Ledebur, Kritische Beleuchtung S. 47 ff.; von Wersebe, Beschreibung der Gaue u. f. w. S. 217—220; Böttger, Diöcesan= und Gaugrenzen Norddeutschlands II, 107 ff.

[2]) Annales Laur. mai. und Annales Einhardi l. c. Die Nachrichten, welche diesen Bruno zum Stammvater des sächsischen Kaiserhauses machen, gehören erst dem 13. Jahrhundert an, der Gandersheimer Reimchronik Eberhard's, welche eine Bearbeitung eines älteren Werkes aus dem Anfange des 11. Jahrhunderts, und der Braunschweiger Reimchronik, in welcher jene benutzt ist, Mon. Germ. Deutsche Chroniken II, 399. 464; vgl. auch Waitz, König Heinrich I. 3 Aufl., Excurs 1, S. 180 f. Sie sind wenigstens nicht ganz zu verwerfen, Waitz, Heinrich I. S. 9. 187; Dümmler, Gesch. d. ostfränk. Reichs II, 561 N. 45; Voigtel=Cohn, Stamm=tafeln I, Taf. 18. Hingegen ist die Annahme, Bruno sei vermählt gewesen mit einer Tochter des Westfalen Widukind, eine bloße, zuerst von Leibniz, SS. rer. Bruns-vicens. III, Introductio S. 2 f., aufgestellte Vermuthung, vgl. Waitz, Heinrich I. S. 181, und ganz grundlos ist die Behauptung, Bruno sei ein Bruder Widukind's gewesen, vgl. Leibniz, Annales I, 60. Ueber die genealogischen Hypothesen von Böttger, Die Brunonen, vgl. unten z. J. 785.

[3]) Annales Laur. mai. l. c.: Et inde (aus dem Bukkigau) revertente praefato rege, invenit aliam partem de suo exercitu super fluvium Wisora, continentes ripam, quam iussi fuerant. Saxones cum ipsis pugnam fece-runt in loco qui dicitur Lidbach, et Franci deo volente victoriam habue-runt et plures ex ipsis Saxones occiderunt. Hoc audiente domno Carolo rege, iterum super Saxones cum exercitu irruens, et non minorem stragem ex eis fecit et praedam multam conquisivit super Westfalaos, et obsides

nalen. Daß der sächsische Angriff stattfand noch ehe Karl bei
Lübbecke eingetroffen war, läßt der ältere Annalist wenigstens
erkennen; im übrigen ist seine Angabe völlig unbrauchbar. Die
sogen. Einhard'schen Annalen sind ausführlicher und aufrichtiger.
Sie erzählen: „Inzwischen wurde der Theil des Heeres, welchen
Karl an der Weser zurückließ und der an dem Hlidbeki (Lübbecke)
genannten Orte lagerte, infolge unvorsichtigen Verhaltens durch
eine List der Sachsen hintergangen und getäuscht. Als nämlich die
Fourragirer der Franken um die neunte Tagesstunde (3 Uhr Nach=
mittags)[1] ins Lager zurückkehrte, mischten sich die Sachsen unter
sie als wären sie ihre Gefährten und gelangten so in das fränkische
Lager, wo sie nun über die im Schlaf oder Halbschlaf Daliegenden
herfielen und, wie man sagt, kein geringes Blutbad unter der sorg=
losen Menge anrichteten. Indessen durch die Tapferkeit der Wachen=
den, welche mannhaften Widerstand leisteten, zurückgetrieben, verließen
sie das Lager wieder und (beide) zogen ab nach einem Abkommen,
wie es in solcher Noth der Umstände unter ihnen getroffen werden
konnte[2].“ Das ist der Kampf, welchen die sogenannten Lorscher
Annalen als einen Sieg der Franken bezeichnen[3]; derselbe scheint
aber sehr problematisch zu sein, wie ihm denn ein blutiger Ueber=
fall der Franken in ihrem Lager durch die Sachsen vorausgegangen
sein soll. Die Erzählung, wie die Sachsen sich durch eine Kriegs=
list Zugang ins fränkische Lager verschafften, macht, ungeachtet die
sogen. Lorscher Annalen nichts davon wissen, keineswegs den Ein=
druck einer Erfindung. Auch der Bearbeiter der jüngeren Redaktion
dieser Jahrbücher steht so entschieden auf fränkischem Standpunkt,
daß er gewiß nicht Veranlassung nahm Schlappen der Franken

---

dederunt sicut et alii Saxones; vgl. Ann. Enhard. Fuld. SS. I, 348—349;
Chron. Vedastin. SS. XIII, 704 (Saxones iterum prelium erga Francos fe-
cere, sed, eos Domino inpediente, terga Francis dedere, dazu ebd. N. 3).

[1] Vgl. Richter u. Kohl, Annalen I, 55. Der Poeta Saxo l. I, v. 238
bis 239, Jaffé IV, 551 sagt freilich: Sol summo caeli pronus vergebat ab
axe — Et vespertinas iam tendere coepit ad horas.

[2] Annales Einhardi, SS. I, 155: Interea pars exercitus, quam ad Wisuram dimisit, in eo loco qui Hlidbeki vocatur castris positis incaute se
agendo Saxonum fraude circumventa atque decepta est. Nam cum pabu-
latores Francorum circa nonam diei horam reverterentur in castra, Saxones
eis, quasi et ipsi eorum socii essent, sese miscuerunt ac sic Francorum
castra ingressi sunt; dormientesque ac semisomnos adorti, non modicam incautae multitudinis caedem fecisse dicuntur. Sed vigilantium ac viriliter
resistentium virtute repulsi, castris excesserunt et ex pacto, quod inter
eos in tali necessitate fieri poterat, discesserunt.

[3] Von einem fränkischen Siege reden auch Eckhart, Franc. orient. I, 637;
Dippoldt S. 58. Auch v. Sybel, Kleine hist. Schriften III, 19 findet hier die Ann.
Laur. mai. keiner Reticenz schuldig („Sieg ist Sieg, auch wenn er eine Weile ge=
schwankt hat"); ihm stimmen hierin bei Bernays S. 174—175; Richter und Kohl,
Annalen I, 55 N. 2. Andrer Meinung sind dagegen Kentzler, in Forschungen zur
deutschen Geschichte XI, 95 f.; Ebrard ebd. XIII, 450; Mühlbacher S. 74; vgl.
auch Luden IV, 304 und den Aufsatz von Funck bei Schlosser und Bercht,
Archiv IV, 294.

durch die Sachsen zu erfinden oder leichtfertig nachzuerzählen. Die nöthige Wachsamkeit scheint eben im fränkischen Lager gänzlich versäumt worden zu sein. Daß die Sachsen, zumal bei Tageslicht, sich unter die fränkischen Futterholer mischen und so in das Lager gelangen konnten, ist allerdings auffallend; aber ein großer Theil des fränkischen Heeres soll ja geschlafen haben. Mittags- oder Nachmittagsschlaf ist auch sonst und auch bei Heeren als Sitte jener Zeit bezeugt[1]); dies Heer aber scheint dem Schlaf am Tage noch mehr als es sonst üblich war gefröhnt zu haben. Angeblich gelang es den Franken dennoch den Feind durch ihren Widerstand aus dem Lager zu verdrängen, und wir werden kaum befugt sein diese Nachricht zu verwerfen[2]). Die weitere Angabe über den Abzug der Sachsen leidet an bedenklicher Unklarheit, welche nicht am wenigsten dadurch hervorgerufen ist, daß die betreffenden Annalen gerade an dieser Stelle (ähnlich wie später in ihrem Bericht über das Treffen am Süntel 782) Wendungen aus der Phraseologie der römischen Historiker entlehnt haben[3]). Soviel besagt der Bericht ziemlich

---

[1]) Karl d. Gr. pflegte nach der Mittagsmahlzeit zwei bis drei Stunden zu ruhen, Einh. V. Karoli 24; vgl. ferner Pückert a. a. O. S. 186 N. 8 und oben S. 128. Man hat wohl gemeint, die in das Lager eingedrungenen Sachsen hätten unerkannt die Nacht abgewartet und dann erst das Blutbad unter den überraschten Franken angerichtet — oder es sei ihnen zunächst nur in kleiner Anzahl gelungen ins fränkische Lager zu gelangen, die größere Masse erst hinterher nachgedrungen. „Jene waren wohl nur dazu bestimmt in diesem selber den rechten Augenblick zum Ueberfall auszukunden. Dieser geschah in der Nacht." So Kentzler a. a. O. S. 96. Allein die Ann. Einh. bieten keinen Anhalt für eine solche Auffassung, welche hauptsächlich durch die unzutreffende Voraussetzung hervorgerufen worden ist, die fränkischen Krieger hätten nur in der Nacht schlafen können. Die Ann. Einh. scheinen die Unvorsichtigkeit der Franken (incaute se agendo — incautae multitudinis) vielmehr auch mit darin zu sehen, daß sich dieselben theilweise dem Schlaf überlassen hatten, während nächtlicher Schlaf doch auch von einem Heere im Lager nicht entbehrt werden kann. Vgl. o. S. 229 N. 1 über einen wohl durch dieselbe unzutreffende Voraussetzung hervorgerufenen Irrthum des Poeta Saxo hinsichtlich der Tageszeit, zu welcher die Sachsen sich Eingang in das fränkische Lager zu verschaffen wußten. Uebrigens nimmt aber auch dieser alte Interpret der Ann. Einh. an, daß sie den Ueberfall dann sofort ausführten (v. 252, S. 551: Depressos somno Francos instanter adorti).
[2]) Auch Leibniz, Annales I, 60 nimmt an, die Sachsen seien aus dem Lager hinausgeschlagen worden. Anders Kentzler a. a. O. S. 96 N. 4, der aber das discesserunt jedenfalls unrichtig auch nur auf die Entfernung der Sachsen aus dem fränkischen Lager bezieht. Aehnlich allerdings auch schon der Poeta Saxo l. c. v. 254 ff.
[3]) Vgl. Forschungen zur deutschen Geschichte XIV, 136—137; Manitius im Neuen Archiv VII, 517 ff. (I iv. XXIII, 36: in tali necessitate). — Das in tali necessitate scheint Sybel auf die Nothlage der aus dem fränkischen Lager zurückgetriebenen Sachsen bezogen werden zu müssen (a. a. O. S. 19), während es Harnack (a. a. O. S. 93 N. 1) und, wie es scheint, auch der Poeta Saxo, l. I, v. 257 f., Jaffé IV, 551 (Scilicet ex pacto, quod tunc angustia talis — Dictabat) sowie Kentzler (a. a. O. S. 96 f.) und Mühlbacher (S. 74) auf die Franken, Richter und Kohl (a. a. O. S. 55—56) auf beide Theile beziehen. Bernays (S. 174) scheint hinsichtlich dieses Punktes zu schwanken. Ferner findet Sybel eine Erläuterung zu den Worten et ex pacto, quod inter eos in tali necessitate fieri poterat, discesserunt in dem folgenden fugientium terga insequutus (Poeta Saxo

deutlich, daß, nachdem die Sachsen schließlich aus dem fränkischen Lager herausgeschlagen worden, beide Theile nach einem gegenseitigen Abkommen abzogen, da die fränkische Heeresabtheilung nach dem beim Ueberfall erlittenen Verlust auch nichts weiter ausrichten konnte.

Der Kampf hatte auf dem Gebiete der Engern stattgefunden; die Sachsen aber, welche den Ueberfall ausgeführt, waren nicht Engern — denn diese hatten sich unmittelbar vorher freiwillig unterworfen — sondern Westfalen, welche das nahe an der Grenze gelegene Lübbecke leicht erreichen konnten; die Annalen scheinen darüber keinen Zweifel zu lassen[1]). Karl jedoch, nachdem er Nachricht von den Vorgängen zu Lübbecke empfangen, brach schleunigst zu ihrer Verfolgung auf, und es gelang ihm den Feinden einen blutigen Verlust beizubringen[2]); auch gewann er reiche Beute unter

---

l. c. v. 258: hostes celeri rediere recursu): die Sachsen hatten sich auf die Flucht begeben, und Karl macht sich auf die Kunde von diesen Unfällen schleunigst zu ihrer Verfolgung auf. Es dürfte zutreffender sein, wenn Richter und Kohl (S. 56) annehmen, die Flucht der Sachsen sei erst infolge der Annäherung Karl's geschehen. In Ansehung des pactum nehmen, der nämlichen Verschiedenheit der Auffassung entsprechend, einige an, es sei ein für die Franken ungünstiger Vertrag gewesen, vgl. Kentzler a. a. O. S. 97; Harnack S. 93; Mühlbacher S. 74, nach welchem die Franken sich zu diesem Vertrage gezwungen sahen. Luden sowie Funck bei Schlosser und Bercht, Archiv IV, 294, meinen, daß Karl diesen von den Seinigen geschlossenen Vertrag nachher als unverbindlich behandelt und durch seinen Angriff auf die Sachsen, die durch das Abkommen voraussichtlich sicher gemacht und keines Angriffs gewärtig gewesen seien, gebrochen habe. Luden (IV, 528 N. 11) fragt: „Ist es möglich den Gedanken an Treulosigkeit niederzuhalten?" Sybel S. 19 N. wendet dagegen ein, daß wir den Inhalt jener Capitulation nicht kennen. Man könnte vielleicht noch weiter gehen, nicht allein Zweifel unterdrücken wollen, ob die Ann. Einh. überhaupt von einem Vertrage zwischen Sachsen und Franken reden. Allerdings hat auch der Poeta Saxo l. I, v. 256—258, Jaffé IV, 551, die Sache so aufgefaßt und desgleichen auch die modernen Uebersetzer (O. Abel und Wattenbach 2. Aufl. S. 62: „und zogen ab nach einem Vertrag, wie er unter solchen Umständen geschlossen werden konnte"). Allein diese Auslegungen sind ja nicht maßgebend. Es scheint nicht ganz ausgeschlossen, daß unter dem pactum, quod inter eos in tali necessitate fieri poterat eine Abrede zu verstehen sei, welche die Sachsen in der Bedrängniß des Moments unter einander trafen, obwohl es dann richtiger inter ipsos heißen müßte; die Sachsen sind ja scheinbar das Subjekt des ganzen Satzes Sed — discesserunt. S. jedoch die ähnliche Stelle der Ann. Einh. 747: sed ex placito discesserunt, welche bestätigen dürfte, daß hier ein Wechsel des Subjekts stattgefunden hat, discesserunt sich auf beide Theile bezieht. Leibniz und Dippoldt übergehen dies pactum mit Schweigen.

[1]) Vgl. die Stelle der Ann. Laur. mai. oben S. 228 N. 3, wo es heißt, Karl habe nach seinem Siege über diese Sachsen viele Beute von den Westfalen gewonnen und nun auch von diesen Geiseln erhalten; das letztere wiederholen auch die Ann. Einh.; demnach scheinen auch die Sachsen, welche er einholte und großentheils niedermachte, Westfalen gewesen zu sein.

[2]) Ann. Laur. mai. (vgl. o. S. 228 N. 3); Ann. Einh. SS. I, 155: Quod cum regi fuisset adlatum, quanta potuit celeritate adcurrens, fugientium terga insequutus (vgl. 782 S. 165 lin. 7 f.; Forsch. zur deutschen Gesch. XIV, 136 N. 2; Liv. X, 36), magnam ex eis prostravit multitudinem. S. ferner im allgemeinen über die große Anzahl von Sachsen, welche während dieses Feldzuges getödtet sein sollen, Ann. Petav. SS. I, 16: interfecta multa milia paganorum; vgl. Ann. Max. SS. XIII, 21; Ann. Sang. Baluzii (St. Galler Mitth. z. vaterländ. Gesch. XIX, 203); Ann. Mosell., Lauresh.

den Westfalen[1]) und empfing nun auch von diesem Theile der Sachsen Geiseln[2]). Sodann kehrte der König zum Winter ins fränkische Reich zurück[3]).

Der ganze Feldzug, auf welchem Sachsen natürlicherweise arg verwüstet, auch manche Ortschaften in Brand gesteckt worden waren[4]), hatte nicht viel über zwei Monate gedauert. Schon am 25. Oktober befand sich Karl wieder in Düren, wo er dem Kloster Hersfeld, auf Fürsprache des Abts Fulrad von St. Denis, den Zehnten aus dem königlichen Hofgut Aplast im Thüringer Gau und aus der von Franken bewohnten königlichen Villa in Mühlhausen[5]) sowie von Zimmern im Thüringer Gau, Gotha und Haßla[6]) schenkte. Von Anordnungen, die er zum Behuf der Sicherung seiner Herrschaft und der Verbreitung des Christenthums in Sachsen getroffen, liest man, abgesehen von den geforderten Treueiden und der Stellung von Geiseln, nichts; an anderen Orten als in der Grenzfestung Eresburg und in Sigiburg scheinen in diesem Jahre noch keine bleibenden fränkischen Niederlassungen erfolgt zu sein. Auch die Predigt des Christenthums machte langsame Fortschritte, obschon damals eine große Anzahl von Sachsen durch Karl zur Annahme der Taufe veranlaßt sein soll[7]). Zwischen der Thätigkeit Karl's und dem Wirken jener von Utrecht ausgeschickten Glaubensboten[8]) ist immer noch kein Zusammenhang bemerkbar; von den Erfolgen der letzteren verlautet wenigstens etwas mehr.

Das Hauptfeld der Wirksamkeit dieser Missionare war Friesland; hier waren sie unermüdlich thätig. Es brachte in ihren Bestrebungen auch keine Störung hervor, als gerade im Jahre 775 in der Oberleitung des Utrechter Stifts eine Aenderung eintrat. Ein Bischofskatalog des Salvatorstifts in Utrecht enthält die Nachricht, daß jener Abt Gregor, welcher die Missionsthätigkeit mit so großem Eifer geleitet hatte[9]), am 25. August 775 gestorben sei, nachdem er 20 Jahre lang das bischöfliche Amt verwaltet habe[10]),

---

[1]) Ann. Laur. mai. (vgl. o. S. 228 N. 3).
[2]) Ann. Laur. mai. (o. S. 228 N. 3); Ann. Einh.: et tum demum Westfalaorum obsidibus acceptis; vgl. auch Ann. Max.
[3]) Ann. Einh.
[4]) Ann. Sithienses, SS. XIII, 35: Carlus Saxonum perfidiam ultus, omnes eorum regiones ferro et igni depopulatur; Ann. Enh. Fuld.; Ann. Mosell.: et vastavit eam, Ann. Lauresham.; Ann. Max.: et oppida eorum succensa. — Ann. Nordhumbr. l. c.
[5]) Sickel II, 30 (K. 48). 246; Mühlbacher Nr. 189; Wenck III, 2, S. 9 Nr. 7. Aplast vielleicht Apfelstädt (?) in Sachsen-Coburg-Gotha; Hahn, Bonifaz und Lul S. 281 N. 2.
[6]) Sickel II, 30 (K. 49). 246. I, 254 N. 15; Mühlbacher Nr. 190; Wenck II, 2, S. 3 Nr. 1, vgl. III, 2, S. 1; Hahn a. a. O. N. 3, 279 N. 2.
[7]) Ann. Sangall. Baluzii l. c.: plurimos ex ipsis ad baptimi (l. baptismi) gratiam perduxit.
[8]) Vgl. o. S. 115.
[9]) Vgl. o. S. 115.
[10]) Die Stelle steht bei Beca et Heda de episcopis Ultraiectinis, recogniti et notis historicis illustrati ab Arn. Buchelio Batavo, und lautet S. 46:

und wenn auch die Zuverlässigkeit dieser Angabe nicht ganz fest=
steht, so hat sie doch die Wahrscheinlichkeit für sich[1]). In der
Salvatorskirche selbst erwartete Gregor seinen Tod, und hier ward
er ohne Zweifel auch begraben[2]). Sein Nachfolger wurde sein
eben aus Italien, wo er im königlichen Dienst beschäftigt gewesen
war, zurückgekehrter Neffe Alberich; auf diesen setzte das ganze
Stift große Hoffnungen[3]).

In der That bewies Alberich in der Leitung des Stifts und
namentlich der Schule denselben Eifer wie Gregor. Die Bekeh=
rung der heidnischen Sachsen und Friesen wurde lebhaft fortgesetzt.
Liafwin freilich, der so muthig für das Christenthum gestritten
hatte, war nicht mehr am Leben. Von Utrecht, wohin er sich vor
dem Ueberfall der Sachsen geflüchtet[4]), hatte er sich, nachdem der
Sturm vorübergebraust und jene wieder heimgekehrt waren, wieder
nach Deventer im Hamalande begeben und die dortige Kirche neu
gebaut[5]); wenig später, noch vor Gregor, ereilte ihn daselbst der
Tod, am 12. November 773[6]). Der Bestand seiner Gründung
war aber noch immer nicht gesichert; die Sachsen überfielen sie
aufs neue und brannten die Kirche abermals nieder. Liafwin's

Gregorius qui obiit 8. Kalend. Septembr. anno 775. sedit annis 20 solus.
Albericus 10.

[1]) Vgl. unten Excurs II.

[2]) Liudgeri vita Gregorii c. 15, SS. XV, 79; Rettberg II, 534. Nach
Anderen wurde er im Kloster Süstern in der Diözese Lüttich begraben, Heda l. c.
S. 38; allein diese Angabe verdient keinen Glauben.

[3]) Vita Gregorii l. c.: in quo totius domus spes magna incubuit;
qui tunc temporis in Italia erat regali servitio occupatus; dazu ebb. N. 2,
Altfrid. vita Liudgeri I, 15, Geschichtsquellen des Bisthums Münster IV, 19.
Nach einigen Angaben war Alberich angelsächsischer Abkunft, vgl. Rettberg II, 534
N. 52, der aber mit Unrecht die Nachricht ganz verwirft; Alberich kann ja der Sohn
einer Schwester des Franken Gregor und diese mit einem Angelsachsen vermählt
gewesen sein.

[4]) Vgl. o. S. 116.

[5]) Altfrid. vita Liudgeri I, 14, l. c.; vgl. o. S. 116—118.

[6]) Das Todesjahr ist streitig; Erhard S. 66 Nr. 148 gibt 775 an, Rett=
berg II, 406 vgl. mit 537, scheint wenigstens nicht schon 773 anzunehmen.
Dagegen entscheidet sich Leibniz, Annales I, 41 für 773 und ohne Zweifel mit Recht.
Als Todestag ist der 12. November beglaubigt durch die Vita Lebuini, SS. II,
364. Was das Jahr betrifft, so ergibt sich aus dem Berichte in Altfrid's Vita
Liudgeri I, 15 (l. c.) unzweifelhaft, daß Liafwin früher als Gregor starb, also, da
Gregor's Tod wohl ins Jahr 775 gesetzt werden muß (vgl. Excurs II), spätestens am
12. November 774. Nachher zerstörten die Sachsen die Niederlassung abermals, was
in diesem Falle zu Ende 774 oder Anfang 775 geschehen sein müßte. Allein augen=
scheinlich paßt ein solcher Angriff der Sachsen weit eher in das vorangehende Jahr,
da, wie wir sicher wissen, die Sachsen Karl's Abwesenheit in Italien auch sonst zu
einem Einfall in die fränkischen Grenzlande benutzten. Man darf daher kein Be=
denken tragen Liafwin's Tod 773 anzusetzen. Vielleicht ist es auch nicht ohne Be=
deutung, daß in der Vision, von welcher Liudger's Biograph l. c. S. 20 berichtet,
Liafwin zu Liudger sagt: bene fecisti restaurando Dei templum iamdudum
deletum a gentilibus. Dies könnte darauf hinweisen, daß der Wiederaufbau der
Kirche von Deventer nicht so bald nach der Zerstörung stattfand als man annehmen
müßte, wenn man Liafwin's Tod erst 774 ansetzen wollte. Vgl. auch Diekamp,
Supplement S. 9; anders Holder=Egger, SS. XV, 79 N. 4.

Gebeine jedoch vermochten sie, obgleich sie drei Tage banach suchten,
nicht aufzufinden[1]). Es war die Zeit, ba Karl's Abwesenheit in
Italien die Sachsen reizte in die fränkischen Grenzgebiete verheerend einzufallen. Man sieht, daß sie ihren Angriff nicht blos
gegen Hessen richteten, sondern auch an jener anderen Grenze die
christlichen Niederlassungen zu zerstören suchten, was auf eine Erhebung von beträchtlichem Umfang hinweist. Aus Hessen waren
sie noch 774 wieder vertrieben worden, von ihren Feindseligkeiten
gegen jene anderen Grenzlande wissen wir nur das Angegebene.
Während Karl in Sachsen glücklich kämpfte, starb bann Gregor;
erst sein Nachfolger Alberich konnte wieder Besitz von Deventer ergreifen. Er schickte den Liudger, einen Zögling der
Utrechter Schule und Friesen von Geburt[2]), an die Yssel, um die
Stätte, wo Liafwin bis an seinen Tod gewirkt und wo er nun
begraben lag, wieder mit Christen zu bevölkern und über den Gebeinen des Heiligen die Kirche wieder aufzubauen[3]). Liudger
unterzog sich der Aufgabe und begann, obgleich er die Gebeine Liafwin's nicht fand, den Neubau der Kirche. Als er aber die Grundmauern gelegt hatte und sich anschickte die Wände aufzurichten, erzählt sein Biograph Altfrid, erschien ihm Liafwin im Traume und
sprach zu ihm: ,Lieber Bruder Liudger, du hast wohl gethan,
die von den Heiden ehedem zerstörte Kirche Gottes wiederherzustellen; aber auch meine Gebeine, welche du gesucht hast, wirst
du unter dem südlichen Flügel finden, den du errichtet hast." Liudger aber stand am Morgen auf, bankte Gott und fand die Gebeine
des Heiligen an der im Traume ihm angezeigten Stelle[4]), worauf
er die Grundmauern des Baues nach Süden verlegen ließ; so kam
das Grab des Mannes Gottes innerhalb der Kirche zu liegen.
Diese wurde darauf vollendet und geweiht[5]) und später nie mehr
von den Heiden angetastet[6]).

Nachdem Liudger seinen Auftrag so glücklich vollbracht hatte,
sandte ihn Alberich ins Innere von Friesland. Begleitet von
anderen Dienern Gottes, zog er aus, „um die Tempel der Götter
und den Götzendienst unter den Friesen zu zerstören"[7]). Gegen

---

[1]) Altfrid. vita Liudgeri I, 15 l. c. Der Zeitpunkt fällt zwischen den Tod
Liafwin's und den Gregor's von Utrecht; vgl. Diekamp, Widukind S. 6 N. 2.
[2]) Altfrid. vita Liudgeri I, 9, l. c. S. 14: in Traiecto monasterio totum se contulit ad studium artis spiritalis. Ueber seine Herkunft und Jugend
und über seinen Verkehr mit Alkuin in England vgl. diese Vita c. 1—12; ferner
Iosephi Scotti carm. 1 v. 4, Poet. Lat. aev. Carol. I, 150.
[3]) Altfrid. vita Liudgeri I, 15, S. 20; Alberich erklärt ihm: Locus . . .
in quo sanctus Domini Liafwinus presbiter . . . laboravit, ubi sacrum eius
corpus sepultura tegitur, in solitudinem est redactus. Quamobrem peto,
ut eum restaurare studeas et super corpus sancti aecclesiam reaedifices.
[4]) Vgl. auch Ann. Fuld. IV, 882, SS. I, 397: portum, qui Frisiaca
lingua Taventeri nominatur, ubi sanctus Liobomus requiescit . . .
[5]) Es geschah ungefähr im Jahre 775; vgl. Excurs II.
[6]) Altfrid. vita Liudgeri l. c.
[7]) Altfrid. vita Liudgeri I, 16, l. c.

zwei Jahre dauerte dieſe ſeine Wirkſamkeit, bis ihm von Alberich
eine andere Stellung übertragen wurde[1]).

Karl verweilte nach ſeiner Rückkehr aus Sachſen noch einige
Zeit in Düren[2]). Im November ſchenkte er durch eine dort aus-
geſtellte Urkunde[3]) dem Kloſter Fulda das Klöſterlein Holzkirchen
im Gau Waldſaſſen am Flüßchen Albſtat (j. Eichelbach), das ein
gewiſſer Troand geſtiftet hatte. Von Düren verlegte er noch in
demſelben Monat ſeinen Aufenthalt nach Diedenhofen an der Moſel.
Er machte dort eine Schenkung an die Zelle St. Privat zu Salonne im Seillegau auf dem Eigengut des Abts Fulrad von St.
Denis[4]) und mehrere Verleihungen an Prüm. Abt Asver erhält
für dieſes Kloſter die Immunität im ausgedehnteſten Maße, nicht
blos Befreiung von ſonſtigen Abgaben und von der Gerichtsbarkeit
der königlichen Beamten, ſondern ausdrücklich auch vom Heerbann
(der Kriegsſteuer)[5]), und dazu fügt Karl wie zur Ergänzung noch
eine zweite Urkunde hinzu, wonach die unter Pippin an das Kloſter
übergegangenen Fiskalinen in ihren althergebrachten Rechtsverhält-
niſſen auch in Zukunft belaſſen werden ſollen[6]).

Unterdeſſen hatten die Verhältniſſe in Italien eine Geſtalt
angenommen, welche nicht blos für den Papſt, ſondern auch für
Karl wenig erfreulich war. Zu der fortgeſetzten Unzufriedenheit
des Papſtes, welche dem König in hohem Grade läſtig ſein mußte,
geſellte ſich gegen Ende des Jahres auch noch eine gefährliche Bewegung in ſeinem eigenen italiſchen Reiche, welche ihn nöthigte den
dortigen Angelegenheiten wieder größere Aufmerkſamkeit zu widmen.

Karl hatte den Erzbiſchof Wilcharius von Sens und den Abt
Dodo als Geſandte an den Papſt geſchickt. Dieſe konnten bei
ihrer Rückkehr melden, daß Hadrian ihre Aufträge — deren Inhalt wir nicht kennen — gut aufgenommen habe. Der König
ſandte dem Papſte deshalb ein freundliches Schreiben, in welchem
er demſelben ſeine Zufriedenheit hierüber ausdrückte[7]) und ihm

---

[1]) Die hier in Frage ſtehende Wirkſamkeit Ludger's fällt vor ſeine Prieſter-
weihe in Köln im Jahr 777; vgl. unten z. J. 777 und Excurs II.

[2]) Vgl. o. S. 232.

[3]) Sickel II, 30 (K. 50). 246; Mühlbacher Nr. 191; Dronke, Codex diplomaticus Fuld. S. 33 Nr. 51; vgl. deſſelben Trad. Fuld. S. 61. Die Angabe
des Tags (3. November) findet ſich auch nur in einer ſehr ſchlechten Abſchrift, vgl.
Dronke, Cod. S. 33 N., und hat keinen Werth.

[4]) Mühlbacher Nr. 192; Bouquet V, 736, datirt vom November ohne Tag,
früher irrthümlich auf St. Denis bezogen; vgl. Mühlbacher Nr. 208. 722; Tardif
l. c. S. 62.

[5]) Sickel II, 31 (K. 52). 246; Mühlbacher Nr. 193; Beyer I, 33 f. Nr. 28:
concessimus . . . ut nullum heribannum vel bannum solvere non debeant;
vgl. Sickel, Beitr. z. Dipl. V, Wien. S.-B. Bd. 49, S. 357.

[6]) Mühlbacher Nr. 194; Beyer I, 34 Nr. 29; vgl. Waitz IV, 2. Aufl.
S. 349 (N. 4). 463.

[7]) Jaffé IV, 176, Codex Carol. Nr. 53. Wilcharius würde nach der allgemeinen Annahme der Erzbiſchof von Sens ſein, vgl. oben S. 100 N. 3 und unten
zum Jahre 780; über den Inhalt dieſer Sendung äußert ſich Hadrian nicht, ſondern

außerdem die erfreuliche Aussicht eröffnete, daß er im nächsten
Oktober nach Italien kommen und bei dieser Gelegenheit sein Schen=
kungsversprechen an St. Peter in vollem Umfang zur Ausführung
bringen werde[1]). Dies Schreiben überbrachten, wie es scheint, der
Bischof Possessor und der Abt Dobo; der König wünschte, daß
Hadrian denselben bei ihrer Rückkehr seinerseits den Bischof An=
dreas von Palestrina und den Abt Parbus mitgebe[2]). Natürlich
sprach Hadrian besonders über den in Aussicht gestellten Besuch
des Königs in Italien die größte Freude aus und gab die Hoff=
nung kund, ihn bei dieser Gelegenheit wieder persönlich (in Rom)
begrüßen zu können[3]).

Allein neben diesen erfreulichen Dingen gab es andere, welche
das gute Einvernehmen bedenklich zu erschüttern drohten. Schon
früher hatte der Papst Karl gebeten, eigennützigen Anschwärzungen
gegen ihn kein Ohr zu leihen[4]), namentlich nicht denjenigen der
Boten des Erzbischofs von Ravenna[5]). Jetzt mußte er erleben
und seine Boten selbst mit ansehen, daß Karl an seinem Hofe einen
gewissen Saracinus und einen gewissen Paschalis, welche sich bei
ihm eingefunden hatten, um durch ihn die Gnade des Papstes
wiederzuerlangen, diesen aber zum Gegenstand der schwersten Be=
schuldigungen machten, nicht nur duldete, sondern sogar durch ganz
besondere Gunst auszeichnete[6]). Wie anders erging es einem
päpstlichen Gesandten, jenem Cubicularius Anastasius, den Hadrian
vor einiger Zeit an Karl geschickt hatte[7]]! Wie es scheint, durch
die Schuld desselben und seines gleichfalls bereits erwähnten Be=
gleiters, des Langobarden Gausfrid aus Pisa, kam es zu höchst
widerwärtigen Vorfällen am fränkischen Hofe. Anastasius, der die
Beschwerden des Papstes über das Verfahren des Erzbischofs von
Ravenna vertreten sollte, erlaubte sich dem Könige gegenüber so
ungehörige Aeußerungen, daß Karl ihm die Rückreise nach Rom

---

constatirt nur Karl's Zufriedenheit über die Aufnahme, welche desselben Eröffnungen bei
ihm gefunden: quod ea, quae eis a vobis (essent) iniuncta, benignae atque
amabiliter a nobis esse suscepta.

[1]) Jaffé IV. 177: Interea continebatur series vestrae excellentiae:
quod accedente proximo mense Octobrio, dum Deo favente in partibus
Italiae adveneritis, omnia, quae beato Petro et nobis polliciti estis, ad
effectum perducere maturatae. — Et quia augmento et exaltatione matris
tuae sanctae Dei ecclesiae in Italiam destinatis properare, ut perficiantur,
magis magisque optamus.

[2]) Ibid.

[3]) Ibid.: Sed deus et dominus noster Iesus Christus faciat nobis in
propinquo de vestra praesentia gaudere et una vobiscum in invicem
exultare.

[4]) Ibid. S. 177—178.

[5]) Cod. Carol. Nr. 51, Jaffé IV, 171: Pervenit ad nos eo quod protervus et nimis arrogans Leo archiepiscopus Ravennantium civitatis suos
ad vestram excellentissimam benignitatem ad contrarietatem nostram falsa
suggerendo direxit missos.

[6]) Jaffé IV, 178; vgl. Forsch. z. deutsch. Gesch. I, 494.

[7]) Vgl. o. S. 213.

nicht gestattete. Gausfrid, welchem der König eine Güterschenkung zugesagt hatte und nach Hadrian's Wunsch ein Diplom darüber ausstellen lassen sollte[1]), verleitete den königlichen Kanzler zur Anfertigung eines falschen Dokuments, wie Karl annahm, in der Absicht, dadurch den Papst mit ihm zu entzweien[2]). In demselben Schreiben, welches Hadrian's hohe Freude über den sonstigen Inhalt des letzten königlichen Briefes bezeigt, scheut der Papst sich nicht den König wegen dieser Vorgänge mit unverhüllten Vorwürfen zu überschütten[3]). Hinsichtlich des Saracinus und Paschalis führt er Karl zu Gemüthe, daß, wenn jemand sich dergleichen unwahre und gehässige Aeußerungen gegen den Frankenkönig erlaubte, er seinerseits einen solchen Uebertreter nach Gebühr strafen und jenem in Fesseln übersenden würde, wie er das thatsächlich mit einem gewissen Paulinus gethan. Demgemäß verlangt er auch, daß der König ihm jene Männer zur Bestrafung ausliefere, und mit gleicher Entschiedenheit fordert er die Freigebung und Rücksendung des Anastasius, gegen welchen er dann die strengste Untersuchung und eventuell eine Züchtigung zu verhängen verspricht. Denn daß ein König einen päpstlichen Gesandten festhalte, sei unerhört; die Langobarden und Ravennaten sagten denn auch schadenfroh, Karl sei, da er so handle, offenbar nicht mehr der Freund des Papstes[4]). In Betreff des Gausfrid endlich, der jenes Betrugs beschuldigt wurde, den fränkischen Hof jedoch inzwischen bereits verlassen hatte[5]), versichert Hadrian, daß er keine Untreue desselben gegen den König habe herausfinden können.

Der Wunsch des Königs, daß Hadrian dem Possessor und Dodo bei ihrer Rückkehr eigene Gesandte mitgeben möge, wurde von Seiten des Papstes erfüllt; nur daß er dem Bischof Andreas von Palestrina statt des von Karl gewünschten Abts Pardus[6]), der, wie Hadrian schreibt, durch Kränklichkeit an der Reise verhindert war, den Bischof Valentinus mitgab[7]).

Auch durfte der mehrgenannte Cubicularius Anastasius hernach mit dem Bischof Andreas zurückkehren, mit einem Schreiben

---

[1]) Vgl. Cod. Carol. Nr. 52, Jaffé IV, 175 (deprecantes et hoc: ut masas illas, quas ei concessistis, per vestram auctoritatis largitatem possideat).

[2]) Cod. Carol. Nr. 53, Jaffé IV, 177—178; vgl. über diese Vorfälle Forsch. z. deutsch. Gesch. I, 493 f.

[3]) Cod. Carol. Nr. 53, Jaffé IV, 177—179.

[4]) L. c. S. 177—178: dum Langobardi et Raviniani fatentur (fatuantur? Jaffé) inquientes: quia nullo modo rex in apostolico permanet caritate, dum eius missum apud se detinet.

[5]) S. 178 (dum vestro fuisset palatio etc.).

[6]) Vgl. o. S. 236.

[7]) Cod. Carol. Nr. 53, Jaffé IV, 177. Die Worte des Papstes lassen es mindestens zweifelhaft, ob Andreas und Valentin selber dieses Schreiben Hadrian's dem Könige überbrachten; als eigentliches Creditiv für sie erscheint es jedenfalls nicht. Dagegen haben wir wohl auch nicht anzunehmen, daß sie schon vor dem Erlaß desselben abgereist waren, wie Forsch. z. d. G. I, 495 f. vorausgesetzt ist; vgl. in Betreff der Sendung des Andreas Jaffé IV, 180. 185 u. unten.

des Königs und dem Auftrage, seine guten Absichten in Betreff des Stuhls Petri und der demselben gemachten Verheißung kund-zugeben[1]). Durch Andreas ließ Karl dem Papste mittheilen, daß er im Herbst Bevollmächtigte an ihn senden würde, um ihm alle Objekte des Schenkungsversprechens zu übergeben[2]). Außerdem brachte ein Bote des Königs auch noch ein anderes, gleichfalls er-freuliches Schreiben desselben[3]).

Indessen geschah aber nichts gegen Hadrian's Nebenbuhler, den Erzbischof von Ravenna. Die Vorstellungen, welche der Papst in dieser Beziehung bei Karl durch Anastasius hatte erheben lassen, waren um so eindrucksloser geblieben, da der Ton, in welchem Karl mit sich verhandeln ließ, dabei so völlig verfehlt worden war. Erz-bischof Leo trat selbst eine Reise zu Karl an, ohne daß der Papst etwas davon wußte. Als ihm Karl diese bedeutsame Thatsache mittheilte, versuchte er zwar gute Miene zum bösen Spiel zu machen und versicherte, er würde dem Erzbischof, wenn derselbe ihn von seiner Absicht in Kenntniß gesetzt hätte, gern einen Bevollmächtigten mitgegeben haben[4]). In Wahrheit mußte ihn dieser Vorgang je-doch mit berechtigtem [verstärkten Mißtrauen und gesteigerter Un-zufriedenheit erfüllen.

Nach seiner Rückkehr vom fränkischen Hofe trat der Erzbischof Leo noch zuversichtlicher als vorher und immer kecker auf, ver-weigerte nach wie vor dem Papste den Gehorsam, verbot den Be-wohnern von Ravenna und der Aemilia den amtlichen Verkehr mit Rom, verjagte die vom Papste in den dortigen Städten ein-gesetzten Beamten, ließ den Dominicus, welchen Hadrian zum Grafen von Gabellum (Gavello) ernannt hatte, festnehmen und nach Ra-venna abführen und erklärte laut, Imola und Bologna habe Karl nicht dem Papste, sondern ihm, dem Erzbischof, geschenkt. Nur die Pentapolis blieb, wie Hadrian nicht unterläßt wiederholt hervor-zuheben, der päpstlichen Herrschaft nach wie vor treu[5]).

---

[1]) Cod. Carol. Nr. 54, Jaffé IV, 180.

[2]) Vgl. Cod. Carol. Nr. 56, Jaffé IV, 185: Itaque praecellentissime fili, recordari credimus a Deo protectam christianitatem vestram: nobis direxisse in responsis per Andream reverentissimum et sanctissimum fra-trem nostrum episcopum, quod hoc autumno tempore vestros ad nostri praesentiam studuissetis dirigendum missos, qui nobis omnia secundum vestram promissionem contradere deberent. Aus dem weiteren Zusammen-hange geht hervor, daß diese Zusage (mithin auch die Rückkehr des Andreas) vor dem September erfolgt sein muß. Von einem persönlichen Besuch Karl's in Italien ist hier zunächst nicht wieder die Rede; vgl. jedoch unten.

[3]) Cod. Carol. Nr. 54, Jaffé IV, 181: Itaque praesens vester missus (derjenige, welchem Hadrian dies Schreiben mitgab) aliam nobis optulit praecel-lentiae vestrae epistolam etc.

[4]) Cod. Carol. Nr. 54, Jaffé IV, 181.

[5]) Jaffé IV, 183—184. 186—187, Cod. Carol. Nr. 55. 56, vgl. oben S. 212. Von Dominicus sagt der Papst (S. 188): quem nobis in ecclesia beati Petri tradidistis atque commendastis.

Die Lage des Papstes war namentlich deshalb so peinlich, weil Leo offenbar von Karl nichts zu befürchten hatte, sondern, wie es scheint, mit mehr oder weniger Grund auf des Königs stillschweigende Billigung für sein Verfahren zählen durfte. Hadrian begnügte sich freilich nicht damit, wiederholt in vertraulichen Beilagen seiner Briefe an den König über diese Uebergriffe des Erzbischofs von Ravenna heftige Beschwerde zu führen, sondern suchte seinen Gegner auch bei dem Könige in ein ungünstiges Licht zu stellen, diesen von der Unzuverlässigkeit und Treulosigkeit des Erzbischofs zu überzeugen. Am 27. Oktober 775 schreibt Hadrian in großer Bestürzung an den König, er habe soeben einen Brief des Patriarchen Johannes von Grado erhalten, welchen er hiemit unverzüglich — er und sein Schreiber hätten sich nicht Zeit gelassen, vorher auch nur Speise und Trank zu sich zu nehmen — an Karl schicke[1]. Dieser Brief des Patriarchen sei ihm aber erbrochen, mit verletzten Bullen zugekommen; der Erzbischof Leo habe denselben, ehe er ihn nach Rom weiter schickte, geöffnet und gelesen, offenbar in der Absicht, dem Herzog Arichis von Benevent und den übrigen Feinden des Papstes und Karl's von dem Inhalt Nachricht zu geben, die er ohne Zweifel auch bereits ausgeführt habe. Die Eilfertigkeit, womit Hadrian dies Schreiben an Karl weiter schickte, läßt nothwendig vermuthen, daß der Inhalt desselben nicht blos sehr wichtig, sondern auch sehr überraschend für ihn war. Gleichwohl blieb ihm bei aller seiner Hast noch soviel ruhige Berechnung, um den Vorfall möglichst zum Schaden Leo's auszubeuten. Man hat kein Recht, an der Aussage des Papstes zu zweifeln, daß Leo den Brief des Patriarchen erbrochen habe; aber dieses Verfahren des Erzbischofs wird genügend erklärt durch sein feindseliges Verhältniß zu Hadrian; daß Leo den Inhalt des Schreibens dem Arichis u. s. w. mitgetheilt, ist wahrscheinlich bloße Vermuthung Hadrian's[2] und für uns durch nichts erwiesen. Im Gegentheil hätte Leo sehr gegen sein eigenes Interesse gehandelt, wenn er durch die Verbindung mit Karl's Gegnern sich diesen zum Feinde gemacht hätte; er begegnet nirgends im Bunde mit ihnen[3] und wird auch nach der Besiegung des Hrodgaud von Karl ungestört in seiner Machtstellung belassen. Hadrian glaubte nur

---

[1] Jaffé I, 182, Cod. Carol. Nr. 55: Vicesima septima enim die Octobrii mensis ipsa ad nos pervenit epistola, et protinus — nec potum nec cibum sumsimus neque nos neque huius scriptor nostrae apostolicae relationis — sed eadem hora eodemque momento ipsam antefati patriarchae epistolam cum his nostris apostolicis syllabis vobis transmisimus. Den Brief erst in eines der folgenden Jahre zu setzen, wie viele thun, ist unrichtig, vgl. Forsch. z. d. Gesch. I, 483 N. 1; das Richtige haben Cenni und Jaffé (vgl. auch Regest. Pont. Rom. ed. 2a, I, 294 Nr. 2415).

[2] ut certe omnibus manifestum est, schaltet er in seine Behauptung ein (S. 183). Et dubium non est, sagt er gleich darauf; er äußert aber doch wohl nur Vermuthungen, vgl. Forsch. I, 484 N. 1.

[3] Nach Papencordt, Hald u. a. gehörte er mit zu den Verbündeten; vgl. jedoch Forsch. I, 484 N. 2 u. unten.

diese Gelegenheit benutzen zu können, da Karl voraussichtlich doch
in Italien einschreiten mußte, ihn zugleich zu der Erledigung des
Streits mit Ravenna zu Gunsten des päpstlichen Stuhls zu bewegen.

Zugleich blieben die Hoffnungen, welche sich für den Papst an
Karl's letzte Mittheilung knüpften, unerfüllt. Die fränkischen Bevollmächtigten, deren Erscheinen im Herbst vom Könige in Aussicht
gestellt worden war, blieben aus. Hadrian erwartete sie bereits
seit Anfang September und immer ungeduldiger; es ward Ende
Oktober und sie kamen noch nicht[1]). Im November erinnerte er
Karl an sein Versprechen; vorher hatte er nach Pavia an die fränkischen Beamten geschrieben, um sich nach der Ankunft der Gesandten zu erkundigen, und die Antwort erhalten, die Gesandten
würden vor der Hand überhaupt nicht zu ihm kommen[2]). Die
Ueberbringer des Schreibens, welches er damals an den König
richtete, waren der Bischof Andreas von Palestrina und der Abt
Pardus[3]). Als der Papst endlich dennoch die Kunde von der Ankunft der fränkischen Gesandten, des Bischofs Possessor und des
Abts Rabigaudus, in Italien empfing, hoffte er, dieselben würden
unter anderem auch den Auftrag haben, seinen Klagen über den
Erzbischof von Ravenna Abhilfe zu verschaffen; er ließ Anstalten
für ihre Beförderung, Beherbergung und Bewirthung treffen, sandte
ihnen Relais von Pferden entgegen[4]). Aber wie peinlich war er

---

[1]) — in eo quod expectabiles usque hactenus fuimus vestros suscipiendum missos, sed nondum ad nòs pervenerunt, schreibt Hadrian in dem
oben erwähnten Briefe vom 27. Oktober 775 an Karl, Jaffé IV, 182, Codex
Carolin. Nr. 55.

[2]) Jaffé IV, 185—186, Cod. Carol. Nr. 56, anschließend an die Stelle o.
S. 238 N. 2: Et expectabiles fuimus usque hactenus per totum Septembrium etiam et Octobrium et praesentem Novembrium mensem ipsos
vestros suscipiendum missos et de vestra sospitate per eos agnoscere. Et
dum minime ad nos advenissent, direximus nostras apostolicas literas usque Papiam ad iudices illos, quos ibidem constituere visi estis (vgl. o. S. 191
N. 5), ut nobis significare deberent de adventu eorundem vestrorum mis-
suum. Qui ita nobis direxerunt in responsis: nequaquam ad nos vestri
nunc esse profecturi missi. Der Brief gehört also in den November, und zwar
775; vgl. Forsch. z. deutschen Gesch. I, 483 N. 1. Jaffé l. c. S. 186 N. 1,
vgl. S. 189 N. 2, schließt aus den angeführten Worten wohl nicht mit Recht, daß
die Gesandten Karl's Possessor und Rabigaud damals bereits in Pavia gewesen seien.

[3]) Jaffé IV, 186. Wie wir oben (S. 237) sahen, war von Karl schon früher
der Wunsch kundgegeben worden, daß Pardus mit Andreas zu ihm gesandt werden
möge, Pardus jedoch damals, angeblich wegen Krankheit, zurückgeblieben und durch
den Bischof Valentin ersetzt worden.

[4]) Cod. Carol. Nr. 57, Jaffé IV, 189: Unde nos ilico, secundum qualiter missis vestrae regalis potentiae decet, omnem praeparationem seu et
caballos in obviam eorum direximus; vgl. hiezu Waitz IV, 2. Aufl. S. 20 ff.
Ueber die chronologische Einreihung dieses und des nächsten Briefes, Cod.
Carol. Nr. 58, Jaffé IV, 191 ff., und die Zeit der Reise des Possessor und Rabigaud, welche Leibniz I, 61 schon ins Jahr 774, Cenni I, 343 N. 2, 339 ff. 343 ff.
erst ins Jahr 776 setzt, vgl. Forschungen I, 484 N. 6; auch Jaffé, Regest. Pont.
Rom. ed. 2a, I, 294 Nr. 1851. 1852. Jaffé, Bibl. rer. Germ. IV, 189 N. 1
glaubt die Zeit der Reise jener Bevollmächtigten Karl's nach Spoleto, Benevent und

überrascht, als er erfuhr, die fränkischen Bevollmächtigten seien von Perugia, statt die Straße nach Rom zu verfolgen, zunächst nach Spoleto gereist. Allerdings ließen ihn die Bevollmächtigten durch die Boten, die er ihnen entgegen sandte, wissen, sie unterhandelten zwar einstweilen mit dem Herzog Hildiprand, würden jedoch dann, wie Karl ihnen vorgeschrieben, sich mit jenen Boten zum Papst begeben [1]). Hadrian beruhigte sich hiebei nicht; es war für ihn nur um so schlimmer, wenn, wie nun doch unzweifelhaft, die Bevollmächtigten nur nach Karl's Anweisung handelten; er wollte es garnicht glauben, meinte, Karl müßte ihnen, wie er ihm auch geschrieben, befohlen haben, sich sogleich nach Rom zu begeben [2]), und gab sich alle Mühe, sie zu schleuniger Reise nach Rom zu bewegen. Die lange Dauer ihres Aufenthalts in Spoleto steigerte seine Unruhe, er schickte ihnen ein Schreiben nach Spoleto und beschwor sie „bei dem allmächtigen Gott und dem Leben des großen Königs Karl", ihrem Auftrage gemäß nach Rom zu eilen, um dort mit dem Papst über die Erhöhung der Kirche zu verhandeln; wenn dies geschehen, werde er sie in ihrer hohen Stellung als Bevollmächtigte des Königs entsprechender Weise nach Benevent befördern

---

Rom noch bestimmter auf den November und Dezember 775 fixiren zu können; vgl. jedoch oben S. 240 N. 2. Ueber die Persönlichkeit des Possessor und Rabigaud ist nichts sicheres bekannt. Possessor, der auch in dem Schreiben Hadrian's I. an den Erzbischof von Reims (Jaffé, R. P. R. ed. 2 a, Nr. 2411; Flodoard. hist. eccl. Rem. II, 17, SS. XIII, 464, N. 2; vgl. o. S. 207 N. 2) erwähnt wird, soll nach der Vermuthung von Le Cointe VI, 102 Bischof von Toul gewesen sein, was aber völlig unerwiesen ist, Gallia christiana XIII, 967, vgl. auch Rettberg I, 518. Mabillon, Annales II, 231; Bouquet V, 546 N. halten ihn für den Erzbischof von Embrun, was ebenso unsicher ist, Gallia christiana III, 1065, obgleich er allerdings später (781) als Erzbischof bezeichnet wird (Cod. Carol. Nr. 68, Jaffé IV, 212 N. 3). Auch begegnet uns ein Bischof von Tarantaise dieses Namens in den dortigen Bischofskatalogen, Gallia christiana XII, 702. Rabigaud war vielleicht der Abt von Anisola (St. Calais) in der Diözese Le Mans, vgl. die Urkunde Mühlbacher Nr. 156, oben S. 150 N. 4. Der Abt von Busbrunn (Wessobrunn), welcher die Beschlüsse von Attigny unterzeichnete, Capp. reg. Francor. I, 222, und hier Fabigaudus heißt, wird allerdings anderwärts Rabigaudus geschrieben; vgl. Oelsner, König Pippin S. 316. 363. 376 und besonders eine Aufzeichnung: Nomina monasteriorum, cum quibus societatem habuit seculo 9. Augiense bei Mabillon, Analecta vetera, nov. ed. S. 426; da wird genannt: Ex monasterio Bucsbrunno Rabigaudus abbas; vgl. auch Confraternitat. Augiens. ed. Piper, M. G. S. 234; die Reichenauer Nekrologien (Böhmer, Fontt. IV, 140 ff.; Mitth. der antiquar. Gesellschaft in Zürich VI, 43 ff.; Mabillon l. c. S. 427) enthalten den Namen nicht. Aber ein bairischer Abt kann damals nicht Bevollmächtigter Karl's gewesen sein.

[1]) dirigentes nobis per nostros missos: eo quod tantummodo cum Hildibrandum loquimur, et deinde, ut directi sumus, una vobiscum apud domnum apostolicum coniungemus, Jaffé IV, 189—190.

[2]) realaxsantes recto itinere ad nos coniungendum, secundum qualiter a vestro a Deo protecto culmine directi fuerunt et ut vestros honorandos apices relegentes invenimus (hiezu vielleicht die o. S. 238 N. 2 angeführte Stelle aus epist. 56 S. 185 zu vergleichen?); Jaffé l. c. S. 189; ut directi estis, apud nos coniungere satagite, l. c. S. 190, vgl. Forsch. I, 486 f.

laffen[1]). Allein die Franken nahmen auf diese Bitten Hadrian's keine Rücksicht und setzten ihre Reise von Spoleto nach Benevent fort ohne vorher nach Rom zu kommen.

Es zeigte sich bald, zu welchem Ergebnisse die Unterhandlungen zwischen Hildiprand und den fränkischen Bevollmächtigten geführt hatten[2]). Hadrian aber wartete eine bestimmte Auskunft darüber garnicht ab; er ahnte nichts Gutes und richtete in seiner Angst ein Schreiben an Karl, um wo möglich noch den gefürchteten Ausgang abzuwenden. Er sah, daß es mit der Abhängigkeit des Herzogthums Spoleto vom römischen Stuhle zu Ende war. Hatte Karl doch bereits im Mai 775 zwei Urkunden für das spoletinische Kloster Farfa ausgestellt[3]). Die Unterhandlungen der fränkischen Gesandten mit Hildiprand ohne Zuziehung des Papstes waren Beweis genug, daß Karl die Ansprüche des Papstes auf Spoleto garnicht anerkannte; aus solchen Verhandlungen konnte für den Papst nichts Erfreuliches hervorgehen. So benutzte er denn noch die letzte Frist, ehe man ihm die Verabredungen mitgetheilt, um Karl gegenüber seine Ansprüche auf Spoleto noch einmal hervorzuheben. Er klagte die Bevollmächtigten Karl's der Verletzung ihrer Vollmachten an, die ihm doch allem Anschein nach garnicht bekannt waren[4]), beschuldigte sie, sein Ansehen und die Sicherheit seiner Herrschaft untergraben zu haben[5]), und erinnerte den König an jene von ihm in Rom gegebene Zusage, daß er nicht um Gold, Edelsteine oder Silber, Länder und Menschen zu gewinnen sich den Mühen des Feldzugs unterzogen habe, sondern um dem h. Petrus zu seinem Rechte zu verhelfen, die Kirche zu erhöhen und die Stellung des Papstes zu sichern[6]). Karl — so glaubte der Papst das Schenkungs= und Defensionsversprechen des Königs vom Jahr 774 auslegen zu dürfen — habe auch das Herzogthum Spoleto dem h. Petrus dargebracht und möge ihn nun auch im Besitz desselben sicher stellen[7]).

---

[1]) Jaffé IV, 190: Et tunc per dispositum, ut eius praecellentiae decet missos, apud Beneventum vos proficiscere disponimus; vgl. o. S. 240 N. 4; Forschungen a. a. O., wo diese Worte jedoch unzutreffend übersetzt sind.

[2]) Vgl. unten S. 243.

[3]) Mühlbacher Nr. 183. 184 (oben S. 222); Weiland in Zeitschr. f. Kirchenrecht XVII (N. F. II), 378.

[4]) Vgl. oben S. 241 N. 1 und Forsch. I, 486 N. 1, wo jedoch das ut directi sumus wohl nicht richtig gedeutet ist.

[5]) Jaffé IV, 190: Sed illi, nescimus quid pertractantes, statim a Spoletio in Beneventum perrexerunt, nos in magnum derelinquentes ignominium, et Spoletinos ampliaverunt in protervia. Unde valde hanc nostram perturbaverunt provinciam. Unter nostra provincia versteht der Papst, wie namentlich gegen Martens (Die römische Frage S. 151 N. 1, 158), aber auch gegen Thelen (Zur Lösung der Streitfrage u. s. w. S. 50 N. 3) zu bemerken ist, nicht Spoleto, sondern das von ihm in Italien besessene, bezw. beanspruchte Herrschaftsgebiet überhaupt.

[6]) Jaffé l. c., vgl. o. S. 161 N. 1.

[7]) Jaffé l. c. S. 191: Quia et ipsum Spoletinum ducatum vos praesentaliter offeruistis protectori vestro beato Petro principi apostolorum

Aber Hadrian richtete bei Karl selbst mit seinen Vorstellungen so wenig aus wie vorher bei dessen Bevollmächtigten. Das von den letzteren eingeschlagene Verfahren nahm seinen Verlauf, den wir gleich aus dem nächsten Briefe Hadrian's an Karl kennen lernen. Nachdem Possessor und Rabigaud auch mit Arichis sich besprochen hatten, kamen sie endlich — wie es scheint, wieder über Spoleto — nach Rom und legten dem Papste das Ergebniß ihrer Unterhandlungen vor; es blieb Hadrian nichts übrig als dasselbe nachträglich gutzuheißen und sich in das Unvermeidliche zu fügen. Spoleto war für ihn verloren. Die fränkischen Gesandten stellten an ihn das Ansinnen, er sollte mit Hildiprand sich in Güte vergleichen; ja er sollte dem Herzoge Geiseln stellen, dann würde derselbe nach Rom kommen[1]). Hadrian sagt nicht, zu welchem Zwecke Hildiprand sich bei ihm einfinden sollte. Daß jener ihm aufs neue Treue geloben sollte, war offenbar nicht die Absicht, sondern die Franken verlangten, daß er sich mit Hildiprand vertrage. Es kann nicht anders sein als daß sie mit demselben ein Abkommen getroffen hatten, infolge dessen Hildiprand sich der fränkischen Herrschaft unterwarf. Von einer Abhängigkeit Spoleto's vom römischen Stuhle ist später keine Spur mehr zu finden; sie muß eben damals aufgehört haben[2]). Für Hadrian war die Art, wie man ihm zumuthete die vollendete Thatsache anzuerkennen, verletzend; es ist daher kein Wunder, daß er immer noch fortfuhr, in bitterem Tone Karl Vorstellungen zu machen, daß er immer neue Beschuldigungen gegen Hildiprand vorbrachte, die Hoffnung Karl umzustimmen immer

---

per nostram mediocritatem pro animae vestrae mercaede. Der Papst behauptet hier nicht, daß Karl ihm das Herzogthum Spoleto ausdrücklich geschenkt habe, sondern gibt nur dem Schenkungsversprechen des Königs diese Auslegung; vgl. oben S. 166 N. 3, sowie Martens a. a. O. S. 150 ff. und Weiland a. a. O. S. 378 bis 379, mit denen man hier in der Hauptsache übereinstimmen kann; ähnlich, obwohl nicht ganz ebenso, Thelen a. a. O. S. 50—51; anders v. Sybel, Kl. hist. Schriften III, 103—104. 111. 113.

[1]) Jaffé IV, 192, Codex Carol. Nr. 58: nimis nos obsecrantes (die Bevollmächtigten) pro prenominati Hildibrandi noxa, ut veniam tribuissemus; adserentes, ut apud eum nostrum indiculum et obsides pro sua dubitatione (mitteremus), et Hildibrandus nostris se praesentaret optutibus.

[2]) Die Beweise s. bei F. Hirsch in Forschungen zur deutschen Geschichte XIII, 44; Martens S. 162 ff.; v. Sybel a. a. O. S. 104; Thelen S. 51 N. 1. Ein sprechendes Zeugniß enthält u. a. Cod. Carolin. Nr. 67, Jaffé IV, 211, wo der Papst die partes Spoletii seinem eigenen Gebiete (nostris finibus) deutlich gegenüberstellt. Ferner datirt Hildiprand später seine Urkunden nach Karl's Regierung und wird von diesem als dux fidelis noster bezeichnet, vgl. unten.
Irrig ist die Vermuthung von St. Marc, Abrégé I, 386, die fränkischen Bevollmächtigten hätten Spoleto getheilt, Hildiprand zum Herzog von Camerino, einen gewissen Hildepert zum Herzog von Spoleto gemacht. Die Vermuthung rührt daher, daß mehrere Urkunden einen Herzog Hildepert von Spoleto nennen, was schon Muratori, Annali a. 775 zu der Annahme veranlaßte, es habe eine solche Theilung stattgefunden oder Spoleto habe gleichzeitig zwei Herzöge gehabt. Es ist aber, trotz seiner Bedenken, unzweifelhaft, daß der Name Hildepert nur auf einer Verwechselung mit Hildiprand beruht und dieser der einzige Herzog von Spoleto war, vgl. auch Fatteschi S. 53 f.

noch nicht aufgeben wollte[1]). Er seinerseits mußte zwar der Auf=
forderung der Bevollmächtigten Folge leisten und Geiseln an Hildi=
prand schicken, auch seinen früheren Schatzmeister Stephan[2]) an
denselben abordnen; aber eine wirkliche Versöhnung kam nicht zu
Stande; Hildiprand scheint sich sogar geweigert zu haben nach Rom
zu kommen[3]). Hadrian hielt dem Könige die angeblichen verräthe=
rischen Umtriebe des Herzogs vor; sein Bote, schreibt er, habe in
Spoleto bei Hildiprand Gesandte der Herzöge Arichis von Bene=
vent, Hrodgaud von Friaul und Reginbald von Clusium (Chiusi)
gefunden. Dieselben hegten den verderblichen Plan, mit dem
nächsten März (776) mit einer Schaar griechischer Truppen und
Desiderius' Sohn Adelchis (der, wie man sich erinnert, am byzan=
tinischen Hofe Aufnahme gefunden hatte) den Papst zu Land und
See zu überfallen. Ihr Begehren stehe dahin, in Rom einzu=
fallen, die Kirchen, vor allem St. Peter zu plündern, den Papst
gefangen fortzuführen und das Langobardenreich wieder aufzu=
richten[4]).

Schon öfters hatte Hadrian den König auf die bösen Pläne,
welche diese Herzöge gegen sie beide im Schilde führten, hin=
gewiesen[5]). Jetzt beschwor er ihn, so schnell wie möglich zu seiner
Hilfe und Rettung herbeizueilen, nach Rom zu kommen, um die
gemeinsamen Feinde zu unterwerfen[6]), indem er zugleich auch diese
Gelegenheit benutzte, ihm die Ausführung des Schenkungsver=
sprechens ans Herz zu legen[7]). Die Meldungen des Papstes
mögen zum Theil auf Uebertreibung; sie werden, was Hildiprand
von Spoleto betrifft, sogar wahrscheinlich auf Verleumdung beruht
haben[8]); aber einen Kern von Wahrheit enthielten sie allerdings.

---

[1]) In dem Briefe bei Jaffé IV, 191 ff., Codex Carol. Nr. 58.
[2]) Jaffé IV, 192: Stephanum nostrum fidelissimum dudum saccellarium;
vgl. ibid. S. 223 (Cod. Carol. Nr. 72). 213 N. 8; in Nr. 56 (Embolum) S. 187
wird der Saccellarius Gregor genannt.
[3]) Hadrian sagt von einer Anwesenheit des Herzogs in Rom nichts; der ge=
reizte Ton, in welchem er von Hildiprand spricht, die Anklagen, die er gegen ihn er=
hebt, beweisen, daß die Spannung zwischen beiden fortdauerte.
[4]) Jaffé VI, 192, Cod. Carol. Nr. 58: Eo quod missi Arigisi Bene=
ventani ducis seu Rodcausi Foroiulani nec non et Reginbaldi Clusinae ci=
vitatis ducum in Spoleto cum praefatum reperit Hildibrandum; adibentes
adversus nos perniciosum consilium: qualiter — Deo eis contrario — pro=
ximo Martio mense adveniente utrosque (?) se in unum conglobent cum
caterva Grecorum et Athalgihs Desiderii filium et terrae marique ad dimi=
candum super nos irruant; cupientes hanc Romanam invadere ci=
vitatem et cunctas Dei ecclesias denudare atque ciborium fautori vestri
b. Petri abstollere vel nosmet ipsos — quod avertat divinitas — captivos
deducere nec non Langobardorum regem redintegrare et vestrae regali
potentiae resistere.
[5]) Ibid. S. 191—192; vgl. auch den Brief Hadrian's an Karl vom 27. Ok=
tober 775, Cod. Carol. Nr. 55 S. 183, und oben S. 239.
[6]) Ibid. S. 192—193.
[7]) Ib. S. 193.
[8]) Vgl. Martens S. 155; F. Hirsch, Forschungen XIII, 39. 42 f. Dagegen
glauben La Bruère I, 140 und Gaillard II, 125 ff., daß eine solche Verbindung

Die Herrschaft Karl's in dem langobardischen Reiche war keineswegs so befestigt wie er selbst wohl vorausgesetzt hatte. Es stellte sich heraus, daß er das Widerstreben der Langobarden gegen seine Herrschaft zu gering angeschlagen hatte, daß er der langobardischen Herzöge, die er in ihrer Stellung belassen hatte, trotz der von ihnen geleisteten Huldigung durchaus nicht sicher war[1]. Die fränkischen Quellen nennen als den Empörer nur den Herzog Hrodgaud von Friaul[2], vielleicht weil Karl mit ihm allein in Kampf kam. Von Hrodgaud behauptete man im fränkischen Reiche, er habe selber nach der Königswürde getrachtet[3], aber schwerlich war das seine Absicht[4], während es ihm allerdings gelang eine große Anzahl italienischer Stadtgebiete zu seiner Sache herüberzuziehen[5].

Karl war eben erst aus Sachsen zurückgekehrt, als er die Kunde von der in Italien drohenden Erhebung erhielt[6]. Man

---

der Herzöge vom Herzog von Spoleto ausgegangen sei, der mit Hilfe der anderen die Abhängigkeit vom Papste habe los werden wollen. Auch Dippoldt S. 59 nimmt den Bericht des Papstes zur Grundlage der Darstellung der Thatsachen.

[1] Die Annales Einhardi 776, SS. I, 155 sagen gerade von dem hervorragendsten Mitgliede der Verbindung, dem Herzoge von Friaul, er sei von Karl als Herzog eingesetzt gewesen: Hruodgaudum Langobardum, quem ipse (Karolus) Foroiuliensibus ducem dederat. Danach scheint es, daß Karl 774 doch einen oder den anderen Herzog eingesetzt hatte, nur aber eben nicht Franken, sondern eingeborene Langobarden, wie Hrodgaud, der einer der von Desiderius abgefallenen Großen gewesen sein kann; die Angabe der Annalen dahin zu verstehen, Karl habe den Hrodgaud nur in seiner schon früher bekleideten herzoglichen Stellung bestätigt, wäre gezwungen und nicht wohl zulässig; vgl. auch die Interpretation des Poeta Saxo l. I, v. 268. 270—273, Jaffé IV, 552 (Quippe ducem comitemque Foroiulensibus ipsum — Constituit Carolus); Einh. V. Karoli c. 6 (Hruodgausum Foroiulani ducatus praefectum) u. oben S. 191 N. 2.

[2] Annales Laur. mai. 775, SS. I, 154: Tunc audiens, quod Hrodgaudus Langobardus fraudavit fidem suam et omnia sacramenta rumpens et voluit Italiam rebellare; Annales Petav. SS. I, 16: .. occiso Hrotgaudo, qui illi rebello exiterat. Auch alle übrigen Annalen reden nur von Hrodgaud; nur in einer sagenhaften Nachricht bei Andr. Bergom. (Hist. c. 4, SS. rer. Langob. S. 224; vgl. oben S. 191 N. 2) wird neben ihm Herzog Gaidus von Vicenza genannt.

[3] Annales Einhardi l. c.: Hruodgaudoque, qui regnum adfectabat, interfecto ... Vorher schreiben diese Jahrbücher, es sei dem Könige gemeldet worden, Hruodgaudum ... in Italia res novas moliri, eine Angabe, die auch Einhard's Vita Karoli, c. 6, hat: res novas molientem, während der Vorwurf, daß er regnum adfectabat, sich nur in den Annalen findet; vgl. jedoch auch Ann. Sithiens. und Ann. Enhard. Fuld. SS. XIII, 35. I, 349. Die Ann. Laur. min. ed. Waitz a. a. O. S. 413 sagen: Hruotgauzum tyrannidem molientem interimit. Die Angabe von Martin II, 267, Hrodgaud habe sich sogar als König proklamiren lassen, schwebt in der Luft.

[4] Der Papst schreibt den Gegnern vielmehr die Absicht zu, den Adelchis wieder zum König der Langobarden zu machen, vgl. oben S. 244 N. 4.

[5] Vgl. unten S. 250 N. 3; 251 N. 1.

[6] Ann. Laur. mai. SS. I, 154: Carolus rex ad propria reversus est .. in Franciam. Tunc audiens, quod Hrodgaudus ... voluit Italiam rebellare, tunc illis in partibus cum aliquibus Francis domnus Carolus rex iter peragens, et caelebravit natalem domini in villa quae dicitur Scladdistat;

erinnert sich, daß der König vordem ohnehin nach Italien zu gehen beabsichtigt, dem Papste die Aussicht eröffnet hatte, im Oktober daselbst zu erscheinen und dann das Schenkungsversprechen im ganzen Umfange zu erfüllen. Wir erfuhren dies aus einem Schreiben des Papstes an Karl[1]), und in einem anderen Briefe, welchen er den königlichen Missi Possessor und Rabigaud bei deren Rückkehr mitgab, heißt es ebenfalls, dieselben hätten ihm einen Brief Karl's überbracht, welcher die Mittheilung enthielt, daß der König nach seiner Rückkehr aus Sachsen alsbald nach Italien und Rom zu eilen wünsche, um seine dem h. Petrus gegebenen Verheißungen zu erfüllen[2]). Hadrian drückt auch hier die größte Freude über diese Absicht des Königs aus und erbietet sich sogar, falls dessen Besuch irgend eine Verzögerung erfahren sollte, dem Könige entgegenzureisen[3]). Inzwischen war dieser Gedanke zwar, wie es scheint, in den Hintergrund getreten[4]). Nun trafen jedoch diese Nachrichten ein, die Karl, abgesehen von den Mittheilungen des Papstes, ohne Zweifel auch von seinen eigenen Beamten empfing, so daß der König sich zu Ende des Jahres 775 in der That entschloß sich nach Italien zu begeben. Er verließ die Pfalz Diedenhofen und ging nach Schlettstadt im Elsaß, offenbar schon damals auf dem Wege nach Italien begriffen. Eine Urkunde, worin er dem Bischof Etto von Straßburg für die Angehörigen seiner

---

Ann. Einh. SS. I, 155. — Hegewisch S. 120 vermuthet unrichtig, Karl habe um der Vorgänge in Italien willen den Feldzug in Sachsen früher als ursprünglich seine Absicht gewesen beendigt.

[1]) Cod. Carol. Nr. 53 S. 177, vgl. ob. S. 236 N. 1.

[2]) Jaffé IV, 194, Cod. Carol. Nr. 59: Continebatur quippe in ipsis vestris regalis seriem apicibus: quod, Domino protegente, remeante vos a Saxonia, mox et de presenti Italiam vel ad limina protectoris vestri beati apostolorum principis Petri adimplendis quae ei polliciti estis properare desideraretis. Was die Zeit dieses Briefs betrifft, so wird derselbe von Cenni I, 348 erst ins Frühjahr 776, in der Abhandlung über Papst Hadrian I. und die weltliche Herrschaft des römischen Stuhls, in Forschungen z. D. G. I, 490 N. 3 sogar erst Ende 776, dagegen von Bouquet V, 546, Pagi a. 775 Nr. 7 u. a. sowie von Jaffé (vgl. auch Reg. Pont. ed. 2ᵃ I, 294 f. Nr. 2420) ins Jahr 775 gesetzt. Auch wir entscheiden uns für dies letztere Jahr und folgen daher auch Jaffé, wenn er Bibl. IV, 194 N. 1 bemerkt, daß Possessor und Rabigaud jedenfalls vor dem 25. Oktober 775 von Karl nach Italien geschickt worden seien, da der sächsische Feldzug, der erst im August begann, damals bereits vorüber war (Karl urkundet unter dem 3. August und dann wieder unter dem 25. Oktober in Düren; vgl. ob. S. 224. 232). Ja, die Rücksendung des Possessor und Rabigaud mit dem erwähnten Schreiben des Papstes (Cod. Carol. Nr. 59) dürfte sogar keinenfalls später als in den August fallen. Eben deßhalb scheint es jedoch zweifelhaft, ob Jaffé diesen Brief an richtiger Stelle eingereiht hat und ob derselbe nicht vielmehr vor Nr. 54—58 zu setzen und mit Nr. 53 zu verbinden ist. Die Begründung dieser Ansicht, welche das Maß einer Anmerkung überschreiten würde, verweisen wir in Excurs VII.

[3]) Jaffé l. c. S. 195: Et cognoscat vestra conspicua excellentia: quia, si mora de vestro adventu provenerit, magna nobis inminet voluntas ibidem in vestri obviam, ubicumque vos valuerimus coniungere, gradiendum proficiscere.

[4]) Vgl. o. S. 238 N. 2.

Kirche Zollfreiheit im ganzen Reiche, mit Ausnahme der Zollstätten in Quentowic (Wicquinghem an der Canche), Duurstede und Sluis, also mit Ausnahme des Handels nach der See einräumt, bezeugt seine Anwesenheit in Schlettstadt für den Dezember[1]. In diesen Zeitpunkt muß ferner auch eine Urkunde fallen[2], nach welcher vor dem Gericht des Königs in der Pfalz Schlettstadt der Vogt Othbert und der Abt Beatus vom Kloster Honau im Elsaß wider die Vögte der Abtei Corbie wegen widerrechtlichen Besitzes eines urkundlich an Honau geschenkten Guts zu Osthofen und Hohengöft klagten. Die letzteren wandten ein, dies Gut sei ihrer Abtei von Gerbirg (wohl nicht der Gemahlin weiland König Karlmann's[3]?) geschenkt worden. Da der Streit auf Grund der beiderseits vorgelegten Urkunden nicht geschlichtet werden konnte, so wurde mit Zustimmung der Parteien das Gottesurtheil der Kreuzprobe angeordnet, welches gegen Corbie entschied. Auch Weihnachten hat der König in Schlettstadt gefeiert[4].

---

[1] Sickel, K. 55; Mühlbacher Nr. 195; Grandidier, Histoire de l'église de Strasbourg II, preuves S. 116 Nr. 68; vgl. auch Rettberg II, 69.

[2] Sickel II, 32 (K. 56). 246; Mühlbacher Nr. 196; Grandidier l. c. S. 118 Nr. 69; in verkürzter Fassung bei Mabillon, Ann. Ben. II, 699 Nr. 18 rc.

[3] Vgl. ob. S. 82 N. 3; es würde allerdings an sich nicht verwunderlich sein, wenn eine Schenkung der Gattin Karlmann's von dem Hofgericht Karl's nicht besonders respektirt worden wäre.

[4] Annales Laur. mai. in der Stelle oben S. 245 N. 6; Ann. Mett. SS. XIII, 20 (Sclezistat in Elisatio, vgl. auch Annalista Saxo, SS. VI, 559).

Die Vorgänge in Italien gefährdeten die Stellung des Papstes ebenso sehr wie die Karl's; aber daneben schien die Verwickelung für den Papst auch eine günstige Seite zu haben. Er durfte hoffen, sich durch seine Mittheilungen an Karl in Betreff der Entwürfe der Gegner in des Königs Augen ein Verdienst erworben zu haben, hoffen, daß Karl, durch die Verhältnisse gedrängt in Italien nachdrücklich einzuschreiten, durch die Bekämpfung der gemeinschaftlichen Feinde ihm näher gebracht werden würde. Allein Karl schlug ein Verfahren ein, welches wie darauf berechnet war, jeder näheren Berührung mit Hadrian aus dem Wege zu gehen. Er handelte ohne den Papst und bereitete diesem aufs Neue eine peinliche Enttäuschung.

Mit der Unterdrückung der Unruhen wurde Karl schneller fertig als zu erwarten war. Hildiprand von Spoleto, der wohl thatsächlich nie dem angeblichen feindlichen Bündnisse der Herzöge angehört, hatte sich, wie wir sahen[1]), vielmehr dem Frankenkönige unterworfen. Arichis von Benevent, mit dem Karl's Bevollmächtigte Possessor und Rabigaud ebenfalls unterhandelt hatten[2]), blieb ruhig und scheint sogar damals in ein, wenn auch loses Abhängigkeitsverhältniß zu Karl getreten zu sein[3]). Außerdem hatte der Papst auch den Herzog Reginbald oder Reginald von Chiusi der Theilnahme an dieser Verschwörung verdächtigt[4]). Wir erfahren, daß derselbe dem Papste das Castellum Felicitatis (Città di Castello), wo er früher Gastald gewesen war[5]), mit Waffen-

---

[1]) Vgl. ob. S. 243.
[2]) Vgl. Jaffé IV, 190. 192 und unten S. 249.
[3]) Vgl. F. Hirsch in Forschungen zur deutschen Geschichte XIII, 44.
[4]) Vgl. ob. S. 244.
[5]) Jaffé IV, 196, Cod. Carol. Nr. 60: de perfidum illum et seminatorem zizaniorum atque instigatorem, humani generis emulum Raginaldum, dudum in castello Felicitatis castaldium, qui nunc in Clusinae civitate dux esse videtur (Nr. 58 S. 192: Rodcausi Foroiulani nec non et Reginbaldi

gewalt wegnahm und die Besatzung wegschleppte[1]). Hadrian erhob
darüber Beschwerde bei Karl und ersuchte ihn, den Herzog — einen
Menschen, der schon zu Desiderius' Zeiten häufig Aergerniß und
Zwist hervorgerufen habe[2]) — nicht länger in Tuscien zu dulden[3]); aber er verhüllte dabei nur schlecht den wahrscheinlich begründeten Argwohn, Karl selbst möchte den Herzog begünstigen[4]);
auch hören wir nicht, daß Karl seinen Beschwerden abgeholfen
hätte. — Auch die Landung des Adelchis, die nach dem Bericht
des Papstes gedroht hatte, unterblieb. Statt eines griechischen
Heeres kam die Nachricht von dem am 14. September 775 erfolgten Tode des Kaisers Constantin V. Kopronymos[5]), deren Richtigkeit vom Papste anfangs angezweifelt, ihm dann jedoch am 7. Februar 776 durch ein Schreiben des Bischofs Stephan von Neapel
bestätigt wurde[6]). Möglich, daß dieser Thronwechsel in Constantinopel die Absichten des Adelchis und Arichis durchkreuzte. Hrodgaud von Friaul stand jedenfalls vereinzelt; aber er war schon
wegen der Lage seines Herzogthums, als unmittelbarer Nachbar
Tassilo's, für Karl besonders gefährlich[7]) und hatte daher auf keine
Nachsicht zu rechnen.

Nachdem Possessor und Rabigaud mit Hildiprand und Arichis
erfolgreich unterhandelt hatten, machte sich Karl selber zum zweiten
Mal auf den Weg nach Italien. Zu einem allgemeinen Aufgebot

Clusinae civitatis ducum). Dieser Brief ist im Februar 776 geschrieben; vgl. auch
Forsch. z. D. G. I, 484 N. 6.

[1]) Jaffé l. c. S. 196—197: Unde et per semet ipsum cum exercitu in
eandem civitatem nostram castello Felicitatis properans, eosdem castellanos
abstulit. Die Einwohner von Città di Castello hatten im J. 773 dem Papste ge-
huldigt, vgl. V. Hadriani, Duchesne l. c. S. 496 und oben S. 185.

[2]) Jaffé l. c. S. 197: eo quod et sub Desiderii temporibus iurgia et
scandala frequenter seminando non omittebat.

[3]) Ibid.: Idcirco poscimus et nimis subplicando insistimus vestram a
Deo illustratam potentiam: ut ob amorem b. Petri apostoli nullo modo
praenominatum Raginaldum ibidem Tusciae partibus esse permittatis, sed
neque illum ei agendum cedatis.

[4]) Ibid.: Et nequaquam credimus . . . quod pro predicti Raginaldi ducis
exaltatione mutationem fecisset vestra a Deo corroborata regalitas una
cum excellentissima filia nostra regina atque dulcissimis natis vestris vel
cunctum a Deo institutum Francorum exercitum nisi pro sustentatione
amatricis vestrae sanctae Dei ecclesiae, ut per vestro benigno certamine
perenniter permanens eniteat. Auch Cenni I, 338 N. 6 findet hierin deutlich
Hadrian's Verdacht ausgesprochen und hebt ausdrücklich hervor, daß der Papst hier
anders spreche als er denke, d. h. also daß er in Wirklichkeit ernstliche Besorgnisse in
dieser Beziehung hegte.

[5]) Theophanis Chronographia ed. de Boor I, 448.

[6]) Cod. Carol. Nr. 60, Jaffé IV, 196. Nach Gaillard II, 129 hätten
die Herzöge nicht mit Constantin, sondern mit seinem Nachfolger Leo IV. Porphyrogenitus in Verbindung gestanden; bedenkt man aber, daß der Papst erst am
7. Februar 776 über den Tod Constantin's Sicheres erfuhr, so können die Herzöge
nicht schon einige Monate vorher mit Leo im Bündniß gestanden haben. Der Kaiser,
welcher Adelchis seine Unterstützung zugesagt hatte, kann nur Constantin gewesen sein.

[7]) Diesen Punkt hebt auch Luden VI, 306 richtig hervor.

war nicht die Zeit, Karl nahm nur eine kleinere fränkische Streit=
macht, die er eben rasch um sich sammeln konnte, nach Italien
mit[1]). In den ersten Monaten des Jahres 776 kam er dort an[2])
und machte der Erhebung schnell ein Ende[3]). Es war Hrodgaud
in der That geglückt verschiedene Städte Oberitaliens zum Abfall
zu bewegen[3]); dennoch scheint Karl nur auf einen schwachen Wider=
stand gestoßen zu sein. Hrodgaud selbst war einer der ersten, die
unterlagen; er scheint im Kampf gefallen zu sein[4]); erst eine spä=
tere Nachricht erzählt, er sei in Karl's Gefangenschaft gerathen und
auf seinen Befehl enthauptet worden[5]). Nachdem so der Führer
der Bewegung gefallen war, führte der König die abtrünnigen

---

[1]) Cum aliquibus paucis Francis zog er nach Italien, sagen die Annales
Laur. mai. l. c. (Chron. Vedastin. SS. XIII, 704: cum paucis); strenuissi-
mum quemque suorum secum ducens, die Annales Einhardi l. c. Aber wie
Luden IV, 306. 529 N. 13, an ein „Geleite von freiwilligen tapferen Männern",
an eine aus den königlichen Vassallen gebildete Heerschaar zu denken, die Karl nach
Italien geführt, ist ganz unrichtig, wenn er auch darin Recht hat, daß nicht die ganze
Streitmacht des Reiches aufgeboten wurde; vgl. Ann. Laur. mai. 769. 771. 783.
788. 789. 791, SS. I, 146, 148. 164. 174. 176; oben S. 44. 104; ferner unten
Excurs III; Waitz IV, 2. Aufl. S. 610 ff.

Ueber Karl's Eile vgl. Ann. Einh.: Ad quos motus comprimendos cum
sibi festinandum iudicaret ... raptim Italiam proficiscitur — eadem qua
venerat velocitate; Ann. Mett. SS. XIII, 30; Chron. Vedastin. l. c. (continuo). — Den damaligen Zug erwähnen auch Ann. Laur. min. ed. Waitz, S. 413;
Ann. Flaviniacenses ed. Jaffé S. 687.

[2]) Die Ann. Mettens. l. c. lassen ihn durch ein Versehen erst nach Pavia
kommen und dann von hier nach Friaul eilen: Karolus rex, ut prediximus (?),
ad Papiam civitatem venit etc.

[3]) Ann. Laur. mai. (vgl. unten S. 251 N. 1); Ann. Einhardi (et iam
conplures ad eum civitates defecisse — civitatibus quoque, quae ad eum
defecerant).

[4]) In einer Urkunde vom 17. Juni 776, Mühlbacher Nr. 198; Bouquet V,
737 schenkt Karl dem magister artis grammaticae Paulinus die Besitzungen des
Waldandius filii quondam Mimoni de Laberiano, quae ad nostrum devenerunt palatium, pro eo quod in campo cum Forticauso (Rodicauso) inimico
nostro a nostris fidelibus fuerit interfectus. Demnach fand jedenfalls ein Kampf
statt, obschon in den Annalen eines solchen nirgends ausdrücklich Erwähnung ge=
schieht; vgl. auch Mühlbacher Nr. 454 und über beide Urkunden unten S. 252 f.

[5]) Regino, SS. I, 558: Rotgaudum rebellem captum decollari iussit;
hienach mit einem Zusatz Ann. Metteuses, SS. XIII, 30: improvisumque
Rohtgaudum cepit et decollare precepit; ebenfalls nach Regino Sigebert.
chron. SS. VI, 334 und nach diesem wiederum Ann. Xantens. SS. II, 222 und
Pauli contin. III. c. 68, SS. rer. Langob. S. 215. Die von Gaillard II,
130 f. wegen der Hinrichtung des Herzogs gegen Karl erhobenen Vorwürfe sind um
so grundloser als der Nachricht selbst ganz unzuverlässig ist. Die älteren Quellen be=
richten nur, daß Hrodgaud getödtet wurde, vgl. Ann. Laur. mai. (Hrodgaudus
occisus est); Ann. Einhardi (Hruodgaudoque ... interfecto; vgl. Ann. Sithiens., Enhard. Fuld.); Ann. Petav. (vgl. Ann. Maximin. SS. XIII, 21);
Ann. Mosellan., Lauresham.; Ann. Guelferb., Nazar., Alam.; Ann. Laur.
min.; Ann. Flaviniac. etc. — Daß der Poeta Saxo lib. I. v. 278—279,
Jaffé IV, 552 die Worte der Ann. Einhardi wiedergibt: meritoque tyrannum —
Interitu plectens, kommt nicht in Betracht. Der Verdacht Luden's IV, 529 N. 5,
der sagt: „Ich lasse gerne unbestimmt, auf welche Weise" (Hrodgaud ums Leben
kam), ist ohne jede Berechtigung.

Städte, unter denen Friaul und Treviso genannt sind[1]), zum Ge=
horsam zurück.　Hauptsächlich Treviso scheint ernstlichen Widerstand
versucht zu haben.　Dort befand sich des Hrodgaud Schwiegervater
Stabilinius, Karl mußte sich zur Belagerung der Stadt ent=
schließen[2]).　Es dauerte jedoch nicht lange, so fiel dieselbe gleich=
falls in seine Hände, wie es später hieß durch Verrath.　Ein Ita=
liener Namens Petrus, so wird erzählt, lieferte Karl die Stadt aus
und erhielt zum Lohn dafür von Karl das durch den Tod des
Bischofs Madalveus eben erledigte Bisthum Verdun[3]).　Allein,
wenn es auch an sich glaubhaft sein mag, daß auch hier wieder
Verrath im Spiele war[4]), so ist doch jene Angabe ganz zu ver=
werfen.　Genau dasselbe erzählt eine ungleich ältere und auch schon
unzuverlässige Nachricht von dem Fall Pavia's[5]), das aber dem
Schauplatze der Empörung von 776 ganz fern lag, so daß dabei
an die Einnahme im Jahr 774 zu denken ist.　Und diese Nachricht
ist dann später vermittelst einer willkürlichen Combination auf Tre=
viso übertragen[6]), mithin die in Rede stehende Ueberlieferung ohne
allen und jeden Anspruch auf Glaubwürdigkeit.　Thatsächlich wissen
wir nur, daß Stabilinius gefangen wurde[7]).

Ostern, 14. April, war Karl bereits der Bewegung vollständig
Herr; er konnte das Fest in Treviso feiern[8]).　Immerhin hatte

---

[1]) Annales Laur. mai. l. c.: Et captas civitates Foroiulem, Taravisium
cum reliquis civitatibus, quae rebellatae fuerant; Chron. Vedastin. SS. XIII,
704 (mit dem Zusatz: cum aliis multis); Ann. Einhardi: civitatibus quoque,
quae ad eum defecerant, sine dilatione receptis; vgl. auch Ann. Mosellan.
SS. XVI, 296: et recepit illa castella, quae residua erant; Ann. Lauresham. etc.

[2]) Ann. Petav. SS. I, 16: Obsederuntque Stabilinium socerum suum
Taraviso civitate.

[3]) Hugonis Flaviniac. chronicon, SS. VIII, 351: cum obsideret exercitus Karoli in Tharavisa Italiae civitate Stabilinum socerum Chrotgaudi
. . . erat in eadem civitate Petrus vir Italicus, a quo tradita est civitas, et
ob hoc de Virdunensi episcopatu honoratus est.

[4]) In der Sage bei Andr. Bergom. c. 4, SS. rer. Langob. S. 224, ist
einer der Edlen Friaul's von Karl durch Geschenke bestochen und räth deshalb auf die
von Karl vorgeschlagene Unterwerfung einzugehen, vgl. oben S. 191 N. 2.

[5]) Bertharius in den Gesta episcop. Virdunensium c. 14, SS. IV, 44: Post
hunc extitit Petrus, vir Italicus. Nam cum esset exercitus Francorum circa
Papiam et obsideret eam, ab isto, ut fertur, tradita est, et ob hoc a Karolo Magno de isto episcopatu honoratus est.　Wie das ut fertur zeigt, gibt
sich　gar diese Nachricht selbst als bloße unverbürgte Tradition; vgl. oben S. 187
N. So

[6]) Die Vergleichung der in N. 2. 3. 5 angeführten Stellen zeigt, daß Hugo von
Flavigny den Bertharius ausgeschrieben und damit die Erzählung der Ann. Petaviani verbunden hat; daß er deshalb von Treviso erzählt, was Bertharius von Pavia
erzählt hatte.　Diese Combination Hugo's knüpft sich daran, daß er das Todesjahr
von Petrus' Vorgänger in Verdun, dem Bischof Madalveus, auf 776 berechnete.
Thatsächlich wurde Petrus im J. 781 vom Papst Hadrian I. in Rom zum Bischof
ordinirt; vgl. unten z. J. 781 und Bd. II. z. J. 792.

[7]) Ann. Petav. l. c.

[8]) Annales Laur. mai. l. c., die übrigens die Aufeinanderfolge der Ereignisse
nicht genau angeben, da Treviso Ostern ja schon gefallen war.

aber die Erfahrung gezeigt, daß die 774 von Karl zur Sicherheit seiner Herrschaft in Italien getroffenen Maßregeln ungenügend waren; er trat daher jetzt mit größerer Strenge auf, nahm auch in der Verwaltung seines italischen Reiches einige weitere Umgestaltungen vor, die sich jedoch, soviel man sieht, immer noch auf das Nothwendigste, auf vereinzelte Maßregeln beschränkten, keine umfassende durchgreifende Aenderung in Verfassung und Verwaltung zum Zwecke hatten. Diese wurde einer späteren Zeit vorbehalten und fand überhaupt nicht auf einmal, sondern nur nach und nach statt [1]).

Zunächst sind von Karl über die Theilnehmer an dem Aufstande strenge Strafen verhängt, von denen freilich die eigentlichen Geschichtsquellen wenig berichten, die sich aber aus ein paar Urkunden deutlicher erkennen lassen. Das Vermögen derer, die mit Hrodgaud gegen Karl unter den Waffen gestanden hatten, wurde, wie es scheint, confiscirt und dann wohl in einzelnen Fällen zur Belohnung der Anhänger Karl's benutzt. So schenkte der König dem Lehrer der Grammatik Paulinus die Besitzungen eines gewissen Waldandius, des Sohnes Mimo's von Lavariano, die für den (italienischen) königlichen Fiscus eingezogen worden waren, weil Waldandius auf Seiten des Hrodgaud im Kampfe gegen die Franken gefallen war [2]). Paulinus stand bei Karl in besonderer Gunst; denn es ist wohl ohne Zweifel derselbe, der uns später (seit 787) als Patriarch von Aquileja begegnet [3]) und als kirchlicher Schriftsteller, namentlich bei der Bekämpfung der Adoptianer, eine bedeutende Rolle spielte [4]). Ebenso wurden die Güter zweier Brüder, der Langobarden Hrodgaud und Felix, welche gleichfalls mit

---

[1]) Vgl. Waitz III, 2. Aufl. S. 167; auch Hegel II, 2 u. unten S. 253 ff. Leo I, 206 setzt dagegen in dieses Jahr eine völlige Umgestaltung der langobardischen Verfassung und Verwaltung nach fränkischem Muster, aber ganz ohne Grund.

[2]) Vgl. die Urkunde oben S. 250 N. 4 und unten.

[3]) Ausdrücklich gesagt ist dies freilich nirgends, aber die Vermuthung liegt sehr nahe. Nur Bouquet V, 835 unterscheidet den Patriarchen von dem Grammatiker; Le Cointe VI, 109; Mabillon, Annales II, 234; Leibniz I, 62 zweifeln nicht an der Identität; ebenso wenig Büdinger, Oesterreich. Gesch. I, 142; Sickel II, 246 bis 247; Bähr, Gesch. der röm. Literatur im karoling. Zeitalter S. 356; Dümmler, Poet. Lat. aev. Carolin. I, 123; Ebert II, 89; Wattenbach I, 5. Aufl S. 142 N. 1. — Wenn Sickel sich darauf stützt, daß Baronius diese Urkunde einer Vita Paulini entnommen habe, so ist dies Argument freilich ohne Beweiskraft, da jene Vita nur eine spätere Zusammenstellung von Nachrichten über den Patriarchen ist (vgl. Acta SS. Boll. Ian. 1, 714; Madrisio, Paulini opp. bei Migne Bd. 99). In Betreff des Anfangs seines Patriarchats, welchen Madrisio l. c. Sp. 29—30 und Rubeis, Monumenta eccles. Aquil. S. 359 unrichtig bereits ins Jahr 776 setzen, vgl. Jaffé VI, 162 N. 4; Dümmler; Ebert a. d. a. O.; Wattenbach a. a. O. S. 143. Da derselbe wahrscheinlich erst ins Jahr 787 gehört, so fällt jeder Grund fort, bei dem Grammatiker Paulinus jener Urkunde deshalb, weil er darin nicht als Patriarch erscheint, an einen anderen, etwa an Paulus Diaconus, der allerdings gelegentlich (Cod. Carol. Nr. 92, Jaffé VI, 274) auch als Paulus grammaticus bezeichnet zu werden scheint, zu deuten. Vgl Rubeis l. c. S. 332 f. 356 ff., wo diese Vermuthung Anderer getheilt ist.

[4]) Vgl. unten Bd. II. zu den JJ. 794. 799.

Herzog Hrodgaud von Friaul den Tod gefunden hatten, nach frän=
kischem und langobardischem Rechte confiscirt und zunächst als Bene=
ficium an einen gewissen Landola vergeben, während ein dritter
Bruder, Laudulf, der nicht im Abfall beharrte, seinen Erbantheil
später zurückerhielt[1]). Confiscationen wurden infolge dieses Auf=
standes von Karl ohne Zweifel überhaupt in umfassendem Maß=
stabe vorgenommen, die früheren Eigenthümer ins fränkische Reich
abgeführt; daß solche Wegführungen von Langobarden, welche dann
in verschiedene Gegenden zerstreut worden zu sein scheinen, damals
in umfassender Weise stattfanden, bezeugt eine unserer Quellen aus=
drücklich[2]). Von einem solchen Falle, der ebenfalls in diese Zeit
zu gehören scheint, wissen wir sogar genaueres. Auch den Bruder
des Paulus Diaconus, Arichis, traf nämlich dieses Schicksal; seine
Frau mit ihren vier Kindern blieb im Elend in Italien zurück[3]);
die Versuche, die endlich nach 6 Jahren Paulus Diaconus machte,
um bei dem Könige die Freilassung seines Bruders zu erwirken,
führten dann, wie es scheint, Paulus Diaconus in die Umgebung
Karl's[4]).

Sonst wissen die Geschichtsquellen nur wenig von den Schritten
Karl's zur Befestigung seiner Herrschaft zu erzählen. Fränkische
Grafen wurden in größerer Anzahl eingesetzt, namentlich in allen
den Städten, welche sich dem Aufstand angeschlossen hatten[5]); sie
alle erhielten zugleich eine fränkische Besatzung[6]). Sonst bleibt

---

[1]) Mühlbacher Nr. 454; Migne XCVIII, 1449 Nr. 3 (Urk. Karl's vom
21. Dezbr. 811 für Aquileja.) — Ueber die freilich sehr unwahrscheinliche Vermu=
thung, daß Ajo von Friaul, welcher aus dem italischen Reiche in das Land der
Avaren flüchtete, dies ebenfalls infolge der Empörung Hrodgaud's gethan habe, vgl.
unten Bd. II. z. J. 796.

[2]) Ann. Maxim. SS. XIII, 2: multi ex Langobardis foras ducti mul-
tique (multaque?) per loca expulsi sunt; über die Urkunde Karl's für den als
Geisel weggeführten Manfred aus Reggio vom 17. Juli 808 (Mühlbacher Nr. 429)
vgl. oben S. 192 N. 1 sowie unten zu den JJ. 787 und 808 (Bd. II).

[3]) Versus Pauli ad regem precando, worin Paulus Diaconus Karl um
die Freilassung seines Bruders bittet, Poet. Lat. aev. Carolin. I, 47 f.; vgl. Beth=
mann, Paulus Diakonus' Leben und Schriften, in Pertz, Archiv X, 260 N. 1;
Waitz, SS. rer. Langob. S. 15 N. 2; O. Abel, Geschichtsschr. d. deutschen Vor=
zeit VIII. Jahrh. 4. Bd., 2. Aufl. bearb. von R. Jacobi, Einl. S. XII; Watten=
bach I, 5. Aufl. S. 158; Mühlbacher S. 76—77; Dahn, Paulus Diaconus I, 28,
der sich allerdings zweifelnder äußert, wie auch Dümmler, Poet. Lat. l. c. S. 28
dahingestellt sein läßt, ob des Paulus Bruder Arichis 776 oder bereits 774, nach
der Einnahme von Pavia in die Gefangenschaft abgeführt worden sei.

[4]) Vgl. unten zum Jahr 782 und das in der vorigen Note angeführte Gedicht.

[5]) Annales Einhardi l. c.: civitatibus quoque, quae ad eum defecerant,
sine dilatione receptis et in eis Francorum comitibus constitutis. Dagegen
waren in anderen Städten nicht ausschließlich fränkische Grafen, sondern jetzt und
später wurden auch Langobarden zu Grafen ernannt; Pippin's Capitular von 782,
c. 7, Capp. I, 192 nennt neben dem comis Franciscus ausdrücklich noch Langu-
bardiscos comites.

[6]) Das heben die Annales Laur. mai. l. c. besonders hervor: disposuit eas
omnes per Francos, worin die Einsetzung fränkischer Beamter miteingeschlossen sein
kann. Die Stelle schließt sich unmittelbar an die oben S. 251 N. 1 mitgetheilte an,
bezieht sich also nur auf die am Aufstand betheiligten Städte. Regino, SS. I, 558:

hinsichtlich der Behandlung von Friaul manches dunkel. Der
herzogliche Titel wurde für den Vorsteher dieser Provinz auch
später noch häufig beibehalten[1]), obwohl diese Stellung seit dem
Aufstande des Hrodgaud vermuthlich nicht mehr von einem Lango=
barden, sondern wahrscheinlich sogleich von einem Franken bekleidet
wurde und ihr Inhaber jedenfalls nicht mehr ein Herzog im alten
langobardischen Sinne, sondern mehr ein fränkischer Graf war. Im
Jahre 778 wird in einem Schreiben des Papstes der Herzog Mar=
carius von Friaul erwähnt[2]); spätestens seit 795 bis zu seinem
Tode im Jahr 799 erscheint dann der edle Straßburger Erich, der
gewöhnlich ebenfalls als Herzog von Friaul, bisweilen auch als
Graf bezeichnet wird, an der Spitze dieser Landschaft[3]). Wann
das wichtige Grenzland förmlich als Markgrafschaft eingerichtet
wurde[4]), ist nicht zu ersehen, obschon wenigstens Erich's Stellung
wohl als eine markgräfliche betrachtet werden darf. Es könnte
scheinen, als wäre die Einrichtung zwischen 776 und 788 getroffen;
aber Annalen, die 788 von einer Mark von Friaul sprechen, können
hiemit auch nur die Grenze gemeint oder ungenau die zur Zeit ihrer
Abfassung übliche Bezeichnung von einer früheren Zeit gebraucht
haben[5]). Eine endgiltige Anordnung und Abgrenzung der süd=

---

derelictis custodibus ex Francis in civitatibus, quae adversus eum sense-
rant; Pauli contin. III. c. 63, SS. rer. Langob. S. 214 (Francis eas ad
custodiam permisit). — Ann. Petav.: dispositisque omnibus.

[1]) Vgl. Waitz III, 2. Aufl. S. 373 N. 1; Malfatti II, 158; unten N. 2
und Bd. II. z. J. 799. — Gegen die Annahme von Luden IV, 307, das Herzog=
thum Friaul sei in einzelne Grafschaften aufgelöst worden, erklärt sich schon Leibniz
I, 62. — Bei Muratori, Antiquitates I, 290 f. (dissert. 5) finden sich Erörterungen,
nach welchen Karl mehrere civitates, deren ursprünglich jede einen eigenen Grafen
hatte, zu einem Ducat oder einer Markgrafschaft vereinigt hätte, deren Benennung
wechselte, je nachdem der Markgraf in Friuli, Treviso oder Verona seinen Sitz hatte.
Aber das letztere gilt jedenfalls erst für spätere Zeit. Vollends verkehrt ist, was über
die Entstehung der Markgrafenwürde bei Verci, Storia della marca Trivigiana
e Veronese I, 1 f. steht, als würde von Karl eigentlich nur der Name her, während
die Einrichtung selbst schon älter wäre.
[2]) Jaffé IV, 207, Codex Carol. Nr. 65, wo Hadrian schreibt: et nos eum
iterum direximus ad Marcario duce Foroiuliense (vorher: Marcarlo duci).
[3]) Vgl. unten Bd. II. zu den JJ. 795 und 799. Mit Unrecht bezeichnet La
Bruère I, 143 den Erich (welchen er auch irrig Heinrich nennt) als unmittelbaren,
von Karl eingesetzten Nachfolger Hrodgaud's.
[4]) Haltlose Folgerungen sind in dieser Beziehung an den Namen Marcarius
(oben N. 2) geknüpft worden. La Farina, Storia d'Italia II, 212 N. 2 nimmt
nämlich das Wort für Markgraf (so auch Malfatti II, 235) und schließt daraus, daß
die Mark Friaul schon 778 bestanden, also wohl schon 776 eingerichtet sei. Allein
Marcarius kommt nirgends als nomen appellativum für Markgraf vor. Will
man daher nicht zu der abenteuerlichen Annahme schreiten, daß der Papst in der Be=
nennung dieses Beamten einen Fehler begangen habe, da die Marken eine ganz neue
Einrichtung waren und es für ihre Vorsteher noch keinen feststehenden Namen gab, so
muß man Marcarius als Eigennamen auffassen, wie das die meisten thun; so, außer
Jaffé, Leibniz I, 62; Cenni I. 373; Eckhart I, 642; St. Marc I, 388 u. a.
Hätte La Farina mit seiner verfehlten Ansicht Recht, so würde die Einrichtung der
Marken in eine frühere Zeit zurückreichen als bis jetzt bekannt ist.
[5]) Es sind die Annales Einhardi, SS. I, 173, die in dem dortigen Zu=
sammenhang von einer marca Foroiuliensis reden.

öftlichen Marken des Reichs scheint sogar erst im Jahr 803 er=
folgt zu sein; namentlich scheint es, daß die Kroaten damals unter
die Obhut der Markgrafen von Friaul gestellt wurden, unter der
wir sie später finden[1]).

In diese Zeit gehört vielleicht auch eine Verordnung vom
20. Februar[2]), ohne Angabe des Jahres oder des Königs, von
dem sie ausgegangen, aber unzweifelhaft von Karl und wahrschein=
lich aus dem Jahre 776, wenn nicht etwa aus dem Jahre 781,
stammend. Es ist darin die Rede von dem Einbringen des Königs,
welcher das Gesetz erläßt, und seines Heeres in Italien[3]), von
einer großen Hungersnoth, welche viele Menschen nöthigte Hab
und Gut unter dem Preise zu veräußern oder gar wegzuschenken[4]),
ja sich selbst sowie Weib und Kind in die Knechtschaft zu verkaufen[5]),

---

[1]) Vgl. Dümmler, Ueber die südöstlichen Marken des fränkischen Reichs unter
den Karolingern, im Archiv für Kunde österreichischer Geschichtsquellen, Bd. X, S. 17
und Ueber die älteste Geschichte der Slawen in Dalmatien, S.=B. der Wien. Akad.
phil.=hist. Cl. XX, 384—385; auch unten Bd. II, z. J. 803; Waitz III, 2. Aufl.
S. 371—373.

[2]) Capp. I, 187—188. Boretius schwankt zwischen 776 u. 781, für welches Jahr
er sich früher entschied (Capitularien im Langobardenreich S. 99 ff.), neigt sich jedoch
fast mehr dem ersteren Jahre zu; für 781 Malfatti II, 246—247. 255—256;
Mühlbacher Nr. 224 und unbestimmter Sickel K. 78, Anm. S. 253.

In c. 4 wird ausdrücklich bestimmt: ut quicumque homo ab hac presenti
die vicesimo mensis Februarii res suas vendere aut alienare voluerit, in
omnibus eorum permaneat potestatem: tantum sic faciant, sicut eorum
fuerit lex.

[3]) c. 2: antequam nos hic cum exercitu introissemus; außerdem c. 4,
in der Stelle unten S. 256 N. 1. Dies paßt nicht recht zu 781, wo Karl jedenfalls
nicht mit einem eigentlichen Heere in Italien erschien. (Vgl. Ann. Petav. 781, SS.
I, 16: Sine hoste fuit hic anno ... Das cum exercitu des Astron. Vita
Hludowici, c. 4, SS. II, 609, lin. 1, kann hiegegen nicht in Betracht kommen.)

[4]) c. 2: Nam si res ipsius amplius estimaverint quod tunc valuisset
quam pretio ipso quod accepit, et ipse qui venundaverit ostendere potuerit, ut strictus necessitate famis venditionem ipsam fecisset, aut forte
cartula ipsa manifestaverit tempore necessitatis famis, cartula ipsa franga-
tur, et pretio iuxta quod in ipsa cartula legitur reddat, et recipiat res suas
sicut modo invenerit eas ...; vgl. auch c. 3 und 4; Andr. Bergom. hist. c. 4,
SS. rer. Langob. S. 224 über Hungersnoth im Langobardenreiche beim Untergang
desselben und seine Verheerung durch die Franken (tantaque tribulatio fuit in Italia, alii gladio interempti, alii fame perculsi, alii bestiis occisi, ut vix pauci
remanerent in vicos vel in civitates — auditu Francorum devastatione et
eius adventum quod in Foroiuli properaret); Boretius, Capitularien im Langobardenreich S. 101; auch Cod. Carolin. Nr. 64, Jaffé IV, 205—206 (folgende
Anmerkung).

[5]) c. 1: Primis omnium placuit nobis, ut cartulas obligationis, quae
factae sunt de singulis hominibus, qui se et uxores, filios vel filias suas in
servitio tradiderunt, ubi inventae fuerint, frangantur, et sint liberi sicut
primitus fuerunt. In Cod. Carolin. Nr. 64, Jaffé l. c. wird erwähnt, daß die
Langobarden, durch Hungersnoth dazu veranlaßt, viele Sklaven an griechische Schiffer
verkauft oder gar sich selbst auf Schiffe der Griechen gerettet hätten, um ihr Leben
fristen zu können (Sed a Langobardis, ut praefati sumus, plura familia ve-
nundata sunt, dum famis inopia eos constringebat. Qui alii ex eisdem
Langobardis propria virtute in navigia Grecorum ascendebant, dum nullam
habebant spem vivendi). Der betreffende Brief Papst Hadrian's I. an Karl ist in

und welche eben als die Folge jenes Erscheinens einer Heeresmacht
sich darzustellen scheint; und diesen Verhältnissen wird die Zeit
des Desiderius gegenübergestellt, auf welche also jener Heereszug
gefolgt sein muß[1]). Daraus scheint hervorzugehen: der König ist
Karl[2]), das Heer das fränkische, und da die Verordnung in Italien
selbst[3]), und zwar im Februar, erlassen ist, so geschah es am wahr-
scheinlichsten während des Königs Anwesenheit in Italien im Februar 776[4]). Die Verordnung gar zu lange nach dem Sturze
des Desiderius anzusetzen, sie etwa erst ins 9. Jahrhundert und
unter Lothar zu verlegen[5]), verbietet ihr Inhalt[6]). Dieselbe hat
den Zweck, dem durch die fränkische Heeresmacht hervorgerufenen
Nothstand in einigen Gegenden Italiens abzuhelfen, die Folgen des
Mangels und der Verarmung unschädlich zu machen, denen, die
dadurch um Hab und Gut gekommen, wieder dazu zu verhelfen.
Demgemäß sollen alle Rechtsgeschäfte, welche im Drange der
Hungersnoth unter Benachtheiligung des einen Theils abgeschlossen
worden sind, ungiltig sein; wer sich selbst, seine Frau oder seine
Kinder in die Knechtschaft hingegeben hat, soll seine Freiheit wieder-
erlangen[7]); Verkäufe, die unter dem wirklichen Werthe des Kauf-
gegenstandes abgeschlossen, Schenkungen, welche unter dem Druck
der herrschenden Noth gemacht sind, sollen rückgängig gemacht werden: die Verordnung enthält darüber die genaueren Vorschriften[8]).

---

der Zeit von 774 bis 780, nach der, indessen keineswegs hinreichend begründeten Vermuthung von Martens, Die römische Frage S. 159, entweder 774—776 oder 778
bis 780 geschrieben.

[1]) c. 4: Et hoc iubemus, ut illis partibus iustum (istum? Boretius)
procedat iudicium, ubi nos aut nostra hostis fuerimus, pro illud quod supra
scriptum est. Et hoc statuimus, ut cartule ille, quae tempore Desiderio
(eine Handschrift: necessitatis) factae fuerunt per districtionem famis aut per
qualecumque ingenio, ut ista causa non computetur, sed iuxta legem ipsorum exinde procedat iudicium.

[2]) Ein paar Handschriften setzen dies Capitular oder diese „notitia" unter diejenigen Ludwig's des Frommen oder Lothar's.

[3]) hic, d. h. in Italien, oben S. 255 N. 3.

[4]) Im Februar 774 war Desiderius noch nicht gestürzt; im Februar 775 befand Karl sich nicht in Italien.

[5]) So hat Pertz das Gesetz Lothar zugeschrieben und 825 angesetzt; doch ist
durch die Ausführungen von Boretius, Die Capitularien im Langobardenreich S. 99 ff.,
Capp. I, 187, so überzeugend als überhaupt möglich dargethan, daß es dem Jahr 776
oder dem Jahr 781 angehören muß. Und wenn die Schlußworte: Facta notitia anno
dominorum nostrorum [tercio] auf ein anderes Jahr, da Karl bereits den Pippin
als König eingesetzt, zu deuten scheinen, so hat Boretius, Capitularien im Langobardenreich S. 102 f., Capp. I, 188 u, wahrscheinlich gemacht, daß diese Worte
erst ein späterer Zusatz sind; die Zahl tercio, die sich ja ohnehin nicht auf die Regierungszeit beider Könige beziehen könnte, hat nur eine einzige Handschrift.

[6]) Aus diesem Grunde darf man auch nicht an die Hungersnoth im Winter
792/3 denken, wo Pippin und Ludwig einen Kriegszug gegen Benevent unternahmen
und der Anfang der Fasten auf den 20. Februar fiel (vgl. unten Bd. II. zum
Jahre 792).

[7]) c. 1, vgl. oben S. 255 N. 5.

[8]) c. 2. 3. 4, vgl. die Stellen oben S. 255 N. 4; 256 N. 1.

Und zwar soll die Bestimmung gelten für derartige Rechtsgeschäfte, welche nach dem Sturze des Desiderius und vor dem Tage des Erlasses (20. Februar) abgeschlossen sind; für die zur Zeit des Desiderius vollzogenen sowie für die nach jenem 20. Februar zu vollziehenden Rechtsgeschäfte sollen die gewöhnlichen Gesetze gelten[1]). Die ganze Verordnung hat demnach nur die Bestimmung, einem vorübergehenden Bedürfniß abzuhelfen, gilt auch nur für diejenigen Theile Italiens, welche durch die Anwesenheit des fränkischen Heeres belastet worden sind[2]); damit wird es zusammenhängen, daß der König für die Regelung dieser Verhältnisse den Weg der Verord= nung gewählt hat[3]); nur diejenige der an kirchliche Stifter er= folgten Schenkungen und Verkäufe behält er einer Berathung und Beschlußfassung mit Bischöfen und Grafen auf einem Reichs= tage vor[4]).

An weiteren Nachrichten über die Thätigkeit Karl's in Italien während dieser Zeit fehlt es gänzlich, aber die Zustände daselbst in der nächstfolgenden Zeit zeigen eben, daß er auch 776 keine um= fassende Neuerung vorgenommen hat[5]). Es scheint, daß damals eine tiefgreifende Umgestaltung der Verhältnisse seines italischen Reiches garnicht in seiner Absicht lag oder daß er wenigstens den Augenblick für eine solche noch nicht für gekommen hielt[6]). An der Zeit schon jetzt zu einer Neuordnung zu schreiten kann es ihm auch 776 nicht völlig gefehlt haben. Die sogen. Einhard'schen Annalen sagen zwar, er sei mit derselben Schnelligkeit, womit er gekommen, wieder ins fränkische Reich zurückgekehrt[7]), indessen hielt er sich immer noch länger als zwei Monate nach der Einnahme von Treviso in Italien auf.

---

[1]) c. 4, vgl. die Stellen oben S. 255 N. 2, S. 256 N. 1; indessen sollen die Worte Et hoc statuimus — procedat iudicium vielleicht auch besagen, daß der= artige zur Zeit des Desiderius geschlossene Verträge, wenn sie auf dem Druck der Noth oder Erschleichung beruhen, gleichfalls kassirt werden sollen (?).

[2]) c. 4, vgl. die Stelle oben S. 256 N. 1. Zwar ist es ungenau, wenn Bo= retius, Capitularien im Langobardenreich S. 100, die Verordnung sagen läßt: ut tantum illis partibus istum procedat iudicium etc.; tantum fehlt in dem Texte, der Sinn bleibt aber dennoch derselbe.

[3]) Der Schluß lautet: Unde qualiter nobis complacuit, presentem deli- berationis notitiam pro amputandas intentiones fieri iussimus et nobis re- legi fecimus, et volumus ut sic procedat iudicium.

[4]) Die Bestimmung in c. 4: De donatione vel venditione que in loca venerabilia facta sunt suspendi iussimus, usque dum compensaverimus in sinodo cum episcopis et comitibus, quomodo fieri debeant kann nicht für alle von der Verordnung betroffenen Geschäfte gelten, sondern eben nur für die dona- tiones vel venditiones quae in loca venerabilia facta sunt. Boretius, Capi- tularien im Langobardenreich S. 22, nimmt zwar das erstere an, allein der Wort= laut der ganzen Verordnung spricht für die zweite Annahme; daher kann auch die ganze Verordnung nicht mit Boretius für eine provisorische gehalten werden; provi= sorisch, der Zustimmung eines Reichstags vorbehalten, wär nur jene Bestimmung in c. 4.

[5]) Vgl. oben S. 252 N. 1.

[6]) So La Farina II, 295.

[7]) eadem qua venerat velocitate reversus est.

Es hätte dem Könige mithin auch nicht an Zeit gefehlt den Papst Hadrian in Rom aufzusuchen, wenn er den ernstlichen Vorsatz gehabt hätte dies zu thuu. Daß er es gleichwohl nicht that, ist, wie sein Verhältniß zum Papste überhaupt, was bei dem damaligen Auftreten Karl's in Italien fast am meisten auffällt. Früher hatte er, wie wir sahen[1]), Hadrian Aussicht gemacht, nach Italien zu kommen und das Schenkungsversprechen ganz zu vollziehen oder wenigstens Bevollmächtigte zu senden, welche dem heiligen Petrus die vollkommene Erfüllung jenes Versprechens verschaffen sollten. Nun hatte Karl in der That Bevollmächtigte geschickt, war auch genöthigt worden, selbst nach Italien zu kommen und hier einzuschreiten; aber der Papst war von der Erfüllung seiner Wünsche noch weiter entfernt als vorher; die fränkischen Bevollmächtigten hatten sich an seine Wünsche nicht gekehrt, und Karl selbst vermied es nach Rom zu kommen. Es scheint, daß der König absichtlich dem Papste fern blieb, weil es nicht seine Absicht war auf dessen Forderungen einzugehen; er schritt nach wie vor nicht ein gegen den Erzbischof von Ravenna[2]), das Herzogthum Spoleto hatte er sogar vom Papste abgezogen, alle Schritte zur Herstellung der Ruhe in Italien waren ohne Zuziehung des Papstes erfolgt. — Bis in den Juli verweilte der König auf italischem Boden. Am 9. Juni bestätigte er in Vincentia (Vicenza) dem Abte Probatus von Farfa eine große Anzahl diesem Kloster von langobardischen Königen, Herzögen von Spoleto und Privatleuten gemachter Schenkungen[3]); am 17. Juni befand er sich in Ivrea, wo er die bereits erwähnte Schenkung an Paulinus machte[4]); eine Schenkung an den Abt Anselm von Nonantola bezeugt auch noch für den Juli seinen Aufenthalt in Italien[5]). Aber in diesem

---

[1]) Vgl. oben S. 236. 238.

[2]) Nach St. Marc I, 390 hatte er sogar mit ihm eine Zusammenkunft in Treviso, was aber eine unbegründete Vermuthung ist. Der Brief Hadrian's, der von einem Besuch Erzbischof Leo's bei Karl redet, gehört schon ins Jahr 775, vgl. oben S. 238; Forschungen z. d. Gesch. I 481 N., 483 N. 1. Pagi a. 776 Nr. 6, der gleichfalls diese Zusammenkunft ins Jahr 776 setzt, sagt wenigstens nichts von Treviso, das nirgends als Ort derselben erwähnt ist.

[3]) Urkunde bei Fatteschi, Storia de' duchi di Spoleto S. 276 Nr. 30; vgl. Catal. chart. Farf., Muratori, Ant. V, 694 f.; Sickel II, 32—33 (K. 57). 246; Mühlbacher Nr. 197.

[4]) Vgl. oben S. 250 N. 4. 252. Ungenau ist das Datum der Urkunde in den Abschriften: 15. Kal. Iunii anno X (oder a VIII) regni nostri, schon weil man nicht sieht, ob hier die fränkischen oder die langobardischen Regierungsjahre gezählt sind; im letzteren Fall würde die Urkunde erst ins Jahr 781 gehören. Man hat aber ohne Zweifel an die fränkischen, also aus Jahr 776 zu denken, vgl. auch Rubeis, Monumenta eccl. Aquil. S. 356; die Ziffer X entstand wahrscheinlich durch Addition der fränkischen und italienischen Regierungsjahre VIII et II, obwohl statt des letzteren eigentlich bereits III hätte stehen sollen (Mühlbacher); der Ausstellungsort heißt nicht Loreia, wie z. B. bei Bouquet V, 738, sondern Eboreia (Ivrea).

[5]) Mühlbacher Nr. 199; Sickel II, 33 (K. 59). 248—249. I, 260 N. 3; Tiraboschi, Storia della badia di Nonantola II, 24 Nr. 10; vgl. die Regesten

Monat muß er wohl auch den Rückweg über die Alpen angetreten haben.

Wahrscheinlich war Karl durch den Sachsenkrieg veranlaßt seine Rückkehr zu beschleunigen; den Zweck seines Zuges nach Italien hatte er überdies in der Hauptsache erreicht[1]). Jene Annahme wird dadurch nicht ausgeschlossen, daß er nach den fränkischen Annalen erst nach seiner Rückkunft Nachricht von den gleich zu erzählenden Vorgängen in Sachsen erhielt[2]).

Die Sachsen hatten, wie im Jahre 774, die Abwesenheit Karl's in Italien zu einer neuen Erhebung benutzt. Die ihnen abgenöthigten Eide brechend, gaben sie auch die dem Könige gestellten Geiseln preis[3]) und griffen aufs Neue zu den Waffen. Wieder versuchten sie zunächst die Franken aus den festen Plätzen, deren sich dieselben auf sächsischem Boden bemächtigt hatten, zu verjagen. Der erste Angriff galt auch diesmal wieder der Eresburg und war vom besten Erfolge begleitet. Nach einem der vorliegenden Berichte wurde diese Burg von den Sachsen erobert und die fränkische Besatzung aus ihr vertrieben. Nach dem anderen kam es garnicht zum Kampfe, sondern die fränkische Besatzung erwies sich unzuverlässig, ließ sich auf Unterhandlungen mit den Sachsen ein und räumte am Ende Eresburg ohne Widerstand versucht zu haben. Ja, nach dieser Darstellung wäre geradezu Verrath dabei im Spiele gewesen; der alte Annalist, welcher ben Vorfall in dieser Weise erzählt, schreibt die Schuld „den bösen Anschlägen und Verabredungen" zu, durch welche die Franken von den Sachsen verleitet wurden aus der Veste abzuziehen[4]). Die

---

im Catal. chart., Muratori, Ant. V, 334. Der Text und die falsche Jndiction interpolirt; das Regierungsjahr (3) das italische; beim Namen des Kanzlers ist Rado relegi zu lesen statt Tradore legi. Ausstellungsort: pratis Gaizio, was Tiraboschi wohl mit Unrecht auf ein Gaggio südlich von Nonantola deutet, während Sickel (II, 249) den Ort auf der Route von Jvrea nach dem Frankenreiche sucht. Es ist nicht anzunehmen, daß Karl damals über den Po hinüber gekommen sei.

[1]) Luden IV, 307; Hegel II, 2 nehmen dagegen allerdings an, nur durch den nothgedrungenen schnellen Abzug aus Italien sei Karl verhindert worden, größere Veränderungen in Italien vorzunehmen und noch weiter nach Süden zu ziehen.

[2]) Annales Laur. mai. l. c.: Reversus est in Franciam. Tunc nuntius veniens, qui dixit Saxones rebellantes; S. 156: Et cum pervenisset domnus Carolus rex Wormatiam, et omnes istas causas (die Vorgänge in Sachsen) audiens; Annales Einhardi l. c.: Cui vix Alpes transgresso occurrerunt, qui nunciarent, Aeresburgum castrum a Saxonibus expugnatum etc.; Ann. Petav. SS. I, 16: prosper redit cum suis in Franciam. Et audivit, quod Saxones rebellassent contra Francos . . .

[3]) Ann. Laur. mai.: et omnes obsides suos dulgtos (aufgegeben, vgl. Ducange s. v.) et sacramenta rupta. — Funck, bei Schlosser und Bercht, Archiv IV, 295 erinnert daran, daß Karl die sächsischen Geiseln zum Theil in Klöstern zu Christen erziehen ließ, vgl. unten zum Jahre 777. Ob es aber etwa damit zusammenhing, daß die Sachsen weniger Rücksicht auf sie nahmen, erscheint doch fraglich.

[4]) Annales Laur. mai. l. c.: . . . Aeresburgum castrum per mala ingenia et iniqua placita, Francos exinde suadentes (Saxones) exiendo; sic Aeresburgum a Franois derelictum, muros et opera destruxerunt. Nach der Erzählung der Annales Einhardi: — qui nunciarent, Aeresburgum castrum a Saxonibus expugnatum ac praesidium Francorum, quod in eo posuerat,

Sachsen verloren keine Zeit, zerstörten die Mauern und Festungs=
anlagen von Eresburg und wandten sich dann gegen den andern
von den Franken besetzt gehaltenen Platz in Sachsen, gegen Sigi=
burg (Hohensyburg). Aber hier begegneten sie tapferem Wider=
stande, dessen sie nicht Meister wurden. Die fränkische Besatzung
zeigte sich unzugänglich für ihre Versuche, auch hier durch Verrath
zum Ziele zu kommen, und wehrte den Angriff ab. Die Rettung
von Sigiburg wurde später einem göttlichen Wunder zugeschrieben,
ähnlich dem, durch welches im Jahr 774 die Kirche von Fritzlar
erhalten worden sein soll[1]. Die Sachsen sollen allerlei Belage=
rungswerkzeuge herbeigeschafft haben zum Sturm auf Sigiburg;
aber da sie eben den Sturm eröffnen wollten, wird erzählt, er=
blickte man über der Kirche zwei rothflammende Schilde, bei deren
Anblick die Heiden in großer Verwirrung ihrem Lager zuflohen
und vor lauter Schrecken und Verwirrung auf der Flucht sich selber
unter einander tödteten[2]. — Den wahren Sachverhalt erfahren
wir aus den sogen. Einhard'schen Annalen, die von dem Wunder
nichts wissen. Die Besatzung von Sigiburg machte einen Ausfall
auf die Sachsen, griff dieselben, da sie nicht auf ihrer Hut waren,
im Rücken an und machte eine große Anzahl derselben nieder[3].

---

expulsum wäre gekämpft worden; aber die Annales Laur. mai. verdienen hier
vielleicht als die älteren den Vorzug, obschon man Kentzler (Forschungen z. deutschen
Geschichte XII, 322 N. 7) einräumen muß, daß der Argwohn nicht fern liegt,
sie möchten auch hier eine Niederlage der Franken verschleiert haben. Vgl. übrigens
Ann. Sithiens. SS. XIII, 36: In Saxonia Eresburgum castrum Saxonibus
redditum u. Ann. Enhard. Fuld. SS. I, 349. — Regino, SS. I, 558 schweißt
die über Eresburg und Sigiburg berichteten Ereignisse in verkehrter Weise zusammen
(Interea Saxones, cognita absentia regis, more solito ruptis sacramentis in
unum conglobati, Heresburgh castrum aggrediuntur, fraudulenter Francis
suadent, ut de castro exeant et cum pace in patriam pergant. Sed cum
illi fallacibus monitis minime assensum praeberent, machinas praeparant,
munitionem obsidione cingunt et summis viribus certant, sed nihil profi-
ciunt etc.). — Die Ann. Quedlinb. SS. III, 37 lassen irrthümlich die fränkische
Besatzung in Eresburg niedermachen (militibus regis, qui intus erant, interfectis, vgl. hinsichtlich des Ausdrucks militibus Poeta Saxo l. I, v. 285, Jaffé
IV, 552).

[1] Vgl. oben S. 199.

[2] Diese Erzählung findet sich in den sog. größeren Lorscher Annalen, aber nur
als ein später am Rande gemachter Zusatz, der überdies auch durch weit richtigeres
und glatteres Latein von dem übrigen Texte erheblich absticht; vgl. Pertz SS. I,
154 n; Dünzelmann im Neuen Archiv II, 481. Allerdings ist sie auch in die
aus diesen Annalen abgeleiteten Darstellungen (Ann. Lobiens. SS. XIII, 229,
Chron. Vedastin. ib. S. 704; Ademar., Duchesne II, 71)
übergegangen; sie kann aber schon ihres fabelhaften Inhalts wegen nicht ernstlich in
Betracht kommen. Daß die Sachsen übrigens auch hier ein Einverständniß mit der
fränkischen Besatzung anzuknüpfen suchten, sagt nicht blos der Zusatz, sondern auch
der ursprüngliche Text: Voluerunt de Sigiburgi similiter facere (wie mit Eres=
burg) darf vielleicht so verstanden werden.

[3] Annales Einhardi l. c.: facta eruptione incautos atque obpugnationi
intentos Saxones a tergo invaserunt et, plurimis interfectis, reliquos non
solum oppugnationem dimittere, sed etiam fugere compulerunt palantesque
ac dispersos ad Lippiam usque fluvium persecuti sunt. Wenn Regino, SS.
I, 558, welcher die vor Sigiburg vorgefallene Wundergeschichte sich vor Eresburg zu=

Infolge dieser Verluste mußten die Sachsen nicht blos den Angriff aufgeben, sondern sogar die Flucht vor den nachdringenden Franken ergreifen. Sie wurden zerstreut und zersprengt und bis an die Lippe von den Franken verfolgt[1].

Unterdessen war Karl aus Italien zurückgekehrt. Die Nachrichten, die er über die Ereignisse in Sachsen erhielt, bewogen ihn, schleunigst dahin aufzubrechen. In Worms hielt er die Reichsversammlung, auf welcher der König die genaueren Einzelheiten hinsichtlich dieser Vorgänge erfahren zu haben scheint[2] und der Feldzug gegen die Sachsen sogleich beschlossen und angetreten wurde, wohl nicht vor Anfang August[3]. Die Sachsen hatten die Zwischenzeit benutzt, um ihr Land in Vertheidigungszustand zu setzen; man liest von Verhauen und Befestigungen, die sie angelegt hatten; aber auch diese Vorsichtsmaßregeln halfen ihnen nichts. Karl erschien mit einem starken Heere so rasch in Sachsen, daß es ihm gelang die Feinde zu überrumpeln und ihre Vertheidigungswerke zu nehmen, ohne auf namhaften Widerstand zu stoßen. Diese Schnelligkeit Karl's in seinen Bewegungen entschied über den Ausgang des Feldzugs. Die Sachsen, noch mitten unter den Vorbereitungen zur Vertheidigung von Karl überrascht, wagten garnicht es auf den Kampf ankommen zu lassen und zogen sich vor ihm zurück. Karl erreichte ohne Mühe das Ziel seiner Unternehmung[4]. Er wählte, um dahin zu gelangen, vielleicht nicht den nächsten Weg durch Hessen[5], sondern rückte vielleicht von Westen her durch

---

tragen läßt (vgl. ob. S. 259 N. 4), statt Sigiburg ein castrum Desuburgh nennt (und nach ihm ebenso die Ann. Mett.), so ist das ein bloßes Mißverständniß, Desuburgh aus dem de Sigiburgi (vgl. ob. S. 260 N. 2) der Ann. Laur. mai. entstanden; vgl. Ermisch, Die Chronik des Regino bis 813 (Diss. Göttingen 1871) S. 74. Man darf also nicht mit Meyer, bei Wigand, Archiv I, 25 f. 40, an den Desenberg bei Warburg denken; vgl. auch von Ledebur, Kritische Beleuchtung S. 63 N. 97; Seibertz, Landes- und Rechtsgeschichte Westfalens I, 3, 1 S. 190, 55; Kentzler a. a. O. S. 323 N. 1.

[1] Vgl. auch Ann. Laur. mai.

[2] Vgl. oben S. 259 N. 2; dazu Mühlbacher S. 77; Richter und Kohl a. a. O. S 61 N. 1.

[3] Annales Laur. mai. l. c.; Ann. Einh. l. c.; Ann. Guelferb.: post ea Mai campus in Wormatia. Franci in Saxonia sine bello, Nazar., Alam. SS. I, 40; außerdem wird der sächsische Feldzug vom Jahre 776 auch noch in vielen anderen Annalen erwähnt; im Juli war Karl noch in Italien, oben S. 258.

[4] Annales Laur. mai. l. c.: cum Dei adiutorio sub celeritate et nimia festinatione Saxonum caesas seu firmitates subito introivit, wofür Regino S. 559 emphatisch: et velut ingens tempestas omnia prosternit, munitiones irrumpit; Annales Einhardi l. c.: — contractisque ingentibus copiis, tanta celeritate ad destinatum a se in Saxonia locum pervenit, ut omnes hostium conatus, quibus ei resistere parabant, illa festinatione praeverteret. Nam ad fontem Lippiae veniens ... Ueber die wiederholte Anlage von Befestigungen und Verhauen durch die Sachsen überhaupt vgl. Kentzler, Forschungen XII, 324 N. 5.

[5] Das meint Rettberg II, 384; auch Kentzler a. a. O. N. 4; ferner Richter und Kohl, Annalen I, 61.

Westfalen vor, wo ihm Sigiburg einen festen Stützpunkt gewährte. So kam er bis zu den Quellen der Lippe, wo ihm die Sachsen entgegen kamen, aber nicht zum Kampf, sondern zu freiwilliger Unterwerfung. Die angesehensten Männer aus dem Volke erschienen um Frieden zu erbitten, den ihnen Karl gewährte, aber unter schwereren Bedingungen als er ihnen früher gestellt hatte[1]. Sie mußten nicht blos geloben sich taufen zu lassen und die Herrschaft Karl's aufs Neue anerkennen — diese Verpflichtungen hatten sie wiederholt übernommen ohne sich daran zu kehren —, sondern Karl forderte diesmal eine sicherere Bürgschaft für die Erfüllung dieser Bedingungen: sie mußten ihr Landeigenthum verpfänden[2].

Nachdem er sich so mit diesen Sachsen auseinandergesetzt, rückte Karl weiter nach Eresburg und ließ abermals neue Befestigungen daselbst anlegen[3]. Dann kehrte er zurück an die Lippe und errichtete auch dort einen befestigten Platz, der nach seinem Namen Karlsburg genannt wurde[4]. In diese festen Plätze wie

---

[1] Die Steigerung in den Forderungen Karl's betont auch Waitz III, 2. Aufl. S. 128.

[2] Annales Petaviani, SS. I, 16: Cum vidissent pagani, quod non poterant Francis resistere, timore perculsi venerunt maiores natu ad domnum regem Karolum postulantes pacem. Hiernach kamen also damals zu Karl zunächst nur die Ersten des Volkes, der Adel; vgl. auch Kentzler a. a. O. S. 325 N. 1; Diekamp, Widukind S. 10 N. 1, S. 50 versteht unter den maiores natu die vom Volke gewählten Gaufürsten. Ungenau ist es, wenn die Ann. Laur. mai. l. c. sagen, alle Sachsen seien zu Karl an die Quellen der Lippe gekommen: Et Saxones perterriti, omnes ad locum ubi Lippia consurgit venientes ex omni parte, et reddiderunt patriam per wadium omnes manibus eorum et spoponderunt se esse christianos et sub dicioni domni Caroli regis et Francorum subdiderunt; allerdings auch Ann. Einh.: Nam ad fontes Lippiae veniens, inmensam illius perfidi populi multitudinem velut devotam ac supplicem et quam erroris sui poeniteret veniam poscentem invenit. Cui cum et misericorditer ignovisset et eos, qui se christianos fieri velle adfirmabant, baptizari fecisset, datis et acceptis pro fide servanda fraudulentis eorundem promissionibus, obsidibus quoque quos imperaverat receptis . . . (vgl. jedoch unten S. 263 N. 2). Ann. Guelferb. etc. (vgl. unten S. 263 N. 2). Zu den Worten der Ann. Laur. mai. reddiderunt — manibus eorum findet man einen Commentar ebd. 777 S. 158: et secundum morem illorum omnem ingenuitatem et alodem manibus dulgtum fecerunt; vgl. Waitz III, 2. Aufl. S. 128 N. 3. Die Erklärung von Kentzler a. a. O. S. 326 f. ist viel zu künstlich; vgl. auch Waitz ebd. S. 327 N. 1 und DVG. a. a. O. S. 151 N. 3.

[3] Ann. Laur. mai.: Et tunc domnus Carolus rex una cum Francis reaedificavit Aeresburgum castrum denuo (vgl. o. S. 259 N. 4); Ann. Einh.: Aeresburgo castro, quod dirutum erat, restaurato.

[4] Ann. Petav. l. c.: aedificaverunt Franci in finibus Saxanorum civitatem quae vocatur Urbs Karoli. 778: civitatem, quae Franci construxerunt infra flumen Lipiam, vgl Ann. Maximin. SS. XIII, 21: Franci civitatem fecerunt in Saxonia, quae dicitur urbs Caroli et Francorum (das letztere ein gewohnheitsmäßiger, hier wohl ganz unzutreffender Zusatz dieser Jahrbücher, s. Forschungen zur deutschen Geschichte XIX, 123 N. 2); Ann. Mosellan. SS. XVI, 496: Et aedificavit civitatem super fluvio Lippiae, que appellatur Karlesburg; Ann. s. Amandi l. c.: et Carlus fecit castellum super fluvium Lyppia (Ann. Laubac. l. c.); Ann. Laur. mai.: et aliud castrum super Lippiam; Ann. Einh.: alioque castello super Lippiam constructo.

Hinsichtlich verschiedener Fabeln (Henric. de Hervordia, ed. Potthast S. 26:

auch in die Sigiburg legte Karl fränkische Besatzungen[1]). Indessen hatten — vielleicht gemäß jenen von den Ersten aus dem Volke dem Könige gegenüber an den Quellen der Lippe übernommenen Verpflichtungen — die Sachsen in Masse sich in Karlsburg eingefunden, ließen hier mit Weib und Kind sich taufen und stellten die geforderten Geiseln[2]). Sodann kehrte der König ins fränkische Reich zurück[3]). Wie lange sein Aufenthalt in Sachsen gedauert hatte, ist nicht zu sehen; er begegnet erst wieder Weihnachten, das er in Heristal zubrachte[4]).

---

castrum super Lyppiam, prius regis Saxonum Wedekindi, scilicet Vechclere) und unhaltbarer Annahmen betr. die Lage dieser Veste vgl. Kentzler a. a. O. S. 325 N. 3; Diekamp, Widukind S. 10 N. 2. Der erstere vermuthet, daß die Burg am unteren Lauf der Lippe lag. Pertz dachte an Lippstadt (SS. I, 16 N. 1, 157 N. 67), welches indessen erst um 1150 gegründet ist, so daß die Karlsburg höchstens bereits auf demselben Platze gestanden haben könnte.

[1]) Ann. Einh.: et in utroque (Eresburg und Karlsburg) non modico praesidio relicto; nach Ann. Laur. mai.: et perfecta supradicta castella et disposita per Francos scaras residentes et ipsa custodientes. — Ueber die Nachricht, Karl habe in diesem Jahre Jburg bei Paderborn erobert, die erst dem 14. Jahrhundert angehört und unbrauchbar ist, vgl. v. Ledebur, Kritische Beleuchtung S. 58 ff.

[2]) Ann. Laur. mai. Ungenau sind hier die Annales Einhardi, welche die Ereignisse zusammenziehen und die Taufe der Sachsen schon in den ersten Aufenthalt Karl's an der Lippe verlegen; vgl. oben S. 262 N. 2 und Kentzler a. a. O. S. 325 N. 4, während Mühlbacher S. 77 allerdings für wahrscheinlicher hält, daß die Geiseln in der That schon damals gestellt worden seien. Wir lassen dies dahingestellt und verweisen noch auf die allgemeineren Berichte, Ann. s. Amandi, SS. I, 12: iterum Karolus fuit in Saxonia et subiugati Saxones dederuntque hospites (= obsides), ut fierent christiani (Ann. Laubac. SS. I, 13); Ann. Petav. (wo diese Taufe noch vor der Erbauung der Karlsburg, unmittelbar hinter der Bitte der maiores natu um Frieden, oben S. 262 N. 2, erwähnt wird): et baptizata multa turba populi (Ann. Max. SS. XIII, 21); Ann. Mosellan. l. c. (conquesivit maximam partem Saxonie, et conversi sunt Saxones ad fidem Christi, et baptizata est eorum innumera multitudo), Ann. Lauresham. SS. I, 30; Ann. Guelferb.: Franci in Saxonia sine bello, Nazar., Alam., Sangall. mai., SS. I, 40, St. Galler Mitth. zur vaterl. Gesch. XIX, 236. 270; Ann. Fuld. ant. SS. III, 117*: Conversio Saxonum, Ann. Coloniens., Jaffé et Wattenbach, Metrop. Colon. codd. mscr. S. 127, N. 1.

[3]) Annales Laur. mai. l. c.; Ann. Einh.

[4]) Annales Laur. mai. l. c.; Ann. Einh. (in villa Heristallio hiemavit).

Die Machtstellung des fränkischen Reiches hat in den letzten Jahren beträchtliche Fortschritte gemacht. In Italien ist ein neues Reich erobert und sein Besitz durch die rasche Ueberwältigung eines immerhin gefährlichen Aufstandsversuchs gesichert und befestigt; in Deutschland sind über die Sachsen Erfolge davongetragen, welche eine dauernde Unterwerfung des Volkes unter die fränkische Herrschaft und das Christenthum hoffen lassen und es möglich machen mit der inneren Einrichtung des eroberten Landes vorzugehen. Diese nimmt für den Augenblick die Fürsorge des Königs vorzugsweise in Anspruch; die Rücksichten auf Italien, auf den Papst müssen neben den deutschen Angelegenheiten fast ganz zurücktreten. Mit den letzteren ist Karl beschäftigt, er läßt sich von ihnen nicht abziehen durch die Verhältnisse Italiens[1]).

Die Hoffnungen, welche Hadrian auf die Sendung des Possessor und Rabigaud gesetzt hatte, waren, wie wir sahen, keineswegs in Erfüllung gegangen. Jetzt wurde Hadrian durch den Tod des Erzbischofs Leo von Ravenna, der am 14. Februar 777 starb[2]), von seinem verhaßtesten Gegner und gefährlichsten Nebenbuhler in Italien befreit. Hätte Karl die Forderungen Hadrian's befriedigen wollen, so war damals der passendste Augenblick dazu. Allein man liest von keinem Schritte Karl's, um den Tod des ehrgeizigen Erzbischofs zur Rückgabe der von diesem fortgenommenen Besitzungen

---

[1]) Hegewisch S. 120; Luden IV, 300. 308 und sonst überschätzen den Einfluß der italischen Verhältnisse auf die deutschen, besonders auf den Sachsenkrieg, indem sie die mangelhaften Erfolge Karl's in Sachsen daraus erklären wollen, daß er wegen der Bewegungen in Italien in Sachsen nicht mit dem nöthigen Nachdruck habe auftreten können; es ist unrichtig, wenn Luden IV, 308 meint, weil er Italien im Auge gehabt und die Sachsen nicht habe zum Aeußersten treiben wollen, habe er seinen Unmuth gegen die Sachsen bezwungen und auch 776 mit geringen Zugeständnissen sich begnügt. Der Ausgang des Feldzugs von 776 ist ganz unabhängig von den Angelegenheiten Italiens.

[2]) Amadesi, In antistitum Ravennatium chronotaxin disquisitiones perpetuae II, 20 f.

des römischen Stuhls an Hadrian zu benutzen; es scheinen noch mehrere Jahre vergangen zu sein, ehe der Papst wieder in den Besitz des Exarchats kam.

Karl hatte den Winter in Heristal zugebracht. Am 7. Januar schenkte er dort dem Kloster Fulba Hammelburg an der fränkischen Saale im Saalgau[1]) mit den zugehörigen Orten, worunter auch Weinberge aufgeführt sind, die erste Spur des Weinbaues in diesen Gegenden[2]). In demselben Monat verlieh er dem Kloster Lorsch das Recht des Fischfangs bei dem Orte Godenowa am Rhein und gestattete demselben, im Lobdengau einen Fahrweg bis zur Weschnitz anzulegen und Brücken über dieses Flüßchen und andere Gewässer zu bauen[3]). Auch der oberste Hofkapellan, Abt Fulrad von St. Denis, erschien während dieses Aufenthalts des Königs in Heristal, um die Genehmigung seiner letztwilligen Verfügungen zu erbitten[4]). Die darauf bezüglichen Urkunden ergeben zugleich die Anwesenheit des Pfalzgrafen Anselm[5])

---

[1]) Urkunde bei Dronke, Codex diplomaticus S. 36 Nr. 57; vgl. V. Sturmi c. 21, SS. II, 375 f., Catal. abb. Fuld. SS. XXIII, 72; Pertz, Archiv IV, 577 Die Worte Hamalo situm in pago Saxoniae statt Hamalumburec situm in pago Salecgauio stehen erst in einer späteren, auf Grundlage dieser Urkunde gemachten Fälschung, vgl. Dronke l. c. Note; Wilmans, Kaiserurkk. der Prov. Westfalen I, 13. 461; Mühlbacher Nr. 203. An eine Schenkung Hameln's an der Weser an Fulda ist also nicht zu denken, vgl. auch Eckhart I, 645 ff. Die Uebertragung der Schenkung an Sturm fand bereits am 8. Oktober 776 statt durch die Grafen Nidhard und Heimo und die königlichen Vassallen Finnold und Guntram, in Gegenwart zahlreicher Zeugen, Dronke S. 38 Nr. 60, vgl. Mühlbacher S. 78 Nr. 201. 202. Ueber die sprachliche Bedeutung des hierauf bezüglichen Dokuments, einer genauen Markbeschreibung von Hammelburg, welche verschiedene deutsche Ausdrücke enthält, vgl. Müllenhoff und Scherer, Denkmäler deutscher Poesie und Prosa, 2. Aufl. S. 532. — In Rudolf's Mirac. sanctorum in Fuldens. ecclesias translator. c. 7, SS. XV, 335 N. 1, wird die Schenkung Hammelburg's an Fulda unrichtig auf Pippin zurückgeführt (villae quae vocatur Hamalunburg, sita super fluvium nomine Sala, quae fuit quondam fiscus regius, donec ex largitate Pipini regis Francorum partibus sancti Bonifacii martyris solemni donatione collata est).

[2]) So bemerkt Eckhart I, 645.

[3]) Mühlbacher Nr. 205; Chron. Lauresham. SS. XXI, 349; Godenowa lag infra finem Hohstatt (unweit Mannheim).

[4]) Vgl. Mühlbacher S. 77—78; Testament Fulrad's, Tardif, Monuments historiques S. 61—62 Nr. 78; Urk. desselben Bibl. de l'École des chartes IV, 3, 50 ff.; beide mit Actum Haristalio und dem Datum anno nono et quarto regnante Carolo. Hienach würden sie freilich erst in den Sommer oder Herbst dieses Jahres gehören, da das 4. langobardische Regierungsjahr um Anfang Juni 777 beginnt, das 9. fränkische mit dem 9. Oktober 777 schließt. Indessen ist ein Aufenthalt Karl's zu Heristal um diese Zeit nicht bekannt, mithin die Angabe des italienischen Regierungsjahres vermuthlich eine fehlerhafte und an jenen Aufenthalt in Heristal in der Zeit vom Dezember 776 bis März 777 zu denken.

Die letztere Urkunde enthält den Satz: denique huiuscae nostrae donationis testamentum regalibus visibus placuit exhibere ob maioris firmitatis indicium et ut ipsius auctoritate simul et propriis manibus roboraretur et pleniorem per succedentia temporum curricula vigorem habere videretur und ist mit signum Karoli † gloriosissimi regis versehen. Letzteres wäre nach Sickel I, 190 N. 4. allerdings „offenkundiger Zusatz“, vgl. indeß Mühlbacher a. a. O.]

[5]) Von Anselm ist Fulrad's Testament sowie die gedachte Urkunde, von Graf Rotlan die letztere mitunterzeichnet.

sowie eines Grafen Rotlan, welcher wahrscheinlich mit Hruodland (Roland), dem obersten Grafen der bretonischen Mark, identisch ist[1]). In dem Testament vermachte Fulrad, der schon soviel für St. De- nis gethan, diesem seinem Kloster seine zahlreichen, in einem großen Theile Neustriens und Austrasiens zerstreuten Besitzungen; er er- scheint darin als Eigenthümer ausgedehnter Landstrecken bis hin- über auf das rechte Rheinufer, im Breisgau[2]). Neben den Dutzen- den von Villen und Klöstern, über die er verfügt, verschwindet fast eine einzelne Schenkung, die er bei derselben Gelegenheit machte[3]), die Schenkung der Villa Ansulsishaim (Ensisheim an der Ill)[4]), die er selbst von seiner Schwester Waldradane erhalten, an das ihm ebenfalls zugehörige Kloster Leberau im Elsaß. — Ostern, 30. März, brachte der König in seiner Pfalz zu Nimwegen zu[5]), wo er längere Zeit verweilt zu haben scheint. Noch am 7. Juni schenkt er dort der Kirche des h. Martin in Utrecht die Villa Lisi- buna (Leusden) im Gau Flehite, ferner einer Kirche bei Dorestadt (Wijk bij Duurstede), genannt Ubkirika, den Uferzoll am Leck und die östlich von jener Kirche gelegene Insel zwischen Rhein und Leck[6]).

Während dieser ganzen Zeit müssen den König vorzugsweise die sächsischen Angelegenheiten beschäftigt haben. Er faßte den Ent- schluß, die große Reichsversammlung dieses Jahr auf sächsischem Boden abzuhalten. Aber schwerlich hat Karl selbst die Eroberung

---

[1]) Vergl. unten z. J. 778.

[2]) Tardif l. c.; vgl. Oelsner, König Pippin S. 424. Nur ein Auszug daraus ist die Urkunde im Wirtemberg. Urkb. I, 19—21 Nr. 19, das sogen. kleine Testament. Le Cointe VI, 131; V, 781 redet noch von einem zweiten, älteren Testamente Fulrad's aus der Regierungszeit Karlmann's, etwa v. J. 771, auf welches das Capitular der Synode in Verberie, 853, Legg. I, 420 ff., Bezug nehmen soll. Da weisen die Mönche (S. 421) ein Testament Fulrad's vor und außerdem ein Privileg des Papstes Stephan in Betreff jenes Testaments. Da Stephan III. im Anfang 772 starb, müsse, ist die Meinung, Fulrad's betreffendes Testament vor diesem Zeit- punkt erlassen und älter sein als das von 777. Allein jenes päpstliche Privileg ist sonst nicht bekannt und kann auch von Stephan IV., dem Nachfolger Leo's III., herrühren haben. Es ist ganz unzweifelhaft, daß die Mönche von dem Testament von 777 reden, worin eines früheren nicht die geringste Erwähnung geschieht; ohne- hin hätte ja das erste durch das zweite seinen praktischen Werth verloren gehabt, und was die Mönche durch das Testament beweisen wollen, der Besitz von Leberau, S. Pilt (Hypolite) und anderer Besitzungen, ist ihnen ja auch in dem Testamente von 777 vermacht. — Harttung, Diplomatisch-historische Forschungen S. 90 N. 1, hegt auch in Betreff der Zuverlässigkeit von Fulrad's Testament Zweifel.

[3]) Bibliothèque de l'École des chartes l. c.

[4]) So Tardif, table S. 644. 664. — Andere halten es für Andolsheim bei Colmar oder Enzheim bei Straßburg; vgl. Schöpflin, Alsatia illustrata I, 715; Grandidier, Strasbourg I, 434. II, CXXVIII; Kroeber in der Biblio- thèque de l'École des chartes l. c. S. 49 f.; Oelsner, König Pippin S. 424 N. 6.

[5]) Ann. Laur. mai. SS. I, 156; Ann. Einh. ib. S. 157.

[6]) Mühlbacher Nr. 207; Heda, Historia episcoporum Ultraiectensium, ed. 2a S. 41. Das Tagesdatum ist in den Cartularien nicht ganz übereinstimmend überliefert; in dem ältesten VI. id. iun., dagegen in sämmtlichen anderen VII. id. iun.

des Landes schon für fertig angesehen. Es heißt in den sogen. Einhard'schen Annalen, um der trügerischen Versprechungen der Sachsen willen, denen man keinen Glauben schenken konnte, habe Karl zu dieser Maßregel gegriffen[1]). Es war eben nur ein neues Mittel um die Sachsen einzuschüchtern, um ihre Unterwerfung fort= zusetzen, wie denn ausdrücklich bemerkt wird, daß Karl ein großes Heer mitgenommen habe[2]). Andrerseits war die Ausführung des Plans nicht möglich, wenn Karl nicht schon bis auf einen gewissen Grad wirklich festen Fuß in Sachsen gefaßt hatte. Ueber die Maßregeln zur Sicherung seiner Herrschaft und zur Verbreitung des Christenthums, welche von Karl bis dahin getroffen worden waren und auf der Versammlung in Paderborn getroffen wurden, ist fast garnichts genaues bekannt; nur zerstreute Angaben liegen darüber vor, meist ohne Zeitbestimmung, so daß es nicht möglich ist zu sagen, welchem Jahre diese, welchem jene Maßregel angehört. Aber jedenfalls ist von Karl für jene Zwecke bis 777 schon vieles geschehen, was wenigstens in der Hauptsache sich erkennen läßt.

Vorzugsweise die Bemühungen um Einführung des Christen= thums treten dabei hervor. Zwar das Ziel des Krieges war ebenso sehr die politische Unterwerfung Sachsens, aber die ersten Maß= regeln, zu welchen Karl seine Siege über die Sachsen benutzte, betrafen nicht die politische Ordnung des Landes, sondern die kirchlichen Verhältnisse. Von der Einsetzung fränkischer Be= amter ist in den ersten Jahren des Krieges noch nicht die Rede, wohl aber von der Einsetzung christlicher Priester, welche die Be= kehrung zu leiten hatten. An der Spitze stand hier, soviel man sehen kann, Abt Sturm von Fulda, der Karl schon bei dem ersten Zuge nach Sachsen mit einem zahlreichen Gefolge anderer Geist= licher begleitet hatte[3]). Aber nur unter dem Schutze der fränki= schen Waffen konnte dieser vorderhand das Christenthum predigen. Es ist nicht anzunehmen, es findet sich jedenfalls keine Spur davon, daß sie schon dauernden Aufenthalt in Sachsen nehmen konnten[4]); mit dem Heere mußten auch sie Sachsen wieder verlassen oder, wenn auch das von den Sachsen zuweilen gegebene Versprechen

---

[1]) Ann. Einh. SS. I, 157: propter fraudulentas Saxonum promissiones, quibus fidem habere non poterat, ad locum qui Padrabrun vocatur, ge= neralem populi sui conventum in eo habiturus, cum ingenti exercitu in Saxoniam profectus est; vgl. jedoch die abweichenden Auffassungen von v. Richt= hofen, Zur Lex Saxonum S. 133 N. 2 und Kentzler in Forschungen z. deutsch. Geschichte XII, 328.

[2]) Vgl. die in der vorigen Anmerkung angeführten Stelle, wobei freilich zu be= merken ist, daß gerade der exercitus, die waffenfähige Mannschaft, auch die Reichs= versammlung bildete.

[3]) Vgl. oben S. 125 N. 2. Wenn Eckhart I, 622 noch die Bischöfe Megin= goz von Wirzburg und Agilfrid von Lüttich namhaft macht, so ist das bloße Ver= muthung, vgl. auch unten S. 268 N. 4.

[4]) Mit Unrecht behauptet dies Bade, Geschichtliche Nachrichten über das Hoch= stift Paderborn, bei Erhard und Rosenkranz, Zeitschrift f. vaterländ. Gesch. und Alterthumskunde (Westfalens) Bd. 10 S. 5.

das Christenthum anzunehmen für die christlichen Priester die Erlaubniß enthielt in Sachsen zu bleiben, so wurde dieses Versprechen
doch immer nur kurze Zeit beobachtet und die Priester immer
wieder verjagt. Erst nach Verlauf mehrerer Jahre, vielleicht nach
dem erfolgreichen Feldzuge von 775, schritt Karl dazu, mit der
Einführung einer festen kirchlichen Ordnung in Sachsen wenigstens
den Anfang zu machen. Zu diesem Behufe theilte er Sachsen in
verschiedene kirchliche Bezirke ein, in welchen dann verschiedenen
fränkischen Geistlichen die Predigt und Taufe übertragen ward[1]).
Aus der ersten Zeit ist aber nur einer dieser Geistlichen ausdrücklich genannt, eben der Abt Sturm, welchem der größte Bezirk
zugewiesen wurde[2]), und zwar, wie sich vielleicht aus seinem späteren Aufenthalt in Eresburg schließen läßt, die Gegenden an der
Diemel mit Einschluß des späteren Bisthums Paderborn[3]). Karl
beauftragte also mit der Predigt solche Geistliche, welche an einer
schon fest begründeten Stiftung im fränkischen Reiche selbst einen
sichern Rückhalt und Stützpunkt hatten und von dort aus die
Mission in Sachsen betreiben konnten; sein späteres Verfahren
zeigt, daß er diesen Grundsatz nicht blos bei Sturm, sondern überhaupt befolgte[4]).

Ein anderes Mittel um die Sachsen dem Christenthum zu gewinnen bestand darin, daß Karl die von den Sachsen gestellten
Geiseln in der christlichen Lehre unterrichten ließ; sie wurden einzelnen Bischöfen und Aebten zur Obhut übergeben und haben zum
Theil später selbst als Bischöfe eine bedeutende Rolle gespielt. So
wurde der spätere erste Bischof von Paderborn, Hathumar, der in
früher Jugend Karl als Geisel übergeben war, in Wirzburg erzogen[5]) und von seinem Nachfolger Badurad ist dasselbe überliefert[6]). Außerdem mögen auch schon früh einzelne Sachsen freiwillig Christen geworden sein; die Predigt Sturm's hatte gute

---

[1]) Vita Sturmi c. 22, SS. II, 376: et post non longum tempus totam
provinciam illam in parochias episcopales divisit et servis domini ad do-
cendum et baptizandum potestatem dedit. Tunc pars maxima beato
Sturmi populi et terrae illius ad procurandum committitur (vgl. Transl. s.
Viti, Jaffé I, 6). Aber an die Errichtung förmlicher Bisthümer darf bei dieser
Eintheilung des Landes in bischöfliche Parochien noch nicht gedacht werden, vgl. unten
S. 273 und z. J. 780 sowie Bd. II. z. J. 804.

[2]) Vgl. die Stelle in der vorigen Note.

[3]) Vita Sturmi c. 24 und unten zum Jahre 779; vgl. auch Rettberg II,
404 f. 440.

[4]) So wurde Paderborn nachher mit Wirzburg in Verbindung gesetzt, Verden
mit Amorbach, die Bekehrung im Osnabrück'schen vom Bischof Agilfrid von Lüttich
geleitet (vgl. unten zu den JJ. 780 und 787); seit wann ist unbekannt, doch wurde
mit der Christianisirung und Leitung des Bezirks von Paderborn wohl erst nach dem
Tode Sturm's der Bischof von Wirzburg beauftragt (vgl. Rettberg a. a. D.).

[5]) Translatio s. Liborii c. 5, SS. IV, 151; vgl. Rettberg II, 405. 441
und unten Bd. II. zum Jahre 804, wo mehr Notizen über die sächsischen Geiseln
gesammelt sind.

[6]) Translatio s. Lib. c. 6 l. c.

Erfolge[1]); so lange es für die übergetretenen Sachsen gefährlich war in ihrer Heimat zu bleiben, gewährte ihnen die Gegend von Fulda eine Zufluchtstätte. Man erfährt von einem Sachsen Amalung, der bei einem Aufstande seiner Gaugenossen gegen den Frankenkönig die Heimat verließ, sich Karl anschloß und sich an der sächsisch-fränkischen Grenze, aber schon im Gebiete des fränkischen Reiches, in dem damals von Franken und Sachsen bewohnten Orte Wolfsanger (unweit Kassel) niederzulassen suchte[2]); ebenso ein anderer Sachse Namens Hibbi[3]). Da sie aber auch dort nicht bleiben konnten, zogen sie noch weiter hinein in den buchonischen Wald. Amalung zog nach Waldisbecchi zwischen Werra und Fulda (vielleicht das kleine Thal des Wallebachs bei Wolfsanger) und machte sich hier eine Rodung im Walde, Hibbi an einem Orte derselben Gegend, Hawcabrunno (Habichtsborn) bei Asigrode (Escherode); dort blieben sie von den Angriffen der Sachsen ungestört. Amalung und Hibbi waren ohne Zweifel Christen. Auch gehören diese Vorfälle möglicherweise einer frühen Zeit an; in Urkunden aus den Jahren 811 und 813 gesteht Kaiser Karl das Eigenthum jener Rodungen den Söhnen jener Männer zu, nachdem diejenige des Hibbi eine Zeit lang zum Königsgut eingezogen gewesen war. Indessen ist es höchst unwahrscheinlich, daß diese Vorgänge sich etwa bereits vor dem Jahre 777, zu dem wir gelangt sind, zugetragen haben sollten; viel eher mag man dies in Bezug auf die Bekehrung jenes Hessi, des Anführers der Ostfalen, vermuthen, welcher 775 sich Karl unterworfen hatte. Es wird erzählt, Karl habe denselben wegen seiner Treue hoch in Ehren gehalten und zum Grafen ernannt; da aber sein einziger Sohn in der Blüthe der Jugend starb, vertheilte er sein Vermögen an seine Töchter, von denen die ältere, Gisla, sich mit einem Grafen Unwan vermählte und nach dessen Tode die Klöster Winithohusen im Harze und Charoltesbach im Saalgau stiftete; Hessi selber zog sich hochbetagt ins Kloster Fulda zurück, wo er als Mönch starb[4]).

---

[1]) Vita Sturmi c. 22, l. c.: Suscepto igitur praedicationis officio, curam modis omnibus impendit, qualiter non parvum domino populum adquireret.

[2]) Mühlbacher Nr. 453; Eckhart, Franc. or. II, 864 f. Urkunde vom 1. Dezember 811, worin Karl dem Grafen Bennit, Sohn des Amalung, die von diesem ererbte Rodung (Bifang) bestätigt, vgl. Adolf Cohn in Forsch. z. deutschen Gesch. VII, 576 ff.; Kentzler ebd. XII, 333 N. 7.

[3]) Urkunde Karl's für Hibbi's Sohn Asig vom 9. Mai 813, anfangs ganz gleichlautend mit der Urkunde für Bennit, bei Wilmans, Kaiserurkk. d. Prov. Westfalen I, 6 ff. Nr. 3. 568; Sickel II, 82 (K. 247). 296; Mühlbacher Nr. 464; Cohn a. a. O. — Der Name Bennit hat sich in dem Ortsnamen Benterode bei Kassel erhalten (Cohn, Forsch. VII, 612. 614; Arnold, Ansiedelungen und Wanderungen deutscher Stämme S. 259. 453).

[4]) Vita s. Liutbirgae c. 1, SS. IV, 158 f.: (Karl) quendam inter primores et nobilissimos gentis illius, nomine Hessi, cum aliis quamplurimis, quibus comitatum dederat, magnis etiam sustentavit honoribus, quia fidelem sibi in cunctis repererat. Is ergo praedictus Hessi, masculi prolis carens,

Weiteres ist über die Erfolge Karl's hinsichtlich der Bekehrung der Sachsen in den ersten Zeiten der Sachsenkriege nicht zu ermitteln, und was von jenen Maßregeln des Königs der Versammlung in Paderborn, was der Zeit vorher angehört, läßt sich auch nicht unterscheiden. Jedenfalls war, als Karl daran denken konnte, die Reichsversammlung nach Paderborn zu berufen, dem Christenthum in Sachsen schon vielfach Eingang verschafft. Karl war von Anfang an planmäßig dabei verfahren; aber noch immer sucht man vergeblich nach den Spuren eines engeren Zusammenhangs mit der Missionsschule in Utrecht, mit der Thätigkeit von Liudger und Willehad [1]).

Im Laufe des Sommers, wohl nicht vor Juli oder sogar August [2]), fand die Reichsversammlung [3]) statt in Paderborn, das bei dieser Gelegenheit zum ersten Male genannt wird [4]). Hier fanden sich auf den Ruf des Königs zahlreiche Sachsen aus allen Theilen des Landes ein [5]) und erneuerten das Versprechen des Gehorsams,

---

unicum quem habuerat filium in adolescentiae flore defuncto, filiabus locupletem dimisit substantiam et tandem grandaevus ac bona aetate provectus, hereditate filiabus distributa, Fuldense coenobium domino militaturus perrexit ibique sub monachico habitu diem ultimum feliciter obiit. Dies gibt Wippermann, Bukigau S. 187 so wieder als ob Hessi nach seiner Unterwerfung von Karl ins Kloster gesteckt worden sei.

[1]) Darüber vgl. unten S. 275 ff.

[2]) Am 7. Juni urkundet Karl noch in Nimwegen, s. oben S. 266; vgl. auch die Bemerkungen Mühlbacher's über die gefälschte Urkunde Nr. 430.

[3]) Die damalige Reichsversammlung (Maifeld) zu Paderborn wird, außer in Ann. Laur. mai. und Ann. Einh., auch erwähnt in Ann. s. Amandi, SS. I, 12; Ann Petav. SS. I, 16 (hienach Ann. Maxim. SS. XIII, 21); Ann. Nazar., Guelferb., Alam. SS. I, 40 (ed. Henking l. c. S. 236); Ann. Mosell. SS. XVI, 496, Lauresham. SS. I, 31 etc., sowie in der Urkunde Mühlbacher Nr. 208 unten S. 274 f. In Ann. Sangall. Baluzii ed. Henking l. c. S. 204, wird nur der Aufenthalt Karl's zu Paderborn in diesem Jahre erwähnt.

[4]) Patresbrunna nennen den Ort die Ann. Petav., Paderbrunnen die Ann. Laur. mai., Padrabrun die Ann. Einh., Patrisbrunna die erwähnte Urkunde. Der Name rührt her von dem Flüßchen Pader, welches aus äußerst zahlreichen Quellen in der Umgegend entspringt. Von einer Ansiedelung ist noch garnicht die Rede, locus nennen den Ort die Quellen, vgl. die Beschreibung, welche der Poeta Saxo bei dieser Gelegenheit von demselben gibt, lib. I, v. 329—336, Jaffé IV, 554:

> Tanto concilio locus est electus agendo,
> Quem Pathalbrunnon vocitant; quo non habet ipsa
> Gens alium naturali plus nobilitate
> Insignem. Qui praecipuae redimitus abundat
> Fontibus et nitidis et pluribus et trahit inde
> Barbaricae nomen linguae sermone vetusto.
> Tunc ibi villa fuit tantum, nunc pontificalis
> Ecclesiae constructa nitet clarissima sedes.

Rettberg II, 440. Andere Quellenstellen, welche Beschreibungen von Paderborn enthalten, Karolus M. et Leo papa v. 426 ff., Poet. Lat. aev. Carol. I, 377, Transl. s. Liborii c. 3, SS. IV, 150, sind unten Bd. II. z. J. 799 angeführt.

[5]) Ex omni parte Saxoniae undique Saxones convenerunt, sagen die Annales Laur. mai., worunter man aber natürlich nicht die Gesammtheit der

daß sie schon früher geleistet. Eine große Menge ließ sich taufen[1]); auch erklärten sie wieder[2]) ihre Freiheit und ihr Grundeigenthum für verwirkt, wenn sie noch einmal Karl, seiner Dynastie, dem Frankenreiche und dem Christenthum abtrünnig würden[3]). Wenig= stens von den Großen scheinen fast alle diese Erklärung abgegeben

Sachsen oder auch nur ihre Vertreter verstehen kann, wie auch von Funck bei Schlosser und Bercht IV, 295 bemerkt ist.

[1]) Ann. Laur. mai.; Ann. Einh.; Ann. Petav. (et baptizata multa milia populorum gentilium); Ann. Max.; Ann. Mosellan., Lauresham. etc.; Ann. Laur. min. ed. Waitz S. 413: Saxones post multas caedes et varia bella adflicti, non valentes resistere, tandem christiani effecti . . . (hienach Ann. Enhard. Fuld. SS. I, 349 und mehrere Ableitungen der Hersfelder Annalen, Quedlinb., Weissemb., Lamb. 776, SS. III, 37; Lorenz S. 86). — Ein Gedicht verlegt sogar in dies Jahr 777 die Bekehrung der Sachsen, Poet. Lat. aev. Carolin. I, 380—381; dazu S. 165—166. 358. 633; Neues Archiv IV, 135 —137; vgl. besonders v. 23 ff.:

Iam septingentos finitos circiter annos
Et septem decies, ni fallor, supra relicti,
Ut tradit, septem, priscorum calculus index,
Adsunt praesentis defluxu temporis anni,
Quo Carolus nono regnat feliciter anno,
In quo Saxonum pravo de sanguine creta
Gens meruit regem summum cognoscere caeli.

und v. 56 ff. (über die Taufe der Sachsen). Die jetzt verschwundene, viele Dich= tungen Alkuin's enthaltende Regensburger Handschrift, aus welcher Frobenius dies Gedicht über die Bekehrung der Sachsen zuerst herausgab, war unter dem Erzbischof Liutpram von Salzburg (836—859) geschrieben. Dümmler will dasselbe mit Wilh. Grimm (Zur Geschichte des Reims, Abhandl. der Berl. Akad. 1851, S. 656) Alkuin absprechen, macht indessen gegen Grimm's Ansicht, daß dasselbe erst in eine spätere Zeit zu setzen sei, das Alter der Handschrift geltend.

[2]) Vgl. o. S. 262.

[3]) Annales Laur. mai. l. c.: et secundum morem illorum omnem ingenuitatem et alodem manibus dulgtum fecerunt, si amplius inmutassent secundum malam consuetudinem eorum, nisi conservarent in omnibus christianitatem vel fidelitatem supradicti domni Caroli regis et filiorum eius vel Francorum; vgl. o. S. 262 N. 2; Ann. Enhard. Fuld. l. c., welche alodem mit proprietatem wiedergeben und manibus dulgtum fecerunt durch ab= dicantes regi tradiderunt umschreiben, während Regino SS. I, 558, dafür sagt: et sacramenta secundum consuetudinem dederunt, ut perderent ingenuitatem etc.; Ann. Einh.: Eo cum venisset, totum perfidae gentis senatum ac populum, quem ad se venire iusserat, morigerum ac fallaciter sibi de- votum invenit . . . Ceteri qui venerant in tantum se regis potestati per- misere, ut ea condicione tunc veniam accipere mererentur, si ulterius sua statuta violarent, et patria (vgl. o. S. 262 N. 2) et libertate privarentur; Poeta Saxo lib. I. v. 337—352, Jaffé IV, 554, welcher aus dem Text der Ann. Einh. folgert, daß auch fast alle duces der Sachsen (außer Widukind) in Paderborn erschienen seien; Ann. Laur. min. l. c.: Francorum ditioni subduntur (vgl. Ann. Enhard. Fuld., Quedlinb., Weissemb.); Ann. Sithiens. SS. XIII, 36: Saxonia a Carlo subacta. — Die Interpretation Kentzler's a a. D. S. 329 scheint uns auch hier wieder viel zu künstlich; die Deutung von sua statuta auf die Capitula de partibus Saxoniae durch v. Richthofen (a. a. D. S. 217; Leg. V, 21—22) aber ganz verworfen werden zu müssen; vgl. auch Kentzler a. a. D. N. 3; Waitz, Nachrichten von der G.=A. Univ. zu Göttingen 1869 Nr. 3 S. 32); v. Ranke, Weltgeschichte V, 2, S. 129 N. 1. D. Abel u. Wattenbach (S. 64) übersetzen vielmehr mit Recht: „seine (des Königs) Gebote".

zu haben; nur gerade der gefährlichste unter ihnen, der Westfale Widukind, war ausgeblieben.

Widukind's Name begegnet uns bei dieser Gelegenheit zum ersten Mal. Er war einer der westfälischen Großen[1]). Daß er von den Westfalen ebenso wie Hessi von den Ostfalen und Bruno von den Engern zum Heerführer im Kampfe gegen die Franken gewählt worden, wäre möglich[2]), ist aber nicht bezeugt[3]). Auch daß er später Herzog der Sachsen heißt[4]), beweist dies nicht. Durchaus sagenhafte Nachrichten einer noch viel späteren Zeit machen ihn mit Unrecht zu einem Engern, und am Ende soll er sogar König von ganz Sachsen gewesen sein[5]). Alle diese Angaben beruhen lediglich auf Erdichtung; über seine ganze Thätigkeit vor 777 wissen wir so gut wie nichts; nur daß es in den sogen. Einhard'schen Annalen heißt, er habe 777 „im Bewußtsein seiner vielen Uebelthaten" sich vor Karl geflüchtet[6]); damit ist gesagt, daß er schon in den ersten Jahren des Krieges eine bedeutende Rolle gespielt hatte. Die Quellen bezeichnen sein Wegbleiben von der Versammlung in Paderborn als Ungehorsam gegen Karl[7]); er verweigerte dem Könige die Unterwerfung und flüchtete sich zu Sigfrid, dem Könige der Dänen[8]), dessen Schwester oder Tochter

---

[1]) unum ex primoribus Westfalaorum nennen ihn die Ann. Einh.

[2]) Baeda, Hist. eccl. gentis Anglor. V, 10 (ed. Holder S. 242) und Widukind. Rer. gest. Saxon. lib. I. c. 14 lassen die alten Sachsen für den Krieg einen allgemeinen Anführer unter ihren Fürsten durch's Loos erwählen. Der letztere gab es nach Bäda viele, nach Widukind drei, nämlich je einen bei den Ostfalen, Engern und Westfalen.

[3]) Vgl. Kentzler, Forsch. XII, 331 N. 5.

[4]) Dux Saxonum in Altfrid's Vita Liudgeri I, 21, ed. Diekamp S. 24.

[5]) Letzteres behauptet Genßler, Wittekind, oder gründlicher Beweis, daß das Haus Sachsen aus dem Geschlechte des ältesten sächsischen Regenten, Wittekind des Großen, abstamme, S. 22; darüber und über die anderen späteren und unglaubwürdigen Nachrichten von Widukind vgl. Diekamp, Widukind der Sachsenführer nach Geschichte und Sage (Inaug.=Diss., Münster 1877) S. 54 ff.; auch Pahde, Widukind der Sachsenherzog (Progr. der Realschule in Mülheim a. d. Ruhr 1860) S. 12 ff. u. unten z. J. 785.

[6]) qui multorum sibi facinorum conscius et ob id regem veritus, ad Sigifridum Danorum regem profugerat. Rose, Wittikind's Grabmal zu Enger, bei Erhard und Rosenkranz, Zeitschrift Bd. 10 S. 193, der Widukind auch irrthümlich zu einem Engern macht, behauptet ganz willkürlich, Karl habe die Gegend von Herford und Enger immer ganz besonders mit Krieg heimgesucht, weil dort Widukind's Besitzungen gelegen, „der Sitz und die Quelle der Macht des Heerführers" gewesen sei. Schon die Voraussetzung ist nicht allein unerwiesen, sondern, wie wir annehmen müssen, geradezu falsch.

[7]) Widochindis rebellis extitit, Ann. Laur. mai. l. c.

[8]) Vgl. die Stelle oben N. 6 und unten z. J. 785. Luden IV, 530 N. 22 erklärt mit Unrecht die Nachricht von Widukind's Flucht zu Sigfrid für eine Sage; vgl. auch Dahlmann, Geschichte von Dännemark I, 19 f. S. über den Dänenkönig Sigfrid Ann. Laur. mai. 782, SS. I, 162; Ann. Einh. 782. 798, SS. I, 163. 185; auch die Versus Petri v. 17—20 und die Versus Pauli Diaconi v. 17 bis 36, Poet. Lat. aev. Carolin. I, 51—52. II, 688 und unten z. d. JJ. 782 und 798. Spätere Autoren legen sich den Sachverhalt so zurecht, daß Widukind die Hilfe des Dänenkönigs habe nachsuchen wollen, s. Adonis Chron., Bibl. max.

Gheva, wie unglaubwürdige spätere Sage erzählt[1]), seine Gemahlin gewesen sein soll.

Widukind's Flucht aus Sachsen ist ein Beweis, daß für den Augenblick an keinen Widerstand gegen Karl zu denken war; der König konnte ungehindert Maßregeln zur Befestigung seiner Herr= schaft und des Christenthums treffen. Aber nur eine einzige von diesen Maßregeln kann mit einiger Sicherheit in die Zeit dieser Versammlung verlegt werden[2]). Es ist die Erbauung einer Kirche in Paderborn zu Ehren des Heilands[3]), die freilich im Fortgang des Krieges von den Sachsen wieder zerstört wurde. Aber an die Gründung eines Bisthums ist damals noch garnicht gedacht, und ebenso wenig ist damals schon die Gründung eines Bisthums in Osnabrück ins Auge gefaßt[4]); hier findet sich auch nur von dem Bau einer einfachen Kirche noch keine Spur; auch ist es zweifel= haft, ob Karl überhaupt schon in die Gegend von Osnabrück ge= kommen war.

---

patr. Lugdun. XVI, 805; Poeta Saxo lib. II, v. 28—30 (a. 782), Jaffé IV, 559:

Interea patriae quondam Widukindus ab oris
Qui fuerat profugus Normanorumque petivit
Auxilium, rediens . . .

Diekamp, Widukind S. 13 N. 2; Kentzler, Forsch. XII, 332—333.
  [1]) Vgl. die Braunschweigische Reimchronik v. 297. 401, M. G., Deutsche Chroniken II, 462. 464; Kentzler a. a. O. S. 332 N. 1 u. unten z. J. 785.
  [2]) Was Hegewisch S. 124 über die Bedingungen wissen will, die zwischen Karl und den Sachsen in Paderborn verabredet sein sollen, ist aus der Luft gegriffen; ebenso die Darstellung der Vorgänge auf dieser Versammlung bei Schaten, Historia Westfaliae, ed. II., S. 305 ff. Daß die Sachsen an den Berathungen der Reichs= versammlung theilnahmen, wie Gaillard II, 220 vermuthet, ist kaum zu glauben.
  [3]) Ann. Petav. SS. I, 16; vgl. Ann. Maxim. SS. XIII, 21 und Ann. Sangall. Baluzii, St. Galler Mitth. XIX, 204, welche letzteren hinzufügen: in honore salvatoris sowie unten Bd. II, z. J. 799. Der cod. Vat. Christ. 520 der Ann. Petav. (A. Mai, Spicil. Rom. VI, 186) hat unrichtig: Et aedifica- runt ubique ecclesias (statt ibi ecclesiam) Franci.
  [4]) Im allgemeinen vgl. auch darüber unten zum Jahr 780 und 783; Rett= berg II, 435 ff. 438 ff. Wenn Schaten, Historia Westfaliae S. 307 f. und Kleinsorgen, Kirchengeschichte von Westfalen I, 158, die Gründung des Bisthums Osnabrück in dies Jahr verlegen, so ist das völlig willkürlich; ebenso die weitere Be= hauptung von Kleinsorgen I, 160 N., außer in Osnabrück habe Karl damals auch Bisthümer errichtet in Münster und Eresburg, welch letzteres später nach Paderborn verlegt worden sei, wobei er vielleicht an die freilich ganz unbrauchbare Nachricht des Heinrich von Herford, ed. Potthast S. 32, denkt, es sei in Heristal (Herstelle) ein Bisthum gegründet und dieses später nach Paderborn verlegt worden (vgl. unten zum Jahre 780). Auch Leibniz I, 65 geht zu weit, indem er annimmt, wenigstens die Vorbereitungen zur Gründung von Bisthümern in Paderborn und Osnabrück seien 777 getroffen. Schon Eckhart I, 622 hat übrigens die Stelle der Vita Sturmi, oben S. 268 N. 1, welche hier allein in Betracht kommt, richtig verstanden. Ganz werthlos ist die Angabe der Narratio de fundatione quarundam in Saxonia ecclesiarum, bei Mader, Antiquitates Brunsvicenses S. 160 ff., wonach schon 772 das Bisthum Osnabrück, 777 die Kirche in Seligenstadt, die später nach Halber= stadt verlegt ward, gegründet wurde. Die Narratio ist von Waitz als erst dem 14. Jahrhundert angehörig nachgewiesen, Nachrichten der G.=A. Universität zu Göttingen, Jahrg. 1857 S. 63; Wattenbach DGQ. II, 5. Aufl. S. 229 N. 2.

Der König war übrigens in Paderborn auch noch mit anderen als den sächsischen Angelegenheiten beschäftigt. Er scheint dort einen längeren Aufenthalt genommen zu haben. Sogar eine arabische Gesandtschaft suchte ihn in Paderborn auf. Ein arabischer Großer — wie man gewöhnlich, aber mit Unrecht annimmt, der Statthalter von Saragossa — Ibn al Arabi, in Begleitung eines Sohnes und Schwiegersohnes von Juffuf, der bis zu seinem Tode der Haupt= gegner des Omajjaden Abdurrahman gewesen war, rief Karl's Hilfe an und erklärte sich bereit, sich und seine Städte der Hoheit Karl's zu unterwerfen[1]). Ob noch andere Aufforderungen zu einem Zuge nach Spanien an Karl ergingen, etwa von Seiten der Christen, hört man nicht[2]); schon das Anerbieten der Araber war für ihn von großem Werthe; er wies es nicht zurück, hat vielmehr, wie es scheint, gleich hier in Paderborn den Entschluß gefaßt, sich auf das weitaussehende Unternehmen einzulassen[3]).

Von anderen Verhältnissen, welche in Paderborn zur Sprache kamen, ist nur noch eines unserer Kunde erhalten. Auf den Wunsch Fulrad's von St. Denis wurde die Stellung des zur Diözese Metz gehörigen, aber im Eigenthum Fulrad's befindlichen Klosters Sa= lona (Salonne unweit Château=Salins) durch einen Vergleich zwi= schen Fulrad und Angilram von Metz geregelt, bei dem Erzbischof Wilcharius von Sens den Vermittler gespielt zu haben scheint[4]).

---

[1]) Ann. Laur. mai. l. c., genauer die Ann. Einh.; das weitere über die Persönlichkeit der drei Araber unten z. J. 778.

[2]) Vgl. in dieser Beziehung die Stellen unten S. 291 N. 1. 2 und Petrus de Marca, Marca Hispanica S. 237, wo die Rede ist von einer legatio Belascuti a Bentio, Caesaraugustano episcopo, et comite Armentario in Ripacurcia consistente decreta ad Karolum, regem Francorum, qui auxilia eis ad pel- lendos Sarracenos spopondit. Nach Marca findet sich diese Erzählung bei Hiero- nymus Blancus aus einer Handschrift monasterii Pinnatensis (Pina am Ebro? Pignan in der Diözese Montpellier?). Er bezieht sie auf die Zeit Karl Martell's, den er unter dem Karolus rex Francorum versteht, ebenso auch Fauriel III, 333. Dagegen denkt Dorr, De bellis Francorum cum Arabibus gestis usque ad obitum Karoli M., dissertatio inaug. Regimont. 1861, S. 13 N. 3, wegen der Bezeichnung Karl's als König an Karl den Großen und mag darin Recht haben; aber er legt auf die Nachricht zuviel Gewicht. Ein Urtheil über ihre Glaubwürdigkeit ist nicht möglich; weder von der Quelle, aus der sie geflossen, noch von dem Bischof Bentius von Saragossa und dem Grafen Armentarius von Ripagorça, in deren Auf= trag Belascutus zu Karl gereist sein soll, ist uns sonst etwas bekannt. Daß Belas= cutus zusammen mit Ibn al Arabi zu Karl nach Paderborn gekommen, wie Dorr S. 12 f. annimmt, ist allermindestens auch bloße Combination. Mehr Berechtigung hat es vielleicht schon, wenn Dorr den Belascutus für identisch hält mit Bahlul, Bahaluc, der um 795 als Wali in den Gebirgsgegenden unmittelbar an der aqui- tanischen Grenze — also etwa in Ceritanien, der Cerdagne — erscheint und eine Friedensgesandtschaft an den König Ludwig schickte, vgl. Vita Hludowici c. 8, SS. II, 611; Conde I, 260; Cardonne I, 232; Nowairi bei Assemani III, 167 f. und unten Bd. II, z. J. 795. Auch Fauriel III, 361 erwähnt Belascutus nach einer arabischen Quelle als Herrn der Cerdagne, der nach der Wiedereroberung von Saragossa durch Abdurrahman von diesem ebenfalls wieder unterworfen wird, hält diesen Belas= cutus aber für den gleichnamigen Sohn des bei Marca erwähnten.

[3]) Das nähere s. unten S. 290 ff.

[4]) Mühlbacher Nr. 208; Bouquet V, 739 Nr. 41; vgl. Tardif l. c. S. 62

Diese drei Geistlichen waren also mit in Paderborn. Der Ver=
gleich lautete dahin, daß der Bischof von Metz im Kloster Saloune
weder selbst noch durch andere Angehörige der Metzer Kirche geist=
liche Amtsverrichtungen sollte vornehmen dürfen, außer auf Ver=
langen des Abtes von St. Denis, und daß das Kloster, wie die
übrigen Besitzungen von St. Denis, im Genusse der Immunität
sein sollte[1]). Dieser Vergleich wurde der Synode in Paderborn
vorgelegt und von ihr sowie von Karl selbst genehmigt, welcher
das Kloster außerdem in seinen königlichen Schutz aufnahm. Die
Ausfertigung der Urkunde wurde übrigens noch verzögert, vielleicht
weil Angilram doch noch Schwierigkeiten machte seine Rechte als
Diözesanbischof aufzugeben[2]); erst im Dezember, nachdem Karl
wieder aus Sachsen zurückgekehrt war, kam die Sache zum Ab=
schluß[3]).

Man sieht nicht, wie lange der König in Sachsen verweilte;
von seiner Anwesenheit in Achen im Dezember an ist sein Aufent=
halt auch nicht mehr nachzuweisen[4]); an dem, was sonst noch aus
der zweiten Hälfte des Jahres 777 zu berichten ist, hat Karl keinen
unmittelbaren Antheil.

So eifrig Karl die Christianisirung Sachsens betrieb, so wenig
scheint er lange an der Bekehrung Frieslands theilgenommen zu
haben. Natürlich verlor er auch sie nicht aus den Augen, und so
lange die Utrechter Schule sich dieser Aufgabe unterzog, befand sie
sich in den besten Händen; aber je größere Dienste diese Schule
der Mission und dadurch unmittelbar auch Karl leistete, desto auf=

(Testament Fulrad's) u. oben S. 266 N. 2. Da Wilcharius neben Angilram ge=
nannt wird, der letztere aber außer Fulrad allein betheiligt war, hat Wilcharius
wohl den Vergleich (promissum, von Mabillon, Annales II, 240 richtig verstanden
als compromissum) vermittelt.

[1]) Bouquet l. c.: ut post hunc diem nullus quislibet episcoporum,
neque Angalramnus aut successores sui ipso coenobio non contingat, nisi
sit sub emunitate et privilegio s. Dionysii regulariter, sicut caeteras ecclesias, quas ad ipsa casa s. Dionysii aspicere videntur.

[2]) Interrogavimus Angalramnum episcopum, si ipsum privilegium consentire debuisset, sagt Karl, was augenscheinlich nicht schon in Paderborn, sondern
erst zur Zeit da er die Urkunde ausstellte, im Dezember in Achen geschah.

[3]) Die Urkunde ist vom 6. Dezember, aus Achen datirt. Genauer über die
Urkunde handelt Sickel, Beiträge IV, 24 ff. (S.=B. der Wiener Akademie Bd. 47,
S. 586 ff.).

[4]) Es existirt eine Urkunde Karl's bei Wenck III, 2 S. 11 Nr. 8, worin Karl
dem Kloster Hersfeld die Kirchen in Altstädt, Riestedt und Osterhausen, nebst dem
Zehnten in Friesenfeld und dem thüringischen Hessengau schenkt, data XII. kalend.
Novembr. anno ab incarnatione domini 777. indictione 15. anno regni
nostri 9. actum Wormacia civitate puplica: also unter dem 21. Oktober 777
in Worms ausgestellt. Nun geht zwar aus dem späteren Streit um den thürin=
gischen Zehnten zwischen Hersfeld und Halberstadt hervor, daß Hersfeld eine solche
Schenkung erhalten haben muß; aber die vorliegende Urkunde ist offenbar falsch, die
Schenkung muß später fallen; vgl. Sickel II, 416; Mühlbacher Nr. 207; Rett=
berg II, 401 N. 37; Hahn, Bonifaz und Lul S. 281 N. 4; Ausfeld, Lambert
von Hersfeld und der Zehntstreit zwischen Mainz, Hersfeld und Thüringen (Diss.
Marburg, 1879) S. 36 N. 2 u. unten z. J. 780.

fallender ist es, daß sich geraume Zeit keine Spur einer Verbin=
dung Karl's mit Utrecht findet. Seit 777 begegnen hier wenigstens
Anzeichen einer Aenderung; aber ein Zusammenhang zwischen den
zur Bekehrung Sachsens von Karl und den zur Bekehrung Fries=
lands durch die Utrechter Schule getroffenen Anstalten findet noch
immer nicht statt. Utrecht betreibt die Mission in Friesland auch
jetzt noch ganz selbständig, vielleicht weniger weil Karl dieselbe
vernachlässigte als weil es selber die Leitung nicht aus der Hand
geben wollte.

Unter den von Utrecht ausgeschickten Missionaren war Liafwin
zwar schon vor mehreren Jahren gestorben; dafür tritt nun die
Thätigkeit Liudger's und Willehad's desto mehr in den Vordergrund.
Willehad — oder, wie die angelsächsische Form des Namens eigent=
lich lautet, Vilhaed — hatte schon seit einer Reihe von Jahren in
Friesland gewirkt, aber es ist nicht möglich für die ersten Zeiten
seiner Wirksamkeit die Chronologie genau festzustellen. Auch er
war ein Angelsachse, aus Northumberland, dem fast alle angel=
sächsischen Missionare entstammten[1]), ein naher Freund seines Lands=
manns Alkuin[2]). Er hatte sich von seinem König Alchred die Er=
laubniß geben lassen, den Sachsen und Friesen das Christenthum
zu predigen. Alchred berief eine Synode der Geistlichen seines
Landes, und mit ihrer Zustimmung trat Willehad seine Missions=
reise an[3]). Aus der Utrechter Schule war er also nicht hervor=
gegangen, aber unzweifelhaft stand er mit ihr in Verbindung, han=
delte im Einvernehmen mit der Kirche von Utrecht und in ihrem
Dienste[4]). Sein Biograph gibt keine Andeutung über den Be=
ginn seiner Thätigkeit in Friesland, derselbe fällt aber ungefähr
in die ersten Jahre der Regierung Karl's[5]). Willehad begab sich
zuerst nach Dokkum im Ostergau (Asterga), wo Bonifaz den Mär=
tyrertod erlitten hatte, und predigte dort längere Zeit mit dem besten

---

[1]) Vgl. Dehio, Geschichte des Erzbistums Hamburg=Bremen bis zum Aus=
gang der Mission I, 12.

[2]) Vgl. Alcuin. epist. 13 (v. J. 789), Jaffé VI, 165: Et saluta millies
dilectissimum meum Uilhaed episcopum. Die Freundschaft schrieb sich vielleicht
aus der Zeit her als Alkuin Magister an der Schule von York war (Dehio I, 14).

[3]) Vita s. Willehadi c. 1, SS. II, 380. Die Autorschaft Anskar's (welcher
allerdings die Miracula Willehadi verfaßt zu haben scheint) ist, trotz des Zeugnisses
Adam's von Bremen (I, 33, SS. VII, 297) hinsichtlich dieser Vita nicht nur un=
sicher, sondern durchaus unwahrscheinlich; vgl. Dehio a. a. O. Krit. Ausführungen
S. 51; Wattenbach DGQ. I, 5. Aufl. S. 232.

[4]) So vermuthet auch Rettberg II, 451. 537.

[5]) Jedenfalls in die Zeit von 765 bis 774, da Alchred im Jahre 765 (nach=
dem Aethelwald am 30. Oktober das Königreich verloren) auf den Thron erhoben und
Ostern (3. April) 774 abgesetzt und vertrieben wurde, Lappenberg, Geschichte von
England I, 209—210 und Geschichtsquellen des Erzstiftes und der Stadt Bremen
S. 1 N. 1; Heinsch, Die Reiche der Angelsachsen zur Zeit Karl's des Gr. (Diss.
Breslau 1875) S. 65—66; Dehio a. a. O. S. 14, Anm. S. 2. Erhard S. 63
Nr. 133 folgt also mit Unrecht Adam von Bremen, der Willehad nach Bonifaz'
Tode nach Friesland kommen läßt, I, 12, SS. VII, 287; s. dagegen auch Die=
kamp, Supplem. S. 8 Nr. 51. — Leibniz I, 38, denkt an 772.

Erfolge[1]). Dann wagte er sich über den Loubach hinüber in ein
Gebiet, wo ihm noch garnicht vorgearbeitet war, und predigte in
Hugmerke, wäre aber dort beinahe ermordet worden. Die Heiden
erklärten, er sei des Todes schuldig, doch nahmen einige ihn auch in
Schutz und brachten es dahin, daß das Loos über ihn geworfen
wurde, damit der Himmel entscheide, ob er den Tod verdiene oder
nicht. Das Loos fiel günstig für ihn, sein Leben wurde verschont,
aber jene Gegend mußte er verlassen[2]).

Darauf wandte sich Willehad nach Thrianta (Drenthe) und
erzielte hier anfangs bedeutende Erfolge. Als aber einige seiner
Schüler in ihrem Eifer die heidnischen Heiligthümer zerstörten, gerieth das Volk in solche Erbitterung, daß es über Willehad und
die Seinigen herfiel, und Willehad selbst entging nur dadurch dem
Tode, daß das von einem Friesen gegen sein Haupt gezückte Schwert
das Reliquienkästchen traf, das er um den Hals trug. Durch dieses
Wunder erschreckt, berichtet sein Biograph, ließen ihn die Heiden
unverletzt abziehen[3]). Man liest nicht, wohin er sich begab; aber
bald nachher zog ihn Karl in seinen Dienst, 780[4]); bis zu diesem
Jahre dauerte seine Wirksamkeit in Friesland.

Unterdessen war auch Liudger unablässig in Friesland thätig
gewesen; doch ist es ungewiß, in welche Gegend des Landes er sich
nach der Wiederherstellung der Kirche in Deventer begeben hatte[5]).
Eine Veränderung in seinem Wirkungskreise trat aber 777 ein.
In diesem Jahre, wie es scheint der zweiten Hälfte desselben, empfing der Nachfolger Gregor's von Utrecht, Alberich[6]), in Köln die
Bischofsweihe, und gleichzeitig ward Liudger zum Presbyter geweiht[7]). Alberich bestellte darauf den Liudger zum „Lehrer der
Kirche" im Ostergau, woraus man schließen darf, daß Willehad, der zuletzt hier gepredigt hatte, 777 schon nach Drenthe
weiter gezogen war. An sieben Jahre lang wirkte dann Liudger
im Ostergau[8]), stand aber zugleich in ununterbrochener Verbindung

[1]) Vita Willehadi c. 2, SS. II, 380; er blieb aber dort höchstens bis 777,
in welchem Jahre Liudger dahin kam, vgl. unten den Text.

[2]) Vita Willehadi c. 3 (vgl. Tacit. Germania c. 10).

[3]) Vita Willehadi c. 4, SS. II, 381.

[4]) Vita Willehadi c. 5, ibid.; vgl. unten zum Jahre 780. Unrichtig setzt
Erhard S. 66 Nr. 152 die Berufung Willehad's durch Karl nach Wigmodia schon
in's Jahr 776; die Angaben der Vita c. 5 schließen diese Annahme völlig aus.

[5]) Darüber vgl. o. S. 234.

[6]) Vgl. o. S. 233.

[7]) Altfrid. vita Liudgeri I, 17, Geschichtsquellen des Bisthums Münster IV,
21: Albricus autem cum in Colonia civitate gradum accepisset episcopalem,
fecit et Liudgerum secum presbiterii percipere gradum et constituit eum
doctorem ecclesiae in pago Ostrachae. Daß die Bischofsweihe Alberich's jedenfalls erst nach dem 7. Juni 777 stattfand, geht daraus hervor, daß er in der erwähnten Urkunde Karl's von diesem Tage, oben S. 266 N. 6, noch presbyter
atque electus rector heißt; im übrigen vgl. Excurs II.

[8]) Altfrid. vita Liudgeri I, 21, a. a. D. S. 24; die c. 7 Jahre sind also
nicht schon vom Tode Gregor's, sondern erst von der Bischofsweihe Alberich's und
der Presbyterweihe Liudger's an zu zählen; übrigens vgl. unten zu den Jahren 782

mit Utrecht. Alberich traf eben damals, nach seiner Bischofsweihe, in Betreff der Stiftsschule in Utrecht eine neue Einrichtung. Der Unterricht in derselben sollte viermal im Jahre nach einer bestimmten Reihenfolge unter verschiedenen Personen wechseln. Im Frühjahr ertheilte ihn Alberich selbst drei Monate lang; nach ihm kam die Reihe für das nächste Vierteljahr an den Presbyter Adalger, dann an Liudger und für das letzte Vierteljahr an den Presbyter Thiadbraht; Liudger brachte also jedes Jahr drei Monate in Utrecht zu [1]).

Wichtiger als diese Aenderung des Lehrplans der Utrechter Schule ist eine andere Veränderung, über die freilich genaue Angaben nicht vorliegen, die aber doch damals stattgefunden zu haben scheint. Es wird eine Annäherung zwischen Karl und der Kirche von Utrecht bemerkbar. Was über einen Schatz erzählt wird, den Liudger während seines Aufenthalts in Friesland in heidnischen Tempeln gefunden und Alberich übergeben, von welchem dann der König zwei Drittel für sich genommen, das letzte Alberich überlassen habe [2]), kommt wenig in Betracht; der König scheint jenes heidnische Tempelgut als herrenloses angesehen und von dem Rechte Gebrauch gemacht zu haben, welches ihm an solches zustand [3]). Hingegen scheint Karl zu Gunsten Alberich's in ein anderes Verhältniß eingegriffen zu haben, hinsichtlich dessen er bisher eine große Zurückhaltung beobachtet hatte. Gregor hatte es, obgleich er die bischöfliche Stellung thatsächlich einnahm, nie dahin bringen können, auch den Bischofstitel zu erhalten [4]); daß Alberich nach einigen Jahren zur bischöflichen Würde erhoben wurde, muß eine besondere Veranlassung gehabt haben. Früher war die Erhebung Gregor's zum Bischof theils durch die Mißgunst des Königs, theils durch den obschwebenden Streit zwischen Köln und Utrecht verhindert worden; dieser Streit, scheint es, ist jetzt beigelegt, wobei von vornherein zu vermuthen ist, daß Karl dabei die Hand im Spiel hatte. Was wir über den Streit wissen, fällt vor die Regierung Karl's; Köln wollte sich die Unterordnung unter Mainz, wie Papst Zacharias und Bonifaz sie versucht hatten, nicht gefallen lassen und wollte außerdem Utrecht, welches nach den Anordnungen des Bonifaz ein eigenes Bisthum neben Köln bilden sollte, nicht als solches anerkennen, sondern behauptete, Utrecht gehöre zur Diözese

---

und 784 und Excurs II, sowie Diekamp, Geschichtsquellen des Bisthums Münster IV, 279 (Regesten Liudger's), der mit uns den Angaben der V. Liudgeri folgt, während v. Richthofen, Zur Lex Saxonum S. 160 N. 1, 161 N. 2 die Richtigkeit derselben bestreitet.

[1]) Altfrid. vita Liudgeri I, 17 N. 21; vgl. ebd. N. 3 und in Betreff der Person Thiadbraht's Wattenbach DGQ. I, 5. Aufl. S. 230 N. 2.

[2]) Altfrid. vita Liudgeri I, 16 S. 20.

[3]) Vgl. Waitz IV, 2. Aufl. S. 135—136; v. Richthofen a. a. O. S. 181 N. 3.

[4]) Darüber vgl. Rettberg II, 531 ff. und o. S. 115.

von Köln[1]). Diese beiden Punkte standen unmittelbar unter ein=
auber garnicht in Zusammenhang; zuerst handelte es sich nur um
den zweiten; aber später wurde damit der erste, das Streben Kölns
nach Gleichstellung mit Mainz, nach der erzbischöflichen Würde in
Verbindung gebracht und benutzt, um in Betreff des zweiten ein
Abkommen zu erzielen. Nachdem in den ersten Zeiten Kart's die
Sache in der Schwebe geblieben, Utrecht zwar nicht Köln zu=
gesprochen, aber auch nicht als vollberechtigtes Bisthum neben
Köln gestellt war, wurde endlich die Angelegenheit zum Abschluß
gebracht durch einen Vergleich, welcher den beiderseitigen Ansprüchen
Rechnung trug. So weit wir sehen das erste Zeichen, daß die
Auseinandersetzung erfolgt, ist die Weihe Alberich's zum Bischof
von Utrecht durch den Bischof von Köln. Die Ansprüche Utrechts
sind dadurch befriedigt, es ist ein selbständiges Bisthum, nur steht
es nicht im Metropolitanverbande von Mainz, sondern räumt dem
Bischof von Köln erzbischöfliche Rechte Utrecht gegenüber ein. Und
darin besteht das Zugeständniß, welches Köln gemacht ist. Es ist
ein anderes als worauf ursprünglich die Forderung Kölns gerichtet
war, der zufolge die Kirche von Utrecht nur einen Bestandtheil der
Kölner Diözese bilden sollte; aber dafür erhielt Köln nun Gelegen=
heit erzbischöfliche Rechte auszuüben, was ihm Mainz gegenüber
zu Statten kam und der erste Schritt zur wirklichen Erlangung
der erzbischöflichen Würde war. Allerdings hängt, wenn der Bi=
schof Hildibald etwa siebzehn Jahre später im Besitz dieser Würde
erscheint, das allem Anschein nach zunächst nur mit seiner Stellung
als Erzkapellan zusammen (wie bei seinem Vorgänger, dem Bischof
Angilram von Metz). Für eine wirkliche Metropolitanstellung ent=
scheidend wurde jedenfalls erst die Unterordnung einiger der neuen
sächsischen Bisthümer unter Köln[2]). Dagegen findet man nicht,
daß schon zur Zeit der Bischofsweihe Alberich's die förmliche Er=
hebung des Bischofs von Köln zum Erzbischof stattgefunden hätte.
Ueberhaupt schwebt Dunkel über der Person des Bischofs, welcher
diese Weihe vornahm. Aus den Urkunden ist für diese Zeit der
Name des Kölner Bischofs nicht zu erweisen; spätere Bischofs=
verzeichnisse nennen als Vorgänger Hildibald's den Riculf mit
einer Amtsdauer von 22 Jahren[3]); da Hildibald's Name seit 794,

---

[1]) Im allgemeinen vgl. Rettberg II, 530. 601; Oelsner, König Pippin
S. 54 ff. Nach der Anordnung von Zacharias sollten unter der Metropole Mainz
die Bisthümer Worms, Speier, Tungern, Köln und Utrecht stehen, Brief bei Jaffé III,
227 (Nr. 81). Köln, gestützt auf seine Vergangenheit, verlangte selbst eine erzbischöfliche
Stellung, nur gerade Utrecht gegenüber nicht; hier beanspruchte es noch mehr, die
völlige Zugehörigkeit der Utrechter Kirche zu seiner Diözese, wie Bonifaz sich aus=
drückt: Colonensis episcopus illam sedem . . . sibi usurpat et ad se perti=
nere dicit, bei Jaffé III, 260 (Nr. 107); vgl. auch Royaards S. 252 ff.
[2]) Vgl. Rettberg I, 540; II, 601 f. und unten Bd. II. (den Abschnitt über
die Hofbeamten).
[3]) Catal. archiepp. Coloniens.; Levold. de Northof, SS. XXIV, 337
bis 338. 348. 359. — Ennen, Gesch. d. Stadt Köln I, 189 nennt nur im allge=
meinen als Hildibald's Nachfolger Riculf, ohne nähere Angabe über ihn.

zuerſt auf der Synode von Frankfurt, begegnet[1]), ſo würde Riculf
ſein Amt allerſpäteſtens 772 angetreten haben, als Nachfolger
eines Biſchofs Berchthelmus[2]). Die Angaben ſind alle nicht recht
zuverläſſig; aber in Ermangelung anderer widerſprechender Nach=
richten mag immerhin angenommen werden, daß Alberich vom Bi=
ſchof Riculf die Weihe empfing.

Es verſteht ſich von ſelbſt, daß an der Ordnung dieſer Ver=
hältniſſe der König Antheil hatte, und ſchon die Schenkung an
Utrecht vom 7. Juni[3]) zeigt, daß Alberich bei Karl in Gunſt ſtand;
ohne Zweifel hat Karl die für Utrecht günſtige Entſcheidung her=
beigeführt[4]).

Aus Baiern iſt zu dieſem Jahre eine wichtige Kloſtergründung
zu verzeichnen, die Stiftung von Kremsmünſter. Stifter war der
Herzog Taſſilo ſelbſt, bei dem ja Freigebigkeit gegen die geiſtlichen
Stiftungen, Hebung und Beförderung des kirchlichen Lebens ein
durchgehender Zug ſeines Weſens, ſeiner ganzen Politik war.
Nachdem mehrere Jahre über ſeine Thätigkeit garnichts mehr ver=
lautet, gibt er durch die Gründung von Kremsmünſter wieder ein
Lebenszeichen von ſich. Sie fällt ins dreißigſte Jahr ſeiner Re=
gierung[5]), alſo in die zweite Hälfte des Jahres 777 oder in die
erſte des Jahres 778, und wird gewöhnlich 777 angeſetzt[6]). Eine
ſpäte Sage — wie es deren viele ähnliche gibt — will wiſſen,
während der Anweſenheit Taſſilo's in Lorch, an der Mündung der
Enns, des Grenzfluſſes zwiſchen Baiern und Pannonien, in die
Donau, habe ſein Sohn Gunthar in einem benachbarten Walde
gejagt, ſei von einer Wildſau, die er bereits zum Tode getroffen,
ſelbſt tödtlich verwundet und nur mit Hilfe ſeines Hundes ſchon
todt von den Mannen ſeines Vaters wieder aufgefunden worden.
Ein Hirſch mit leuchtenden Kerzen auf dem Geweih habe den Ort
gezeigt, wo Gunthar begraben werden ſollte, und über dieſer Be=
gräbnißſtätte habe dann Taſſilo zunächſt eine hölzerne Kirche er=

---

[1]) Synodus Franconofurt. c. 55, Capp. I, 78.

[2]) Daß dieſer noch unter Karl lebte, behauptet der Catal. l. c.: Berchthelmus XVII. episcopus sub Pippino et Carolo.

[3]) Vgl. o. S. 266.

[4]) So auch Rettberg II, 534. Ob aber gerade in Paderborn die Frage er=
ledigt wurde, wie Leibniz I, 66 annimmt, iſt nicht zu ſehen.

[5]) So die Urkunde ſelbſt, vgl. unten S. 281 N. 2; danach Bernardi (ut
videtur) liber de origine et ruina monasterii Cremifanensis I, 6, SS. XXV,
641 (vgl. Prol. S. 638).

[6]) So in der Hist. Cremifan. SS. XXV, 629 f., vgl. S. 625. 637; Bernardi (ut videtur) Cremifan. hist. ib. S. 655 (vgl. S. 651); in einer Marginale
zur Hist. epp. Pataviens. et ducum Bavariae, ib. S. 625; von Le Cointe VI,
138; Leibniz I, 68; von Hagn, im Urkundenbuch für die Geſchichte des Benedic-
tinerſtiftes Kremsmünſter S. 1; von Riezler, Geſch. Baierns I, 156; Kämmel a. a. O. I,
161 N. 2, 199 und ſonſt. Das Jahr 778 nennen die Annales Mellicenses
(auctar.), SS. IX, 535; auch Mabillon, Annales II, 242; man muß mit Rettberg
II, 255; Büdinger I, 110 N. 1 auf eine genaue Beſtimmung verzichten, indeſſen
erhellt aus der Angabe der erſten Indiction, unten S. 281 N. 2, daß die Stiftung
erſt nach dem 1. September 777 erfolgt ſein muß.

richtet, aus welcher nachher das Kloster Kremsmünster hervorging [1]).
Von diesem ganzen Hergange ist in dem einzigen brauchbaren Zeugniß über die Gründung, der Stiftungsurkunde Tassilo's, keine Spur
zu entdecken; was Tassilo zu der Stiftung bewog, spricht die Arenga
der Urkunde aus; es ist sein eigener innerer Antrieb, das Bestreben
„der Hölle zu entgehen und bei Christo wohnen zu dürfen", was
ihn drängt, von den Gütern, die ihm der Herr verliehen, einiges
Gott zu weihen. Seine Vorfahren hätten, soweit sie gekonnt,
Kirchen erbaut und reichlich ausgestattet, Klöster errichtet und mit
reichem Vermögen versehen, und so habe auch er beschlossen ein
Kloster zu bauen zu Ehren des Heilands, an dem Flusse Chremsa
(Krems) [2]).

Nachdem der Bau vollendet, von Tassilo dem Kloster ein Abt
mit Namen Fater aus Niederaltaich, der Gründung seines Vaters
Oatilo, gesetzt [3]) und demselben eine Anzahl Mönche beigegeben
war, die angeblich ebenfalls aus Niederaltaich berufen wurden [4]),
stattete Tassilo seine Stiftung aufs reichste mit Besitzungen jeder
Art, mit Land und Leuten aus und setzte sie dadurch in den Staub
ihrer Aufgabe zu genügen. Unzweifelhaft hatte Tassilo Kremsmünster dieselbe Aufgabe zugedacht, die er einige Jahre früher

---

[1]) Diese Erzählung steht in Bernardi (ut videtur) liber de origine et
ruina monasterii Cremifanensis I c. 6, SS. XXV, 641 und ist früher, vor
dem 14. Jahrhundert, nicht nachzuweisen; schon Mabillon l. c. nimmt mit Recht
gar keine Rücksicht auf sie.

[2]) Hagn, Urkundenbuch für Kremsmünster S. 1: Propter amorem eternum
et timorem horribilem, ut devitare valeam mansionem dyaboli et habere
merear mansionem cum Christo, ego Tassilo . . . anno ducatui mei tricesimo, indictione prima, mente tractavi ut de hoc quod michi Dominus
dignatus est concedere pro memet ipso aliquid Deo conferrem. Nam bone
memorie antecessores mei, in quantum potuerunt, res suas Deo devoverunt,
ecclesias Dei construxerunt easque suis opibus ditaverunt, monasteria
quoque studuerunt construere et non modicas ad easdem pecunias tradere.
Qua de re statui quoque et ego in animo meo, ut cum summa opitulatione
Iesu Christi domini in ipsius nomine monasterium edificare(m), qui ipso
adiuvante ita factum est. Vgl. auch die Bestätigung Karl's in der Urkunde vom
3. Januar 791, Mühlbacher Nr. 302; Urkb. des Landes ob der Enns II, 5 f. und
Hist. Cremifan. SS. XXV, 629. Eine Fälschung ist aber die Urk. vom März 789,
Mühlbacher S. 110—111 Nr. 290; Urkb. des Landes ob der Enns II, 6 ff.

[3]) Vgl. Hist. Cremifan. SS. XXV, 629: et ibidem religiosas personas
congregavit, quibus abbatem prefecit nomine Fater, assumptum de Altah
inferiori, virum ob sanctitatem sue vite Deo et hominibus predilectum,
vgl. S. 630—631; Bernard. I, 10 ib. S. 643: a cenobio paterne fundacio-
nis, scilicet Altah inferiori, quendam religiosum valde virum nomine Fater
cum aliis monachis, quibus esset abbas, advocavit, quorum seges in plura-
lem dehinc fratrum numerum propagatur. Vgl. über den Abt Fater die Urkunde
Karl's für Kremsmünster vom 3. Januar 791, Mühlbacher Nr. 302; Urkb. d. L.
ob der Enns II, 5—6; ferner Graf Hundt a. a. O. S. 178—179; vielleicht war
er Kaplan des Herzogs Tassilo gewesen (ib. S. 218 Nr. 7: Ego Fater pbr. cap-
pellanus domni Tassilonis ducis Baiouuariorum).

[4]) Die Angabe quos de Altah inferiore vocavit ist freilich nur eine spätere
Randnote (zum Text der Urkunde), Urkundenbuch für Kremsmünster S. 4 N. 2;
vgl. übrigens die vor. Anm. (Bernard. l. c.).

ausdrücklich als Zweck der Gründung des Klosters Innichen an=
gegeben hatte, die Bekehrung der benachbarten Slaven[1]) und, was
mit der Predigt des Christenthums Hand in Hand ging, die Ver=
breitung höherer Gesittung überhaupt. Tassilo spricht es in der
Urkunde, worin er Kremsmünster mit Gütern ausstattet, nicht be=
sonders aus, aber die Ausstattung selber zeigt, daß er von diesem
Gesichtspunkte ausging. Dem Kloster werden neben dem bebauten
Lande, neben den Wiesen, Aeckern, Wäldern, Salinen, Weinbergen,
mit den darauf sitzenden Weingärtnern, Salzsiedern, Bienen=
wärtern, Fischern, Schmieden und anderen Leuten, auch große
Strecken unbebauten Landes zugewiesen, für deren Urbarmachung
es Sorge tragen soll, und die ihm in unbegrenzter Ausdehnung
überlassen werden[2]). Zwar hinüber auf das rechte Ufer der Enns,
über die Grenze Baierns in das slavische Gebiet hinein reichen
die Besitzungen des Klosters noch nicht[3]). Aber schon haben auch
die Wirkungen der glücklichen Kämpfe Tassilo's im Osten, der Un=
terwerfung Karantaniens[4]) und seiner Christianisirung in anderer
Weise sich geltend gemacht; auf bairischem Gebiete selbst, diesseits
der Enns, haben sich Slaven angesiedelt[5]); eine ganze Slaven=
bekanie unter ihrem Zupan (Jopan) Physso, die bisher Tassilo
tributpflichtig war, wird nun an Kremsmünster überwiesen, nach=
dem im Auftrage Tassilo's der Abt Fater, der Judex Chuniprecht[6]),
der Graf Hleodro und ein gewisser Kerprecht ihren Besitzstand auf=

---

[1]) Oben S. 67 N. 4.

[2]) Urkundenbuch für Kremsmünster S. 2: 'Tradimus atque confirmamus
. . . homines qui in ipso loco habitant et ea cuncta que ibidem culta videbantur, de incultis vero ex omni parte quantum voluerint cultum faciant
. . . In circuitu cultum faciant quantum velint sine omni prohibicione, das
alles aber diesseits der Enns.

[3]) Rudhart S. 308 ff. und Büdinger I, 112 nehmen auch Besitzungen des
Klosters östlich der Enns an. Aber die Ipsbäche, Ipfae, sind nicht östlich sondern
westlich der Enns zu suchen, wie Pritz, Geschichte des Landes ob der Enns I, 183
nachweist, und zwar bei St. Florian; Rudhart verwechselt sie mit dem freilich viel
östlicheren Ipsfluß; welche Besitzungen Büdinger östlich der Enns sucht, ist nicht
zu sehen.

[4]) Vgl. o. S. 131.

[5]) Vgl. Kämmel, Die Anfänge des deutschen Lebens in Oesterreich S. 160—161
N. 2 (angeführt von Mühlbacher S. 116 zu Nr. 302).

[6]) Die Bedeutung des bairischen iudex ist streitig. Die von Merkel ausge=
führte Ansicht, „Der iudex im bairischen Volksrecht", Zeitschrift für Rechtsgeschichte
von Rudorff, Bruns u. a., Bd. 1 S. 131 ff., wonach der iudex bei den Baiern
das eigentliche „unabhängige Organ speziell für Rechtspflege und Rechtsfindung" war
(S. 137), wird auch durch diese Notiz unserer Urkunde (die Merkel S. 144 N. 15
freilich für unecht erklärt, vgl. unten S. 283 N. 6) nicht unterstützt, denn hier handelt
es sich nicht um eine richterliche Entscheidung, sondern um eine Verwaltungssache,
also eine Thätigkeit, welche Merkel S. 160 dem bairischen iudex gerade abspricht.
Waitz II, 2, 3. Aufl. S. 151 ff.; IV, 2. Aufl. S. 407 f.; Riezler, Geschichte
Baierns I, 128 N. 1; Beseler, Zeitschrift für Rechtsgeschichte Bd. 9, S. 244 f.;
Schröder in Z. d. Savigny=Stiftung IV, 225. Die Bezeichnung iudex wird im
bairischen Gesetzbuche nicht ausschließlich für den Richter, sondern auch für Behörden
im allgemeinen gebraucht.

genommen und geordnet haben[1]); 30 andere Slaven haben ohne
Erlaubniß Tassilo's unbebautes Laub urbar gemacht und werden
mit diesem Lande dem Kloster geschenkt.

So ist die Gründung von Kremsmünster in doppelter Hinsicht
von Bedeutung. Sie ist ein Beweis der großen Erfolge, welche
Tassilo den Slaven gegenüber bereits davongetragen hatte; denn
ein großer Theil der zur Ausstattung des Klosters verwendeten
Ländereien ist von Slaven bewohnt; Slaven selbst werden als
zinspflichtige Leute an das Kloster verschenkt, und diese Slaven
sind ohne Zweifel Christen gewesen. Wichtig ist die Stiftung aber
auch als ein vorgeschobener Posten zur Beförderung der weiteren
Christianisirung des Ostens, und diese von Tassilo ihm gestellte
Aufgabe hat das Stift nachher auch wirklich erfüllt. Es stieg
rasch zu hohem Ansehen empor[2]); bei Tassilo selbst stand es in
hoher Gunst, es wurde von ihm auch mit einem silbernen Kelch
mit dem Bilde des Herzogs und seiner Gemahlin Liutperga be=
schenkt[3]).

Die Schenkungsurkunde wurde in Kremsmünster selbst aus=
gestellt, im Beisein der angesehensten geistlichen und weltlichen
Großen des Herzogthums. Die Bischöfe Virgil von Salzburg,
Sindpert von Regensburg und Walter (Walderich) von Passau, in
dessen Sprengel das neue Kloster lag[4]); die Aebte Opportunus von
Mondsee, Wolfpert von Niederaltaich, Atto von Scharnitz, Rod=
hart von Isana[5]) und Gaozrich, dessen Kloster nicht bekannt ist;
endlich die Grafen Utili (Utich), Magilo und Saluhso sind als
Zeugen aufgeführt[6]). Tassilo hat übrigens die Schenkung in Ge=

---

[1]) Infra terminum (der bairischen Grenze) manent, sagt die Urkunde. Ob
aber Kremsmünster selbst auf früher slavischem Boden errichtet wurde, wie v. Koch=
Sternfeld, Beiträge zur deutschen Länder=, Völker=, Sitten= und Staaten=Kunde I,
237 anzunehmen scheint, ist durchaus zweifelhaft. Er leitet den Namen von slavisch
krema her und versteht darunter eine „Slavenherberge" auf der Straße von Ufer=
noricum nach Pannonien; aber die in dem „mansio" der Urkunde (oben S. 281
N. 2) gefundene Anspielung darauf ist sehr gesucht und vor allem der Name des
Klosters jedenfalls dem des Kremsflusses entlehnt.

[2]) Vgl. Rettberg II, 256.

[3]) Vgl. Rudhart S. 309 und Hormayr im Inland, Tageblatt für das öffent=
liche Leben in Deutschland, Jahrg. 1829.

[4]) Die Namen der Bischofssitze sind erst später denen der Bischöfe beigefügt,
doch kann über sie kein Zweifel sein; die Bezeichnung Walter's als Bischof von Lorch
beruht freilich auf dem später allgemein gehegten falschen Glauben, daß Lorch der
frühere Sitz des Bisthums Passau gewesen sei, vgl. Dümmler, Piligrim von Passau
und das Erzbisthum Lorch S. 70 f.

[5]) Sie begegnen uns alle schon im Dingolfinger Todtenbund (oben S. 56)
und machen, obgleich auch hier die Urkunde nur die Namen der Aebte, nicht die der
Klöster nennt, keine Schwierigkeiten; nur das Kloster des letzten, Gaozrich, ist nicht
zu ermitteln; vgl. auch Le Cointe VI, 139 f.

[6]) Merkel a. a. O. S. 144 N. 15 erklärt die Urkunde für unecht, und von
der Form, worin sie uns vorliegt, ist dies ohne Zweifel richtig. Die eigentliche
Schenkungsurkunde ist wie hineingeschoben in eine andere, die Aufführung der Zeugen,
aus denen gar nur eine Auswahl getroffen wird, geschieht in einer ganz ungewöhn=
lichen Form, und ebenso verdächtig ist der Schluß in secula seculorum. Amen.

meinschaft mit seinem Sohne Theodo gemacht, der von ihm seit 777 als Mitregent angenommen ist, ungeachtet seiner Jugend, denn er kann damals erst etwa 12 Jahre alt gewesen sein[1]).

Trotzdem ist an dem Inhalt festzuhalten, der — wie sogar auch ein Theil der Form — durch die auch von Rettberg II, 256 als zuverlässig anerkannte Bestätigungsurkunde Karl's vom 3. Januar 791 gesichert wird (Sickel K. 130, vgl. Anm. S. 269 bis 270; I, 129; Beitr. z. Dipl., Wiener S.-B. Bd. 47, S. 203; Mühlbacher Nr. 302; Urkb. d. L. ob der Enns II, 5 f. Dagegen der Zusatz mit der Angabe der Jahreszahl 777 für die Stiftung ist entschieden falsch.

[1]) Vgl. oben S. 58. Die Urkunde sagt, Urkundenbuch für Kremsmünster S. 2: Ego igitur Tassilo vir inlustris dux, ut supra annotatum est, anno XXX^mo ducatui mei simulque dilectissimus filius meus Theoto, anno etiam ducatui eius primo tradimus . . . (vgl. Bernardi liber etc. I, 6, SS. XXV, 641).

Die Versammlung in Paderborn, das wichtigste Ereigniß des Jahres 777; die Bereitwilligkeit, womit die Sachsen sich seinen Forderungen unterwarfen, beruhigte den König so sehr über die von dort noch immer drohenden Gefahren, daß er freie Hand bekommen zu haben glaubte für eine andere weitaussehende Unternehmung, die aber auch schon in Paderborn zur Sprache gekommen war [1]). Die Aufforderung der sarazenischen Großen zum Einschreiten in Spanien fand daher bei Karl Gehör; er rüstete sich mit möglichster Schnelligkeit den Feldzug zu beginnen. Und so schwierig das Unternehmen auch war, jedenfalls wurde durch die Verhältnisse in Spanien selbst die Einmischung einer fremden Macht erleichtert.

Der Anlaß, welcher jene Sarazenen über die Pyrenäen zu Karl führte, liegt in dem ganzen damaligen Zustande der mohammedanischen Welt, in den Veränderungen, welche kurz vorher in derselben vorgegangen waren. Das Haus der Omajjaden war in der Mitte des Jahrhunderts von den Abbasiden aus dem Khalifat verdrängt und beinahe ausgerottet worden; nur einem Mitgliede der gestürzten Dynastie, Abdurrahman, war es gelungen nach Spanien zu entkommen und dort nach langwierigen Kämpfen eine selbständige, von den Abbasiden unabhängige Herrschaft aufzurichten, das später, aber noch nicht unter Abdurrahman sogenannte Khalifat Cordova [2]). Aber dieses arabische Reich in Spanien hatte fortwährend um seinen Bestand zu kämpfen. Es war ein Riß in die Einheit der mohammedanischen Welt, die man bisher gewohnt war unter einem Scepter verbunden zu sehen, und fand schon deshalb

---

[1]) Vgl. o. S. 274.
[2]) Assemani, Scriptores historiae Italicae III, 135 ff. sucht auszuführen, daß schon Abdurrahman den Titel Khalif angenommen habe, aber mit Unrecht, wie schon Aschbach, Geschichte der Ommaijaden in Spanien I, 135 N. 41, bemerkt, und die von Lembke, Geschichte von Spanien I, 351 N. 3, angeführte Stelle beweist. Abdurrahman nannte sich einfach Emir.

zahlreiche Gegner. Die Abbasiden waren viel mächtiger, hatten auch in Spanien viele Anhänger, und nicht nur mit diesen hatte Abburrahman zu schaffen, sondern er mußte sich noch anderer Gegner erwehren, solcher, welche aus seiner Bedrängniß Nutzen zu ziehen und neben seiner noch andere selbständige Herrschaften zu errichten suchten. Allmählich wurde aber Abburrahman aller dieser Feinde Herr; die Angriffe der Abbasiden auf Spanien wurden zurückgeschlagen; die inneren Feinde, nachdem ihr Führer Jussuf gefallen, verloren ebenfalls immer mehr die Macht Abburrahman zu stürzen[1]).

Aber zur Ruhe waren sie noch keineswegs gebracht. Die Familie Jussuf's war von einem unversöhnlichen Hasse gegen den Omajjaden erfüllt; eben die großen Erfolge Abburrahman's waren für seine Gegner ein Sporn zu neuen Versuchen, seine Herrschaft abzuschütteln, ehe es zu spät geworden. So vereinigte sich mit dem Geschlechte Jussuf's, den Fihriten, Jbn al Arabi zu einer Erhebung gegen den Emir. Dieser Jbn al Arabi, der nach den fränkischen Berichten 777 in Paderborn erschien[2]), war, wie es scheint, Statthalter von Barcelona und Geroua[3]), nicht, wie man oft angenommen hat, Statthalter, Wali, von Saragossa[4]).

---

[1]) Ueber diese Verhältnisse vgl. Aschbach I, 109 ff.; Fauriel, Histoire de la Gaule méridionale III, 325 ff.; Reinaud, Invasions des Sarrazins en France S. 85 ff.; auch Luden IV, 64 ff. 310.

[2]) Ann. Laur. mai. 777, SS. I, 158: Etiam ad eundem placitum venerunt Sarraceni de partibus Hispaniae, hii sunt Ibinalarabi . . .; Ann. Einh. 777, SS. I, 159: Venit in eodem loco ac tempore ad regis praesentiam de Hispania Sarracenus quidam nomine Ibinalarabi . . .; Ann. Enhard. Fuld. 777. 778, SS. I, 349, Ann. Sithiens. 777, SS. XIII, 36 (vgl. unten Anm. 4); vgl. Ann. Mosellan. 778, SS. XVI, 496: Ibinlarbin, alter rex Sarracenorum, Ann. Lauresham. 778, SS. I, 31: Abinlarbi, alter rex Saracenorum, Ann. Lauriss. min. ed. Waitz l. c.: Ibinlarbi regem Saracenorum. — Ann. Petav. 778, SS. I, 16; III, 170: deinde accepit obsides in Hispania de civitatibus Abitauri atque Ebilarbii, quorum vocabulum est Osca et Barzelona (nec non et Gerunda, fehlt im Cod. Vat. Christ. 520) et ipsum Ebilarbium vinctum duxit in Franciam. Vgl. unten S. 302 N. 3.

[3]) Es ist nichts weniger als leicht, über die Persönlichkeit des in den fränkischen Quellen genannten Jbn al Arabi ins Klare zu kommen, und sind daher auch verschiedene Ansichten darüber aufgestellt worden. Indessen, soweit die Quellen einen freilich nur unklaren Einblick verstatten, kann dieser Jbn al Arabi, welcher als einer der reges (Fürsten) der Sarazenen bezeichnet wird, kaum ein anderer gewesen sein, als der „Ebilarbius" der Ann. Petaviani, in dessen Besitz anscheinend die Städte Barcelona und Gerona sich befanden (s. d. vor. Anmkg.). Auch die Ann. Einh. 777, SS. I, 159, bezeichnen Jbn al Arabi als von dem Emir eingesetzten Statthalter mehrerer Städte (dedens se ac civitates, quibus eum rex Sarracenorum praefecerat). Zur Zeit König Pippin's erscheint Suleiman als Statthalter von Barcelona und Geroua, Ann. Mett., SS. I, 331: Solinoan (Soliman?) . . . dux Sarracenorum, qui Barcinonam Gerundamque civitatem regebat und unten S. 289 N. 1. Ferner hebt v. Ranke, Weltgeschichte V, 2 S. 130 N. 1 hervor, daß auch der arabische Geschichtschreiber al-Homaydi (bei Gayangos II, 421 N. 20) den Kelbiten Suleiman Jbn Jakthan in gleicher Weise Jbn al Arabi nenne, was nach seiner Ansicht die Jdentität dieser Persönlichkeiten unzweifelhaft macht.

[4]) So Aschbach I, 129; Fauriel III, 332; Lembke I, 344 u. a.; auch

Seine Verbündeten waren Jussuf's Schwiegersohn, Abbur=

---

v. Raufe a. a. O. S. 130; aber mit Unrecht. Als Statthalter von Saragossa be=
zeichnen den Jbn al Arabi nur die Ann. Sithiens. 777, SS. XIII, 36 und die
mit ihnen eng verwandten Ann. Enhard. Fuld. 777, SS. I, 349: Ibinalarabi
Sarracenus, praefectus Caesaraugustae (vgl. 778: de Ibinalarabi et de Abi-
tauro, praefectis Sarracenorum), sowie der Monachus Silénsis, bei Florez,
España sagrada XVII, 280; allein keine dieser beiden Nachrichten, von denen die
zweite gar erst dem 12. Jahrhundert angehört, hat Anspruch auf Zuverlässigkeit
und Glaubwürdigkeit. Die ohne Zweifel ungenaue Angabe der Ann. Sithiens. und
Euhard. Fuld. dürfte auf eine willkürliche und unrichtige Combination zurückzu=
führen sein, welche darauf beruht, daß Jbn al Arabi nach den älteren Annalen in
Saragossa vor Karl erschien (Ann. Mosellan., Lauresham., Laur. min.), ihm
dort Geiseln stellte (Ann. Laur. mai., Ann. Einh. SS. I, 158—159, vgl. unten
S. 299). Auch die arabischen Quellen ergeben nicht, daß Jbn al Arabi früher die
Würde eines Statthalters von Saragossa bekleidet habe. Die Behauptung, zwar nicht
mehr 777, aber schon vorher sei das der Fall gewesen und eben, weil Jbn al Arabi von
Abdurrahman dieser Stellung, welche er ihm früher übertragen, entsetzt worden sei,
habe er Karl gerufen, ist gleichfalls nicht zu erweisen und weder von Aschbach I, 129,
noch von Dorr, De bellis Francorum cum Arabibus gestis usque ad obitum
Karoli M. S. 12, begründet. Ebenso wenig ist das Gleiche von dem sofort zu
erwähnenden Husein Jbn Jahya bezeugt: nur daß Abdurrahman diese Statthalter=
schaft dem Abdelmelik übertrug, erzählt der von Dorr berufene Conde, Histoire de
la domination des Arabes et des Maures en Espagne et en Portugal, ré-
digée par M. de Marlès I, 226. Allerdings sollen Suleiman Jbn Jakthan und Husein
Jbn Jahya die Einwohner von Saragossa zum Abfall von Abdurrahman veranlaßt
haben (Nowairi S. 134: Solimanus Jactani filius et Hosainus filius Jahiae
urbis Caesaraugustanae cives ad defectionem impulere etc., Fauriel III,
333; vgl. unten). Aber hierauf läßt sich nicht der Schluß begründen, daß einer
von beiden Wali von Saragossa gewesen sei. Wir haben uns ferner überzeugt,
daß die Annahme, Jbn al Arabi habe diese Stellung bekleidet, auch sonst nicht be=
gründet zu sein scheint. Es ist also völlig haltlos, wenn Aschbach a. a. O. und
Dorr a. a. O. den Jbn al Arabi mit Husein Jbn Jahya identifiziren wollen.
Freilich kommt Dorr mit dieser Ansicht selbst nicht überall durch und geräth so dahin,
aus dem Jbn al Arabi der fränkischen Quellen drei verschiedene Personen zu machen.
Für gewöhnlich ist es Husein, dazwischen hinein Suleiman Jbn Jakthan al Arabi
von Barcelona, S. 14 N. 4. 15 N. 9. 50, wo für Suleiman beharrlich die Ann.
Petaviani citirt werden, die von Ebilarbius (Jbn al Arabi) sprechen; zum Schlusse
aber wird dieser Jbn al Arabi der Ann. Petav. selbst wieder verdoppelt: da er
Karl huldigt, ist es Suleiman selbst; da er gefangen fortgeführt wird, Suleiman's
Sohn, S. 21 N. 28. Ein Verfahren, welches lediglich als Willkür erscheint, da es
nirgends auf eine Beweisführung gestützt ist.
Mehr Berechtigung hat die Jdentification des Jbn al Arabi mit dem Kelbiten
Suleiman Jbn Jakthan; vgl. o. S. 286 Anm. 3 sowie Lembke I, 342; Dozy,
Histoire des Musulmans d'Espagne I, 175; auch Fauriel a. a. O. (der nur
meint, er sei zuletzt Statthalter von Saragossa gewesen). Indessen auf Bedenken
stößt allerdings auch diese Annahme. Die Nachrichten der arabischen Quellen über
die Empörung, welche Suleiman Jbn Jakthan und Husein Jbn Jahya in Sara=
gossa gegen Abdurrahman anstifteten (vgl. v. Raufe, Weltgesch. V, 2 S. 130 N. 1 und
unten S. 300 N. 6), stimmen nämlich — diese Jdentität vorausgesetzt — nicht besonders
zu der durch die Ann. Petav., Mosell., Lauresham. und Laur. min. hinlänglich
verbürgten Thatsache, daß Jbn al Arabi im J. 778 von Karl als Gefangener mit
ins Frankreich fortgeführt wurde. Nach einer Angabe erhob sich jene Empörung
erst im Jahr der Hedschra 163 (17. September 779 bis 5. September 780). Ist
dies richtig, so fragt man, wie Suleiman wieder nach Spanien gelangte; Karl kann
ihm allerdings die Freiheit wiedergeschenkt haben, aber überliefert ist dies nirgends.
Nach anderen Nachrichten brach jener Aufstand zwar schon geraume Zeit vor dem
Zuge Karl's nach Spanien oder, wie genauer angegeben wird, im Jahr d. H. 157

rahman ibn Habib, genannt der Slave[1]), und einer von Juſſuf's Söhnen, Kaſem oder Abul-Aswad[2]). Sie steckten gegen Abdurrahman die Fahne der Empörung auf und begaben, von jenem bedrängt, sich selbst ins fränkische Reich, um Karl's Hilfe nachzusuchen.

Es war nicht neu, daß zwischen Franken und Sarazenen derartige Beziehungen angeknüpft wurden. Seitdem die Sarazenen durch die Ergebung von Narbonne an die Franken, um 759, vollständig aus Gallien hinausgedrängt waren, hörte der frühere schroffe Gegensatz auf, und die Lostrennung Spaniens von dem alten Khalifenreiche trug dazu bei, eine raſche Annäherung der Sarazenen an die Franken zu bewirken. Vor der Zerreißung des Khalifenreiches war den Khalifen nichts gelegen geweſen an der fränkischen Freundschaft; jetzt dagegen hatten die Abbaſiden in Bagdad ein Intereſſe daran, die Franken zu gewinnen, um dieſelben gegen den Omajjaden aufzureizen und mit ihrer Hilfe das spanische

---

(21. November 773 bis 30. November 774) aus; aber auch hier bleibt dieſelbe Schwierigkeit beſtehen, da es heißt, daß der Aufſtand nach Karl's Entfernung fortdauerte und Husein den Suleiman habe tödten laſſen. Weniger in Betracht kommt, daß Suleiman nach den arabiſchen Quellen noch 777 im Kampfe mit einem Gegner Abdurrahman's erscheint, vgl. Nowairi S. 133 u. unten S. 296. Gegen Suleiman wurde von Abdurrahman der Feldherr Thaalaba Ibn Obeid gesandt, aber von demselben geschlagen und gefangen.

[1]) Juſſuf's Sohn und Schwiegersohn nennen ausdrücklich die Ann. Laur. mai. 777, SS. I, 158: et filius Deiuzefi, qui et latine Ioseph nominatur, similiter et gener eius; wofür Ann. Einh. 777, SS. I, 159: cum aliis Saracenis sociis suis. Es ist nur ein Verſehen, wenn Mühlbacher S. 79 den Sohn und Schwiegersohn des Ibn al Arabi in Paderborn erscheinen läßt. Den Namen von Juſſuf's Schwiegersohn gibt Nowairi S. 133; Dozy I, 375. Ademar von Chabannes (Duchesne, Hist. Francor. Script. II, 72, vgl. SS. I, 158g) nennt ihn allerdings Alaraviz, aber diese Angabe ist werthlos und beruht wahrscheinlich auf einem Mißverständniß.

[2]) Welcher von dieſen beiden Söhnen Juſſuf's der betheiligte war, ist ungewiß. Fauriel III, 332, denkt an Abul-Aswad, ebenso Dozy I, 375; allein deſſen Flucht aus Cordova nach Toledo, die Dozy ſeiner Verbindung mit Suleiman und dem Slaven vorhergehen läßt, wird von Nowairi III, 134, erst 784 angeſetzt, und auch Conde I, 236 ff.; Cardonne, Histoire de l'Afrique et de l'Espagne sous la domination des Arabes I, 207 ff., ſetzen sie erst nach Karl's Feldzug an. Deshalb ließe sich vielleicht eher an Juſſuf's anderen noch lebenden Sohn Kaſem denken, über den freilich aus dieser Zeit auch nichts bekannt ist, so wenig wie über ſeinen Bruder, der aber später, nach der Flucht dieſes Bruders, an dem Aufſtand gegen Abdurrahman theilnimmt, Nowairi III, 134; Cardonne I, 209; derselbe wird als in Paderborn anweſend vermuthet von Viardot, Histoire des Arabes et des Mores d'Espagne I, 118, der im übrigen nichts Bemerkenswerthes beibringt, deſſen Buch überdies von Ranke (Weltgeſch. VI, 1 S. 33 N. 1) nur als ein Auszug aus Conde bezeichnet wird. Beſtimmt sagen läßt sich nichts; daß Dozy sich für Abul-Aswad entscheidet, beweiſt nichts; von Kaſem weiß er überhaupt garnichts, ſondern, außer dem ſchon früher hingerichteten älteſten Sohn Juſſuf's, nur noch von Abul-Aswad (I, 362). Aber Kaſem's Exiſtenz muß, trotz des Schweigens von Dozy, als ſicher bezeugt betrachtet werden. Dozy verfährt überhaupt bei der ganzen Darſtellung von Karl's ſpanischem Feldzuge und den damit zusammenhängenden Ereigniſſen durchweg so, daß er die ſeiner Auffaſſung widersprechenden Angaben der Quellen einfach ignorirt, vgl. unten S. 292 N. 4; 296 N. 1; 302 N. 3.

Arabien zu unterwerfen. In der That traten die Abbasiden und auch einzelne Große in Spanien selbst zu dem fränkischen Könige in Beziehungen. Schon 759 bot Suleiman, der arabische Statt= halter von Barcelona und Gerona — welcher vielleicht mit dem oben genannten Ibn al Arabi identisch ist — dem Könige Pippin die Anerkennung seiner Oberhoheit an[1]), die freilich nicht sehr ernst= lich gemeint gewesen sein mag[2]). Inwieweit Pippin von dieser Gelegenheit in Spanien Fuß zu fassen Gebrauch machte, ist nicht zu ersehen; jedenfalls kann es kein irgendwie ausgiebiger gewesen sein, zumal Pippin die Aquitanier und Wasconen noch nicht unter= worfen hatte, die ihn bei einem Feldzug nach Spanien im Rücken hätten angreifen können. Dagegen finden wir ihn in den letzten Jahren seiner Regierung in freundschaftlichem Verkehr mit dem Khalifen von Bagdad, Almansur. Im Jahr 765 zogen Abgesandte nach Bagdad ab, die sich dann, wie wir hören, drei Jahre im Orient aufgehalten haben sollen; als sie zurückkehrten, wurden sie von einer Gesandtschaft Almansur's begleitet, welche dem Franken= könige reiche Geschenke vom Khalifen zu überbringen hatte. Pippin nahm sie aufs Freundlichste auf, entließ sie ebenfalls reich beschenkt und ließ ihnen das Geleite geben bis Marseille, wo sie sich ein= schifften[3]). Ueber den Zweck dieser Sendung, den Gegenstand der Verhandlungen verlautet nichts. Wenn nach unserem Bericht zu= erst Pippin Gesandte an den Khalifen schickt, der Anstoß zu diesem diplomatischen Verkehr also von ihm auszugehen scheint[4]), so zeigt derselbe andrerseits, daß auch der Khalif auf die Freundschaft Pippin's hohen Werth legte und sein Entgegenkommen mindestens erwiderte. Eine Verständigung Pippin's mit den Abbasiden konnte kaum anders als ihre Spitze gegen die Omajjaden richten. Der aquitanische Krieg mit Herzog Waifar mußte Pippin den Wunsch besonders nahe legen, den Emir von Cordova in Schach zu halten,

---

[1]) Annales Mettens. 752, SS. I, 331 (vgl. o. S. 286 N. 3): Solinoan quoque dux Sarracenorum, qui Barcinonam Gerundamque civitatem rege= bat, Pippini se cum omnibus quae habebat dominationi subdit. Die Zeit= bestimmung der Ann. Mett. können wir jedoch kaum annehmen. Dieselben erwäh= nen zu diesem Jahre auch die Ergebung von Narbonne und scheinen dieselbe in's Jahr 755 (wenn nicht schon in das Jahr 752 selbst) zu verlegen. Dagegen erfolgte diese Uebergabe nach dem Chron. Moiss. SS. I, 294, das hier zwar auch eine falsche Jahreszahl haben könnte, erst 759, und erst nach der Uebergabe von Narbonne, wohl zum Theil in Folge derselben, warf sich auch nach den Ann. Mett. Suleiman dem Pippin in die Arme. Vgl. Oelsner, König Pippin S. 340.
[2]) Dorr S. 10 N. 34 und ebenso Oelsner a. a. O. N. 5 denken nur an eine Huldigung, nicht an eine förmliche Uebergabe; desgleichen fassen auch Lembke, Gesch. Spaniens I, 343 f.; Aschbach I, 170; Richter-Kohl die Unterwerfung nur als eine nominelle auf; indessen beweist die von Aschbach N. 8 angeführte Stelle nicht Suleiman's Treue gegen Abdurrahman, vgl. unten S. 295—296.
[3]) Fredegar. chron. cont. c. 134, bei Bouquet V, 8; Oelsner S. 396. 411—412. Unrichtig redet Aschbach I, 170 von mehreren Gesandtschaften.
[4]) Dies schließt sogar nicht aus, daß auch der Khalif sich um die Freundschaft Pippin's bemühte; Fauriel III, 328; Reinaud S. 88 sagen daher wohl mit Recht, daß die Abbasiden sich möglichst gut mit den Franken zu stellen suchten.

eine etwaige Unterstützung Waifar's zu hindern. Der Khalif von Bagdad hatte unmittelbar vorher einen Versuch unternommen, Spanien wieder zu unterwerfen, der jedoch vollständig gescheitert war. Auf Grund dieser Umstände ist es wahrscheinlich, daß die Verhandlungen Pippin's mit dem Hofe von Bagdad ein gemeinsames Einschreiten in Spanien betroffen haben mögen[1]). Im Jahre 768 kam die saracenische Gesandtschaft, in Begleitung der heimkehrenden fränkischen, im Frankenreiche an; aber ehe noch der Einfluß der getroffenen Verabredungen auf die fränkische Politik zu Tage treten konnte, starb der König.

Ob Karl und Karlmann diese Verbindung mit den Abbasiden damals fortsetzten, ist nicht zu ermitteln. Jedenfalls hat sich in unserer Ueberlieferung keine Spur davon erhalten, und die allerdings sehr freundschaftlichen, aber einer viel späteren Zeit angehörenden Beziehungen Karl's zu Harun al Raschid[2]) gestatten in dieser Hinsicht keinen Rückschluß. Die Verwickelungen zwischen den Brüdern Karl und Karlmann, dann die Unternehmungen in Italien und Sachsen machen es erklärlich, daß die Beziehungen zu dem Khalifen von Bagdad vorderhand ruhten, ohne daß daraus folgt, Karl habe hier andere Wege eingeschlagen als sein Vater. Im Gegentheil nahm Karl auch hier nur wieder auf, was schon Pippin begonnen hatte; sein Krieg gegen den Omajjaden entsprach der von Pippin befolgten Politik[3]). Die Hindernisse, welche zur Zeit Pippin's einem Zuge nach Spanien im Wege standen, waren nun fortgefallen, Aquitanien war völlig den Franken unterworfen, Wasconien wenigstens dem Namen nach zur Anerkennung der fränkischen Oberhoheit genöthigt.

Es ist nicht zu unterscheiden, ob die Vorstellungen des Ibn al Arabi und seiner Gefährten oder ob andere Rücksichten mehr dazu beitrugen, den König zu einem Zuge nach Spanien zu bestimmen[4]). Etwa im April 778 schrieb er allerdings an den Papst, daß die Sarazenen einen Einfall in sein Gebiet zu machen trachteten, und hat damals, wie wir unterstellen müssen, dies als den Anlaß seines bevorstehenden Feldzugs bezeichnet[5]). Unzweifel-

---

[1]) Vgl. Oelsner S. 396, welcher in der Darstellung dieser Angelegenheiten dem Werke von G. Weil, Geschichte der islamitischen Völker von Muhammed bis Selim, folgt.
[2]) Vgl. unten Bd. II, z. d. JJ. 801, 802, 807.
[3]) So auch Aschbach I, 171; Oelsner S. 396. Die Vermuthung von Fauriel III, 323 hingegen, Karl habe seit dem Tode Pippin's Verbindungen mit den arabischen Großen in den Pyrenäen unterhalten, geht zu weit, ist jedenfalls ohne Beweis.
[4]) Was Gaillard II, 191 als den Gedankengang Karls angibt, ist lediglich seine eigne Erfindung.
[5]) S. die Antwort Hadrian's aus dem Mai 778, Codex Carolin. Nr. 62, Jaffé IV, 201: Destinavit nobis per vestros apices a Deo constituta regalis potentia quia — Deo sibi contrario — Agarenorum gens cupiunt ad debellandum vestris introire finibus, vgl. ebd. N. 1. Der Papst wünscht dem

haft wirkte der Reiz, den es hatte gegen die Ungläubigen zu kämpfen, auf Karl's Entschließung mit ein, auch wohl der Wunsch, die Stellung der Christen in Spanien zu verbessern; aber weder die eine noch die andere Erwägung kann den Ausschlag für die kriegerische Entscheidung gegeben haben. Nachrichten, welche besagen, daß Karl durch die Bitten und Klagen der unter dem Joche der Sarazenen stehenden Christen zu dem Feldzuge nach Spanien veranlaßt worden sei [1]), daß er aus Frömmigkeit, um den von den Sarazenen bedrückten Christen Hilfe zu bringen, den Krieg unternommen habe [2]), beruhen auf einer Auffassung, die wenigstens für uns nicht maßgebend sein kann. Noch weniger fällt ins Gewicht, was einmal über die Sendung eines gewissen Belascutus berichtet wird, der im Auftrage eines Bischofs Bentius von Saragossa und eines Grafen Armentarius von Ripagorça zu König Karl gereist sei und von diesem Hilfe zur Vertreibung der Sarazenen aus Spanien zugesagt erhalten habe [3]). Die Lage der Christen unter der arabischen Herrschaft in Spanien war ganz erträglich, sie besaßen Religionsfreiheit und wurden mit verhältnißmäßiger Schonung behandelt [4]). Man liest auch von keiner Maßregel, welche Karl bei seiner Anwesenheit in Spanien zu Gunsten der Christen getroffen, von keiner Beziehung zu dem christlichen Königreiche Asturien, wohl aber von einer

---

Könige natürlich den Sieg über die heidnischen Feinde; am Schlusse seines Schreibens (S. 203) heißt es: — ut angelus Dei omnipotentis vos praecedat et faciat vestra praecellentia triumfans atque cum magnis victoriis et exaltationem ad proprii regni vestri culmen una cum omnem Deo dilectum Francorum exercitum incolomem reverten‹lum.

[1]) Ann. Mett. SS. XIII, 30: Rex Carolus, motus precibus et querelis christianorum, qui erant in Hispania sub iugo Sarracenorum, cum exercitu Hispaniam intravit; allerdings ist dies vielleicht der von den Ann. Mett. hauptsächlich benutzten Vorlage entnommen, die schon im Anfange des 9. Jahrhunderts ausgearbeitet wurde; vgl. auch Pückert in den Ber. der k. sächs. Ges. der Wissenschaften, phil.-hist. Cl. 1884, I. II, S. 186 N. 7 (dazu Wattenbach DGQ. I, 5. Aufl., S. 192).

[2]) Miracula s. Genulphi in den Acta SS. Boll. 17. Jan. II, 99: Pietatis intuitu, quo christianis in Hispania sub Sarracenis laborantibus auxilium ferret, ingenti militiae manu delecta, praevalido gloriosus exercitu praedictam regionem adiit et infideles tam metu quam gratia ad sui metum et ad pacem coëgit fidelium. Die Miracula sind zwar noch im 9. Jahrhundert geschrieben, aber ohne andere als culturgeschichtliche Bedeutung. Fauriel III, 322 f. legt mit Unrecht auf diese Nachricht Gewicht. Eher würde die Angabe des sog. Astronomen in der Vita Hludowici c. 2, SS. II, 608, unten S. 293 N. 7, Beachtung verdienen; aber auch sie zeigt nur, daß der Verfasser bei Karl diesen Beweggrund voraussetzt, nicht daß er wirklich für Karl maßgebend war. Was Reinaud S. 93 f. über Karl's Fürsorge für die spanischen Christen sagt, fällt später, vgl. Lembke I, 386; auch die unten Bd. II. angeführten Aeußerungen in einem Schreiben Karl's an die spanischen Bischöfe aus dem Jahre 794 (Mansi XIII, 904).

[3]) Das Genauere darüber oben S. 274 N. 2. Auch bei Gams, Series episcoporum (S. 19) ist über einen Bischof Bentius von Saragossa nichts bemerkt.

[4]) Lembke I, 314; Reinaud S. 93; Gieseler, Lehrbuch der Kirchengeschichte (4. Aufl.) II, 1, 146.

feindlichen Berührung mit Navarra, welches zu Asturien gehörte[1]). Die Hauptsache war für Karl die Aussicht auf Erweiterung seiner Herrschaft, wie das auch ausdrücklich berichtet ist[2]). Sie schloß zugleich die Schwächung des Omajjaden in sich; aber auch für seine Stellung diesseits der Pyrenäen war es wichtig, daß er auf spanischem Boden festen Fuß faßte; eher konnte er des Gehorsams der diesseits wohnenden unruhigen Wasconen nicht sicher sein. Deshalb ging er auf das Anerbieten des Ibn al Arabi und seiner Begleiter ein, von denen ja der erstere sich und seine Städte noch in Paderborn der Hoheit des Frankenkönigs unterworfen hatte, während seine beiden Genossen wahrscheinlich vorläufig ganz macht= los waren, erst mit Karl's Hilfe sich eine Herrschaft erobern wollten. Den Verlauf ihrer Besprechung in Paderborn kennt man nicht, aber wenn unsere Berichte ohnehin die Auffassung be= gründen[3]), daß der König schon dort bestimmte Zusagen gegeben, einen Zug nach Spanien in sichere Aussicht gestellt hatte, so be= stätigt auch das Auftreten des sogenannten „Slaven" in Spanien nach seiner Rückkehr aus Paderborn diese Annahme[4]).

Der Winter ging dann mit den Kriegsrüstungen hin; nachdem sie vollendet, wurde der Feldzug noch in ungewöhnlich früher Jahreszeit angetreten. Karl hatte Weihnachten des vorigen Jahres

---

[1]) Darüber vgl. unten S. 296 ff.

[2]) Annales Einhardi l. c.: Tunc ex persuasione praedicti Sarraceni spem capiendarum quarundam in Hispania civitatum haud frustra conci- piens (vgl. 777: — Ibinalarabi ... dedens se ac civitates, quibus eum rex Sarracenorum praefecerat, oben S. 286 N. 3), congregato exercitu profectus est. Jedoch geht Funck, Ludwig der Fromme S. 6, wohl etwas zu weit, wenn er jeden religiösen Beweggrund bei Karl leugnet und behauptet, Karl habe an weiter nichts gedacht als an Sicherung seiner Südwestgrenzen, an Ruhm und Beute, an Erweiterung seines Reiches über die natürlichen Grenzen hinaus. Richtiger Fau- riel III, 336. Luden IV, 311 zieht, im Gegensatz zu Funck, alle Eroberungsge= danken bei Karl in Abrede und betrachtet als ausschließliche Triebfeder „das Gefühl der Nationalehre" und die „religiöse Gesinnung" Karl's. Lembke I, 344 N. 3 legt mit Recht das Hauptgewicht auf die Angaben der sog. Einhard'schen Annalen. Was Hegewisch S. 128 sagt, Karl solle anfänglich gezweifelt haben, ob er als Christ dieser Mohammedaner sich annehmen dürfe, ist nicht beglaubigt.

[3]) Vgl. Ann. Einhard. 777: Idcirco rex ... in Gallia reversus etc. u. oben S. 274.

[4]) Dozy I, 377, will genau die in Paderborn getroffenen Verabredungen kennen, und es wäre möglich, daß die ihm zur Verfügung stehenden arabischen Quellen Auskunft darüber geben. Allein Dozy hat in seiner Darstellung von Karl's spanischem Feldzuge es hier wie sonst so gut wie gänzlich unterlassen die Belegstellen anzugeben oder auch nur zu bemerken, daß er solche hat; woher es unmöglich ist zu unterscheiden, was das bloße Ergebniß seiner eigenen Combination, was unmittelbar in den Aussagen der Quellen begründet ist, und man genöthigt wird vielleicht auch quellenmäßig Bezeugtes lediglich als seine persönliche Ansicht gelten zu lassen. So auch im vorliegenden Falle. Was Dozy als Ergebniß der in Paderborn getroffenen Verabredungen angibt, ist genau das, was später geschieht, mit Ausnahme davon, daß die Verschworenen sich nachher entzweien; es kann sein, daß in Paderborn ein solcher Plan entworfen ward, aber da es an jedem Zeugniß dafür fehlt, muß man an= nehmen, daß die Angaben von Dozy lediglich auf einem Rückschluß aus den späteren Ereignissen beruhen, mithin auf Zuverlässigkeit keinen Anspruch haben.

in Douzy (unweit Sedan) gefeiert[1]). Ueber seinen Aufenthalt
während des ganzen nächsten Vierteljahres ist nichts Sicheres bekannt[2]); wir finden ihn erst wieder tief im westlichen Frankreich,
in Aquitanien, in der Pfalz Cassinogilus (Chasseneuil am Clain, in
Poitou)[3]). Dort beging er Ostern, 19. April[4]); dort sollte der
eigentliche Feldzug angetreten werden und dürften sich die Streitkräfte, welche der König dann persönlich nach Spanien führte[5]),
versammelt haben[6]). So weit hatte den König auch seine Gemahlin Hildegard begleitet, welche in Chasseneuil zurückblieb, und
hier traf Karl, wie es es heißt, die nöthigen Anordnungen für den
Feldzug[7]). Aber, hat auch Karl den seit einer Reihe von Jahren
üblich gewordenen Zeitpunkt für den Antritt eines Feldzugs, vielleicht nur wegen des heißeren spanischen Klimas, nicht abgewartet
und, um noch vor dem Einbruch der Sommerhitze nach Spanien
zu kommen. auch die Abhaltung der Reichsversammlung in der

---

[1]) Ann. Laur. mai. l. c.; Ann. Einh. l. c.

[2]) Hinsichtlich der aus der Pfalz Heristal datirten Urkunde vom Januar für
das Michaelskloster auf der Rheininsel Honau, Bouquet V, 739 f. (vgl. o. S. 76
über die Urk. Karlmann's) f. Mühlbacher Nr. 209.

[3]) Ann. Laur. mai. l. c.; Ann. Einh. l. c.; V. Hludowici c. 2, SS. II,
607 (vgl. unten Anm. 7). Ueber die Lage von Cassinogilus f. Simson, Jahrbb.
Ludwig's d. Fr. I, 33 N. 5 und die ausführlichere Erörterung unten Bd. II. zum
J. 794, wo die verschiedenen unrichtigen Bestimmungen widerlegt sind. Uebereinstimmend ist ferner auch die Ansicht von Mühlbacher S. 80, dem sich wiederum
Richter u. Kohl S. 64 anschließen. Zu der maßgebenden Bestimmung in einer
Urk. K. Pippin's I. von Aquitanien vom 9. Juni 828 (Cassanogilo villa palatio
nostro in pago Pictavo secus alveum Clinno, Polyptychum Irminonis
publ. par Guérard II, 344, Append. Nr. 9) kommt eine ebenfalls authentische Bestätigung durch die Subscription des Faustin vom J. 811 unter dem
Commentar des Claudius (späteren Bischofs von Turin) in Casanolio palatio,
suburbio Pictavino, provincia Aquitanica, Delisle, Le cabinet des
manuscrits de la bibliothèque impériale I (Paris 1868), S. 4; Wattenbach,
DGO. I, 5. Aufl. S. 146. Hienach wird es auch wahrscheinlich, daß die Stelle
aus Claudius' Widmung seines Commentars zum Galaterbrief an den Abt Dructe-
ramnus, welche Jahrbb. Ludw. d. Fr. II, 245 N. 11 sowie unten Bd. II. zum
Jahre 794 angeführt und dort auf die aquitanische Pfalz Eurogilum (Ebreuil) zu
deuten versucht ist (in Alvenni cespitis arvo in palatio pii principis domini
Ludovici, tunc regis modo imperatoris, Max. Bibl. Patr. Lugd. XIV, 141),
vielmehr ebenfalls auf Chasseneuil bezogen werden muß. — Chasseneuil liegt im Dép.
Vienne, Arr. Poitiers, Cant. St. Georges.

[4]) Ann. Laur. mai.; Ann. Einh. — Wie wir unten sehen werden, hatte
Karl dies Osterfest eigentlich in Rom zu begehen gedacht.

[5]) Vgl. unten S. 294 f.

[6]) Luden IV, 312 redet geradezu von der Berufung des Maifeldes nach Chasseneuil, was aber jedenfalls ungenau ist.

[7]) Astron. Vita Hludowici c. 2, SS. II, 607 f.: reliquit Hildegardam
. . . in villa regia, cuius vocabulum est Cassinogilus, gemina gravidam
prole, et transiit Garonnam fluvium, Aquitanorum et Wasconum conterminem . . . Ibidem etiam quae oportunitas utilitasque dictavit explicitis,
statuit Pyrinaei montis superata difficultate ad Hispaniam pergere labo-
rantique aecclesiae sub Sarracenorum acerbissimo iugo Christo fautore
suffragari; vgl. oben S. 290 N. 5 über das ungefähr im April erlassene Schreiben
Karl's an den Papst.

regelmäßigen Form unterlassen, so hat er sich doch keineswegs vorschnell und unüberlegt in diesen Krieg gestürzt[1]). Einhard sagt, daß der König die umfassendsten Rüstungen getroffen hatte[2]), und die Berichte der Annalen bestätigen, daß aus allen Theilen des Reiches die Streitkräfte aufgeboten waren. Austrasien und Burgund, die Provence und Septimanien, Italien und sogar Baiern hatten ihre Truppen zum Heere geschickt[3]); bei einem Feldzuge gegen die Ungläubigen mochte auch der kirchlich gesinnte Tassilo vielleicht nicht zurückbleiben und stellte, was er seit 15 Jahren nicht mehr gethan[4]), seine Baiern unter den Oberbefehl des Frankenkönigs[5]). Und doch bildeten alle diese Truppen nur die eine Hälfte des Heeres.

Ueber den Feldzug selbst geben die Quellen äußerst unvollkommene und dunkle Nachrichten. Nicht einmal das Wichtigste läßt sich mit Sicherheit erkennen; ihre Zurückhaltung zeigt, daß der Feldzug dem Könige nicht ganz nach Wunsch verlief. Karl griff den Feind von zwei Seiten an, bewerkstelligte den Uebergang über die Pyrenäen auf zwei verschiedenen Wegen, wie er auch früher, 773, beim Uebergang über die Alpen verfahren war[6]). Die eine Hälfte des Heeres, bestehend aus dem Aufgebote von Austrasien und Burgund, Italien und Baiern, der Provence und Septimanien, erhielt den Auftrag, über die östliche Seite der Pyrenäen in Spanien einzudringen; die andere, welche vorzugsweise aus Neustriern bestanden haben muß[7]), schlug unter Karl's persön-

---

[1]) Das wird unrichtig angenommen von Conde, Histoire de la domination des Arabes et des Maures en Espagne et en Portugal I, 234.

[2]) Einhardi Vita Karoli c. 9: Hispaniam quam maximo poterat belli apparatu adgreditur.

[3]) Ann. Laur. mai. l. c. — Von einem großen Heere sprechen auch ausdrücklich Ann. Petav. SS. I, 16; Chron. Moiss. SS. I, 296; vgl. ferner unten S. 299 N. 1. 2 sowie allenfalls V. Hlud. 2 (tanto exercitui, unten S. 295 Anm. 3); Regino SS. I, 559 (innumerabilis multitudo); Poeta Saxo l. I, v. 364—365, Jaffé IV, 555 und die oben S. 291 N. 2 citirten Worte der Mir. s. Genulphi (ingenti militiae manu delecta — praevalido . . . exercitu).

Von den kurzen Annalen erwähnen den Zug nach Spanien Ann. Guelferb. SS. I, 40; Alam.; Ann. Sangall. Baluzii ed. Henking a. a. O. S. 204. 236; Ann. Flaviniac. ed. Jaffé a. a. O. S. 687 ꝛc.

[4]) Vgl. o. S. 51 f.

[5]) Rudhart S. 317 spricht von einer für Tassilo verletzenden Anmuthung Karl's, welche durch die Schenkung zweier Villen an Tassilo (vgl. unten zum Jahre 781) wieder habe gemildert werden sollen. Waitz III, 2. Aufl. S. 109 N. 3 vermuthet, diese Baiern seien garnicht aus Tassilo's Land, sondern aus den, wie er annimmt, schon früher vom Herzogthum Baiern abgetrennten Strichen nördlich der Donau gewesen. Dies sind indessen durchaus unsichere Vermuthungen, obwohl auch Riezler, Gesch. Baierns I, 163 die Wahl zwischen der Auffassung von Waitz und der oben im Texte versuchten offen läßt (vgl. Richter-Kohl S. 65 N. 1).

[6]) Vgl. oben S. 141; Gaillard II, 192 macht nicht mit Unrecht darauf aufmerksam, daß es Karl's gewöhnliches Verfahren war, das feindliche Land mit mehreren Heeren gleichzeitig an verschiedenen Punkten anzugreifen und daß er diesem Verfahren viele seiner Erfolge verdankte; s. ferner F. Dahn, Beil. zur Allgem. Ztg. 1887 Nr. 81.

[7]) Die Annalen sagen es nicht, es folgt aber aus dem Zusammenhange.

licher Führung den westlichen Weg durch das Land der Wasconen ein[1]), vielleicht die alte Heerstraße, welche von St. Johann de pede portus (St. Jean-Pied de Port) über Burguet und durch den Engpaß von Roncevalles nach Spanien hinüberführt[2]), und die Karl auch auf dem Rückmarsch aus Spanien benutzt zu haben scheint. Der unter dem Namen des Astronomen bekannte Biograph von Karl's Sohn Ludwig malt aus, wie mühselig und gefährlich der Marsch über den schmalen Engpaß des Hochgebirgs gewesen sei, und meint, der König habe es Pompejus und Hannibal gleich= gethan[3]).

Inzwischen hatte, noch ehe Karl den spanischen Boden be= treten, die Erhebung gegen Abdurrahman begonnen. Abdurrahman ibn Habib, der „Slave", hatte unter den aufständischen Berbern in Afrika Truppen geworben, landete an der Küste von Todmir (Murcia), erklärte sich für einen Anhänger des Abbasiden Almansur und rief das Volk unter die Waffen gegen die Omajjaden[4]), for= derte Suleiman al Arabi[5]) auf, mit ihm zu gemeinschaftlichem Han= deln sich zu vereinigen. Allein Suleiman leistete, aus welchen Gründen

---

[1]) Ann. Einhardi l. c.: superatoque in regione Wasconum Pyrinei iugo; Astron. Vita Hludowici c. 2 in der Stelle oben S. 293 N. 7. Die An= nahme von Fauriel III, 339 f., Herzog Lupus von Wasconien habe bei dieser Ge= legenheit Karl aufs neue Treue geschworen, stützt sich nur auf die falsche Urkunde Karl's des Kahlen für Alaon (Böhmer, Regesta Karolorum Nr. 1572) und ist deshalb unbegründet.

[2]) Vgl. Leibniz, Annales I, 73 f.; Pagi a. 778 Nr. 1. Der Weg ist ver= zeichnet im Itinerarium Antonini Augusti et Hierosolymitanum ed. Pinder und Parthey S. 217, wo die Straße von Spanien nach Aquitanien so angegeben ist: Pampalone (Pamplona), Turissa (Ituren, Osteriz), Summo Pyrenaeo (Ron= cevaux), Imo Pyrenaeo (St. Jean-Pied-de Port), Carasa (Garris), Aquis Tere= belicis (Dax) und so weiter bis Bordeaux.

[3]) Astron. Vita Hludowici c. 2, SS. II, 608: Qui mons (Pyrinaeus) cum altitudine coelum pene contingat, asperitate cautium horreat, opaci= tate silvarum tenebrescat, angustia viae vel potius semitae commeatum non modo tanto exercitui, sed paucis admodum pene intercludat, Christo tamen favente, prospero emensus est itinere. Neque enim regis animus, Deo no= bilitante gloriosissimus vel impar Pompeio vel segnior esse curabat Han= nibale, qui cum magna sui suorumque fatigatione et perditione iniquitatem huius loci olim evincere curarunt. Den Anlaß zu dieser Schilderung, welche lediglich Phantasiestück ist, entnahm der Astronomus offenbar der ihm wohlbekannten Vita Karoli Einhard's, c. 6 (Italiam intranti quam difficilis Alpium trans= itus fuerit . . . hoc loco describerem . . .). Auch einige daselbst von Einhard angewandte Ausdrücke (eminentes in caelum scopuli atque asperae cautes) hat er benutzt; außerdem auch c. 9 (ut loci et angustiarum situs permittebat — ex opacitate silvarum, quarum ibi maxima est copia). Vgl. Jahrbb. Ludw. d. Fr. II, 300.

[4]) Nowairi bei Assemani III, 133 f., der als Zeit 776 oder das folgende Jahr nennt, so daß man unbedenklich 777 annehmen darf. Es ist derselbe Aufstand, den Cardonne I, 204, und zwar richtig zu 777, und Fauriel III, 331 erwähnen, die nur die wahrscheinliche Beziehung des Unternehmens zu dem bevorstehenden Zuge Karl's übersehen und daher auch die Stellung Suleiman's zu dem Slaven und Abd= urrahman wohl nicht richtig auffassen. Daß der Slave als Parteigänger des Ab= basiden auftrat, widerspricht seinem Bündniß mit Karl nicht.

[5]) Vgl. o. S. 286 N. 3.

bleibt dunkel, der Aufforderung keine Folge[1]); worauf der Slave seine Waffen gegen seinen bisherigen Verbündeten kehrte, aber mit unglücklichem Erfolg: er ward von Suleiman geschlagen, mußte, da auch der Emir Abburrahman sich zu seiner Bekämpfung auf-machte, sich in die Berge flüchten und wurde, nachdem Abburrahman einen Preis von 1000 Dinars auf seinen Kopf gesetzt, von einem Berbern erschlagen, im Jahr 778[2]).

So war, als Karl nach Spanien kam, von den Bundes-genossen, auf die er gerechnet, einer bereits von Abburrahman unschädlich gemacht; nicht zu erkennen ist, ob der König schon da-von wußte; seine Schritte enthalten keine Andeutung darüber. Karl's erstes Ziel auf spanischem Boden war Pamplona, die Haupt-stadt von Navarra, welches einen Theil des christlichen Königreichs Asturien bildete. Karl machte aber zwischen den christlichen Gothen Asturiens und den Ungläubigen keinen Unterschied, behandelte Pamplona wie eine feindliche Stadt, so daß es scheinen könnte, als hätte sie damals unter sarazenischer Herrschaft gestanden[3]). Allein, soviel zu sehen, war dies nicht der Fall; die fränkischen Annalen unterscheiden bestimmt zwischen den Navarrern und Sarazenen[4]); eine spanische Chronik bezeichnet die Mauren deutlich als Feinde von Pamplona[5]). Der asturische König Fruela I. hatte zwar mehrere Jahre früher einen Aufstand der auf der spanischen Seite der Pyrenäen wohnenden Wasconen zu dämpfen gehabt[6]); da je-doch Fruela's Nachfolger Aurelio und Silo in Frieden 'mit den

---

[1]) Dozy III, 378, erinnert an den alten Gegensatz zwischen den Fihriten und Yemeniten, zu welchen letzteren die Kelbiten, das Geschlecht al Arabi gehörte; was er sonst über Suleiman's Beweggründe sagt, sind Vermuthungen. Uebrigens beruht die Erzählung dieses Hergangs bei Fauriel III, 331 und Dozy I, 378, auf den-selben arabischen Quellen; daß nach Fauriel Suleiman das Ansinnen des Slaven zurückweist, nach Dozy, S. 378 N. 1, es annimmt, aber freilich nur mit Worten, ohne seine Zusage zu erfüllen, scheint nur auf einer falschen Uebersetzung der arabischen Quelle durch einen von beiden, wahrscheinlich durch Fauriel, zu beruhen. Aus Su-leiman's Auftreten zu schließen, daß er damals noch treu zu Abburrahman gestanden, wie Fauriel III, 332 thut, wäre ganz unrichtig.

[2]) Nowairi a. a. O., danach Cardonne a. a. O.; vgl. auch Dozy I, 378. Das Jahr der Hedschra 162, das am 11. Juni 778 beginnt, gibt ausdrücklich No-wairi; in dieses Jahr indessen nur die Ermordung des Slaven, unschädlich ge-macht war er schon früher seit seiner Flucht in das Gebirge.

[3]) So Fauriel III, 340; andere gehen, ohne die Frage geradezu zu ent-scheiden, von derselben Voraussetzung aus.

[4]) Obsides receptos ... de multis Sarracenis, Pampilona distructa, Hispani Wascones subiugatos, etiam et Nabarros, sagen die Annales Laur. mai. l. c. Die Annales Einhardi nennen Pamplona sogar ausdrücklich Navar-rorum oppidum. — Navarri et Pampilonenses werden zusammen genannt ibid. 806, SS. I, 193; vgl. unten Bd. II. zu jenem Jahre. Ann. Petavian. SS. I, 16, und noch bestimmter die ihnen folgenden Ann. Max. SS. XIII, 21 rechnen Pamplona zu Galicien (d. h. zu dem Königreich Asturien u. Galicien).

[5]) Das Chronicon monachi Silensis bei Florez, España sagrada XVII, 280, freilich erst aus dem 12. Jahrhundert (vgl. Aschbach I, S. XVI), sagt: Quem (Karolum) ubi Pampilonenses vident, magno cum gaudio suscipiunt. Erant enim undique Maurorum rabie coangustati; vgl. unten S. 297 N. 2.

[6]) Vgl. Lembke I, 353.

Arabern lebten[1]), ist auch nicht anzunehmen, daß unter ihrer Re=
gierung Pamplona an diese verloren gegangen sein sollte[2]). Aber
Karl trieb durch seinen Angriff auf Spanien auch die christliche
Bevölkerung den Sarazenen in die Arme. Wie den gallischen
Wasconen, so war auch den spanischen Christen das Wichtigste die
Erhaltung ihrer Unabhängigkeit; diese sahen sie durch Karl ge=
fährdet; ob sein Zug dem Christenthum zu gute kam, war ihnen
Nebensache. Selbst wenn sie anders gesinnt gewesen wären, hätten
sie in diesem Punkte kaum etwas von ihm erwarten können, da er
als Verbündeter einiger aufrührerischer arabischer Großer kam[3]).

Es ist nicht möglich zu erkennen, ob der König von Asturien
in ein förmliches Bündniß mit Abdurrahman trat[4]), ob er Pam=
plona durch eine arabische Besatzung vertheidigen ließ[5]). Man liest
auch nichts von dem Widerstande, den Karl bei seinem Versuch

---

[1]) Vgl. Lembke I, 354.

[2]) Dunkel bleibt hier allerdings vieles, da die kurzen Nachrichten sehr verwirrt
sind. Regino, SS. I, 559 (nach ihm Ann. Mettens. SS. XIII, 30), sagt nachher,
wo er von der Zerstörung Pamplonas redet, die Sarazenen seien durch Karl aus der
Stadt verjagt worden (eiectis itaque Sarracenis de Pampilona), hält also die
Stadt für eine arabische Besitzung, und der Mönch von Silos, bei Florez l. c.,
bezeichnet in entschiedenem Widerspruch mit seiner ersten Angabe, oben S. 296 N. 5,
Pamplona als Maurorum oppidum. Allein die Angabe Regino's ist nur ein von
ihm selbst gemachter Zusatz zu den älteren Annalen, ohne Werth. Bei der Nachricht
des Mönchs von Silos ist es äußerst zweifelhaft, ob man statt Maurorum lesen
darf Navarrorum, wie Aschbach I, 172 N. 11 vorschlägt. Es wäre möglich, daß
Pamplona später von den Arabern besetzt worden wäre; nach Fauriel III, 360, hat
Abdurrahman nach dem Abzug Karl's und der Wiedereroberung des nachher ab=
gefallenen Saragossa auch Pamplona erobert (nicht zurückerobert, denn früher war es
asturisch). Allein die Ausdrucksweise des Mönchs würde (die Richtigkeit der Lesart
Maurorum vorausgesetzt) auch dadurch nicht gerechtfertigt; er widerspricht sich. Seine
erste Angabe (oben S. 296 N. 5) ist zwar der zweiten vorzuziehen, insofern sie
Pamplona nicht als maurische Stadt ansieht, aber ebenfalls zu verwerfen, insofern sie
von der angeblichen Freude berichtet, mit der die Bewohner von Pamplona Karl
empfangen haben sollen. — Aschbach spricht Pamplona entschieden den Christen zu;
vorsichtig äußert sich Leibniz I, 74.

[3]) Diesen Gesichtspunkt hebt auch Fauriel III, 341 f. hervor, der nur seine Ver=
muthungen zu sicher als historische Thatsachen hinstellt. Die Vermuthung von Dip=
poldt S. 61, Ibn al Arabi habe Karl's Hilfe durch seinen Uebertritt zum Christen=
thum erkauft, ist beweislos.

[4]) Viel zu bestimmt behauptet das Aschbach I, 162. 172; nach Conde I, 231
stand Asturien damals in einem Abhängigkeits= und Schutz=Verhältniß zu Abdurrahman,
was vielleicht aus den von Conde benutzten arabischen Quellen hervorgeht. Wer
aber König von Asturien war, ist unsicher. Aschbach I, 162 nimmt eine Theilung
Asturiens zwischen Aurelius und Silo an, die von Fruela's Tod, 768, bis zum Tode
des Aurelius gedauert habe, worauf Silo das ganze Reich wieder vereinigte; mit Abd=
urrahman soll Aurelius sich verbündet haben. Allein das Chronicon Albeldense,
bei Florez XIII, 451, das hier Hauptquelle ist, weiß nichts von einer Theilung
Asturiens, von einer gleichzeitigen Regierung des Aurelius und Silo, sondern läßt
Silo auf Aurelius folgen, nennt unter Aurelius den Silo futurus rex. Recht hat
in dieser Beziehung Lembke I, 354, welcher den Tod des Aurelius schon 774 an=
setzt, dann Silo den Thron besteigen läßt.

[5]) Das scheint Regino (oben N. 2) zu glauben; auch Martin II, 270 nimmt
es an (vgl. unten S. 298 N. 5).

Pamplona zu nehmen zu überwinden hatte[1]); nur soviel ergeben
die Quellen, daß Pamplona sich nicht gutwillig ihm unterwarf,
sondern erst nach einem kürzeren oder längeren Widerstande[2]). Ein
arabischer Großer, welchen die fränkischen Quellen Abitaurus, Abutaurus, Abuthaur nennen, ohne Zweifel Abu Taher[3]), fand sich bei
Karl in Pamplona ein[4]), huldigte ihm für sich und die ihm untergebenen Städte, worunter Osca (Huesca) genannt ist[5]), und übergab
ihm seinen Bruder und Sohn als Geiseln. Darauf setzte Karl seinen
Zug fort und rückte ein in das Reich Abdurrahman's. Durch
eine Furt überschritt er den Ebro[6]) und erschien endlich vor Saragossa, der Hauptstadt jener Gegend[7]). Der Besitz von Saragossa
war für ihn von der größten Wichtigkeit; ehe er diesen Platz genommen, war an weiteres Vordringen in Spanien, auch nur an
die Behauptung des Landes zwischen Pyrenäen und Ebro nicht zu
denken.

Aber immer schweigsamer werden die Quellen, keine sagt gerade heraus, wie es Karl vor Saragossa ergangen. Sie erzählen
fast alle, er sei bis Saragossa gekommen[8]). Vor dieser Stadt er-

---

[1]) Die angebliche große Schlacht, welche nach der Histoire de Languedoc
I, 429; Reinaud S. 95; Aschbach I, 172 der Einnahme von Pamplona vorher-
ging, erfolgte auch nach der betreffenden Quellenstelle, Chronicon Moissiac. SS. I,
296, erst später; vgl. unten S. 300. — Ueber das von Pertz auf die Belagerung
von Pamplona bezogene Fragmentum de expeditione Hispanica, SS. III, 708 ff.,
vgl. Hofmann in S.-B. der Münchner Akad., phil.-hist. Cl. 1871, S. 328—342;
Mühlbacher S. 80.
[2]) Annales Einhardi l. c.: Pompelonem . . . adgressus in deditionem
accepit. Annales Mosellan. SS. XVII, 496 und Laresh. SS. I, 31 sagen
conquesivit; ebenso Ann. Maxim., während ihre Quelle, die Ann. Petav., adquisivit hat; Ann. Laur. min. ed. Waitz S. 413: Pampalonam civitatem
capit. Wenn Dorr, S. 14, diese Quellenangaben ignorirt, sich ohne weiteres an den
Mönch von Silos, oben S. 296 N. 5, hält, so ist das reine Willkür und verfehlt.
[3]) Vgl. Lembke I, 345 N. 1; Astron. V. Hludowici c. 5, SS. II, 609
(Abutaurus Sarracenorum dux cum reliquis regno Aquitanico conlimitan-
tibus) und unten Bd. II. z. J. 790. — Ann Petav., Mosellan., Laur. min.,
Enhard. Fuld. haben die Form Abitaurus; Laresham.: Habitaurus; Laur.
mai.: Abutaurus; Ann. Einh.: Abuthaur. Auch er wird in Ann. Mosell.,
Laresh., Laur. min. als sarazenischer rex bezeichnet (vgl. oben S. 286 N. 2
hinsichtlich des Jbn al Arabi); Ann. Enh. Fuld.: praefectis Sarracenorum.
[4]) Annales Mosellani, SS. XVI, 496; Laresham. l. c.; vgl. auch Chron.
Moiss. SS. I, 296; Ann. Laur. min. Weniger genau stellen die Reichsannalen
(Ann. Laur. mai. und Einh.) den Hergang dar, nach denen es scheinen könnte, als
sei Abutaurus erst vor Saragossa zu Karl gekommen
[5]) Annales Petav. l. c; vgl. unten S. 299 N. 3; Martin macht Abutaurus
fälschlich zum Befehlshaber von Pamplona; desgleichen Fauriel III, 340
[6]) Annales Einhardi l. c.
[7]) Annales Einhardi l. c.: Caesaraugustam praecipuam illarum partium civitatem accessit.
[8]) Ann. s. Amandi cont. SS. I, 12: Carlus rex fuit in Hispania ad
Caesaraugusta (Ann. Laubac. ibid. S. 13: in Caesare-Augusta); Annales
Mosell. l. c.: Perrexit domnus rex usque ad Caesaris-Augusta; gleichlautend
die Annales Laresh. und ähnlich die Annales Laur. mai.: Perrexit usque
Caesaraugustam, ibique venientes . . . et coniungentes se ad supradictam
civitatem . . .; Annales Einhardi: Caesaraugustam . . . accessit; ebenso im

schien auch der Theil seines Heeres, welcher auf [der Oftseite in
Spanien eingedrungen war [1]). Er hatte jetzt seine ganze Streit=
macht beisammen, vor der nach den Worten einer etwas späteren
Chronik ganz Spanien erzitterte [2]). Aber keine Quelle erzählt, ob
Saragoffa etwa von Karl genommen wurde, überhaupt genommen
werden mußte. Ibn al Arabi und andere Sarazenen fanden sich ein
und stellten Geiseln [3]). Ibn al Arabi soll die Unterwerfung von
Barcelona und Gerona ausgesprochen haben; jedenfalls geschah
jedoch diese Unterwerfung, wie auch wohl die vorhergehende von
Huesca, mehr nur dem Namen nach; Karl selbst ist nach jenen
Städten nicht gekommen, und daß etwa diejenige Abtheilung seines
Heeres, welche von Osten her eingerückt war, unterwegs Barcelona
und Gerona unterworfen habe, ist ebenfalls nicht bezeugt [4]). Diese
mehr scheinbare Unterwerfung einiger Städte ist aber alles, was
wir seit seinem Abmarsch aus Pamplona von Karl's Erfolgen er=
fahren. Ungeachtet seines starken Heeres [5]) war er außer Stande,

---

ganzen die übrigen Annalen; nirgends heißt es, Karl habe Saragoffa genommen;
am auffallendsten ist das Schweigen der Annales Petav.; adquisivit civitatem
Pampelona, melden sie, Saragoffa erwähnen sie garnicht.

Dennoch nehmen die meisten neueren Darfteller die Einnahme der Stadt durch
Karl an, sei es durch Eroberung, wie Aschbach I, 173 und Luden IV, 312, sei es
durch eine wenigstens halb erzwungene Uebergabe, wie die Histoire de Languedoc
I, 430; Hegewisch S. 128; wohl auch Lembke I, 345 vermuthen. Uebrigens vgl.
unten die Noten auf S. 300.

[1]) Annales Lauriss. mai. l. c.: ibique venientes de partibus Burgundiae
et Austriae vel Baioariae seu Provinciae et Septimaniae et pars Langobardorum et coniungentes se ad supradictam civitatem ex utraque parte
exercitus (Regino, S. 559: ubi innumerabilis multitudo de partibus Burgundiae etc.; Chron. Vedastin. SS. XIII, 704, wo die Burgunder mit einer
Reminiscenz an das Alterthum Allobroges genannt werden und es dann weiter
heißt: et multi ex partibus Austriae etc.). Vgl. oben S. 294, in Betreff des
Ausdrucks coniungentes se ad . . . auch Excurs III. — Fauriel III, 345 stellt
aber die Vereinigung der Heere in einem falschen Lichte dar.

[2]) His innumerabilibus legionibus Hispania tota contremuit, sagen die
Metzer Annalen, SS. XIII, 30, vgl. Ann. Lobiens. ibid. S. 229 (vielleicht nach
gemeinsamer Quelle aus dem Anfange des 9. Jahrhunderts, vgl. Simson in Forsch.
zur deutschen Geschichte XX, 401; Pückert a. a. O. S. 186 N. 7 und oben
S. 291 N. 1).

[3]) Annales Mosellani l. c., nach denen sich Ibn al Arabi selbst bei Karl
einfand; die Annales Laur. mai. reden außer ihm noch von multis Sarracenis;
Ann. Einh. von alii quidam Sarraceni. Annales Petaviani: Accepit obsides in Hispania de civitatibus Abitauri atque Ebilarbii, quorum vocabulum est Osca et Barzelona nec non et Gerunda; vgl. Ann. Max. SS.
XIII, 21, die ungenau von der Eroberung Huescas, Barcelonas und Geronas
sprechen (f. die folgende Anm.); ungenau auch Ann. Lobiens. l. c.: captis civitatibus multis, vgl. unten S. 301 N. 5 (Einh. V. Karoli c. 9).

[4]) Von einer solchen Unterwerfung reden mit Unrecht die Histoire de Languedoc I, 430 und Martin II, 271. Auch der Bericht der Ann. Max. SS. XIII,
21: Carolus . . . conquesivit civitatem Pampeloniam et in Spania Oscam
et Barollonam (sic) ac Gerundam kann (wie bereits in der vorigen Note berührt)
nicht in diesem Sinne verwerthet werden, da er nur auf ungenauer Wiedergabe der
Ann. Petav. beruht.

[5]) Vgl. oben S. 294 N. 3.

von Saragossa weiter in das Innere Spaniens vorzudringen; vielleicht auch außer Stande Saragossa zu nehmen. Karl hatte sich augenscheinlich über die Zustände in Spanien getäuscht; Ibn al Arabi muß ihm wohl eine Aufnahme in Aussicht gestellt, von den ihm selbst und seinen Mitverschworenen zur Verfügung stehenden Mitteln eine Schilderung entworfen haben, welcher die Wirklichkeit nicht entsprach[1]). Dazu kam das völlige Scheitern der Unternehmung des „Slaven"; so führten, scheint es, dem Könige seine Schützlinge nur Geiseln zu; nirgends liest man von bewaffnetem Zuzug, den er erhalten, von einer Unterstützung, die er bei der Bevölkerung gefunden; es stellte sich heraus, daß die unzufriedenen Großen, deren es so viele nicht gewesen sein können, seine einzige Stütze waren. Was sich weiter vor Saragossa begab, ist nirgends zuverlässig berichtet. Eine spätere Chronik erzählt von einer großen Schlacht, die an einem Sonntage in der Nähe der Stadt geliefert und in der viele Tausende von Sarazenen gefallen seien[2]). Aber dies ist eine vollkommen fabelhafte Nachricht. Arabische Berichte reden von einer Niederlage der Franken, die aber ebenso wenig beglaubigt ist[3]). Nach einer anderen späten fränkischen Darstellung[4]) übergab Saragossa, erschreckt durch die von den Franken begonnene Belagerung, dem König Karl Geiseln und zahlte ihm eine große Menge Goldes; einigermaßen ähnlich berichtet eine noch weit spätere, spanische Chronik[5]), durch Gold bestochen, wie es Brauch der Franken, ohne irgend eine Anstrengung gemacht zu haben um die Christenheit von der Herrschaft der Heiden zu befreien, sei Karl von Saragossa heimgezogen. Auch dies sind unzureichende, zum Theil geradezu sagenhafte Zeugnisse, die uns ebenfalls nicht darüber belehren, inwieweit Karl sich Saragossa's bemächtigte[6]).

---

[1]) Diese Annahme theilen auch Fauriel III, 343 f. und Martin II, 271, und sie scheint vornehmlich durch Karl's Verfahren gegen Ibn al Arabi eine unverkennbare Bestätigung zu empfangen, vgl. unten S. 302 N. 3.

[2]) Chronicon Moissiac., SS. I, 296: Et dum in illis partibus (ad Caesaraugustam) moraretur, commissum est bellum fortissimum die dominica, et ceciderunt Sarraceni multa milia. Diese Angabe steht aber nur in dem codex Anianensis, welcher dann weiterhin in der dreistesten Weise in Sachsen geschehene Dinge nach Spanien überträgt (vgl. ib. o); sie wird nur wiederholt in Chron. Isidori cont. SS. XIII, 262.

[3]) Vgl. Fauriel III, 344.

[4]) Regino SS. I, 559: Obsidione itaque cincta civitate, territi Sarraceni obsides dederunt et immensum pondus auri.

[5]) Monachus Silensis, bei Florez l. c.: Quum Caesaraugustam civitatem accessisset, more Francorum, auro corruptus, absque ullo sudore pro eripienda a barbarorum dominatione sancta ecclesia ad propria revertitur.

[6]) Fauriel III, 345 und Martin II, 271 nehmen vielleicht mit Recht an, daß Karl von Saragossa unverrichteter Dinge abzog. Dorr, S. 15 f., geht jedoch zu weit, wenn er die Ursachen kennen will, aus denen die Einnahme Saragossas scheiterte: nämlich wegen des Verraths von Suleiman, welcher sich mit Hilfe Husein's Zutritt in die Stadt verschafft, dann jedoch sich der Herrschaft über dieselbe bemächtigt und vor

Bloße Vermuthung und ohne jeden Grund ist daher alles,
was über die Anordnungen Karl's nach der Einnahme Saragossa's
erzählt wird: die Darstellungen, welche zu erzählen wissen, er habe
Ibn al Arabi die Herrschaft der Stadt übertragen[1]), die anderen
arabischen Großen, die sich ihm unterworfen, als Statthalter in
den verschiedenen Städten eingesetzt[2]), für die Erleichterung des
Looses der Christen gesorgt[3]). Von dem allem wissen die Quellen
nichts; sie reden von keiner Maßregel Karl's um das Gewonnene
zu sichern[4]), weil eben eigentlich nichts gewonnen und es ihm nicht
gelungen war in Spanien festen Fuß zu fassen. Freilich sagt
Einhard in der Lebensbeschreibung Karl's, alle Orte und festen
Plätze, zu denen er gekommen, hätten sich ihm unterworfen[5]), aber
dabei ist wohl nur an jene Städte zu denken, die oben genannt
sind und deren Unterwerfung, wie berührt, mehr nur eine schein=
bare war. Diese Städte, welche von Karl unterworfen worden
sein sollen, begegnen uns gleich darauf wieder unter arabischer
Herrschaft, und wenn man von einem Zuge Abdurrahman's gegen
das aufrührerische Saragossa liest, das nach zweijähriger Belage=
rung sich ihm wieder habe ergeben müssen[6]), so bringt doch der

Karl die Thore verschlossen habe, und an der allgemeinen Erhebung der Araber gegen
Karl. Allein Suleiman und Husein wiegelten, wie es scheint, erst 779 Saragossa auf,
wenigstens nach der ausdrücklichen Angabe des Nowairi, des einzigen einigermaßen
zuverlässigen arabischen Schriftstellers über diese Verhältnisse unter allen, die uns zu=
gänglich sind; er gibt ausdrücklich das Jahr 163 der Hedschra an, das mit dem
17. September 779 beginnt, s. Nowairi bei Assemani, SS. hist. Ital. III, 134 und
oben S. 286 N. 4. Wenn Dorr, S. 14 N. 4, sich auf Weil beruft, welcher die
Empörung mit Recht schon ins Jahr 778 gesetzt habe, so ist die Wahrheit, daß Weil,
Geschichte der Chalifen II, 116 N. 1, unter Berufung auf Nowairi die Empörung
163 der Hedschra, also frühestens 779 ansetzt. Hingegen erzählt freilich Dozy, I, 379,
die Empörung schon zu 778 und wendet die Sache so, Suleiman habe den Husein
und die Bevölkerung von Saragossa nicht zur Uebergabe der Stadt an Karl bewegen
können, daran sei die Einnahme gescheitert; aber auch diese Darstellung ist lediglich
ein Erklärungsversuch ohne Stütze in den bekannten Quellen, ja im Widerspruch mit
ihnen.

[1]) Das behauptet die Histoire de Languedoc I, 430; Hegewisch S. 128;
Dippoldt S. 62 u. a.

[2]) So Aschbach I, 173; Lembke I, 345.

[3]) Hegewisch S. 128, für dessen Behauptung aber kein Beweis beizubringen
ist (vgl. oben S. 291). Ebenso nimmt auch Gaillard II, 193 f. an, Karl habe die
Christen in den von ihm eroberten Gebieten von den an die Araber zu entrichtenden
Steuern befreit.

[4]) Die Behauptung von Luden IV, 313, Karl habe die Verwaltung des er=
oberten Landes fränkischen Grafen übertragen, ist ganz aus der Luft gegriffen; man
liest weder von Eroberungen noch von der Einsetzung von Grafen. Recht hat
Conde I, 234.

[5]) Vita Karoli c. 9: omnibus quae adierat oppidis atque castellis in
deditionem acceptis, vgl. Ann. Lobiens. (oben S. 299 N. 3, vielleicht nach der
Vita Karoli, welche in ihnen benutzt ist). Auch Ann. Einh., SS. I, 159, sprechen
allerdings von glücklichen Erfolgen des Königs in Spanien (magnam partem re=
rum feliciter in Hispania gestarum); ähnlich die Vita Hludowici des Astro=
nomus, c. 2, SS. II, 608.

[6]) Daß die vorgeblich Karl unterworfenen Städte gleich nachher wieder im Be=
sitz der Araber sind, hebt namentlich Leibniz I, 74 hervor, der überhaupt über die

Bericht den Abfall der Stadt mit keinem Worte in Zusammenhang
mit dem Feldzuge Karl's. Karl hat keine Eroberungen im Reiche
des Abburrahman gemacht[1]), und ohne solche war auch die von
diesem und jenem arabischen Statthalter ihm geleistete Huldigung
ohne Werth.

Karl trat enttäuscht den Rückmarsch an[2]); Ibn al Arabi aber
wurde festgenommen, um als Gefangener in Fesseln mit ins fränkische Reich geführt zu werden[3]). Die Quellen sagen nicht, was
er verbrochen; nur vermuthen läßt sich, daß Karl ihm Schuld gab,
über die Verhältnisse in Spanien ihn falsch berichtet, durch sein
feindliches Auftreten gegen den „Slaven" zum Mißlingen des
ganzen Zuges beigetragen zu haben. Aber die Strenge, womit
Karl ihn dafür büßen ließ, spricht auch dafür, daß der Unmuth
über das Fehlschlagen seiner Pläne in Spanien den König zur
Umkehr bewog und nicht das Eintreffen schlimmer Nachrichten aus

---

vorgebliche Einnahme von Saragossa und was damit zusammenhängt sich am um-
sichtigsten äußert. Ueber die Auflehnung von Saragossa gegen Abburrahman vgl.
oben S. 300 N. 6.

[1]) Falsch sind alle Behauptungen, Karl habe größere oder kleinere Landstriche,
ja alles Land zwischen den Pyrenäen und dem Ebro erobert, wie Hegewisch S. 128;
Gaillard II, 192; Luden IV, 312; Aschbach I, 177 f. u. a. wollen. Auch Giesebrecht I, 5. Aufl. S. 115, spricht von dem glänzenden Anfang des Feldzugs, und
Gaillard II, 194, nennt den Zeitpunkt der vermeintlichen Einnahme von Saragossa
einen der glänzendsten Augenblicke in dem Leben Karl's. Vollends unrichtig ist es,
in dieses Jahr die Errichtung der spanischen Mark zu setzen, wie Aschbach I, 174;
Hegewisch S. 128 thun. Vgl. unten Bd. II. z. J. 795.

[2]) Dorr, S. 17, schreibt Karl's Umkehr der Annäherung des arabischen Feld-
herrn Thaalaba ibn Obeid zu, dem sich auch die vorher aufständischen arabischen
Statthalter angeschlossen hätten; aber auch dies fällt wohl in eine andere Zeit.

[3]) Annales Petaviani l. c.: et ipsum Ebilarbium vinctum duxit in
Franciam; seine Fortführung erwähnen auch die verwandten Annales Mosellani
und Laureshamenses (vgl. auch Ann. Laur. min.), also gerade die ältesten und
besten Quellen und, muß man beifügen, in dieser Hinsicht die einzigen; denn arabische
Quellenangaben über diesen Punkt fehlen. Was Fauriel III, 359 f., nach einem
arabischen Schriftsteller von der Flucht des Jssun, Sohnes von Suleiman, nach Narbonne und zu den Franken erzählt, fällt ebenfalls in einen anderen Zeitpunkt, nach
der Empörung Suleiman's und Saragossas. Dorr, S. 21 N. 23, will freilich diese
sowie die ähnlich lautende Angabe bei Reinaud, S. 25 N. 2, mit der Angabe der
fränkischen Quellen von Ibn al Arabi's Gefangennahme und Abführung durch Karl
so verbinden: unter Ibn al Arabi sei in diesem Falle Jssun zu verstehen, er sei nach
Narbonne vor Husein, der sonst bei Dorr als Ibn al Arabi figurirt, geflohen, dort
von den Franken festgenommen und in Ketten gelegt worden. Für eine solche Combination fehlt es an jedem Halt; ebenso aber auch, soweit sich die Quellen übersehen
lassen, für die Combination von Dozy I, 379. Nach ihm begab sich Suleiman, da
Husein nicht in die Uebergabe von Saragossa willigte (vgl. oben S. 300 N. 6), hinaus zu Karl, um nicht von diesem für wortbrüchig gehalten zu werden, und lieferte
sich selbst in seine Hände, begleitete ihn auf seinem Rückzug, Dozy I, 381. Das
soll wohl der Hergang sein, den die Annales Petav. mit den Worten: vinctum
duxit in Franciam erzählen, die Dozy, trotz des zusammenfassenden Citats S. 380
N. 1, ganz unberücksichtigt läßt. Da jedenfalls nicht zu sehen ist, ob die Erzählung
von Dozy auf der Aussage arabischer Quellen beruht, können wir sie gegenüber der
klaren Angabe der Annales Petaviani unbeachtet lassen.

dem fränkischen Reiche. Die Nachricht von dem Losschlagen der
Sachsen hatte auf Karl's Auftreten in Spanien keinen Einfluß;
sie kam ihm erst zu Ohren, nachdem er Spanien längst verlassen
hatte und schon wieder mitten in Gallien, in Auxerre stand[1]).

Karl war auf dem Rückmarsch, soviel zu sehen, von seinem
ganzen Heer begleitet[2]). Er suchte wenigstens im christlichen
Spanien einen dauernden Erfolg davonzutragen, da ihm dies im
arabischen nicht gelungen war. Aber auch dieser Erfolg ist sehr
zweifelhaft. Er machte die Mauern von Pamplona dem Erdboden
gleich, wie es heißt, um einer Empörung vorzubeugen[3]), also doch
eigentlich um die Stadt zu entwaffnen. Hätte Karl in Pamplona
sich behaupten wollen, so hätte er nicht die Mauern niedergerissen,
sondern im Gegentheil möglichst starke Befestigungen angelegt und
eine Besatzung darin zurückgelassen, wie er regelmäßig in Sachsen
verfuhr. In Spanien that er das nicht, er befand sich nicht in
der Lage auch nur Pamplona zu halten. Auf die weitere Nach=
richt, Karl habe die spanischen Wasconen und die Navarrer unter=
worfen[4]), fällt durch die Zerstörung der Mauern von Pamplona
ein eigenthümliches Licht. Die Unterwerfung dieser Völkerschaften
war nur eine vorübergehende, weshalb sie denn auch von dem ein=
zigen Annalisten, welcher das Ende des Feldzugs erzählt, mit
gutem Grunde weggelassen ist[5]).

Von Pamplona führte den König der Weg wieder über die
Pyrenäen. Der Uebergänge über das Gebirge sind es wenige;
Karl wählte ohne Zweifel denselben, den er schon beim Hermarsch
kennen gelernt hatte. Aber bestimmte Angaben darüber fehlen in
den Quellen gänzlich; was über die einzelnen Punkte, die er auf
dem Marsche berührt, erzählt wird, ist bloße Vermuthung, gestützt
auf die örtlichen Verhältnisse, welche fast von selber dem Heere

---

[1]) Annales Laur. mai. l. c.: (Saxones) iterum rebellati sunt, et nuntia-
tum est hoc domno rege Carolo ad Autosiodorum civitatem; Ann. Einh.
Gegen diese Nachricht kann die Angabe des Chronicon Moissiac. l. c., Karl habe
die Nachricht von dem Aufstand der Sachsen noch in Spanien erhalten, nicht auf=
kommen; vgl. auch Pertz, SS. I, 296 N. 10. In den Quellen ist es demnach nicht
begründet, Karl's Umkehr dem Sachsenaufstand zuzuschreiben, wie meist geschieht, von
Vaissete in der Histoire de Languedoc I, 430; Reinaud S. 95; Luden IV,
312; Aschbach I, 174; Dozy I, 379 u. a. Das richtige hat Leibniz I, 86. Der
Versuch von Funck S. 229 N. 2, die Angaben der Lorscher Annalen und des Chronicon Moiss. zu vereinigen, ist unzulässig.
[2]) Ranke, Zur Kritik S. 433, meint, auch für den Rückweg sei wieder die
Scheidung erfolgt, wofür jedoch kein Anhaltspunkt vorhanden ist.
[3]) Annales Laur. mai. l. c.; Annales Einhardi l. c.: (Pompelonis)
muros, ne rebellare posset, ad solum usque destruxit. Ueber die Angabe
Regino's, Karl habe Pamplona den Arabern entrissen, vgl. oben S. 297. Dieselbe
ist, wie berührt, werthlos, wenn auch denkbar ist, daß Pamplona arabische Hilfs=
truppen aufgenommen hatte.
[4]) Annales Laur. mai., vgl. die Stelle oben S. 296 N. 4; hienach Ann.
Enh. Fuld. S. 349 2c.
[5]) In den sogen. Einhard'schen Annalen, die doch im übrigen ganz an die Dar=
stellung der Lorscher Annalen sich anschließen.

einen beſtimmten Weg vorſchrieben, und auf die ſpäteren Ueber=
lieferungen, welche ſich an einen ganz beſtimmten Punkt des Wegs
geheftet haben. Allein ſo viel auch die Sage gethan hat, um das
Andenken an dieſen Zug über die Pyrenäen zu verewigen, ſo wenig
weiß die Geſchichte davon zu erzählen. Die ſpaniſchen Berichte
tragen alle ein ſagenhaftes Gepräge, die fränkiſchen Quellen gehen
beinahe ſämmtlich ſchweigend über den Rückmarſch Karl's hinweg;
faſt nur Einhard liefert einen kurzen Bericht, der nachher noch
von anderer Seite benutzt wurde[1]).

Das fränkiſche Heer mußte durch das Gebiet der Wasconen
ziehen, deren Treue gegen die Franken ſehr verdächtig war. Die
Wasconen nördlich der Pyrenäen hatten wenigſtens Karl's Hoheit
anerkannt, obgleich ihr Herzog Lupus noch immer ziemlich ſelb=
ſtändig ſchaltete. Dagegen ſtanden die Wasconen auf der ſpani=
ſchen Seite der Pyrenäen unter der Herrſchaft des Königs von
Aſturien[2]), waren aber thatſächlich nahezu unabhängig; zu Karl
ſtanden ſie höchſtens für den Augenblick in einem Abhängigkeits=
verhältniſſe. Es mag ſein, daß die Zerſtörung der Mauern von
Pamplona ſie gegen Karl aufbrachte[3]); aber ſchon das bloße Er=
ſcheinen eines fremden Eroberers in ihren Bergen genügte, um ſie
für ihre Sicherheit beſorgt zu machen, wenn nicht etwa bloße
Beuteluſt ſie zu einem Angriff auf die Franken reizte. Der Vor=
wurf der Treuloſigkeit, welchen Einhard gegen ſie erhebt, hat dazu
beigetragen den Glauben zu erwecken, auch die galliſchen Wasconen
unter Lupus hätten mit ihnen gemeinſchaftliche Sache gemacht[4]),
da nur dieſe ſchon von früher her Karl zur Treue verpflichtet
waren; doch wird eine ſolche Vermuthung durch nichts beſtätigt,
man lieſt nirgends, daß Lupus ſich an dem Angriff auf Karl be=
theiligt[5]); im galliſchen Wasconien blieb das fränkiſche Heer un=
beläſtigt, noch auf der ſpaniſchen Seite des Gebirgs wurde es an=
gegriffen.

---

[1]) Vita Karoli c. 9; daraus vielleicht die Annales Einhardi und ſicher der
ſogen. Aſtronom, der ſich aber ganz kurz faßt. Vgl. ferner Ann. Sangall. Baluzii,
SS. I, 63; ed. Henking a. a. O. S. 204 (N. 16): Hoc anno domnus rex
Karlus perrexit in Spania, et ibi dispendium habuit grande.

[2]) Vgl. oben S. 296; Aſchbach I, 157. Was einige von einem Könige der
Navarrer Inigo (Enrico) Garſias erzählen, der ſelbſtändig über die ſpaniſchen Was=
conen geherrſcht habe. z. B. Fauriel III, 342; Pagi a. 778 Nr. 6, iſt durch die
Quellen nicht beglaubigt, wie ſchon Aſſemani III, 146 hervorhebt; vgl. auch Aſchbach,
I, 175 N. 18.

[3]) So vermuthen Aſchbach I, 175 und Funck S. 6, der aber S. 229 N. 3
mit Grund bemerkt, daß die Schleifung von Pamplona nur die ſpaniſchen Wasconen
gereizt haben könne, daß alſo nur ſie den Angriff auf die Franken gemacht haben
werden.

[4]) Das glauben Gaillard II, 195 ff.; Martin II, 272; Fauriel III, 346 ff.;
Lembke I, 346. Conde I, 234 ſchreibt ſogar ausſchließlich den galliſchen Wasconen
und Aquitaniern den Sieg über die Franken zu, jedenfalls ganz ohne Gründe.

[5]) Die Urkunde für Alaon, bei Fauriel III, 501, welche dies berichtet (S. 505;
Böhmer Nr. 1572), iſt falſch, und nur auf ihre Angabe ſtützt ſich die Behauptung,
Lupus habe an dem Angriff theilgenommen.

Die Sage mag Recht haben[1]), daß in dem Thal von Ronce=
valles[2]) die Franken von dem bekannten Unfall betroffen wurden[3]).
Einhard beschreibt den Hergang genauer[4]). „Als das Heer in
langem Zuge, wie es die Beschaffenheit des engen Weges erforderte,
gedehnt einherzog, so machten die Wasconen, welche auf der Höhe
des Gebirges einen Hinterhalt gelegt hatten — denn die Oertlich=
keit ist wegen der zahlreichen dichten Wälder in jener Gegend ge=
eignet Hinterhalte zu legen — einen Angriff auf die hinterste Ab=
theilung des Trosses und die Nachhut von oben herab, warfen sie in
das darunter liegende Thal, wurden mit ihr handgemein, machten sie
bis auf den letzten Mann nieder, plünderten das Gepäck[5]) und zer=
streuten sich unter dem Schutze der einbrechenden Nacht mit größter
Schnelligkeit nach verschiedenen Seiten hin. Den Wasconen kam
bei diesem Strauß die Leichtigkeit ihrer Waffen[6]) und die Lage des
Kampfplatzes zu statten, während die Franken umgekehrt sowohl
die Schwerfälligkeit ihrer Waffen als die ungünstige Oertlichkeit
in allem gegen die Wasconen in Nachtheil versetzte." Die Ent=
schuldigungsgründe, welche Einhard beibringt, haben Gewicht; aber
die herben Verluste, welche die Franken erlitten, waren um nichts
weniger empfindlich. Die Zahl der Gefallenen kann nicht sehr
groß gewesen sein, da der Ueberfall nur oder wenigstens haupt=
sächlich die fränkische Nachhut traf[7]); aber unter den Gebliebenen
befanden sich einige der angesehensten Männer des Reichs, aus
der nächsten Umgebung des Königs[8]). Einhard nennt den Seni=
schalk Eggihard, den Pfalzgrafen Anselm[9]) und Hruodland, den
Befehlshaber der britannischen Mark[10]), die also hienach 778 schon

---

[1]) Einh. V. c. 9 sagt: in ipso Pyrinei iugo; Ann. Einh.: In cuius (scil.
Pyrinei saltus) summitate (vorher: superatoque in regione Wasconum Pyrinei iugo; 824: in ipso Pirinaei iugo); vgl. hiezu oben S. 295 N. 1 über
spätere ähnliche Angriffe der Basken in jener Pyrenäengegend Vita Hludowici c.
18. 37, SS. II, 615—616. 628; Ann. Einh. 824, SS. I, 213; unten Bd. II,
z. J. 813 und Jahrbb. Ludwig's d. Fr. I, 224.

[2]) Vgl. die Angaben bei Mühlbacher S. 81; Richter=Kohl S. 67.

[3]) Genaue Angaben über den Weg, welchen die Franken eingeschlagen, die aber
eben nur Vermuthungen sind, geben Fauriel III, 345 f.; Martin II, 272.

[4]) Vita Karoli c. 9; vgl. Ann. Einh.

[5]) Poeta Saxo l. I, v. 391, Jaffé IV, 555 (regalis copia gazae).

[6]) Ib. v. 382: Missilibus primo sternunt ex collibus altis; vgl.
V. Hlud. 4, SS. II, 609 (Habitu Wasconum . . . indutus — missile manu
ferens; unten z. J. 785).

[7]) Vita Karoli c. 9: extremam impedimentorum partem et eos qui
novissimi agminis incedentes subsidio praecedentes tuebantur; Ann. Einh.
sagen ebenfalls: extremum agmen adorti, fahren aber fort: totum exercitum
magno tumultu perturbant; V. Hludowici l. c.: extremi quidam in eodem
monte regii caesi sunt agminis.

[8]) Treffend äußert sich Leibniz I, 74: Iactura non numero sed claritate
virorum aestimata est.

[9]) Einh. Ann.: In hoc certamine plerique aulicorum, quos rex copiis
praefecerat, interfecti sunt.

[10]) Vita Karoli c. 9: Hruodlandus Brittannici limitis praefectus, also
Markgraf in der bretonischen Mark; vgl. Waitz III, 2. Aufl. S. 371 N. 2.

eingerichtet gewesen sein müßte[1]). Hruodland ist, wie bekannt, der Mittelpunkt eines eigenen Sagenkreises geworden[2]); die Geschichte kennt ihn nur aus der Erwähnung Einhard's und etwa noch aus den Unterschriften einer Urkunde, wo unter den Zeugen neben dem Pfalzgrafen Anselm auch ein Graf Rotlan begegnet[3]).

Den Umfang der fränkischen Verluste zu übersehen ist nicht möglich[4]); die Bedeutung des Vorfalls, dessen Tag wir auf den 15. August 778 feststellen können[5]), wächst nicht, weil die Sage so großes daraus gemacht hat. Nicht wegen der Größe der fränkischen Niederlage[6]), überhaupt nicht wegen der historischen Trag= weite des Ereignisses hat dieselbe sich seiner bemächtigt, sondern lediglich weil Karl den Unfall auf dem Rückwege von einem Zuge gegen die Ungläubigen erlitt, weil man später die ganze Unter= nehmung vorzugsweise unter dem Gesichtspunkte eines Religions= krieges auffaßte. Aber gerade diese Seite des Kampfes tritt in der Geschichte am wenigsten hervor, und die Sage beweist nichts für die Geschichte, sie bewegen sich auf gesonderten Gebieten[7]).

Nach Einhard's Zeugniß empfanden die Franken das Miß= geschick namentlich auch deshalb so schwer, weil sie ganz außer

---

[1]) Indessen fehlt Rolands Name in einer ganzen, und zwar vorzüglichen Hand= schriftenklasse der Vita Karoli, derselben, welche auch die praefatio nicht hat, so daß vielleicht beide nachträglich (von Einhard) hinzugefügt sind, s. die Ausgabe von Waitz S. XVI. 9.

[2]) Die Glosse des Steinfelder Codex der V. Karoli (Mus. Britann. Nr. 21 109) fügt hinzu: De hoc nostri cantores multa in carminibus cantant, dicentes, eum fuisse filium sororis Karoli regis. Die V. Hludowici fährt nach den oben S. 305 N. 7 citirten Worten fort: Quorum, quia vulgata sunt, nomina dicere supersedi.

[3]) In der Urkunde Fulrad's von St. Denis von 777, Bibliothèque de l'École des Chartes IV, 3 (1857), S. 50 begegnen neben vielen andern auch die Unterschriften: Signum Rotlani comitis . . . Signum Anselmi comitis palatii; vgl. auch Mühlbacher S. 78 u. o. S. 265—266. Eine apokryphe Nachricht über eine Erwähnung Roland's als Zeuge in einer Urkunde Karl's für St. Bertin, in Iohann. Longi Ann. s. Bertini, SS. XXV, 765.

[4]) Einh. V. Caroli l. c. sagt: In quo proelio Eggihardus etc. cum aliis conpluribus interficiuntur; vgl. Ann. Sangall. Baluzii (o. S. 304 N. 1): dis= pendium — grande).

[5]) Vgl. die Grabschrift des Eggihard nebst dem beigefügten Datum Poet. Lat. aev. Carolin. I, 109—110; auch unten Bd. II. den Abschnitt über die Hofbeamten; ferner Poet. Lat. l. c. S. 110 N. 1 über vermeintliche Fragmente aus dem Epitaph Hruodland's bei Turpin. Er wäre nach jenen Versen 38 Jahre alt geworden.

[6]) Gegen eine Ueberschätzung derselben v. Sybel, Kl. hist. Schriften III, 17—18, welchem Mühlbacher S. 81 beizustimmen scheint. Anderer Ansicht sind Harnack, Das Karoling. und das byzantin. Reich S. 94—95 (Excurs) und Bernays, Zur Kritik karolingischer Annalen S. 173—174.

[7]) Fertig tritt uns die Sagenbildung entgegen zu Ende des 11. Jahrhunderts in Turpin's Vita Karoli magni et Rolandi, welche aus einem älteren, seit der zweiten Hälfte des 11. Jahrhunderts nachweisbaren Gedichte schöpfte; dann wieder im 12. Jahrhundert im deutschen Rolandsliede des Pfaffen Konrad; vgl. das Rolands= lied, herausg. von Bartsch, S. VIII; Wackernagel, Geschichte der deutschen Litteratur, 2. Aufl. von Martin I, 225; Scherer, Gesch. der deutschen Litteratur S. 91. 183. 186; Giesebrecht, Kaiserzeit IV, 2. Bearb. S. 499; Mühlbacher S. 81. Ausführlich geht auf die sagenhaften Ueberlieferungen auch ein Leibniz I, 75 ff.

Staube waren den Feind dafür zu züchtigen[1]). Er zerstob nach
der That, niemand wußte wohin; man mußte daher auf seine Ver=
folgung verzichten. Einhard selbst widerlegt durch seine Darstel=
lung die Behauptung, daß Karl sich nachher der Person des Her=
zogs Lupus bemächtigt und ihn zur Strafe für seine Treulosigkeit
habe aufknüpfen lassen[2]). Von einem solchen Schicksale des Lupus
ist so wenig wie von seiner Betheiligung an dem Angriff auf die
Franken etwas bekannt[3]). — Nachher unternahm Abdurrahman
auch einen glücklichen Feldzug gegen die Wasconen und unterwarf
die Grafen der Cerdagne[4]).

In einer Urkunde vom 2. April 812 theilt Karl acht fränki=
schen Grafen mit, daß eine Anzahl Spanier bei ihm Beschwerde
erhoben habe wegen der Bedrückungen, welche sie durch diese Grafen
und ihre Beamten erlitten, und daß er eine Untersuchung der
Sache angeordnet habe[5]). Diese Spanier sind vor 30[6]) und mehr
Jahren „im Vertrauen auf Karl" ins fränkische Reich gekommen,
haben wüste Landstriche angebaut und dieselben dafür von Karl
als Eigenthum erhalten, in dem sie deshalb niemand kränken soll[7]).

---

[1]) Einhard (V. Kar. l. c.) hebt nachdrücklich hervor: Neque hoc factum ad
praesens vindicari poterat, quia hostis re perpetrata ita dispersus est, ut ne
fama quidem remaneret, ubinam gentium quaeri potuisset; Ann. Einh.: et
hostis propter notitiam locorum statim in diversa dilapsus est; vgl. oben
und Poeta Saxo l I, v. 393—400, Jaffé VI, 556 (wo auch die Vita Karoli
benutzt zu sein scheint).
[2]) Das ist die gewöhnliche Erzählung bei Luden IV, 314; Lembke I, 346;
Aschbach I, 176; Fauriel III, 343; Histoire de Languedoc I, 430; Gaillard II,
202; Hegewisch S. 132; aber die Nachricht findet sich nur in der falschen Urkunde
für Alaon, ist daher unbrauchbar, ebenso wie die weitere damit verknüpfte Angabe,
aus Mitleid habe Karl des Lupus Sohn Adalric einen Theil Wasconiens überlassen.
Ein Wascone dieses Namens begegnet später, Vita Hludowici c. 5, SS. II, 609,
aber es ist nirgends gesagt, daß er der Sohn des Lupus war. Vgl. auch unten
S. 310 N. 6.
[3]) Vgl. o. S. 304 N. 5.
[4]) Fauriel III, 360 f., Dozy I, 381. — Dagegen haben mit Karl's Feld=
zug und dessen Folgen nichts mehr zu schaffen die Kämpfe, die Abdurrahman gegen
Jussuf's Söhne Abul=Aswad und Kasem zu bestehen hatte. Nowairi, S. 134, setzt
die Flucht Abul=Aswad's aus der Gefangenschaft in Cordova ins Jahr 784; auch
Conde I, 236 ff.; Cardonne I, 267 f., erzählen dieselbe erst nach der Empörung
Husein's und Suleiman's, weshalb auch Aschbach I, 131 f.; Lembke I, 375 f., sie
nach Karl's Rückzug ansetzen. Dagegen findet nach Dozy I, 375 f., die Flucht
Abul=Aswad's spätestens 777 statt; nach der Unterwerfung Saragossas durch
Abdurrahman 781 oder 782 nimmt er eine zweite Empörung Abul=Aswad's an,
S. 381; es ist indessen sicherer bei der Angabe der Quellen, des Nowairi und Car=
donne, stehen zu bleiben.
[5]) Praeceptum pro Hispanis, Capitularia reg. Francor. I, 169.
[6]) Vgl. Ann. Lugdun. 782, SS. I, 110 (Hoc anno ab Hispaniis in
Galliam Narbonensem veni).
[7]) Et dixerunt, quod aliqui pagenses fiscum nostrum sibi alter alte=
rius testificant ad eorum proprietatem et eos exinde expellant contra iusti=
tiam et tollant nostram vestituram, quam per triginta annos seu amplius
vestiti fuimus et ipsi per nostrum donitum de eremo per nostram datam
licentiam retraxerunt . . . erema loca sibi ad laboricandum propriserant,

Ihre Namen sind von Karl genannt, es sind meist gothische, aber auch einige arabische. Ihre Einwanderung ins fränkische Reich kann wohl nur aus politischen Gründen erfolgt sein und muß zusammenhängen mit Karl's spanischem Feldzug und dessen Folgen. Spanische Geiseln waren es nicht, auch keine Kriegsgefangene; sie waren freiwillig gekommen[1]); es mögen vielleicht zum Theil Männer gewesen sein, die während Karl's Anwesenheit in Spanien mit ihm selbst in Verbindung getreten waren. Außer den Sarazenen siedelten aber ins fränkische Reich auch Gothen aus dem Königreich Asturien über, in dem ebenso wie im arabischen Spanien ein Rückschlag gegen die fränkischen Eroberungspläne eingetreten war.

Karl begab sich, nachdem er die Pyrenäen überschritten, durch Wasconien[2]) zunächst nach Aquitanien, wo er in Chasseneuil wieder mit seiner Gemahlin zusammentraf. Hildegard hatte während Karl's Aufenthalt in Spanien Zwillinge geboren, zwei Knaben[3]), Lothar und Ludwig, von welchen aber der erste schon im zartesten Alter (wie es scheint am 8. Februar 779) starb[4]), Ludwig hingegen als dreijähriger Knabe Aquitanien als König vorgesetzt wurde. Seinen diesmaligen Aufenthalt in Aquitanien benutzte Karl zu durchgreifenden Veränderungen in den Verhältnissen des Landes,

---

vgl. Mühlbacher Nr. 539. 1000; Waitz IV, 2. Aufl. S. 226; auch Simson, Jahrbücher Ludw. d. Fr. I, 47 ff. z. J. 815.

[1]) Ad nostram fiduciam de Ispania venientes, sagt Karl. Viele Namen der in der Urkunde genannten Spanier sind gothisch wie Quintila, Egila, Fredemirus, Witericus, Sunicfredus u. a.; arabisch sind z. B. Zoleiman, Zate; viele sind latinisirt und specifisch christlich, gehören also vorzugsweise wohl Gothen an, wie Martinus presbyter, Iohannis, Stephanus, Gabinus. Einer, Ardaricus, wird als Wasco, ein anderer, Cazerellus, als Longobardus bezeichnet, eine Anzahl als militeis (milites) charakterisirt. Außer dem Presbyter Martinus begegnet auch Solomo presbyter. Wenn unter den Namen Rebellis begegnet, so könnte man glauben, daß das kein Eigenname sei; aber gegen wen soll dann der als rebellis bezeichnete Stefanus sich aufgelehnt haben? Zu Karl ist er ja aus fiducia gekommen und für einen Empörer gegen Abdurrahman oder den asturischen König paßt der Ausdruck von Karl's Standpunkt aus auch nicht. Vgl. auch Fauriel III, 349.

[2]) Vgl. unten S. 317 N. 2 über die Nachricht im Chron. s. Michaëlis, wonach der dortige Abt Hermengaud den König auf der Heerfahrt begleitet und von Cahors den Leib des h. Anatolius mitgebracht haben soll.

[3]) Vita Hludowici c. 3: Rediens ergo rex repperit coniugem Hildegardam binam edidisse prolem masculam, quorum unus inmatura morte praereptus, ante pene quam sub luce vivere coepit. Ueber die Zeit der Geburt vgl. unten S. 311 u. Bd. II. z. J. 791.

[4]) S. das Epitaph Lothar's Poet. Lat. aev. Carolin. I. 71—73 und unten Bd. II. z. J. 791; Paulus Diaconus, Gesta episc. Mett. SS. II, 265, wonach Lothar biennis occubuit. Foß, Ludwig der Fromme vor seiner Thronbesteigung S. 2 übersieht diese Nachrichten und hält sich an den Astronom, oben N. 3, dessen Angabe aber als eine bloße Redensart erscheint, durch welche der Astronom vielleicht seinen Mangel genauerer Kenntniß in diesem Punkt verbergen will. Mühlbacher S. 81 folgt Paulus Diaconus. Ueber den angeblichen Sarg des kleinen Lothar in einer Kirche zu Casseuil (oder Cassule) am Zusammenfluß von Drot und Garonne vgl. Almoin. Mirac. s. Benedicti I, 8, Mabillon, A. S. o. s. Ben. IV, 2, ed. Ven. S. 370 und unten Bd. II. z. J. 794.

die aber noch nicht darauf hindeuten, daß er schon damals sich mit dem Gedanken trug, Aquitanien eine solche bevorzugte Sonderstellung einzuräumen[1]). Auch ohne diesen Plan hatte er guten Grund zu den Maßregeln, welche er jetzt traf. Der Verlauf des spanischen Feldzugs mahnte den König zur Vorsicht. Der Ueberfall in den Pyrenäen zeigte, wessen er sich von den kriegerischen Gebirgs= bewohnern zu versehen hatte; sie waren durch seinen Zug gereizt, Abdurrahman gewiß nicht weniger, und wenn auch ein Einfall desselben in Gallien überhaupt nicht wohl zu befürchten stand[2]), so war es doch dringend nothwendig auf den Schutz der Südgrenze des Reiches die größte Sorgfalt zu verwenden. Es kam hinzu, daß Karl seine Eroberungspläne in Spanien unzweifelhaft nicht aufgegeben hat. So wenig der erste Feldzug nach Wunsch ver= laufen war, so blieb er doch nicht ganz ohne jeden Erfolg; Karl hatte wenigstens Verbindungen in Spanien angeknüpft, die zwar unmittelbar werthlos waren, aber es ihm doch erleichterten, sobald er den Zeitpunkt für günstig hielt, einen neuen Versuch zu machen seine Entwürfe durchzuführen.

Unter diesen Umständen schritt Karl dazu, sich des Gehorsams der Aquitanier, in deren Zuverlässigkeit man noch immer kein rechtes Vertrauen setzen konnte, nach Kräften zu versichern[3]). Der

---

[1]) Der Astronom c. 3 sagt freilich: eique (Ludwig) regnum quod sibi na-scendo dicaverat contradidit; aber er ist hier, wie oben S. 308 N. 3, ganz un= genau; jedenfalls dürfen die Maßregeln Karl's von 778 nicht schon auf eine solche Absicht gedeutet werden, wie das namentlich Fauriel III, 352 f. thut, und auch der Astronom sagt nicht was Fauriel behauptet: l'existence du nouveau royaume fut proclamée aussitôt (en 778).

[2]) Fauriel III, 350 ff. geht in seinen Combinationen viel zu weit. Richtig ist, daß der Ausgang des Feldzuges den Wünschen Karl's durchaus nicht entsprach (S. 350), aber sehr übertrieben ist es, wenn er meint, es habe ein neuer großer Kampf des Islam gegen das Christenthum bevorgestanden, den Karl vorausgesehen und für den er seine Maßregeln habe treffen wollen. Wenn Fauriel von dem Wiederausbruch des großen Kampfes zwischen Orient und Occident redet, vergißt er, daß der Herrscher von Cordova, der sich noch nicht einmal Khalif nannte, nicht der Khalif von Bagdad war, daß Abdurrahman zu dem letzteren im schroffsten Gegen= satze stand und schon dadurch verhindert war angreifend gegen die Franken vor= zugehen.

[3]) Der sog. Astronom sagt c. 3: Sciens porro . . . Karolus regnum esse veluti corpus quoddam et nunc isto nunc illo incommodo iactari, nisi consilio et fortitudine velut quibusdam sanitas medicis accepta tutetur, epi-scopos quidem modo quo oportuit sibi devinxit.

Das Capitular, durch welches Pippin im Jahr 768 die Verhältnisse Aqui= taniens geordnet hatte, wurde von Karl aufrechterhalten und im Jahre 789 Königs= boten von ihm beauftragt, die Ausführung desselben zu überwachen und durchzusetzen; vgl. Pippini capitulare Aquitanicum 768, Capp. I, 42 f.: Incipiunt capitula quas bone memorie genitor Pipinus sinodaliter [instituit] et nos ab hom-nibus (i. e. omnibus) conservare volumus; Breviarium missorum Aquitanicum 789, ib. S. 65: Incipit breviarium de illa capitula quae domnus rex in Equitania Mancione et Eugerio missis suis explere [iussit] . . . c. 1: De illo edicto quod domnus et genitor noster Pippinus instituit et nos in postmodum pro nostros missos conservare et implere iussimus . . .; Oelsner, König Pippin S. 415 N. 6, welcher aber wohl ohne Berechtigung annimmt, daß

fogen. Aftronom erzählt, er habe sich die Bischöfe in angemessener Weise verpflichtet, was nebenbei auch durch Schenkungen geschehen sein mag[1]). Ferner berichtet derselbe Schriftsteller, daß neue Grafen und Aebte ernannt, viele königliche Vassallen nach Aqui- tanien gesetzt wurden, um die Regierung des Landes in der rechten Weise zu führen, für die Grenzvertheidigung zu sorgen und die Verwaltung der Krongüter zu leiten[2]). Karl wählte dazu, wie es scheint[3]), lauter Franken; von den eingeborenen Aquitaniern mag demnach eine beträchtliche Anzahl aus ihren Stellen entfernt worden sein, Karl also in Aquitanien vieles nicht in Ordnung ge- funden haben. Es werden neun Grafschaften genannt, in welchen der König damals neue Grafen bestellte. Graf von Bourges wurde Humbert, bald nachher Sturbius; Graf von Poitiers Abbo, von Périgueur Widbod, von Clermont=Ferrand Iterius, von Puy=en= Velai Bullus, von Toulouse Chorso, von Bordeaux Sigwin, von Albi Haimo, von Limoges Hrodgar[4]). Von weiteren Anordnungen, welche Karl in diesem Jahre in Aquitanien getroffen, weiß man nichts[5]), und garnichts berichtet wird über Maßregeln in Was- conien[6]). Das Abhängigkeitsverhältniß Wasconiens war noch

---

Karl die Bestimmungen jenes Capitulars gleich nach dem Tode seines Vaters von neuem eingeschärft habe.

[1]) Jedoch macht der Gegensatz zu der Stelle in der folgenden Note die Er- nennung neuer Bischöfe zweifelhaft, und jedenfalls scheint Karl dazu keine Franken ernannt zu haben.

[2]) Vita Hludowici l. c.: Ordinavit autem per totam Aquitaniam co- mites, abbates necnon alios plurimos, quos vassos vulgo vocant, ex gente Francorum, quorum prudentiae et fortitudini nulli calliditate nulli vi ob- viare fuerit tutum, eisque commisit curam regni prout utile iudicavit, finium tutamen villarumque regiarum ruralem provisionem, vgl. Waitz IV, 2. Aufl. S. 168 N. 1 und über eine solche Verwendung der Vassallen ebd. S. 255.

[3]) Die Worte ex gente Francorum (vor. Note) scheinen sich nicht nur auf die vassi, sondern auch auf die comites und abbates zu beziehen.

[4]) V. Hlud. l. c.: Et Biturigae civitati primo Humbertum, paulo post Sturbium praefecit comitem; porro Pictavis Abbonem, Petragoricis autem Widbodum, sed et Arvernis Iterium necnon Vallagiae Bullum, sed et Tholosae Chorsonem, Burdegalis Sigwinum, Albigensibus vero Haimonem, porro Lemovicis Hrodgarium. — Ueber Chorso vgl. ebd. c. 5, S. 609 (Chor- sone porro a ducatu submoto Tolosano) und unten zu d. JJ. 781 und 788; in Betreff des Sigwin Jahrbb. Ludw. d. Fr. I, 65; II, 222 N. 6. Sagenhaftes in Adrevald's Mirac. s. Benedicti c. 18, SS. XV, 486: qui- busdam servorum suorum fisci debito sublevatis curam tradidit regni. Atque inprimis Rahonem Aurelianensibus comitem praefecit, Biturigensi- bus Sturminium, Arvernis Bertmundum aliisque ut ei visum est locis alios praeposuit. Nach dem Zusammenhange wäre diese Maßregel erst in die Zeit nach der Verschwörung von Karl's Sohn von der Himiltrud, Pippin (792), zu setzen; die Stelle ist aber auch in chronologischer Beziehung ganz verworren. Vgl. Waitz III, 2. Aufl. S. 384 f.

[5]) (Vgl. indessen o. S. 309 N. 3.)

[6]) Fauriel III, 353 ff. verlegt viel zu viel schon ins Jahr 778, stellt nament- lich Wasconien irrthümlich in eine Linie mit Aquitanien. Hingegen bemerkt er mit Recht S. 355, daß schon seit der Eroberung durch Pippin Grafen in Aquitanien eingesetzt waren (vgl. Oelsner S. 415), während Leibniz I, 85 annimmt, dies sei

immer so lose, daß Karl nicht daran denken konnte Beamte, ge=
schweige fränkische Beamte dort einzusetzen. Lupus hatte die frän=
kische Hoheit zwar anerkannt[1]), aber in die inneren Angelegen=
heiten Wasconiens einzugreifen war Karl weit entfernt; es ist
ganz unerwiesen, das Karl infolge des Ueberfalls in den Pyrenäen
Wasconien dem fränkischen Reiche förmlich einverleibte, nur ein
Stück des Lupus angeblichem Sohne Adalric überließ[2]). Keiner
von den neun Grafen, die er einsetzte, gehört Wasconien an.

Eine geraume Zeit war verflossen, seit Karl in Chasseneuil
Ostern gefeiert; seitdem ist kein Anhaltspunkt für die Bestimmung
der Zeitrechnung zu finden bis zu dem Datum des Ueberfalls in
den Pyrenäen (15. August). Der Aufbruch nach Spanien war
gleich nach Ostern, 19. April, erfolgt; aber die Entfernungen waren
groß, der Hin= und Rückmarsch über das hohe Gebirge beschwer=
lich und zeitraubend; einige Zeit kommt auf den Aufenthalt in
Pamplona und vor Saragossa; Karl wird kaum vor Ende August
nach Chasseneuil zurückgekommen sein[3]). Dann aber verging wie=
der einige Zeit während seiner Anwesenheit in Chasseneuil; es muß
wohl um den Eintritt des Herbstes gewesen sein, als er von dort
den Rückweg nach Norden antrat.

Der König hatte Aquitanien bereits verlassen und befand sich
eben in Autosiodorum (Auxerre)[4]), als er die Nachricht von einem
neuen Aufstande der Sachsen erhielt[5]). Die Unterwerfung der

---

erst 778 geschehen. Auch Lembke I, 384 f. verwirrt den Thatbestand, indem er 778
Maßregeln ansetzt, welche 781 und selbst noch später fallen. Daß Karl Befehl ge=
geben habe zur Aufnahme der aus Spanien flüchtigen Parteigänger der Frauken, be=
merkt Martin II, 274, wobei an jene in der Urkunde Capp. reg. Francor. I, 169
(oben S. 307 f.) erwähnten Spanier zu deuken ist, die theilweise schon jetzt, zum
Theil aber auch erst ein paar Jahre später sich ins fränkische Reich geflüchtet
haben mögen.

[1]) Vgl. o. S. 304.

[2]) Vgl. o. S. 307 N. 2.

[3]) Foß, Ludwig d. Fr. vor seiner Thronbesteigung, S. 2 N. 10, setzt die
Rückkehr Karl's nach Chasseneuil schon in den Anfang Mai und demgemäß die Ge=
burt Ludwig's Ende April oder Anfang Mai. Allein das Erstere wenigstens ist un=
möglich. Es ist falsch, daß Karl schon vor Anfang Juni sich in Auxerre befand; die
Ansicht von Böhmer, S. 11, der Karl's Ankunft in Auxerre allerdings schon vor
den 5. Juni setzt, kann nicht als Belegstelle dienen, wozu Foß sie benutzt. Giese=
brecht, Gesch. der deutschen Kaiserzeit I, 5. Aufl. S. 858 setzt Ludwig's Geburt
wieder zu spät, nämlich in den September 778; Dümmler, Neues Archiv IV, 106,
ebenfalls in den Herbst; dagegen Mühlbacher S. 210 (vgl. auch S. 80—81) richtiger
in die Zeit vom Juni bis August 778; vgl. unten Bd. H. z. J. 791. Der unbe=
dingte terminus a quo ist allerdings nur der 19. April.

[4]) Der Astronomus berichtet V. Hludowici c. 4, SS. II, 608, Karl habe
nach den gedachten Anordnungen in Aquitanien mit den übrigen Truppen die Loire
überschritten und sich nach Paris begeben (Quibus rebus peractis, Ligerim cum
reliquis transmeavit copiis et Lutetias, quae alio nomine Parisius vocatur,
sese recepit). Aber Mühlbacher S. 81 hält diese Nachricht vielleicht mit Recht
für unzuverlässig.

[5]) Vgl. die Stellen oben S. 303 N. 1. Die Aussage der Annalen ergibt
deutlich, daß die Sachsen eben erst als Karl schon in Spanien war aufstanden und

Sachsen in Paderborn war nur eine scheinbare gewesen; sie kehrten sich nicht an ihre feierlich gegebenen Versprechungen, nicht an die von Karl ihnen angedrohten Strafen, sondern benutzten die Abwesenheit des Königs in dem entfernten Spanien zu einem neuen Versuch die fränkische Herrschaft abzuschütteln[1]). Widukind hatte auch nach seiner Flucht aus Sachsen ein wachsames Auge auf die Vorgänge in seiner Heimat und überhaupt im fränkischen Reiche; von ihm war die neue Erhebung angestiftet; es ist nicht ausdrücklich gesagt, aber deutlich zu erkennen, daß er selber wieder in Sachsen erschien und sich an die Spitze der Erhebung stellte[2]). Man hat sein Auftreten wohl so aufgefaßt, als habe er nach der Herrschaft in Sachsen gestrebt[3]): aber wahr ist nur, daß er sich auflehnte gegen die Herrschaft Karl's. Der von ihm gegebene Antrieb zündete mächtig; so unwiderstehlich ergossen sich die sächsischen Scharen über das fränkische Reich wie noch nie seit dem Anfange des Krieges[4]). Sie zogen nach dem Rhein, steckten die Städte in Brand und legten namentlich den von Karl an der Lippe zwei Jahre zuvor angelegten festen Platz, Karlsburg, in Asche[5]). Sie kamen bis Deutz[6]), nirgends scheinen sie auf namhaften Widerstand gestoßen zu sein, erst der Rhein setzte ihrem weiteren Vordringen eine Grenze. Aber auch hier gebot nicht fränkischer Widerstand ihnen Halt, sondern nur die Breite des Stroms, welchen sie außer Stande waren zu überschreiten[7]). Nach einer Nachricht sollen sie zwar das Schottenkloster Groß-St.-Martin zerstört haben, welches damals noch nicht in Köln selbst, sondern auf einer Insel des

---

daß er die Nachricht davon erst in Auxerre erhielt; vgl. auch die Stelle in der folgenden Note.

[1]) Annales Laur. mai. l. c.: Et cum audissent Saxones, quod domnus Carolus rex et Franci tam longe fuissent partibus Hispaniae, per suasionem supradicti Widokindi vel sociorum eius secundum consuetudinem malam iterum rebellati sunt. Das longe ist natürlich räumlich, nicht zeitlich zu fassen.

[2]) Es liegt schon in der obigen Stelle der Lorscher Annalen, vgl. ferner die folgende Note; auch Luden IV, 314 f. läßt Widukind in Person sich an die Spitze der Sachsen stellen; desgleichen manche andere, vgl. Kentzler in Forsch. z. deutschen Gesch. XII, 333 N. 4; Diekamp, Widukind S. 14—15 N. 1.

[3]) Annales Lauriss. minores, ed. Waitz S. 413: Widuchindus Saxo tyrannidi nititur; daraus die Ann. Enhard. Fuld. SS. I, 349.

[4]) S. über jenen Einfall der Sachsen, außer den großen Reichsannalen, auch Ann. Mosellan., Lauresham., Laur. min., Guelferb., Nazar., Alam., Vita s. Sturmi c. 24, SS. II, 376 etc.; vgl. unten.

[5]) Annales Petaviani l. c.: Interim Saxones rebellantes moveruntque exercitum amne Rene properantes incenderuntque oppida et igne cremaverunt civitatem, quae Franci construxerunt infra flumen Lipiam. Diese Stelle führt zu der Vermuthung, daß die von den Franken erbaute Stadt, die jetzt zerstört ward, nahe beim Rhein, am untern Lauf der Lippe zu suchen sei.

[6]) Annales Laur. mai. l. c.; Ann. Einh. l. c. — Die meisten Handschriften des Regino, SS. I, 559, nennen Düren (Durlam statt Duciam), offenbar nur infolge eines Lesefehlers; vgl. Ermisch, Die Chronik des Regino S. 85.

[7]) Ann. Einh. l. c.: Sed cum amnem traicere non possent . . .

Fluffes lag [1]); doch hat diese sehr späte Nachricht wohl keinen
Werth. Da sie, wie gesagt, den Uebergang über den Rhein nicht
zu bewerkstelligen vermochten, zogen die Sachsen auf dem rechten
Ufer stromaufwärts bis gegenüber Koblenz. Die Annalen wissen
nicht genug davon zu sagen, wie wild sie hausten. „Alle Dörfer
und Ortschaften von Deutz bis zum Moselfluß verheerten sie mit
Feuer und Schwert. Heiliges und Profanes ward gleichmäßig
dem Verderben preisgegeben. Keinen Unterschied des Alters oder
des Geschlechts machte die Erbitterung des Feindes, so daß sich
deutlich zeigte, daß er nicht um zu plündern, sondern um Rache
zu üben in das fränkische Gebiet eingebrochen war [2]).“

Als Karl in Auxerre von diesen Vorgängen Meldung erhielt, war er eben im Begriff sein Heer zu entlassen [3]). Nach dem
anstrengenden und nicht ohne Verluste überstandenen spanischen
Feldzuge glaubte er aber nicht in diesem Jahre noch einen zweiten
nach Sachsen antreten zu können, sondern begnügte sich vorläufig
damit das fränkische Gebiet von den Sachsen zu säubern. Er ließ
daher wenigstens den größten Theil des Heeres auseinandergehen;

---

[1]) Chron. s. Martini Coloniensis, SS. II, 214; Böhmer, Fontt. III
344, Bruchstück einer Compilation, frühestens aus dem Ende des 11. Jahrhunderts
und unzuverlässig. Ueber die Lage des Klosters auf einer Insel vgl. Rettberg I,
543. Unrichtig läßt Ennen, Gesch. der Stadt Köln I, 197, sogar die Nachricht von
der Wiederherstellung des Klosters durch einen vorgeblichen Dänenherzog Otger (richtiger
Olger, Holger Danske; Wattenbach DGQ. II, 5. Aufl. S. 125 N. 1) gelten,
welche gerade ein Beweis von dem märchenhaften Charakter der ganzen Erzählung
ist; vgl. unten N. 2.

[2]) Ann. Einh. l. c.: quicquid a Diutia civitate usque ad fluentem
Mosellae vicorum villarumque fuit ferro et igni depopulati sunt. Pari
modo sacra profanaque pessumdata. Nullum aetatis aut sexus discrimen
ira hostis fecerat, ut liquido appareret, eos non praedandi, sed ultionem
exercendi gratia Francorum terminos introisse. Der Verfasser hat hier manche
Phrasen der römischen Historiker benutzt; vgl. Manitius, N. Archiv VII, 517 ff. Für
ad fluentem (?) Mosellae sagt der Poeta Saxo I, v. 409—410, Jaffé IV,
556 ganz zutreffend: Donec pervenias, ubi Rhenus confluit idem — Litori-
busque ferens fontes Musella Liei; die verwandten Ann. Quedlinb., SS. III,
37: inde Duciam et Confluentiam (vastantes). Den Worten Pari modo —
pessumdata entspricht Poet. Saxo ib. v. 412—413: Ipsis etiam non ira peper-
cit — Aecclesiis etc.; Ann. Quedlinb.: in ecclesiis Dei et sanctimonia-
libus multa crimina commiserunt.

Die Nachricht in dem Briefe des h. Liudger an den Bischof Rixfrid von
Utrecht, die Sachsen hätten die Kirche auf der Rheininsel Kaiserswerth zerstört, ist falsch,
der ganze Brief untergeschoben, vgl. Rettberg II, 396; Diekamp, Geschichtsquellen des
Bisthums Münster IV, Einl. S. C. LXXXIV. Diese Erzählung mag sogar mit
jener über die Zerstörung von Groß-Martin (o. N. 1) zusammenhängen. Beide Stiftungen lagen auf Inseln des Niederrheins; beide gehen auf Pippin den Mittleren
und dessen Gemahlin Plektrud zurück; in beiden spielt Otgar oder Olger eine
Rolle.

[3]) Das liegt in der Darstellung der Ann. Einh. l. c.: Cuius rei (des Sachsen-
aufstandes) nuncium cum rex apud Autesiodorum civitatem accepisset, ex-
templo Francos orientales atque Alamannos ad propulsandum hostem
festinare iussit. Ipse, caeteris copiis dimissis, Heristallium villam, in qua
hiemare constituerat, venit.

nur das Aufgebot der Oftfranken und Alamannen wurde den Sachſen entgegengeſchickt um ſie zurückzutreiben[1]).

Die Sachſen warteten inzwiſchen die Ankunft der fränkiſchen Truppen nicht ab, ſondern traten auf die erſte Nachricht von ihrem Anrücken den Rückweg an. Aber auch da richteten ſie noch große Verwüſtungen an. Sie nahmen ihren Weg durch den Lahngau und die Wetterau und bedrohten das reiche Fulda[2]). Die Nachricht von ihrem Anſchlag auf das Kloſter verbreitete Beſtürzung unter den Mönchen; Sturm rief die Brüder zuſammen und rieth wenigſtens das Koſtbarſte zu retten, die Gebeine des heiligen Bonifaz. Sturm ſelbſt eilte in die Wetterau den Sachſen gerade entgegen um zu verſuchen, das drohende Unheil noch abzuwenden. Die Brüder aber nahmen die Gebeine des Heiligen aus dem Grabe, worin ſie ſeit 23 oder 24 Jahren ruhten, und wollten dieſelben nach Hammelburg an der fränkiſchen Saale in Sicherheit bringen. Alle Inſaſſen des Kloſters begleiteten den Heiligen. Die erſte Nacht blieben ſie in einer Kirche beim Einfluß des Flüßchens Flebena (Flenne) in die Fulda; den folgenden Tag kamen ſie bis zur Sinna (Sinne), einem Nebenflüßchen der fränkiſchen Saale, wo ſie Halt machten. Sie errichteten ein Zelt, in das ſie den Sarg des Heiligen ſtellten, und bauten für ſich ſelber Hütten ringsum. Nachdem ſie dort drei Tage verweilt, kam am vierten die Botſchaft, fränkiſche Truppen ſeien gegen die Sachſen herangerückt, hätten ſie beſiegt und genöthigt ſich in ihre Heimat zu flüchten. Darauf wurde der Heilige wieder nach Fulda in ſeine alte Ruheſtätte zurückgebracht[3]).

Die von Karl ausgeſchickten Oſtfranken und Alamannen hatten den Sachſen nachgeſetzt und, obgleich dieſelben nirgends Stand hielten[4]), ſie doch zuletzt an der Eber erreicht, bei einem Orte Lihesi (Leiſa), oder wenn man dem ſächſiſchen Dichter in dieſen

---

[1]) Vgl. die Stelle in der vorigen Note. Die f. g. Einhard'ſchen Annalen ſind hier genauer als die f. g. Lorſcher, ſcheinen noch auf anderes Material zurückzugehen (vgl. Bd. II, Excurs VI.). Aber auch die unbeſtimmtere Angabe der Lorſcher Annalen, wonach Karl scaram Franciscam gegen die Sachſen ſchickte, kann nicht mit Luden IV, 316. 532 N. 36 vgl. mit S. 529 N. 13 von eigenen Hausstruppen Karl's, einer Art Dienſtmannſchaft, verſtanden werden; vgl. o. S. 145 N. 3. Regino, SS. I, 559, ſagt freilich auch hier: soaram unam ex electis viris.

[2]) Vita s. Sturmi c. 24, SS. II, 376; über die Verwüſtung des Lahngaues auch die Hersfelder Annalen (Quedlinb., Weiſſemb., Lambert. Altah., Ottenbur.) SS. III, 37. XX, 783. V, 372; Herm. Lorenz, Die Jahrbücher von Hersfeld S. 86 N. 1; Ann. Laur. mai. l. c. (reversi sunt per Logenehi partibus Saxoniae). Es iſt jedoch verkehrt, wenn die Ann. Quedlinb. dies Ereigniß vor den Zug nach Deutz und der Moſelmündung verlegen; Le Cointe VI, 167 ſetzt den Vorfall irrthümlich erſt ins Jahr 779.

[3]) Der Biograph Sturm's, Eigil, erzählt den Hergang, den er ſelber mitgemacht, als Augenzeuge; vgl. auch Ann. Enhard. Fuld. SS. I, 349 (Eo tempore monachi Fuldensis coenobii propter timorem Saxonum, assumptis secum sancti Bonifacii martyris ossibus, fugerunt de monasterio per milia passuum fere 14).

[4]) Vgl. auch Ann. Mosell., Lauresh. ſowie Ann. Laur. min.

Falle Glauben schenken dürfte, Battenfeld, wie es scheint, ganz in derselben Gegend[1]). Auf dem rechten Ufer hat sich der Kampf wohl entsponnen. Die Sachsen waren eben mit dem Uebergang über den Fluß beschäftigt, als die Franken sie einholten und angriffen[2]). Vielleicht wurde dann der Kampf auch noch jenseits des Flusses fortgesetzt; er endigte mit einer vollständigen Niederlage der Sachsen. Eine große Zahl derselben wurde niedergemacht, die übrigen eilten nach Sachsen zurück. Von einem weiteren Kampfe ist nichts berichtet, die Franken scheinen den Sachsen nicht auf sächsisches Gebiet gefolgt zu sein[3]).

Karl hatte sich unterdessen vielleicht nach Heristal begeben, wo er in diesem Falle noch im September eingetroffen sein mag. Auf den 24. September lautet eine in Heristal ausgestellte Urkunde, worin Karl dem Kloster Hersfeld Besitzungen zu Niederaula an der Mündung des Flüßchens Aule in die Fulda schenkt[4]). Freilich könnte diese Schenkung auch erst dem Jahre 779 angehören[5]). Im Oktober bestätigte Karl in der Villa Goddinga, auf Bitte des

---

[1]) Die s. g. Lorscher Annalen sagen: consecuti sunt eos super fluvium, cuius vocabulum est Adarna, in loco qui dicitur Lihesi; Ann. Einh.: in pago Hassiorum super fluvium Adernam iter agentes invenerunt; der Poeta Saxo l. I, v. 424 f., Jaffé IV, 556: In Baddanfeldun — sie est locus ille vocatus — Adernam iuxta fluvium. Liheßi ist das heutige Leisa auf dem rechten Ufer der Eder (Spruner-Menke, Hist. Handatlas Nr. 34); Baddanfeldun nicht Battenberg (wie Kentzler, Forsch. XII, 336 N. 1; Diekamp, Widukind S. 16 N. 3; Mühlbacher S. 81 annehmen), sondern Battenfeld, etwas östlich davon, am linken (nördlichen) Ufer des Flusses, preuß. Prov. Hessen-Nassau, R.-B. Wiesbaden, Kr. Biedenkopf; vgl. Wenck, Hess. Landesgeschichte II, 319; Spruner-Menke a. a. O. — Leibniz I, 86 sucht auch Battenfeld auf dem rechten Ederufer, wo Battenberg liegt.

[2]) Eosque (Saxones) statim in ipso fluminis vado adorti (Franci), sagen die Ann. Einh.; wogegen die Darstellung des Chron. Moissiac. SS. I, 296, als hätten die Sachsen den Franken den Kampf angeboten (Quod cum comperissent Saxones, conversi sunt ad eos in proelio), zusammenfällt; Ann. Mosell. und Laresham. schreiben: ibi invicem belligerantes.

[3]) Ann. Einh.: — tanta strage ceciderunt, ut ex ingenti multitudine ipsorum vix pauci domum fugiendo pervenisse dicantur.

[4]) Bei Wenck II², 7 f. Nr. 5. — Die Urkunde für Novalese, welche bei Böhmer S. 11 Nr. 92 durch einen Druckfehler auf den 22. Juli (st. Juni) 778 oder 779 gesetzt wird, datirt vom 23. Mai 779; auch decimo Kal. Iulias bei Bouquet V, 744 ist Druckfehler, f. Mühlbacher Nr. 216. — Die Urkunde für S. Vincenzo am Volturno, welche Le Cointe VI, 150 auf den 20. April 778 setzt, ist identisch mit der schon o. S. 222 N. 1 erwähnten Urkunde, also falsch.

[5]) Wenck a. a. O. S. 8: Data VIII. Kal. Octobr. anno XI. et V. regni nostri; das italienische Regierungsjahr führt also auf 778, dagegen das fränkische, da der Epochentag erst auf den 9. Oktober fällt, auf 779. Vgl. Sickel II, 35 (Nr. 65). 249, I, 248, der sich für 778; Mühlbacher Nr. 217, welcher sich für 779 entscheidet. Hahn, Bonifaz und Lul S. 282; Böhmer-Will, Regest. archiepp. Maguntin. S. 40 N. 44. Mühlbacher, welcher bemerkt, daß Karl in jenem Zeitpunkt des Jahres 778 kaum bereits in Heristal gewesen sein könne, zweifelt indeß, ob nicht vielleicht eine Corruption des Monatsdatums durch den Copisten vorliege. Andererseits hält er auch für möglich, daß sich das Actum auf eine frühere Handlung zurückbeziehe (vgl. Mühlbacher Nr. 211; o. S. 311).

Abts Fulrad, die Immunität des Klosters St. Denis[1]). Er hatte jedoch Heristal zu seinem Winteraufenthalt bestimmt[2]) und feierte dort Weihnachten[3]); über seinen sonstigen Aufenthalt in jenem Herbst ist nichts bekannt; möglich daß er sich einige Zeit in Achen aufhielt[4]).

Noch in den letzten Wochen des Jahres verlor das Kloster Lorsch seinen Abt Gundeland durch den Tod[5]). Die Chronik des Klosters erzählt, da er sein Ende nahe fühlte, habe er zu Karl nach Achen geschickt und ihn um die Erlaubniß gebeten, um des Heiles seiner Seele willen von den Gütern des Klosters etwas den Armen zuwenden zu dürfen; worauf Karl ihm gestattet, den dritten Theil des beweglichen Klostervermögens nach seinem Gutdünken unter die Armen zu vertheilen. Bald nachher starb Gundeland; ein Kalendar nennt als Tag seines Todes den 18. Dezember[6]). Zu seinem Nachfolger wählten die Mönche einen aus ihrer Mitte, Helmerich, den dann Karl als Abt einsetzte[7]). Die Ernennung Helmerich's zog sich ins folgende Jahr hinein; übrigens stand er nur wenige Jahre, bis 784, dem Kloster vor, und es ist auch nur weniges über seine Leitung des Stifts berichtet. Die Klosterchronik erzählt,

---

[1]) Sickel II, 35 (Nr. 66). 249—250; Mühlbacher Nr. 210; Bouquet V, 740, mit a. 11. et 5. Der Ausfertigungsort ist unbekannt, aber wohl im heutigen Großherzogthum Luxemburg zu suchen (wie Mühlbacher vermuthet, vielleicht Ködingen nahe Clervaux oder Klerf), also nicht sehr weit von Heristal entfernt.

[2]) Annales Einhardi, in der Stelle o. S. 313 N. 3, und 779, SS. I, 161 (de Heristallio, ubi hiemaverat).

[3]) Ann. Laur. mai. l. c.; Ann. Einh. 779 l. c.

[4]) Diese Vermuthung könnte wenigstens allenfalls nahe gelegt werden durch die Angabe der Chronik von Lorsch, SS. XXI, 349, Abt Gundeland habe kurz vor seinem Tode, der Ende 778 erfolgte, zu Karl nach Achen geschickt, vgl. oben den Text; doch ist ein auch nur einigermaßen sicherer Schluß daraus nicht zu ziehen; vgl. auch unten N. 6.

[5]) Ins Jahr 777 setzt Gundeland's Tod die beste Nachricht, Ann. Mosell. und Ann. Lauresham., SS. XVI, 497. I, 31; unsinnig Chron. Moiss. cod. Moiss., SS. I, 296: Et non post multos annos Gondolandus abba obiit. Unrichtig verlegt daher Le Cointe VI, 171 ff. den Tod ins Jahr 779. Die Lorscher Chronik l. c. S. 350a gibt das Jahr 779, indem sie den Tod Gundeland's, der erst Ende 778 starb, und den Amtsantritt seines Nachfolgers Helmerich zusammenzieht. — Die Zeit der Verwaltung Gundeland's wird sowohl im Chron. Lauresh. l. c. S. 350 wie in der Series abb. et praepos. Lauresh. SS. XIII, 317 auf 13 Jahre angegeben, während sie schon im Anfange des Jahres 764 begonnen zu haben scheint (vgl. Oelsner, König Pippin S. 378 N. 7; 379).

[6]) Chron. Lauresh. l. c. S. 349: Gundelandus, instante sibi divinae vocationis bravio, misit ad regem Aquisgrani (dies im cod. übergeschrieben), consulens et obsecrans, quatenus ei liceret extremum vitae cursum iam peragenti aliqua de monasterii rebus impendia pro animae remedio pauperum indigentiae prerogare . . . Kalendar. necrol. Lauresh. bei Böhmer, Foutt. III, 151: XV. kal. ian. (also nicht Dec. 16, wie dort steht); vgl. auch Mabillon, Annales II, 243; Falk, Gesch. des Klosters Lorsch S. 19. 146.

[7]) Chron. Lauresh. l. c. S. 350: Gundelando igitur, deposito carnis onere, ad celestia commigrante, substituitur Helmericus, vir religiosus et sapiens, fratrum quidem electione ex ipsius congregationis corpore et gloriosi regis Karoli institutione. Institutio ist jedenfalls mehr als eine blos formelle Bestätigung.

er habe die Kirche mit einem Plafond versehen, einen Estrichboden gelegt und die Grabstätte des heiligen Nazarius mit Gold und Silber verziert. Und da dem Kloster einige Urkunden verloren gingen, bat er den König um eine Bestätigung des Klosters in seinem vollen Besitzstande, welche dann Karl in einer neuen Urkunde aussprach [1]). Mehr ist über sein Wirken nicht bekannt.

Ein anderes Kloster, St. Mihiel in der Diözese Verdun, verdankte Karl's spanischem Feldzuge angeblich wenigstens mittelbar die Erwerbung eines Reliquienschatzes. Dürfte man einer Chronik des Klosters aus dem 11. Jahrhundert glauben, was nicht unbedingt unzulässig sein mag [2]), so war der dortige Abt Hermengaud dem Könige ins Feld gefolgt und wußte sich in Caburcia (Cahors), welches also auf dem Zuge berührt worden sein müßte, die Gebeine des h. Anatolius zu verschaffen, welche er dann nach St. Mihiel übertrug. —

Aus Italien wissen die Annalen zu diesem Jahre nur ein großes Erdbeben zu verzeichnen, von welchem Treviso und die Umgegend betroffen wurde. Viele Häuser und Kirchen stürzten ein und zahlreiche Menschen wurden getödtet, in einer einzigen Ortschaft nicht weniger als 48 [3]).

Der Verkehr Karl's mit dem Papste war aber auch in diesem Jahre wieder lebhaft gewesen. Hadrian hatte, wie es scheint im Laufe, vielleicht erst in der zweiten Hälfte des vorhergehenden Jahres (777), zwei Gesandte, den Bischof Philipp und den Archidiaconus Megistus, an den König geschickt. Er hatte denselben die Urkunden aus dem Lateranarchiv mitgegeben, welche die Schenkungen von Patrimonien in Tuscien, Spoleto, Benevent, Corsica und der Sabina durch verschiedene Kaiser, Patricier und andere Personen an den Stuhl Petri betrafen, um sie Karl zum Nachweis seiner Ansprüche vorzulegen [4]). Diese Gesandten brachten erfreuliche Kunde nach Rom zurück [5]), besonders auch die Nachricht, daß Karl die Absicht hege, das Osterfest mit seiner Gemahlin am Grabe des h. Petrus zu feiern und seinen ihm eben geborenen Sohn durch Hadrian aus der Taufe heben zu lassen [6]). Gemeint ist Karl-

---

[1]) Von Sickel in den Act. deperd. (II, 373) nicht erwähnt.

[2]) Chronicon s. Michaëlis c. 4, SS. IV, 80; der Chronist beruft sich für seine Nachricht ausdrücklich auf eine ältere Aufzeichnung. Gleichwohl werden wir ihm den Glauben eher zu versagen haben.

[3]) Ann. Mosell. und Ann. Lauresh., SS. XVI, 496 f., I, 31.

[4]) Cod. Carol. Nr. 61, Jaffé IV, 200: Unde et plures donationes in sacro nostro scrinio Lateranensae reconditas habemus. Tamen et pro satisfactione christianissimi regni vestri per iam fatos viros ad demonstrandum eas vobis direximus. Et pro hoc petimus eximiam praecellentiam vestram, ut in integro ipsa patrimonia beato Petro et nobis restituere iubeatis. Unter den iam fati viri können nach dem Zusammenhange nur Philippus und Megistus verstanden werden; anders v. Sybel, Kleine historische Schriften III, 105.

[5]) Cod. Carolin. l. c. S. 198.

[6]) Ibid.: De vero illud, unde vestrae eximiaetati per iam dictos nostros missos, scilicet reverentissimum fratrem nostrum Philippum epi-

mann[1]), der zweite Sohn des Königs aus der Ehe mit Hildegard, welcher in der zweiten Hälfte des Jahres 777 zur Welt gekommen sein muß[2]). Die Zusage scheint einem Wunsche entsprochen zu haben, welchen der Papst schon vor der Geburt dieses neuen Sprosses des fränkischen Königshauses durch die gedachten Gesandten kundgegeben hatte; Hadrian spricht auch von einer Verabredung, welche deshalb zwischen ihm und dem Könige getroffen worden sei[3]). Allein auch diese Hoffnung täuschte den Papst wieder. Es nahte Ostern, 19. April, aber er empfing keine Meldung von der Ankunft des Königs oder königlicher Bevollmächtigter, wie er doch nach jener Verabredung erwarten durfte[4]). Hadrian wartete bis zum Mai umsonst[5]). Da riß ihm endlich die Geduld, und er machte, zwar in der ehrerbietigsten Form, aber doch mit ähnlicher Entschiedenheit und Bestimmtheit wie bisher seine Forderungen geltend. Er schickte in diesem Monat drei Gesandte, die Bischöfe Philipp und Andreas (von Palestrina) und seinen Neffen den Herzog Theodor[6]) an Karl, mit einem Schrei-

scopum et dilectissimum nostrum Megistum archidiaconum, dignati estis nobis repromittere : ut in sanctum diem pascae ad limina beati apostolorum principis Petri una cum spiritale filia nostra regina Domino auxiliante properare debuissetis, ut filium, qui nunc vobis procreatus est, a sacro baptisma in ulnis nostris suscipere debuissemus . . .

[1]) Nicht der schon um 772 geborene Karl, wie Leibniz I, 62 für möglich hält; vgl. unten Excurs VI und Bd. II. z. J. 811.

[2]) Leibniz l. c.; Bouquet V, 549; Eckhart I, 641 setzen den betreffenden Brief des Papstes und demnach auch die Geburt Karlmann's (nach Leibniz Karl's, vgl. auch Mabillon, Ann. Ben. II, 270) in das Jahr 776. Allein wir gewinnen ziemlich sichere Anhaltspunkte durch die Angaben der Ann. Einh., SS. I, 198, und anderer Quellen, wonach Karlmann (oder, wie er später genannt wurde, Pippin) am 8. Juli 810, und Thegan's, Vita Hlud. c. 5, SS. II, 591, wonach er 33jährig starb (vgl. unten Bd. II. z. J. 810). Das ergibt als seine Geburtszeit die zweite Hälfte des Jahres 777 (nach dem 8. Juli), und daraus folgt auch, daß jener Brief Hadrian's nicht schon dem Jahr 776 angehören kann. Cenni I, 351 setzt denselben 777, Jaffé aber mit Recht erst in den Mai 778 (l. c. S. 197 N. 2, 198 N. 5, 201 N. 2; vgl. Regest. Pont. Roman. ed. 2 a I, 295 Nr. 2423), da die päpstlichen Gesandten, denen das Schreiben mitgegeben wurde, Philippus, Andreas und Theodorus, wie Hadrian in einem bald nachher geschriebenen Briefe erwähnt, im Mai abgeschickt wurden (s. Cod. Carolin. Nr. 62, Jaffé IV, 201—202: In quibus et ante aliquantos dies istius Maii mensis, quod vestros suscepissemus apices, direximus apud vestram . . . excellentiam Andream etc. u. unten). Wenn Pippin, wie wir nach dem Stande der Ueberlieferung annehmen müssen, erst nach dem 8. Juli 777 geboren wurde, kann es sich hier nur um den Mai 778 handeln.

[3]) Jaffé IV, 199: secundum placitum, quod inter nos extiterat — ut, secundum quomodo inter nos constitit, pro ipso sancto baptisma nostrum adimplere iubeas desiderium de eundem eximium vestrum filium.

[4]) Jaffé l. c.: Et dum adpropinquasset ipsum diem sanctum pascae et nullum mandatum de adventum vestrum suscaepissemus aut de missis vestris secundum placitum . . . valde tristes effecti sumus.

[5]) Die Zeit ergibt sich aus dem folgenden Briefe, Nr. 62, Jaffé IV, 201; vgl. o. N. 2.

[6]) Jaffé IV, 200; vgl. S. 201—203. Ueber Theodorus, welchen der Papst hier erst ducem nostrum, dann wiederholt eminentissimum nostrum nepotem nennt, vgl. ebd. S. 213. 228 (Theodorum eminentissimum consulem et ducem

ben[1]), worin er ihn zunächst ersuchte sein Versprechen hinsichtlich
der Taufe seines Sohnes doch noch zu erfüllen, dann aber unver=
hohlen wieder mit seinen Ansprüchen hervortrat. Er erinnert ihn
an die Freigebigkeit Constantin's des Großen gegen die Kirche, der
dieselbe erhöht und ihr Gewalt in Hesperien (Italien) geschenkt
habe[2]), und drückt die Hoffnung aus, daß Karl selbst durch Er=
füllung seiner Verheißung den Völkern Gelegenheit geben werde
ihn als einen neuen Constantin zu preisen. Dann kommt er auf
die Restitution der Patrimonien, welche der Kirche in verschiedenen
Theilen Italiens geschenkt[3]), aber im Laufe der Jahre durch das
Volk der Langobarden entrissen seien.

So legte Hadrian dem Könige in bündiger Form seine For=
derungen vor. Sie nahmen sich viel bescheidener aus als die
früheren aus der Zeit, wo er nach dem Besitz des Herzogthums
Spoleto u. s. w. getrachtet hatte[4]). Es waren nur die in ver=
schiedenen Theilen Italiens zerstreuten Patrimonien der Kirche,
deren Rückgabe er aber auch nur für den Fall erhoffen durfte, daß
er seine Rechtstitel darauf nachzuweisen vermochte.

---

nostrumque nepotem); über Philippus (früher Presbyter) ebd. S. 127. 172. 198;
Oelsner, König Pippin S. 142; über den Bischof Andreas von Präneste (Palestrina)
o. S. 237 f.
[1]) Mit dem Briefe Cod. Carolin. Nr. 61, Jaffé IV, 197 ff., der nach
Hadrian's eigner Angabe (ebd. Nr. 62, S. 201; vgl. oben S. 318 N. 2) im Mai
überbracht ist.
[2]) Jaffé IV, 199: Et sicut temporibus beati Silvestri Romani pontificis a sanctae recordationis piissimo Constantino magno imperatore per
eius largitatem sancta Dei catholica et apostolica Romana ecclesia elevata
atque exaltata est et potestatem in his Hesperiae partibus largiri dignatus
. . . Cenni I, 304 f. bewahrt den Papst dagegen, daß er hiebei an die Constan-
tinische Schenkung gedacht habe. Der gleichen Ansicht sind auch Gieseler, Kirchen=
geschichte II, 1 (3. Aufl.) S. 35 § 5 n. p; Baxmann, Die Politik der Päpste I, 284
N. 1; Hergenröther, Katholische Kirche und christlicher Staat I, 361, dem sich
Martens, Die römische Frage S. 360 f. anschließt; A. Dove, De Sardinia insula etc.
(Diss. Berlin 1886) S. 42 f.; Sickel, Das Privilegium Otto I. für die römische Kirche
S. 50 f. und besonders Grauert im Hist. Jahrb. d. Görres=Gesellschaft IV (1883),
S. 539 ff. 675 ff.; Weiland, Zeitschr. f. Kirchenrecht XXII, 145—146. — Dagegen
glauben Andere diese Stelle auf jene Erdichtung beziehen zu dürfen, welche demnach
damals bereits existirt haben müßte; vgl. Muratori, Annali a. 776; Gregorovius II,
399 N. 2; Döllinger, Die Papstfabeln des Mittelalters S. 67; Wattenbach, Gesch.
des Röm. Papstthums S. 41; Oelsner, König Pippin S. 132 N. 1; v. Sybel,
Kl. histor. Schriften III, 104; Langen, Geschichte der römischen Kirche bis Nikolaus I.
S. 727 N. 1
[3]) Vgl. o. S. 317.
[4]) Insofern spricht Martens a. a. O. S. 159 ff. nicht mit Unrecht von einem
„neuen Programm" des Papstes. Was er jedoch von einer Convention sagt, welche
König und Papst vorher mit einander geschlossen hätten, beruht auf willkürlicher
Combination und Phantasie — Mitteln, die für Viele eine unwiderstehliche An=
ziehungskraft besitzen, aber nun einmal nicht geeignet sind die Lücken der Quellen
auszufüllen. Selbst daß Weiland (Zeitschrift für Kirchenrecht XVII, 377 ff.) Mar=
tens beistimmt, kann dies Urtheil nicht ändern. Richtig ist, daß der Eingang des
Schreibens Cod. Carolin. Nr. 61 besonders feierlich ist (Martens S. 165); er klingt
beinahe, als ob dasselbe einer fränkischen Reichsversammlung vorgelegt werden sollte;
ähnlich übrigens Cod. Carol. Nr. 64 (774—780) S. 205.

Wenige Tage nach der Absendung des Philippus, Andreas und Theodorus, ebenfalls im Mai, empfing Hadrian ein Schreiben Karl's, worin dieser ihm anzeigte, daß die (spanischen) Sarazenen in sein Gebiet einzufallen drohten[1]). Hienach wandte er sich also für diesmal nach der pyrenäischen, nicht nach der Apenninen-Halbinsel. In seiner Antwort wünscht Hadrian dem Könige den Sieg über die Sarazenen, wendet sich aber, abgesehen von den Aufträgen seiner Gesandten, die er dem Könige nochmals empfiehlt, mit einer neuen Bitte an denselben. Seine Feinde in Italien regten sich wieder. Anstatt, wie früher, der Erzbischof von Ravenna, machten ihm jetzt vorzugsweise die Gegner in Unteritalien, die Beneventaner im Bunde mit den Griechen, zu schaffen. Die Beneventaner hatten sich mit den Bewohnern von Gaëta und Terracina vereinigt, um einige campanische Städte zum Abfall vom Papste zu veranlassen und wieder der griechischen Herrschaft zu unterwerfen. Man hatte sich hiezu förmlich mit dem Patricius von Sicilien, der seinen Sitz in Gaëta hatte, verschworen[2]). Wiederholte Versuche, die der Papst machte, die Campaner zur Sendung von Abgeordneten an ihn oder den Frankenkönig zu bestimmen, blieben fruchtlos[3]). Hadrian mußte wieder zu den Waffen greifen und schickte sich an, Campanien mit Waffengewalt zu behaupten[4]). Man liest nicht, was zunächst weiter geschah[5]). Hadrian hielt jedenfalls seine eigene Macht doch kaum für ausreichend, um sich seiner Gegner zu erwehren, klagte Karl seine Noth und ersuchte ihn in Benevent auf die Einstellung der Unternehmung hinsichtlich Campaniens zu bringen; er selbst müsse einstweilen jeden Verkehr mit den Beneventanern ablehnen[6]).

---

[1]) Cod. Carol. Nr. 62, Jaffé IV, 201; vgl. o. S. 290 N. 5.

[2]) Jaffé l. c. S. 202: Et hoc agnoscat a Deo protecta precellentia vestra: quia aliquantas civitates nostras Campaniae operantes, emuli vestri atque nostri nefandissimi Beneventani ipsum nostrum populum suadent atque subtrahere a nostra dicione decertant una cum habitatores castri Caietani seu Terracinensium; obligantes se validis sacramentis cum ipso patritii Siciliae, qui in predicto castro Caietano residet. Et decertant a potestate et dicione beati Petri et nostra eosdem Campaninos esurpare et patricio Siciliae subiugare. F. Hirsch, Forschungen zur deutschen Geschichte XIII, 45, vermuthet, der Patricius von Sicilien sei aus dieser Veranlassung nach Gaëta gekommen; übrigens gehörte dies jedoch zum Thema Sicilien (Hegel, Gesch. der Städteverfassung von Italien I, 225 N. 1).

[3]) Vgl. Jaffé l. c. S. 202—203; Forsch. I, 496—497.

[4]) Jaffé IV, 203: disposuimus cum Dei virtute atque auxilio una cum vestra potentia generalem nostrum exercitum illuc dirigere. Unter der vestra potentia versteht Gregorovius II, 413 fränkische Hilfstruppen.

[5]) Daß der Papst Terracina unterwarf, wie Papencordt S. 100; Gregorovius II, 413; Strauß S. 14; Harnack S. 13 N. 3 angeben, steht Cod. Carol. N. 66 S. 208, jedoch ist der Zeitpunkt nicht näher zu bestimmen. Vgl. unten z. J. 780.

[6]) Jaffé IV, 203.

Die Zeit einiger anderer Briefe, welche Papst Hadrian an
Karl richtete, läßt sich nicht genauer bestimmen, wenn sie auch im
allgemeinen in diesen Zeitraum fallen [1]); auch beziehen sie sich auf
Verhältnisse von untergeordneterer Bedeutung [2]). Karl hat wahr-
genommen, daß sich eine große Anzahl Italiener in der Sklaverei
bei den Sarazenen befinde [3]). Schon zur Zeit der langobardischen
Herrschaft hatten die Venetianer einen lebhaften Sklavenhandel mit
den Sarazenen unterhalten [4]), was Karl nicht ganz unbekannt gewesen sein kann; allein er scheint auch die Römer im Verdacht gehabt zu haben dies Geschäft zu betreiben und machte dem Papste
in einem Schreiben Vorstellungen darüber [5]). Hadrian verwahrte
sich jedoch mit Entschiedenheit gegen diesen Vorwurf und gab Karl
genauere Auskunft über den Sachverhalt. Die Griechen seien von
jeher an den langobardischen Küsten gelandet, hätten freundschaftlichen Verkehr mit den Langobarden angeknüpft und bei ihnen
Sklaven gekauft. Er habe dem Herzog Allo den Befehl gegeben,
er solle mehrere Schiffe ausrüsten, die Griechen ergreifen und ihre
Schiffe in Brand stecken. Aber Allo habe ihm den Gehorsam verweigert, und er, der Papst, habe nicht die Mittel dem Unwesen
zu steuern. Was in seinen Kräften gestanden, habe er gethan; die
griechischen Schiffe im Hafen von Centumcellä (Civita-vecchia)
habe er verbrennen lassen und die Bemannung derselben selbst
längere Zeit gefangen gehalten. Die Hauptsache sei, daß die
Langobarden, vom Hunger getrieben, viele Sklaven verkauften; ja,
die Hungersnoth in jenen Gegenden sei so groß, daß viele Langobarden aus eigenem Antriebe auf die griechischen Schiffe gingen,
nur um ihr Leben zu fristen. Karl hat wenigstens später Anordnungen getroffen um dem Uebel zu steuern.

Noch in einer anderen Sache hat Hadrian dem Könige gegenüber sich zu verantworten. Es ist Karl zu Ohren gekommen, daß ein

---

[1]) Cod. Carolin. Nr. 63. 64. 65, Jaffé IV, 203 ff., welcher die beiden ersteren
Schreiben in die Zeit von 774—780, das letzte 776—780 setzt. Martens, Die
römische Frage S. 159, meint zwar, daß diese Briefe entweder 774—776 oder 778
bis 780 geschrieben seien; aber sein Argument dafür ist nur seine „feste Ueberzeugung",
daß die Correspondenz Karl's und Hadrian's zwischen dem März 776 und dem
Mai 778 gänzlich geruht haben müsse. Diese subjektive Ueberzeugung kommt für
uns um so weniger in Betracht, da sie sich auf unbegründete Combinationen stützt.
Der Brief Nr. 65 muß, wie Jaffé S. 207 N. 1 mit Recht bemerkt, nach dem im
Jahr 776 erfolgten Tode des Hrodgaud von Friaul verfaßt sein. Vgl. auch Reg. Pont.
Roman. ed. 2a Nr. 2425—2427.
[2]) Der Brief Nr. 63 S. 203 f. enthält sogar nur allgemeine Redensarten.
[3]) Jaffé IV, 205, Cod. Carol. Nr. 64. Die vom Papst erwähnte Hungersnoth bei den Langobarden (S. 206: dum famis inopia eos constringebat) braucht
keineswegs mit der 779 aus dem fränkischen Reiche gemeldeten (vgl. unten) für gleichzeitig gehalten zu werden, wie Forschungen I, 496 N. 1 geschieht; der Inhalt des
Briefes möchte vielleicht eher nach dem Jahre 774 zu hinweisen, vgl. unten N. 4;
o. S. 255.
[4]) Vgl. Leo, Geschichte von Italien I, 223 f.; Gregorovius II, 303 f. 409 f.
[5]) Hadrian erwähnt ausdrücklich den Brief Karl's, bei Jaffé IV, 205.

Theil der römischen Geistlichkeit durch seinen Lebenswandel Anstoß errege, und Karl stellt den Papst darüber zur Rede[1]). Hadrian weist jedoch die Anschuldigung mit Entschiedenheit zurück und ergreift die Gelegenheit auch diesmal, wie sonst so oft, den König vor den bösen Zungen zu warnen, die Zwietracht zwischen König und Papst zu säen suchten[2]).

Ein Vorfall in Istrien zeigt, wie wenig der Papst ohne Karl vermochte. Ein Bischof Mauricius in Istrien, vielleicht von Aemonia (Città nuova)[3]), hatte im Auftrage Karl's die Einkünfte aus den Patrimonien der römischen Kirche in Istrien für den Papst erhoben[4]); aber die Istrier und die dort wohnenden Griechen legten Hand an ihn und blendeten ihn, unter dem Vorgeben, er wolle Istrien dem fränkischen Könige in die Hände liefern[5]). Hadrian selbst war außer Stande etwas für den Bischof zu thun, er nahm auch hier die Unterstützung Karl's für denselben in Anspruch, verwies ihn an den fränkischen Herzog in Friaul[6]) und ersuchte Karl, diesem den Auftrag zugehen zu lassen, den Mauricius wieder in sein Bisthum einzusetzen. Die Stellung Istriens ist hierbei nicht recht klar. Fränkisch, sieht man, war es damals noch nicht, und doch ist auch nicht zu sehen, wie Karl dem Bischof in Betreff Istriens Befehle geben, wie er seinen Herzog von Friaul beauftragen kann den Bischof wieder einzusetzen, wenn Istrien unter den Griechen stand. Dem Namen nach muß aber letzteres noch der Fall gewesen sein; thatsächlich bereitete sich schon der Uebergang unter die fränkische Herrschaft vor.

---

[1]) Jaffé IV, 206.

[2]) Jaffé l. c.: Nunc vero quaerunt emuli nostri, qui semper zizania seminaverunt, aliquam illis — Deo contrario — inter partes malitiam seminare.

[3]) Daß es der Bischof von Aemonia war, vermuthet Ughelli, Italia sacra, ed. Coleti V, 229. Uebrigens liegt Aemonia allerdings auf der istrischen Halbinsel, nicht nahe bei Venedig; vgl. M. Strauß, Beziehungen Karl's zum griech. Reiche S. 12 N. 2.

[4]) Jaffé IV, 207, Cod. Carol. Nr. 65. Das Datum des Briefes läßt sich, wie gesagt, nicht genauer bestimmen als auf den Zeitraum von 776—780; Cenni (I, 372) setzt ihn in das Jahr 778.

[5]) Proponentes ei, ut quasi ipsum territorium Histriense vestrae sublimi excellentiae tradere debuisset, schreibt Hadrian an Karl Das kann nicht heißen: „mit dem Ansinnen, er hätte Istrien dem König übergeben sollen", sondern nur, wie auch Muratori, Annali a. 779 und St. Marc, Abrégé S. 394 es fassen, „sie warfen ihm vor, er wolle Istrien Karl übergeben". Aber selbst wenn die erste Erklärung (was jedoch nicht denkbar ist) die richtige wäre, würde dadurch in der Hauptsache nichts geändert, sondern gleichfalls aus dieser Stelle hervorgehen, daß Istrien noch nicht unter fränkischer Herrschaft stand. Cenni I, 373 will das mit Unrecht bestreiten; vgl. auch unten Bd. II. z. J. 805 sowie Harnack, Das karoling. und das byzantin. Reich S. 12.

[6]) Es ist der oben erwähnte Herzog Marcarius von Friaul, dessen Einschreiten Hadrian wünscht; vgl. o. S. 254 N. 2.

779.

Karl bringt den Winter in Heristal zu, wie die Annalen aus=
drücklich bezeugen[1]). Urkundlich ist sein Aufenthalt in dieser Pfalz
erst am 13. März wieder nachzuweisen, da er diesem Kloster Hers=
feld eine Kirche zu Lupniß und verschiedene Zehnten schenkt[2]).
Am 27. März bestätigt er ebenfalls in Heristal auf Bitten des
Abtes Hrotbert von St. Germain des Prés diesem Kloster die schon
von Pippin ihm verliehene Zollfreiheit im ganzen Reiche[3]), und so
ist wohl auch das Capitular, welches vom März 779 datirt ist,
in Heristal erlassen[4]).

Während der kriegerisch bewegten Jahre seit 772 hatte die
Gesetzgebung, soviel zu sehen, geruht; erst 779 faub Karl Zeit, auch
auf diesem Gebiete eine größere Thätigkeit zu entfalten; die Frucht

---

[1]) Annales Einhardi, SS. I, 161; auch Ann. Laur. mai. 778, SS. I, 158
berichten, daß er Weihnachten 778 sowie Ostern (11. April) 779 in Heristal feierte;
vgl. o. S. 316 N. 3. Ein Aufenthalt Karl's in Compiegne zwischen Weihnachten
und Ostern ist nicht nachzuweisen, wie er denn nach der ausdrücklichen Angabe der Ann.
Einh. erst nach Ostern nach Compiegne reiste (vgl. unten S. 332 N. 6). Das Ori=
ginal der Urkunde bei Mahul, Cartulaires et archives des communes de l'ancien
diocèse et de l'arrondissement administratif de Carcassonne II, 208, worin
Karl dem Abte Nimfrid vom Marienkloster zu Novalias (Lagrasse) am Flusse Orobio
(Orbieu) im Gebiet von Narbonne seinen Besitz bestätigt, ist im unteren Theile zerstört;
die Datirung: Facta XIV. kal. febr. anno XI. ind. I. regn. C., actum Compendio regio palatio (vgl. Mabillon, Annales II, 244 mit XV. k. f; Böhmer
S. 12 Nr. 95) beruht nur auf unrichtiger Ergänzung in sehr späten Abschriften,
Sickel II, 63 (Nr. 165). 279 ff.; Mühlbacher Nr. 348. Die betreffende Urkunde
scheint im Juni 800, und zwar nicht in Compiegne, ausgestellt worden zu sein. Die
bestrittene Identität jenes Abts von Lagrasse mit dem gleichnamigen Erzbischof von
Narbonne möchten wir aber festhalten (vgl. Sickel II, 281. I, 287 N. 4; Dümmler
bei Jaffé VI, 831 N. 4 u. unten z. J. 782).
[2]) Mühlbacher Nr. 211; Wenck III 2, 12 Nr. 9, vgl. Hahn, Bonifaz und
Lul S. 282 N. 1.
[3]) Mühlbacher Nr. 212; Tardif S. 63 Nr. 81. In der Schenkung des
Grafen Cunibert an Fulda, vom 10. März, Dronke, Codex S. 39 Nr. 62, ist der
Zusatz, wonach Karl bei der Schenkung anwesend war und sie bestätigte, jünger und
als unecht zu betrachten, ebd. S. 39 N. 2. Karl hat nichts damit zu thun.
[4]) Unrichtig verlegen Dippoldt S. 65 u. a. den Erlaß dieses Capitulars auf
das Maifeld in Düren, vgl. die beiden folgenden Noten.

21*

derselben ist das Capitular vom März dieses Jahres, welches von
den verschiedenartigsten Gegenständen handelt. Es ging hervor
aus den Berathungen einer Versammlung von „Bischöfen, Aebten
und erlauchten Grafen", die Karl zu sich berufen hatte[1]); aber
schon die frühe Zeit, im März, dann die ausdrückliche Nachricht,
daß die große Reichsversammlung dieses Jahr in Düren stattfand[2]),
verbietet jene Versammlung mit der letzteren zu verwechseln; es
kann doch nur ein engerer Kreis, keine förmliche Reichsversammlung gewesen sein, mit der Karl jene Gesetze vereinbarte, wie es
ja auch später nicht selten vorkam, daß solche Capitularien ohne
Mitwirkung der großen Reichsversammlung erlassen wurden[3]).

Die Beschlüsse betrafen kirchliche und weltliche Angelegenheiten,
bestätigten und erneuerten alte Anordnungen[4]) und fügten neue hinzu.
Die ersten Bestimmungen gehen auf kirchliche Verhältnisse und be-
zwecken die Herstellung einer festeren hierarchischen Ordnung. Den
Suffraganbischöfen wird Gehorsam eingeschärft gegen die Metro-
politanbischöfe, deren Einsetzung übrigens schon unter Pippin auf
der Synode von Verneuil ausgesprochen war[5]). Wo augenblicklich
keine Bischöfe geweiht sind, sollen unverzüglich solche eingesetzt
werden[6]). Die regulären Klöster sollen nach der Regel leben,
Frauenklöster die heilige Ordnung beobachten und jede Aebtissin
ununterbrochen im Kloster wohnen[7]). Die Bischöfe sollen über
Priester und Kleriker in ihrem Sprengel ihre Gewalt nach den
Canones ausüben, sollen einschreiten gegen unsittlichen Lebenswandel in ihrer Diözese und sich hüten aus der Diözese eines
anderen einen Kleriker aufzunehmen oder zu weihen[8]). Alles Bestimmungen, die in ähnlicher Weise schon früher getroffen sind,
aber bis jetzt noch nicht gehörig zur Durchführung gekommen
waren. Dagegen wenigstens theilweise neu ist, was über die Entrichtung des Zehnten bestimmt wird. Schon Pippin hatte auf die
sorgfältige Entrichtung dieser von der Kirche längst in Anspruch

---

[1]) Capp. I, 47: Anno feliciter undecimo regni domni nostri Karoli
gloriosissimi regis in mense Martio factum capitulare, qualiter congregatis
in unum sinodali concilio episcopis, abbatibus virisque inlustribus comitibus, una cum piissimo domno nostro secundum dei voluntatem pro causis
oportunis consenserunt decretum.

[2]) Ann. Laur. mai. SS. I, 160; Ann. Einh. SS. I, 161; Ann. Guelferb.,
Nazar., Alam. SS. I, 40 (ed. Heuking S. 236[b]).

[3]) Ueber solche kleinere Versammlungen außer der Zeit, die namentlich unter
Ludwig d. Fr. nicht selten sind, vgl. Waitz III, 2. Aufl. S. 573 ff.

[4]) c. 12 bestimmt ausdrücklich: Capitula vero, quae bonae memoriae genitor noster in sua placita constituit et synodus, conservare volumus.

[5]) c. 1, Capp. I, 47: De metropolitanis, ut suffraganii episcopi eis secundum canones subiecti sint et ea quae erga ministerium illorum emen-
danda cognoscunt, libenti animo emendent atque corrigant. Vgl. die Bestimmungen der Synode von Verneuil c. 2. 3, Capp. I, 33.

[6]) c. 2: Ubi praesens episcopi ordinati non sunt, sine tarditate ordinentur.

[7]) c. 3; vgl. Concil. Vernense 755 c. 6, S. 34.

[8]) c. 4. 5. 6; vgl. die Bestimmungen in Karl's erstem Capitular, oben
S. 69—70.

genommenen Abgabe gedrungen [1]), und Karl wiederholt diesen Befehl [2]); aber neu ist, daß er den Zehnten verdoppelt, den kirchlichen Bene= ficien die Abgabe eines „Zehnten und Neunten" auflegt, wobei zu dem ursprünglichen allgemeinen kirchlichen Zehnten der besondere Zins, welcher auf dem Beneficium lastete, in der Höhe eines zweiten Zehntels des Ertrages hinzukam [3]). Und neben diesem ver= doppelten Zehnten hatten die zu Beneficium verliehenen Kirchen= güter regelmäßig noch eine weitere Abgabe zu entrichten, die theil= weise schon früher bestanden, theilweise aber auch erst neu auferlegt wurde; im ersten Fall bestand sie in ihrem ursprünglichen Betrage fort; dagegen, wo sie früher nicht bestanden, sollte sie neben dem „Zehnten und Neunten" nur in beträchtlich herabgesetztem Betrage entrichtet werden [4]). Es waren entschiedene Begünstigungen der

---

[1]) Vgl. Waitz IV, 2. Aufl. S. 120 ff.; Oelsner, König Pippin S. 298 N. 6 und über die Bedeutung des Zehnten als einer der Kirche als solcher von jedem Christen zukommenden Steuer, welche ihr garnicht erst vom Staate gewährt zu werden braucht, namentlich Rettberg II, 711 ff.

[2]) c. 7. De decimis, ut unusquisque suam decimam donet, atque per iussionem pontificis dispensentur.

[3]) c. 13: De rebus vero ecclesiarum, unde nunc census exeunt, de= cima et nona cum ipso censu sit soluta; et unde antea non exierunt, si= militer nona et decima detur; atque de casatis 50 solidum unum, et de casatis 30 dimidium solidum, et de 20 trimisse uno. Rettberg II, 714 hebt hervor, daß die Zahlung der decima et nona ganz getrennt von der Bestimmung über den allgemeinen Zehnten, c. 7, verordnet wird, ein Beweis für die Verschiedenheit der alten Abgabe von der neuen, welche letztere vom Besitze des Kirchengutes abhängt. Ob ins Jahr 779 oder doch schon unter Pippin die erste Einführung der decima et nona fällt, hängt davon ab, ob eine undatirte Urkunde Ludwig's d. Fr., worin Ludwig die Einführung schon seinem Großvater Pippin zuschreibt, echt ist. Man kennt diese Urkunde nur aus Flodoard, Historia eccles. Rem. II, c. 19, SS. XIII, 469 f., wozu zu vergleichen Cod. Udalrici, Jaffé V, 6 und die Bestätigung Karl's des Kahlen, Böhmer Nr. 1621 (Flodoard. l. c. III, 4, S. 478). Die Echtheit be= streitet Waitz III, 2. Aufl. S. 38 N. 2; IV, 2. Aufl. S. 157 N. 1, während sie Roth, Geschichte des Beneficialwesens S. 364 N. 183; Feudalität und Unterthan= verband S. 93 N. 10; 126 N. 27 festhält. Vgl. ferner Sickel II, 150 (Nr. 222). 329—331; Mühlbacher Nr. 777; auch Simson, Jahrbb. Ludw. d. Fr. I, 72 N. 1; II, 261 N. 3. Mühlbacher gelangt zu dem Ergebniß, daß die Urkunde auf echter Grundlage beruht, aber wahrscheinlich von Hinkmar umgearbeitet und neben anderen auffälligen Stellen insbesondere auch diejenige über die Zehnten und Neunten inter= polirt ist. Auch andere Nachrichten über eine derartige Verordnung Pippin's sind ge= fälscht, vgl. Mühlbacher in Mitth. des Instituts für österreichische Geschichtsforsch. I, 609. Die Einführung des Neunten neben dem Zehnten ist also erst Karl zuzuschreiben, woran auch die von Waitz IV, 2. Aufl. S. 193 N. 4. 5; 194 N. 1. 2 beige= brachten Stellen keinen Zweifel lassen.

[4]) Vgl. die Stelle in der vor. Note und über den Maßstab bei der Herab= setzung Roth, Feudalität und Unterthanverband S. 125 f. Die Verordnung kann übrigens verschieden verstanden werden. Es fragt sich, ob die Bestimmung über die Höhe des Zinses, die Worte atque de casatis etc. auf den schon früher bezahlten census sich beziehen, der dadurch geregelt, herabgesetzt werden sollte; oder ob nicht vielmehr nur auf den zweiten Fall, wo früher kein census entrichtet ist. . Für das letztere ent= scheidet sich Roth, Feudalität und Unterthanverband S. 126, und jetzt auch Waitz IV. 2. Aufl. S. 193 N. 3. Diese Ansicht verdient in der That den Vorzug. Die erste Bestimmung von c. 13 sagt ausdrücklich, daß der census, wo er bestand, fortgezahlt werden sollte, nichts von einer Verminderung, und so verstehen es auch die Verfasser

Kirche, welchen Karl noch weitere hinzufügte. Es war nicht
möglich, den durch die Einziehung zahlreicher Kirchengüter unter
Karl Martell und Pippin der Kirche zugefügten Schaden durch
einfache Rückgabe der eingezogenen Güter wieder gut zu machen;
selbst wenn Karl gewollt, wären die Besitzverhältnisse viel zu ver=
wickelt gewesen, um so ohne weiteres eine Rückgabe vorzunehmen.
Dafür schritt er dazu, die Kirche auf anderem Wege wenigstens
einigermaßen zu entschädigen. Unter diesen Gesichtspunkt fällt
wohl schon die Verdoppelung des Zehnten, obgleich ein bestimmter
Hinweis darauf sich nicht findet; jedenfalls hat diesen Zweck die
Bestimmung über die Precarien, welche sich unmittelbar an die
Verordnung über den Neunten und Zehnten und über den Zins
aus Kirchengut anschließt. Während die Kirche ihre Besitzungen
selber nicht zurückerhielt[1]), vielmehr noch immer neue Vergabungen
von Kirchengut durch die Krone stattfanden, wurde wenigstens
darauf gehalten, daß in den betreffenden Urkunden die Kirche als
die ursprüngliche Eigenthümerin bezeichnet ward[2]), theilweise nur
um der Form willen, dann aber auch um dadurch das Eigenthums=
recht der Kirchen zu wahren und ihnen die Geltendmachung dieses
Eigenthumsrechtes eintretenden Falles zu erleichtern. Es konnte
nicht fehlen, daß manche Inhaber von Kirchengut den Ursprung
ihres Besitzes zu verwischen, das Eigenthumsrecht der Kirche ver=
gessen zu machen suchten, und zwar geschah dies dadurch, daß sie
es unterließen für das in ihrem Besitze befindliche Kirchengut sich
Precarienbriefe ausstellen oder zu gehöriger Zeit erneuern zu lassen,
während diese eben gerade für die Kirchen ein Beweismittel ihres
Eigenthumsrechtes waren[3]). Diesem Mißbrauch zu steuern, ver=
ordnete Karl, daß die Precarien, wo sie früher ausgestellt worden,
erneuert werden, wo aber ihre Ausstellung früher versäumt sei,
nachträglich solche ausgestellt werden sollten[4]). Dabei wird aus=
drücklich ein Unterschied gemacht zwischen den vom Könige oder
doch auf seinen Befehl verliehenen Precarien und den von der
Kirche, den Bischöfen oder Aebten freiwillig verliehenen[5]). Die

---

der von Boretius als forma langobardica bezeichneten Recension des Gesetzes, indem
sie der Bestimmung die Fassung geben, c. 14 S. 50: qui usque nunc alium
censum dedit, inantea sicut prius fecit ita faciat; dagegen wer bisher noch
keinen census bezahlt hat, soll künftig einen bezahlen. Ueber diese zweite Recension
des Gesetzes vgl. unten S. 330 ff.

[1]) Darüber vgl. Waitz, IV, 2. Aufl. S. 187 f.; Roth, Feudalität S. 115 f.
und die Stelle unten S. 327 N. 1.

[2]) Vgl. Waitz IV, 2. Aufl. S. 189, namentlich die Stelle in N. 2.

[3]) Dies ist besonders hervorgehoben von Roth, Feudalität S. 123.

[4]) c. 13 fährt fort: Et de precariis, ubi modo sunt, renoventur, et ubi
non sunt, scribantur. Schon Pippin hatte in seinem letzten Capitular, dem s. g.
Capitulare Aquitanicum v. J. 768, Capp. I, 43 (c. 11), eine ähnliche Verord=
nung erlassen; vgl. auch Karlmann's Capitulare Liptinense (c. 743) c. 2 S. 28.

[5]) c. 13 schließt: Et sit discretio inter precarias de verbo nostro factas
et inter eas quae spontanea voluntate de ipsis rebus ecclesiarum faciunt,
was die zweite Fassung, c. 14, etwas ausführlicher so ausdrückt: Et sit discretio
inter precarias de verbo dominico factas et inter eas quas episcopi et ab-

ersteren bleiben, wie es heißt, in der Hand ihrer Lehnsbesitzer, bis der König ausdrücklich ihre Rückgabe verfügt[1]); dagegen soll es bei den letzteren den Kirchen, welche sie verliehen haben, freistehen, nach Ablauf der vertragsmäßig festgesetzten Dauer sie wieder einzuziehen[2]). Das Recht über den Heimfall zu verfügen liegt demnach in beiden Fällen in den Händen des Verleihers.

Die wichtigsten Verhältnisse werden durch diese Bestimmungen geregelt. Enthalten auch die über den hierarchischen Verband nichts ganz neues, so sind dagegen die Anordnungen in Betreff des Neunten und Zehnten nebst dem Zinse vom Kirchengut und in Betreff der Precarien die ersten uns erhaltenen gesetzlichen Bestimmungen Karl's, welche ein Licht werfen auf seine Stellung in Sachen des Kirchenguts. Er kann so wenig wie sein Vater und Großvater das Kirchengut für seine Zwecke entbehren, verfügt thatsächlich ebenso frei darüber wie über Fiscalgut; aber wenigstens soweit thunlich wird das ursprüngliche Recht der Kirche auf diese Güter geachtet, Sorge dafür getragen, daß die Inhaber desselben sich ihren Verpflichtungen gegen die Kirche nicht entziehen, ja durch die Verdoppelung des Zehnten der Kirche eine neue beträchtliche Einnahme zugewandt; endlich weiteren Beeinträchtigungen der Kirche dadurch vorgebeugt, daß die von ihr selbst gemachten Vergabungen scharf geschieden werden von den durch den König verfügten und in Betreff der ersteren der Kirche ganz freie Hand gelassen wird.

Außer diesen Bestimmungen über die Angelegenheiten der Kirche werden in dem Capitular noch über viele andere Verhältnisse Anordnungen getroffen. Darunter beziehen sich verschiedene auf die Handhabung der Rechtspflege, namentlich auf die Bestrafung schwerer Verbrecher, der Mörder, Räuber, Diebe und Meineidigen. Für Mörder oder andere nach den Gesetzen dem Tode verfallene Verbrecher sollen auch die Kirchen kein Asyl mehr sein[3]). Räuber sollen auch aus Gebieten, für welche die Immunität verliehen ist, ausgeliefert und vor die Grafengerichte gestellt werden; wird dies versäumt, so wird Verlust des Amtes und des Beneficiums angedroht oder, wenn einer kein Beneficium hat,

---

bates et abbatisse eorum arbitrio vel dispositione faciunt, ut liceat eis, quandoquidem eis placuerit, res quas beneficiaverint ad partes ipsius aecclesiae recipere, facientes, ut unusquisque homo ad causa Dei in honore Deo fideliter et firmiter deserviat.

[1]) Das fügt wenigstens zur Erläuterung des Gesetzes die zweite Fassung, c. 14, hinzu: De rebus vero aecclesiarum, que usque nunc per verbo domni regis homines seculares in beneficium habuerunt, ut inantea sic habeant, nisi per verbo domni regis ad ipsas ecclesias fuerint revocatas. Ueber die darin liegende Verschlimmerung der Stellung der Kirche im Vergleich mit der Bestimmung des Capitulare Liptinense über diesen Punkt vgl. Roth, Feudalität S. 124.

[2]) Vgl. die Stelle oben S. 326 N. 5 aus c. 13 mit der Erläuterung der Glossatoren, welche sogar so klingt, als hätte es der Kirche freigestanden jeden Augenblick die Precarien einzuziehen — was man aber auf keinen Fall annehmen darf.

[3]) c. 8: Ut homicidas aut caeteros reos qui legibus mori debent, si ad ecclesiam confugerint, non excusentur, neque eis ibidem victus detur; vgl. Waitz IV, 2. Aufl. S. 504 N. 3; 507.

Zahlung des Banns[1]). Und zwar soll ein Räuber bei der ersten
Bestrafung ein Auge verlieren, bei der zweiten soll ihm die Nase
abgeschnitten werden, bei der dritten soll er des Todes schuldig
sein[2]). Sehr häufig scheint das Verbrechen des Meineides gewesen
zu sein[3]), was u. a. auch Folge der Zulassung des Reinigungseides
beim gerichtlichen Verfahren war. Meineid soll bestraft werden
mit dem Verluste der Hand, und die Kreuzesprobe soll entscheiden,
ob einer des Meineides schuldig ist; erweist er seine Unschuld, so
soll der Ankläger die gesetzliche Buße entrichten[4]). Weitere Be=
stimmungen richten sich gegen Vereinigungen von Unterthanen unter
einander, welche als eine Gefahr für die staatliche Ordnung, als
eine Beeinträchtigung der Rechte des Königs aufgefaßt werden,
gegen die Gilden, wie sie genannt sind[5]). Solche Gilden, deren
Name bei dieser Gelegenheit zum ersten Male begegnet, Einigungen,
deren Mitglieder sich unter einander eidlich verpflichtet haben,
werden strenge verboten. Nur zu bestimmt angegebenen Zwecken
sollen sie bestehen dürfen, zur Unterstützung in Armuth, bei Brand
oder Schiffbruch, aber auch hier ohne eidliche Verpflichtung[6]).
Der Wirksamkeit des Staates soll überhaupt in keiner Weise durch
die Einzelnen vorgegriffen werden, wie das durch derartige Ver=
einigungen von Unterthanen zur Erreichung bestimmter Zwecke ge=
schah, mit dem politischen System Karl's aber durchaus unvereinbar
war[7]). Deshalb werden auch die sogenannten trustes verboten,
bewaffnete Schaaren um sich Recht zu verschaffen, überhaupt ge=

---

[1]) c. 9; die Glossatoren in der zweiten Fassung sind ausführlicher, aber nur
um die Verpflichtung zur Auslieferung noch schärfer hervorzuheben; vgl. Waitz IV,
2. Aufl. S. 233 N. 1. 256. 295. 455. 521 N. 2.

[2]) c. 23, in dem von den Glossatoren hergestellten Texte c. 12.

[3]) Vgl. Waitz IV, 2. Aufl. S. 422—423 und über die Anwendung des Eides
bei fast allen Vorgängen des Rechtslebens Wilda, Das Strafrecht der Germanen
S. 979. Die häufige Anwendung der Eide führte dann aber zu den zahlreichen
Meineiden.

[4]) c. 10: De eo qui periurium fecerit, nullam redemptionem, nisi
manum perdat. Quod si accusator contendere voluerit de ipso periurio,
stent ad crucem; et si iurator vicerit, legem suam accusator emendet.
Haec vero de minoribus causis observandum; de maioribus vero rebus
aut de statu ingenuitatis secundum legem custodiant. Nähere Ausführungen
enthält der zweite Text, c. 10. 11.

[5]) Ueber den Ursprung und die früheste Bedeutung der Gilden vgl. Hartwig,
Untersuchungen über die ersten Anfänge des Gildewesens, in den Forsch. zur deutsch.
Gesch. I, 135 ff., wo auch die übrige Litteratur berücksichtigt ist.

[6]) c. 16: De sacramentis per gildonia invicem coniurantibus, ut nemo
facere praesumat. Alio vero modo de illorum elemosinis aut de incendio
aut de naufragio, quamvis convenentias faciant, nemo in hoc iurare prae=
sumat. Vgl. darüber Hartwig in den Forsch. I, 137; Waitz IV, 2. Aufl. S. 434
bis 435, namentlich 435 N. 1. Roth, Beneficialwesen S. 377 redet übertrieben von
Aufständen, die von den Gilden gedroht.

[7]) Mit Recht hebt diesen Gesichtspunkt Hartwig S. 144 f. 161 f. besonders
hervor.

meinschaftliche Zwecke durchzuführen[1]). Und eben solche bewaffnete Schaaren sind auch gemeint bei dem weiteren Verbote, solche welche zum Könige oder irgendwo andershin reisen in Schaaren zu über= fallen[2]).

Der Rechtssicherheit dienen aber auch noch einige andere Be= stimmungen. Um die Blutrache zu unterdrücken wird bestimmt, daß jeder verpflichtet sei das Bußgeld von dem Uebelthäter anzunehmen; verweigern die Angehörigen des Erschlagenen die Annahme, so sollen sie vor den König gebracht werden, der sie an einen Ort schicken wird, wo sie keinen Schaden anrichten können. Ebenso soll aber auch der Uebelthäter selbst, wenn er sich weigert die Buße zu entrichten, an einen Ort geschickt werden, wo er keinen weiteren Schaden mehr stiften kann[3]). Und um nach allen Seiten hin für Rechtssicherheit zu sorgen, wird dem Grafen schwere Strafe ange= droht, wenn er aus persönlichem Haß ein ungerechtes Urtheil fällt[4]). Läßt sich der Graf Versäumniß in der Rechtspflege zu Schulden kommen, so soll der Königsbote so lange auf seinen Besitzungen und auf seine Kosten leben, bis das Recht nach Gebühr gehand= habt ist. Weigert sich aber ein königlicher Vassall Recht zu geben, so sollen der Graf und der Königsbote so lange von dem Seinigen leben[5]).

Fernere Verfügungen verbieten Uebergriffe bei der Erhebung der Zölle[6]), Eingriffe der unter den Waffen stehenden Krieger in fremdes Eigenthum: nur Futter für das Vieh sollen die auf dem Heerzuge befindlichen und außerdem der Königsbote beanspruchen dürfen[7]). Verboten wird auch der Verkauf von Harnischen nach außerhalb des Reiches[8]). Außerdem wird der Verkauf von Un=

---

[1]) c. 14, S. 50: De truste faciendo nemo praesumat; über die Bedeu= tung der trustis vgl. ebd. N. 6; Waitz IV, 2. Aufl. S. 436—437; Roth, Feu= dalität S. 257 f.

[2]) c. 17: De iterantibus, qui ad palatium aut aliubi pergunt, ut eos cum collecta nemo sit ausus adsalire. Die collecta ist etwas ähnliches wie die gildonia, nur ein unbestimmterer Begriff, vgl. Hartwig S. 138; Waitz IV, 2. Aufl. S. 437 N. 2.

[3]) c. 22: der Hauptzweck der Bestimmung war die Ausschließung der Selbst= hülfe, vgl. Waitz IV, 2. Aufl. S. 508 f.

[4]) c. 11: Et si (comes) per odium aut malo ingenio, nisi per iustitiam faciendam, hominem diffecerit, honorem suum perdat, et legibus contra quem iniuste fecit, secundum penam quam intulit, emendetur.

[5]) c. 21: Si comis in suo ministerio iustitias non fecerit, misso nostro de sua casa soniare (= soigner) faciat usque dum iustitiae ibidem factae fuerint, et si vassus noster iustitiam non fecerit, tunc et comis et missus ad ipsius casa sedeant et de suo vivant quousque iustitiam faciat. Vgl. Waitz IV, 2. Aufl. S. 420.

[6]) c. 18, S. 51: De toloneis qui iam antea forbanniti fuerunt, nemo tollat nisi ubi antiquo tempore fuerunt, vgl. ebd. N. 7; Waitz IV, 2. Aufl. S. 55.

[7]) c. 17: Et nemo alterius erbam defensionis tempore tollere prae= sumat, nisi in hoste pergendum aut missus noster sit; et qui aliter facere praesumit, emendet. Vgl. Waitz IV, 2. Aufl. S. 539 f.

[8]) c. 20. De brunias, ut nullus foris nostro regno vendere praesumat. Vgl. Waitz IV, 2. Aufl. S. 50 f. u. unten Bd. II, z. J. 805.

freien Beschränkungen unterworfen. Er soll nur stattfinden können
in Gegenwart des Bischofs und Grafen, oder des Archidiaconus
und Centenars, oder des Viccdominus und eines Unterbeamten des
Grafen, oder vor anderen gut beleumundeten Zeugen. Ueber die
Grenzen soll kein Unfreier verkauft werden dürfen, bei Strafe der
Zahlung des Bannes für jeden einzelnen verkauften, und sollte
einer unfähig sein den Bann zu bezahlen, so muß er sich selber
dem Grafen als Pfand für den Unfreien stellen, bis er den Bann
bezahlt hat[1]). Endlich wird in Betreff der Freigelassenen, welche
unter dem Schutze der Kirche stehen und ihr zu einer Abgabe von
Wachs oder zu anderen Abgaben verpflichtet sind, auf die geltenden
Vorschriften verwiesen[2]).

Dieses in Heristal erlassene Gesetz war giltig für den ganzen
Umfang des Reiches. Das Vorhandensein von zwei verschiedenen
Fassungen desselben kann nicht das Gegentheil beweisen. Die Annahme, daß in der einen Fassung eine besondere für das langobardische Königreich erlassene Ausfertigung des Gesetzes zu erblicken
sei, ist nicht stichhaltig[3]). Wahr ist, daß Italien neben den übrigen
Theilen des Reiches eine gewisse Sonderstellung einnahm, daß
einzelne Gesetze ausschließlich für Italien erlassen wurden, und
dann wohl auch auf Versammlungen in Italien selbst[4]). Aber so
weit ging die Selbständigkeit Italiens nicht, daß Gesetze, welche
für das ganze Reich Geltung haben sollten und auf einer fränkischen
Versammlung erlassen waren, noch einer besonderen Versammlung
in Italien vorgelegt worden wären; davon sind Beispiele nicht zu

---

[1]) c. 19: De mancipia quae vendunt, ut in praesentia episcopi vel
comitis sit, aut in praesentia archidiaconi aut centenarii aut in praesentia
vicedomni aut iudicis comitis aut ante bene nota testimonia. Den iudex
comitis als vicecomes zu bezeichnen, wie Luden IV, 318 thut, ist unrichtig, er ist
eben überhaupt ein Untergebener des Grafen, der sich zu diesem verhält wie der vice-
dominus zum Bischof, vgl. Waitz III, 2. Aufl. S. 436.

[2]) c. 15: De cerariis et tabulariis atque cartolariis, sicut a longo
tempore fuit, observetur; vgl. Waitz IV, 2. Aufl. S. 340 N. 1.

[3]) Diese Unterscheidung macht Pertz in der Ausgabe, Legg. I, 35. 45.

[4]) Vgl. Capp. regum Francorum ed. Boretius I, 187 ff. Aber daß diese,
überhaupt die von fränkischen Herrschern für Italien erlassenen Gesetze regelmäßig in
das alte langobardische Gesetzbuch eingetragen, daß letzteres auf diese Weise auch nach
774 amtlich fortgeführt worden sei, wie Merkel, Die Geschichte des Langobardenrechts,
behauptet (vgl. Waitz III, 2. Aufl. S. 170. 359), ist nicht zu erweisen. Das Capitel, Capp. I, 218—219, worin es heißt: De ceteris vero causis communi
lege vivamus, quam domnus excellentissimus Karolus rex Francorum atque Longobardorum in edicto adiunxit, scheint dies zwar zu besagen, ist jedoch
schon nach Waitz a. a. O. S. 359 N. 3 gar kein Gesetz, sondern nur die Bemerkung
eines Juristen. Die Aussage Karl's aber, Capp. I, 204—205: ea quae ab ante-
cessoribus nostris regibus Italiae in edictis legis Langobardicae ab ipsis
editae praetermissa sunt, iuxta rerum et temporis considerationem addere
curavimus, scilicet ut necessaria quae legi defuerant supplerentur braucht
nicht auf Zusätze zu dem amtlichen corpus edicti zu gehen, sondern kann auch nur
eine Erweiterung der langobardischen Gesetze bezeichnen; und daß letztere Erklärung
die richtige ist, die erstere nicht zutrifft, zeigt die Gestalt, worin die Capitularien uns
erhalten sind, ebenso wie ihr Inhalt; worüber das genauere bei Boretius, Die Capitularien im Langobardenreich S. 23 ff.

finden[1]). Wie auf den fränkischen Reichsversammlungen auch Langobarden erschienen[2]), so waren die auf fränkischen Synoden erlassenen Gesetze auch für Italien verbindlich, und es ist nicht zu sehen, daß die Ausfertigung dieser Gesetze in einer besonderen, von der für das übrige Reich bestimmten verschiedenen Form geschah[3]). Auch für das Capitular von 779 kann eine solche Unterscheidung nicht nachgewiesen werden. In dem einen Texte fehlen die 10 letzten Capitel des Capitulars, wogegen er die meisten übrigen Bestimmungen in größerer Ausführlichkeit gibt, doch ohne neues zu enthalten. Aber gerade unter diesen befinden sich solche, die bei einer besonderen Ausfertigung für Italien ohne Zweifel anders gefaßt worden wären, wie zum Beispiel die Hinweisung auf die Capitularien von Karl's Vater Pippin, die doch für Italien neu eingeführt werden mußten, nicht, wie beide Texte sagen, beibehalten werden konnten[4]). Dazu kommt, daß auch die Handschriften die Unterscheidung zwischen einer fränkischen und einer langobardischen Ausfertigung nicht zulassen, denn die älteste italische Handschrift enthält gerade die als fränkisch bezeichnete Ausfertigung[5]), und von den jüngeren italischen Handschriften enthalten einige für mehrere Capitel ebenfalls die dem fränkischen Texte angehörige Fassung oder lassen die in dem anderen Texte enthaltenen Erweiterungen fort[6]). Eine besondere langobardische Ausfertigung

---

[1]) Vgl. Boretius, Die Capitularien im Langobardenreich S. 18 ff.

[2]) Vgl. Waitz III, 2. Aufl. S. 360 N. 1; 361. Boretius S. 19 hebt hervor, daß auf den im eigentlichen Frankenreich gehaltenen Reichstagen nie weltliche langobardische Große als anwesend erwähnt werden, sondern nur der italische Klerus solchen beigewohnt habe; doch ist das nicht richtig: auf der Reichsversammlung in Ingelheim 788 werden neben einander Franci et Baioarii, Langobardi et Saxones genannt, Annales Laur. mai. SS. I, 172, wo doch nicht ausschließlich an geistliche Große gedacht werden kann.

[3]) Vgl. Waitz III, 2. Aufl. S. 357 ff., wo aber die Unterscheidung zwischen Capitularia Francica und Langobardica wenigstens nicht durchweg verworfen wird, S. 359 N. 1; Boretius S. 58 ff. Indessen sind überhaupt nur 3 Capitularien vorhanden, bei denen eine solche doppelte Ausfertigung von Pertz unterschieden wird: außer diesem das von ihm ins Jahr 783 gesetzte und das von ihm sogenannte capitulare de exercitalibus. Aber auch bei den letzteren geschieht es mit Unrecht. Vgl. hinsichtlich des f. g. capitulare de exercitalibus Boretius a. a. O. S. 96 ff.; Capp. reg. Francor. I, 159—160 (Capitula Karoli apud Ansegisum servata 810? 811?). Das andere Capitular (c. 790) ist nach Waitz III, 2. Aufl. S. 359 N. 1; Boretius a. a. O. S. 125 ff.; Capp. I, 200 überhaupt nur ein italisches; auch Baudi di Vesme, in der Ausgabe der Edicta regum Langobardorum S. XXIV, bestreitet bestimmt die doppelte Ausfertigung der Capitularien von 779 und 783 (c. 790); man hat die ganze Annahme entschieden aufzugeben.

[4]) c. 13, wo es wie in dem fränkischen Texte (c. 12), oben S. 324 N. 4, heißt: De causa vero quas bonae memoriae genitor noster Pippinus in sua placita et sinodos constituit conservare volumus.

[5]) Die Handschrift von Jvrea, vgl. Baudi di Vesme S. XXII ff.

[6]) So geben c. 8 nur 2 italische Handschriften in der angeblich langobardischen Fassung, die übrigen alle in der fränkischen; die Handschrift von Modena enthält auch c. 11 und 14 in der fränkischen Fassung. In anderen Handschriften fehlen in c. 10 und c. 11 die zu dem fränkischen Text gemachten Zusätze. Vgl. überhaupt Boretius S. 58 ff. 178; Capp. I, 46 ff.

ift nicht erlaffen, der fogen. langobardifche Text ift lediglich eine
Privatarbeit italifcher Richter, in der Abficht einzelne Beftimmun=
gen des Gefetzes zum Behufe des langobardifchen Gerichtsgebrauchs
fchärfer zu faffen[1]).

Karl dehnte feinen Aufenthalt in Heriftal noch länger aus.
Er verbrachte dort Oftern, 11. April[2]); beftätigte am 30. April
auf Bitten des Bifchofs Huebert von Cabillonum (Châlon fur
Saone), der zugleich dem dortigen Klofter des h. Marcellus vor=
ftand, diefem Klofter die fchon von Pippin und den früheren
Königen ihm verliehene Immunität[3]); erließ am 3. Mai eine Ur=
funde, worin er dem Abt Ermenhard für die Marienkirche in
Novum Caftellum oder Kievermunt (Chèvremont) alle ihre Be=
fitzungen beftätigt, die fie hauptfächlich von feinem Urgroßvater,
dem Majordomus Pippin (dem Mittleren) erhalten, über die fie
jedoch keine Schenkungsurkunden hatte[4]); woran fich noch eine
Urkunde für den Abt Frodoën von Novalefe reiht, vom 23. Mai
aber ohne Ausftellungsort, in der auch diefem Klofter die Immu=
nität beftätigt wird[5]).

Von Heriftal begab fich Karl im Frühling, aber jedenfalls
erft nach dem 3. Mai, nach feiner Pfalz Compendium (Compiegne),
hat aber wohl nicht lange dort verweilt. Es fcheint, daß nur ein
befonderer Anlaß ihn dahin führte, über welchen jedoch nichts ge=
naueres verlautet; fobald er die Angelegenheit erledigt, trat er den
Rückweg nach Auftrafien an[6]), nach Düren, wo die Reichsverfamm=
lung gehalten werden follte. Auf dem Wege dahin, zu Virciniae
cum (Verzenay) traf bei ihm der Herzog Hildiprand von Spoleto

---

[1]) Die nähere Ausführung gibt Boretius S. 25 ff. 57 ff.; Capp. I, 47. Die
gloffirte Form ift benutzt in der um 830 angelegten Gefetzfammlung des Lupus; des=
gleichen, neben der echten, im Liber Papiensis.

[2]) Ann. Laur. mai. 778; Ann. Einh. 779, vgl. o. S. 323 N. 1.

[3]) Mühlbacher Nr. 214; Bouquet V, 742.

[4]) Mühlbacher Nr. 215 (1082); Miraeus, Opera diplomatica et historica I,
496, welcher die Urkunde fälfchlich auf die Marienkirche in Achen bezog; vgl.
Sickel II, 250 (Aum. zu K. 71); Rettberg I, 568 f.; Warnkönig und Gerard,
Histoire des Carolingiens II, 173; Bonnell, Die Anfänge des karolingifchen
Haufes S. 71.

[5]) Mühlbacher Nr. 216; fie ift eingefügt in das Chronicon Novaliciense,
SS. VII, 121, und von Böhmer S. 11 Nr. 92 irrthümlich auf den 22. Juli 778
gefetzt; über die Formel vgl. Sickel, Beiträge III, 53 f.; Urkk. der Karolinger I, 133.

[6]) Ann. Laur. mai. SS. I, 160: Tunc domnus Carolus iter peragens
partibus Niustriae, et pervenit usque in villa quae dicitur Conpendio; et
tunc iterum revertendo partibus Austriae . . .; Ann. Einh. l. c.: At rex
de Heristallio, ubi hiemaverat . . ., prima veris temperie movens Compendium venit. Et cum inde, peracto propter quod venerat negotio, re-
vertisset, occurrit ei Hildibrandus dux Spolitinus . . . Es ift wenigftens nicht
ohne weiteres zuläffig, die Worte peracto propter quod venerat negotio als eine
bloße Redensart zu betrachten. (Der Poëta Saxo I. I. v. 429 f., Jaffé IV, 557,
glaubt dafür fagen zu follen: causa poscente peragrans — Gallorum quondam terras.)

ein und überbrachte ihm reiche Geschenke[1]). Mehr wissen die An=
nalen nicht von dieser Zusammenkunft zu sagen[2]), und auch die Ver=
hältnisse in Italien lassen keine besondere Veranlassung zu der Reise
des Herzogs ins fränkische Reich erkennen. Der Oberhoheit Karl's
hatte sich Hildiprand schon 775 unterworfen[3]); ohne sich in halt=
lose Vermuthungen zu verlieren[4]) kann man nur sagen, daß der
Herzog, welchem die Vorgänge von 775 die entschiedene Feindschaft
des Papstes zugezogen hatten, es angemessen fand, seinerseits Karl
persönlich seiner Ergebenheit zu versichern[5]). Und der König nahm
Hildiprand's Ergebenheitsbezeugungen huldvoll entgegen und entließ
ihn mit Gegengeschenken wieder in seine Heimat[6]).

Von Virciniacum begab sich Karl nach Düren und hielt dort
die Reichsversammlung ab[7]). Es sollte ein neuer Feldzug nach
Sachsen angetreten werden. Die große Erhebung der Sachsen im
vorigen Jahre hatte gezeigt, daß man ihre Unterwerfung noch
immer nicht für gesichert halten durfte. Es mag im Juni, wenn
nicht noch später, gewesen sein, als Karl mit seinem Heere über
den Rhein ging, bei Lippeham (d. h. wohl gegenüber der Vereini=

---

[1]) Ann. Laur. mai. l. c.: obtulit se Hildebrandus dux Spolitinus cum
multa munera in praesenciam supradicti magni regis, in villa qui (quae
v. l.) vocatur Virciniacum; Ann. Einh. l. c.: occurrit ei Hildibrandus dux
Spolitinus cum magnis muneribus in villa Wirciniaco etc. Die Ann. Sith.
SS. XIII, 36 nennen ihn Hiltibrandus Langobardorum (wohl so, nicht
Langobardus zu ergänzen) dux Spolitanus: diese Bezeichnung erscheint ganz cor=
rect und das Langobardorum nicht so nichtssagend wie Waitz, Forschungen zur
deutschen Geschichte XVIII, 357, meint.

Die Lage von Virciniacum (Virzinniacum, Wirciniacum), welches auch in
den Jahrbüchern Hinkmar's von Reims a. 876 (SS. I, 502 N. 91; Ann. Berti=
niani rec. Waitz S. 134 N. 2) erwähnt wird, ist nicht sicher zu ermitteln. Leib=
niz I, 87 sucht es an der Oise; Dippoldt S. 65 denkt an Corbigny; Pertz SS. I,
161 N. 76 an Verzy unweit Reims; Lebeuf an Verzenay bei St. Bâle (Dép.
Marne, Arr. Reims, Canton Verzy); ebenso Mühlbacher S. 83; dagegen Mabillon,
Ann. Ben. III, 195 an Visignicourt bei Prémontré. Bouquet macht auf Visigny
bei Crespy=en=Valois aufmerksam (vgl. auch K. Franke im Index zu den Annales
Bert. S. 170).

[2]) Die Angabe Regino's, SS. I, 559, Hildiprand habe sich damals dem Könige
unterworfen (eiusque dominationi se subdidit), beruht ohne Zweifel blos auf der
Ansicht des Chronisten, obschon sie nicht ganz unzutreffend sein mag.

[3]) Vgl. oben S. 243 f.

[4]) wie Malfatti II, 239.

[5]) Le Cointe VI, 166 meint, Karl's große Erfolge während der letzten Jahre
hätten den Herzog besorgt gemacht; Leibniz I, 87 bringt Hildiprand's Ankunft in Zu=
sammenhang mit der Angelegenheit des Abtes Poto von St. Vincenzo am Volturno,
die aber erst einige Jahre später spielt, vgl. unten. Sigonius S. 149 theilt die
Ansicht von Le Cointe.

[6]) Ann. Einh.: Quem et benigne suscepit et muneribus donatum in
ducatum suum remisit. Die s. g. Lorscher Annalen sagen davon nichts.

[7]) Ann. Laur. mai. l. c.: et fuit sinodus in villa nuncupantem Duria;
Ann. Einh.: Duriam venit, habitoque iuxta morem generali conventu;
Annales Guelferb. SS. I, 40: Mai campus ad Dura, Annales Alam., Na=
zar. ibid.; Henking a. a. O. S. 236.

gung von Lippe und Rhein) [1]). Die Sachsen müssen diesmal auf
den Angriff gefaßt und zur Vertheidigung vorbereitet gewesen sein.
Karl hatte die Grenze Westfalens kaum überschritten, als er auf
bewaffneten Widerstand stieß. Die Sachsen hatten die Grenze
durch Vertheidigungswerke zu schützen versucht [2]), waren aber trotzdem zu schwach Karl aufzuhalten. Es waren ohne Zweifel auch
hier nur Westfalen zur Stelle. Als es zum Kampfe kam, an einem
Orte, der Buocholt hieß [3]), der Buchenwald, vielleicht einem geweihten Haine, wurden die Sachsen besiegt und in die Flucht geschlagen. Dieser Sieg, nach welchem die Sachsen ihre Vertheidigungswerke im Stich ließen, öffnete den Franken Westfalen, das sich
Karl aufs neue unterwarf. Er durchzog es verheerend ohne auf
weiteren Widerstand zu stoßen [4]), überschritt auch die Grenze der
Engern und kam bis an die Weser. Bei einem Orte Medofulli,
am Ufer derselben, machte er Halt und schlug für mehrere Tage
Lager [5]). Hieher kamen die Sachsen vom rechten Weserufer, Engern

---

[1]) Ann. Laur. mai.: Ad Lippeham transitur Renus fluvius; Ann.
Einh.: Rhenum in eo loco qui Lippeham vocatur cum exercitu traiecit;
Regino l. c. unrichtig: et post haec Saxoniam ingressus usque ad Lippam
venit. — Lippeham ist nicht, wie man häufig annimmt, identisch mit Wesel; s.
unten Bd. II. Excurs II, übrigens auch Fredegar. cont. c. 109, Bouquet II, 456
(wo von Karl Martell berichtet wird: commoto exercitu Francorum in loco,
ubi Lippia fluvius Rhenum amuem ingreditur, sagaci intentione transmeavit; Breysig S. 86), sowie Mommsen, Römische Geschichte V, 29 über Castra
vetera (Birten bei Xanten) nebst der dazu gehörigen Kiepert'schen Karte Nr. III.
[2]) Reliquerunt omnes firmitates eorum, sagen die s. g. Lorscher Annalen
bei dem folgenden Rückzuge der Sachsen.
[3]) Ueber die Bedeutung des Namens vgl. Grimm, Deutsches Wörterbuch II,
470. Buocholt schreiben die s. g. Annales Einh., Bohholt die s. g. Lorscher
Annalen; falsch ist das Hohholz der Ann. Enh. Fuld., wobei nur h und b verwechselt sind, noch unrichtiger das Bothsloz der Ann. Tiliani, SS. I, 221. Buocholt ist allem Anschein nach das heutige Bocholt an der Aa, einem Zufluß der
Yssel (R.=B. Münster, n. von Wesel; vgl. Pertz S. I, 161 N. 78; Kentzler,
Forsch. XII, 337 N. 3; Förstemann, Ortsnamen Sp. 262; Mühlbacher S. 83.
Spruner=Menke, Handatlas Nr. 30. 33 hält es gewiß unrichtig für Bockholt n. von
Münster am rechten Emsufer.
[4]) Ann. Laur. mai.: (Saxones) fugientes, reliquerunt omnes firmitates
eorum, et Francis aperta est via, et introeuntes in Westfalaos et conque-
sierunt eos omnes.
Der aus dem 15. Jahrhundert stammende Bericht in einem Lagerbuch von
Notteln, dem zufolge nach dem Kampfe bei Bocholt die sächsischen Liten sich abermals
in monte Coisio den Franken entgegenstellten, jedoch ebenfalls in die Flucht getrieben wurden, SS. II, 377 k, erscheint völlig apokryph, obwohl Wilmans; Petersen
(Forsch. VI, 319); Kentzler (Forsch. XII, 338 N. 2); Diekamp (Widukind S. 18);
Grimm (Deutsche Mythologie I, 4. Ausg. S. 60) ihm Vertrauen schenken; weniger
sicher äußert sich Mühlbacher S. 84. Es ist darin des Macrobius Somnium
Scipionis benutzt. Der Name mons Coisius scheint der silva Caesia des Tacitus
(Ann. I, 50) nachgebildet zu sein, darf also nicht auf Koesfeld gedeutet werden
(f. Kentzler a. a. O.).
[5]) Nach allen Quellen, die sich darüber äußern, kam Karl nur bis an die
Weser. Incendentes usque flumen Viseram, sagen die Ann. Petaviani l. c.;
Karlus rex iterum in Saxonia usque ad flumen Wisaraha, die Ann. Mosell.
u. Lauresham. und ebenso die anderen, abgeleiteten Quellen.

und Ostfalen, stellten Geiseln, schwuren aufs neue Unterwerfung, worauf Karl den Rückmarsch antrat[1]). Ueber die Dauer des Feld-zuges ist nichts bekannt; nicht einmal unbestimmte Anhaltspunkte dafür sind vorhanden[2]).

Den Schutz der Eresburg, die nicht blos als militärischer Punkt, sondern auch als Missionsstation noch immer von großer Bedeutung war, hatte Karl dem Abt Sturm von Fulda, der bereits früher von dort aus die Mission in Sachsen geleitet hatte, über-tragen[3]). Als Karl den Rückmarsch antrat, hieß er Sturm noch einige Tage dort bleiben[4]); erst als die Zeit um war, kehrte auch Sturm in sein Kloster Fulda zurück, gebeugt von Alter und Krank-heit. Karl gab ihm seinen eigenen Arzt, Winthari[5]), zur Be-gleitung mit, aber die ärztliche Kunst vermochte nichts gegen sein Leiden, beschleunigte nur dessen unglücklichen Verlauf; eine Arznei, die Winthari ihm verordnete, steigerte das Uebel. Sturm's treuer Schüler Eigil beschreibt anschaulich und mit Wärme das Ende Sturm's. Als er sein Ende nahen fühlte, schickte er schnell nach der Kirche, ließ alle Glocken läuten, den Brüdern von seinem be-vorstehenden Ende melden und sie bitten inbrünstig für ihn zu beten. Dann versammelte er um sich alle Angehörigen des Stifts, rief ihnen seine Bemühungen um ihr Wohlergehen und um den Fortbestand des Klosters nach seinem Tode ins Gedächtniß zurück, ermahnte sie zu ausdauerndem Eifer im Dienste des Herrn, bat sie um ihre Fürbitte bei Gott und um Verzeihung, wenn er etwas unrechtes gethan und jemand beleidigt habe. Er verzieh selber allen, die ihn geschmäht und verunglimpft, ausdrücklich auch dem Bischof Lul von Mainz, der ihn immer angefeindet habe. Darauf

---

Medofulli, dessen Name nach Grimm, Gesch. der deutschen Sprache II, 657 soviel wie poculum mulsi bezeichnet, muß demnach wahrscheinlich auf dem linken Ufer der Weser gesucht werden. Ueber eine große Anzahl von Vermuthungen, welche auf Meppen, Münster, Polle, Mulbeke u. a. rathen, vgl. v. Ledebur, Kritische Be-leuchtung S. 67 ff., dessen Vorschläge in Betreff Mündens und des Maifeldes un-fern Rehme unhaltbar sind, wogegen sich seine dritte Vermuthung, die auf Fuhlen (in der Nähe von Oldendorf) geht, hören läßt. Von anderer Seite sucht man Medofulli entweder in dem Dorfe Uffeln (s. w. von Minden) rechts von der Weser oder in der Stadt Vlotho links von derselben; vgl. Kentzler a. a. O. S. 339 N. 1. Uffeln gibt auch Mühlbacher S. 84 den Vorzug.

[1]) Ann. Laur. mai. l. c.; Ann. Einh. l. c.

[2]) Ueber die Urkunde aus Heristal vom 24. September, welche Mühlbacher in dies Jahr setzen will, vgl. o. S. 315 N. 5.

[3]) Vita Sturmi c. 25, SS. II, 377: Tunc iterum rex Karolus ad con-firmationem incboatae fidei christianae cum exercitu ad illam terram per-rexit, et venerandum Sturmen infirmum, iam senectute fessum, in Heresburg ad tuendam urbem cum sociis suis sedere iussit. Dispositis secundum vo-luntatem suam universis rex cum rediret, sanctum virum paucos dies post reditum suum in supradicta urbe sedere imperavit.

[4]) Daß Karl damals selbst durch Eresburg gekommen sei, wird nicht direct gesagt, die Annahme aber nahe gelegt.

[5]) Vgl. Alcuin. epist. 16, Jaffé VI, 171, u. unten Bd. II.

verabschiedete er sich von den Brüdern und entließ sie. Sein Be=
finden wurde schlimmer, Tags darauf starb er, am 17. De=
zember 779[1]).

Der Tod Sturm's war für Karl ein herber Verlust. Die
erfolgreiche Leitung eines so bedeutenden Stiftes wie Fulda, so
schwierig und verdienstvoll sie war, ist von seinen Leistungen doch
vielleicht nicht einmal die wichtigste. Wenigstens ebenso wichtig ist
der hervorragende Antheil, den er an der Bekehrung Sachsens
nahm, so daß man ihn später nicht mit Unrecht einen Apostel der
Sachsen genannt hat[2]). Dazu kam die besondere Vertrauens=
stellung, die er persönlich zu Karl einnahm. In jeder Beziehung
war er schwer zu ersetzen. Sein Nachfolger als Abt von Fulda
wurde Baugolf, über dessen Persönlichkeit sich jedoch nichts Genaues
ermitteln läßt, da seine von einem Mönche Candidus im Auftrage
von Sturm's Biographen Eigil unternommene, vielleicht auch wirklich
verfaßte Lebensbeschreibung verloren ist[3]). Man hat wohl ange=
nommen[4]), daß er der Graf Baugolf ist, der am 26. Mai 771
dem Kloster Fulda seine Besitzungen in Ginninheim schenkte[5])
und in einer Urkunde vom 20. Dezember 770 genauer als elsässischer
Graf erscheint[6]). Aber wir haben nur im Allgemeinen die be=

---

[1]) Vita Sturmi c. 25. 26. Den 17. Dezember als Todestag geben auch
Catal. abb. Fuld.; Ann. necrol. Fuld. SS. XIII, 272. 166. In einer Urkunde
vom 1. Dezember, Dronke, Cod. dipl. Nr. 66, ist er noch als Abt genannt.
Sturm's Tod wird auch erwähnt in den Ann. Lauresh. SS. I, 31; Ann.
ant. Fuld. SS. III, 117*; Ann. Enh. Fuld. SS. I, 349; Lambert. SS. III,
37; Mariani Scotti epitome, SS. XIII, 77 (vgl. Ann. s. Bonifatii, SS. III,
117; Ann. Disibodenberg., Böhmer, Fontt. III, 174); Candidus, De vita
Aeigili c. 4, v. 1 ff., Poet. Lat. aev. Carolin. II, 99:
      Contigit interea senio morboque peresum
      Styrmen, qui fuerat primus fundator et abbas
      Coenobii Fuldensis, ab hac quoque luce migrasse,
      Credimus, in lucem semper sine fine manentem.
[2]) In dem als Quelle freilich unbrauchbaren, überhaupt verdächtigen Brevia=
rium Fuldense historicum Cornelii monachi, bei Schannat, Historia Fuldensis
prob. S. 4. — Sonst wird Karl selbst als Apostel der Sachsen gepriesen, vgl.
Poeta Saxo l. V, v. 23 ff. 667 ff., Jaffé IV, 606 ff. 626; Ann. Quedlinb.
SS. III, 41; ferner auch die von Jos. Hansen, Forsch. z. deutsch. Gesch. XXVI,
109 N. 2 angeführten späteren Stellen aus Johannes de Essendia und einer un=
gedruckten Dortmunder Chronik.
[3]) Sie ist erwähnt von Candidus selbst in seiner Vita Eigilis, SS. XV, 223;
vgl. auch die metrische Vita, Poet. Lat. aev. Carolin. II, 97; dazu jedoch Waitz,
SS. XV, 221 N. 5.
Baugolf, über welchen der Catalogus abb. Fuld., SS. XIII, 272, und
Walahfrid's Prolog zu Einh. Vita Karoli (ed. Waitz S. XX), sowie Karoli
epist. de litteris colendis, Capp. I, 79, zu vergleichen, schloß später innige Freund=
schaft mit Alkuin, s. dessen Epist. 186, Jaffé VI, 657 (venerandus pater Bo=
uulfus, dilectissimus meus amicus).
[4]) Vgl. Rettberg I, 624 N. 3, der jedoch mit Recht bemerkt, daß ein sicherer
Beweis aus den betreffenden Thatsachen sich nicht führen läßt.
[5]) Urkunde bei Dronke, Cod. S. 22 Nr. 34.
[6]) In der traditio Folcrati et Agilolfi de Alsacinse, bei Dronke, Codex
S. 20 Nr. 31, begegnet als Zeuge ein Graf Baugolf.

stimmte Nachricht, daß Baugolf von vornehmer deutscher Herkunft war [1]). Man macht geltend, daß sowohl neben dem Grafen als neben dem Abte Baugolf ein Bischof Ercanbert unter den Zeugen der Urkunden uns begegnet [2]), während Abt Baugolf einen Bruder Ercanbert hatte [3]); aber der letztere war nicht Bischof [4]). Soviel steht fest, daß Baugolf vor seiner Erhebung zum Abt von Fulba Mönch dieses Klosters war [5]); auch scheint es, daß man ihn als= bald nach dem Ableben seines Vorgängers Sturm, der ihn an= scheinend zu seinem Nachfolger empfohlen hatte [6]), an dessen Stelle setzte [7]), wie denn seine Wahl als eine einmüthige bezeichnet wird [8]). Urkundlich wird er zum ersten Male als Abt genannt in einem Dokument vom 3. März 781 [9]). Aber so viel auch unter ihm die Besitzungen des Stiftes sich mehrten, seinen Vorgänger Sturm erreichte er doch an Bedeutung nicht.

Im übrigen begegnet niemand, der als Vertrauter Karl's, als Leiter der Mission in Sachsen Sturm's Stelle einnahm. Mochte Karl keine geeignete Persönlichkeit finden oder mochten die Ver= hältnisse selber, die Fortschritte, welche inzwischen das Christenthum

---

[1]) Larga Germanica proles nennt ihn Candidus in der metrischen Lebens= beschreibung des Eigil, 4 v. 5 ff., Poet. Lat. aev. Car. II, 99:

Cuius (Sturm's) post obitum concordi voce boantum
Baugolf eligitur, larga Germanica proles,
Rite pater praecessoris porrectus ab ore.

[2]) In der traditio Folcrati et Agilolfi steht unter den Zeugen außer dem Grafen Baugolf Ermberctus episcopus, in der traditio Adalae, Droufe, Cod. S. 76 Nr. 132 neben dem signum Baugolfes abbatis das Ercanpehrates epi= scopi; vgl. Rettberg a. a. O.

[3]) Das berichtet der Mönch Candidus in der metrischen Lebensbeschreibung Eigil's 17, v. 97—98, Poet. Lat. aev. Car. l. c. S. 111:

. . . pariter monachusque sacerdos
Ercanberctus, Baugolfi germanus . . .

Er starb 846, Annales necrol. Fuld. 846, SS. XIII, 175: ob. Ercanbraht monachus.

[4]) Vgl. die vor. Anmerkung.

[5]) Ann. Enh. Fuld., SS. I, 349: cui (Sturm) successit Baugolf eius= dem monasterii monachus.

[6]) Vgl. o. N. 1 (praecessoris porrectus ab ore).

[7]) Ann. Enh. Fuld. (vgl. o. N. 5); Ann. Disibodenberg., Böhmer, Fontt. III, 174; vgl. ferner Catal. abb. Fuld. SS. XIII, 272: Baugolf abbas secundus eiusdem loci regimen suscepit; Series abb. Fuld. ib. S. 340. Im Catal. abb. Fuld. l. c. wird Baugolf's Amtsdauer unrichtig auf 25 Jahre ange= geben, da er bereits im Jahre 802 abdankte; vgl. Jahrbb. Ludwig's d. Fr. I, 371 N. 4. Mit dieser falschen Angabe mag es aber in Zusammenhang stehen, wenn wir auch seinen Tod irrig ins Jahr 804 gesetzt finden (vgl. ebd.). Thatsächlich starb Baugolf am 8. Juli 815, vgl. Ann. Lambert. SS. III, 43; Mariani Scott. epit. SS. XIII, 77; Ann. s. Bonifatii, Forsch. z. deutschen Gesch. XVI, 169; Ann. necrol. Fuld. SS. XIII, 166.

[8]) Vgl. o. N. 1.

[9]) Droufe, Cod. S. 44 Nr. 71: actum in monasterio Fulda anno XIII. regnante Karolo gloriosissimo rege die III. mense Martio. Unrichtig setzt Rettberg I, 624 die Urkunde auf den 4. März 780, noch unrichtiger Schannat, Tra= ditiones Fuld. S. 34 Nr. 65, auf den 4. März 781.

in Sachsen gemacht, für ihn maßgebend sein: er legte nach dem Tode Sturm's, so viel zu sehen, die Leitung der Mission über= haupt nicht mehr in die Hände eines Einzelnen, sondern traf für das unterdessen beträchtlich erweiterte Missionsgebiet neue Einrich= tungen, die schon im folgenden Jahre ins Leben traten. Aus dem Jahre 779 ist in dieser Hinsicht keine Maßregel mehr überliefert; die Berufung Willehad's durch Karl fällt ohne Zweifel auch erst ins Jahr 780[1]) und die Nachricht von der Gründung des Bis= thums Osnabrück im Jahr 779 ist eine spät erfundene Fabel[2]).

Wir haben hier einer Verfügung zu gedenken, die wohl un= gefähr in diese Zeit gehört[3]). Die Annalen berichten zum Jahr 779 von einer großen Hungersnoth und Sterblichkeit im fränkischen Reiche[4]); auf diesen Nothstand bezieht sich die Anordnung einer allgemeinen kirchlichen Fürbitte, von Fasten und anderen damit zu= sammenhängenden Maßregeln durch die versammelten Bischöfe[5]). Die Bischöfe und Priester sollen eine bestimmte Anzahl von Messen lesen und von Psaltern singen, die Priester ebenfalls Messen lesen und die Mönche ebenfalls Psalter singen. Es soll ein zweitägiges Fasten gehalten, von Jedem nach seinem Vermögen Almosen ge= geben werden; Bischöfe, Aebte und Aebtissinnen, Grafen und könig= liche Vassallen sollen außerdem bis zur Erntezeit eine Zahl von vier armen Leuten oder sonst so viel jeder im Staube sei unter= halten[6]).

---

[1]) Vgl. Vita s. Willehadi c. 5, SS. II, 381, wo das Jahr 781 als das zweite Jahr von Willehad's Wirksamkeit im Gau Wigmodia bezeichnet zu werden scheint; ferner c. 8, S. 383, wonach er 7 Jahre gepredigt hatte, als er (787) Bischof wurde; dazu v. Richthofen, Zur Lex Saxonum S. 158 N. 2; Kentzler, Forsch. XII, 342 und besonders Dehio, Gesch. des Erzbistums Hamburg=Bremen bis zum Ausgang der Mission I, 15; Anm. S. 3. Das Jahr 781 ist also wohl nicht das erste (so Lappenberg, Bremer Geschichtsquellen S. 1 und Hamburg. Ur= kundenbuch I, 5 N. 3; Rettberg II, 452; Mühlbacher S. 86); jedenfalls ist es nicht 779, wie Pertz SS. II, l. c. u. Lappenberg zu Adam. Br. I, c. 12, SS. VII, 288 N. 13 (Schulausgabe S. 11 N. 1; auch in der ed. altera v. J. 1876, S. 9 N. 3 wiederholt); Gesch. von England I, 210 N. 1 angeben; noch viel weniger 776, wie Erhard, Regest. Westfal. Nr. 152 hat. Vgl. auch Diekamp, Suppl. S. 9 Nr. 65 und übrigens unten S. 349.

[2]) Vgl Rettberg I, 437, und näheres unten S. 351 ff.

[3]) Nach Boretius S. 66; Capp. I, 51—52, wenn überhaupt in diese Jahre, nicht in das Jahr 779, sondern eher erst in den Anfang 780, weil sie nach den Schluß= worten vor dem 24. Juni erlassen sei, die Hungersnoth aber erst für die zweite Hälfte 779 berichtet werde.

[4]) Ann. Mosell. SS. XVI, 497: Fames vero magna et mortalitas fuit in Francia, Ann. Lauresh. SS. I, 31; ähnlich einige andere Annalen (vgl. unten Bd. II. z. J. 793, wo die betr. Stellen angeführt sind); dazu auch SS. XV, 204 N. 1.

[5]) Capitulare episcoporum (780?), Capp. I, 52. Vgl. über diesen Gebrauch Waitz III, 2. Aufl. S. 264 ff. Die Verordnung beginnt: Capitulare qualiter in= stitutum est in hoc episcoporum consensu . . .

[6]) Capp. I, 52: Episcopi et abbates atque abbatissae pauperes fame= licos quatuor pro isto inter se instituto nutrire debent usque tempore mes= sium; et qui tantum non possunt, iuxta quod possibilitas est aut tres aut duos aut unum; und dasselbe wird dann den Grafen und vassi dominici ein= geschärft.

780.

Die Anstrengungen des ziemlich erfolglosen Zuges nach Spanien, von welchen man sich erst wieder erholen mußte, der Nothstand, der infolge einer Theuerung im fränkischen Reiche herrschte, waren wohl die Ursache gewesen, daß das Jahr 779 verhältnißmäßig ruhig und ohne größere Unternehmungen verlief, außer dem durch den Abfall der Sachsen nothwendig gemachten sächsischen Feldzug. Dagegen ist das Jahr 780 wieder reicher an Ereignissen, neben den fränkischen treten die italischen Angelegenheiten wieder mehr in den Vordergrund. Karl ist im Staube nicht blos in der Ordnung der sächsischen Verhältnisse fortzufahren, sondern auch einen neuen Zug nach Italien zu unternehmen.

Karl hatte Weihnachten 779 in Worms zugebracht[1]) und verweilte dort bis ins Frühjahr[2]). Eine seiner ersten Regierungsmaßregeln, von der wir aus diesem Jahre Kunde haben, ist eine Urkunde vom 8. März, worin er das früher lange streitige Verhältniß des Klosters St. Gallen zu dem Bischof von Constanz regelt[3]).

Sobald Otmar von St. Gallen gestorben, setzte Bischof Sidonius den neuen Abt, Johann, ein und ordnete durch einen Vertrag mit ihm das Verhältniß des Klosters zum Bisthum Constanz derart, daß ersteres sich verpflichten mußte, dem Bischof jährlich eine Abgabe von einer Unze Goldes und einem Pferde im Werthe eines

---

[1]) Ann. Laur. mai. l. c ; Ann. Einh. 779. 780, SS. I, 161; Ann. Mosellan., Lauresham. 779, SS. XVI, 497. I, 31. Hinsichtlich einer Urkunde Karl's aus Worms vom 17. November 779, Bibliothèque de l'Ecole des Chartes XLVIII, 228 f. Nr. 12, vgl. unten Excurs VI.

[2]) Damals dürfte auch der Elfässer Adam, welchem Karl dann die Abtei Masmünster verlieh, für den König in Worms die Grammatik des Diomedes abgeschrieben haben (Poet. Lat. aev. Carol. I, 93 f.; vgl. unten S. 368 N. 4).

[3]) Mühlbacher Nr. 221 ; Ladewig, Regesten der Bischöfe von Constanz I, 10 Nr. 63; Wartmann, Urkundenbuch von St. Gallen I, 87 f. Nr. 92: actum Vurmasia civitate publico.

Pfundes zu entrichten[1]). Bischof Hebbo von Straßburg hatte durch Ertheilung seiner Zustimmung bei diesem Abkommen mitgewirkt, welches jetzt Karl's Genehmigung erhielt. Karl bezeichnet in der Urkunde das Kloster als der Marienkirche in Constanz zugehörig und wiederholt dessen Verpflichtung zu der gedachten Abgabe; zugesichert wird dagegen dem Kloster der ungestörte Genuß und die Selbstverwaltung seiner Güter[2]).

Anders stellt freilich der Geschichtschreiber St. Gallens, Ratpert, die Sache dar. Er ist, obgleich er 100 Jahre später lebte, noch ganz erfüllt von Haß gegen die angeblichen Unterdrücker seines Klosters und weiß auch von Johann, der, früher Mönch in Reichenau, nach Sidonius' Tode auch Bischof von Constanz und Abt von Reichenau wurde, nur schlechtes zu erzählen. Er will nichts wissen von jener Urkunde Karl's, sondern hat andere Nachrichten, welche den König als einen Freund der Unabhängigkeit des Klosters zeigen. Nach ihm war es Johann garnicht um die Machtstellung seines Bisthums zu thun, sondern lediglich um persönlichen Vortheil. Derselbe will seine Verwandten versorgen und gibt, um dies zu erreichen, die kaum erst errungenen Rechte des Bisthums wieder preis. Er soll drei Anverwandten, jedem eine seiner drei Würden bestimmt und, um die Mönche von St. Gallen und Reichenau seinem Wunsche günstig zu stimmen,

---

[1]) Das ergibt die Bestätigungsurkunde Karl's vom 8. März 780, vgl. die Stelle unten N. 2. Ueber die Bedeutung dieser Abgabe vgl. Sickel, St. Gallen unter den ersten Karolingern, in den Mittheilungen zur vaterländischen Geschichte, herausgeg. vom historischen Verein in St. Gallen, Heft IV, S. 6 ff.

[2]) Die Urkunde bestimmt, Wartmann l. c.: Igitur dum pluribus constat esse conpertum, eo quod superna gratia inspirante vir venerabilis Sedonius atque Johannis abba per consensum domno Haeddone episcopo salubri consilio inter se acceperunt, qualiter monasthirium sancti Gallone, qui aspicit ad ecclesiam sanctae Mariae urbis Constantiae, sub tali rite institui deberent, quatenus monachi, qui sub predicti Johannis vel futuro tempore in ipso monasthirio erant, absquae ullius inquietudine deo opitulante ibidem sub tranquillitate vitam degere debuissent ac deo militantes pro nobis vel cuncto populo christiano pleniter deberent domini misericordia adtentius exorare, quapropter consenserunt, ut annis singulis abbates eiusdem memorati loci de ipso monasthirio partibus sanctae Mariae eiusquae pontificibus in censum uncia de auro et caballo valente libra una persolvere deberent; in reliquo vero, quicquid ad ipsum monasthirium obtingebat, cum omni integritate pro ipsorum monachorum sustentatione vel alimenta rectores sui in eorum haberent potestatem pleniter dominandi. Ueber die Frage, ob St. Gallen schon vor 760 bischöfliches Kloster war, vergl. namentlich Sickel, St. Gallen unter den ersten Karolingern, sowie die Erörterungen zwischen Meyer von Knonau und Delsner in den St. Galler Mitth. zur vaterländ. Gesch. IV, 1, bes. 17—21. XIII, 239 ff. 261 ff.; auch Sickel, Act. Karolin. II, 252; Delsner, König Pippin S. 328 ff. 509 ff. 513 ff. Sie wird mit Sickel und Meyer von Knonau zu bejahen sein. Nicht haltbar erscheint die Auffassung von Rettberg, II, 107. 112, und Gelpke, Kirchengeschichte der Schweiz, II, 293 ff., wonach St. Gallen die Bedeutung eines förmlichen alamannischen Nationalheiligthums gehabt hätte. Ebensowenig die Nachricht, daß Graf Waldram, auf dessen Gütern das Kloster gelegen haben soll, es Karl Martell zu Eigenthum übertragen habe (Vita s. Gall. c. 51, Mitth. XII, 66 N. 206); ferner, daß Pippin dem Kloster eine Urkunde ausgestellt habe, worin er dasselbe als königliches anerkannte (ib S. 71 N. 216).

ihnen die wichtigſten Zugeſtändniſſe gemacht haben. Die Mönche erklärten ſich, wie Ratpert erzählt, bereit, zwei ſeiner Verwandten zu Aebten von St. Gallen und Reichenau zu wählen, wofern er ihnen beim Könige die Unabhängigkeit von jeder andern als der königlichen Gewalt und freie Abtswahl erwirken wollte[1]), und darauf ging Johann ein. Als Karl auf der Reiſe nach Rom mit ſeiner Gemahlin Hildegard nach Conſtanz kam[2]), fanden ſich die Mönche aus beiden Klöſtern bei ihm ein, mit der Bitte ihnen jene Privilegien zu bewilligen. Karl erholte ſich Raths bei dem Biſchof. Johann, mit welchem die Mönche im Einverſtändniſſe waren, verhieß ihm die ewige Seligkeit, wenn er den Dienern Chriſti eine ſolche Gnade erweiſen würde. Darauf ertheilte Karl jedem der beiden Klöſter in einer beſonderen Urkunde das ge= wünſchte Privileg, das Recht, nach dem Tode Johann's den Abt zu wählen und künftig unmittelbar unter dem Könige zu ſtehen[3]). Die Mönche triumphirten, aber der Biſchof herging ſie. Er behielt die beiden Urkunden Karl's für ſich; erſt als er dem Tode nahe war, händigte er den Mönchen von Reichenau ihre Urkunde aus, die für St. Gallen beſtimmte aber legte er im Archiv der Kirche von Conſtanz nieder, weil die Mönche von St. Gallen ſich weigerten, ihrem Verſprechen gemäß ſeinen Verwandten zum Abt zu wählen. Sie hatten nämlich gemerkt, daß die von Karl zu ihren Gunſten erlaſſene Urkunde ſehr ſtark verfälſcht war. Daher wollten ſie nicht ſeinen Verwandten zum Abt wählen, und auch die Mönche von Reichenau wählten nach Johann's Tode nicht den von ihm gewünſchten, ſondern einen anderen, Petrus, mit Zuſtimmung der Königin Hildegard[4]).

Eine Darſtellung welche durchaus keinen Glauben verdient[5]). Die Urkunde Karl's vom 8. März ſtraft ſie vollends Lügen. Auch

---

1) Ratpert, Casus s. Galli c. 7, Mittheilungen u. ſ. w. XIII, 12: Quo agnito, fratres utriusque coenobii episcopum pariter adierunt, rogantes, ut privilegia eis apud principem adquireret ac potestatem eligendi abbates; se vero, si hoc fieret, eosdem illius nepotes sibi abbates electuros polliciti sunt. Quod ille consensit ac se facturum promisit. Worin das angebliche Privilegium beſtanden haben ſoll, zeigt noch genauer die folgende Stelle (N. 3).

2) Hierüber vgl. unten.

3) Casus s. Galli l. c. S. 12 –13: Quod audiens rex gavisus est et protinus utriusque coenobii fratribus, sancti Galli scilicet et Augensis, firmissima auctoritate privilegium optatum contradidit ac scripta emunitatis ad haec eadem retinenda fieri praecepit, quae signaculo suae auctoritatis firmavit, constituens atque praecipiens, ut post mortem episcopi monachi praedictorum monasteriorum, potestatem haberent sibi eligendi abbates et ut nulli absque regibus deinceps essent subiecti.

Ein gleiches Privileg ſoll früher ſchon König Pippin dem Kloſter St. Gallen ertheilt haben, ſ. oben S. 340 N 2 u. Ratpert l. c. cap. 5 S. 7, dazu jedoch Meyer von Knonau N. 12.

4) Ratpert. Casus s. Galli c. 7. 8 l. c. S. 13—15.

5) Vgl. auch Rettberg II, 109; Gelpke II, 298 f.; Sickel, St. Gall. Mitth. IV, 1—21; Meyer von Knonau a. a. O. in den Noten 23—26. 29; Ladewig, Re= geſten der Biſchöfe von Conſtanz I, 11.

Karl's Anwesenheit in Constanz auf der Reise nach Italien zu Ende 780 ist nirgends sonst bezeugt; das Zeugniß Ratpert's ist, bei der Unzuverlässigkeit seiner ganzen Erzählung, auch in diesem Punkte nicht glaubwürdig[1]). Es hatte zunächst bei der durch die Urkunde vom 8. März genehmigten Stellung des Klosters St. Gallen zu Constanz sein Bewenden. Erst nach dem schon zwei Jahre darauf erfolgenden Tode Johann's[2]) brachen neue Kämpfe zwischen Kloster und Bisthum aus.

Dagegen scheint Reichenau glücklicher gewesen zu sein als St. Gallen; nicht weil Ratpert es so darstellt, sondern weil dafür ein urkundliches Zeugniß vorliegt. Reichenau hatte zu Constanz von Anfang an in keinem so schroffen Gegensatze gestanden wie St. Gallen, aus Reichenau waren der Reihe nach mehrere Bischöfe von Constanz hervorgegangen, wie zuletzt noch Johann[3]), was zur Folge haben mochte, daß diese Bischöfe mit dem Kloster glimpflicher verfuhren. Der Drang nach Unabhängigkeit hörte aber trotzdem in Reichenau nicht auf; ein Privileg welches Bischof und Abt Johann vom Papst Hadrian für das Kloster ausgewirkt haben soll, mag spätere Erfindung sein, läßt sich wenigstens nicht nach= weisen[4]), hingegen von Karl hat Reichenau wirklich ein solches erhalten; das ergibt eine Urkunde Ludwig's des Frommen, worin derselbe dem Kloster die Immunität und das Recht der freien Abt= wahl bestätigt und ausdrücklich auf ein von den früheren Franken= königen verliehenes und von Karl bestätigtes Privilegium zurück= führt[5]). Ob dieses Privilegium von Johann und wann es aus= gewirkt wurde, erfährt man nicht; doch wird auch hier Ratpert kaum Recht behalten dürfen, Johann wahrscheinlich nicht als der Urheber der Begünstigung betrachtet werden können. Gerade

---

[1]) Vgl. auch Meyer von Knonau, Mittheilungen u. s. w. XIII, 12 N. 24; Mühlbacher S. 86; Ladewig a. a. O. — Zu vertheidigen sucht diese Nachricht Gisi im Anz. f. schweizer. Gesch. 14. Jahrg. 1883, Bd. IV, S. 177—178.

[2]) Bischof Johannes II. von Constanz starb, wie es scheint, am 9. Februar 782, s. Meyer von Knonau, Mittheilungen u. s. w. XIII, 14 N. 30; Ladewig I, S. 11 Nr 65; vgl. unten z. J. 782.

[3]) Ueber die Stellung Reichenaus vgl. Rettberg II, 121.

[4]) Es wird erst erwähnt von Hermann von Reichenau, SS. V, 99: qui (Johannes) primum Romanae sedis privilegium Augiae ab Adriano papa im= petravit. Man muß aber die Richtigkeit der Angabe bezweifeln. Auch Ladewig a. a. O. S. 11 bemerkt, daß dieselbe nicht anderweit zu belegen sei. Vgl. in= dessen Jaffé, Reg. Pont. ed. 2a, I, 306 Nr. 2488; Potthast, Reg. Pont. II, S. 2050 Nr. 3056a, Bulle P. Innocenz' III. vom 22. März 1207, Neugart, Episcopat. Constant. I, 2. 608, wo wenigstens auch die Thatsache erwähnt wird, daß Hadrian I. dem Kloster Reichenau ein Privileg ertheilt habe.

[5]) Die Urkunde ist ausgestellt in Achen am 14 Dezember 815, Grandidier, Histoire de l'église de Strasbourg II, pièces justif. S. 161 ff. Nr. 89 ad 816. Ludwig redet darin von den inmunitates domni et genitoris nostri Ka= roli ... in quibus invenimus insertum, quomodo ipse et antecessores eius priores reges Francorum praefatum monasterium cum monachis ibi de= gentibus ob amorem dei tranquillitatemque eorum semper sub plenissima defensione et inmunitatis tuitione habuissent; Sickel II, 105 (L. 72). 310—311. 335. 383; Mühlbacher Nr. 581 (Rettberg II, 121—123).

nach dem Tode Johann's scheint der Gegensatz zwischen Constanz
und Reichenau zunächst schärfer geworden zu sein[1]); hätten die
Mönche eben erst von Karl ein solches Privileg erhalten gehabt,
so wäre das Rechtsverhältniß des Klosters schon geordnet gewesen,
die Veranlassung zu den Zwistigkeiten fortgefallen. Das Privileg
ist daher wohl erst später verliehen[2]).

An demselben Tage, da Karl den Vertrag zwischen dem Abt
von St. Gallen und dem Bischof von Constanz bestätigte, 8. März,
machte er eine Schenkung an das Kloster Hersfeld, bestehend in
dem Zehnten aus den Grafschaften Alberich's und Marcoard's im
nordthüringischen Hessengau[3]); und wenigstens ungefähr um diese
Zeit machte Hersfeld noch eine andere Erwerbung, welche sich für
seinen Wohlstand überaus einträglich erwies, es erhielt die Gebeine des·heiligen Wigbert, ersten Abtes von Fritzlar.

Bischof Lul war unermüdlich sein Hersfeld zu heben und zu
bereichern. Für diesen Zweck gab es kein sichereres Mittel als die
Erwerbung der Reliquien eines gefeierten Heiligen für das Kloster.
Auch da wußte Lul Rath. Er warf seine Augen auf den heiligen
Wigbert, der schon 774 vor den Sachsen aus Fritzlar nach Buriaburg geflüchtet worden war[4]). Nach der Angabe seines Biographen (Lambert's von Hersfeld) ward er im Traume durch einen
Engel aufgefordert, die Gebeine Wigbert's nach Hersfeld zu
schaffen[5]); genauer erzählt der dieser Zeit viel näher stehende und
sonst glaubwürdigere Biograph des h. Wigbert selber, Lupus,
der Bischof Witta (Albuin) von Buriaburg habe jene Aufforderung
durch den Engel erhalten und Lul davon benachrichtigt[6]). Lul,

---

[1]) Vgl. unten zu den Jahren 782. 784.

[2]) Vgl. unten zum Jahr 784; auch Meyer von Knonau, Mittheilungen u. s. w.
XIII, 13 N. 27. 14 N. 31; Ladewig a. a. O. S. 11 N. 63; dagegen Sickel II,
311, welcher meint, daß sich aus den vorliegenden Nachrichten die Zeit der Ertheilung
jenes Diploms Karl's nicht bestimmen lasse.

[3]) Urkunde bei Wenck IIIb, 13 Nr. 11 (nach dem Original); Bedenken gegen
die Echtheit konnten nur dem früheren Abdruck bei Wenck II, 2 S. 8 f. Nr. 6 (nach
dem Chartular) gelten, wo der Notar irrig Guntharius heißt; vgl. Sickel K. 75;
Mühlbacher Nr. 220; Hahn, Bonifaz und Lul S. 282; Ausfeld, Lambert von Hersfeld und der Zehntstreit zwischen Mainz, Hersfeld und Thüringen S. 84 ff. Nach
Sickel, Beitr. z. Dipl. VII., Wien. S.=B. phil.=hist. Cl. Bd. 93, S. 693 N. 2,
steht in den tironischen Noten vielmehr Wigbaldus.

[4]) Vgl. oben S. 198.

[5]) Vita Lulli c. 17, SS. XV, 145: angelica in somnis voce est ad-
monitus, ut corpus b. Wigberti eo (nach Hersfeld) transferret (hienach Hist.
Herveld. SS. V, 138), welche Angabe an sich wahrscheinlicher klingt, als daß ein
anderer den Traum gehabt haben soll, wie Wenck II, 295 richtig bemerkt; aber als
Quelle zuverlässiger ist Lupus, dessen Vita Wigberti in der V. Lulli auch benutzt
ist (Hahn, Bonifaz und Lul S. 291 N. 5; Holder=Egger, SS. XV, 133. 145 N. 6;
Neues Archiv IX, 292). Vgl. die folgende Anmkg.

[6]) Vita Wigberti c. 24, SS. XV, 42. Es ist unwesentlich, wer den Traum
gehabt haben will; die Ansprüche Fritzlars auf die Reliquien, welche dieselben durch
Witta's Nachfolger wieder zurückerhalten haben soll, worauf sie erst im 13. Jahrhundert nach Hersfeld gekommen seien, sind unbegründet; vgl. Rettberg I, 598.

fährt Lupus fort, holte darauf die Erlaubniß !des Königs zu der Uebertragung ein, drei Mönche, Ernst, Baturich, Wolf wurden beauftragt die Reliquien zur Nachtzeit in aller Stille aus Fritzlar fortzuschaffen. Man fürchtete, geschähe es bei Tage, so möchte das Volk sich der Entfernung des Heiligen widersetzen. Nicht als ob Lul denselben nicht für stark genug gehalten hätte um seine Träger zu schützen, fügt Lupus hinzu; aber er gedachte des Spruchs: „Du sollst Gott den Herrn nicht versuchen" (Matth. 4, 7). Warum führte der Herr, nachdem Pharao das Volk Israel entlassen hatte, dasselbe nicht durch das Land der Philister? Damit es das Volk nicht gereute, wenn es Krieg gegen sich entstehen sähe. So recht= fertigt Lupus die heimliche Wegführung der Reliquien[1]). Die drei Mönche brachten ihren Schatz glücklich an den Ort seiner Be= stimmung, wo Lul ihn feierlich beisetzen ließ und das Grab mit Silber und Gold verzierte. Der Heilige erwies sogleich seine wunderthätige Kraft; sein Besitz brachte dem Kloster den größten Nutzen, immer reicher flossen die Schenkungen von nah und fern ihm zu, der h. Wigbert stellte sogar die ursprünglichen Kloster= heiligen, Simon und Thaddäus, in Schatten, das Kloster wurde später nicht mehr nach diesen letzteren, sondern nach dem h. Wigbert genannt[2]).

Nicht überliefert ist die Zeit dieser Translation, auch fehlt es an Anhaltspunkten um dieselbe zu bestimmen; man liest nur, daß sie einige Jahre nach der Uebertragung des Heiligen aus Fritzlar nach Buriaburg stattfand[3]), und so mag die gewöhnliche Annahme beibehalten werden, wonach sie etwa ins Jahr 780 fällt[4]). Den 13. August nennt der Biograph Wigbert's als den Tag der Voll= endung seiner neuen Grabstätte in Hersfeld[5]).

Lul, welchem diese kostbare Erwerbung für Hersfeld gelungen war, muß um 780 auch eine Erhöhung seiner eigenen Stellung erfahren haben durch die Verleihung der erzbischöflichen Würde, welche ihm der Papst so lange vorenthalten hatte. Die vom Papst Hadrian angeordnete Untersuchung über die Hergänge bei seiner Weihe[6]), welche von dem Erzbischof Tilpin von Reims, dem Erz=

---

[1]) Vgl. die Beurtheilung dieser That bei Hahn a. a. O. S. 342 f., gegen die ungünstige bei Göpfert, Lullus S. 51.

[2]) Vgl. die Stellen bei Wenck II, 296 N. i, und Piderit, S. 16; ferner Aus= feld a. a. O. S. 27 N. 3 und besonders Notitia de servitio monasteriorum a. 817, Capp. reg. Franc. I, 350 N. 20; Jahrbücher Ludwig's d. Fr. I, 89 N. 3.

[3]) Vita Wigberti c. 24, SS. XV, 42: interiectis aliquot annis, Albuino presuli eiusdem oppidi per quietem aliquis obversatus .. Vgl. übrigens unten z. J. 786.

[4]) Für dieses Jahr entscheiden sich Mabillon, Annales II, 255; Wenck II, 296; Piderit S. 16 u. a. Vgl. ferner Böhmer-Will, Regesta archiepiscoporum Maguntinensium I, 41 Nr. 50; Hahn, Bonifaz und Lul S. 291—292; Göpfert S. 46. — Le Cointe VI, 128 denkt an das Jahr 777, doch sprechen die von ihm angeführten Gründe ebenso wohl für 780.

[5]) Vita Wigberti c. 25, SS. XV, 43: Atque Lullus, annuente Magno Karlo, monumentum illius, quo more per Gallias Germaniamque ceterorum sanctorum visuntur, auro et argento necnon reliquis congruentibus me-tallis exornandum curavit et id opus ad Idus Augusti complevit.

[6]) Darüber vgl. oben S. 207 ff.

bischof Weomad von Trier, dem Bischof Possessor und außerdem,
wie es scheint, von Bevollmächtigten des Königs geführt wurde[1]),
hatte offenbar ein befriedigendes Ergebniß. Wir besitzen das
Glaubensbekenntniß, welches Lul auf das Verlangen des Papstes
und dieser päpstlichen und königlichen Bevollmächtigten, wie es
scheint, im Jahr 780 ausstellte[2]). Außerdem schwor er, ebenfalls
dem Geheiß des Papstes entsprechend, dem päpstlichen Stuhle auf
die Evangelien Treue. Hierauf hin hat ihm wohl Hadrian das
Pallium ertheilt. Nachweislich begegnet er allerdings erst 782 als
Erzbischof[3]), 781 geschieht seiner überhaupt nirgends Erwähnung,
in der Urkunde vom 8. März 780 nennt Karl ihn noch Bischof,
erst nach dem 8. März kann die Verleihung des Palliums er=
folgt sein.

Der König verweilte auch Ostern, 26. März, noch in Worms[4]);
seitdem ist über seinen Aufenthalt nichts mehr bekannt, bis er
seinen Zug nach Sachsen antrat. Nach den im vorigen Jahr ge=
machten Fortschritten glaubte er in der schon 777 begonnenen,
aber durch die Erhebung der Sachsen im Jahre 778 unterbrochenen
Ordnung der inneren Verhältnisse des Landes fortfahren zu können;
neue kriegerische Unternehmungen beabsichtigte er nicht. Wohl zu
Anfang des Sommers machte er sich wieder nach Sachsen auf den
Weg[5]). Das Land der Westfalen berührte er nicht, sondern begab
sich unmittelbar nach Eresburg[6]) und von dort weiter hinein in

---

[1]) S. die folgende Anmerkung und oben S. 207 N. 2.

[2]) Es steht bei Falckenheimer, Geschichte hessischer Städte u. Stifter II, 165 ff.;
vgl. Böhmer-Will l. c. S. 40—41 Nr. 49. Der Eingang lautet: Fidem meam
catholicam, quam in ecclesia Christi didici, exponere cupiens qualiter a me
creditur vel docetur, iuxta praeceptum apostolici pontificis Adriani pape et
missorum eius Viemadi, Tilpini, Possessoris pontificum et missorum dni.
rever. Carli regis gloriosissimi ego Lullus, servus servorum Dei et ecclesie
Magoncicensis absque mortalium adiumento autistes, iuxta capacitatem
sensus mei nunc edissero. Am Schlusse heißt es sodann: Hanc fidem meam
ego Lullus Moguntinensis civitatis antistes exposui. Anno duodeno regni
domini nostri Carli regis gloriosissimi, pontificatus mei anno 25. similiter
huic sancte Dei ecclesie, cui deo annuente presidet sanctitas Adriani pape,
sacramento iuxta preceptum sanctitatis eius per quatuor ewangelia Christi
fidelitatem promisi ... Die Zweifel Hahn's, ob sich das Datum nicht nur auf
dies eidliche Gelöbniß beziehe (a. a. D. S 277 N 1), sind wohl überflüssig; das
Punctum nach exposui wird vom Herausgeber fehlerhaft gesetzt sein. Vgl. auch
desselben Art. über Lul, Allgem. deutsche Biographie XIX, 633.

[3]) Die Urkunde, worin Lul zuerst als Moguntiacensis urbis archiepiscopus
aufgeführt wird, ist vom 4. Juli 782, Wenck II, 2 S. 10 Nr. 7; Böhmer-Will I,
42 Nr. 56.

[4]) Annales Lauriss. mai. l. c.

[5]) Cum primum temporis oportunitas adridere visa est, iterum cum
magno exercitu Saxoniam profectus est, berichten die Annales Einhardi, was
nicht bloße Redensart sein mag; indessen scheint der Aufbruch doch erst etwa zu An=
fang Juli, allerfrühestens Ende Juni erfolgt zu sein; vgl. Kentzler, Forschungen zur
deutschen Geschichte XII, 341; Mühlbacher S. 85; Richter-Kohl S. 73. — Zweck
des Zuges war nach Ann. Laur. mai.: ad disponendam Saxoniam.

[6]) Annales Lauriss. mai. l. c.

das Land der Engern bis an die Quellen der Lippe[1]). Hier, in
Lippspringe[2]), wurde für einige Tage das Lager aufgeschlagen und
Reichsversammlung gehalten[3]), doch, wie es scheint, die innere
Einrichtung Sachsens noch nicht sogleich oder doch nur theilweise
vorgenommen[4]). Der König setzte vielmehr seinen Zug noch weiter
fort, in die Theile Sachsens, wo er vorher noch nie persönlich erschienen war. Der äußerste Punkt, den er bisher erreicht, war
die Ocker, bis wohin er 775 vorgedrungen war[5]); 780 überschritt
er sie zum ersten Male. Aber noch als er auf dem linken Ufer
stand, in Orheim (Ohrum), strömte eine große Anzahl Sachsen
herbei und ließ sich taufen[6]). Die Annalen nennen die Bewohner
des Bardengaues zwischen Aller und Elbe[7]) und sogar die Sachsen jenseits der Elbe, die Nordliudi[8]), welche also, wie es scheint, auf diese
Weise durch freiwillige Unterwerfung einem Angriff Karl's zuvorzukommen suchten. Karl ließ sich inzwischen dadurch nicht ab-

---

[1]) Ann. Laur. mai.; Ann. Einh.

[2]) Eine Urkunde Karl's für Nonantola ist in Lippspringe (Lippiogyspringiae
curte in Saxonia) unter dem 28. Juli 780 ausgestellt; Sickel K. 77; Mühlbacher
Nr. 222; Tiraboschi, Nonantola II, 26.

[3]) Ann. Lauriss. mai.: ibique sinodum tenens; Ann. Einh.: ad fontem
Lippiae venit, ubi castrametatus, per aliquot dies moratus est.

[4]) Der Aufenthalt in Lippspringe soll ja nur aliquot dies gewährt haben (s.
vor. Anmkg.); auch sagen die sog. Lorscher Annalen ausdrücklich: ibi (an der Elbe)
omniaque disponens quam Saxoniam quam et Sclavos; vgl. Ann. Einhardi.
Uebrigens wird sich so scharf nicht trennen lassen, und ist die Frage, ob an der
Lippe oder an der Elbe die Anordnungen getroffen wurden, von geringem Belange;
vgl. auch Kentzler a. a. O. S. 342 N. 4. 343 N. 3.

[5]) Vgl. oben S. 226.

[6]) Ann. Lauriss. mai.: inde iter peragens partibus Albiae fluvii, et
in ipso itinere omnes Bardongauenses et multi de Nordleudi baptizati sunt
in loco qui dicitur Orhaim ultra Obacro fluvio (vgl. Chron Vedastin.;
Ann. Lobiens., SS. XIII, 704. 229); Ann. Einh.: Inde ad orientem itinere
converso, ad Ovacrum fluvium accessit. Cui cum ibi omnes orientalium
partium Saxones, ut iusserat, occurrissent, maxima eorum multitudo in
loco qui Orheim appellatur solita simulatione baptizata est.
Die Worte der sog. Lorscher Annalen scheinen zu ergeben, daß Orheim auf
dem jenseitigen, rechten Ockerufer lag. Dies ist aber unrichtig; Orheim, das spätere
Ohrum, liegt auf dem linken Ufer. Erwähnt wird der Ort auch schon zur Zeit
Pippin's 748, Ann. Laur. mai., Ann. Einh. 747, SS. I, 136. 137; ferner in
der sagenhaften Erzählung in den Ann. Quedlinburg. über die Zerstörung des
Thüringerreichs, SS. III, 32 N. 18; vgl. Hahn, Jahrbücher S. 94; Kentzler,
Forsch. a. a. O. S. 343 N. 4.

[7]) Vgl. v. Hammerstein-Loxten, Der Bardengau (Hannover 1869).

[8]) Vgl. oben N. 6. Eine Angabe, die man kein Recht hat ohne weiteres zu verwerfen,
wie in dem Aufsatz von Funck bei Schlosser und Bercht, Archiv IV, 296 geschieht.
Danach wären unter den Ostsachsen blos Nordschwaben und Bewohner von Nord-
thüringen zu verstehen, unter dem Bardengau die Böhrde bei Magdeburg. Aber
wenn auch selbstverständlich die Angabe nicht wörtlich zu nehmen ist, nicht alle Bewohner des Bardengaues nach Orheim kamen, so mag doch eine große Anzahl derselben wirklich dahin gekommen sein. Auch die überscharfsinnigen Auslegungen, welche
Kentzler a. a. O. S. 343—346 an die Stellen der Ann. Lauriss. mai. und der
Ann. Einh. knüpft, können übergangen werden. Aehnlich v. Richthofen, Zur Lex
Saxonum S. 138 N. 1. 394—395.

halten seinen Zug bis an die Elbe fortzusetzen. Er erreichte den
Strom beim Einfluß der Ohre, etwas nördlich von Magdeburg
(bei Wolmirstedt), hat also den Bardengau nicht betreten, noch
weniger die Elbe überschritten. Hier, an der äußersten Grenze
Sachsens im Osten, machte er Halt[1]) und verweilte einige Zeit
um die Angelegenheiten des Landes zu ordnen[2]). Er hatte wohl
schon früher auf der Reichsversammlung an den Quellen der Lippe
einzelne Verfügungen getroffen für die Gebiete, in denen seine
Herrschaft schon einigermaßen befestigt war[3]); in der Hauptsache
erfolgte die Regelung der Verhältnisse wohl erst jetzt bei seinem
Aufenthalt an der Elbe.

Die Nachrichten über die Maßregeln Karl's sind überaus
dürftig. Aber die Annalen lassen es wenigstens nicht zweifelhaft,
daß Karl in diesem Jahre endlich die Unterwerfung Sachsens für
vollendet hielt; so faßten die Zeitgenossen das Entgegenkommen
der Sachsen aus vielen Theilen des Landes auf; ein gleichzeitiger
zuverlässiger Annalist schreibt, als wäre schon alles gethan, zu
diesem Jahre: „Karl kam nach Sachsen bis an die Elbe, unterwarf jenes ganze Land seinem starken Arme. Die Sachsen sagten
sich los von ihren Götzen, beteten den wahren Gott an und glaubten an seine Werke, und zu derselben Zeit bauten sie Kirchen, und
viele tausend heidnische Wenden kamen zum König; er aber unterwarf sie mit Gottes Hilfe[4]).“ Unter solchen Umständen schritt
Karl zu einer umfassenden Neuordnung des eroberten Landes, die
sich jedoch nur in den allgemeinsten Umrissen erkennen läßt. „Die
Sachsen ergaben sich ihm alle und stellten Geiseln, Freie und

---

[1]) Ann. Lauriss. mai.: Et pervenit usque ad supradictum fluvium,
ubi Ora confluit in Albia; Ann. Einh.: Profectus inde ad Albiam castris-
que in eo loco, ubi Ora et Albia confluunt, ad habenda stativa conlocatis. Ann. Quedlinb. SS. III, 37 ziehen hier den Inhalt der Ereignisse schlecht
zusammen (Carolus inter Arae et Albiae confluentiam Saxones baptizari
praecepit). — Annales Petavian. SS. I, 16: cum Francorum exercitu venit
in Saxoniam usque fluvium Alvea; Ann. Lauresham. SS. I, 31: Domnus
rex Carlus perrexit iterum in Saxonia cum exercitu et pervenit usque ad
fluvium magnum Heilba.

[2]) Ann. Lauriss. mai.; Ann. Einh.; vgl. unten.

[3]) Vgl. oben S. 346.

[4]) Annales Petaviani SS. I, 16: Eodem anno iterum pulcherrimus
rex Karolus cum Francorum exercitu venit in Saxoniam usque fluvium
Alvea, adquisivit universam terram illam sub forti brachio. Ipso quoque
anno Saxones derelinquentes idola deum verum adoraverunt et eius credi-
derunt opera, eodem quoque tempore aedificaveruntque ecclesias et venerunt ad domnum regem multa milia gentilium Winethorum hominum, ipse
autem adquisivit una cum dei auxilio. Die Worte aedificaveruntque ecclesias beziehen sich auf die Sachsen, nicht auf die Wenden.
Kurze Annalen sagen: Saxonia capta est, Ann. Sangall. brev. SS. I, 64;
ed. Henking, St. Galler Mitth. XIX, 222; Ann. Augiens. Jaffé III, 702;
Coloniens. SS. I, 97; Jaffé et Wattenbach, Metrop. Colon. codd. mscr. S. 127;
vgl. auch Ann. Enhard. Fuld. und Sith. SS. I, 349. XIII, 36 (habito conventu in Saxonia, iterum eam subigit). — Ann. Sangall. mai., ed. Henking
S. 271: Karolus in Saxonia.

Liten; und er vertheilte das Land unter Bischöfe, Presbyter und Aebte, damit sie daselbst tauften und predigten[1])." Das ist alles, was über die damaligen Maßregeln Karl's ausdrücklich und sicher überliefert ist, und auch diese kurzen Angaben sind von Verschiedenen verschieden ausgelegt. Es wird ferner berichtet, daß eine große Menge von Wenden und Friesen sich dem Könige unterworfen und, wie es scheint, zum Christenthum bekehrt habe[2]). Man nimmt wohl an, daß unter diesen Wenden und Friesen lediglich die Bewohner des sog. Friesenfeldes (zwischen Saale und Unstrut), bezw. des Wendengaues (nahe der Unstrut) zu verstehen seien[3]) — eine Vermuthung, die aber doch recht gewagt erscheint.

Augenscheinlich schließen die Einrichtungen, von welchen hier die Rede ist, sich an das Verfahren an, womit Karl schon früher den Anfang gemacht hatte, indem er einzelne Landstriche an fränkische Geistliche zur Predigt und Taufe überwies[4]). Was er 780 anordnete, ist wesentlich dasselbe, nur in größerem Umfang und allgemein für ganz Sachsen geschah jetzt, was früher blos für einzelne Theile Sachsens in Anwendung gebracht war; namentlich darum handelte es sich, die geeigneten Männer für die kirchliche Einrichtung des Landes zu finden, nachdem Sturm gestorben, der bisher das Bekehrungsgeschäft geleitet hatte. So wird theilweise auch eine neue Vertheilung der Missionsgebiete vorgenommen sein,

---

[1]) Annales Mosellani l. c.: Et Saxones omnia tradiderunt se illi et omnia accepit in hospitate tam ingenuos quam et lidos; divisitque ipsam patriam inter episcopos et presbyteros seu et abbates, ut in ea baptizarent et praedicarent. Die Fassung in den Annales Laureshamenses l. c. lautet: Et Saxones omnes tradiderunt se illi, et omnium accepit obsides etc. Der Ausdruck hospites für obsides findet sich auch sonst gerade in den ältesten Annalen, den Annales s. Amandi, SS. I, 12; in demselben Sinne hospitatus in den Annaleß Lauresh., SS. I, 33, und hier hospitas. — Mehr oder minder verkürzt ist diese Nachricht auch übergegangen in die Ann. Maximin. und die Ann. Lobiens., SS. XIII, 21. 229; ferner in die Hersfelder Annalen, wo sie jedoch unrichtig in das Jahr 781 verschoben wird, vgl. Ann. Quedlinb. u. Lambert. SS. III, 38; Giesebrecht's Anmerkung zu den Ann. Altahenses SS. XX, 783 N. 51; H. Lorenz, Die Jahrbücher von Hersfeld S. 86.

[2]) Annales Mosellani l. c.: nec non et Winidorum seu et Fresionum paganorum magna multitudo ad eum conversa est. Was ad eum conversa est heißen soll, ist nicht recht klar; der Beisatz ad eum (Karolum) macht es bedenklich, converti als Bekehrung zu verstehen; vielleicht ist es gleichbedeutend mit dem einfachen venire der Annales Petaviani, welche l. c. berichten: Et venerunt ad domnum regem multa milia gentilium Winethorum hominum. Die Annales Lauresham. scheinen es freilich für Bekehrung zu nehmen: Nec non et Winidorum seu Fresorum paganorum magna multitudo credidit, könnten aber hier möglicherweise ihre und der Mosellani gemeinsame Vorlage mißverstanden haben (anders Kentzler, Forschungen XII, 348 N. 4). Ebenso Ann. Lobiens.: necnon et Winidorum seu et Frisonum et Nordleudorum (vgl. oben S. 346 N. 6) multitudo credidit; Ann. Max.: et tunc Winidorum atque Fresonum multitudo magna credere se Domino spoponderunt; Chron. Moiss. SS. I, 296 setzt dafür sogar: baptizata est.

[3]) S. Kentzler, Forschungen XII, 348 N. 4; Mühlbacher S. 85 (27); RichterKohl S. 74; vgl. Hahn, Jahrbücher 741—752 S. 93. 218.

[4]) Vgl. oben S. 268 N. 1.

obschon darüber wenig Sicheres verlautet. Bezeugt ist, daß Karl damals den Willehad in seinen Dienst zog. Willehad's Biograph er= zählt, Karl habe den Missionar zu sich rufen lassen, sich mit ihm unterredet und, da er ihn in der Reinheit des Wandels und in einem aufrichtigen und festen Glauben bewährt gefunden, nach Sachsen in den Gau Wigmodia geschickt, das Land zwischen der unteren Weser und Elbe, um dort mit königlicher Vollmacht Kirchen zu bauen und dem Volke zu predigen[1]).

Keine so bestimmten Angaben liegen über die Persönlichkeit anderer Missionare vor. Sturm's Nachfolger in Fulda, Baugolf, wird sich zwar der Mission nicht ganz entzogen haben, stand jeden= falls in nahen Beziehungen zu den Theilen Sachsens, wo Sturm hauptsächlich thätig gewesen war; noch sind die Urkunden von zwei Schenkungen erhalten, welche ein gewisser Huc in Paderborn am 19. Juni 785 dem Kloster Fulda machte[2]). Aber in der Haupt= sache trat Baugolf nicht in Sturm's Stelle ein, Karl sah sich nach anderen Männern um; zu denen, die seine Wahl traf, gehört vor allem der Bischof von Wirzburg, Megingoz, wie Sturm ein un= mittelbarer Schüler des Bonifaz. Ein Schriftsteller aus dem Ende des 9. Jahrhunderts, der für glaubwürdig gelten darf, nennt ihn ausdrücklich, spricht sich überhaupt etwas genauer über Karl's Verfahren aus[3]). Er erzählt, Karl habe möglichst schnell Kirchen bauen lassen und die Bezirke sorgfältig abgegrenzt; weil es aber in Sachsen durchaus an Städten fehlte, wo man nach alter Sitte Bischofssitze anlegen konnte, habe er zu diesem Behufe Orte, welche durch ihre natürliche Lage und die Zahl ihrer Bewohner besonders geeignet schienen, ausgewählt. Und wenn auch diese Angaben den Ereignissen vorgreifen, so bezieht sich dagegen das weitere ganz auf die hier in Frage stehende Zeit. Der König übergab, fährt jener Schriftsteller fort, die einzelnen kirchlichen Sprengel einzelnen Vorstehern anderer Kirchen in seinem Reiche, welche dann, so oft die Zeit es ihnen erlaubte, zur Belehrung des Volkes in der christ= lichen Religion sich dahin begaben und außerdem aus ihrer Geist= lichkeit erprobte Männer zu dauerndem Aufenthalte hinschickten; und dies geschah so lange, bis das Christenthum daselbst so weit erstarkt war, daß eigene Bischöfe in den einzelnen Sprengeln sicher verweilen konnten[4]). So wurde auch mit Paderborn verfahren,

---

[1]) Vita Willehadi c. 5, SS. II, 381. Der Ausdruck ecclesias instruere bedeutet Kirchen bauen, ist gleichbedeutend mit dem etwas weiter unten gebrauchten ecclesias construere.

[2]) Dronke, Codex diplomaticus S. 50 Nr. 82. 83. Die Schenkung betrifft Güter im Elsaß.

[3]) Der Verfasser der Translatio s. Liborii, SS. IV, 149 ff.

[4]) Translatio s. Liborii, c. 2, SS. IV, 150: Unamquamque praedicta-rum pontificalium sedium cum sua diocesi singulis aliarum regni sui aeccle-siarum praesulibus commendavit, qui et ipsi, quotiens sibi vacaret, ad in-struendam confirmandamque in sacra religione plebem eo pergerent et ex clero suo personas probabiles cuiuscumque ordinis cum diverso rerum

bie bort schon seit einigen Jahren errichtete Kirche und Missions=
station wurde der Obhut des Bischofs von Wirzburg anvertraut[1]),
und zwar, wie wohl anzunehmen ist, eben nach dem Tode Sturm's.
Von der Errichtung eines Bisthums aber wissen die Quellen nichts,
was sie berichten steht mit der Annahme einer solchen sogar in
Widerspruch. Der nachherige erste Bischof von Paderborn, Hathu=
mar, ein Sachse von Geburt, befand sich damals noch als Geisel
im fränkischen Reiche und wurde, noch ein ganz junger Mann,
auf Befehl Karl's in Wirzburg christlich erzogen; er trat dann in
den geistlichen Stand und ward erst nicht viele Jahre vor dem Tode
Karl's zum Bischof von Paderborn geweiht[2]). Alle Angaben,
welche die Errichtung eines Bisthums in Paderborn ins Jahr 780
oder in eines der nächstfolgenden Jahre setzen, sind demnach falsch[3]),
und eine bloße Fabel ist die Nachricht, Karl habe auch in Herstelle
an der Weser ein Bisthum gegründet[4]), von dem man dann weiter
behauptete, es sei noch vor Paderborn gestiftet, der Sitz des Bischofs
erst einige Zeit später von Herstelle nach Paderborn verlegt
worden[5]). Die Quellen wissen von dem allem nichts, es sind blos
willkürliche Behauptungen, die es überflüssig ist ausführlich zu
widerlegen.

---

aecclesiasticarum apparatu ibidem mansuros iugiter destinarent; et hoc
tamdiu, donec annuente domino salutaris illic fidei doctrina convalesceret
et ita divini usus mynisterii proveheretur, ut proprii quoque in singulis
parrochiis digne et fiducialiter possent manere pontifices. Vorgegriffen ist
aber auch hier, insofern die zuerst abgegrenzten Bezirke als bischöfliche Sprengel,
pontificales sedes cum sua diocesi, bezeichnet werden, während sie nur Missions=
gebiete waren.

[1]) Translatio s. Liborii, c. 5: Hoc igitur ordine Patherbrunnensis
aecclesiae sedes episcopalis tam imperatoria sanctione quam apostolicae
benedictionis auctoritate primitus constituta, ob causam superius memora-
tam commendata fuit aliquamdiu tuicione praesulum cuiusdam castelli
orientalis Franciae, quod sermone barbaro Wirzeburch appellatur.

[2]) Translatio s. Liborii l. c. Falsch ist es, Hathumar's Erhebung zum
Bischof schon 795 anzusetzen, vgl. Rettberg II, 441 und unten Bd. II, z. J. 804.

[3]) So z. B. Schaten, Historia Westphaliae S. 316; v. Kleinsorgen, Kirchen=
geschichte von Westphalen I, 160. 163; Bessen, Geschichte des Bisthums Paderborn
S. 54 u. a.; vgl. auch unten N. 5. Richtiger sehen schon Leibniz, Annales I, 93;
Le Cointe VI, 176; im Ganzen auch Welter, Einführung des Christenthums in
Westfalen S. 44. Uebrigens vgl. unten N. 5; S. 357.

[4]) Sie begegnet zuerst im 12. Jahrhundert, in dem Chronicon Hildeshei-
mense, SS. VII, 851, wo übrigens Paderborn und Herstelle neben einander auf=
gezählt sind; vgl. Rettberg II, 441 f.

[5]) So Heinrich von Herford, ed. Potthast, S. 32, und nach ihm wohl v.
Kleinsorgen, I, 163; Schaten, S. 316 f., welche beide noch den zweiten Fehler be=
gehen, daß sie als Bischof von Wirzburg den Burghard nennen, der doch schon bei
Lebzeiten des Bonifaz gestorben ist, vgl. Rettberg II, 316; ferner Bessen, S. 54, der
meint, der Bischof von Wirzburg habe selbst in Herstelle seinen Sitz aufgeschlagen.
Schon Welter, S. 45 N. 2, hat richtig bemerkt, daß Herstelle selber erst 797 von
Karl angelegt sei (vgl. unten Bd. II. zu diesem Jahre), was auch wieder die frühe
Gründung des Bisthums in Paderborn widerlegen würde. Uebrigens steht v. Klein=
sorgen mit sich selbst im Widerspruch, vgl. oben S. 273 N. 4.

Nächst dem Bischof von Wirzburg scheint bei der weiteren
Bekehrung Sachsens auch der Bischof Agilfrid von Lüttich[1]) be=
theiligt gewesen zu sein. Der Bezirk, in dem er wirkte, war an=
geblich die Gegend von Osnabrück. Fest steht freilich die Nachricht
keineswegs. Sie findet sich erst in einer Urkunde Ludwig's des
Deutschen für den Bischof Egibert von Osnabrück, die in Sachen
des osnabrückschen Zehnten erlassen ist und daher großen Be=
denken unterliegt. Da beruft sich Egibert auf eine Urkunde Karl's,
derzufolge die Kirche in Osnabrück auf den Wunsch und Rath
Papst Hadrian's zuerst in Westfalen von Karl gegründet, vom
Bischof Egilfrid von Lüttich geweiht und mit Zehnten ausgestattet
worden sei[2]). Läßt man hier fort, was auf die Verherrlichung
und den Vortheil von Osnabrück berechnet ist, die Nachricht von
der unter päpstlicher Einwirkung erfolgten Gründung der Kirche
und von der Ausstattung mit Zehnten, so bleibt die ohne ersicht=
lichen Nebenzweck gemachte Angabe zurück, daß die Kirche in Osna=
brück durch Bischof Agilfrid von Lüttich geweiht wurde, und wenig=
stens ein zwingender Grund diese Nachricht zu verwerfen fehlt[3]).
Es ist damit aber noch wenig gewonnen, nur die Erbauung einer
Kirche in Osnabrück noch bei Lebzeiten des Bischofs Agilfrid von
Lüttich, also vor 787 wahrscheinlich gemacht[4]). Das Jahr genauer

---

[1]) Derselbe war auch Abt von St. Amand, Ann. Elnonens. mai. 787, SS.
V, 11; Series abb. s Amandi Elnonens. SS. XIII, 386.
[2]) Urkunde Ludwig's des Deutschen vom 10. November 818, bei Möser, Osna=
brückische Geschichte I b, S. 11 Nr. 6, wo es heißt: Ibi in nostra ceterorumque
fidelium nostrorum presentia praefatus episcopus (Egibert) litteras magni et
admirabilis Karoli avi nostri imperatoris augusti ipsius sigillo assignatas
in palam proferebat. His in nostra cacterorumque considentium praesentia
recitatis Osnebruggensem ecclesiam Adriani papae consilio et consultu ab
eodem magno et illustri viro Karolo primitus in provincia Westfala fun-
datam et a venerabili Egilfritho Leodicensi episcopo consecratam et eisdem
decimis, quia alia ibi tunc temporis non erant donaria, dotatam ... didicimus;
Mühlbacher Nr. 1349. Daß die Urkunde unecht ist, führen im einzelnen aus Fechner,
Leben des Erzbischofs Wichmann von Magdeburg, Programm der Realschule zu Er=
furt 1864, im Anhang über den Corvey'schen Zehntenstreit, S. 27 ff. (vgl. Forsch.
z. deutschen Gesch. V, 440), und Wilmans, Die Kaiserurkunden der Provinz West=
falen I, 328. 342. Es ist die Urkunde, die Fechner 864 setzt (vgl. auch Erhard,
Reg. Westf. I, 108 Nr. 428), weil Egibert erst 859 oder 860 Bischof von Osna=
brück wurde. Ebenso hält auch Wilmans a. a. O. S. 521 die Einreihung unter
848 für unzulässig, weil Egibert erst 860, jedenfalls erst nach 853 Bischof geworden
sei. Aber das 15. Regierungsjahr Ludwig's führt auf 848 (vgl. auch Sickel, Dipl.
reg. et imp. I, 107; Diekamp, Supplement z. westfäl. Urkb. S. 38 Nr. 271),
und so zeigt schon die Datirung die Unechtheit des Dokuments. Daß aber einzelne
darin enthaltene historische Angaben glaubwürdig sind, wird dadurch nicht unbedingt
ausgeschlossen.
[3]) Rettberg, II, 437, läßt sie ohne weiteres gelten Der Brief Egibert's an
Erzbischof Willibert von Köln, den Eckhart I, 716 außerdem noch herbeizieht, muß
als verdächtig aus dem Spiel gelassen werden, vgl. oben S. 183 N. 2.
[4]) Agilfrid starb nach Ann. Lobiens. SS. XIII, 229 i. J. 787; nach
Aegid. Aureaevall. II, 32, SS. XXV, 47, welcher ihn vir preclarus
et nobilis et in palatio Karoli Magni nominatissimus nennt, bereits
um 784, wie auch Welter, S. 44; Möser, I, 277 N. d; Erhard, S. 70
u. a. annehmen, welche daher die Erbauung der betreffenden Kirche vor 784

festzustellen ist nicht möglich, doch braucht man nicht vorzugsweise an 783 zu denken, wo Karl an der Hase über die Sachsen siegte[1]); eine Kirche konnte in Osnabrück allenfalls gebaut sein, ehe Karl in Person bis dorthin vordrang, die Nachrichten über die kirchliche Organisation Sachsens und den Bau von Kirchen in jenem Lande in der Zeit, in welcher wir stehen, weisen auf diese hin, und so könnte auch Agilfrid die Mission in jenen Gegenden, wenn nicht früher, 780 in die Hand genommen haben. Aber von der Errichtung eines Bisthums in Osnabrück findet sich noch keine Spur[2]). Die Angaben, wonach Osnabrück sogar das erste von Karl in Sachsen gegründete Bisthum gewesen sein soll, sind völlig grundlos und erfunden, beruhen lediglich auf der späten, zur Unterstützung der osnabrückschen Zehntansprüche gemachten Erdichtung, daß Karl dem Papste die Errichtung eines Bisthums in Osnabrück versprochen habe[3]), und auf den zum Theil erweislich falschen Aussagen von Urkunden, welche ebenfalls den osnabrückschen Zehnten betreffen und fast durchgehends unecht sind[4]). Zuverlässige Nachrichten wissen überhaupt garnichts von der Gründung des Bisthums Osnabrück; auch der angebliche erste Bischof, Wiho, wird nur in zwei entschieden falschen, erst im 11. Jahrhundert verfertigten Urkunden genannt, und erst im Jahre 803[5]), ist also durchaus

---

ansetzten. Aus der Erwähnung Lul's, der schon 786 (785?) starb, bei der Gründung der Kirche will Rettberg, II, 437, schließen, daß sie auch schon vor 786 erfolgt sein müsse, vgl. die Stelle unten N. 4.

[1]) So neben anderen Möser, I, 275; dagegen namentlich Grupen, Origines Osnabrugenses, in den Origines Germaniae, III, 333 ff., der sich aber zu bestimmt äußert, indem er, III, 296 ff., die Betheiligung Agilfrid's an dem Bau der Kirche unbedingt leugnet.

[2]) Sogar Heinrich von Herford, ed. Potthast S. 31, redet anfangs nur von der Gründung einer Kirche in Osnabrück, nicht von einem Bisthum, und setzt dieselbe ins Jahr 780.

[3]) Ueber diese Nachrichten vgl. oben S. 181 ff.; Rettberg II, 413 ff.; Waitz III, 2. Aufl. S. 163.

[4]) Vgl. Rettberg II, 435, der aber mit diesen Urkunden noch zu schonend verfährt; diese die Zehnten betreffenden Urkunden sind fast alle falsch, vgl. Waitz III, 2. Aufl. S. 134 N. 3, falsch jedenfalls die hier hauptsächlich in Betracht kommende Ludwig's des Frommen vom 7. September 824 (829?) bei Möser Ib, 6 Nr. 3, worin eine Urkunde Karl's erwähnt ist, in quo continebatur, qualiter ipse Adriani papae praecepto et hortatu et Lullonis Mogontini . . . consilio in provincia Westfala, loco Osnabruggi vocato, ecclesiam et primam omnium in Saxonia ordinavit cathedram, et quomodo ad stipendia episcopi . . .; s. auch Fechner S. 27 (Forsch. V, 440); Wilmans a. a. O. I, 319—386; Sidel II, 427 ff.; Mühlbacher Nr. 841; Diekamp, Supplem. S. 25 Nr. 182. Auch Fechner verwirft diese Urkunde, redet dann aber S. 31 doch wieder von ihr als ob er ihre Echtheit für möglich hielte. (D. Meyer in Mitth. des hist. Vereins zu Osnabrück VIII, 328 bis 362 ist für die Echtheit.)

[5]) Der Urkunde Karl's vom 19. Dezember 803, bei Möser Ib, 3 Nr. 1, und vom 19. Dezember 804, Möser Ib, 4 Nr. 2. Außer den bei Rettberg, II, 435 N. 4 angeführten Streitschriften über die zweite dieser Urkunden vgl. namentlich Erhard, S. 85 Nr. 251; S. 86 Nr. 255; Diekamp, Suppl. S. 19 Nr. 137; Wilmans I, 370. 519 f.; Sidel a. a. O.; Mühlbacher Nr. 398. 401. Rettberg II, 437, scheint den Wiho wenigstens nicht ganz fallen zu lassen. Fechner, S. 27, nimmt die Urkunde bei

nicht beglaubigt. Was allein so gut wie fest steht, ist, daß noch geraume Zeit nach 780 in Osnabrück kein Bisthum besteht, daß hier wie sonst das Bisthum allmählich aus einer ursprünglich nur für Missionszwecke bestimmten kirchlichen Anlage hervorgegangen ist, wobei der Uebergang zum förmlichen Bisthum ziemlich unvermerkt erfolgte[1]).

Wieder einem anderen im fränkischen Reiche selbst belegenen Stifte wurde die Bekehrung der Gegend überwiesen, welche später die Diözese von Verden bildete, dem Kloster Amorbach im Odenwalde. Der nachmalige erste Bischof von Verden, Patto oder Pacificus, ist zugleich Abt von Amorbach[2]), wohin er sich nach dem Wiederausbruch des Krieges mit den Sachsen zurückzog[3]); auch sein Nachfolger Tanko vereinigt in sich die Würde des Abts von Amorbach und Bischofs von Verden[4]), wodurch eine Bekehrung dieser Gegend von Amorbach aus, nach Art der Bekehrung der Paderborner Gegend durch den Abt von Fulda und den Bischof von Wirzburg, wohl außer Zweifel gestellt wird. Auch hindert nichts, den Beginn der Missionsthätigkeit in diesen Gegenden jenseits der Aller schon 780 anzusetzen. Die Nachricht von der Taufe vieler Bewohner des Bardengaues in diesem Jahre[5]) hebt die Schwierigkeit, welche darin liegt, daß Karl selbst damals die Aller noch nicht überschritten hatte, und daß der Tod Patto's schon zu 788 angegeben wird[6]), würde ebenfalls empfehlen, den Anfang

---

Möser Nr. 1 gegen Erhard in Schutz und hat darin Recht, daß sie den Zehntstreit nicht berührt. Aber ihre Unechtheit steht trotzdem außer Zweifel, und vier Seiten weiter unten, S. 31, führt sie auch Fechner neben lauter unechten Urkunden auf (vgl. auch Forschungen zur deutschen Geschichte V, 440) und meint, noch 1078 könne sie nicht vorhanden gewesen sein; vgl. Sickel II, 429.

[1]) Letzteres hebt im allgemeinen und mit Recht Rettberg, II, 416 hervor. Die Nachricht des Libellus de fundatione quarundam in Saxonia ecclesiarum, wonach Osnabrück schon 772 gegründet ward, bei Mader, Antiquit. Brunsvic. S. 160 ff., ist ohne Gewicht; was Böttger, Die Einführung des Christenthums in Sachsen durch den Frankenkönig Karl, S. 43 ff., für die Gründung im Jahr 780 anführt, durchaus unzutreffend, vgl. auch unten S. 357; die Annahme der Gründung 780, die auch Luden, IV, 319 u. a. theilen, unbedingt aufzugeben.

[2]) Chronicon episcoporum Verdensium, freilich erst jungen Ursprungs, bei Leibniz, Scriptores rer. Brunsvicens. II, 211: Spatto secundus ecclesiae episcopus, natione Scotus, abbas Amarboracensis ecclesiae. Ueber den angeblichen ersten Bischof Suibert vgl. Rettberg, II, 459 ff., ferner hierüber und über die Gründung des Bisthums selbst Genaueres unten zum Jahre 787.

[3]) Das ergibt die Nachricht von der Uebertragung seiner Gebeine von Amorbach nach Verden, Leibniz, Scriptores II, 213.

[4]) Chronicon episc. Verd. bei Leibniz, Scriptores II, 212; näher handelt über die einschlägigen Punkte Rettberg II, 461 ff.

[5]) In den Annales Laur. mai., vgl. oben S. 346 N. 6; dazu auch Albericus Trium Fontium, SS. XXIII, 717: (Bardogavenses et Norduite baptizantur.) Ab istis cepit episcopatus Verdensis.

[6]) In den Ann. necrolog. Fuld. SS. XIII, 168, wo freilich der Bischofssitz des Bischofs Pacificus nicht angegeben ist; über die Identität Patto's mit Pacificus, des Bischofs von Verden mit dem Abte von Amorbach, vgl. Eckhart I, 676 f. 685. 699 und Rettberg II, 462 f. sowie unten z. J. 787.

feiner Thätigkeit etwa bis 780 hinaufzurücken. Von der Gründung eines Bisthums und auch nur von dem Bau einer Kirche ist es hier bis 786 still[1]).

Ein ähnliches Verfahren beobachtete Karl in Ostfalen, wo er feit den Erfolgen von 780 die Mission gewiß auch mit großem Eifer betrieb. Nachher wurde hier Halberstadt Bischofssitz[2]), und die Wahrscheinlichkeit spricht dafür, daß auch in dem späteren halberstädtischen Sprengel der Vorstand einer schon fest begründeten kirchlichen Stiftung im fränkischen Reiche mit der Leitung der Bekehrung beauftragt wurde. Allein welches dieses Stift, wer der Bischof oder Abt war, ist nicht zu sehen. Späte sächsische Nachrichten nennen den Bruder Liudger's, Hildigrim, der schon vorher Bischof von Châlons an der Marne. gewesen sein soll und mit Beibehaltung dieses Bisthums, wie der Bischof von Wirzburg im Paderbornschen, die Bekehrung Ostfalens geleitet, das Bisthum Halberstadt gegründet habe, und zwar schon um 781[3]). Diese Angaben sind jedoch nicht blos an sich unwahrscheinlich, sondern werden durch alle älteren Nachrichten über jenen Hildigrim bestimmt widerlegt. Die Lebensbeschreibungen Liudger's kennen Hildigrim nur als Bischof von Châlons[4]), aber erst in einer späteren Zeit, denn noch 797 wird er urkundlich als Diakonus aufge-

---

[1]) Die Angabe des Libellus de fundatione von der Gründung des Bisthums Verden im Jahre 782 ist, wie die anderen Angaben des Libellus, werthlos, da sie lediglich auf Heinrich von Herford, S. 32, beruht.

[2]) Vgl. hierüber Simfon, Jahrbücher Ludwig's d. Fr. II, 286—288.

[3]) S. die Annalen von Quedlinburg zu 781, SS. III, 38: (Karl) in loco qui dicitur Seligansted monasterium construxit, quod postea in locum translatum est qui dicitur Halverstede, ubi nunc est sedes episcopalis. Idque ad corrigendum et propagandum Cathalaunensi episcopo Hildegrimo, qui frater erat beati Liudgeri confessoris, commendavit, huiusque episcopii terminos constituit. Dieselbe Nachricht vollständiger bei dem sächsischen Annalisten, SS. VI, 560, und in den Gesta epp. Halberstad., SS. XXIII, 78. Nur gelegentlich und kürzer hat die Nachricht auch Thietmar, Chronicon IV, 45, SS. III, 787. Die Urkunde Ludwig's des Fr. vom 2. September 814, welche ebenfalls als ersten Bischof von Halberstadt Liudger's Bruder Hildigrim nennt (Gest. epp. Halberstad. l. c. S. 80), ist falsch, vgl. auch Rettberg II, 471; Sickel II, 413. 415, obwohl Erhard, S. 91 Nr. 283, sie zu halten sucht. Mühlbacher Nr. 516, dem wir uns hier jedoch keineswegs anschließen können, betrachtet sie nur als interpolirt

Unglaubwürdig sind auch alle anderen Angaben, in denen dieser Hildigrim als erster Bischof von Halberstadt erscheint; so Thietmar. IV, 45, SS. III, 787; Annalista Saxo 809. 827, SS. VI, 567. 573; Gest. epp. Halberstad. (816. 827) SS. XXIII, 79 ff.; Henric. de Hervordia, ed. Potthast S. 31; Johann. de Essendia, Hist. belli a Carolo M. contra Saxones gesti, (Scheidt) Bibl. hist. Goetting. I, 58; die Vita rhythmica s. Liudgeri, welche ihn Patron von Halberstadt nennt; Cincinnii Vita s. Liudgeri c. 48; die falsche Urkunde Karl's für Helmstedt vom 26. April 802, Lünig, Teutsches Reichsarchiv; Spicil. eccl. III, 691; Sickel II, 415; Mühlbacher Nr. 381. Vgl. Diekamp in Geschichtsquellen des Bisthums Münster, Bd. IV, Einl. S. XXX. CVII; 196—197. 266. 297—298.

[4]) Altfrid, in der ältesten Vita Liudgeri, I, c. 32; ebenso die Vita secunda I, c. 34; die Vita tertia, I, c. 46, Geschichtsquellen des Bisthums Münster IV, 38. 82. 113.

führt [1]). Die Nachrichten über das Gründungsjahr 781 fallen zu=
gleich mit denen über den vorgeblichen halberſtädtiſchen Hildigrim,
mit denen ſie zuſammen ſtehen [2]). Dagegen mag möglicherweiſe
an der Nachricht, daß die erſte kirchliche Anlage nicht in Halber=
ſtadt ſelber, ſondern an einem jetzt verſchollenen, urkundlich nur
bis ins 11. Jahrhundert nachweisbaren Orte Seligenſtadt, angeblich
identiſch mit Oſterwiek an der Ilſe, erfolgte, von dort erſt ſpäter
die Ueberſiedelung nach Halberſtadt geſchah, etwas wahres ſein [3]);
nur immer unter der Vorausſetzung, daß es ſich in der hier in
Frage ſtehenden Zeit nicht um die Anlage eines Bisthums, ſondern
blos einer Kirche handelt. Noch viel bedenklicher aber ſteht es mit
der angeblichen Gründung eines zweiten Miſſionsplatzes in Oſt=
falen, des St. Liudgerikloſters bei Helmſtedt, durch Liudger [4]), wo=
nach auch letzterer als Miſſionar in Oſtfalen erſcheint. Dafür
findet ſich kein einziges brauchbares Zeugniß, es iſt lediglich eine

---

[1]) In einer Urkunde für Werden vom 29. Juni 797, bei Lacomblet, Urkunden=
buch für die Geſchichte des Niederrheins I, 7 Nr. 9; auch in einer Urkunde vom
22. März 793 iſt er ausdrücklich nur als Diakonus bezeugt, Lacomblet I, 2. Ueber
den Anlaß zu dieſer Verſetzung Hildigrim's nach Halberſtadt durch die ſpätere Tra=
dition, überhaupt den genaueren Sachverhalt vgl. Rettberg II, 471 ff. 484 (Jahrbb.
Ludwig's des Frommen II, 286).

[2]) Vgl. die Stellen oben S. 354 N. 3; ſchon 777 nennt der unbrauchbare Li=
bellus de fundatione l. c. Bei Heinrich von Herford l. c. erfolgt die Verpflan=
zung des Bisthums von Seligenſtadt nach Halberſtadt post annos 40 im J. 819,
was alſo 779 als Gründungsjahr ergeben würde. Eigentlich kann nur geſagt werden,
daß die Zeit der Gründung des Bisthums Halberſtadt ſich unſerer Kenntniß entzieht,
wie ſchon Leuckfeld, Antiquitates Halberſtadenſes S. 22 ff., gut ausgeführt hat.
Ohne Zweifel fällt ſie erſt in den Anfang des 9. Jahrhunderts, kommt hier alſo
jedenfalls nicht weiter in Betracht. Ob ſie erſt der Zeit Ludwig's d. Fr. oder noch
der Karl's d. Gr. zuzuſchreiben iſt, bleibt dahin geſtellt. Geſichert erſcheint die Exi=
ſtenz dieſes Bisthums kaum vor 827 (vgl. Jahrbücher Ludwig's d. Fr. II, 287).
Mühlbacher glaubt freilich aus der angeblichen Urkunde Ludwig's vom 2. September
814 Nr. 516 (vgl. oben S. 354 N. 3) unbedenklich entnehmen zu dürfen, daß ſchon
Karl dieſem Bisthum die Immunität verliehen habe.

[3]) Sie findet ſich, da der ſog. Vertrag von Schöningen von 784, Capp. reg.
Franc. I, 461 N. 2, falſch iſt, zuerſt in den Annalen von Quedlinburg l. c., kann
aber, da hier eine alte Lokaltradition vorliegt, vielleicht mit einigem Rechte zugelaſſen
werden, wie Rettberg, II, 473 ff., genauer ausführt. Außer den von ihm citirten
Stellen vgl. auch Henric. de Hervordia l. c.
Nach dem Annaliſta Saxo 781, SS. VI, 560, und Geſt. epp. Halberſtad.,
SS. XXIII, 78, nahm Biſchof Hildigrim die Uebertragung des Sitzes von Seligen=
ſtadt nach Halberſtadt (in oppidum, quod vocatur Halberſtad) ſchon 781 (ſtatim
eodem anno) vor; Ann. Quedlinb. ſagen unbeſtimmt poſtea (ſ. oben S. 354
N. 3); bei Heinrich von Herford erfolgt dieſe Uebertragung erſt 819 (vgl. ob. N. 2;
auch den Libellus de fund.). Die falſche Urkunde Karl's für Helmſtedt vom
26. April 802 (Mühlbacher Nr. 381, vgl. oben S. 354 N. 3) iſt aus Seligenſtadt
datirt. Sickel II, 415 hält es für mindeſtens fraglich, ob das ſpäter in Halberſtadt
befindliche Bisthum zuerſt in Seligenſtadt errichtet worden und ob dieſer Ort mit
Oſterwiek identiſch ſei (vgl. auch Diekamp, Geſchichtsquellen des Bisthums Münſter
IV, 295 N. 5).

[4]) Die älteſte Angabe hat Thietmar, in der Stelle oben 354 N. 3; über die
anderen vgl. Rettberg, II, 479 f.; Diekamp, Geſchichtsquellen des Bisthums Münſter
IV, 156. 197 N. 2. 231 N. 2. 284 f. 301. 302; Einl. S. LXXVII. LXXXIII.
CXV—CXVI; auch gegen Pingsmann, welcher Liudger wenigſtens den Plan dieſer
Kloſtergründung zuſchreiben will (Der h. Ludgerus S. 118—119).

späte lokale Ueberlieferung, welche den Schutzpatron jenes Klosters
in den Stifter desselben verwandelt und die Gründung desselben
um mehr als ein Jahrhundert zu früh angesetzt hat[1]). So
wenig wie sein Bruder Hildigrim hat nach Ausweis der Quellen
Liudger selbst seine Missionsthätigkeit auf Ostfalen ausgedehnt;
es muß dahingestellt bleiben, wer hier die Bekehrung leitete;
vielleicht geschah sie hauptsächlich von Fulda aus, wofern der Erscheinung Gewicht zukommt, daß unter den Schenkungen an Fulda
sich eine auffallend große Zahl aus Ostfalen befindet[2]).

Weitere Namen von Missionaren in Sachsen lassen sich in
dieser Zeit nicht ermitteln — abgesehen von Willehad, der, wie
wir wissen[3]), von Karl mit dem Bekehrungsgeschäft im Bremischen,
überhaupt in Wigmodia, beauftragt war. Bei Minden weiß man
nicht einmal, wer diese Aufgabe hatte. Liudger, der später erster
Bischof von Münster wurde, wirkte damals noch in Friesland,
und zwar nicht unmittelbar im Auftrage Karl's, sondern im Dienste
der Utrechter Kirche[4]).

In dieser Weise ungefähr hat Karl im Jahr 780 das Missions-
wesen, die kirchlichen Verhältnisse Sachsens geordnet. Wohl mag
es sein, daß er alle diese Einrichtungen nicht so mit einem
Schlage ins Leben rief, wie er sie nach einem bestimmten Systeme
auf Grund der bis dahin errungenen Erfolge im Jahre 780 entworfen hatte; aber wenigstens letzteres war der Fall, die Anordnungen sind planmäßig und nach den ausdrücklichen Zeugnissen
der Annalen gleichzeitig[5]), eben 780, getroffen. Dagegen stieß die
Ausführung auf die verschiedensten Hindernisse, die Thätigkeit der
Missionare wurde durch die erneuerten Schilderhebungen der
Sachsen wiederholt unterbrochen, die kirchlichen Anlagen wieder
zerstört, so daß an vielen Orten nachher wieder von vorne angefangen werden mußte.

---

[1]) Nach Conrad Bote's niedersächsischer Bilderchronik (15. Jahrh.) begann
Liudger den Bau zu Helmstedt im Jahr 786 (Leibniz, SS. rer. Brunsv. III, 290;
Diekamp a. a. O. S. 301); thatsächlich scheint das St. Liudgerikloster dagegen erst
zu Anfang des 10. Jahrhunderts gegründet zu sein, vgl. Rettberg II, 483. —
Uebrigens wird von der späteren Sage auf Karl d. Gr. und den Bischof Hildigrim von Halberstadt auch die älteste St. Stephanskapelle in Magdeburg zurückgeführt (vgl. Dümmler, Otto d. Gr. S. 64 N. 1).

[2]) Auf diese Thatsache macht Eckhart, I, 676 aufmerksam; doch zuviel Gewicht
darf man nicht darauf legen.

[3]) Vgl. oben S. 349.

[4]) Vgl. oben S. 277. Erhard, S. 68 Nr. 165, setzt in diese Zeit auch die
Aussendung des Abtes Bernrad zur Mission in Sachsen, von welcher in der Vita
secunda s. Liudgeri, l. I, c. 17, (Geschichtsquellen des Bisthums Münster IV, 62,
die Rede ist. Die Vita sagt aber ausdrücklich, Bernrad sei erst nach der Bekehrung
Widukind's ausgeschickt worden, so daß an eine beträchtlich spätere Zeit gedacht werden
muß. Es geschah zwischen der Rückkehr Liudger's aus Italien (787) und der Vakanz des bischöflichen Stuhles von Trier (791—794); vgl. ebd. S. 169 N. 2; auch
Diekamp, Supplement S. 11 Nr. 75, sowie unten z. J. 787 und Bd. II. zum
Jahre 804.

[5]) Vgl. die Stellen oben S. 347 N. 4; 348 N. 1.

Auf der anderen Seite würde es zu weit gehen, zu glauben, daß die von Karl behufs der Miſſion gemachten Eintheilungen in verſchiedene Bezirke ſchon die Grenzen der ſpäteren biſchöflichen Sprengel bildeten, daß dieſe ſchon 780 abgegrenzt wurden, nur die biſchöflichen Sitze ſelbſt noch nicht durchweg feſt beſtimmt waren[1]). So iſt von Karl nicht verfahren, die Angabe ſpäterer Annalen, 781 habe Karl in Sachſen die Grenzen der biſchöflichen Diözeſen feſtgeſtellt[2]), iſt eine grundloſe Behauptung, die Abgrenzung der ſpäteren Diözeſen konnte damals noch garnicht vorgenommen wer= den, wenigſtens nicht bei der Mehrzahl derſelben. Vollends unrichtig ſind die Nachrichten, welche Karl die gleichzeitige Gründung von acht Bisthümern in Sachſen zuſchreiben, die dann freilich erſt 785[3]). oder gar erſt 800 vorgenommen worden ſein ſoll[4]). Und dieſe Nachrichten ſind dann mit jener Angabe der Annalen durch einen noch jüngeren Annaliſten in der Art verbunden worden, daß die Gründung aller acht Bisthümer ſchon ins Jahr 781 hinaufgerückt ward[5]). So iſt ſpäter über die Errichtung der Bisthümer eine falſche Nachricht an die andere gereiht; die Glaubwürdigkeit dieſer Nachrichten iſt aber ausſchließlich zu meſſen an jenen kurzen An= gaben der älteſten Annalen und dem, was einige andere ältere Quellen für die Beſtätigung und Erweiterung derſelben ergeben. Durch das, was über die Anfänge jeder einzelnen Kirche ſich er= mitteln läßt, werden die ſpäteren allgemeinen Angaben über die Gründung der Bisthümer genügend widerlegt.

Zu den irrigen Angaben, welche durch ſpätere Schriftſteller und gefälſchte Urkunden verbreitet ſind, gehört auch die von einer

---

[1]) Das iſt die Anſicht von Leibniz, Annales I, 92: Ecclesias ergo structas mature crediderim, assignatasque illis parochias, quae postea in dioceses versae; und von Böttger S. 43 ff., der in der That die Angabe der Annales Mosellan. und Lauresham. etc., oben S. 348 N. 1, von der Eintheilung ganz Sachſens in biſchöfliche Diözeſen verſteht, mit der Einſchränkung, S. 41 ff., daß die Vorſteher dieſer Diözeſen vorläufig nur Presbyter hießen, während ſie thatſächlich voll= ſtändig die Stellung von Biſchöfen einnahmen; aber in den Ausführungen Böttger's herrſcht die größte Verwirrung, ſie beweiſen nicht das geringſte, von der Eintheilung Sachſens in Bisthümer iſt 780 gänzlich abzuſehen.

[2]) Annales Quedlinburgenses, SS. III, 38, welche nach den Worten: Eo- dem anno (781) Carolus . . . terram Saxonum inter episcopos divisit (ſ. ob. S. 348 N. 1) fortfahren: et terminos episcopis constituit.

[3]) Adam von Bremen, I, c. 12. SS. VII, 288: . . . anno Karoli octavo- decimo . . . Saxonia subacta (vgl. Ann. Euhard. Fuld. SS. I, 349) in pro- vintiam redacta est (vgl. die falſche Urk. für Bremen vom 14. Juli 788, ibid. c. 13 etc.). Quae simul in octo episcopatus divisa, Mogontino et Coloniensi archiepiscopis est subiecta.

[4]) Thietmar, VII, 53, SS. III, 860: Anno dominicae incarnationis 800. predictus cesar . . . in una die (!) octo episcopatus in Saxonia Christo sub- dita, dispositis singularibus parrochiis, constituit.

[5]) Annalista Saxo, SS. VI, 560: Eo anno (781) in Saxoniam rex Ka- rolus veniens, divisit eam in octo episcopatus, Bremensen, Halberstaden- sem, Hildinisheimensem, Verdensem, Paderbrunnensem, Mindensem, Mo- nasteriensem, Asenbruggensem, et terminos eisdem episcopiis constituit; vgl. auch Erhard, S. 68 Nr. 164.

maßgebenden Einwirkung des Papstes auf die Ordnung der kirch=
lichen Verhältnisse in Sachsen.   Karl soll in Bezug auf die Grün=
dung der sächsischen Bisthümer dem Papste gegenüber ganz be=
stimmte Verpflichtungen eingegangen sein[1], soll auch einzelne Bis=
thümer geradezu auf Befehl und Aufforderung des Papstes gestiftet
und mit den nothwendigen Einkünften, namentlich dem Zehnten,
ausgestattet haben[2].   Alle diese Angaben sind falsch[3].   Karl ver=
fuhr überall frei aus eigenem Antriebe und nach eigenem Ermessen,
und wenn er im weiteren Verlaufe der Dinge beim Papste sich hin
und wieder über Einzelheiten Raths erholte[4], so findet sich doch
nirgends eine Spur davon, daß er von dem Wunsche und Aus=
spruche des Papstes seine Schritte abhängig machte, und überhaupt
spielen in den Verhandlungen zwischen König und Papst die säch=
sischen Verhältnisse nur eine sehr untergeordnete Rolle.

So mangelhaft nun aber unsere Kunde ist, die allgemeinen
Grundzüge des von Karl entworfenen Planes zur Fortführung
der Mission und zur kirchlichen Einrichtung Sachsens sind aus den

---

Erst recht ohne allen Werth sind die noch viel späteren Nachrichten von der
Gründung des Bisthums in Minden im Jahr 780 und in Bremen im Jahr 781.
Sie finden sich im Libellus de fundatione l. c. und hinsichtlich Mindens auch in
den beiden noch jüngeren, erst dem 15. Jahrhundert angehörigen Mindener Chroniken:
der von Lerbek, bei Leibniz, SS. II, 158, und der bei Meibom, SS. S. 555,
welche letztere übrigens auf Lerbek beruht. Aber die Angaben des Libellus und
der Mindener Chroniken gehen auf dieselbe Quelle zurück: die letzteren scheinen ge=
schöpft zu haben aus einer anderen verloren gegangenen Chronik von Minden, aus
welcher auch der Libellus seine Nachricht genommen hat. Und diese ältere verloren
gegangene Mindener Chronik selbst ist dann wohl zurückzuführen auf Heinrich von
Herford, obgleich dieser die Gründung von Minden wie von Bremen erst 782 ansetzt.
Heinrich von Herford aber schöpfte aus der verlorenen Chronica Saxonum des 13.
Jahrhunderts, aus der also jene Angaben stammen. Jene Chronica Saxonum
endlich scheint ein Auszug aus einer ebenfalls verlorenen Braunschweiger Fürsten=
chronik zu sein, in welcher der Annalista Saxo nebst den Nienburger Annalen, einer
Quelle desselben, benutzt ist. Vgl. Waitz in den Nachrichten von der G. A.=Univer=
sität, Jahrgang 1857, S. 63 f.; ferner in den Abhandlungen der k. Ges. der Wissen=
schaften zu Göttingen XII, 47 (Ueber eine sächsische Kaiserchronik und ihre Ab=
leitungen); Weiland, Deutsche Chroniken II, 439 ff.; Wattenbach DGQ. 5. Aufl. II,
419; Lorenz, Deutschlands Geschichtsquellen im Mittelalter seit der Mitte des drei=
zehnten Jahrhunderts II, 3. Aufl. S. 91.

[1] Darüber vgl. oben S. 181 ff.

[2] Adriani papae praecepto et hortatu, heißt es in der Urkunde Ludwig's
d. Fr. oben S. 352 N. 4; summi pontificis et universalis papae Adriani prae=
cepto in der falschen Stiftungsurkunde von Bremen, bei Adam I, 13, SS. VII,
288, und fast wörtlich ebenso in der von Verden, Lappenberg, Hamburg. Urkb. I, 2
(Mühlbacher Nr. 263. 286).

[3] Einen ganz ungebührlichen Einfluß schreibt zuletzt noch Böttger dem Papste
zu, auch die Maßregeln von 780 soll Karl nur mit Genehmigung des Papstes vor=
genommen haben, Willehad nur concessione apostolicae sedis von Karl mit der
Mission in Wigmodia beauftragt sein, a. a. O. S. 35 f. Indessen ist dieses Ergebniß
nur gewonnen durch verkehrte Deutung ganz unverfänglicher Stellen und namentlich
durch die Benutzung aller falschen Urkunden und erdichteten Angaben (vgl. auch Böttger,
S. 77 N. 52), sogar des Privilegs Leo's VIII. für Otto I. wegen der Investitur,
als wäre an deren Echtheit nie gezweifelt. Eine Widerlegung ist überflüssig.

[4] Jaffé IV, 248 f.; vgl. oben S. 184.

während seines Aufenthalts an der Elbe vom Könige getroffenen Verfügungen zu erkennen. Es waren vorwiegend Maßregeln, welche den Uebergang zu festen geordneten Zuständen herbeiführen, nicht selbst schon als dauernde Einrichtungen gelten sollten, und wenigstens für den Augenblick genügten sie ihrer Aufgabe. Ist es auch im Jahre 782 Wibukind gelungen eine neue Erhebung Sachsens gegen die fränkische Herrschaft zu bewerkstelligen, so war dagegen vorderhand alles ruhig; es schien als hätten die Sachsen sich gefügt, selbst die längere Abwesenheit Karl's in Italien be=nutzten sie gegen ihre frühere Gewohnheit nicht zu einem Los=reißungsversuche, und gleichzeitige Jahrbücher versäumen nicht zum Jahre 781 ausdrücklich als etwas Besonderes hervorzuheben, daß in diesem Jahr kein Krieg zu führen war[1]). Was die Annalen von dem Bau von Kirchen überhaupt in Sachsen sagen[2]), bestätigt für eine einzelne Gegend der Biograph des Willehad, indem er von diesem erzählt, schon im zweiten Jahre seiner Wirksamkeit in Wigmodia, 781, hätten alle Sachsen und Friesen ringsum sich dem Christenthum zugewandt, er habe angefangen Kirchen zu bauen und Presbyter über sie zu setzen, um dem Volke die Lehre des Heils und die Taufe zu bringen[3]).

Die Unterwerfung ganz Sachsens bis an die Elbe zog aber Karl noch in andere Verhältnisse hinein, brachte ihn in unmittel=bare Beziehungen zu den Slavenstämmen im Osten der Elbe. Auch durch dieses Verhältniß wurde er während seines Aufenthalts an der Elbe beschäftigt. Die Annalen drücken sich freilich nur ganz kurz darüber aus, berichten, es seien viele Tausende von Wenden zu ihm gekommen[4]), er habe die Angelegenheiten der Slaven jenseits der Elbe geordnet[5]), und nach e i n e r Nachricht sollen sie sogar, wie es scheint, in großer Anzahl sich haben taufen lassen[6]). Was wirklich vorging, ist nicht zu sehen; es mag sich um Beilegung

---

[1]) Annales Petaviani, SS. I, 16: Sine hoste fuit hic annus.

[2]) Die Annales Petaviani l. c., vgl. die Stelle oben S. 347.

[3]) Vita Willehadi, c. 5, SS. II, 381: pertransiens cunctam in circuitu diocesim, multos ad fidem Christi euuangelizando convertit, ita ut in se-cundo anno tam Saxônes quam et Fresônes in circuitu commorantes, om-nes se pariter fieri promitterent christianos ... Willehadus per Wigmodiam ecclesias coepit construere ac presbyteros super eas ordinare, qui libere populis monita salutis ac baptismi conferrent gratiam. Vgl. in Betreff der Friesen oben S. 348 N. 3.

[4]) Annales Petaviani l. c.: Et venerunt ad domnum regem multa milia gentilium Winethorum hominum; vgl. hiezu oben S. 348 N. 2.

[5]) Annales Laur. mai. l c.: Omniaque disponens tam Saxoniam quam et Sclavos; ähnlich die Annales Einhardi: tam ad res Saxonum, qui citerio-rem, quam et Sclavorum, qui ulteriorem fluminis (der Elbe) ripam incolunt, conponendas operam intendit. Quibus tunc pro tempore ordinatis atque dispositis ... Wir können Mühlbacher (S. 85—86) nicht zugeben, daß die geo=graphische Erläuterung, welche Ann. Einh. den Ann. Laur. mai. hinzufügen, hier geradezu zu einem Irrthum werde.

[6]) Vgl. oben S. 348 N. 2.

von Grenzstreitigkeiten zwischen Ostfalen und Wenden gehandelt haben[1]), und außerdem wird eine Vermuthung sehr nahe gelegt durch das Verhältniß, in welchem Karl einige Jahre später zu den Slaven steht. Im Jahr 789 zieht er zu Felde gegen den Slaven= stamm der Wilzen, welche die schon alten schutzverwandten Ver= bündeten der Franken, insbesondere die Abodriten, bedrängten[2]); außer den Abodriten stehen damals auch die Sorben auf seiner Seite[3]). Er muß also mit den letzteren, wenigstens mit den Abo= driten, schon früher in Verbindung getreten sein, und die Ver= muthung ist statthaft, daß dies eben 780 geschah. Welcher Art die Verbindung war, bleibt ziemlich dunkel, doch scheint sie als ein Schutzverhältniß eine gewisse Anerkennung der fränkischen Ober= hoheit eingeschlossen zu haben[4]). Jedenfalls ergibt die Aussage der Quellen, daß Karl in die Verhältnisse dieser Slaven eingriff; vermuthlich benutzte er eine schon damals bestehende Spaltung unter denselben, den Gegensatz zwischen Wilzen und Abodriten, zu einer Verbindung mit den letztgenannten. Es ist erklärlich genug, daß er darauf Werth legte, nicht blos um auch hier seine Macht zu begründen, sondern vorzugsweise um der Sachsen willen, denen er die Möglichkeit abschneiden mußte, an ihren Grenznachbarn, mit denen sie wenigstens die Abneigung gegen das Christenthum gemein hatten, einen Rückhalt gegen die fränkische Herrschaft zu suchen. Auffälliger wäre es, wenn damals wirklich viele Slaven das Christenthum angenommen haben sollten[5]); sie müßten jeden= falls schnell wieder ins Heidenthum zurückgefallen sein, da erst geraume Zeit später mit der Bekehrung wieder von vorne ange= fangen werden mußte[6]).

---

[1]) Vgl. Rettberg II, 553; Kentzler a. a. O. S. 347. (Poeta Saxo l. c. I, v. 51—53, Jaffé IV, 545:

. . . Regionem solis ad ortum
Inhabitant Osterliudi, quos nomine quidam
Ostvalos alio vocitant; confinia quorum
Infestant coniuncta suis, gens perfida, Sclavi.)

Allerdings liegt es nicht gerade in den Worten der Annalen, daß Karl feindliche Be= rührungen zwischen Sachsen und Slaven geschlichtet habe. Vorsichtig drückt sich aus L. Giesebrecht, Wendische Geschichten I, 97.

[2]) Vgl. Einh. V. Karoli 12 (Causa belli erat, quod Abodritos, qui cum Francis olim foederati erant, assidua incursione lacessebant); Ann. Einh. 789 (Ea — sc. natio — Francis semper inimica et vicinos suos, qui Fran= cis vel subiecti vel foederati erant, odiis insectari belloque premere ac la= cessire solebat). 798 (Nam Abodriti auxiliatores Francorum semper fue= runt, ex quo semel ab eis in societatem recepti sunt); Poeta Saxo l. III. v. 395—396, Jaffé IV, 586; unten Bd. II. zu den JJ. 789 und 798.

[3]) Vgl. unten Bd. II. z. J. 789.

[4]) Vgl. La Bruère I, 175, der die Anerkennung einer solchen durch jene Slavenstämme annimmt. Schließlich waren nach Einhard, V. Karoli c. 15, Wilzen, Sorben und Abodriten dem Frankenkönige zinspflichtig; vgl. indeß Bd. II. z. J 789.

[5]) Vgl. o. S 348 Anm. 2.

[6]) Das betont auch L. Giesebrecht, Wendische Geschichten, I, 153, vgl. auch I, 97.

Bei seiner Rückkehr von der Elbe nach dem Westen war Karl ohne Zweifel von den zahlreichen Sachsen begleitet, die er als Geiseln empfangen hatte[1]). Es war schon immer seine Gewohnheit gewesen, diese Geiseln, meist junge Leute, fränkischen Bischöfen und Aebten zur Aufsicht und zum Unterricht im Christenthum zu überweisen[2]). Ein Schriftsteller aus dem 9. Jahrhundert erzählt, da Karl vor seinen meisten Feinden Ruhe gehabt, habe er eine Versammlung der geistlichen und weltlichen Großen berufen und über die Mittel zur Befestigung des wahren Glaubens in seinem ganzen Reiche mit ihnen sich berathen. Auch habe er hoffnungsvolle Priester zu finden gesucht, die er nach Sachsen schicken könnte, um dort das Volk im kirchlichen Glauben zu belehren, Kirchen und Bischofssitze zu errichten. Aber nachdem er die kirchliche Ordnung auf jenes Land übertragen, habe er kein anderes Mittel gewußt um auch die Begründung des Klosterwesens und der Klosterzucht daselbst vorzubereiten als das, geborene Sachsen, die er während des Krieges als Geiseln und Gefangene fortgeführt, in fränkische Klöster zu vertheilen und dort in den Vorschriften des kanonischen und Mönchslebens unterweisen zu lassen. Und weil in Corbie damals eine besonders gute Ordnung herrschte, habe er viele solche Sachsen in dies Mönchskloster geschickt[3]). Es war die Zeit, da Karl's Vetter Adalhard dem Kloster als Abt vorstand. Adalhard mag dies etwa 780 geworden sein[4]). Da derselbe ferner, wie man nach der Erzählung seines Biographen Paschasius Rabbertus[5]) annimmt, dem jungen Pippin nach dessen Einsetzung als König von Italien (781) als Berather und Leiter an die Seite

---

1) Vgl. Annales Mosellani und Laureshamenses, oben S. 348 N. 1.

2) Darüber vgl. oben S. 268.

3) Translatio s. Viti, Jaffé I, 6—7: Cum autem requiem praestitisset ei dominus a compluribus inimicis suis, convocavit omnes qui sub ditione sua erant maiores sacerdotes et principes atque studiosissime quaesivit, quomodo veram fidem veramque religionem in universo regno suo firmaret. Quaesivit etiam nihilominus sacerdotes bonae spei, quos in Saxoniam dirigeret, qui ipsos secundam ecclesiasticam fidem docerent domosque episcoporum et ecclesias constituerent. Sed cum omnem ordinem ecclesiasticum in illa regione tradidisset, qualiter ibidem monasticam disciplinam instituere potuisset, invenire nequivit, nisi tantum quod illius gentis homines, quos obsides et captivos tempore conflictionis adduxerat, per monasteria Francorum distribuit, (ad) legem quoque sanctam atque monasticam disciplinam institui praecepit. Denique, quia iu Corbeia monasterio laudabilis eo tempore religio monachorum habebatur, muitos inibi eiusmodi viros fore constituit. — Erat igitur eodem tempore in praefato monasterio abba vir vitae venerabilis meritoque eximius, Adalhardus nomine ... Vgl. über diese Schrift, insbesondere ihre Abfassungszeit und Glaubwürdigkeit, Enck, De s. Adalhardo S. 60 ff.; Jaffé l. c. S. 1—2; Ebert II, 336—338; Wattenbach 5. Aufl. I, 236.

4) Genau zu ermitteln ist die Zeit nicht; Mabillon, Annales, II, 252, vermuthet 780, die Gallia christiana, X, 1266, etwa 781. Vgl. Enck, S. 9 N. 15.

5) Vita Adalhardi, c. 16, SS. II, 525.

gegeben ward, so hat man wohl die Vermuthung aufgestellt [1]), jene Ueberweisung sächsischer Geiseln nach Corbie möge etwa 780 erfolgt sein. Eine Vermuthung, welche indessen gänzlich haltlos ist. Denn die Annahme, daß Adalhard der Leiter König Pippin's von Italien geworden sei (wie später allerdings der von Pippin's Sohn Bernhard), ist problematisch [2]), und selbst wenn sie richtig sein sollte, läßt sich nicht feststellen, wann er sich zu diesem Behufe dorthin begab [3]). Ferner denkt der Verfasser der erwähnten Schrift allem Anschein nach an eine viel spätere Zeit, nach dem Ende des Sachsenkrieges.

Wie lange Karl in Sachsen verweilte, liest man nicht. — Im Reiche herrschte Ruhe; was ein später Geschichtsschreiber zu diesem Jahre von einem Aufstande Tassilo's schreibt, der auf Zureden seiner Gemahlin, der Tochter des Königs Desiderius, das Schicksal des letzteren an Karl habe rächen wollen [4]), ist so gut wie wörtlich aus dem Leben Karl's von Einhard [5]) entlehnt und hier nur willkürlich eingereiht, vielleicht um für das zum folgenden Jahre berichtete Vorgehen Karl's gegen Tassilo einen Anlaß anzugeben.

Ungestört durch die Verhältnisse seines Reiches nördlich der Alpen konnte Karl daran denken sich wieder nach Italien zu begeben. Es war hohe Zeit, daß er nach dieser Seite hin wieder freiere Hand bekam. Lag auch ein zwingender Grund zu einem Zuge nach Italien augenblicklich nicht vor, so waren doch die Zustände auf der Halbinsel der Art, daß über kurz oder lang ein persönliches Eingreifen Karl's zur Nothwendigkeit werden mußte; jetzt konnte er wenigstens den Zeitpunkt dafür noch frei wählen. Die Gründe, welche ihn bei seinen Schritten bestimmten, müssen sehr mannigfaltig gewesen sein. Die Quellen gewähren nicht sehr ausgiebigen Bericht über seine Absichten, aber die Vermuthung liegt nahe, daß er eben um dessen willen, was er bei seiner Anwesenheit in Italien ausführte, den Zug unternommen hatte. Seine Beziehungen zum Papste, die in den letzten Jahren erkaltet waren, wurden infolge des neuen Besuches in Italien wieder lebhafter und inniger, ein Ergebniß, von dem man annehmen muß, daß Karl es von Anfang an ins Auge gefaßt hatte; und dazu kam der Wunsch seinen beiden Söhnen, Karlmann und Ludwig, welche er zu Königen der Langobarden und Aquitanier bestimmt hatte, durch die päpstliche Salbung und Krönung in den Augen des

---

[1]) S. Erhard, S. 68 Nr. 166. — Enck, S. 50 N. 18 registrirt diese Vermuthung nur.

[2]) Vgl. hierüber unten Bd. II. z. J. 810.

[3]) Vgl. die Untersuchung von Enck S. 20 N. 45.

[4]) Sigebert, Chronicon, SS. VI. 334: Tassilo dux Baioariae contra Karolum regem rebellat, hortatu uxoris suae, quae filia erat Desiderii regis et exilium patris sui per maritum suum vindicare temptabat. Rudhart, S. 317, scheint freilich diese Angabe halb und halb gelten zu lassen.

[5]) c. 11 (hortatu uxoris, quae filia Desiderii regis erat ac patris exilium per maritum ulcisci posse putabat).

Volkes eine höhere Weihe zu geben[1]), also seine Politik durch den Papst unterstützen zu lassen, wie dies dann auch Tassilo gegenüber geschah. Von der Absicht, der Wiederherstellung des abend-ländischen Kaiserthums vorzuarbeiten, findet sich keine Andeutung[2]), obgleich seine wiederholte Anwesenheit in Italien, ohne daß er es zunächst wollte, ihn diesem Ziele näher brachte; aber wenigstens beschäftigt hat ihn schon damals das Verhältniß zu dem Reiche des Ostens, wie die Verlobung seiner Tochter Rotrud mit dem Sohne der Kaiserin Irene im Jahre 781 zeigt, und bei den Unter-handlungen darüber hatte auch der Papst die Hand im Spiele. Alles Verhältnisse von allgemeiner politischer Bedeutung, bei deren Behandlung Karl aber durchweg die Mitwirkung des Papstes in Anspruch nahm, wenn auch nur so, daß Hadrian dabei eine ganz untergeordnete Rolle spielte.

Außerdem enthielt aber auch die Lage der Dinge in Italien selbst für Karl eine Aufforderung, wieder in Person dort zu er-scheinen. Das neu eroberte Reich befand sich in einem Ueber-gangszustande, der nothwendig mit verschiedenen Mißständen ver-bunden war, denen der König am besten durch persönliches Ein-greifen abhelfen konnte. Karl hatte bei seiner Anwesenheit im Jahre 776 in der Einrichtung seines italischen Reiches vieles unvollendet zurückgelassen, was eines Abschlusses bedurfte[3]); ja, ein großer Theil des alten langobardischen Königreiches, das ganze Herzog-thum Benevent, erkannte höchstens eine lose Abhängigkeit von Karl an. In Benevent herrschte seit 758 der Herzog Aregis oder Arichis[4]), der Gemahl von Desiderius' Tochter Adelperga. Sein Herzogthum umfaßte den größten Theil Unteritaliens; er hatte seit langer Zeit, schon unter Desiderius, fast unabhängig dagestanden.

---

[1]) Vgl. die in der folgenden Anmerkung citirte Stelle aus Astron. Vita Hludowici.

[2]) Luden, IV, 322 ff., geht jedenfalls zu weit, indem er Karl schon damals solche oder ähnliche Gedanken zuschreibt. Freilich darf man auch nicht glauben, daß er blos, wie die meisten Quellen (Ann. Laur. mai.; Ann. Einh.; V. Karoli c. 27 etc.) erzählen, um seine Andacht zu verrichten, nach Rom gegangen sei. Eine ausführlichere, aber zum Theil phrasenhafte Motivirung dieser Reise Karl's nach Rom gibt der s. g. Astronomus in der Vita Hludowici, c. 4, SS. II, 608: Post non multum sane tempus incidit ei desiderium dominam quondam orbis videre Romam principisque apostolorum atque doctoris gentium adire limina seque suamque prolem ei commendare, ut talibus nitens suffragatoribus, quibus coeli terraeque potestas attributa est, ipse quoque subiectis consulere, per-duellionum etiam, si emersissent, proterviam proterere posset; ratus etiam non mediocre sibi subsidium conferri, si a vicario eorum cum benedictione sacerdotali tam ipse (?) quam et filii eius regalia sumerent insignia; vgl. hiezu Ebert, Allgem. Gesch. der Literatur des Mittelalters im Abendlande H, 362 N. 2 (über die ultramontane Gesinnung des Astronomus).

[3]) Vgl. oben S. 257 und über die Mißstände in Italien auch Luden IV, 325 f.

[4]) Vgl. hinsichtlich der Form des Namens Oelsner, König Pippin S. 320 N. 4. 444; desgleichen über die Zeit seiner Einsetzung durch Desiderius; dazu Ferd. Hirsch, Das Herzogthum Benevent bis zum Untergange des langobardischen Reiches (Leipzig 1871), S. 45 N. 2; Neues Archiv III, 268 (Langobard. Regesten).

Sein Streben ging dahin, im Süden Italiens eine auch dem Namen nach selbständige langobardische Herrschaft zu begründen. Er legte den Titel eines Herzogs ab und nannte sich fortan Fürst von Benevent[1]). Er ließ sich durch Bischöfe salben und setzte sich eine Krone aufs Haupt[2]). Er erbaute in Salerno einen Palast und eine Kirche, desgleichen in Benevent einen Palast und eine Kirche der Hagia Sofia; die Prachtgebäude in Salerno, welche Paulus Diaconus mit Inschriften in Versen schmückte, konnten die Schiffer schon weit vom Meere aus erblicken. Außerdem umgab er Salerno mit starken Befestigungen[3]).

Arichis zeigte das lebhafteste geistige Interesse, und seine Gemahlin wetteiferte darin mit ihm. Sie studirte so eifrig und feinsinnig, daß die goldenen Sprüche der Philosophen wie die Worte der Dichter ihr stets zu Gebot standen. Nicht minder interessirte die edle Fürstin sich aber auch für die heilige so=wohl wie die weltliche Geschichte. Paulus Diaconus, der ihre Studien unterstützte, theilte ihr den Eutrop mit, den sie mit ge=

---

[1]) Auf diesen Wechsel des Titels ist allerdings nicht zuviel Gewicht zu legen, vgl. Harnack a. a. O. S. 21 N. 1.

[2]) Hic Arichis primus Beneventi principem se appellari iussit; cum usque ad istum qui Benevento praefuerant duces appellarentur. Nam et ab episcopis ungi se fecit et coronam sibi imposuit atque in suis cartis: scriptum in sacratissimo nostro palatio in finem scribi praecepit. So berichtet Leo von Ostia, Chron. mon. Casin. I, 8 (SS. VII, 568 N. 47. 48) in einem Zusatze zu Erchempert's Historia Langobardorum Beneventanorum (SS. rer. Langob. S. 234 N. 3). Vgl. Chron. s. Benedicti Casin., SS. rer. Langob. S. 487—488; Ann. Beneventan., SS. III, 173; Chron. Salern. c. 9, SS. III, 476; Catalogus duc. Benevent. SS. rer. Langob. S. 494: Iste primus appel-latus est princeps; Leg. IV, 214, c. 8 (a dom. Arechis gloriosissimo primo princeps Langobardorum); Boretius, ibid. S. 207 N. 2; Giannone, Istoria civile del regno di Napoli, I, 387 ff.; Hirsch, Herzogthum Benevent S. 47 N. 5. Hirsch weist auch darauf hin, daß in zahlreichen Urkunden aus dem November 774, den ersten seit dem im Langobardenreiche eingetretenen Wechsel, Arichis sich: D. Ari-chis piissimus atque excellentissimus princeps gentis Lang. nennt; die Schlußformel laute meist: Actum Beneventi in felicissimo (nie sacratissimo) palatio; s. indessen Neues Archiv III, 306 (Langob. Regesten Nr. 438). Ferner citirt Hirsch, ebd. N. 4, eine Stelle aus der Vorrede zu den Gesetzen des Adelchis (Leg. IV, 210): Sicque, decreta dispositione conditoris eadem gente ad mi-nima decidente, ducatum tunc Beneventi gubernabat Arechis dux, per omnia catholicus atque magnificus; qui imitator existens maiorum, suae gentis reliquias rexit nobiliter et honorifice, et sequens vestigia regum quaedam capitula in suis decretis sollerter corrigere seu statuere curavit ad salvationem et iustitiam suae patriae pertinentia; quae utilia nempe sunt et inserta in edicti corpore retinentur. Arichis ergänzte also auch selb=ständig die Gesetzgebung, vgl. ebd. S. 207 ff.

[3]) Vgl. Chron. Salern. c. 10. 17. 37, SS. III, 477. 481. 489; Erchem-port. c. 3, SS. rer. Langob. 235 f.; Leonis chron. Casin. I, 9. 12. 15, SS. VII, 586. 589. 591 (wo auch von einem Palast in Benevent u. s. w die Rede ist); Chronica s. Benedicti Casin. l. c.; Poet. Lat. aev. Carolin. I, 27—28. 44 Nr. 6; 45 Nr. 7; 67 Nr. 33; Transl. 12 martyrum; Transl. s. Mercurii; Transl. s. Heliani, SS. rer. Langob. S. 574 ff.; Neues Archiv III, 289. 305; Ebert II, 53; über die Befestigung von Salerno auch unten z. J. 787.

wohnter Wißbegier aufnahm, aber sowohl wegen seiner allzu
großen Kürze als auch wegen des Fehlens der biblischen Ge=
schichte unbefriedigend fand. Adelperga wünschte, daß Paulus dies
Geschichtsbuch weiter ausführe und namentlich durch Einfügungen
aus der biblischen Geschichte an den entsprechenden Stellen ergänze.
Ein Wunsch, welchen dieser unter Benutzung des Orosius, Hiero=
nymus, Jordanis u. f. w. erfüllte, indem er zugleich die bis auf
Valens reichende Erzählung des Eutrop bis zu Justinian fortsetzte
und sich sogar vorbehielt, sie später bis auf die Gegenwart fort=
zuführen[1]). — Ein mächtiger, so gut wie unabhängiger Fürst
herrschte Arichis in Süditalien[2]). Eine solche Macht war zunächst
für den Papst, aber auch für die ganze durch Karl hergestellte
Ordnung der Dinge in Italien sehr gefährlich; fast unausbleiblich
mußte es früher oder später zwischen Arichis und dem Papste
und dann auch mit des letzteren Schutzherrn Karl zum Bruch
kommen. Jedenfalls drängte der Papst nach allen Kräften auf
einen solchen Bruch hin, während ihn Arichis durch Mäßigung
Karl gegenüber zu vermeiden suchte, wenn er auch dem Papste
seine feindseligen Bestrebungen vergalt.

Hadrian hatte, wie wir uns erinnern[3]), im Jahr 778 gegen
die Beneventaner und Griechen Krieg unternommen, um Campanien
zu behaupten. Es war ihm seither gelungen, Terracina zu unter=
werfen; dann aber hatten Neapolitaner und Griechen die Stadt wieder
überfallen und sich derselben bemächtigt[4]). Er hatte sich vorher
zu Ostern[5]) mit dem neapolitanischen Bevollmächtigten Petrus
dahin verständigt, daß ihm das päpstliche Patrimonium im Gebiet
von Neapel ausgeliefert werden sollte, wogegen er den Neapoli=
tanern Terracina überlassen wollte. Als Bürgschaft für dies Ab=
kommen, welches noch der Einwilligung des Patricius von Sici=

---

[1]) S. die Widmung des Paulus Diaconus an Adelperga (Dominae Adel-
pergae eximiae summaeque ductrici), welche beginnt: Cum ad imitationem excellentissimi comparis, qui nostra aetate solus paene principum sapientiae
palmam tenet, ipsa quoque subtili ingenio et sagacissimo studio prudentium
arcana rimeris, ita ut philosophorum aurata eloquia poetarumque gemmea
dicta tibi in promptu sint, historiis etiam seu commentis tam divinis in-
haereas quam mundanis, ipse, qui elegantiae tuae studiis semper fautor
extiti, legendam tibi Eutropii historiam tripudians optuli. Quam cum avido,
ut tibi moris est, animo perlustrasses . . . (M. G. Auct. antiquiss. II, 4 f.;
Schulausgabe, Berlin 1879, S. 1—2).
[2]) Ueber die mächtige Stellung des Arichis überhaupt vgl. Giannone, I,
374 ff.; Borgia, Memorie istoriche della pontificia città di Benevento,
I, 35 ff.
[3]) Vgl. o. S. 320.
[4]) Codex Carol. Nr. 66, Jaffé IV, 208: — qualiter nefandissimi Neapolitani una cum Deo odibiles Grecos, praebente maligno consilio Arighis
duce Beneventano, subito venientes, Terracinensem civitatem, quam in
servitio beati Petri apostolorum principis et vestro atque nostro antea
subiugavimus (vgl. oben S. 320 N. 5), nunc autem in valido consilio iterum
ipsi iam fati nefandissimi Neapolitani cum perversis Grecis invasi sunt.
[5]) 11. April 779 oder 26. März 780.

lieu bedurfte, sollten sie ihm fünfzehn junge Geiseln aus den vor=
nehmsten Familien stellen und diese nebst Terracina zurückerhalten,
sobald die Herausgabe der Patrimonien genehmigt wäre. Daß
dieser Vertrag scheiterte und Terracina ihm auf die angegebene
Weise verloren ging, schiebt der Papst in einem Schreiben an
Karl dem Herzog Arichis von Benevent in die Schuhe; mit diesem
habe der Patricius von Sicilien unausgesetzten Verkehr unter=
halten und lediglich er die Stellung der neapolitanischen Geiseln
an den Papst verhindert[1]); ebenso hätten auf seinen Rath Griechen
und Neapolitaner Terracina überfallen[2]), wie Arichis denn nur
auf die Ankunft des Abelchis warte, um vereinigt mit ihm ebenfalls
den Papst anzugreifen[3]). Die abermalige[4]) Besorgniß Hadrian's
vor einer Landung des Abelchis mag wohl unbegründet und sogar
erheuchelt gewesen sein[5]). Jedenfalls glaubte der Papst nicht selb=
ständig auftreten zu können, um Terracina wiederzuerobern, wie er
andererseits auch versicherte, er habe nicht beabsichtigt, ohne den
König zu befragen jene Geiseln und Terracina herauszugeben, die
ersteren vielmehr gerade im Interesse des Königs zu erhalten ge=
wünscht[6]). Vielmehr wandte er sich eben an Karl. Er setzte ihm
auseinander, wie jene Verhandlung mit dem Bevollmächtigten der
Neapolitaner gescheitert sei, und schilderte ihm die angeblich drohende
Gefahr; an der Stadt Terracina liege ihm nichts; nur um die
Sache Karl's zeigt er sich besorgt, befürchtet, die treulosen Bene=
ventaner möchten sich der Abhängigkeit von Karl entziehen[7]), und

---

[1]) Codex Car. l. c. S. 209. Der Brief gehört ins Jahr 779 oder 780,
Hadrian erzählt aber in demselben die Begebenheiten in umgekehrter Reihenfolge; erst
nach den Unterhandlungen mit Petrus wurde Terracina von den Griechen wieder
genommen; vgl. Forschungen zur deutschen Geschichte I, 498 N. 2; F. Hirsch, ebd.
XIII, 46 N. 1; dazu aber auch Cod. Carol. Nr. 67, S. 211—212.

[2]) S. oben S. 365 N. 4.

[3]) Jaffé IV, 209: Quia cotidie !ad istam perditionem filium nefandissimi Desiderii dudum necdicendi regi Langobardorum expectat, ut una
cum ipsum pro vobis nos expugnent.

[4]) Vgl. o. S. 244. 249.

[5]) Vgl. Hirsch a. a. O. S. 47 N. 1 gegen Amari, Storia dei Musulmani
di Sicilia I, 187.

[6]) Cod. Carol. l. c. S. 208—209: Nos quidem sine vestro consilio
nullatenus ibidem dirigere voluimus. — Sed nos sine vestro consilio neque
ipsam civitatem reddere habuimus; eo quod pro vestro servitio ipsos obsides apprehendere cupiebamus.

[7]) Jaffé IV, 209: Nos quidem pro nihilo deputamus ipsam civitatem
Terracinensem; sed ut non per illum vitium incurrat et infideles Bene-
ventani, sicut desiderant, locum invenientes, a vestra subtrahantur fide.
Der Papst redet, als hätten die Beneventaner unter der Herrschaft Karl's gestanden.
Man könnte dies so auffassen, daß er nur Arichis nicht als selbständig anerkennen
wollte, obgleich derselbe selbständig war. F. Hirsch erblickt jedoch in dieser Stelle in
der That einen der Beweise dafür, daß Arichis in ein Abhängigkeitsverhältniß zu
Karl getreten war, wie das schon Meo vermuthet hatte (a. a. O. S. 44 N. 4. 50).
Aehnlich Strauß, Beziehungen Karl's d. Gr. zum griechischen Reich S. 9. 18 f.;
s. dagegen Harnack, Das karolingische und das byzantinische Reich, S. 11—12.
16 N. 1.

ersucht ihn daher die nöthigen Maßregeln zu ergreifen. Er wünscht, Karl möge schleunig, zum ersten August (779?), den Wulfuinus nach Rom beordern, mit dem Auftrage, mit den Mannschaften aus Tuscien, Spoleto und Benevent Terracina zurückzuerobern, auch Gaëta und Neapel zu nehmen und von dem im Neapolitanischen belegenen Patrimonium Besitz zu ergreifen[1]).

Die Beziehungen persönlicher Freundschaft zwischen König und Papst[2]) waren nie ganz unterbrochen worden. In einer mehr persönlichen Angelegenheit kam der Diakonus Abbo in Rom an, noch geraume Zeit vor dem 1. August (779?), wohl bald nachdem Hadrian den oben erwähnten Brief an Karl abgeschickt hatte[3]). Hadrian, der sich genöthigt sah eine umfassende Restauration der Peterskirche, des Daches, des Porticus, der Camera St. Petri (d. h. der Apsis mit ihrer Mosaik) vorzunehmen[4]), hatte sich mit einer Bitte wegen der zu diesem Behuf erforderlichen Balken an den König gewandt. Der König ließ ihm nun die Erfüllung dieser Bitte zusagen, worauf Hadrian ihn durch einen Brief, welchen er dem Abbo bei dessen Rückkehr mitgab, bat, die Balken womöglich bis zum 1. August nach Rom schaffen zu lassen. In Betreff anderer zu diesen Arbeiten nöthigen Holzmaterials bat er Karl, einen Meister abzusenden, der sich zunächst in Rom von dem erforderlichen Bedarf überzeugen und diesen dann im Spoletinischen holen sollte, denn in den eigenen Besitzungen des Papstes finde sich dasselbe nicht[5]). Dagegen brauche sich der Erzbischof Wilcharius (dessen Entsendung Karl, wie es scheint, angeboten hatte) einstweilen nicht nach Rom zu bemühen, bis dies Holz trocken geworden sei, denn frisch und grün könne der Papst es nicht zu verwenden wagen[6]). In dank=

---

[1]) Jaffé IV, 208—209; hinsichtlich der Aufforderung, welche Hadrian hier auch in Betreff der Beneventaner selber (atque cum ipsos nefandissimos Beneventanos) an Karl richtet, gilt das in der vorigen Note Gesagte. Ueber die Persönlichkeit des Wulfuinus ist nichts weiteres bekannt; Cenni, I, 375 N. 4, gibt eine Vermuthung.

[2]) Vgl. Einh. V. Karoli c. 19 (Adriani Romani pontificis . . quem in amicis praecipuum habebat) u. unten Bd. II. z. J. 796.

[3]) Cod. Carol. Nr. 67, S. 210—212, wo das frühere Schreiben (Nr. 66) erwähnt wird (De autem partibus Neapolitanis, sicut cum nefandissimi Graeci seu Beneventani consiliant, qualiter vobis insinuantes per nostras apostolicas syllabas direximus; vgl. S. 212 N. 1).

[4]) Vgl. in dieser Beziehung die von Jaffé l. c. 210 N. 2; 211 N. 3 angeführten Stellen aus der Vita Hadriani (Duchesne I, 505. 508): in . . . basilica b. Petri apostolorum principis, dum per olitana tempora vetustissimas trabes ibidem existebant, cernens isdem precipuus pontifex, mittens Ianuarium vestiarium suum . . . mutavit ibidem trabes numero 14; atque totum eiusdem basilicae tectum et portica a noviter restauravit etc.; ferner Cod. Carol. Nr. 82 S. 249—250. Duchesne, l. c. S. 519 N. 77, berechnet, daß Januarius zwischen 772 und 785 Vestiarius war; vgl. ferner ebb. S. 194 N. 64; 520 N. 93.

[5]) Cod. Carol. l. c. S. 211: Quia in nostris finibus tale lignamen minime reperitur.

[6]) Jaffé IV, 211: Der hier genannte Erzbischof Wilcharius ist derselbe, welcher uns schon früher als Gesandter Karl's an den Papst begegnete, Jaffé IV, 176, ob. S. 235, und anderwärts von Hadrian genauer als archiepiscopus provinciae Galliarum bezeichnet wird, Jaffé IV, 235 (vgl. S. 293). Man darf wohl beifügen, auch

barer Stimmung erbietet sich Hadrian dafür zu einem Gegendienste.
Abbo hatte ihn, als er früher einmal mit dem Abt Fulrad von
St. Denis nach Rom gekommen war, um die Reliquien eines
Heiligen gebeten, was er ihm jedoch abschlagen mußte, weil er,
durch ein Gesicht erschreckt, überhaupt nicht mehr wagte von den
Leibern der Heiligen noch weitere herzugeben; jetzt stellt Hadrian
die Reliquien des h. Candidus zur Verfügung, welche schon Papst
Paul einem Presbyter Aciulf überlassen hatte und welche bei dem
Erzbischof Wilcharius aufbewahrt waren[1]).

Der Papst benutzte aber auch die Anwesenheit Abbo's in
Rom, um ihm über die Entwürfe der Griechen und Beneventaner
ausführliche Mittheilungen zu machen, die er nach seiner Rückkehr zur Kenntniß Karl's bringen sollte[2]). Schon lange vor
dem erwähnten 1. August muß Abbo die Rückreise angetreten
haben. — Von einem Feldzuge gegen die Griechen, den Karl dem
Wunsche Hadrian's gemäß angeordnet hätte, liest man nichts[3]).
Dagegen entschloß sich Karl, wie berührt, im Jahr 780 selbst
nach Italien zu kommen, worauf der Papst, nachdem er früher
so oft und lange Karl vergeblich erwartet hatte, zuletzt ganz
verzichtet zu haben scheint. Von Worms[4]) aus trat Karl die Reise

derselbe, welcher in der Urkunde Karl's vom 7. Dezember 777 erwähnt wird, Mühlbacher Nr. 208; oben S. 274; ferner derselbe, welcher 769 dem Lateranconcil in
Rom beiwohnte, oben S. 64, also der Erzbischof von Sens; als solcher wird auch
der auf jener Synode anwesende Wilcharius ausdrücklich aufgeführt. Schwierigkeiten
macht nur, daß die Annales Einhardi nach dem Tode Karlmann's einen Bischof Wilharius von Sitten, episcopum Sedunensem, Karl in Corbonacum (Corbeny) huldigen lassen, während die s. g. Lorscher Annalen u s. w. bei dieser Gelegenheit einen Erzbischof Wilcharius, ohne Angabe des Sitzes nennen; vgl. oben S. 100
Anm. 3; das auch Richter-Kohl S. 724; Gisi im Anz. f. schweizer. Gesch. IV,
138—141. u
Unter dem von Hadrian mehrfach genannten Wilcharius ist wohl regelmäßig
der von Sens zu verstehen (vgl. auch Oelsner a. a. O. S. 365 N. 4; Duchesne,
Lib. pont. I, 461. 482 N. 29; oben S. 100 N. 3), nicht der von Sitten, wie
Gelpke, II, 90 ff. annimmt. Briguet, Vallesia christiana, S. 92 f., läßt die
Schwierigkeiten ungelöst. — Duchesne hält für möglich, daß Erzbischof Wilchar von
Sens identisch ist mit einem (früheren) Bischof Wilchar von Nomentum, welcher häufig
im Codex Carolinus und auch im Lib. pontif. erwähnt wird (Jaffé VI, 42. 66.
74. 95. 102. 112; Duchesne l. c. S. 446; Oelsner S. 258—259. 287. 353—354).
  [1]) Jaffé IV, 211.
  [2]) Jaffé IV, 211—212; vgl. oben S. 367 N. 3.
  [3]) In einem andern Briefe, dessen nähere Zeitbestimmung jedoch besondere
Schwierigkeiten macht (Cod. Carol. Nr. 82 S. 249—250), klagt Hadrian, daß er
die oft von ihm erbetene Lieferung von Balken zur Restauration verfallender Kirchen
durch die Schuld der damit beauftragten Beamten (actores) nicht erhalte, und erneuert dringend seine diesfälligen Bitten beim Könige.
  [4]) Vgl. unten S. 369 N. 3. Dort schrieb im J. 780 der Elsässer Adam, Sohn Hayn-
hard's, welchem Karl darauf die Abtei Masmünster im Oberelsaß verlieh, die Grammatik des Diomedes für ihn ab; vgl die Inschrift in Hexametern, Poet. Lat. aev.
Car. I, 88. 93 f. (II, 689):
     Dum mundus centum redeuntes septies annos
     Et decies forte felix expleverat octo,
     Ex quo Christus Iesus secla beaverat ortu,
     Bissenosque annos Francorum sceptra teneres,
     Hunc tibi, care deo Carole rex, scripserat Adam.

an[1]), in Begleitung seiner Frau und Kinder[2]); nur seine Söhne Karl und Pippin, welcher letztere ihm von Himiltrud geboren war[3]), ließ er in Worms zurück[4]). Welchen Weg er einschlug, ist nicht überliefert, daß er Constanz berührte, keineswegs beglaubigt[5]); noch weniger, daß er mit der Königin durch Graubündten gezogen, das Kloster Dissentis besucht und reich beschenkt habe[6]). Noch 780 traf er in Italien ein und nahm seinen Aufenthalt in der alten

> Nempe tuus famulus, librum devotus in urbe
> Wormatia, soboles Haynhardi, Alsatia felix
> Est propria fecunda bono cui patria Bacho,
> Tuncque fuit scribens annorum certe triginta,
> Quo scripsit servulus anno. Tu, rex pie Carle,
> Illi coenobium Masunvilare dedisti etc.

Dazu Dümmler's Anmerkungen, S. 93 N. 3. 4; 94 N. 1. Es ist jedoch u. E. wahrscheinlicher, daß hier an den Aufenthalt Karl's zu Worms im Winter und Frühjahr 780 (vgl. oben S. 339 N. 2) zu denken ist. Vor dem Aufbruch nach Rom scheint Karl in Worms keinen längeren Aufenthalt genommen zu haben (vgl. Ann. Einh. sine mora in Italiam profectus est).

Ueber eine Nachricht angeblich vom Jahr 845 (Wenck IIb, 24 N. 17), wonach Karl vor seiner damaligen Reise nach Italien um seines Seelenheils und des glücklichen Ausganges seines Zuges willen (ob remedium animae suae prosperitatemque itineris) den Zehnten in Thüringen an die Schutzheiligen von Hersfeld und den h. Wigbert geschenkt haben soll, vgl. Hahn, Bonifaz und Lul S. 291; Ausfeld, Lambert von Hersfeld und der Zehntstreit etc. S. 27 f. Die Kritik des Letzteren scheint uns zutreffend.

[1]) Den damaligen Zug Karls nach Rom erwähnen auch Einh. V. Karoli c. 27; Ann. s. Amandi; Guelferb., Nazar., SS. I, 12. 40; Ann. Laur. min. ed. Waitz S. 413; Ann. Alam., Sangall. mai. u. brev. (Mittheil. XIX, 236. 271. 222); Ann. Augiens., Jaffé III, 702; Coloniens., edd. Jaffé et Wattenbach S. 127; Flaviniac. ed. Jaffé S. 688; Andr. Bergom. hist. 5, SS. rer. Langob. S. 224. Vgl. ferner die Notizen aus der Evangelienhandschrift des Gottschalk (Poet. Lat. I, 95 N. 1) ꝛc.

[2]) Annales Einhardi, SS. I, 161: sumptisque secum uxore ac liberis (Poeta Saxo l. I, v. 471—472, Jaffé IV, 553); vgl. auch Astron. V. Hludowici c. 4, SS. II, 608 und unten. Daß die Königin Hildegard ihren Gemahl auf dieser Reise begleitete, erwähnen auch Ann. Lauriss. mai. ausdrücklich; vgl. ferner Poet. Lat. aev. Carolin. I, 95 (Nr. 78, 2 v. 13); Ratpert. Cas. s. Galli c. 7, ed. Meyer von Knonau (St. Galler Mitth. XIII), S. 12.

[3]) Vgl. unten Bd. II. z. J. 792.

[4]) Annales Mosellani, SS. XVI, 497: Inde (aus Sachsen) revertens abiit in Italia, dereliquit filios suos in Wormacia, Pippinum et Karlum; Ann. Lauresbam. I, 31.

[5]) Wie Ratpert, Cas. s. Galli c. 7, St. Gall. Mitth. XIII, 12, erzählt: Tempore vero transacto Carolus rex cum Hildigarda coniuge sua Romam profecturus Constantiam advenit; vgl. ebb. N. 24; Mühlbacher S. 86 u. oben S. 341 f.

[6]) So eine Chronik des Klosters Dissentis z. J. 781: Karolus Magnus cum regina Hildegarde Romam per Raetiam contendens atque ss. Placidii et Sigisberti corpora Disertinae religiose invisens monasterium nostrum maiorum suorum exemplo regie ac splendide ditat. Dieselbe läßt Karl dann auch im Jahr 801 bei der Rückkehr aus Italien in Dissentis verweilen und es abermals reich mit Gütern beschenken. Vgl. hierüber Sickel II, 403. — Gisi, im Anz. f. schweizer. Geschichte

Residenz der langobardischen Könige, Pavia; dort feierte er Weihnachten und brachte er auch den Rest des Winters zu[1]).

Noch gehört dem Jahre 780 eine Urkunde an, welche auf
das Verfahren Karl's mit dem eingezogenen Kirchengut ein Licht
wirft, ihn geneigt zeigt, wenigstens soviel thunlich den Kirchen die
fortgenommenen Besitzungen zurückzugeben. Die Urkunde betrifft
Marseille, wo die Königsboten Viernarius und Arimodus nach
einer sorgfältigen Prüfung die Rückgabe des eingezogenen Gutes
verfügten, am 22. Februar 780[2]). Abaltrubis und ihr Gemahl, ein
gewisser Nemfidius, hatten der Kirche des h. Victor und der h.
Maria in Marseille in früherer Zeit verschiedene Güter in den
Gauen von Digne und Embrun geschenkt; aber ein Patricius
Antenor hatte die Schenkungsurkunden weggenommen und ver-
brannt und sich der Güter bemächtigt — zur Zeit einer Erhebung
in der Provence gegen Pippin den Mittleren. Abaltrubis hatte jedoch
doppelte Urkunden ausfertigen und nach der Verbrennung der ersten
dem Archiv von St. Victor die andere Ausfertigung zustellen lassen.
So war das Kloster im Staube, als der Patricius Abbo bei Karl
Martell Klage erhob, seine Ansprüche zu beweisen, worauf Karl
die Rückgabe der Besitzungen an das Kloster verfügte. Allein
bald darauf kamen die Güter aufs neue abhanden, und im Laufe
der Zeit gingen dieselben unter das Königsgut über[3]). Auf
Bitten des Bischofs Maurontus von Marseille ließ Karl der
Große eine neue Untersuchung anstellen durch jene Königsboten
Viernarius und Arimodus, deren Ergebniß war, daß die Herausgabe aller streitigen Besitzungen, der Villa Caladius (Chandol)
mit allem Zubehör, an die Kirche von St. Victor verfügt ward,

---

14. Jahrg. (1883) Bd. IV, S. 177 f. macht einen Versuch, diese Nachrichten sowie die
in der vorigen Note citirte Nachricht Ratpert's aufrechtzuerhalten. Er verweist nicht übel
auf die Urkunde Ludwig's des Frommen vom 6. Septbr. 829 (Mühlbacher Nr. 840),
derzufolge die Mönche von Reichenau nach alter Gewohnheit per viam, quae vadit
per Constantiam et Curiam, dem Kaiser und seinen Söhnen Lebensmittel u. s. w.
liefern sollen (Pregitzer, Teutscher Regierungs- und Ehrenspiegel S. 83). Dennoch
ist von diesen Nachrichten gänzlich abzusehen.

[1]) Annales Laur. mai. SS. I, 160; Annales Einhardi, SS. I, 161.

[2]) Urkunde bei Guérard, Cartulaire de l'abbaye de St. Victor de Marseille, in der Collection des Cartulaires de France, VIII, S. 43 ff. Nr. 31;
vgl. über den Hergang auch Mabillon, Annales, II, 252 und namentlich den unten
S. 371 N. 1 erwähnten Bericht.

[3]) Guérard l. c.: Et ipse episcopus iam suprascriptus ibidem aliud
iudicium ostendit: qualiter per ordinationem domni Karoli maior. dom. cau-
ciarios (vgl. Waitz, III, 2. Aufl. S. 442 N. 2) suos missos exinde iussit ad ipsam
casam .. revestire, quod ita et fecit, sed quomodo per ipsas rixas vel conten-
tiones, que in Provincia fuerunt, ipsa dei exinde devestita fuit et, sicut
alias res ipsas, quae iuste ad domnum regem Karolum obtingebant in alode,
Antenor adhaeret per ipsam misculationem, sic et ipsam Caladium villam
visus fuit de ipsa casa dei abstraxisse. Ueber die muthmaßliche Zeit der Einziehung vgl. Roth, Feudalität S. 86.

und zwar in einer öffentlichen Verhandlung in Digne, welcher als Schöffen der Graf Marcellinus, ferner Gedeon, Corbinus, Regnaricus, Taurinus, Magnebertus, Sanctebertus beiwohnten[1]).

---

[1]) Die Urkunde beginnt: Cum in dei nomine in Digna civitate publice residerent missi domni nostri Karoli, regis Francorum et Langobardorum seu et patricii Romanorum, id est Viernarius et Arimodus una cum rationesburgiis (lies rachineburgis) dominicis, Marcellino, Iheronimo, Gedeon, Regnarico, Corbino, scabinas lites, scabinos ipsius civitatis, aut bonis hominibus, qui cum ipsis ibidem aderant pro multorum hominum altercationes audiendas et negociis causarum dirimendis et iustis vel rectis iudiciis finiendis. Unter denen, welche das Urtheil unterschreiben, fehlt Hieronymus, wogegen Taurinus, Magnebertus und Sanctebertus (etwa die scabini civitatis?) im Eingang nicht genannt sind. Ueber das Vorkommen von Rachineburgen und Scabinen neben einander vgl. Ficker III, 210; Waitz IV, 2. Aufl. S. 392 N. 1; über das Datum Le Cointe VI, 184. Ein Bruchstück des Berichts der missi geben Martène et Durand, Amplissima collectio I, 41, wonach es sich außer Chandol noch um einige andere Besitzungen handelte. Bischof Maurontus von Marseille hatte nach diesem Bericht seine Anliegen vor König Karl in der Pfalz Heristal vorgebracht. Ferner heißt es daselbst: — et carta reclamatione exinde viderunt, qualiter Abbo patricius condam coram avio vestro Charlo reclamavit, quod Antener patricius, ut quod condam pro malo ingenio et fortia, quando Provincia revellavit contra bisavio vestro Pippino, Antener ipsas villas partibus suis ad probrio se dixit abere usque quod ipse in ipso revellio vixit...

781.

Ueber die Thätigkeit Karl's während seines Aufenthalts in
Pavia sind keine weiteren Nachrichten aufbewahrt. Eine Verordnung
über Beschwerden der Bewohner von Comacchio und ihres Bischofs
Vitalis hinsichtlich der Bedrückung ihres Handels in den italienischen
Häfen, besonders in Mantua, und die Erledigung von Rechts=
händeln zwischen denselben und seinen Unterthanen, vom 15. März 781,
ist überhaupt die einzige ausdrücklich bezeugte Regierungshandlung
Karl's aus dieser Zeit[1]); er befand sich an diesem Tage in Parma[2]).
Indessen ist anzunehmen, daß er diesen Aufenthalt in Italien be=
nutzte, um den seit seiner letzten Anwesenheit hervorgetretenen
Mängeln abzuhelfen, das Unfertige in Ordnung zu bringen, die
Verhältnisse des Landes in dauernde, feste Zustände hinüberzu=
leiten. So hat es denn auch nicht an Stimmen gefehlt, welche
von einer umfassenden gesetzgeberischen Thätigkeit des Königs in
diesen Monaten reden und ganz bestimmte Angaben darüber machen.
Am ersten März, heißt es, hielt Karl in Pavia eine Reichsver=
sammlung; hier verkündigte er neue Gesetze für das langobardische
Reich[3]); alle die Zusätze, welche er zu den langobardischen Ge=
setzen machte[4]), wurden hier von ihm erlassen[5]). Allein daran ist

---

[1]) Sickel K. 79; Anm. S. 253; Mühlbacher Nr. 226; Muratori, Antiquitates II, 23 (ad 787); vgl. Mühlbacher Nr. 1114. 1149. 1146; Kohlschütter,
Venedig unter dem Herzog Peter II. Orseolo (Diss. Göttingen 1868) S. 79.
[2]) Vgl. hinsichtlich des damaligen Aufenthalts des Königs in Parma V. Alcuini c. 9, SS. XV, 190 u. unten.
[3]) So Sigonius S. 149; Hegewisch S. 138; vgl. auch Malfatti II, 246—247.
Leibniz, I, 96. 132, welcher die von Sigonius 781 angesetzten Beschlüsse ins Jahr
787 verlegt, denkt an eine Versammlung im Mai; die Handschriften haben aber den
März, Capp. I, 47, irrthümlich den Mai die Ausgaben bei Walter, Corpus iuris
germanici III, 583, und Lindenbrog, Cod. leg. ant. S. 666. Uebrigens vgl.
unten N 5.
[4]) Vgl. auch Benedict. s. Andreae mon. chron., SS. III, 707, lin. 50—51.
[5]) So Leibniz I, 96, vgl. mit I, 132, wo er sagt, das Decret, wodurch Karl
damals die früheren langobardischen Gesetze vermehrt habe, sei durch den ganzen
Codex zerstreut. Er ist also der Ansicht, Karl habe alle seine Zusätze zu den lango=

nichts wahres, keine Quelle weiß von einer Reichsversammlung, die Karl im März 781 in Pavia gehalten. Die Gesetze, welche Karl am 1. März in Pavia erlassen haben soll, sind zu verschiedenen Zeiten, zum Theil schon 779 gegeben[1]); andere fallen später als 781. Die von Karl für Italien gegebenen Gesetze sind weder gerade alle 781 noch überhaupt gleichzeitig erlassen; nur die weit später vorgenommene Zusammenstellung der Gesetze in dem langobardischen Gesetzbuche kann zu einer solchen Annahme geführt haben[2]).

Hingegen scheinen von Karl's gesetzgeberischer Thätigkeit in Italien während dieser Zeit andere Spuren erhalten zu sein. Da es Karl's Absicht war, einen seiner Söhne als König von Italien daselbst zurückzulassen, gab es vorher noch vieles für ihn zu thun und zu ordnen, die Vorbereitungen für eine solche Maßregel mögen einen großen Theil seiner Zeit in Anspruch genommen haben. Man darf dahin einige Verfügungen rechnen, die zwar nicht gerade diese bestimmte Maßregel im Auge haben, aber doch diesem Anlaß ihre Entstehung verdanken, wenigstens eben in dieser Zeit erlassen sein mögen.

Im März 781 mag jene allgemeine Reichsversammlung in Mantua stattgefunden haben, auf welcher ein uns überliefertes Gesetz erlassen worden ist[3]) — wenn auch auf die bevorstehende Einsetzung

---

bardischen Gesetzen in Form eines Decrets auf einmal veröffentlicht, ein Vorgang, den er dann aber erst ins Jahr 787 setzt. Diese Berechnung ist aber falsch. Leibniz will statt der 11. die 13. Indiction lesen, die aber auch nicht 787, sondern 790 fällt. Und auch von der 11. Indiction ist nirgends die Rede, Leibniz verwechselt sie mit dem 11. Jahre der Regierung Karl's, das in dem Prolog zu Anfang des 3. Buches der langobardischen Gesetze angegeben ist. Auch dieses führt nicht auf 781, sondern 779; ein Punkt, in dem schon Sigonius geirrt hat, vgl. die folgende Note.

[1]) Was Sigonius als Inhalt der 781 in Pavia erlassenen Gesetze angibt, ist genau der Inhalt des Capitulars von 779. Sigonius hat es ganz irrthümlich 2 Jahre später gesetzt, vielleicht nur, weil er meinte, es könne nur bei Karl's Anwesenheit in Italien erlassen sein. Aber Sigonius beschränkt wenigstens Karl's Gesetzgebung von 781 auf das Capitular von 779; wogegen Leibniz auch alle übrigen von Karl für Italien gegebenen Gesetze als zu einer und derselben Zeit erlassen ansieht. Vgl. auch Boretius, Die Capitularien im Langobardenreich S. 65 f.

[2]) In der systematischen Sammlung der Gesetze sind allerdings, wie Leibniz sagt, die Gesetze Karl's überall zerstreut; dagegen stehen sie in der etwas früher, zwischen 1020 und 1037, veranstalteten chronologischen Sammlung beisammen, vgl. Merkel, Geschichte des Langobardenrechts S. 20 ff. Da steht im Anfang des 3. Buches als das erste voran das Capitular von 779, und an dieses sind die übrigen ununterbrochen angereiht. So konnte es geschehen, daß der nur zum ersten Capitular gehörige Prolog auch auf die übrigen Gesetze bezogen und alle als gleichzeitig erlassen angesehen wurden. Diesen Gesetzgebungsakt aber ins Jahr 781 zu verlegen, ist vollends willkürlich, da der Prolog 779 angibt; Sigonius, Leibniz, Hegewisch bringen außer dem Prologe kein anderes chronologisches Zeugniß bei.

[3]) De singulis capitulis, qualiter Mantua ad placitum generale omnibus notum fecimus, lautet die Ueberschrift des Capitulars. Eine bestimmte Zeitangabe fehlt; der Vermuthung von Pertz, Legg. I, 40, daß das Capitular in den März 781 gehöre, steht nichts im Wege; auch Boretius, Capitularien im Langobardenreich S. 108 ff.; Capp. reg. Francor. I, 190, entscheidet sich für diese Zeit; vgl. ferner Malfatti II, 257; Sickel K. 80; Mühlbacher Nr. 225, welcher dies Capitular,

Pippin's als König darin nirgends Bezug genommen wird. Einige
der darin enthaltenen Bestimmungen gelten kirchlichen Angelegen=
heiten, schärfen den Bischöfen, Aebten und Grafen die Wahrung
der Rechte der Kirchen, der Wittwen und Waisen ein[1]); wieder=
holen für Italien die für das fränkische Reich schon in früheren
Capitularien erlassene Verfügung gegen herumschweifende Kleriker,
welche in fremden Diözesen zu keinen geistlichen Verrichtungen zu=
gelassen werden sollen[2]); machen den weltlichen Beamten die
Unterstützung der Bischöfe auf den Rundreisen durch ihre Diözesen
zur Pflicht[3]). Die Mehrzahl dieser gesetzlichen Bestimmungen aber
ist weltlichen Inhalts. Sorgfältig soll darauf geachtet werden,
daß das Gericht des Königs nicht unnöthig angegangen wird; die
Kläger sollen sich an das ordentliche Grafengericht halten, erst
wenn sie dort dreimal umsonst Recht gesucht haben, an das könig=
liche Gericht sich wenden dürfen; auf Nichtachtung dieses Gebotes
wird Strafe gesetzt[4]). Die königlichen Vassallen sollen vor dem
Grafen Recht nehmen und geben[5]), Räuber, welche vor den Königs=
boten nicht erschienen sind, von den Grafen aufgesucht und in Ge=
wahrsam gehalten werden, bis die Königsboten wieder an Ort
und Stelle kommen um sie zu verurtheilen[6]). Zum Schutze des
Herrn gegen eine willkürliche Lösung der durch die Vassallität be=
gründeten Verbindung von Seiten des Vassallen wird verordnet,
daß niemand einen Langobarden als Vassallen oder in sein Haus
aufnehmen solle, ohne zu wissen wer oder woher er sei, bei Strafe
des Bannes[7]). Es sollen die Herbergen hergestellt werden[8]). Der

hierin von Sickel abweichend, noch vor die oben S. 372 N. 1 erwähnte Urkunde d. d.
Parma, 15. März setzt, da Karl auf dem Wege von Pavia nach Rom eher Mantua
als Parma berühren mußte. Boretius wollte früher (Capitularien im Langobardenreich)
S. 104 ff.) außerdem auch noch das Capitulare cum episcopis Langobardicis
deliberatum (c. a. 780—790, Capp I, 188 f.) 781 ansetzen; doch ist hier keine
rechte Stelle dafür, vgl. unten zum Jahr 782. Wenn Soetbeer, in den Forschungen
IV, 291, das Capitular von Mantua nicht als ein ausschließlich italisches gelten lassen
will, sondern ein für das ganze Reich bestimmtes Gesetz darin erblickt, vgl. unten
S. 375 N. 6, so ist das entschieden unrichtig; abgesehen davon, daß das Capitular
uns nur in italischen Handschriften begegnet, weist es sich schon durch die Nennung
des Schultheißen in c. 6 und des homo langobardiscus in c. 11 als ein ita=
lisches aus.

[1]) c. 1; das Capitular steht Capp. I, 190 f.
[2]) c. 5, vgl. das Capitular von 769 (?) c. 4 (aus dem Capitular Karlmann's
von 742, c. 4 S. 25) und oben S. 70 sowie das Capitular von 779, c. 6, oben
S. 324.
[3]) c. 6, vgl. auch Hegel II, 20.
[4]) c. 2. 3. 4, vgl. Waitz IV, 2. Aufl. S. 473 f.
[5]) c. 13, vgl. Waitz IV, 2. Aufl. S. 270.
[6]) c. 10 (vgl. die Bestimmungen des Capitulars von 779, c. 9. 11. 23, oben
S. 327 ff.).
[7]) c. 11: Ut nullus quilibet hominem Langobardicum in vassatico
vel in casa sua recipiat, antequam sciat unde sit vel quomodo natus est;
et qui aliter fecerit, bannum nostrum conponat. Vgl. dazu die Bestimmung
des Paveser Capitulars König Pippin's vom Oktober 787, c. 5, Capp. I, 199, und
Waitz IV, 2. Aufl. S. 265 f.
[8]) c. 12: De sinodochiis volumus adque precipimus ut restaurata
fiant; vgl Waitz IV, 2. Aufl. S. 41.

Handel mit Sklaven, heidnischen so gut wie christlichen, und der Ver=
kauf von Waffen und Zuchthengsten über die Grenze des Reiches wird
untersagt bei Strafe des Bannes, und der Erlegung des Wergelds,
falls ein Sklave nicht wieder zurückzuschaffen sei[1]). Gegen die unrecht=
mäßige Erhebung von Zöllen wird die Bestimmung des Capitulars
von 779 wiederholt[2]), endlich in Betreff der Münze verordnet,
daß die seither gebrauchten Denare vom 1. August an außer Um=
lauf gesetzt werden sollen, wieder bei Strafe der Zahlung des
Bannes[3]). (Eine Verordnung, deren Bedeutung aber nicht mit
Sicherheit zu erkennen ist[4]). An Stelle der früheren leichteren
fränkischen Denare, von denen 264 auf das Pfund von 22 Solidi
gingen, war entweder schon von Pippin in seinen letzten Jahren
oder von Karl die Ausprägung des Pfundes Silber in 20 Solidi,
den Solidus zu 12 Denaren, festgesetzt worden[5]). Durch die be=
treffende Bestimmung des Capitulars von Mantua sollte nun wohl
entweder dies Münzsystem oder ein abermaliger neuer Münzfuß
mit schwererem Pfundgewicht in Italien[6]) eingeführt werden.
Man hat die Stelle auch so ausgelegt, daß hiedurch die in Italien
bestehende Goldwährung aufgehoben worden sei, wie denn die
Rechnung nach Silbersolidi in Italien in der nächstfolgenden Zeit
schon vorkommt, obwohl bis zum Anfang des 9. Jahrhunderts
weit seltener als die nach Goldsolidi[7]). Aber in den Worten liegt
doch eben nur, daß die bisher gangbaren Denare von einem be=
stimmten, nahen Termine ab in Verruf erklärt werden[8]).

---

[1]) c. 7, vgl. das Capitular von 779, c. 19. 20 und oben S. 329 f.

[2]) c. 8, vgl. das Capitular von 779, c. 18 und oben S. 329.

[3]) c. 9: De moneta, ut nullus post Kalendas Augusti istos denarios,
quos modo habere visi sumus, dare audeat aut recipere; si quis hoc fe=
cerit bannum nostrum componat (vgl. synod. Franconofurt. 794, c. 5,
Capp. I, 74 N. 8).

[4]) Soetbeer, Beiträge zur Geschichte des Geld= und Münzwesens in Deutsch=
land, in den Forschungen zur deutschen Geschichte, hat seine Ansicht darüber wieder=
holt geändert, s. daselbst I, 291. II, 382. IV, 290 f. Vgl. ferner Boretius, Capi=
tularien im Langobardenreich S. 110 ff.; Malfatti II, 259 f.; auch unten Bd. II.

[5]) Soetbeer, Forschungen IV, 281, schreibt die Einführung des Münzsystems
von 20 Solidi und 240 Denaren aufs Pfund, das sonst, auch von Waitz, IV,
2. Aufl. S. 83, auf Karl zurückgeführt wird, schon Pippin zu. Dasselbe begegnet
uns zuerst in dem Capitular von 780(?), Capp. I, 52.

[6]) So Soetbeer, Forschungen, IV, 290 f. 305 f. 308. 335 f. Derselbe irrt
aber wohl jedenfalls darin, daß er (vgl. oben S. 373 N. 3) die Verordnung nicht
speziell auf Italien, sondern auf das ganze fränkische Reich bezieht. Daß sie mit der
Einführung eines neuen Münzfußes im ganzen Reich zusammenhing, diese auch um
jene Zeit erfolgte, ist allerdings wahrscheinlich. Unbestimmt äußert sich Waitz, IV,
2. Aufl., S. 84.

[7]) Boretius a. a. O.

[8]) Mit den denarii, quos modo habere visi sumus, konnte Karl nicht ita=
lienisches Geld meinen.

Ein weiteres Erzeugniß von Karl's gesetzgeberischer Thätigkeit
für Italien in dieser Zeit ist nicht bekannt[1]); aber man darf auch,
so viel beschäftigt er gewiß mit der Regelung der öffentlichen Ver=
hältnisse war, nicht glauben, diese habe vorzugsweise in dem Er=
lasse neuer Gesetze bestanden, die uns nur nicht aufbewahrt seien.
So wenig auf einmal die fränkische Verfassung für das langobar=
dische Reich in Wirksamkeit gesetzt worden ist, so wenig jene irr=
thümlich dem Jahre 781 zugeschriebenen Gesetze demselben ange=
hören, ebenso wenig kann überhaupt von einer damals in um=
fassenderem Maßstabe vorgenommenen Gesetzgebung für Italien die
Rede sein, die Umgestaltung der italischen Verhältnisse vorzugs=
weise in dieses Jahr gesetzt werden[2]). Wie seither so wurden auch
später nur allmählich und Schritt für Schritt die fränkischen Ein=
richtungen auf das langobardische Reich übertragen, in einer Reihe
von Gesetzen, die im Laufe der Jahre gegeben sind; was den
König bei seinem Aufenthalte in Italien hauptsächlich in Anspruch
nahm, die wichtigste Seite seiner Thätigkeit ausmachte, betraf un=
mittelbar die Verwaltung, die Abstellung von Mißbräuchen, die
Sorge für die Einsetzung der Beamten und deren Ueberwachung,
die Anordnung dieser und jener einzelnen Maßregel; meist Ange=
legenheiten, bei denen es nicht auffällt, daß sie unserer näheren
Kenntniß sich entziehen. Die einzige Maßregel von Bedeutung,
über welche Nachrichten vorliegen, ist eben die Einsetzung des
jungen Pippin als König von Italien durch Karl, welche aber
erst erfolgte, nachdem Karl in Rom den Papst aufgesucht hatte.

Der König befand sich Ostern, 15. April, in Rom[3]). Er
hatte mit dem Papste die mannigfaltigsten Gegenstände zu besprechen.
Die fränkischen Quellen wissen hier nur Bescheid über die Ange=
legenheiten, welche unmittelbar das fränkische Reich berührten, er=
zählen nur von solchen; aber es handelte sich auch um die Ange=
legenheiten Roms und der Kirche, welche der Papst nicht versäumt
haben wird sogleich zur Sprache zu bringen. Was ihm zumeist
am Herzen lag, ist aus seiner ganzen früheren Haltung bekannt:
die Durchführung der Schenkung so wie er sie auffaßte, auf die
er nur nothgedrungen und nur vorläufig in den letzten Jahren
verzichtet hatte, nachdem alle seine Versuche, Karl günstiger zu

---

[1]) Die „lex canonica", welche in einer Handschrift auf die 13 Capitel des
Capitulars von Mantua folgt, wiederholt nur einige ältere Concilienbeschlüsse über das
kanonische Leben der Geistlichen, ist, wie es scheint, kein Erzeugniß der karolingischen
Gesetzgebung und gehört nicht hierher.

[2]) Leo, I, 206 ff. deutt offenbar an eine durch einen bestimmten Gesetzgebungs=
akt vorgenommene Einführung der fränkischen Verfassung im langobardischen Reiche,
die er sogar schon ins Jahr 776 verlegt; Hegel, II, 3, will wenigstens die haupt=
sächlichsten Reformen ins Jahr 781 setzen, geht darin aber wohl schon zu weit.

[3]) Annales Laur. mai. l. c.; Ann. Einh. SS. I, 161; Ann. Laur. min.
ed. Waitz S. 413 (Ann. Lobiens. 780, SS. XIII, 229; Chron. Vedastin. 781,
SS. XIII, 704), Verse Gottschalk's im Evangeliarium, Poet. Lat. aev. Carolin.
I, 95 (v. 17—22); dazu ebd. N. 1.

stimmen, gescheitert waren. Der Besuch Karl's gab ihm Gelegen=
heit seine Forderungen zu erneuern, und wenigstens theilweise ging
Karl darauf ein. Aus den Briefen, die Hadrian zum Theil noch
in demselben Jahre an den König richtete, nachdem derselbe Italien
wieder verlassen, geht hervor, daß er der römischen Kirche die in
der Sabina belegenen Patrimonien[1]) überlassen hatte[2]). Indessen
auch nicht so ohne weiteres sind der Kirche diese übergeben, sondern
nach einer durch längere Zeit sich hinziehenden Untersuchung der
Eigenthumsverhältnisse, deren langsame Fortschritte dem Papste
noch manche Sorgen bereiteten[3]). Daß diese Schenkung in einer
Urkunde niedergelegt sei — sei es jetzt als Promission oder später
nach Bereinigung der Verhältnisse —, ist nicht glaubwürdig bezeugt,
aber das letztere anzunehmen[4]). Dagegen muß es als eine halt=
lose Vermuthung zurückgewiesen werden, daß Karl damals das
Schenkungsversprechen von 774 im Einverständniß mit dem Papste
zurückgezogen habe und an Stelle desselben ein neuer Vertrag ge=
treten sei, nach welchem der Papst dem Könige den Besitz des
langobardischen Tusciens und des Herzogthums Spoleto urkundlich
bestätigte, dagegen die jährlichen Abgaben empfangen sollte, die
früher aus diesen Gegenden an den langobardischen Königshof
geleistet wurden u. s. w.[5]). Diese Vermuthung gründet sich auf

---

[1]) Früher hatten die Langobarden das in der Sabina gelegene Patrimonium
während eines Zeitraums von dreißig Jahren occupirt, bis die Rückgabe erfolgte
(unter König Liudprand); später war es dann abermals den Langobarden zugefallen;
vgl. V. Zachariae c. 9, Duchesne I, 428. 437 N. 14; Martens, Die römische
Frage S. 182.

[2]) Jaffé IV, 228, Codex Carol. Nr. 74: Et ideo poscentes vestram a
Deo promotam regalem clementiam petimus: ut, sicut a vestra prerectissima
excellentia beato Petro nutritori vestro pro luminariorum concinnationes
atque alimoniis pauperum Savinense territorium sub integritate concessum
est, ita eum tradere integro eidem Dei apostolo . . . dignemini; vgl. ibid.
Nr. 70—73, S. 218 ff.; in Nr. 70, S. 218—219 heißt es: patrimonium nostrum
Savinense — ipsum patrimonium Savinensem.

[3]) Vgl. Forschungen I, 503 ff.; Martens, Die römische Frage S. 182—187;
v. Sybel, Die Schenkungen der Karolinger an die Päpste (Kl. histor. Schriften III),
S. 105 f. und unten zum Jahre 782

[4]) Papst Hadrian in den betreffenden Briefen erwähnt keine Schenkungsur=
kunde. Dies thut vielmehr nur das apokryphe Pactum Ludwig's des Frommen
mit Papst Paschalis I. vom J. 817, Capp. reg. Francor. I, 353 (Eodem modo
territorium Sabinense, sicut a genitore nostro Karolo imperatore beato
Petro apostolo per donationis scriptum concessum est sub integritate etc.).
Sickel, II, 380, nimmt eine urkundliche Schenkung, ein actum deperditum Karl's
v. J. 781 an; anders Mühlbacher, S. 87, der es für unwahrscheinlich erklärt, daß
eine solche vor Erhebung des Thatbestandes ausgestellt worden sei, überhaupt kein der=
artiges act. deperd. annimmt. Martens, S. 182. 186, vermuthet, daß die
Schenkungsurkunde auf Grund der angestellten Ermittelungen 783 vollzogen wor=
den sei; vgl. unten S. 408 N. 2.

[5]) So Ficker, Forschungen zur Reichs= und Rechtsgeschichte Italiens II, 300.348 ff.
Ihm folgt Wattenbach, Geschichte des römischen Papstthums S. 49; auch Boretius,
Capp. I, 352 f.; vgl. auch Martens S. 161. 164. 227; Duchesne l. c. S. CCXL
bis CCXLII. S. dagegen F. Hirsch, Forschungen z. deutschen Geschichte XIII, 51
N. 2; v. Sybel a. a. O. S. 109 ff.

das Pactum zwiſchen Kaiſer Ludwig dem Frommen und Papſt
Paſchalis I.[1]), das jedoch nur in ſpäter, apokrypher und interpo=
lirter Geſtalt überliefert iſt. Die hiſtoriſche Kritik wird aber davon
Abſtand nehmen müſſen, dergleichen verfälſchte Dokumente deshalb
weil ihr Inhalt theils möglich, theils ſogar wahrſcheinlich iſt, zu
benußen. Sie geräth ſonſt offenbar auf einen Abweg, da ſich die
Grenzlinie zwiſchen Echtem und Unechtem in ſolchen Fällen nicht
mit irgend welcher Sicherheit ziehen läßt. Inſoweit der Inhalt
ſolcher apokrypher Dokumente durch echte Quellen beſtätigt wird,
genügt es ſich an die leßteren zu halten. Verfälſchte Dokumente
hat die Wiſſenſchaft einfach bei Seite zu laſſen.

Uebrigens zeigte ſich Hadrian, ſo geringfügig das erwähnte
Zugeſtändniß war, willfährig gegen alle Forderungen Karl's, er=
griff begierig die Gelegenheit wieder nähere Beziehungen zu ihm
anzuknüpfen, was er um ſo eher thun konnte, da die Erfolge Karl's,
für welche dieſer die Mitwirkung des Papſtes in Anſpruch nahm,
doch immer, ſei es unmittelbar, ſei es mittelbar, auch der Kirche
zu gute kamen.

Wichtiger als das Verſprechen Karl's, die Rückgabe der Patri=
monien in der Sabina an den Papſt zu bewerkſtelligen, waren die
anderen Angelegenheiten, welche in Rom zur Sprache kamen und
bei denen allen der Papſt dem Könige zu Willen war. Ein weiteres
Zeichen ihres guten Verhältniſſes war es zunächſt, daß am Oſter=
feſte[2]) der Papſt, worum er ſchon vor Jahren den König ge=
beten hatte[3]), deſſen bereits etwa vierjährigen[4]) Sohn Karlmann

---

[1]) Und zwar auf die Stelle Capp. I, 354: Simili modo per hoc nostrae
confirmationis decretum firmamus donationes, quas pie recordationis domnus Pipinus rex avus noster et postea domnus et genitor noster Karolus
imperator beato apostolo Petro spontanea voluntate contulerunt, necnon
et censum et pensionem seu ceteras dationes (pensiones coll. Deusdedit),
quae annuatim in palatium regis Longobardorum inferri solebant, sive de
Tuscia Longobardorum sive de ducatu Spoletino, sicut in suprascriptis donationibus continetur et inter sanctae memoriae Adrianum papam et domnum ac genitorem nostrum Karolum imperatorem convenit, quando idem
pontifex eidem de suprascriptis ducatibus, id est Tuscano et Spoletino,
suae auctoritatis preceptum confirmavit, eo scilicet modo, ut annis singulis
predictus census ecclesiae beati Petri apostoli persolvatur, salva super
eosdem ducatus nostra in omnibus dominatione et illorum ad nostram partem subiectione. Ein Zeitpunkt jener angeblichen Convention zwiſchen Karl und
Hadrian iſt hier, wie man ſieht, nicht einmal angegeben (Martens S. 164). Die
Stelle mit Sybel (a. a. O. S. 110) ſo auszulegen, daß danach die Ueberweiſung
jener Renten an den Papſt nicht erſt durch Hadrian's ſpäteren Vertrag mit Karl,
ſondern ſchon durch die Schenkungen Pippin's und Karl's von 754 bezw. 774 ge=
ſchehen wäre, iſt allerdings nicht nothwendig, wohl ſogar unrichtig.
[2]) Mühlbacher, S. 87. 202, nimmt an: ſchon am Charſamſtag; desgleichen
auch ſchon Malfatti II, 261 (Nel sabbato santo, amministrando il pontefice
il battesimo nella basilica lateranese, come era di consuetudine, ebbe anche
a battezzare il principino)
[3]) Ueber Hadrian's Wunſch, dieſen Sohn des Königs zu taufen, vgl. oben
S. 317 ff.
[4]) Ueber Pippin's Alter vgl. oben S. 318 und unten Bd. II. z. J. 810.

taufte und zugleich Pathenstelle bei ihm versah[1]), bei welcher Ge=
legenheit Karlmann statt seines bisherigen der Name Pippin bei=
gelegt wurde[2]). Seitdem nennt Hadrian den König regelmäßig
seinen Gevatter[3]), die Königin Hildegard seine Gevatterin[4]), was
von Bedeutung ist als ein sicheres Merkmal für die Unterscheidung
der vor und nach 781 fallenden Briefe des Papstes an Karl.
Außerdem salbte Hadrian den eben getauften Pippin und dessen
Bruder Ludwig zu Königen[5]) und setzte ihnen, wenn man einer
ziemlich vereinzelten Nachricht Glauben schenken darf, auch die
Krone aufs Haupt[6]). Es war eine Handlung, deren Vornahme
für den Papst einen ebenso hohen Werth hatte als für Karl und
seine Söhne, gewissermaßen eine Erneuerung des Vorganges von

---

[1]) Daß Hadrian den Prinzen nicht nur taufte, sondern auch sein Pathe wurde,
sagen ausdrücklich die Annales Laur. mai. SS. I, 160: qui et ipse eum de
sacro fonte suscepit und Ann. Laur. min. ed. Waitz S. 413 (et a sacro
fonte suscepit), sowie die Verse des Gottschalt (27—28), Poet. Lat. aev. Carolin.
I, 95 (II, 689); vgl. auch Cod. Carol. Nr. 73, Jaffé IV, 226 (domno Pippino
excellentissimo rege Langobardorum et proprio spiritali filio nostro).

[2]) Annales Mosellani, SS. XVI, 497: Perrexit rex Karlus Romam et
baptizatus est ibi filius eius, qui vocabatur Karlomannus; quem Adrianus
papa mutato nomine vocavit Pippinum; Ann. Lauresham., Pauli contin.
Roman. SS. Langob. S. 202; Verse Gottschalt's (26) l. c. und andere Stellen,
welche unten Bd. II, z. J. 810 citirt sind.

[3]) Spiritalis compater lautet die Anrede in den Briefen; vgl. Jaffé IV,
7; auch Jaffé, Reg. Pont. ed. 2 a Nr. 2448; Mansi XII, 1056, Schreiben Ha=
drian's an Constantin und Irene vom 26. Oct. 785 (filius et spiritualis compater
noster dominus Carolus etc.).

[4]) Spiritalis commater, s. Jaffé IV, 7. 220. 221 (spiritalis filiae nostrae
atque commatris). 226. 228. 229. 230. 231. 252.

[5]) Ann. Lauriss. mai.: et duo filii supradicti domni Caroli inuncti
sunt ad regem (reges v. l.) a supradicto pontifice; hii sunt domnus Pippinus
et domnus Hludowicus reges; domnus Pippinus rex in Italiam et domnus
Hludowicus rex in Aquitaniam; Ann. Einh.: unxitque (sc. pontifex) eum
(sc. Pippinum) in regem. Unxit etiam et Hludewicum fratrem eius; Ann.
Enhard. Fuld. SS. I, 349; Ann. Sithiens. SS. XIII, 36; Ann. Lausann. SS.
XXIV, 779. Ann. Mosellan.: et unxit (Pippinum) in regem super Italiam
et fratrem eius Ludowigum super Aequitaniam; Ann. Lauresham.; Pauli
contin. Roman.; Ann. Lauriss. min.; Ann. Lobiens.; Chron. Vedastin. —
In der auf die Königin Hildegard († 30. April 783) gedichteten Grabschrift nennt
Paulus Diaconus dieselbe genitrix regum (vgl. Poet Lat. aev. Carolin. I, 59,
Nr. 22 v. 24 N. 1).

[6]) Annales Einhardi l. c.: quibus et coronam imposuit. Ob diese Nach=
richt des späteren Annalisten von der Krönung der jungen Könige durch den Papst
auf einer älteren sicheren Nachricht beruht, ist nicht zu ermitteln. Indessen hat man
keinen Grund anzunehmen, daß sie blos ein willkürlicher Zusatz desselben zu dem In=
halt der Lorscher Annalen sei; auch findet sie, was Ludwig betrifft, eine allerdings
nicht sehr werthvolle Bestätigung durch den Astronomus, V. Hludovici c. 4, SS.
II, 608: regali insignitus est diademate per manus Adriani venerandi an=
tistitis; vorher von Karl: ratus etiam non mediocre sibi subsidium conferri,
si a vicario eorum (der Apostel Petrus und Paulus) cum benedictione sacer=
dotali tam ipse (?) quam et filii eius regalia sumerent insignia. Ist die
Angabe richtig, so wäre dies die erste ausdrücklich beglaubigte Anwendung der Krone
bei der Erhebung zur königlichen Würde; vgl. Waitz, III, 2. Aufl. S. 249. 250
N. 1; 257 N. 3.

754, wo Stephan II. die Salbung an Pippin und seinen Söhnen vorgenommen und ihrem ganzen Geschlecht die königliche Weihe ertheilt hatte. Aber wesentlich war diese Salbung durch den Papst für die Erhebung Pippin's und Ludwig's zu Königen nicht[1]); sie war keineswegs die Vorbedingung derselben, noch weniger mit ihr gleichbedeutend. Unter den älteren und wohlunterrichteten Annalisten macht wenigstens einer zwischen der Salbung der jungen Königssöhne durch den Papst und ihrer Einsetzung als Könige in den betreffenden Ländern durch Karl selbst ausdrücklich einen Unterschied[2]); wogegen es unrichtig ist, wenn andere, freilich noch ältere und fast durchweg zuverlässige Jahrbücher die Sache so darstellen, als habe Hadrian Pippin und Ludwig eben gerade zu Königen von Italien und Aquitanien gesalbt[3]). Davon kann wohl nicht die Rede sein.

Noch in einem anderen Punkte war Hadrian bereit die Entwürfe Karl's, so viel an ihm lag, zu unterstützen. Seit Jahren hatte Karl den Herzog von Baiern ruhig in seiner fast unabhängigen Stellung belassen; die einzige Spur einer Verbindung Baierns mit dem übrigen Reiche, welche uns in dieser Zeit begegnete, war die, daß zu dem gegen die Ungläubigen in Spanien bestimmten Heere Tassilo auch bairische Truppen stoßen ließ[4]). Und fortwährend hat inzwischen Tassilo, so viel sich erkennen läßt, von der ihm gelassenen selbständigen Stellung und freien Bewegung zum Vortheil seines Landes, zum Vortheil des ganzen Reiches Gebrauch gemacht. Die Bekehrungen im slavischen Osten hatten

---

[1]) Vgl. Waitz III, 2. Aufl. S. 256 ff. 273 f.

[2]) Annales Einhardi l. c., anschließend an die Stelle oben S. 379 N. 6: Quorum maior, id est Pippinus in Langobardia, minor vero, id est Hludewicus, in Aquitania rex constitutus est. Aus dieser Stelle allein kann freilich nicht viel geschlossen werden, zumal sie nur die Worte der Ann. Laur. mai. (oben S. 379 N. 5) umschreibt. Vgl. aber z. B. auch Einh. V. Karoli c. 19: Pippinum, quem regem Italiae praefecerat. 6: subactaeque (Italiae) filium suum Pippinum regem imponeret. Auch die Notiz der Ann. s. Amandi 780, SS. I, 12: Carolus rex divisit sua regna inter filios suos muß doch wohl hierauf bezogen werden; ähnlich Ermold. Nigell. lib. I, v. 35 ff.; Poet. Lat. aev. Carolin. II, 6. S. übrigens in Betreff der Einsetzung jener beiden Söhne Karl's als Könige von Italien bezw. Aquitanien auch Pauli Gest. epp. Mett. SS. II, 265: ex quibus iam Deo favente minor Pippinus regnum Italiae, Lodobich Aquitaniae tenent; Einh. V. Karoli 30; Thegan. V. Hlud. 2, SS. II, 591; Hist. Langob. cod. Goth. SS. rer. Langob. S. 10—11; Mirac. s. Genesii, SS. XV, 169: cum Italiam Pippino, Equitaniam Hludoico regibus iure regio gubernandum regnum utrumque commendaret; Andr. Bergom. hist. 5, ib. S. 224; Erchempert. Hist. Langobardor. Beneventan. c. 2, ib. S. 235; Mühlbacher S. 87. 202. 210.

[3]) Vgl. die Stellen ob. S. 379 N. 5. Was die Ann. Lauriss. mai. betrifft, so ist es vielleicht nur der diesen Annalen oft eigenen Kürze der Ausdrucksweise zuzuschreiben, daß in diesem Falle die Genauigkeit der Kürze geopfert ist. Unrichtig schließen Leibniz, I, 100; Eckhart, I, 679; Luden, IV, 328; Dippoldt, S. 69; Hegewisch, S. 138 f. der Angabe dieser Annalen sich an; genauer drückt sich aus Martin II, 286; übrigens vgl. auch unten S. 387 ff.

[4]) Vgl. darüber oben S. 294.

ohne Zweifel auch in dieſen Jahren ihren Fortgang, und ſo wurden
zugleich mit dem Chriſtenthum auch der deutſchen Bildung, dem
deutſchen Weſen immer noch neue Gebiete gewonnen. Auch im
Innern Baierns dauerte die Begünſtigung der Kirche durch zahlreiche beträchtliche Schenkungen an die geiſtlichen Stiftungen fort,
was ganz natürlich war bei der engen Verbindung, in welcher
Taſſilo, nebenbei wohl auch um ſeiner politiſchen Intereſſen willen,
mit der Kirche ſtand. Aber an dem Papſt gewann er trotzdem
jetzt ſo wenig wie früher einen Rückhalt. So freigebig wie Taſſilo
war Karl zwar verhältnißmäßig nicht gegen die Kirche, aber im
Grunde legte er auf die engſte Verbindung mit ihr doch ein faſt
ebenſo großes Gewicht; und dann zog Hadrian ſelbſtverſtändlich
die Verbindung mit dem fränkiſchen Könige der mit dem bairiſchen
Herzoge vor. Die Verwandtſchaft Taſſilo's mit der Familie des
geſtürzten Deſiderius, mit dem von Hadrian noch immer gefürchteten Adelchis und Arichis kam hinzu, um jede Annäherung zwiſchen
Taſſilo und dem Papſte zu verhindern; denn iſt auch von einer
politiſchen Verbindung Taſſilo's mit ſeinen Schwägern in dieſer
Zeit keine Spur zu finden, ſo ließ doch der nahe Familien-
zuſammenhang und andererſeits auch die Gleichartigkeit ihrer Intereſſen ſie als natürliche Verbündete erſcheinen. Aber eines förmlichen Bündniſſes zwiſchen Taſſilo und ſeinen Schwägern, überhaupt aller bezüglichen Erwägungen bedurfte es auch für Hadrian
garnicht, um ſeine Entſcheidung für oder wider Taſſilo zu treffen.
Er ſelber war ſo ſehr angewieſen auf die Unterſtützung Karl's,
in allen politiſchen Fragen ſo unbedingt abhängig von ihm[1]), daß
ihm gar keine andere Wahl blieb als deſſen Wünſche ſich zu fügen
und gemeinſchaftliche Sache mit ihm gegen Taſſilo zu machen.
Sein ſpäteres Verhalten läßt vermuthen, daß dem Papſte ſelbſt
vielleicht doch daran lag, Taſſilo das Aeußerſte zu erſparen, ſein
Schickſal abzuwenden oder wenigſtens aufzuhalten[2]); aber er mußte
ſeine Wünſche auch in dieſer Sache dem Willen des Königs unter-
ordnen. Karl mochte, wovon freilich die Quellen nichts wiſſen,
den Zeitpunkt gekommen glauben, um nach der, wie er damals
wohl meinte, in der Hauptſache vollendeten Unterwerfung Sachſens
auch gegen Taſſilo nachdrücklich aufzutreten. Er verſuchte zuerſt

---

[1]) Hadrian's gänzliche Schwäche und Abhängigkeit auf politiſchem Gebiete, die
bei jeder Gelegenheit in die Augen ſpringt, wird dadurch nicht widerlegt, daß er
einige Jahre ſpäter in einer kirchlichen Frage, der Frage des Bilderdienſtes, ſelbſtändig
auftrat. Hat auch ſeine Haltung in dieſer Angelegenheit unſtreitig einen politiſchen
Hintergrund, ſo kann ſie dennoch eher dazu dienen die Thatſache ſeiner politiſchen
Ohnmacht zu beſtätigen; worüber das Genauere unten zum Jahr 786 und 787.

[2]) Als Karl gegen Taſſilo ernſtlich einzuſchreiten entſchloſſen war, ſuchte Hadrian
noch einmal den Sturm zu beſchwören, vgl. Annales Lauriss. mai. SS. I, 170;
Annales Einhardi, SS. I, 171 und unten zum Jahre 787. Rettberg, II, 185
hebt die Feindſchaft des Papſtes zu ſehr hervor; er geht zu weit, indem er meint, der
Papſt habe Karl's Abneigung gegen den Schwiegerſohn des verhaßten Langobardenkönigs geſteigert.

auf gütlichem Wege seinen Zweck zu erreichen. Er brachte den Gegenstand in Rom in Anregung; Papst und König kamen überein, durch eine gemeinschaftliche Gesandtschaft den Herzog an seinen vor Pippin in Compiegne geleisteten Eid, den Franken unterthan und gehorsam sein zu wollen, zu erinnern[1]); eine Verabredung, die nach Karl's Rückkehr ins fränkische Reich auch ausgeführt ward.

Allerdings haben wir über diese Vorgänge auch andere Nachrichten. Danach hatte Tassilo nebst seiner Gemahlin und seinem Sohne damals eine Gesandtschaft mit großen Gaben für ihr Seelenheil nach Rom geschickt. Die Gesandtschaft bestand aus dem Bischof Alman (Alim) von Seben[2]), dem Grafen Mägel (Mägilo, Mekilo)[3]) und dem greisen Grafen Machelm[4]) und vielen anderen angesehenen Geistlichen und Weltlichen. Allein König Karl wollte dieser Gesandtschaft nicht den Durchzug gestatten; nur den genannten Bischof von Seben und den Abt Atto von Mondsee[5]) ließ er gen Rom ziehen, die übrigen wies er wieder heim. Es war eine Beleidigung, aus welcher Tassilo tiefen Groll gegen seinen Vetter, den Frankenkönig schöpfte, welcher seinerseits argwöhnisch auf die Macht des Baiernherzogs und die Verbindung desselben mit seinen Feinden, den Sachsen, Wenden und Hunen (Avaren) blickte. Es würde zum Kriege zwischen ihnen gekommen sein, wenn sich nicht der Papst Hadrian ins Mittel gelegt hätte. Er saudte zwei Bischöfe[6]) aus Rom nach Baiern zu Tassilo. Diese brachten Frieden und Versöhnung zwischen dem Herzoge und dem Könige zu Staude; der Friede ward geschlossen, indem Tassilo in Worms vor dem Könige erschien[7]). Diese Nachrichten enthalten an sich nichts Unglaubliches; auch sind die Personen der bairischen Prälaten und Großen, welche in ihnen vorkommen, historisch und gehören (wenigstens meist) in diese Zeit. Aber die ganze Erzählung findet sich erst viele Jahrhunderte

---

[1]) Annales Einhardi l. c.: Sed cum Romae esset, convenit inter ipsum atque Hadrianum pontificem, ut simul legatos mitterent ad Tassilonem Baioariae ducem, qui eum commonerent de sacramento, quod Pippino regi et filiis eius ac Francis iuraverat (Oelsner S. 303 ff.), scilicet ut subiectus et oboediens eis esse deberet. Nach den Ann. Laurissenses mai. würde man wenigstens ebenfalls voraussetzen, daß dies in Rom beschlossen ward.

[2]) Vgl. über denselben Riezler, S.-Ber. der bahr. Akad. phil.-hist. Cl. 1881. I, S. 274; Rettberg II, 282 (Alcuin. epist. 134. 148, Jaffé VI, 526. 561) und oben S. 55.

[3]) Vgl. Graf Hundt, Ueber die bayrischen Urkunden aus der Zeit der Agilolfinger, Abhh. der bayr. Akad. hist. Cl. XII, 1, S. 237; Riezler a. a. O.

[4]) Vgl. Indiculus Arnonis und Breves notitiae Salzburgenses ed. Keinz, S. 41. 43. 62—63; Gr. Hundt a. a. O. S. 188 f., bes. 190 N. 2; Riezler a. a. O. Machelm war aus sehr vornehmem Geschlecht und hatte ausgedehnten Grundbesitz vom Inn bis zur Traun.

[5]) Vgl. über denselben Riezler a. a. O.; dagegen jedoch Hundt S. 188; Hauthaler in Mitth. d. Inst. f. österreich. Geschichtsforschung VII, 229. 234.

[6]) Vgl. unten S. 394.

[7]) Vgl. unten S. 396.

später in der bayerischen Chronik des Aventinus[1]), eines gelehrten, aber unzuverlässigen Autors, der Erfindungen nicht scheute. Wenn man also auch diese Nachrichten auf eine gleichzeitige Quelle, die Aventin angeblich benutzte, ein Werk von Tassilo's Kanzler Crantz zurückführen zu dürfen meint[2]), so werden wir doch unzweifelhaft Bedenken tragen müssen von ihnen Gebrauch zu machen. Wir befürchten eher, ihnen schon zu viel Rücksicht erwiesen zu haben, indem wir sie erwähnten.

Vielleicht mehr selbständigen Antheil nahm Hadrian an einer anderen Angelegenheit, über die gleichfalls mit Karl in Rom verhandelt wurde. Je enger der Papst an Karl sich anschloß, desto schwieriger wurde seine Stellung zum griechischen Reiche, desto mehr erforderte diese irgend welche Regelung. Dem Namen nach war der Papst noch immer ein Unterthan des Kaisers, dessen Regierungsjahre er anfangs fortfuhr in den öffentlichen Urkunden zu zählen[3]); in der That war er dagegen ein Unterthan des fränkischen Königs, zu dem er genau in dem Verhältnisse stand, in dem er rechtlich zum griechischen Kaiser stehen sollte. Wiederholt war es zu Feindseligkeiten zwischen dem Papste und den Griechen in Unteritalien gekommen, der griechische Patricius auf Sicilien stand im Bunde mit Hadrian's Gegnern, in Istrien war es von Seiten der Bewohner zu Gewaltsamkeiten gekommen, die sich gegen den römischen Stuhl und den fränkischen Einfluß richteten[4]); die thatsächliche Trennung Roms vom Kaiserreiche wurde immer vollständiger, eine Auseinandersetzung konnte nicht lange mehr ausbleiben; die gänzliche Losreißung, auch äußerlich und wie bisher der That so nun auch dem Namen nach, schien bereits unvermeidlich. Es ist nicht überliefert, jedoch leicht möglich, daß den König zu seinem Zuge nach Italien unter anderem auch die Absicht bewogen hatte, in dieser Sache durchzugreifen[5]); daß es nicht geschah, wenigstens in einem ganz anderen Sinne geschah als sich vorher erwarten ließ, war die Folge einer Schwenkung, die weder von Karl noch von Hadrian, sondern von Constantinopel ausging. Dort war am 8. September 780 Kaiser Leo IV. der Chazar plötzlich gestorben, mit Hinterlassung eines unmündigen Sohnes, Constantin VI. Porphyrogenitus[6]), und einer Wittwe, Irene, die in Athen geboren war

---

[1]) Werke, herausg. von der bayr. Akad. d. Wiss. V, 109; vgl. Riezler, S.-B. a. a. O. S. 272—275.

[2]) Riezler a. a. O. S. 247—291; vgl. Werke III, 576 f.; v. Oefele, Histor. Ztschr. LI, 154; Wattenbach DGQ. 5. Aufl. I, 141.

[3]) Eine Urkunde vom 20. Febr. 772 trägt noch die Rechnung nach Jahren des griechischen Kaisers; seit dem 1. Dezember 781 läßt Hadrian nach Jahren seines Pontifikats zählen, Jaffé, Reg. Pont. Rom. ed. 2 a 1, 289; Bazmann, Die Politik der Päpste I, 273.

[4]) Jaffé IV, 207, vgl. oben S. 322.

[5]) Das vermuthet namentlich Martin II, 285 f., der nur Karl's Entwürfe etwas zu genau anzugeben weiß.

[6]) Theophanes, Chronographia ed. de Boor, I, 453; Gibbon, History of the decline and fall of the Roman empire, VIII, c. 48.

oder wenigstens daselbst gelebt hatte und als Athenerin bezeichnet zu werden pflegt[1]). Irene hatte schon bei Lebzeiten ihres Gemahls ihre Hinneigung zum Bilderdienst verrathen[2]); nach seinem Tode kam sie in die Lage, offen für denselben aufzutreten. Sie verschaffte sich die Vormundschaft für ihren neun- bis zehnjährigen Sohn[3]), schlug ihre Gegner, die sich allerdings sofort regten, nieder[4]) und traf die Vorbereitungen zur Wiederherstellung des Bilderdienstes[5]). Konnte sie auch nicht sogleich ihre Absicht durchführen, so war man doch im Abendland darüber hinlänglich unterrichtet. Die Folge davon war eine Annäherung zwischen der Kaiserin und dem Papste. Irene war, wenn sie den Bilderdienst wieder einführen wollte, naturgemäß auf eine nähere Verbindung mit dem Papste hingewiesen; dem Papste konnte nichts willkommener sein als das Vorhaben der Kaiserin, die ketzerische Verwerfung der Bilder aufzugeben und zur Lehre der römischen Kirche zurückzukehren[6]). So wurde der fast schon abgebrochene Verkehr zwischen Constantinopel und Rom wieder aufgenommen; Hadrian drang in die Kaiserin ihren Vorsatz auszuführen, Irene nahm den Rath und die Mitwirkung des Papstes in Anspruch[7]). Der Briefwechsel zwischen ihnen fällt, soweit er uns erhalten ist, erst in die Zeit nach 781; aber angeknüpft war der Verkehr ohne Zweifel schon vorher. Irene war ja von Anfang an in ihren Entschlüssen fest, und Hadrian kannte ihre Gesinnung; wenn es auch an einem ausdrücklichen Zeugnisse dafür fehlt, so legen doch die Vorgänge von 781 und andere Umstände die Vermuthung sehr nahe, daß schon damals zwischen Rom und Constantinopel ein Verkehr stattfand[8]).

Während Karl's Anwesenheit in Rom trafen dort der kaiserliche Saccellarius (Schatzmeister) Constans und der Primicerius Mamalus ein, um im Auftrage der Kaiserin für ihren Sohn Constantin um die Hand von Karl's ältester Tochter Rotrud zu

---

[1]) Vgl. L. v. Ranke, Weltgeschichte V, 2, S. 88 N. 3.

[2]) Vgl. Venediger, Versuch einer Darlegung der Beziehungen Karl's des Großen zum byzantinischen Reiche I (Diss. Halle 1872), S. 24; Ranke a. a. O. S. 88—89; Malfatti II, 263.

[3]) Geboren am 14. Januar 771; vgl. unten S. 386 N. 1.

[4]) Vgl. Venediger, S. 25—26; Mor. Strauß, Beziehungen Karl's d. Gr. zum griech. Reiche S. 17.

[5]) Vgl. Hefele III, 2. Aufl. S. 439 ff. Die Bedeutung der Vorgänge in Constantinopel für die Gestaltung der Dinge im Abendlande hebt mit Recht Niehues, I, 575, hervor, der nur auf die unleugbare Annäherung des Papstes an die Kaiserin zu wenig Gewicht legt.

[6]) Vgl. Harnack, Das karoling. und das byzantin. Reich S. 15; Oelsner, König Pippin S. 404 ff.

[7]) Vgl. den Brief Hadrian's vom 26. Oktober 785, bei Mansi, Conciliorum coli. ampl. XII, 1055 ff., der eine Antwort ist auf ein Schreiben Irene's vom 29. Aug. 785 (784?), bei Mansi, XII, 964 ff.; Jaffé, Reg. Pont. ed. 2a Nr. 2448. Das Nähere bei Hefele, III, 2. Aufl. S. 445 ff.

[8]) Vgl. auch Venediger S. 25; Malfatti II. 264.

werben[1]). Gewiß war es kein Zufall, daß die griechischen Ge=
sandten Karl gerade in Rom aufsuchten, wo dann zugleich der Papst
wie von selbst an den Verhandlungen theilnehmen konnte. Die
Lage der Kaiserin war eine solche, daß sie Grund genug hatte
einen Rückhalt im Abendlande zu suchen. Ihre kirchlichen Ent=
würfe erweckten ihr zwar die Sympathieen der Mehrheit, aber zu=
gleich mächtige Gegner, welche ihre Stellung erschütterten; gleichzeitig
war sie durch äußere Feinde und innere Empörungen bedrängt[2]),
so daß der vorliegenden Ueberlieferung entsprechend anzunehmen
ist, von ihr und nicht von Karl sei der Anstoß zur Verbindung
mit dem letzteren ausgegangen[3]). Wahrscheinlich aber ist, daß der
Papst diese Verbindung begünstigte; möglich, daß er bei der
ganzen Verhandlung den Vermittler zwischen Karl und den Griechen
spielte. Man wurde in der That einig. Die Verlobung fand
statt, in einem besonderen Vertrage wurden die näheren Fest=
setzungen darüber getroffen und von beiden Seiten eidlich bekräf=
tigt[4]). Der Eunuch und Notar Elisäus wurde bei der Verlobten,

---

[1]) Theophanes ed. de Boor I, 455: Τούτῳ τῷ ἔτει ἀπέστειλεν Εἰρήνη
Κωνσταῆν τὸν σακελλάριον καὶ Μάμαλον τὸν πριμικήριον πρὸς Κάρουλον
τὸν ῥῆγα τῶν Φράγκων, ὅπως τὴν αὐτοῦ θυγατέρα, Ἐρυθρῶ λεγομένην,
νυμφεύσηται τῷ βασιλεῖ Κωνσταντίνῳ, τῷ υἱῷ αὐτῆς. Näheres über die
Prinzessin Rotrud unten Bd. II. zu ihrem Todesjahre (810).

[2]) Ranke a. a. O. S. 90—91.

[3]) So auch Ferd. Hirsch, Forsch. zur deutschen Gesch. XIII, 48; Malfatti II,
264; Harnack, Das karoling. u. das byzantin. Reich S. 14—15; Benediger, S. 26;
Strauß, S. 17—18; Ranke a. a. O. S. 91. — Früher gingen die Ansichten über
diesen Punkt auseinander. La Farina II, 18; Martin II, 286; La Bruère I,
181 heben gleichfalls hervor, daß Irene einer Anlehnung an fremde Mächte bedurfte,
daß daher sie und nicht Karl die Verbindung anregte und daß der Papst dieselbe be=
günstigte. Auch Gaillard II, 159 ff. schreibt der Kaiserin die Initiative zu; ebenso
Luden IV, 324, der aber S. 330 eine Menge unbegründeter Vermuthungen daran
knüpft, die Stellung Irenens nicht richtig auffaßt, sogar den starke 20 Jahre später
— angeblich — hervorgetretenen Gedanken einer Vermählung Karl's mit Irene herbei=
zieht (vgl. unten Bd. II. z. J. 802). — Leibniz I, 101, sieht in dem Schritt der
Kaiserin eine griechische List, um Karl abzuhalten, den aufrührerischen griechischen Pa=
tricius von Sicilien, Elpidius, zu unterstützen, vgl. Meo, Annali del regno di
Napoli III, 121; F. Hirsch a. a. O.; Strauß a. a. O.; eine Erklärung, die jeden=
falls nicht ausreicht. Dagegen meint Lehuërou, Histoire des institutions Caro=
lingiennes, S. 354, Karl habe eine griechische Allianz angestrebt, um den Sturm
zu beschwören, von dem er durch die von Arichis zu Stande gebrachte Verbindung
seiner Gegner (?) bedroht war.

[4]) Annales Mosellani l. c.: Et ibi disponsata est Rottrhud, filia regis,
Constantino imperatori; Ann. Laresham.; Hersfelder Annalen (vgl. Lorenz
S. 86 und unten Bd. H. z. J. 810); Einh. V. Karoli c. 19: Hruodthrudem,
quae filiarum eius primogenita et a Constantino Grecorum imperatore de=
sponsata erat (Poeta Saxo lib. V, v. 273—280, Jaffé IV, 614; Forsch. zur
deutschen Geschichte I, 321); vgl. auch Gest. abb. Fontanell. c. 16, SS. II, 291;
ed. Löwenfeld (Hannover 1886) S. 46. — Theophanes l. c.: καὶ γενομένης
συμφωνίας καὶ ὅρκων ἀναμεταξὺ ἀλλήλων; nach ihm spätere byzantinische
Autoren, welche F. Hirsch, Forsch. a. a. O. S. 48 N. 1 anführt: Cedrenus II,
S. 21; Zonaras XV, c. 10 (ed. Dindorf III, 358); Georg. Hamartolus ed.
Muralt S. 662 (Migne, Patrol. Graec. Bd. 110, Sp. 957).
    Die Angabe der Ann. Enhard. Fuld., SS. I, 350 und der Ann. Sithiens.
SS. XIII, 36, welche dies Ereigniß erst z. J. 787 melden (Hruodtrudis filia regis

einem Mädchen von höchstens etwa acht Jahren[1]), zurückgelassen, um sie in der griechischen Sprache und Bildung zu unterrichten, überhaupt in den Sitten des griechischen Hofes aufzuziehen[2]); und später hat dann auch Paulus Diaconus den zur Begleitung der Rotrud bestimmten fränkischen Geistlichen Unterricht im Griechischen gegeben[3]).

Nach den erzählten Vorgängen in Rom[4]) kehrte Karl von dort zunächst nach Oberitalien zurück. Auf der Reise soll er mit seiner Gemahlin Hildegard und seinem Gefolge in dem Andreaskloster am Berg Soracte eingekehrt sein. Er soll dort diesem Kloster alle Besitzungen, welche sein Oheim Karlmann[5]) demselben geschenkt, sowie das Kloster S. Silvestro und das Kloster S. Stefano in Mariano urkundlich bestätigt, ihm auch außerdem noch reiche Geschenke gemacht haben[6]). Weiter finden wir Karl im Vabum Medianum[7]) im Gebiet von Florenz. Hier erhob ein ge

---

a Constantino imperatore desponsatur — Hruatrudis f. r. a C. i. desponsata), ist (woran Dünzelmann, Neues Archiv II, 508 N. 1, mit Unrecht noch zweifelt) unrichtig. J. Bernays, Zur Kritik karolingischer Annalen S. 118, sucht sie in Schutz zu nehmen, indem er unter desponsari in Verbindung mit der Präposition a vielmehr die Auflösung des Verlöbnisses verstehen will. Diese Auslegung ist jedoch nicht haltbar; vgl. außer Einh. V. Kar l. c., wo dies doch wohl nicht der Sinn ist (Uebers. von O. Abel-Wattenbach S. 45), Ann. Bertin. 853, ed. Waitz S. 43 (SS. I 448 lin. 17). Eher mag jene unrichtige Angabe allerdings damit in Zusammenhang stehen, daß auch die Ann. Einh. jene Verlobung 781 garnicht erwähnen, sondern die Werbung Constantin's um die Hand der Rotrud erst 786, die schließliche Versagung derselben unter 788 berühren (SS. 1, 169. 175).

[1]) Da Adalheid c. 774 vor Pavia geboren wurde, wird Rotrud's Geburt frühestens 773 fallen. — Constantin VI. war am 14. Januar 771 geboren, also auch erst ein zehnjähriger Knabe, vgl. Mor. Strauß, Beziehungen Karl's d. Gr. zum griechischen Reiche S. 16 N. 2.

[2]) Theophanes, l. c.: κατέλιπεν Ἐλισσαῖον τὸν εὐνοῦχον καὶ νοτάριον πρὸς τὸ διδάξαι αὐτὴν τά τε τῶν Γραικῶν γράμματα καὶ τὴν γλῶσσαν, καὶ παιδεῦσαι αὐτὴν τὰ ἤθη τῆς Ῥωμαίων βασιλείας.

[3]) Das bezeugt Peter von Pisa in dem in Karl's Namen an Paulus Diaconus gerichteten Gedichte, Poet. Lat. aev. Carolin. I, 49 Nr. 11, Str. 11. 12:

Haud te latet, quod iubente   Christo nostro filia,
Michaele comitante,   sollers maris spatia,
ad tenenda sceptra regni   transitura properat.

Hac pro causa Grecam doces   clericos grammaticam
nostros, ut in eius pergant   manentes obsequio
et Graiorum videantur   eruditi regulis.

[4]) Die, wie es scheint, auf den damaligen Aufenthalt Karl's in Rom bezügliche Nachricht in Andreae Bergom. Hist. c. 5, SS. rer. Langob. S. 224, der König habe daselbst eine Pfalz erbaut (Igitur subiugata et ordinata Italia, ad Romam perrexit; ibidem palatium construxit), ist unglaubwürdig; vgl. Mühlbacher S. 87 und unten Bd. II. — In Betreff der weiteren dortigen Nachricht, der König habe bei seiner Rückkehr die Angesehensten und Vornehmsten aus Italien als Geiseln mitgenommen, vgl. Bd. II. z. J. 808.

[5]) Vgl. Mühlbacher S. 24—25; Hahn, Jahrbücher S. 90 und die dort angeführten Stellen.

[6]) Mühlbacher S. 87 f.; Benedicti s. Andreae monach. Chron. c. 22, SS. III, 707 (vgl. ibid. 18*, S. 705).

[7]) Der Ort wird, wie Sickel II, 256 (Anm. zu K. 95) und Mühlbacher S. 88 angeben, entweder als „il ponte dell' Arno detto di Girone oggi distrutto" oder als Mezzastrada bei Varlungo erklärt.

wiffer Paulus, Sohn Pando's aus Rieti, gegen den Herzog Hildi=
prand von Spoleto, der sich auch in dem Gefolge des Königs be=
fand, Beschwerde wegen des Klosters S. Angelo·(Michael) bei
Rieti, welches derselbe ihm widerrechtlich entriffen hätte und welches
an das Klofter Farfa gekommen war[1]). Auf die Verantwortung
des Herzogs Hildiprand befahl der König demselben, die Sache bei
feiner Rückkehr nach Spoleto gerichtlich unterfuchen und erledigen zu
laffen[2]). Die Sache wurde hier im Juli 781 zu Gunften des Klofters
Farfa entfchieden[3]) und diefe Entscheidung später durch Diplom des
Königs vom 18. Auguft 782 beftätigt[4]). Unter dem 8. Juni, viel=
leicht fogar schon unter dem 25. Mai, urfundet Karl wieder in
Pavia; er verleiht dem Bischof Apollinaris von Reggio für feine
Kirche die Immunität und freie Bischofswahl[5]). Demfelben Zeit=
punkt gehört wahrscheinlich auch eine Urkunde des Königs für das
Klofter S. Salvatore in Brescia an, welche er auf Bitten der
Aebtiffin Radoara ausftellte[6]). Am 11. Juni beftätigt er dem
Abt·Beatus von Sefto gewiffe Einkünfte und Befitzungen feines
Klofters, nachdem er die von Defiderius' Sohn und Mitregenten
Adelchis darüber ertheilten Urkunden für ungiltig erklärt[7]). Seinen
Sohn Pippin hatte er offenbar schon während des Aufenthalts
in Rom förmlich als König feines italifchen Reiches eingefetzt,

---

[1]) Ficker, Forsch. zur Reichs= und Rechtsgeschichte Italiens IV, 2 Nr. 2: Dum
d. noster Karolus excellentissimus rex Francorum atque Langobardorum a
liminibus beatorum apostolorum Petri et Pauli reverteretur et a Roma et
coniunxisset ad Vadum Medianum finibus Florentinis, et d. Hildeprandus
gloriosus dux ibi in eius servitio cum eo adesset, querelatus est Paulus
fil. Pandonis de Reate ipsi d. regi de monasterio s. Angeli etc.; Chron.
Farf., Muratori SS. II b, 352; Sickel a. a. O. und S. 359; Mühlbacher a. a. O.
Der betreffende Aufenthalt Karl's im Florentinifchen ift in den Mai oder Juni zu
fetzen; die Notiz im Catalogus nonnullarum chartarum regesti mscti monasterii Farfensis, bei Muratori, Antiquitates V, 695: Iudicatum Karoli
pro monasterio s. Angeli civitatis Reatae ad Vadum Medianum finibus
Florentinis, mense Julio, indict. IV. ift ungenau und fehlerhaft.
[2]) Ficker a. a. O. S. 3: Et ipse d. rex praecepit, ut dum rever1ere-
tur Spoletum, cum suis iudicibus diligenter causam ipsam inquireret et
finiret.
[3]) Ficker a. a. O. S. 2—4.
[4]) Sickel K. 95; Anm. S. 256; Mühlbacher Nr. 248 (vgl. unten).
[5]) Urkunde bei Ughelli II, 244. Dagegen ift falsch die Urkunde für Apolli=
naris von demfelben Datum, Ughelli II, 245, und wenigftens verunecht die vom
25. Mai, Ughelli II, 243 (Sickel II, 39 Nr. 81; 253 f. 379. 433; Mühlbacher
Nr. 229—231).
[6]) Sickel K. 83; Anm. S. 255; Mühlbacher Nr. 233; Margarini,
Bullarium Casinense II, S. 19 Nr. 22. Diefe Urkunde, worin Karl die Be=
fitzungen des Salvatorsklofters in Brescia beftätigt und ihm die Immunität verleiht,
ift ohne Datum und Actum, wird aber von Margarini 781 angefetzt; ebenfo von
Mabillon, Ann. Ben. II, 258. Sie hat faft gleichen Wortlaut mit Mühlbacher
Nr. 230.
[7]) Die Urkunde wird angeführt von Liruti, Notizie delle cose del Friuli,
III, 71. V, 303 und ift neuerdings gedruckt bei Sickel, Beiträge V, 86 Nr. 5
(Wien. S.=B. XLIX, 394 f.); der Ausftellungsort ift nicht angegeben; vgl. auch
Sickel, Beitr. HI, 30 (Wien. S.=B. XLVII, 204); Act. Karolin. K. 82, Anm.
S. 254 f.; Mühlbacher Nr. 232.

ohne daß über den Zeitpunkt und die näheren Umstände Genaueres
bekannt wäre[1]), so wenig wie über die Vorkehrungen, welche Karl
traf, um den Gang der Regierung in Italien zu sichern, das Ver=
hältniß Italiens zum übrigen Reiche zu ordnen. Es müssen aber
jedenfalls besondere Anordnungen erlassen sein. Pippin war ein
Knabe von kaum vier Jahren, die Regierung ruhte daher ganz in
den Händen der Umgebung, die ihm Karl bestimmte. Es mögen
dazu weltliche und geistliche Große, Franken und Langobarden,
von Karl auserlesen worden sein; bekannt ist aus ihrer Zahl nur
Rotchild als sein Bajulus[2]).

Aber eben schon das jugendliche Alter des neuen Königs ist
ein Beweis, daß Karl nicht daran dachte Italien vom übrigen
Reiche unabhängig zu stellen. Nicht Pippin regierte vor der
Hand, sondern seine Rathgeber in seinem Namen, und es versteht
sich von selbst, daß diese eine selbständige Stellung, wie allenfalls
Pippin, wäre er schon erwachsen gewesen, sie hätte haben können,
nicht einnahmen. Karl hat überhaupt durch die Einsetzung Pippin's
als König in Langobardien und Ludwig's in Aquitanien eine Zer=
splitterung des Reiches weder beabsichtigt noch herbeigeführt, keines=
wegs eine Theilung des Reiches im Sinne gehabt[3]). Die Ver=
bindung Italiens und Aquitaniens mit dem übrigen Reiche sollte
nicht gelockert, sondern im Gegentheil beide Provinzen mit der
fränkischen Herrschaft dadurch ausgesöhnt werden, daß man ihre

---

[1]) Vgl. Ann. Einh. oben S. 380 N. 2 und die übrigen dort angeführten
Stellen. Mühlbacher S. 202 stellt nach Lucchefer Privaturkunden fest, daß die Epoche
der Herrschaft Pippin's in Italien von Ende April an gerechnet wurde. Hiemit
stimmt, wie er weiter bemerkt, ungefähr die Berechnung der Dauer seiner Regierung
auf 29 Jahre 4 Monate in der Grabschrift bei Malfatti, Bernardo re d'Italia
S. 58. — Die Angabe von Sigonius, S. 149, Pippin sei in Monza vom Erz=
bischof Thomas von Mailand mit der eisernen Krone geschmückt worden, ist aus der
Luft gegriffen.

[2]) Vgl. unten Bd. II, z. J. 810, wo zugleich die gewöhnliche Annahme, daß
Adalhard während Pippin's Minderjährigkeit Italien verwaltet habe, sowie daß An=
gilbert als Primicerius an der Spitze seiner Kapelle gestanden, widerlegt sein dürfte;
Waitz III, 2. Aufl. S. 537 N. 2; 648. — Malfatti II, 270 nimmt freilich an,
daß dem Rotchild (nach seiner Vermuthung einem Franken oder Alamannen, keinem
Langobarden) nur die Obhut über die Person des jungen Königs übertragen worden
sei. — Kapellane Pippin's werden erwähnt in seinem Pavefer Capitular vom Ok=
tober 787 c. 11, Capp. I, 199.

[3]) Die Worte eines gleichzeitigen Annalisten: Carlus rex divisit sua regna
inter filios suos, et perrexit ad Romam (Ann. s. Amandi 780, SS. I, 12)
können uns hierin natürlich nicht irre machen. Merkwürdig, daß das Chron. Mois=
siacense, cod. Moiss., in Bezug auf die Zeit vor Karl's Romreise im Jahre 800
ähnlich sagt: disposuit regnum filiis suis (SS. I, 304; vgl. unten Bd. II.).

Luden IV, 328 redet mit Unrecht von einer Absonderung Aquitaniens und
Italiens vom Reiche, die er dann gar dem Papste Schuld gibt, der in seiner Schlau=
heit Karl dazu veranlaßt habe. Ebenso unrichtig stellt La Farina II, 291 f. die
Sache dar: Karl habe vor 781 Italien zu einer förmlichen Provinz des fränkischen
Reiches machen wollen; da er aber die Unmöglichkeit davon eingesehen, habe er das
Verhältniß gelockert, Pippin zum König von Italien ernannt und Italien als ein
blos verbündetes Land, regno confederato, anerkannt. Von einem solchen Ver=
hältniß ist nirgends eine Spur zu finden.

alte Selbständigkeit eben noch so weit achtete als dies ohne Schaden
für die Einheit des Ganzen geschehen konnte. Man gab ihnen
eigene Könige — Pippin hieß nunmehr „König der Langobarden" [1]).
Man gab ihnen eine eigene Verwaltung, die aber von diesen Königen
nicht selbständig geführt ward, sondern nur im Namen und Auf=
trage Karl's. Ja, man kann sagen, daß die Italien und Aquita=
nien eingeräumte Sonderstellung eine außerordentliche Maßregel
war, welche als letzten Zweck eben den verfolgte, auf anderem
Wege, mit einem größeren Aufwande von Mitteln als in den
übrigen Theilen des Reiches nöthig war diese Länder der fränkischen
Herrschaft zu unterwerfen, weil sie infolge ihrer nationalen Ver=
schiedenheit besonders hartnäckig widerstrebten; daß die scheinbare
und nothgedrungene Bevorzugung nur das Mittel war, um die=
selben möglichst fest an das fränkische Reich zu knüpfen.

Mehr als Aquitanien war Italien selbständig gestellt, aber
thatsächlich doch nicht mehr als es seit der Unterwerfung im
Jahre 774 der Fall gewesen war. Eigentlich der einzige Unter=
schied war, daß Karl seit 781 seine Herrschaft dort in anderer
Form zur Geltung brachte, daß zu den einzelnen Regierungshand=
lungen sein Sohn Pippin den Namen hergab, der doch Jahre
lang noch nicht die geringste selbständige Thätigkeit entfalten konnte,
dessen Rathgeber eben ganz von Karl, nicht von Pippin abhängig
waren. So behielt Karl, ungeachtet er seinen Sohn zum König
von Italien gemacht, doch auch für sich diesen Titel noch immer
bei, nannte sich auch künftig noch selber „König der Langobarden".
Nach wie vor bildete Italien nur ein einzelnes Glied des ganzen
Reiches, mit dem die Gemeinsamkeit durchweg aufrecht erhalten
wurde. Beschlüsse der allgemeinen fränkischen Reichsversammlungen
erhielten durch ihre bloße Veröffentlichung auch in Italien Gesetzes=
kraft; bei den Gesetzen, welche Pippin auf besonderen Versamm=
lungen in Italien erließ, handelte er stets nur im Auftrage Karl's;
den besonderen Versammlungen in Italien wohnten auch Franken,
den fränkischen Reichsversammlungen auch Langobarden bei [2]).
Karl gab die Regierung Italiens keineswegs ganz aus der Hand.

Es ist unbekannt, wie lange Karl's Aufenthalt in Italien
dauerte. Außer Pavia besuchte er noch Mailand, wo der Erz=
bischof Thomas [3]) seine jüngste Tochter Gisela [4]), die vielleicht eben

---

[1]) Vgl. unten Bd. II. z. J. 810; Waitz III, 2. Aufl. S. 361 N. 2.

[2]) Das Nähere bei Waitz IH, 2. Aufl. S. 357 ff.; vgl. auch o. S. 331.

[3]) Vgl. über denselben Nomina epp. Mediolan. eccl., bei Dümmler, Gesta
Berengarii imp. S. 163; Poet. Lat. aev. Carol. I, 108.

[4]) Vgl. in Bezug auf diese Tochter Karl's Einh. V. Karoli c. 18; Poet.
Lat. aev. Carol. I, 360. 372. 485; Jahrbücher Ludwig's d. Frommen I, 17.
18. II, 302.

erſt in Italien geboren war, taufte und zugleich ihr Pathe wurde[1]). Dann kehrte er über die Alpen ins fränkiſche Reich zurück[2]).

Die Ergebniſſe von Karl's Anweſenheit in Italien waren nicht unbedeutend; eines der wichtigſten lag ganz außerhalb ſeiner Berechnungen, verdankte er im Grunde dem Zufall. Es war die Bekanntſchaft mit Alkuin, die er bei ſeiner Anweſenheit in Parma im März gemacht hatte[3]) und die ihm Veranlaſſung wurde, Alkuin in ſeine Umgebung und ſeinen Dienſt zu ziehen.

Alkuin oder, wie er ſich ſelbſt gern in lateiniſcher Namens-form nannte, Albinus, war ein Angelſachſe, geboren in Northum-berland, vielleicht in deſſen Hauptſtadt York ſelber, falls ſo einer ſeiner Briefe verſtanden werden darf, worin er ſpäter den Brüdern der Kirche von York für die Liebe dankt, die ſie ihm in ſeiner Kindheit erwieſen, für die Geduld, womit ſie die Leichtfertigkeit ſeiner Knabenjahre getragen, für die väterliche Zucht, wodurch ſie ihn bis zum Mannesalter geleitet und zur Kunde der heiligen Wiſſenſchaften herangebildet hätten[4]). Er war aus vornehmer Familie[5]), ein Verwandter Willibrord's, wie er ſelbſt in ſeiner Lebensbeſchreibung deſſelben angibt[6]), und um 735 geboren[7]). Schon in früher Jugend ward er zum geiſtlichen Stande beſtimmt und zu ſeiner Ausbildung der Schule in York übergeben, welche unter der Leitung des Erzbiſchofs Egbert ſtand, eines Schülers von Beda[8]). Egbert und ein Verwandter deſſelben, Aelberht, der auch in der Schule unterrichtete, waren ſeine Lehrer, und er weiß ihre Hin-gebung und ihre Erfolge nicht genug zu rühmen[9]). Es gelang ihm ihre Gunſt in ſolchem Grade zu erwerben, daß Aelberht ihn auf einer Reiſe nach Italien mitnahm. Er beſuchte unterwegs, wie es

---

[1]) Ann. Laur. mai. l. c.; Ann. Einh. l. c. Nach Leibniz I, 101, fand die Taufe Giſela's in Mailand zu Pfingſten, 3. Juni ſtatt; Karl wäre alſo von da wieder nach Pavia zurückgekehrt. Ein ausdrückliches Zeugniß, worauf Leibniz dieſe Angabe ſtützt, iſt nicht zu finden; er geht aber offenbar davon aus, daß Pfingſten Tauftermin war. Man könnte indeſſen auch an Johannis (24. Juni) denken, vgl. Rettberg II, 784. Die Annalen verlegen Karl's Beſuch in Mailand ausdrücklich unmittelbar vor ſeine Rückkehr nach Francien: Et inde revertente domno Carolo rege, Mediolanis civitate pervenit — Et ab inde reversus est in Franciam (Ann. Laur. mai.) — Rege vero Roma digresso ac Mediolanum ve-niente — Quibus gestis, in Franciam reversus est (Ann. Einh.).
[2]) Astron. V. Hludowici c. 4, SS. II, 609 ungenau: cum filiis et ex-ercitu pacifice Franciam repetiit.
[3]) Vgl. o. S. 372 u. unten S. 393.
[4]) Alcuin. epist. 34, Jaffé VI, 249—250; vgl. auch Alcuin. carm. 1, v. 1651, Poet. Lat. I, 206.
[5]) Nobili gentis Anglorum exortus prosapia nennt ihn die freilich mehr erbauliche als ausgiebige Vita Alcuini c. 1, SS. XV, 185.
[6]) Vita s. Willibrordi, bei Jaffé VI, 40—41.
[7]) Sicher läßt ſich ſein Geburtsjahr nicht ermitteln; die ausführlichſte Unter-ſuchung darüber hat Froben, Alcuini Opera, in der Einleitung I, S. XV ff.
[8]) V. Alcuini c. 4, SS. XV, 186 u. Einleitung Froben's I, S. XVI ff.
[9]) Vgl. die Versus de sanctis Euboricensis ecclesiae, v. 1426 ff., Poet. Lat. I, 201; Lorentz, Alcuins Leben S. 9 f.; Monnier, Alcuin et son influence littéraire, religieuse et politique chez les Francs S. 6.

scheint, das Kloster Murbach[1]) und wohnte in Pavia einer Dis-
putation zwischen Peter von Pisa und einem Juden Lullus bei[2]),
worauf er sich weiter nach Rom begab. Alkuin selbst berichtet,
Könige und Vornehme hätten Aelberht aufs ehrenvollste empfangen
und bei sich zurückhalten wollen[3]); was wohl auch auf seinen Begleiter Alkuin sich bezog. Nachdem im Jahre 766 Egbert gestorben war, wurde Aelberht 767 sein Nachfolger als Erzbischof
von York; Alkuin übernahm die Leitung der Schule, die unter
ihm zu immer höherer Blüthe gelangte. Sein Ruf zog den
Friesen Liudger nach York, der mit einem anderen Zögling der
Utrechter Schule, Sigibod, dort ein Jahr lang Alkuin's Unterricht
genoß[4]). Auch der Schotte Joseph scheint bereits damals in Britannien Alkuin's Schüler gewesen zu sein[5]). Alkuin scheint in
dieser Periode seines Lebens von Aelberht an König Karl gesandt
worden zu sein[6]). Aelberht starb am 8. November 780; sterbend
soll er Alkuin seine Zukunft enthüllt haben, als dieser ihn noch
um Rath fragte, was er nach seinem Tode beginnen solle. „Ich
wünsche, daß du nach Rom gehst und auf dem Rückwege von
dort das fränkische Reich besuchst", läßt Alkuin's Biograph den
Aelberht sagen; „denn ich weiß, daß du dort Großes wirken
wirst; Christus wird dein Führer sein auf deinem Wege, damit
du dort der Ueberwinder der schändlichen Häresie werdest, welche
sich unterfangen wird, Christus nach seiner menschlichen Natur zu
einem Adoptivsohn Gottes zu machen[7])." Allerdings ist Alkuin

---

[1]) Epist. 269, Jaffé VI, 835. Die Aufschrift lautet Ad fratres Corbeien-
ses, aber die Adresse: fratribus, sub protectione beati Leodegarii episcopi
Deo servientibus führt auf Murbach, dessen Schutzheiliger der h. Leodegarius war.
So Mabillon, Annales II, 321, dem sich Froben I, 62. 286; Lorentz, S. 10
N. 9; Monnier S. 8 anschließen; ebenso Dümmler bei Jaffé l. c. N. 1.

[2]) Epist. 112, Jaffé VI, 458: Dum ego adolescens Romam perrexi et
aliquantos dies in Papia regali civitate demorarer, quidam Iudaeus, Lullus
nomine, cum Petro magistro habuit disputationem; vgl. epist. 96. 116,
S. 399. 478—479; Vers. de sanctis Euboricens. eccl. v. 1457—1458, Poet.
Lat. I, 201—202.

[3]) Versus de sanctis Euboricens. eccl. v. 1459 ff., l. c. S. 202.

[4]) Altfrid. v. Liudgeri, I, 10, (Geschichtsquellen des Bisthums Münster IV,
15: abbas Gregorius . . . direxit . . . Liudgerum aliumque fratrem fortio-
rem aetate Sigibodum nomine ad episcopum . . . et manserunt illio
anno uno. Alchuinus etiam illo in loco tunc magister erat.

[5]) Altfr. v. Liudgeri, I, 19, S. 23; Einleitung von Diekamp S XXIV f.;
Dümmler, Neues Archiv IV, 139; Poet. Lat. aev. Carol. I, 149. 150—151.
160; Alcuin. epist. 14. 16. 20. 213, Jaffé VI, 167. 170 N. 1. 176 N. 5. 709.

[6]) Vita Alcuini c. 9, SS. XV, 190: Noverat enim eum (Alchuinum
Karolus), quia olim a magistro suo ad ipsum directus fuerat; vgl. hiezu
Dümmler, Poet. Lat. aev. Carolin. I, 160 N. 8 (o. S. 140 N. 4).

[7]) Vita Alcuini c. 8, SS. XV, 189: „Romam, volo, venias, indeque
reverteņs visites Franciam. Novi enim multum te ibi facere fructum; erit-
que Christus dux tui itineris, perducens ac gubernans te illuc advenam,
sis ut expugnator nefandissimae heresis, hominem Christum quae conabitur
adoptivum astruere, et fidei sanctae trinitatis firmissimus defensor claris-
simusque praedicator. Perseverabis ergo in terra peregrinationis, multorum
illuminans animas."

nach seinem eigenen Zeugniß eine ähnliche Prophezeiung und Er=
mahnung zutheil geworden [1]). Allein der Biograph hat dies
Zeugniß in willkürlicher und anachronistischer Weise verwerthet [2]).
Nicht einmal so viel werden wir aus dieser Angabe des Biographen
schließen dürfen, daß Alkuin schon damals mit dem Gedanken an
eine neue Reise nach Rom sich beschäftigt habe [3]); erst ein ganz
bestimmter Anlaß bestimmte ihn eine solche Reise zu unternehmen.

Die fränkische Sage hat Alkuin's Ankunft im fränkischen Reiche
schon frühe mit einem geheimnißvollen Schleier umgeben. Zwei
Schotten aus Irland, erzählt der Mönch von St. Gallen [4]), kamen
mit brittischen Kaufleuten an die gallische Küste, Männer, die in
den weltlichen und kirchlichen Wissenschaften unvergleichlich unter=
richtet waren. Da sie nichts zu verkaufen hatten, boten sie Weis=
heit feil: „Wer nach Weisheit verlangt, der komme zu uns und
nehme sie von uns; denn bei uns ist sie käuflich." Davon erfuhr
König Karl, ließ sie eilig herbeirufen, fragte, ob es wahr sei, wie
das Gerücht sage, daß sie Weisheit bei sich führten. Sie bejahten
es und forderten auf die Frage, was sie dafür verlangten, „nur
geeignete Orte und empfängliche Seelen, Nahrung und Kleidung" [5]).
Karl, voll Freude, behielt sie eine kurze Zeit lang bei sich; nachher
aber, als er durch kriegerische Unternehmungen in Anspruch ge=
nommen wurde, wies er dem Einen, Clemens [6]), einen Aufenthalts=
ort in Gallien an und gab ihm zahlreiche junge Leute von Hoch

---

[1]) Epist. 140, Jaffé VI, 541: Ad cuius servitii facultatem divina ut
credo, iubente dispensatione ad gloriosum et omni honore nominandum
huius regni principem et regem Carolum vocatus adveni; sicut mihi quidam sanctissimus vir prophetiaeque spiritu praeditus Dei esse voluntatem
in mea praedixerat patria; etiam et ut vir venerabilis totusque Deo de-
ditus meus mihi mandatum dederat magister: ut si alicubi novas audirem
oriri sectas et apostolicis contrarias doctrinis, mox totum me in defensionem catholicae fidei dedissem. Mit dem magister, welcher ihm diesen Auf=
trag ertheilte, ist Aelberht gemeint, vgl. ebd. N. 1; die Prophezeiung scheint Alkuin
dagegen einem Andern zuzuschreiben. Vgl. übrigens auch Alcuin. epist. 35, S. 255;
Adv. Elipantum I, 16, Opp. ed. Froben. I, 882.
[2]) Vgl. die vor. Anm. und über die adoptianische Häresie und deren Be=
kämpfung durch Alkuin unten Bd. II.
[3]) Das und noch mehr glaubt Monnier, S. 13 f., welcher Aelberht und Al=
kuin Erwägungen unterschiebt, die ihnen wohl fern lagen.
[4]) De Carolo M. l. I. c. 1, Jaffé IV, 631—632.
[5]) Monachus Sangall. l. c.: Qui cum inquisisset ab eis, quid pro ipsa
precii peterent, responderunt: ,Non precium quidem, sed loca tantum opor-
tuna et animas ingeniosas, o rex, petimus; et sine quibus ista peregrinatio
transigi non potest, alimenta quidem et quibus tegamur.'
[6]) Vgl. über den Schotten Clemens Catal. abb. Fuld. SS. XIII, 272, wo
vom Abt Ratgar gesagt wird: — direxit . . . Modestum cum aliis ad Clemen-
tem Scottum grammaticam studendi; Walahfrid. Strab. Visio Wettini v.
124, Poet. Lat. aev. Carolin. II, 308 N. 3. 670; Theodulf. carm. 79 v. 55 f.,
ib. I, 581 N. 1; Ozanam, Etudes germaniques II; La civilisation chrétienne chez les Francs S. 512. 513 N. 1; Dümmler, Gesch. d. ostfränk. Reichs II,
649 N. 8; Neues Archiv IV, 258 f.; Simson, Jahrbb. Ludw. d. Fr. II, 256 ff.;
Ebert II, 80. 116. III, 215—216; Wattenbach DGQ. 5. Aufl. I, 195. 217 N. 1 rc.
Er widmete dem jungen Kaiser Lothar ein grammatisches Werk.

und Nieder zu unterrichten, ließ ihnen Unterhalt an Lebensmitteln gewähren und räumte ihnen angemeſſene Wohnungen ein. Den andern[1]) ſchickte er nach Italien und wies ihm das Kloſter des h. Auguſtinus bei Pavia an, damit alle, die es wollten, ſich dort um ihn ſchaaren könnten, um ſich von ihm unterrichten zu laſſen. Die Nachricht von ſolchen Vorgängen drang zu Alkuin, und da er hörte, wie bereitwillig Karl gelehrte Männer bei ſich aufnahm, beſtieg er ein Schiff und ſuchte ihn auf.

Die ganze Erzählung iſt von Intereſſe als eines der früheſten Erzeugniſſe der Sagenbildung über Karl; für geſchichtlich kann ſie nicht gelten[2]). Die Veranlaſſung, bei welcher Karl und Alkuin ſich kennen lernten, war eine andere. An Aelberht's Stelle wurde ſchon 778, nach deſſen Reſignation, Eanbald Erzbiſchof von York; von ihm erhielt Alkuin den Auftrag, nach Rom zu reiſen und vom Papſte das Pallium für ihn zu holen[3]). Auf der Rückreiſe traf er in Parma mit Karl zuſammen[4]) und ward von dieſem aufgefordert, wenn er ſich ſeiner Sendung entledigt, aus ſeiner Heimat ins fränkiſche Reich zurückzukommen[5]). Alkuin ſagte es zu, falls ſein König und Erzbiſchof Eanbald ihre Einwilligung geben würden, und reiſte zunächſt nach England zurück. König und Erzbiſchof willigten ein, aber nur bedingt: er ſollte ſpäter wieder nach England zurückkommen[6]). So begab ſich Alkuin an den Hof Karl's, wo er zu Ende 781 oder Anfang 782 angekommen ſein wird und vorläufig gegen acht Jahre verweilte[7]). Seine Berufung ins fränkiſche

---

[1]) Ohne Zweifel ſcheint Dungal gemeint zu ſein; vgl. Lothar's Capitulare Olonnense ecclesiast. I (825), c. 6, Capp. reg. Francor. I, 327: primum in Papia conveniant ad Dungalum; Ozanam l. c.; Wattenbach, Ueberſ. des Mon. Sangall. 2. Aufl. (Geſchichtſchr. der deutſchen Vorzeit IX. Jahrh. 13. Bd. S. 4 N. 1); Jahrbb. Ludw. d. Fr. I, 237 N. 5. II, 257; Dümmler, Neues Archiv IV, 254; Poet. Lat. aev. Carolin. I, 394 N. 3; Wattenbach DGQ. 5. Aufl. I, 145. 149. 253 N. 2. 274; Ebert II, 224 N. 4; Malfatti II, 277.

[2]) Falſch iſt es, wenn Ozanam meint, der Mönch ſetze die Ankunft der beiden Schotten erſt in die Zeit nach Karl's Kaiſerkrönung. Der Mönch ſchreibt vielmehr: cum in occiduis mundi partibus solus regnare cepisset, ſetzt alſo die Berufung derſelben jedenfalls in eine zu frühe Zeit.

[3]) Vita Alcuini c. 9, SS. XV, 190.

[4]) V. Alcuini l. c.: Cumque reverteretur accepto pallio, habuit regem Karolum Parma civitate obvium; vgl. o. S. 372 N. 2.

[5]) V. Alcuini l. c.: Quem magnis rex alloquens suasionibus et precibus postulavit, ut ad se post expletionem missatici in Franciam reverteretur.

[6]) Vita Alcuini c. 9: Fecit autem Alchuinus, aliorum deservire cupiens profectui, ut sibi rogarat, cum auctoritate regis sui proprii et archiepiscopi, eo tantum iure, ut iterum ad eos reverteretur.

[7]) Beſtimmte Angaben über die Zeit ſeiner Ankunft finden ſich nirgends. Froben I, S. XXVIII; Lorentz S. 15; Dümmler, Allgem. Deutſche Biographie I, 343; Poet. Lat. I, 160 denken ans Jahr 782; Eckhart I, 680; Monnier S. 18 ans Jahr 781. Irrig nimmt jedenfalls Eckhart (nach Mabillon, Ann. Ben. II, 258) an, Alkuin habe den König von Parma nach Pavia begleitet; die von ihm angezogene Stelle, oben S. 391 N. 2, muß ſich auf die frühere Anweſenheit Alkuin's in Italien beziehen, da derſelbe ſich mit Bezug auf das Jahr 781 nicht mehr einen adolescens

Reich ist ein Ereigniß von der größten Bedeutung; nicht blos auf die Hebung des wissenschaftlichen Lebens und die Beförderung der Bildung überhaupt, sondern auch auf die Gestaltung der kirchlichen und selbst der politischen Verhältnisse hatte er maßgebenden Einfluß. Diese zweite Seite seiner Wirksamkeit, sein Einfluß unmittelbar auf das öffentliche Leben, tritt allerdings erst später hervor, nachdem er bleibend ins fränkische Reich übergesiedelt war. Hingegen seine Thätigkeit für die Hebung des wissenschaftlichen Lebens, für die Verbreitung wissenschaftlicher Bildung beginnt sogleich; mit der Leitung dieses Zweiges von Karl's Regierungsthätigkeit wurde von ihm Alkuin beauftragt; er war, vom Könige selber abgesehen, Haupt und Mittelpunkt des Gelehrtenkreises am fränkischen Hofe, welcher, nachdem anscheinend schon früher[1]) Peter von Pisa und Paulinus gekommen waren, 782 auch noch Paulus Diaconus hinzukam, für die Hebung des geistigen Lebens eine große Wichtigkeit erlangte.

Diesseits der Alpen begegnet Karl zuerst wieder in Worms, wo er ungefähr im August angekommen sein wird[2]). Dort, wo Karl einen Heer- und Reichstag (Maifeld) hielt[3]), wurde das Verhältniß Tassilo's zum Könige geordnet. Der in Rom zwischen Karl und Hadrian getroffenen Verabredung gemäß hatten sich unterdessen zwei päpstliche und zwei königliche Gesandte, jene die Bischöfe Formosus und Damasus, diese der Diaconus Riculf, vielleicht der spätere Erzbischof von Mainz[4]), und der Obermundschenk

---

nennen konnte. Außerdem ist es wahrscheinlich, daß die Begegnung auf Karl's damaliger Hinreise nach Rom erfolgte; ein Aufenthalt Karl's in Parmo auf der Rückreise ist nicht bezeugt.

[1]) Vgl. Alcuin. carm. 4, v. 42, Poet. Lat. I, 222; Dümmler ibid. S. 29. 123; Neues Archiv IV, 113; Dippoldt S. 70; unten z. J 782. — Wattenbach I[5], 144 und Ebert II, 5 nehmen dagegen an, daß Peter von Pisa und Paulus Diaconus gleichzeitig mit Alkuin an Karl's Hof gekommen seien.

Ob Alkuin, wie Lorentz S. 14; Monnier S. 18; auch Wattenbach a. a. O. S. 151 und Ebert II, 5 annehmen, jetzt schon von seinen Schülern Sigulf, Wizo und Fridugis begleitet war, ist ungewiß; die Vita c. 11 nennt dieselben erst als seine Schüler in Tours (Jaffé VI, 20 N. 3; SS. XV, 191 N. 4. 5).

[2]) Aber die Urkunde vom 31. August act. Ingelheim, bei Wenck IIb, 12 Nr. 9, gehört nicht hieher, vgl. unten S. 402 N. 6. Falsch ist die Urkunde für Fulrad von St. Denis, „nepos noster", act. Wormatia civitate in anno 13. regnante domno nostro Carolo gloriosissimo rege Francorum et Longobardorum ac patricio Romanorum, Doublet S. 714; desgleichen die Urkunde für Fulrad vom 20. April, act. Achen, Doublet S. 713 f.; Sidel II, 404; Mühlbacher Nr. 228. 235.

[3]) Ann. Mosell., SS. XVI, 497: Et reversus est rex in Francia . . . et magnum Francorum conventum id est Magis campum apud Wormosiam habuit civitatem; Ann. Lauresham. SS. I, 32. Ann. Guelferb. SS. I, 40: Mai campus ad Wormatia; Ann. Nazar., Alam., ibid.; St. Galler Mittheil. XIX, 236; Ann. Petav. SS. I, 16: Sine hoste fuit hic annus, nisi tantum Vurmacia civitate venerunt Franci ad placitum — .

[4]) Vgl. Böhmer-Will, Regesta archiepp. Maguntin., Einl. S. XVI; Rettberg I, 579; dazu auch Poet. Lat. I, 431, Nr. 2, v. 7 (levita humilis Ricolfus); vgl. ibid. II, 694; Forschungen zur deutschen Geschichte XXII, 435 (Richolphus).

Eberhard[1]), zu Taffilo begeben und ihm die Forderung Karl's
vorgetragen, daß er feines früheren Eides gedenke und den gegen
Pippin, Karl und die Franken übernommenen Verpflichtungen nach=
kommen möge[2]). So bestimmt war Taffilo noch nie feit der
Thronbesteigung Karl's an den dem Könige fchuldigen Gehorfam
erinnert worden; er war gewohnt, daß Karl in feinem Bereiche
ihn ungeftört walten ließ, hatte, fo weit die Kunde reicht, jede Vor=
fichtsmaßregel verfäumt, um fich für alle Fälle eine Unterftützung
gegen die fränkische Uebermacht zu fichern. Schwer zu fagen ift
freilich, wo er eine folche Stütze hätte fuchen follen, feitdem das
langobardifche Reich die Beute Karl's geworden war. Eine Ver=
bindung mit den Griechen, mit Arichis von Benevent wäre von
zweifelhaftem Werth für ihn gewefen, mußte nothwendig Karl reizen
und demfelben eine Handhabe zum Einfchreiten gegen ihn bieten; von
wirklichem Nutzen konnte ihm nur eine Verbindung mit dem Papfte
fein, aber diefer zog es vor oder fah fich durch feine Lage ge=
nöthigt, gemeinfchaftliche Sache mit Karl zu machen. War Taffilo
durch die ihm überbrachte Forderung Karl's überrafcht oder hatte
er fie kommen fehen, es blieb ihm kaum eine andere Wahl als fich
zu fügen, rückhaltlos auf die von Karl geftellten Bedingungen ein=
zugehen, wenn er nicht fogleich feinen ficheren Untergang felbft
herbeiführen wollte[3]). Welche Gefahr ihm drohte, kann dem Her=
zoge nicht entgangen fein. Eine befondere Veranlaffung, nach=
drücklich gegen ihn aufzutreten, hatte er Karl nicht gegeben[4]), eher
mit ängftlicher Sorgfalt jede Berührung mit ihm vermieden.
Karl wartete nicht, bis ihm Taffilo befondere Veranlaffung gab
Schritte gegen feine Selbftändigkeit zu thun; in feinen Augen war
Taffilo's Stellung längft eine ganz unberechtigte, die er nur des=
halb noch nicht angetaftet hatte, weil er durch den Sachfenkrieg
zu fehr in Anfpruch genommen war. Sobald nach der fchein=
baren Unterwerfung Sachfens im Jahre 780 diefes Hinderniß
fortgefallen war, ging er gegen Taffilo vor, der fich nicht darüber
täufchen konnte, daß es auf die Vernichtung feiner Selbftändigkeit
abgefehen war.

---

[1]) Vgl. über denfelben unten Bd. II. (den Abfchnitt über die Hofbeamten);
Waitz III, 2. Aufl. S. 501 N. 1.

[2]) Vgl. oben S. 382. Ann. Laur. mai. SS. I, 160—162: Et tunc missi
sunt duo missi ab apostolico supradicto, hii sunt Formonsus et Damasus
episcopi, ad Tassilonem ducem una cum missis domni Caroli regis, his
nominibus Riculfum diaconem et Eborhardum magister pincernarum, ad
commonendum et contestandum, ut reminisceret priscorum sacramentorum
suorum, ut non aliter faceret nisi sicut iureiurando iam dudum promiserat
ad partem domni Pippini regis et domni Caroli magni regis vel Francorum; Annales Einhardi, SS. I, 163. Bei Regino, SS. I, 559 falfch: Siculfo
capellano.

[3]) Vgl. Büdinger I, 120, und die im Ganzen zutreffende Schilderung von Taf=
filo's Stellung bei Luden IV, 326 f. Nur daß Karl „Italien in Ordnung zu
bringen wünfchen mußte, um mit Taffilo zu vollenden", Luden IV, 328, ift nicht
nothwendig anzunehmen.

[4]) Vgl. o. S. 362 und 381.

Taſſilo ſchenkte den Forderungen der fränkiſchen und päpſt=
lichen Bevollmächtigten Gehör, erklärte ſich bereit, wenn Karl ihm
Geiſeln ſtellen wollte, ſich perſönlich bei ihm einzufinden [1]), und Karl
ging darauf ein. So erſchien Taſſilo vor dem Könige in Worms
und verſprach in einem neuen Eidſchwur, alle die Verpflichtungen
zu erfüllen, die er früher gegen Pippin übernommen [2]). Dieſer
Eid enthielt ein Gelöbniß der Treue und des Gehorſams gegen
den Frankenkönig und ſeine Söhne [3]). Als Bürgen ſollte Taſſilo
12 erwählte Geiſeln ſtellen, welche denn auch noch in demſelben
Jahre, als Karl ſich in Quierzy befand, im Auftrage Taſſilo's
von dem Biſchof Sindpert von Regensburg [4]) ihm überliefert
wurden [5]). Es wird berichtet, Taſſilo habe dem Könige nach
Worms reiche Geſchenke überbracht [6]): ein Gegengeſchenk von Karl

---

[1]) Aventin, in den Annales Boiorum (Franck. 1627, S. 177) läßt die da=
matigen Verhandlungen in Regensburg von Taſſilo unter dem Beirath der Biſchöfe
Virgilius von Salzburg und Arbeo von Freiſing führen; vgl. Graf Hundt, Abhh. d.
Münchner Akad. hiſt. Cl. XII, 1, S. 188.

[2]) Ann. Laur. mai. SS. I, 162: Et coniungens se supradictus dux in
praesenciam piissimi regis ad Wormaciam civitatem, ibi renovans sacramenta et dans duodecim obsides electos, ut in omnia conservaret, quicquid
domno Pippino regi promiserat iureiurando, in causa supradicti domni Caroli regis vel fidelium suorum; Ann. Einh. SS. I, 163; Ann. Lauriss. min.
ed. Waitz S. 413: Carlus rex Dassilonem ducem ad se accersiit Wormaciam. — Tassilo promittit fidem servare regi cum iureiurando, quem dimittit rex honorifice et imperat sibi obsides mitti . . . Die Zuſammenkunft
Taſſilo's mit Karl in Worms erwähnen auch Ann. Petav. SS. I, 16: et ibi fuit
Taxilo dux de Bawarla; Ann. Mosell. SS. XVI, 497: et colloquium cum
Dasilone; Ann. Lauresh. SS. I, 32. Ueber die Darſtellung in Aventin's bayeriſcher
Chronik ed. Lexer, Joh. Turmair's Werke V, 109 (nach Crantz?), vgl. Riezler, S.=B. der
bayer. Akad. phil.=hiſt. Cl. 1881. S. 273 ff.; dazu oben S. 383 N. 2. Es heißt
dort: „Da legt ſich pabſt Hadrianus derzwiſchen, ward undertediger,
ſchicket zwên biſchof von Rom in Baiern zu herzog Theſſel, die machten
frid zwiſchen dem herzog und künig. Herzog Theſſel kam zu ſeinem
veter, künig Karl, gên Wormbs, ſchenket im gros guet und gelt; herwider
ſchenket im der künig noch mêr und entpfieng herzog Theſſel gar êrlich
und erpot im groſſe zucht und êr. Sie ſtieſſen ainen ewigen frid miteinander an."

[3]) Vgl. Ann. Laur. mai. 787, SS. I, 170 (si ipse sacramenta, quae
promiserat domno Pippino rege et domno Carolo itemquae rege non
adimplesset — nisi in omnibus oboediens fuisset domno Carolo rege et
filiis eius ac genti Francorum — eo quod sub iureiurando promissum habebant (habebat v. l.), ut in omnibus oboediens et fidelis fuisset domno
rege Carolo et filiis eius vel Francis; Ann. Einh. 787, SS. I, 171: ab olim
regi promissa fide — quid Tassilo de promissa sibi fidelitate facere vellet;
Ann. Laur. min. ed. Waitz S. 414: quod Pippino regi cum iuramento patri
suo promiserat et denuo ipsi et filiis suis sub iureiurando firmaverat.

[4]) Vgl. über denſelben Rettberg II, 274—275; o. S. 56. 283.

[5]) Ann. Laur. mai., welche nach den oben N. 2 angeführten Worten fort=
fahren: qui et ipsi obsides recepti sunt in Carisiacum villa de manu Sin-
berti episcopi; Ann. Einh.: — obsides duodecim qui imperabantur sine
mora dedit, quos Sindbertus, Reginensis episcopus de Baioaria, in Carisiaco
ad conspectum regis adduxit; Ann. Laur. min. S. 413, welche (vgl. o. N. 2)
fortfahren: quod ita et fecit.

[6]) Ann. Petaviani l. c.: magnaque munera praesentavit domno regi;
Aventin (vgl. o. N. 2).

waren vielleicht die beiden Villen Ingoldeſtat (Ingolſtadt) und
Lutrahahof (Lauterhofen) im Nordgau, von denen ein ſpäteres
Geſetz Karl's beſagt, daß er ſie Taſſilo zu Beneficium verliehen
hatte[1], und aus welchen dem Herzoge reichliche Einkünfte zuge=
floſſen ſein werden. Jedenfalls wurde der Herzog vom Könige
in ehrenvoller Weiſe entlaſſen[2]. Eine Nachricht, derzufolge Taſſilo
nach ſeiner Rückkehr nach Baiern den alten Grafen Machelm mit
vielen Gefährten nach Rom ſchickte, die aber alle am Fieber zu
Rom ſtarben[3], darf wohl nicht ganz unerwähnt bleiben. Wieviel
Glaubwürdigkeit ihr beizumeſſen iſt, müſſen wir jedoch ganz dahin=
geſtellt ſein laſſen.

Unterdeſſen hatte auch der junge König Ludwig ſein König=
reich Aquitanien betreten. Karl führte ihn nicht, wie Pippin in
Italien, ſelber in ſeine Herrſchaft ein; während der Vater ſich nach
Deutſchland zurückbegab, trat Ludwig die Reiſe nach Aquitanien
an[4]. Zunächſt wurde der dreijährige König bis Orleans gebracht;
dort, nahe der nördlichen Grenze Aquitaniens, wurde er in einer
für ſein Alter angemeſſenen Weiſe gewaffnet, auf ein Pferd geſetzt
und ſo nach Aquitanien geleitet. Auch ihm war natürlich eine
Vormundſchaft an die Seite gegeben. Die Stelle, welche bei
Pippin Rotchild verſah, übertrug Karl bei Ludwig einem ge=
wiſſen Arnold, der nicht nur ſeine Erziehung ſondern auch die

---

[1] Divisio regnorum a. 806, c. 2, Capp. I, 127: Baiovariam, sicut
Tassilo tenuit, excepto duabus villis quarum nomina sunt Ingoldestat et
Lutrahahof, quas nos quondam Tassiloni beneficiavimus et pertinent ad
pagum qui dicitur Northgowe (vgl. Ordinatio imperii a. 817, c. 2, ib. S. 271).
Rudhart ſetzt dieſe Verleihung ins Jahr 778, S. 317; Mühlbacher wohl jedenfalls
unrichtig 794 (S. 125; vgl. unten Bd. II.); ähnlich Boretius, Capp. I, 271 N. 2.
Waitz III, 2. Aufl. S. 109—110 N. 1 und Riezler, Geſch. Baierns I, 164 ver=
muthen dagegen, daß ſie damals 781 erfolgte. Wieder anders Rettberg II, 177,
welcher annimmt, daß der Nordgau 780 von Baiern losgetrennt und nur jene beiden
Güter dem Herzoge als Lehen von Karl verblieben ſeien. Ueber ähnliche Anſichten
von Hirſch, Heinrich II. I, 13 und Quitzmann vgl. Riezler in Forſchungen XVI,
404 N. 1.

[2] Ann. Laur. min. l. c. (vgl. o. S. 396 N. 2): quem dimittit rex honorifice (hienach) Ann. Enh. Fuld. SS. I, 349: honorifice remissus ad sua).
Ann. Petav. l. c.: et per suum comigatum (eine Hdſchr.: per eius licentia)
rediit ad patriam. Ueber das Wort comigatus (= commeatus, comiato, congé)
vgl. ib. N. 3; Capp. reg. Francor. ed. Boretius I, S. 199 c. 5; 201 c. 11;
Waitz DVG. IV, 2. Aufl. S. 582 N. 3; Jahrbb. Ludw. d. Fr. I, 370.

[3] Aventin a. a. O. S. 110: Und zog also herzog Theſſel wieder in
Baiern, ſchicket wider kirchferten gên Rom graf Machelm, ain gar alten
herren, mit viel geferten; die ſtarben all am fieber zu Rom; dazu Riezler
a. a. O.; Graf Hundt a. a. O. S. 188 ff.

[4] Ueber die Epoche Ludwig's vgl. Sickel I, 265. 278; Mühlbacher S. 210;
ſie ſcheint von dem Tage ſeiner Salbung in Rom (15. April 781) an gerechnet
worden zu ſein. Eine falſche Rechnung bei dem Schreiber Fauſtinus: anno vicesimo septimo regnante pio principe domno Hlodohico rege, filio gloriosi
Caroli imperatoris, era 748, qui est annus incarnationis domini nostri Jesu
Christi 811 (Delisle, Cab. des manuscrits I, 4).

Regierungsgeschäfte für ihn zu leiten hatte[1]); jedoch nicht er allein, sondern es waren ihm noch verschiedene andere beigegeben, deren Namen nicht genannt sind[2]). Von anderen Maßregeln, die Karl bei dieser Gelegenheit in Aquitanien getroffen, ist nichts bekannt, und es ist auch nicht nöthig anzunehmen, daß solche getroffen wurden. Aquitanien sollte mit dem übrigen Reiche ebenso eng verbunden bleiben wie Italien[3]), die ihm eingeräumte Ausnahmestellung war nicht einmal so umfassend wie die Italiens. Da gab es keine alte einheimische Gesetzgebung wie die langobardische, sondern es galt fast durchgängig römisches Recht, und so erhielt in diesem Punkte Aquitanien nicht einmal in der Form die Bevorzugung, welche Italien zugestanden war.   Besondere aquitanische Reichsversammlungen fanden allerdings statt, aber nirgends findet sich eine Spur von einer Theilnahme derselben an der Gesetzgebung[4]); vielmehr war, im Vergleich mit den übrigen Theilen des Reiches außer Italien, das Unterscheidende lediglich die Einsetzung einer eigenen Provinzial= regierung, welche die Verwaltung im Namen des besonderen Königs von Aquitanien, aber durchaus in Abhängigkeit von Karl leitete. Der junge „König der Aquitanier" hatte seine Kanzlei, an deren Spitze nach einander Deodat, Guigo, Helisachar standen[5]), seinen

---

[1]) Ueber die Stellung solcher baiuli vgl. Waitz III, 2. Aufl. S. 537 f. u. oben S. 388. Als einen Mitzögling Ludwig's nennt der Astronomus bekanntlich den edelgeborenen Mönch Adhemar, welchem er verdanke, was er über das Leben Ludwig's bis zu der Zeit seines Kaiserthums mittheile, SS. II, 607, praef.: Porro quae scripsi, usque ad tempora imperii Adhemari nobilissimi et devotissimi monachi relatione addidici, qui ei coaevus et connutritus est. Auch der spätere Erzbischof Ebo von Reims war angeblich ein Mitschüler und auch Milchbruder Ludwig's (Flodoard. hist. Rem. eccl. II, 19, SS. XIII, 467: vir industrius et liberalibus disciplinis eruditus . . . imperatoris, ut fertur, Ludowici collac- taueus et conscolasticus); vgl. indeß Jahrbb. Ludw. d. Fr. I, 208 N. 2.

[2]) Vita Hludowici c. 4, SS. II, 609: filiumque suum Hludowicum regem regnaturum in Aquitaniam misit, praeponens illi baiulum Arnoldum aliosque ministros ordinabiliter decenterque constituens tutelae congruos puerili. Qui usque Aurelianam urbem cunali est vectus gestamine. Sed ibi congruentibus eius aevo armis accinctus, equo impositus et in Aqui- taniam est Deo annuente transpositus. Daß Ludwig bis Orleans in der Wiege gebracht worden sei, ist nicht zu glauben. Der Verfasser läßt ihn auch die Krönung in Rom durch den Papst vorher cunarum adhuc utens gestatorio empfangen (S. 608), aber er hat sich bei der chronologischen Verwirrung, an welcher er leidet, nicht klar gemacht, daß Ludwig immerhin schon mehrere Jahre zählte.

[3]) Vgl. über die Abhängigkeit des aquitanischen Unterkönigreichs bezw. die Be= schränktheit der Befugnisse Ludwig's als König Sickel I, 265; Waitz III, 2. Aufl.

[4]) Dagegen finden sich, wie weiter im Texte bemerkt ist, von Ludwig Urkunden (Sickel II, 84—85, L. 1—4; I, 203; Mühlbacher Nr. 497—500), was bei Pippin nicht der Fall ist. Die früheste gehört dem Jahr 794 an.

[5]) Sickel I, 86, wo auch die Namen der Notare (Hildigar, Godelelm, Abbo) genannt sind; 265. 278; vgl. hinsichtlich des Abbo Sickel L. 1. — Ganz falsch ist die Bemerkung über Ludwig's Titel bei Freeman, Zur Geschichte des Mittelalters, Essays, übers. von Locher S. 65 N. Vgl. über den Titel Sickel I, 278; Ann. Mosell. 789, SS. XVI, 497 2c.

Kapellan, den Bischof Reginbert von Limoges[1]), seine Finanzkammer[2]). Aber auch hier war die in der Form hergestellte größere Selb= ständigkeit des Landes nur das Mittel zu dem Zweck die unruhigen Aquitanier desto sicherer in Abhängigkeit vom Reiche zu bringen; ihr Selbstgefühl sollte befriedigt und unschädlich gemacht werden[3]), dazu genügte das Zugeständniß eines eigenen, aber von Karl doch ganz abhängigen Königs, der freilich einen eigenen Hof hielt, Gesandte empfing, hin und wieder — wie es scheint unter gewissen Beschränkungen — auch Urkunden in seinem Namen ausstellte[4]). Indessen alles geschah unter der Voraussetzung der Zustimmung Karl's, welcher die oberste Leitung, wie in Italien, so hier erst recht fest in der Hand hielt. Eben unter der Form Aquitanien ein Zugeständniß zu machen war es am ersten möglich, die beson= deren Maßregeln zur Sicherung der Ruhe im Innern und zur Vertheidigung nach außen zu treffen, welche durch die Verhältnisse und die Lage Aquitaniens geboten erschienen, und vieles spricht für die Vermuthung, daß dies die eigentliche Absicht Karl's bei seinem Schritte war. Er hatte einen Anfang damit gleich 778 nach seiner Rückkehr aus Spanien gemacht, indem er fränkische Grafen und Aebte in Aquitanien einsetzte, fränkische Vassallen da= hin übersiedeln ließ[5]); er mag sich wohl inzwischen davon über= zeugt haben, daß diese Maßregel nicht ausreichte, vielleicht sogar daß sie Unzufriedenheit unter den Aquitaniern hervorrief, und so mag er zu dem Entschlusse gekommen sein, um seine Maßregeln aufrecht erhalten zu können, in der Form den Aquitaniern ent=

---

[1]) Sickel L. 1; Mühlbacher Nr. 497; Mabillon, Ann. Ben. II, 715 f.: Reginpertus seu indignus vocatus episcopus sive cappalanus Hludowico regis Aquitaniorum subs. Vgl. Mühlbacher Nr. 638. 639; Alcuin. epist. 226, Jaffé VI, 732 ff.; Alcuin. carm. 39, v. 6, Poet. Lat. I, 252 N. 2; Sickel I, 85—86; Jahrbb. Ludw. d. Fr. II, 251; unten Bd. II. z. J. 794.

Die Urkunde Mühlbacher Nr. 497 ist auch in Betreff anderer Großer am Hofe Ludwig's in Aquitanien zu vergleichen (vgl. Sickel I, 203).

[2]) Mühlbacher Nr. 500; Bibliothèque de l'École des Chartes II, 79: de camera nostra; vgl. Waitz IV, 2. Aufl. S. 202 N. 3.

[3]) Nach Martin II, 285, wollte Karl Aquitanien zur Vormauer des Christen= thums gegen den Islam machen, wie Italien zur Vormauer gegen die Griechen; diese ruhmvolle Bestimmung habe die Aquitanier mit der fränkischen Herrschaft aus= söhnen sollen. Aber wenigstens das letztere hat Karl selber gewiß nicht geglaubt, noch weniger die Aquitanier die Sache so aufgefaßt. Aehnlich ist die Ansicht von Fauriel III, 351 f., während Funck, Ludwig der Fromme S. 7, den Vorgang richtiger faßt.

[4]) Darüber vgl. Waitz III, 2. Aufl. S. 361 und oben S. 398 N. 4. Aber Toulouse als die förmliche Residenz Ludwig's oder doch als die Hauptstadt Aquita= niens zu bezeichnen, wie die Histoire générale de Languedoc I, 442; Lembke, Geschichte von Spanien I, 385, thun, ist ungenau, da hier so wenig wie sonst im fränkischen Reiche von einer eigentlichen Hauptstadt die Rede sein kann; vgl. außerdem unten S. 401 f. Richtig ist nur, daß Ludwig häufig in Toulouse verweilte und be= sonders gewöhnlich dort seine Reichstage hielt (s. unten Bd. II, z. J. 794). — Ueber die Bedeutung von Bourges als geistlicher Metropole in Aquitanien vgl. Cod. Car. 95, Jaffé IV, 278 f. (unten z. J. 786).

[5]) Vgl. o. S. 310.

gegenzukommen, wobei er zugleich Gelegenheit fand noch einen Schritt weiter zu gehen, das fränkische Element in Aquitanien noch mehr zu verstärken, ein strafferes Regiment dort einzuführen. Und gerade darauf kam es ihm hauptsächlich an. Aber war auch die zweite Maßregel eine Ergänzung der ersten, die Einsetzung Ludwig's als König eine Ergänzung der Einsetzung fränkischer Grafen, so kann man doch nicht sagen, daß diese nur eine Ein= leitung zu jener gewesen sei, daß Karl die Einsetzung Ludwig's von Anfang an beabsichtigt habe[1]).

Während so die Errichtung eines eigenen Königreichs Aqui= tanien mit eigener Hofhaltung und dem was dazu gehörte in die inneren Verhältnisse des Landes, wenigstens wie sie seit 778 be= standen, doch nicht allzu tief eingreifende Aenderungen brachte, wurde dadurch für Karl doch in einem Punkte eine weitere Fest= setzung nothwendig gemacht, die Bestimmung der Grenzen des neuen Königreiches. Auch darüber fehlt es an ausdrücklichen Nach= richten. Jene 9 Grafen, die Karl 778 eingesetzt, gehörten alle Aquitanien an, keiner Wasconien, und nichts führt zu der An= nahme, daß Karl etwa 781 auch in Wasconien fränkische Grafen bestellt habe[2]). Unzweifelhaft wurde Wasconien zum Königreich Aquitanien mitgerechnet, der unmittelbaren Aufsicht Ludwig's unter= geben; aber das lose Verhältniß, in dem es früher zum Reiche gestanden, wurde auch jetzt kaum fester geknüpft, wie die verschie= denen Kämpfe beweisen, die Ludwig wiederholt gegen die Was= conen zu bestehen hatte. Von einer wasconischen Mark findet sich keine Spur[3]).

Zum Königreich Aquitanien wurde ferner auch noch Septi= manien geschlagen, das vorher immer eine gesonderte Provinz neben Aquitanien gebildet hatte, bei den Reichstheilungen und anderen Gelegenheiten getrennt von demselben aufgeführt worden war. Ludwig hält hier Versammlungen[4]), macht Schenkungen im Gebiet

---

[1]) Das behaupten Funck, S. 7; Fauriel III, 352; Lemke I, 374. Fauriel und Lemke werfen willkürlich die Maßregeln von 778 und 781 zusammen; Lemke, S. 374. 385 läßt die Einsetzung fränkischer Grafen und die Erhebung Ludwig's zum Könige gleichzeitig erfolgen; Fauriel III, 353 setzt die Abgrenzung des Königreichs Aquitanien schon ins Jahr 778; sie geschah aber doch gewiß erst als Ludwig zum König gemacht wurde, ist jedenfalls unter den zu 778 berichteten Maßregeln nicht erwähnt. Vgl. auch oben S. 310.

[2]) Fauriel III, 354, bemerkt mit Recht, besondere Veränderungen in den inneren Verhältnissen Aquitaniens, Wasconiens und Septimaniens seien nicht vor= genommen, nimmt aber fälschlich an, Wasconien sei schon früher in Grafschaften eingetheilt gewesen. — Ueber den Baskenfürsten Lupus Santio vgl. unten Bd. II. z. J. 801.

[3]) Von einer solchen redet die Histoire générale de Languedoc I, 436 und Fauriel III, 354; aber beide setzen zu sehr eine auf einmal vorgenommene Regelung der Verhältnisse voraus, übersehen die allmähliche Entwicklung auch in diesen Dingen.

[4]) Z. B. Vita Hludowici. c. 5, SS. II, 609; vgl. o. S. 399 N. 4.

von Narbonne[1]), behandelt also auch Septimanien als Bestand=
theil seines Königreiches. Das Gebiet steht schon seit Pippin unter
der Verwaltung von Grafen und ist von besonderer Wichtigkeit,
weil es unmittelbar an Spanien grenzt; aber von einer septima=
nischen Mark ist vorläufig noch nicht die Rede, wie auch noch nicht
von einer spanischen[2]).

Zu diesen beiden Bestandtheilen des Königreichs Aquitanien,
Septimanien und Wasconien, kam als Hauptmasse Aquitanien im
engeren Sinne hinzu, das Land zwischen Garonne und Loire, je=
doch nur auf der Strecke des oberen Laufes der Loire durch den
Fluß selbst begrenzt, während es von da an, wo die Loire sich nach
Westen wendet, den Strom selber nicht mehr erreicht, sondern schon
in einiger Entfernung südlich von demselben endigt[3]). Dazu ge=
hört auch das spätere Herzogthum Toulouse, das keineswegs als
ein vom übrigen Aquitanien abgesonderter Landestheil betrachtet
werden kann, erst allmählich anfing eine Sonderstellung einzu=
nehmen[4]), zu der Zeit aber, wo Karl die Verhältnisse Aquitaniens
ordnete, 778 und 781, eben nur eine Grafschaft war wie jede
andere, hervorragend vor den übrigen blos durch die Größe und
alte Bedeutung der Stadt, nicht aber durch irgend welches Vor=
recht des Grafen Toulouse vor den übrigen[5]). Wenn Chorso, den
Karl 778 zum Grafen von Toulouse ernannt hatte, als Herzog be=
zeichnet wird, so geschieht das eben nur wegen der ansehnlichen

---

[1]) Urkunde in der Histoire générale de Languedoc I, Preuves, S. 30
Nr. 9 (Mühlbacher Nr. 319); worauf Funck, S. 230 N. 1, mit Recht aufmerksam
macht. Und ebenso richtig erklärt er sich gegen die Ausdehnung des Königreichs
Aquitanien bis an den Ebro, von der die Histoire générale de Languedoc I,
436; Lembke I, 385 reden.

[2]) Vgl. unten Bd. II. z. J. 795; Jahrbücher Ludwig's d. Fr. I, 157 N. 1;
Waitz III, 2. Aufl. S. 372 N. 4. — An die Einrichtung einer septimanischen Mark,
welche zusammen mit der wasconischen die später sogenannte spanische Mark gebildet
habe, denkt die Histoire générale de Languedoc I, 436; auch Fauriel III, 353.

[3]) Ueber die Grenzen von Aquitanien vgl. Foß, Ludwig d. Fr. vor seiner
Thronbesteigung, Excurs II, S. 36 ff.

[4]) In der Ordinatio imperii vom Juli 817 wird die marka Tolosana
besonders neben Aquitanien und Wasconien genannt; ebenso hier auch Septimanien
(c. 1, Capp. reg. Francor. I, 271); desgleichen in der Notitia de servitio monasteriorum v. J. 817, ibid. S. 351: In Aquitania — In Septimania — In
Tolosano (vgl. jedoch S. 349); Jahrbb. Ludw. d. Fr. I, 104 N. 2.

[5]) Lembke I, 385 führt neben dem eigentlichen Aquitanien noch besonders
Toulouse auf. Ebenso führt die Histoire générale de Languedoc I, 431. 702,
die von dem Herzoge von Toulouse später eingenommene überwiegende Machtstellung
in Aquitanien, welche Foß S. 36 wenigstens auf die obere Leitung der südlichen
Gegenden, namentlich Septimaniens, beschränkt, auf die Einsetzung Chorso's durch
Karl 778 zurück. D'Aldéguier, Histoire de la ville de Toulouse I, 184, stellt
Chorso mit Recht den übrigen Grafen rechtlich einfach gleich; wogegen Moline de
Saint-Yon, Histoire des comtes de Toulouse I, S. C. CI. 3 f., Chorso mit
den anderen zwar auch gleichstellt, aber ihre Stellung überhaupt ganz falsch dahin
auffaßt, diese Grafen hätte jeder in seiner Grafschaft den König vertreten, seien für
die Dauer von Ludwig's Minderjährigkeit die Träger seiner Souveränetät gewesen.
Das ist weder von Chorso noch den übrigen richtig.

Stellung, die Chorso infolge der Bedeutung seiner Grafschaft einnahm[1]), und auch nur zu einer Zeit, wo der Graf von Toulouse
sich schon eine bevorzugte Stellung verschafft hatte[2]). Vorläufig
hatte er eine solche nicht inne, und als er sie später erwarb, geschah es auch nicht durch eine bestimmte Uebertragung, sondern
auf dem Wege einer allmählichen Entwicklung. Und auch eine
Bevorzugung von Toulouse durch den König in der Art, daß er
die Stadt zu seinem festen Wohnsitz wählte, hat nicht stattgefunden[3]);
die Behauptung, Ludwig habe wenigstens die ersten Jahre in Toulouse zugebracht[4]), ist unerwiesen, die Abhaltung von Reichstagen
in Toulouse, das Vorhandensein einer königlichen Residenz daselbst
kein Beweis dafür. Es gab noch verschiedene andere Pfalzen, in
welchen Ludwig zu anderen Zeiten verweilte.

Auch die aquitanischen Verhältnisse wurden demnach in einer
Weise geordnet, daß eine Theilung des Reiches von Karl nicht
beabsichtigt gewesen sein kann. Was mit Langobardien und
Aquitanien geschehen war, hatte den Zweck diese Länder möglichst
fest an das fränkische Reich zu knüpfen, Karl dachte nicht daran
der obersten Leitung derselben zu entsagen; dazu kam die Tassilo
abgezwungene wiederholte Anerkennung der fränkischen Oberhoheit;
es war eine Reihe der wichtigsten Maßregeln und Erfolge, durch
welche das Jahr 781 bezeichnet ist.

Anderes, worüber noch Zeugnisse vorliegen, ist von untergeordneter Bedeutung. Am 17. Oktober verleiht Karl in der Pfalz
Cispliacum (vielleicht Cispiacum in der Eifel) dem Abt Beatus
vom Michaelskloster in Honau Zollfreiheit für die Angehörigen
des Klosters[5]). In demselben Monat begegnet er uns auch in
Heristal[6]). Er bestätigte dort den zwischen Abt Fulrad von St.

---

[1]) Herzog nennt Chorso die Vita Hludowici c. 5, SS. II, 609 (vgl. Waitz III,
2. Aufl. S. 375 N. 1); daß er aber sein Uebergewicht eben der alten Bedeutung
von Toulouse zu verdanken hatte, betont auch die Histoire générale de Languedoc I, 401; Fauriel III, 354; Foß S. 36.

[2]) Eben zu der Zeit der Abfassung der Vita Hludowici, die nachweislich
zuerst Chorso als Herzog bezeichnet.

[3]) Vgl. oben S. 399 N. 4. Auch Moline de Saint-Yon I, 4 will in
Toulouse die Hauptstadt des neuen Königreichs erblicken, während sich schon Fauriel III,
354, dagegen erklärt.

[4]) So d'Aldéguier I, 184. Ueber die anderen Pfalzen Ludwig's in Aquitanien vgl. Foß S. 37 f. und unten Bd. II. z. J. 794.

[5]) Urkunde bei Bouquet V, 745. In Betreff des Ausstellungsorts vgl.
Mühlbacher Nr. 237. 43; Sprimer-Menke, Handatlas, Vorbem. S. 16; er ist nicht
identisch mit Clipiacus (jetzt Quen-sur-Seine, Arr. u. Cant. St. Denis).

[6]) Die von Böhmer, S. 18 Nr. 109, angeführte Urkunde für Hersfeld, wonach
Karl am 31. August in Ingelheim verweilte, Wenck II 2, 12 Nr. 9; III 2, 15
Nr. 14, gehört nach ihrem eigenen Datum: II. Kal. Sept. indict. VIII. Anno
domini 782, anno XIV. regni nostri, erst ins folgende Jahr, ist aber, wie u. a.
eben dieses Datum zeigt (ind. VIII = 785), falsch; Sickel II, 416—417; Mühlbacher Nr. 249. — Uebrigens ist Karl wahrscheinlich von Worms nach Cispliacum,
von da nach Heristal gegangen, obschon die Urkunde für Fulrad und Eufimia, vgl.
die folgende Note, auch vor dem 17. Oktober ausgestellt sein kann.

Denis und der Aebtiffin Eufimia von dem Kloster St. Peter in Metz vorgenommenen Tausch einiger Güter[1]). Die Urkunde ist von Wichtigkeit, weniger wegen des darin enthaltenen Gütertausches als wegen der beiläufigen Erwähnung des Bischofs Petrus von Verdun, von welchem Fulrad die an Eufimia tauschweise abzu= tretenden Güter früher selbst durch Tausch erworben hat[2]). Da= durch fällt Licht auf die Bischofsreihe von Verdun. Petrus ist derselbe, von dem spätere Nachrichten erzählen, er sei von Geburt ein Italiener gewesen, habe im Jahre 774 durch Verrath an Pavia (oder auch 776 durch Verrath an Treviso), das er Karl in die Hände gespielt, dessen Gunst und das eben erledigte Bisthum Verdun gewonnen[3]). Aber glaubwürdig ist diese Angabe nicht[4]), und die Erwähnung des Petrus in der Urkunde für Fulrad[5]) sowie die anderweit ziemlich sicher verbürgte Thatsache, daß Papst Hadrian den Petrus in diesem Jahre auf Karl's Bitte selbst ordi= nirt hatte[6]) — was der Papst als eine ganz besondere, diesem Bischof eine hervorragende Stellung verleihende Auszeichnung an= gesehen wissen wollte[7]) —, beweisen, daß auch auf die weitere Er= zählung, welche die Chroniken daran knüpfen, kein Verlaß ist. Danach soll das Bisthum Verdun nach dem Tode von Petrus' Vorgänger Madalveus, der 776 am 6. Oktober starb, 12 Jahre

---

[1]) Urkunde bei Tardif l. c. S. 64 Nr. 83, nach dem 9. Oktober ausgestellt; Mühlbacher Nr. 236.

[2]) Tardif l. c.: Simile modo Folradus dedit ad parte Eufimiane abbatissa et illa congregacione sancti Petri res proprietatis sue in pago Scarponinse, in loco que dicitur Basigundecurte, quantumcumque cum Petrone episcopo Virduninse seu et Annone abbate commutavit.

[3]) Vgl. oben S. 187 N. 2; 251.

[4]) Abgesehen von der wahrscheinlich richtigen Nachricht, daß Petrus ein Italiener war. Eben deshalb mag man vielleicht seinen Verrath, von dem man wußte, in der angegebenen Weise umgedeutet haben.

[5]) Vgl. außerdem übrigens auch Mühlbacher Nr. 252; Forschungen z. deutsch. Geschichte III, 152.

[6]) Cod. Carol. Nr. 71 (781 Mai—Sept.), Jaffé IV, 220 N. 2; 221. Hadrian sendet den Petrus mit diesem Briefe an Karl und empfiehlt ihn darin dem Könige. Es ist eine Antwort auf ein Schreiben, welches Karl dem Papste ebenfalls durch Petrus überschickt und worin er jene Bitte um Ordination desselben geäußert hatte, die der Papst sofort erfüllte. Jaffé nimmt an, daß Karl während seines Aufenthalts in Pavia, Mai—Juni 781 (vgl. o. S. 387), dem Petrus das Bisthum Verdun übertragen habe. Jedenfalls erfolgte die Consecration desselben, wie Jaffé nachweist, in der Zeit zwischen Ostern (15. April) und Oktober 781.

[7]) L. c. S. 220. 221: per harum transvectorem Petrum reverentissimum et sanctissimum fratrem, iam et coepiscopum nostrum — Quem petimus pro amore beati Petri apostolorum principis fautoris vestri et nostra in vobis firma dilectione in omnibus eum tuentes amplius illum exaltare dignemini. Sic enim decet, ut qui ab apostolica sede ordinatus fuerit, omnibus in onore canonicae institutionis, sicut mos antiquitus fuit, partibus illis praecellit (sic). Es muß einen besonderen Grund gehabt haben, daß Karl zur Ertheilung dieser Weihe den Papst in Anspruch nahm, da nach der hierarchischen Ordnung der Bischof die Weihe vom Erzbischof zu empfangen hatte.

lang unbesetzt geblieben sein[1]); ein gewisser Amalbert habe inzwischen
als Chorbischof die Leitung des Bisthums besorgt[2]), Petrus sei wäh-
reud dieser ganzen Zeit in Verdun nicht zugelassen worden, erst im
Jahre 788 habe man sich dazu verstanden, damit das Wort des Königs
nicht unerfüllt bleibe, ihn in die Stadt aufzunehmen und vom Bisthum
Besitz ergreifen zu lassen, worauf er demselben 25 Jahre lang vorgestanden habe[3]). Aber er habe vieles Schlimme erlebt, eine Anklage wegen Untreue gegen Karl erfahren und 12 Jahre lang denselben meiden müssen, bis er sich von der Anklage gereinigt. Zur
Strafe für die Untreue des Bischofs habe Karl die Mauern von
Verdun zerstört und die Steine zum Bau der Kirche in Achen
verwendet[4]).

Scheidet man von dieser Erzählung des Hugo von Flavigny seine eigenen Zuthaten aus, namentlich die ausdrückliche
Angabe des Jahres 788 für die Uebernahme des Bisthums durch
Petrus und die Berechnung seiner 25jährigen Amtsdauer erst von
diesem Jahre an, so bleiben die Angaben des älteren Bertharius
zurück, die aber immer noch vieles dunkel lassen. Da von Petrus'
nächsten Nachfolgern dem Anstrannus eine Amtsdauer von 5, dem
Herilandus von 24 Jahren zugeschrieben wird, letzterer aber noch
unter Ludwig dem Frommen starb[5]), können die 25 Jahre des
Petrus nicht erst von 788 an gerechnet werden. Der Tod des
Madalveus mag von Hugo richtig auf den 6. Oktober 776 angegeben sein, denn den Tag kann er nicht wohl erfunden haben,
ebensowenig das genaue Datum einer Urkunde für die Kirche von
Verdun, vom 9. November 775, welche für diese Zeit den Madalveus noch als Bischof bezeugt[6]). Zwölf Jahre kann es dann

---

[1]) Gesta episcoporum Virdunensium c. 13, SS. IV, 44: Post hunc
(Magdalveum) episcopatus istius aecclesiae per duodecim annos vacuus extitit; daraus Hugo v. Flavigny, Chronicon, SS. VIII, 351.

[2]) Gesta episcoporum Virdunensium l. c., anschließend an die Stelle in
der vorigen Note: Sed quidam servus dei Amalbertus nomine iuxta morem
illius temporis corepiscopus factus, ipsam regebat aecclesiam, und daraus
wieder Hugo von Flavigny l. c. Der letztere sagt übrigens vorher in Bezug auf
das Kloster St. Vannes zu Verdun: Quo in tempore praeerat ecclesiae sancti
Vitoni abbatis nomine et officio Fretmodo diaconus et Abbas, qui post
sanctum Madalveum locum ipsum regendum susceperat.

[3]) Hugo v. Flavigny l. c.: Quia tamen semper suspecti sunt traditores,
in episcopatu per tempus praescriptum receptus non est. Tamen ne verbum
regis esset inane et vacuum, post praescriptum annorum spacium concessum est illi civitatem ingredi et episcopatu potiri anno ab inc. dom. 788
fuitque per 25 annos et passus est multa adversa.

[4]) Hugo von Flavigny l. c.: Virdunensis civitas ... pro tuenda Italici
huius instabilitate et experta infidelitate a Carolo destructa ... de quadris
autem lapidibus dirutae civitatis Aquisgrani capella exstructa est. (Vgl.
unten Bd. II.).

[5]) Gesta episcoporum Virdunensium, c. 15. 16. 17, SS. IV, 44.

[6]) Hugo von Flavigny, SS. VIII, 348, wo freilich die Angabe, die Schenkung
sei erfolgt anno vitae suae penultimo, als bloße Zugabe Hugo's auch nichts beweist. Die Angabe von 776 als Todesjahr, Hugo S. 351, beruht blos auf Hugo's
Berechnung, die ihn unmittelbar vorher, S. 350, auf 777 geführt hatte, während

aber nicht gedauert haben, bis Petrus Besitz von seinem Bisthum
ergreifen konnte, die Urkunde für Fulrad zeigt ihn im Oktober 781
bereits einige Zeit im Besitz desselben, bestätigt also, was ohnehin
sehr nahe liegt, daß die 12 Jahre, welche auch Bertharius zweimal,
erst als Dauer der Erledigung des Stuhles von Verdun, dann
der Ungnade des Petrus bei Karl angibt, nur einmal zu
rechnen sind [1] — wofern man überhaupt an dieser Zeitangabe
genau festhalten will —, und zwar für die Dauer der Ungnade
des Bischofs. Dazu stimmt, daß auf der Frankfurter Synode im
Jahre 794 ein Bischof Petrus, nachdem er von der Anklage der
Verschwörung gegen den König sich gereinigt, wieder in seine alten
Ehren eingesetzt wird [2], was man mit Grund auf Petrus von
Verdun bezieht; er würde demnach um 782 mit dem Könige sich
entzweit haben, sein Tod um 806 (?) anzusetzen sein [3]. Die Kirche
von Verdun erlitt unter seiner Leitung große Verluste.

Zum Winteraufenthalt begab Karl sich nach Quierzy. Am
16. Dezember sitzt er dort mit dem Pfalzgrafen Worad [4] und
anderen zu Gericht und bestätigt auf Ersuchen des Vogts Abo
und des Abts Fulrad von St. Denis einen Urtheilsspruch, wonach
dies Kloster die ihm widerrechtlich abhanden gekommene Villa
Sonarciaga an dem Flüßchen Itta (Epte) im Gau Talou erstritten
hatte [5]. Ebenfalls im Dezember schenkt er dort dem Kloster Fulda
das Unofelt (Hünfeld) mit seinen Wäldern und die Villa Rostorp
(Rasdorf), welche dem Kloster schon früher von Hardrad geschenkt,
dann aber durch Königsboten für die Krone eingezogen worden
war [6]. Daß der König dann noch vor Ablauf des Jahres hier
in Quierzy die 12 Geiseln in Empfang nahm, die ihm Bischof

---

seine Bemerkung, Madalveus sei 712 geboren, S. 350, und 66 Jahre alt geworden,
S. 349, auf 778 führen müßte. Für gesichert ist höchstens anzunehmen, daß Madalveus an einem 6. Oktober der nächsten Jahre nach 775 starb.

[1] So schon Rettberg I, 530.

[2] Er sollte schwören, quod in mortem regis sive in regno eius non
consiliasset nec ei infidelis fuisset. Da er sich reinigte, Karl pristinis honoribus eum ditavit, Synodus Franconofurt. 794. Iun. c. 9, Capp. reg.
Francor. I, 75. Vgl. hierüber unten Bd. II. z. J. 792.

[3] Wogegen Waitz in der Ausgabe des Bertharius l. c. seinen Tod schon
bald nach 794, den Tod des Madalveus um 770 setzt; doch müßte dann die Angabe
Hugo's über die Urkunde vom 9. November 775 geradezu als erfunden betrachtet
werden.

[4] Vgl. über denselben unten 782 u. Bd. II. (den Abschnitt über die Hofbeamten).

[5] Urkunde bei Bouquet V, 746; Mühlbacher Nr. 238. Kein Bedenken
erregt die Recognition: Witherius notarius ad vicem Chrotardi recognovi;
denn es gab besondere pfalzgräfliche Notare, welchen die Ausfertigung der Placita
oblag (Sickel I, 359).

[6] Urkunden bei Dronke, Codex diplomaticus S. 45 Nr. 72. 73; Mühlbacher Nr. 239. 240. Beiden Urkunden ist in tironischen Noten die Bemerkung beigefügt: Rado obtulit regi (Sickel, Beitr. z. Diplomatik VII, S.-Ber. d. Wiener
Akad. phil.-hist. Cl. Bd. 93, S. 687).

Sindpert von Regensburg im Auftrage Taffilo's zuführte, ist
bereits erwähnt worden[1]), und auch Weihnachten brachte er hier zu[2]).

Inzwischen war Karl vom Papste alsbald wieder wegen der
Besitzungen der römischen Kirche in Anspruch genommen worden.
Unter Berufung auf das von Karl zu Ostern gegebene Versprechen,
für die Herausgabe der Patrimonien in der Sabina an die Kirche
zu sorgen[3]), erschienen als Bevollmächtigte des Papstes der Diaconus Agatho und Hadrian's eigener Neffe, der Consul und Herzog
Theodor[4]), am fränkischen Hofe, um Karl zu bitten die Herausgabe zu beschleunigen[5]).   Der König ordnete seinerseits, aller
Wahrscheinlichkeit nach noch 781, zunächst den Kapellan Maginarius[6]), dann auch den Abt Hitherius von St. Martin in Tours
ab[7]), um diese Angelegenheit in Gemeinschaft mit päpstlichen Be-

---

[1]) Vgl. oben S. 396.

[2]) Ann. Laur. mai. l. c.; Ann. Einh. l. c.

[3]) Vgl. über diese Schenkung oben S. 377 und weiter über diese Angelegenheit
Cod. Carol. Nr. 70—74, Jaffé IV, 218 ff. Die Anordnung dieser Briefe läßt
sich, bei dem Mangel sicherer Anhaltspunkte, nicht mit irgend welcher Bestimmtheit
festsetzen. Indessen dürfte sowohl die von Jaffé (vgl. auch Regest. Pont. Rom.
ed. 2 a, I, S. 297—298, Nr. 2433. 2434. 2436. 2440. 2441) als auch die in
den Forschungen zur deutschen Geschichte I, 505 N. 2 versuchte der Modifikation bedürfen. — Alle diese Briefe sind nach dem 15. April 781 und bevor der Tod der
Königin Hildegard (30. April 783) eingetreten oder wenigstens am päpstlichen Hofe
bekannt geworden war, geschrieben. Abt Hitherius befand sich im April 782 in
Quierzy (Mühlbacher Nr. 241; vgl. unten z. J. 782). Ferner gehört Nr. 71, falls
der Bischof Petrus, von dessen Ordination durch den Papst darin die Rede ist, in
der That, wie Jaffé annimmt, der Bischof von Verdun ist, der Zeit vor dem
Oktober 781 an (vgl. o. S. 403). Daß jedoch der Sendung des Agatho und Theodorus, die das Schreiben Nr. 74 überbringen, die Thätigkeit der königlichen Bevollmächtigten Hitherius und Maginarius, welcher in Nr. 70 und 72, auch Nr. 71 gedacht wird, vorausgegangen sei, erhellt nicht: wohl aber, daß sie der Sendung des
Saccellarius Stephanus (Nr. 72) vorausgegangen war. Maginarius, den Nr. 73
allein erwähnt, mag zunächst allein gekommen sein.

Aus diesen Gründen möchte man folgende Reihenfolge vorschlagen: Nr. 74.
73. 71. 72. 70. — Martens, Die römische Frage S. 182 ff., folgt der Anordnung
von Jaffé; vgl. auch Malfatti II, 319—322; Harttung, Dipl.-histor. Forsch. S. 109.

[4]) Vgl. über denselben o. S. 134. 318.

[5]) Jaffé IV, 228 f., Cod. Carol. Nr. 74. Von der Thätigkeit des Maginarius und Hitherius sowie von Hindernissen, auf welche die Ausführung des Versprechens, welches sich nach Hadrian's Auffassung auf das Savinense territorium
sub integritate bezog, gestoßen sei, ist hier, wie berührt, noch nicht die Rede, wenn
auch der Papst ganz im allgemeinen Gegenwirkungen vorzubeugen sucht (nullus sit
de adversariis, qui vestro mellifluo cordi suadere valeat ab amore b. Petri
apostoli . . . seu a nostra dilectione).

Wenn unsere Anordnung der Briefe zutrifft — und dies ist eine Klippe, an
der sie scheitern könnte —, müßten allerdings die Gesandten, welche Hadrian in
Nr. 73 S. 226 ankündigt (Pro hoc enim fidelissimos missos nostros una cum
monitiones nostras apto tempore vestrae regali potentiae dirigimus etc.),
wieder andere sein.

[6]) Jaffé IV, 225 f., Cod. Carol. Nr. 73. Vgl. über denselben unten Bd. II.
(den Abschnitt über die Hofbeamten).

[7]) Beide werden erwähnt Cod. Carol. Nr. 70. 72, Jaffé IV, 218—219.
223; ohne Namen auch Nr. 71 S. 221. In diesem letzteren Briefe heißt es nur:
qui et causam ex parte examinaverunt. Der Papst klagt hier noch nicht, wie

vollmächtigten in Ordnung zu bringen. Allein es stellten sich große Schwierigkeiten bei der Bestimmung der Grenzen heraus[1]), welche die königlichen Bevollmächtigten abhielten, die Ansprüche des Papstes, der stets betonte, Karl habe ihm das ganze sabinische Patrimonium oder Territorium überlassen, in ihrem vollen Umfange zu befriedigen. Sie reisten ab, und Hadrian bestürmte nun den König durch neue Briefe, sein Versprechen zu erfüllen, die Sabina dem römischen Stuhle zurückzugeben. Er legte alles den Machinationen feindlich gesinnter Menschen zur Last[2]), betheuerte heilig, daß er nicht fremdes Eigenthum begehre, daß er das sabinische Patrimonium nur in den alten Grenzen und wie Karl es ihm zugestanden zu erhalten wünsche[3]). Er schickte — wie es scheint, als Hitherius und Maginarius heimkehrten — seinen ehemaligen Saccellarius Stephanus an den König und bat ihn, diesem einen jener beiden Gesandten wieder mitzugeben[4]). In einem anderen Schreiben bittet er Karl, einen von jenen beiden mit einer anderen Persönlichkeit seiner Wahl zu dem gedachten Behuf zurückzuschicken[5]).

Uebrigens räumte der Papst in diesem Jahre auf des Maginarius und Fulrad Bitten ihnen das Hospital bei der Peterskirche hinter der Kapelle des heil. Leo des Bekenners und Papstes zur Benutzung ein, mit der Verpflichtung jedoch, in jeder Indiction, also von 15 zu 15 Jahren, der Peterskirche eine Abgabe von einem Goldsolidus zu entrichten und für die Erhaltung der

---

in Nr. 70. 72, daß dieselben verhindert worden seien, ihm das ganze sabinische Patrimonium auszuliefern. Von Maginar allein sagt er es allerdings auch schon in Nr. 73.

Vgl. übrigens das gefälschte Pactum Ludwig's d. Fr. mit Paschalis I, 817, Capp. reg. Francor. I, 353 (territorium Sabinense, sicut a genitore nostro Karolo imperatore b. Petro apostolo per donationis scriptum concessum est sub integritate, quemadmodum ab Itherio et Magenario abbatibus, missis illius, inter idem territorium Sabinense atque Reatinum definitum est).

[1]) Vgl. hinsichtlich der Details Forsch. z. deutsch. Gesch. I, 504 ff.

[2]) Cod. Carol. Nr. 72, S. 223 (von Hitherius und Maginar): sicut per vestrum bonum dispositum voluerunt nobis contradere in integro iam fato Savinense territorio, et minime potuerunt; mittentes varias occasiones perversi et iniqui homines; so auch schon Nr. 73, S. 225 f. (von Maginar): minime propter malignos ac perversos homines potuit. — Martens, Die römische Frage, S. 185 f., vermuthet unter diesen Widersachern „Bevollmächtigte des Herzogs Hildebrand von Spoleto, welche gegen die Bestrebungen, außer dem ursprünglichen sabinischen Patrimonium auch noch Reate und Anderes zu erhalten, Einspruch erhoben" (vgl. unten S. 408 N. 2).

[3]) Cod. Carol. Nr. 70 S. 219: Testem enim invoco Deum, quia nullorum fines inrationabiliter indigeo; sed, sicut ex antiquitus fuit ipse iam fatus patrimonius et eum in integro beato Petro apostolo concessistis, ita suscipere optamus.

[4]) Cod. Carol. Nr. 72, Jaffé IV, 223—224; vgl. ebb. N. 1.

[5]) Cod. Carol. Nr. 70 S. 219 (hier sind wir mit Jaffé's N. 2 nicht einverstanden). Der Brief scheint später geschrieben, vgl. den Anfang (S. 218): Recordari vos credimus etc.

Baulichkeiten Sorge zu tragen. Die päpstliche Bewilligungsurkunde ist vom 1. Dezember 781 [1]).

Wenn Karl zögerte die Ansprüche des Papstes zu erfüllen [2]), so geschah es ohne Zweifel, weil er dieselben im Einverständniß mit seinen Bevollmächtigten nicht für begründet hielt. Uebrigens behielt Karl ununterbrochen die Verhältnisse und Interessen der Kirche im Auge. Er verfolgt aufmerksam den Briefwechsel zwischen dem Papste und dem spanischen Bischof Egila über Fragen der christlichen Glaubenslehre; er weiß, daß ein Schreiben Hadrian's, worin derselbe dem Bischof über seine Anfragen Auskunft ertheilt, unterwegs verloren gegangen ist, und läßt daher den Papst durch den Bischof Petrus von Pavia auffordern ein neues Schreiben an Egila zu erlassen, worauf Hadrian dem Bischof eine Abschrift seines ersten Briefes zukommen läßt [3]). Er findet sogar Zeit sich mit dem älteren Kirchenrecht zu beschäftigen und erbittet sich darüber vom Papste Bescheid; jener Petrus, den er nach Rom geschickt hat, damit ihm dort Hadrian die Bischofsweihe ertheile [4]), über- bringt dem Papste zugleich von Karl eine Handschrift, welche unter anderem eine von einem Bischof Verecundus verfaßte Uebersicht der Verhandlungen des Concils von Chalcedon enthielt [5]). Hadrian

---

[1]) Jaffé, Regest. Pont. Rom. ed. 2a, I, S. 297 Nr. 2435; Urkunde bei Baluze, Miscellanea, ed. Mansi III, 3: Hospitale intus venerabilem basili- cam domini et fautoris nostri beati Petri situm post oratorium s. Leonis confessoris atque pontificis euntibus ad s. Andream manu dextra iuris venerabilis basilicae existentem ... integro a praesenti V. indictione diebus vitae vestrae vobis concedimus detinendum, ita sane a vobis singulis quibusque indictionibus pensionis nomine rationibus ecclesiasticis, id est venerabili basilicae b. Petri, unum auri solidum difficultate post- posita persolvatis etc. — Bei der Anwesenheit des Maginarius in Rom, welche Cod. Carol. Nr. 73, Jaffé IV, 225, erwähnt wird, kann dies indessen nicht ge- schehen sein; denn dieses Schreiben scheint, wie wir oben sahen, noch vor Nr. 71, d. h. vor dem Oktober 781 geschrieben zu sein. — Maginarius wird in der betreffen- den päpstlichen Urkunde als Abt bezeichnet; vgl. auch Capp. reg. Franc. I, 353 (oben S. 406 N. 7); er scheint bereits eine andere Abtei besessen zu haben, ehe er dem Fulrad nach dessen Tode (16. Juli 784) in St. Denis folgte; vgl. unten Bd. II.
[2]) Die Angabe des gefälschten Pactums Ludwig's d. Fr. mit Paschalis I. v. J. 817, Capp. I, 353 (vgl. o. S. 406 N. 7), wonach Karl dem päpstlichen Stuhle in der That das territorium Sabinense sub integritate (vgl. Codex Carolin. Nr. 74, S. 228) durch urkundliche Schenkung überlassen und seine Bevollmächtigten Hitherius und Maginarius die Grenzen zwischen demselben und dem Territorium von Rieti festgesetzt hätten, ist natürlich bei Seite zu lassen; vgl. Forsch. z. deutschen Ge- schichte I, 506 N. 4. Mit Unrecht folgt der falschen Urkunde Martens a. a. O. S. 182. 186—187; er nimmt außerdem, was auch mit dem Wortlaut der falschen Urkunde nicht sonderlich stimmt, an, daß Karl jene Schenkungsurkunde erst auf Grund der von jenen Missi angestellten Ermittelungen, im J. 783 vollzogen habe.
[3]) Jaffé IV, 243 ff., Cod. Carol. Nr. 79; vgl. dazu auch die anderen Briefe, Jaffé IV, 234 ff. 292 ff., Cod. Carol. Nr. 78. 99.
[4]) Wahrscheinlich der Bischof Petrus von Verdun; vgl. o. S. 403; 406 N. 3.
[5]) Jaffé IV, 221 f. Die Handschrift wird bezeichnet als pseudopittatium a Paulino, sicut fatus est, pro Theodosio quondam imperatore dato et a vestra excellentia nobis directum, habens in supera scriptione adbreviarium Calcedonensis concilii, a quodam Verecundo episcopo editum. — Pittacium bezeichnet überhaupt einen Brief, eine Urkunde, Schrift und dergl., vgl. Ducange ed. Henschel, V, 272 s. v.

erklärte dieſelbe aber für apokryph; die römiſche Kirche dagegen, ſchrieb er dem Könige, ſei im Beſitze der vollſtändigen Acten des Concils, und nur an dieſe könne ſie ſich halten[1]). Uebrigens ſchickte er ihm als Gegengeſchenk ein Exemplar des vor der Er= öffnung des Concils (451) von Papſt Leo I. an die Geiſtlichkeit, den Adel und das Volk von Conſtantinopel gerichteten Briefes[2]), worin Leo das ſchnöde Verfahren der Eutychianer gegen den Pa= triarchen Flavian auf dem zweiten Concil von Epheſus (449) ver= urtheilte, dagegen Theodoſius II. von dem Vorwurf der Ketzerei freiſprach[3]).

---

[1]) Offenbar paßte dem Papſte der Inhalt jener Ueberſicht nicht. Leibniz, An-nales I, 106, ſpricht ſogar die Anſicht aus, Hadrian habe es ungern geſehen, daß Karl ſich mit kirchlichen Dingen abgab und ihm etwas ſchenkte, „was die Schätze römiſcher Weisheit nicht bieten zu können ſchienen".

[2]) Jaffé, Reg. Pont. ed. 2 a, I, 64 Nr. 443.

[3]) Ueber die Vorgänge, von welchen der Papſt ſpricht, vgl. Gibbon VIII, c. 48.

Durch eine Reihe wichtiger Maßregeln war das vorangehende
Jahr ausgezeichnet. Das Verhältniß Italiens und Aquitaniens
zum Reiche ist geregelt, die Beziehungen zum Papste sind immerhin wieder enger geknüpft, sogar eine Verbindung des karolingischen Hauses mit der griechischen Kaiserdynastie ist in Aussicht
genommen; die Entwickelung scheint in friedliche Bahnen gelenkt.
Allein die Ruhe, die für den Augenblick im Reiche herrscht, ist
nur eine scheinbare, die Sachsen greifen aufs neue zu den Waffen
gegen die fränkische Herrschaft, man steht unmittelbar vor dem
Ausbruch eines Kampfes, der Jahre lang fortdauerte, vor einem
Zeitraum, der wohl der kriegerischste in Karl's ganzer Regierung ist.

Soviel zu erkennen hatte man im fränkischen Reiche selbst
keine Anzeichen des drohenden Sturmes. Der König verweilt
Ostern, 7. April[1]), noch in Quierzy, wo er sich schon zu Weihnachten befunden[2]); hier bestätigt er auf Bitten des Abtes Hitherius von St. Martin in Tours diesem Kloster die Immunität,
die es schon früher besessen, und bedroht Eingriffe in dieselbe mit
der überaus hohen Strafe von 600 Goldsolidi, wovon zwei Drittel
dem Kloster, ein Drittel dem königlichen Fiscus zufallen solle[3]).
Sonst sind Regierungshandlungen Karl's aus der ganzen ersten
Hälfte des Jahres nicht bekannt; aber soweit Spuren vorliegen,
fängt er gerade an den Beschäftigungen des Friedens eine erhöhte
Aufmerksamkeit zuzuwenden, seine Pläne zur Pflege der Wissenschaften, zur Hebung der Volksbildung zu verwirklichen. Alkuin,

---

[1]) Ann. Laur. mai. 781, SS. I, 162; Ann. Einh. 781, SS. I, 163; Ann.,
ut videtur, Alcuini, SS. IV, 2; Ann. Iuvav. mai. SS. III, 122.

[2]) Vgl. o. S. 406.

[3]) Mühlbacher Nr. 241; Urkunde bei Bouquet V, 747 f., ausgestellt im
April, ohne Angabe des Tages. Ueber die eigenthümliche Fassung dieser und einer
späteren Urkunde für St. Martin vgl. Sickel, Beiträge III, 54 ff. (Wien. S. B.
XLVII, 228 ff.); Act. Karol. I, 118 N. 4; über die Strafformel S. 201—202.

ben er bei seinem letzten Aufenthalt in Italien gewonnen[1]), ist in=
zwischen mit Erlaubniß seines Königs und seines Erzbischofs im
fränkischen Reich angekommen, und Karl selbst, der ihn wie seinen
Vater behandelt, läßt sich von ihm in den Wissenschaften unter=
richten[2]). Peter von Pisa, der früher in Pavia lehrte, wo ihn
Alkuin schon in seiner Jugend einmal mit dem Juden Lullus hatte
disputiren hören[3]), war schon vordem von Karl an seinen Hof
gezogen[4]); das Gleiche gilt auch von Paulinus, dem späteren Pa=

---

[1]) Vgl. oben S. 393.

[2]) Vita Alcuini c. 9, SS. XV, 190: Fecit autem Alchuinus, aliorum
deservire cupiens profectui, ut sibi rogarat, cum auctoritate regis sui proprii et archiepiscopi, eo tantum iure, ut iterum ad eos reverteretur, pervenitque, Christo ducatum praebente, ad regem Karolum. Quem tenens
rex loco patris amplectitur, a quo artes introductus in liberales, refrigerari
paululum noverat, sed exsaturari ob fervorem satis nimium nequibat; Einh.
V. Karoli c. 25, vgl. unten Bd. II.; Vita sec. s. Liudgeri I, 14. 33 (Geschichts=
quellen des Bisthums Münster IV, 61. 82); Chron. Vedastin. 795, SS. XIII,
706; Alcuin. epist. 170, Jaffé VI, 614: Hanc (sc. sapientiam) enim vestram
optimam sollicitudinem, domine mi David, semper amare et praedicare
agnoscebam. Omnesque ad eam discendam exhortari immo et praemiis
honoribusque sollicitare atque ex diversis mundi partibus amatores illius
vestrae bonae voluntati adiutores convocare studuistis. Inter quos me
etiam, infimum eiusdem sanctae sapientiae vernaculum, de ultimis Brittaniae finibus adsciscere curastis . . . Alcuin. carm. 108, 3, Poet. Lat. aev.
Carolin. I, 334:
  Albinus veniens peregrino vatis ab orbe,
  His quem direxit praeclara Britania terris.
  Suscipit hunc Karolus, huius rex inclitus orbis,
  Cum pietate sacrae sophiae tum propter amorem.

Einige Zeit nach seiner Ankunft erhielt Alkuin dann von Karl die beiden Klöster
Ferrières (Diöc. Sens) und St. Lupus in Troyes, Vita Alcuini c. 9, l. c. (vgl.
epist. 102. 104. 105, S. 430 N. 4; 437 N. 3. 5; 439 N. 1).
Mabillon, Annales II, 304 f., und die Gallia christiana XII, 158 sagen
irrig: erst 792; nach der Reihenfolge der Begebenheiten in der Vita Alcuini c. 9
geschah es vor Alkuin's Rückreise nach England, vor 789 oder 790. Außer diesen
erhielt Alkuin auch noch das Kloster Flavigny, Hugonis chron. Flaviniac.; Series
abb. Flaviniac. SS. VIII, 352. 502; Dümmler, Poet. Lat. I, 161 N. 7; vgl.
ferner Lupi epist. 11, Opp. ed. Baluze S. 30: Cellam s. Iudoci (St. Josse=sur=
mer), quam magnus Karolus quondam Alcuino ad eleemosynam exhiben-
dam peregrinis commiserat; dazu Alcuin. epist. 173, S. 620 N. 3.
Ueber Alkuin's Schüler Sigulf, Wizo und Fridugisus, die ihm aus England
ins fränkische Reich folgten, vgl. oben S. 394 N. 1; über Fridugis auch Sickel I,
89 ff.; Simson, Jahrbb. Ludw. d. Fr. II, 235 ff.; M. Ahner, Fredegis von Tours
(Diss. Leipzig 1878); Kolde's Art. in der Allgem. deutschen Biographie VII, 327;
Wattenbach, DGQ. 5. Aufl. I, 151 N. 3.

[3]) Vgl. o. S. 391 N. 2.

[4]) Die Zeit läßt sich nicht genau nachweisen, ist jedoch vor oder um 780 zu
verlegen, vgl. oben S. 394 N. 1. Daß Petrus aber noch früher dorthin gekommen
sein sollte, etwa schon 774, was Tiraboschi, Storia della letteratura Italiana III,
229; Ozanam II, 507 u. a. vermuthen, ist nicht anzunehmen. Vollends ohne
Grund behauptet Monnier, Alcuin S. 44, schon unter Pippin's Regierung sei
Peter von Pisa am fränkischen Hof gewesen, habe sich dann wieder eine Zeit lang
in Italien aufgehalten, bis er unter Karl zum zweiten Male ins fränkische Reich
zurückgekehrt sei. Die von ihm angezogene Stelle aus einem Briefe Alkuin's beweist
nichts, und auch die Berufung auf die unten S. 414 N. 4 erwähnte Aus=
führung von Lebeuf ist grundlos.

triarchen von Aquileja. Nicht viel später entschließt sich auch
Paulus Diaconus in der Umgebung des Königs zu bleiben, und
was man über die näheren Umstände dabei erfährt, über die un=
ausgesetzten Bemühungen Karl's ihn dem fränkischen Reiche zu
erhalten, ist ein Beweis, welche hervorragende Stellung in den Ent=
würfen des Königs die Beförderung der gelehrten Bildung, die
Beschäftigungen des Friedens einnahmen.

Paulus Diaconus[1]) war geboren zwischen 720 und 725, in
Friaul, wo bei der Einwanderung der Langobarden in Italien
sein Aeltervater angesiedelt worden war.   Die Söhne desselben
waren dann allerdings von den Avaren in Gefangenschaft wegge=
führt worden, aber einer derselben, des Paulus Urgroßvater, nach
Friaul zurückgekehrt[2]). Von seinem Vater Warnefrid liest man
nichts näheres, doch scheint Paulus von guter, wenn auch vielleicht
nicht altadlicher Herkunft gewesen zu sein[3]), wie er denn auch
seine Erziehung am Hofe des Langobardenkönigs Rachis erhielt[4]).
Dort empfing er wohl auch den Unterricht des Grammatikers
Flavianus[5]) (vielleicht identisch mit Charisius). Ueber seinen
Aufenthalt nach Rachis' Tode, 749, ist nichts sicheres bekannt; die
Angaben, er habe in einem nahen persönlichen Verhältnisse zu
König Desiderius gestanden, sei sein Notar gewesen[6]), sind unbe=
glaubigt; dagegen könnte man eines andern Umstandes wegen es
für wahrscheinlich halten, daß er auch noch unter Desiderius am

---

[1]) Für das Einzelne ist zu verweisen auf die Abhandlung von Bethmann,
Paulus Diakonus Leben und Schriften, bei Pertz, Archiv X, 254 ff.; Waitz, SS.
rer. Langob. S. 12 ff. 603; Dümmler, Poet. Lat. aev. Carolin. I, 27 ff.;
Dahn, Paulus Diaconus I. (Langobardische Studien I), Leipzig 1876; R. Jacobi,
Geschichtschr. der deutschen Vorzeit VIII. Jahrh. 4. Bd. 2. Aufl., Einl. S. X ff.;
Ebert II, 36 ff.; Wattenbach I, 5 Aufl. S. 156 ff.

[2]) Paul. Historia Langobardorum IV, 37, SS. rer. Langob. S. 131
bis 132. Nach der Grabschrift des Paulus von seinem Schüler Hildric, Poet. Lat.
aev. Carol. I, 85 Nr. 56 v. 12–13, war derselbe am Timavo geboren; nach
Chron. Salern. SS. III, 476, in Cividale bei Friuli; vgl. Dahn S. 8; Waitz
a. a. O. S. 12 N. 2.

[3]) Die Stellen bei Bethmann, S. 254 N. 2.; Dahn, S. 2 ff.; über die Be=
nennung Paulus Diaconus Bethmann, S. 254 N. 1. 258 f.; Dahn, S. 1–2;
Waitz a. a. O. S. 24 N. 6 (Karoli epist. generalis, Capp. reg. Francor. I,
81; Hildric. Epitaph. Pauli diaconi v. 3: laevita; 7–13 l. c. S. 85. 86 N. 1).
Aber auch der Paulus grammaticus, Cod. Carolin. 92, Jaffé IV, 274, ist wahr=
scheinlich mit dem unsrigen identisch; vgl. Waitz a. a. O. S. 603 (Neues Archiv III,
440. 474).

[4]) Hildric. Epitaph. l. c. v. 14–19; vgl. Hist. Langobard. II, 28 l. c.
S. 87–88; anders Dahn S. 9–10.

[5]) Hist. Langobard. VI, 7, l. c. S. 167 (Eo tempore floruit in arte
grammatica Felix, patruus Flaviani praeceptoris mei).

[6]) Sie sind zusammengestellt bei Bethmann, S. 256; Waitz, SS. rer. Lang.
S. 24; die erste Erwähnung hat der Mönch von Salerno, SS. III, 476. Vgl.
Dümmler a. a. O. S. 27 N. 1, der die Nachricht des Chron. Salern.: ille prae=
celsus atque carus ab ipso rege (Desiderio) et ab omnibus erat, in tantum
ut ipse rex in omni(a) archana verba consiliarium eum haberet doch nicht
ganz verwerfen möchte; auch Wattenbach a. a. O. S. 157. Anders Dahn S. 11
bis 12.

Hofe verweilte, nämlich wegen seiner nahen Beziehungen zu dessen Tochter Adelperga, der Gemahlin des Herzogs Arichis von Benevent. Nach Paulus' eigener Aussage war er gewissermaßen der Lehrer der Adelperga[1]), könnte also längere Zeit am Hofe von Desiderius verweilt haben; jedenfalls stand er aber nach ihrer Vermählung mit Arichis in fortgesetztem Verkehr mit ihr[2]), schrieb für ihren Gebrauch eine Erweiterung und Fortsetzung von Eutrop's Römischer Geschichte[3]); wahrscheinlich hielt er sich längere Zeit an Arichis' Hofe auf, wenigstens legen verschiedene Gedichte, die er für den Herzog anfertigte[4]), diese Vermuthung nahe. Möglich ist es aber auch, daß er den Verkehr mit Arichis von Anfang an von Montecasino aus unterhielt, wo er unterdessen ins Kloster getreten war und jedenfalls schon verweilte, ehe er die Reise ins fränkische Reich antrat[5]).

Ueber die Veranlassung, welche Paulus aus seiner Klosterzelle an den Hof Karl's führte, liegen bestimmte Nachrichten nicht vor; dennoch kann darüber kaum ein Zweifel sein. Im Jahre 776, nach dem Aufstande des Hrodgaud, hatte Karl nebst einer Anzahl anderer Langobarden auch des Paulus Bruder Arichis als Gefangenen mit sich ins fränkische Reich genommen[6]); um seine Freilassung zu erwirken begab sich Paulus zu Karl. Ein Gedicht, worin Paulus dem Könige seine Bitte vortrug, gibt darüber Auskunft[7]). Es gehe jetzt ins siebente Jahr, stellt er Karl vor, seit sein Bruder in der Gefangenschaft schmachtete, während dessen Frau in der Heimath darbe und kaum im Staube sei ihre vier Kinder zu er-

---

[1]) In dem Widmungsschreiben seiner Historia Romana an Adelperga, M. G. Auct. antiquiss. II, 4; Schulausg. (Berlin 1879) S. 1, sagt er: ipse qui elegantiae tuae studiis semper fautor extiti, was sich indessen nur auf die Studien Adelperga's als Herzogin von Benevent zu beziehen scheint.

[2]) Bereits im Jahre 763 widmete er ihr als Herzogin von Benevent ein Gedicht, welches die Hauptepochen der weltgeschichtlichen Chronologie angibt und dessen Strophenanfänge das Akrostichon ‚Adelperga pia' bilden, Poet. Lat. I, 35—36 Nr. 1.

[3]) Vgl. Bethmann, S. 257; Dahn, S. 15—16; Ebert, S. 39—40; Wattenbach, S. 50. 157; o. S. 364—365.

[4]) Poet. Lat. aev. Carol. I, 44—45. 66—68 Nr. 6. 7. 32. 33. Es sind zum Theil Verse, womit Paulus die Bauten des Arichis in Salerno schmückte.

[5]) Genau läßt sich die Zeit von Paulus' Eintritt ins Kloster nicht angeben; möglicherweise hielt er sich schon geraume Zeit vor 782 dort auf. Die Ansicht, erst nach der Rückkehr aus dem fränkischen Reiche sei er ins Kloster gegangen, welche z. B. Leibniz, Annales I, 137, u. a. äußern, wird widerlegt durch den Brief des Paulus an den Abt Theudemar von Montecasino, worin er kurz nach seiner Ankunft im fränkischen Reiche das Verlangen ausspricht, bald wieder in sein Kloster zurückkehren zu können. Vgl. Bethmann, S. 259 ff., und über den Brief unten S. 414 Nr. 3. Waitz (a. a. O. S. 14 Nr. 5) meint, Paulus sei vielleicht bereits dem Langobardenkönige Rachis nach Montecasino gefolgt, während Dümmler (a. a. O. S. 27 Nr. 3. 4) vermuthet, daß er der Adelperga bei ihrer Vermählung von Pavia nach Benevent folgte und von hier aus später in jenes Kloster trat. Schwankend Wattenbach a. a. O. S. 158.

[6]) Vgl. oben S. 253.

[7]) Poet. Lat. I, 47—48.

nähren; sie könne sie kaum in Lumpen hüllen und bettle um Brod
auf den Gassen. Der Glanz seines Geschlechts sei dahin, bittere Noth
sein Loos; Karl möge dem Unglück ein Ziel setzen, den Gefangenen
seiner Heimath wiedergeben und wenigstens einen Theil seines Ver=
mögens zurückerstatten.   Paulus hatte seine Bitte in der ersten
Hälfte des Jahres 782 an den König gerichtet, und es ist für
sicher anzunehmen, daß eben diese Angelegenheit ihn auch ins frän=
kische Reich führte, sei es daß er das Gedicht dem Könige gleich
in Person überreichte, was am natürlichsten anzunehmen ist, sei
es daß er dasselbe schon vorher Karl hatte zukommen lassen und
durch sein persönliches Erscheinen nur das Gewicht seiner Bitte
noch verstärken wollte [1]); denn nicht sogleich ging der König darauf
ein. Infolge dessen zog Paulus' Aufenthalt sich in die Länge.
Er hatte im fränkischen Reiche überall die beste Aufnahme ge=
funden und verweilte theils in einem Kloster, theils am königlichen
Hofe [2]).   Karl behandelte ihn auf das freundlichste, machte ihm die
glänzendsten Anerbietungen, wenn er seinen Aufenthalt dauernd
im fränkischen Reich nehmen wollte; allein Paulus konnte sich da=
zu lange nicht entschließen, sehnte sich zurück in sein Kloster und
sprach noch zu Anfang 783 die Absicht aus, sobald er seinen Zweck
erreicht habe, die Gefangenen freigelassen seien, sich bei Karl zu
beurlauben und nach Montecasino zurückzukehren [3]).   Am Ende
ließ er sich aber doch umstimmen, der König gab den Arichis und,
wie es scheint, auch noch andere Gefangene frei; Paulus' Verkehr
mit Karl und Peter von Pisa wurde immer herzlicher, und dies
gab wohl den Ausschlag für seinen Entschluß zu bleiben, zu dem
dann Peter von Pisa in einem Gedichte zugleich im Namen Karl's
in den schmeichelhaftesten Ausdrücken ihm Glück wünschte [4]). Wann
Paulus diese Entscheidung traf, ist nicht zu sehen, jedenfalls erst

---

[1]) Ueber die verschiedenen Ansichten und Angaben vgl. Bethmann, S. 260;
Dümmler a. a. O. S. 28; Wattenbach a. a. O. S. 158; bestimmen läßt sich nichts.
  [2]) Sed ad conparationem vestri coenobii mihi palatium carcer est,
sagt Paulus in einem Briefe an Theudemar, SS. rer. Langob. S. 16; nachher
redet er von dem Abte, cuius hic singulari post principalem munificentiam
nutrior largitate, ibid. S. 16—17; übrigens vgl. N. 3.
  [3]) Ueber das alles äußert sich Paulus in dem Briefe an Theudemar, l. c.
S. 16—17, der jedenfalls erst geschrieben ist, nachdem Paulus schon längere Zeit
von Montecasino abwesend war, denn seit seiner Abwesenheit sind in Montecasino
schon mehrere Klosterbrüder gestorben. Nach den am Ende hinzugefügten Versen ist
der Brief an einem 10. Januar in einem Orte an der Mosel geschrieben; wahr=
scheinlich in Diedenhofen, wo Karl im Winter 782/3 Hof hielt (s. unten S. 435
N. 5, sowie Hist. Langob. I, 5, S. 50; Dahn S. 36); Bethmann, S. 297, ver=
muthet in Metz; vgl. auch Waitz a. a. O. S. 20 N. 6.
  [4]) Die hieher gehörigen Gedichte stehen Poet. Lat. aev. Carolin. I, 48 ff. —
Lobeuʼ, Dissertations sur l'histoire ecclésiastique et civile de Paris I, 374 ff.
setzt ihre Abfassungszeit zu früh an und gelangt so, indem er Paulus schon 774 ins
fränkische Reich kommen läßt, zu der irrigen Annahme, nicht auf Alkuin, sondern
auf Paulus sei die Belebung der wissenschaftlichen Thätigkeit am Hofe Karl's zurückzu=
führen. Uebrigens vgl. Bethmann S. 260 ff. Daß Paulus um die Freilassung auch
anderer Langobarden außer seinem Bruder gebeten hatte, ergibt der Brief an Theu=
demar, l. c. S. 16, worin er von meis captivis spricht. Vgl. auch unten S. 425.

783; nichts desto weniger gehört er schon seit der ersten Hälfte 782 dem Gelehrtenkreise in Karl's Umgebung an und nahm gleich den lebhaftesten Antheil an dem literarischen Treiben am Hofe. Der Verkehr zwischen dem Könige und dem langobardischen Gelehrten ward ein vertraulicher. Aus des Königs eigenem Munde vernahm Paulus, wie er selber uns mittheilt[1]), die Geschichte von dem Ringe, welchen Karl's Ahn Arnulf, in der Hoffnung ihn als Pfand für die Vergebung seiner Sünden wiederzuerhalten, in die Fluthen der Mosel geworfen hatte und den dann nach Jahren ein Koch im Bauche eines Fisches wiederfand — wie man sieht, die alte Erzählung vom Ring des Polykrates[2]).

Aber kaum hatte der Aufschwung des wissenschaftlichen Lebens im fränkischen Reiche, zunächst am Hofe, begonnen, unter der regsten persönlichen Theilnahme des Königs selber, als Karl wieder zu kriegerischer Thätigkeit abgerufen wurde. Zwar fand er immer noch Zeit für die Pflege der Wissenschaften wie für die eigene Beschäftigung mit denselben, und auch in der nächsten Zeit weist keine Spur darauf hin, daß unter dem Einflusse des Krieges die wissenschaftlichen Bestrebungen Noth gelitten hätten[3]); dennoch trägt die Geschichte der folgenden Jahre vorwiegend ein kriegerisches Gepräge.

Der Schauplatz der Kriege ist Sachsen. Karl hielt das Land für beruhigt, die Unterwerfung für vollendet, als er in der zweiten Hälfte des Jahres 782 sich auf den Weg machte um, wie er schon früher gethan, auf sächsischem Boden die jährliche Reichsversammlung zu halten. Nachdem er im April noch in Quierzy verweilt, begegnet er erst wieder am 4. Juli, und zwar in Düren, wo er einige vom Erzbischof Lul ihm überlassene Besitzungen in Austrasien der Kirche in Fritzlar schenkt[4]); dann geht er bei Köln über den Rhein[5]), setzt schnell seinen Marsch ins Innere Sachsens fort und befindet sich bald nach der Mitte Juli an der Lippe. Am 25. Juli

---

[1]) Gest. epp. Mett. SS. II, 264: Haec ego non a qualibet mediocri persona didici, sed ipso totius veritatis assertore praecelso rege Karolo referente cognovi; vgl. Ebert II, 41; I, 579 N. 3.

[2]) Ihre ursprüngliche Quelle ist bekanntlich Herodot.

[3]) Richtig betont dies auch Ampère, Histoire littéraire de la France avant le douzième siècle, III, 64.

[4]) Mühlbacher Nr. 242; Wenck, Hessische Landesgeschichte II 2, S. 10 Nr. 7; Hahn, Bonifaz und Lul S. 282—283.

[5]) Annales Laur. mai. l. c.; Ann. Einh. l. c. Die letzteren schreiben: Aestatis initio, cum iam propter pabuli copiam exercitus duci poterat (ähnlich 798. 820, S. 185. 206), in Saxoniam eundum et ibi, ut in Francia quotannis solebat, generalem conventum habendum censuit. Hiezu mag beiläufig eine Bemerkung von Hugo Zöller, Pampas und Anden (Berlin u. Stuttgart 1884), S. 13, über Uruguay angeführt werden: „In diesem Lande, wo man den gewöhnlichen Pferden auch nicht die leiseste Spur von Pflege, von Hafer-, Mais- und Heufütterung zutheil werden läßt, hängen Verkehr und selbst Kriegführung fast ausschließlich von dem Zustande der Weiden ab. Latorre, so hieß es beispielsweise, werde mit seinem beabsichtigten Kriegszuge noch ein klein wenig warten müssen, denn die Weiden begannen erst eben mit beginnendem Frühjahr besser zu werden."

beſtätigt er dem Biſchof Fraido von Speier die ſchon von Pippin
dieſer Kirche verliehene Immunität[1]); er befindet ſich damals an
einem Hariberg (Herberge?) genannten Orte, ohne Zweifel einem
Lagerplaß des Heeres, von dem man aus der Urkunde ſelbſt er=
fährt, daß er an der Lippe lag[2]). Unter dem 28. Juli urkundet
er dann in Hersfeld[3]). Wohl ſchon vorher fallen die wichtigen
Maßregeln, die er an den Quellen der Lippe traf und die einen
mehrtägigen Aufenthalt daſelbſt erforderten. Dort fand nämlich
damals die Reichsverſammlung ſtatt[4]); ſie war von den Sachſen
zahlreich beſucht, nur Widukind, heißt es ausdrücklich, blieb aus[5]),

---

[1]) Urkunde bei Remling, Urkundenbuch zur Geſchichte der Biſchöfe zu Speyer,
S. 4 f. Nr. 6. Ueber den Umfang der hier verliehenen Immunität, beſonders über
den Begriff des darin eingeſchloſſenen heribannus vgl. Waiß IV, 2. Aufl. S. 317 ff.
599 und namentlich Sickel, Beiträge V, Wien. S. B. XLIX, 357 ff.; über die
Echtheit der Urkunde die folgende Note.

[2]) Actum haribergo publico, ubi Lippa confluit, ſchließt die Urkunde.
Leßtere Worte kann man wohl geneigt ſein auf die Quellen der Lippe zu beziehen,
wo Karl den Reichstag hielt (ſ. unten N. 4). Sickel II, 255, Anm. zu K. 92,
denkt dagegen an den Zuſammenfluß der Lippe mit einem Flüßchen, etwa der Alme,
möglichſt nahe an Hersfeld (vgl. ebb. I, 237 und unten N. 3). Unter haribergo
iſt wohl nicht ein nomen proprium, ſondern ein nomen appellativum zu ver=
ſtehen (Sickel I, 234. II, 255; Mühlbacher Nr. 245; Förſtemann, Altdeutſch. Namen=
buch II, Ortsnamen, S. 741; Waiß IV, 2. Aufl. S. 628 N. 1: Lager). Ueber einen
Ort Haribergus (Harenberg?) erfährt man ſonſt nichts (vgl. Rettberg I, 642 N. 18,
wo ein Verſuch gemacht iſt, die betreffende Urkunde ins Jahr 809 oder 810 zu
rücken). Auf keinen Fall kann die Reichsverſammlung erſt nach dem 25. Juli ge=
halten ſein, da Karl am 28. Juli ſchon wieder in Hersfeld urkundet. Mühlbacher
vermuthet: wenn das Tagesdatum genau überliefert ſei, liege wohl etwas ſpätere
Beurkundung einer bereits auf dem Reichstage zu Lippſpringe erfolgten Handlung vor.
Uebrigens iſt der Eingang der Urkunde: Carolus gracia dei rex Francorum
et Langobardorum, imperator Romanorum gefälſcht, was indeſſen nicht berech=
tigt, die Urkunde ſelbſt zu verwerfen; da ſie nur in Abſchrift vorhanden iſt, läßt ſich
leicht annehmen, wie Sickel in Abſchrift vorhanden iſt, läßt ſich
leicht annehmen, wie Sickel, Beiträge III, Wien. S. B. XLVII, 230 N. 2 hervor=
hebt, daß der Fehler dem Abſchreiber zur Laſt fällt, der das ihm nicht mehr geläufige
nec non patricius Romanorum in imperator Romanorum verwandelt haben
wird; vgl. Mühlbacher a. a. O.

[3]) Urkunde bei Wenck, III 2, S. 14 Nr. 13, vgl. unten S. 427.

[4]) Ann. Lauriss. mai. SS. I, 162: et synodum tenuit ubi Lippa consurgit — Ibi peracto placito; Ann. Einh. SS. I, 163: et castris ibi (ſo. ad
fontem Lippiae) positis, per dies non paucos ibi moratus est. Ubi inter
cetera negotia etiam ... — conventu completo; Ann. Petav. SS. I, 17:
Hoc anno domnus et religiosus rex Karolus habuit magnum placitum in
Saxonia super flumen Lippia; Ann. Mosell. SS. XVI, 497: habuit Karlus
rex conventum magnum exercitus sui in Saxonia ad Lippabrunnen; Ann.
Lauresham. SS. I, 32; Ann. Maximin. SS. XIII, 21: Carolus iterum cum
Saxonibus conventum magnum habuit ad Lippiaebronnom; Ann. Guelferb.
SS. I, 40: Rex Carolus cum Francis ad Lippia (N. 3 unrichtig als Lippeham
erklärt) absque bello; Nazar.; Alam.; Sangall. mai. ed. Henking S. 271;
Wandalbert. Mirac. s. Goaris, Mabillon, SS. XV, 373 (habito in Saxonia
super fontem qui Lippia dicitur generali conventu); vgl. unten S. 423 N. 3.

[5]) Annales Laur. mai. l. c.: Ibique omnes Saxones venientes, excepto
rebellis Widochindus, wofür Ann. Enh. Fuld. SS. I, 349, ſeßen: cum omnibus primatibus Saxonum, excepto Widukindo rebelle et eis qui cum eo
erant. — Widukind ſcheint noch immer in Dänemark verweilt zu haben (vgl. Ann.
Einh. weiter unten: Widokindus, qui ad Nordmannos profugerat, in patriam
reversus u. oben S. 272).

kounte sich also immer noch nicht entschließen die Herrschaft Karl's anzuerkennen.

Ueber die Vorgänge auf der Versammlung geben die Quellen wenigstens einige Andeutungen. Karl's nächste Sorge war, wie sich denken läßt, den Verhältnissen Sachsens gewidmet. Die im Vergleich mit früher ungewöhnliche Erscheinung, daß das Jahr zuvor, ungeachtet seiner langen Abwesenheit in Italien, die Ruhe in Sachsen nicht gestört worden war, hatte seine Zweifel an der Aufrichtigkeit der Unterwerfung Sachsens verscheucht, er hielt es daher an der Zeit, mit der Ordnung der inneren Angelegenheiten Sachsens nach fränkischem Muster vorzugehen. Er begann damit, daß er auch für Sachsen Grafen ernannte, und zwar wählte er dazu Eingeborene des Landes, sächsische Edle[1]. Der erste Schritt zur förmlichen Einverleibung Sachsens in den Verband des Reiches war geschehen; nachdem die kirchliche Ordnung des Landes schon 780 wenigstens vorläufig stattgefunden hatte[2], wurde 782 auch die politische Einrichtung in Angriff genommen. Die Tragweite der neuen Maßregel lag auf der Hand: durch die Uebertragung der Regierungsgewalt an Grafen, vom König eingesetzte Beamte, war die alte sächsische Volksverfassung umgestoßen.

Sachsen schien wehrlos zu Karl's Füßen, das Schicksal des Landes ganz in seiner Hand zu liegen. Es ist nirgends überliefert, welche Maßregeln er damals sonst noch zur Sicherung seiner Herr=schaft traf, welche Beschlüsse auf der Versammlung in Lippspringe gefaßt wurden; möglicherweise aber haben wir dieselben in einem Gesetze für Sachsen zu erblicken, das vielleicht in diesen Jahren erlassen sein wird und dann am natürlichsten auf die Versammlung

---

[1] Ann. Mosell. SS. XVI, 497: ... constituit super eam (Saxoniam) comites ex nobilissimis Saxonum genere; Ann. Lauresh. SS. I, 32; Chron. Moissiac. (wo unrichtig nobilissimo steht); Ann. Max. SS. XIII, 21: et constituit super eos comites ex nobilibus **Francis atque Saxonibus**; dies ist jedoch eine willkürliche Entstellung, vgl. Forsch. zur deutschen Geschichte XIX, 123 N. 2; Waitz III, 2. Aufl. S. 129 N. 2; Kentzler, Forsch. XII, 352 N. 2; während bei Richter=Kohl S. 81 hierauf zu viel Gewicht gelegt wird. K. v. Richt=hofen, Zur Lex Saxonum S. 138 N. 3, legt die Worte der Ann. Mosellan. und Lauresham. dahin aus, daß Karl habe in diesem Jahre Grafen aus den edelsten sächsischen Geschlechtern ernannt, Grafen in Sachsen überhaupt aber schon nach den früheren Unternehmungen eingesetzt; vgl. hiegegen jedoch auch Waitz, Göttinger Nach=richten 1869, S. 27—35; III, 2. Aufl. S. 208; Kentzler, Forschungen XII, 351 ff.; Richter=Kohl S. 81. Daß unter den neuernannten Grafen auch der Ostfale Hassio sich befunden habe, der 775 sich unterwarf, oben S. 227, vermuthet auf Grund der Angabe der Vita s. Liutbirgae, c. 1, SS. IV, 158, oben S. 269 N. 4, Böttger, Die Brunonen S. 124; ebenso Kentzler, Forsch. XII, 350 N. 5; ob mit Recht, ist nicht ganz sicher zu entscheiden. — Ohne Grund bringt Leibniz, Annales I, 102, damit den in einer Urkunde von 811 genannten Grafen Bennit Sohn Amalung's, in Verbindung, vgl. oben S. 269 N. 2. Dagegen wird bereits in diesem Jahre 782 der Graf Emming im Lerigau (Laras) genannt, V. Willehadi c. 6, SS. II, 382; Kentzler a. a. O. S. 351 N. 7; vgl. unten S. 429.

[2] Darüber vgl. oben S. 317 ff.

in Lippspringe verlegt wird[1]). Der König hatte es mit den anwesenden Großen berathen[2]), doch hätte es kaum strenger aus-
fallen können, wenn er es ohne Mitwirkung der Versammlung ganz
nach eigenem Gutdünken erlassen hätte. Es behandelt die Sachsen
als gewaltsam Unterworfene mit blutiger Strenge, hält diese für
den einzigen noch übrigen Weg, um die Herrschaft nicht nur des
fränkischen Königs, sondern auch des Christenthums dauernd in
Sachsen zu sichern. Manches erinnert an die spätere Stellinga
und an die Maßregeln Ludwig's des Deutschen wider dieselbe.

Das Gesetz beginnt mit der Aufzählung der schweren todes-
würdigen Verbrechen, deren es nicht weniger als 12 nennt[3]).
Darunter betrifft die überwiegende Mehrzahl kirchliche Verhältnisse;
das Christenthum soll um jeden Preis und mit allen Mitteln dem
Volke aufgedrungen werden. Gleich die erste Bestimmung lautet,
daß die christlichen Kirchen in Sachsen höherer und ausgezeichne-
terer Ehre genießen sollen als früher die heidnischen Heiligthümer[4]). Und daran schließt sich dann eine Reihe von Bestimmungen zum Schutze der Kirche, ihrer Diener und ihrer Lehre.
Anzündung einer Kirche, gewaltsamer Einbruch in eine Kirche mit
Raub und Diebstahl; Ermordung eines Bischofs, Presbyters oder

---

[1]) Die capitulatio de partibus Saxoniae, Capp. I, 68 ff., von Boretius
zwischen 775 und 790 gesetzt; von v. Richthofen (Zur Lex Saxonum S. 127 bis
129. 170. 178 ff. — 218) ins Jahr 777; vgl. auch Nitzsch, Gesch. des deutschen
Volkes I, 202. In Bezug auf die Ueberschrift s. Waitz III, 2. Aufl. S. 129 N. 3.
Commentar bei v. Richthofen a. a. O. S. 170 ff.; Leg. V, 34 ff. Ueber die Zeit
der Abfassung vgl. Waitz III, 2. Aufl. S. 129—130. 207—212. Mit ihm stimmen
hierin überein Mühlbacher Nr. 243; Kentzler, Forschungen XII, 353 N. 4, wo eine
Uebersicht der abweichenden Meinungen; Dehio, Gesch. des Erzbistums Hamburg-
Bremen I, 10. 24 Anm. 5; v. Ranke, Weltgesch. V, 2, S. 141 N. 2; Richter-Kohl
S. 80 ff.

Man hat außerdem angenommen, daß das sächsische Gesetz, wie es in der
späteren Zeit Karl's, nach der gewöhnlichen Vermuthung auf der Reichsversammlung
in Achen im Jahre 802 (vgl. unten Bd. II.) zusammengestellt ist, in 3 verschiedene
Abschnitte zerfalle, welche zu verschiedenen Zeiten aufgezeichnet wurden und wovon
der erste schon unserer Zeit angehöre. Diese Ansicht ist zuerst aufgestellt von Merkel,
Lex Saxonum S. 5 f., angenommen von Walter, Deutsche Rechtsgeschichte 2. Aufl.
I, 163, weiter ausgeführt von Stobbe, Gesch. der deutschen Rechtsquellen I, 187 ff.
Auch Siegel, Gesch. des deutschen Gerichtsverfahrens I, 282. 284, hat zugestimmt.
Dagegen hatte schon Daniels, Handbuch der deutschen Reichs- und Staatenrechts-
geschichte I, 266 ff., diese Ansicht Merkel's zu widerlegen gesucht und nach den Ausführungen von Usinger, Forschungen zur Lex Saxonum S. 1 ff. 8 ff. 56 ff. und
v. Richthofen, Zur Lex Saxonum S. 98 ff. 114 ff.; Leg. V, 26 ff.; Kentzler,
Forschungen XII, 350 N. 5; Boretius, Hist Zeitschr. XXII, 162 ff. muß dieselbe
aufgegeben werden. Vgl. Waitz III, 2. Aufl. S. 130 N. 1; 157 N. 1; 212 N. 1.

[2]) Hoc placuit omnibus heißt es in c. 1, consenserunt omnes in c. 15.

[3]) c. 3—13, S. 68—69.

[4]) c. 1: (Constituta sunt; diese Worte in dem Codex mit der Ueberschrift
Capitulatio de partibus Saxoniae verbunden) primum de maioribus capitulis.
Hoc placuit omnibus, ut ecclesiae Christi, que (quo cod.) modo construuntur
in Saxonia et Deo sacratae sunt, non minorem habeant honorem sed
maiorem et excellentiorem quam vana (Abel wollte lesen fana; vgl. auch
v. Richthofen a. a. O. S. 180. 229) habuissent idolorum.

Diaconus wird mit dem Tode bestraft[1]); aber damit nicht genug
wird diese Strafe auch wegen Uebertretung einzelner Vorschriften
des christlichen Cultus, wegen Festhaltens heidnischer Anschauungen
und Gebräuche angedroht. Nicht blos wer sich der Taufe entzieht
und heimlich Heide bleibt; wer nach heidnischer Sitte Menschen
opfert oder, weil er einen Mann oder eine Frau für Hexen hält,
welche Menschen essen, diese verbrennt und ihr Fleisch selbst ißt
oder anderen zu essen gibt, soll des Todes schuldig sein[2]), sondern
ebenso der, welcher nach heidnischem Gebrauche die Leichname der
Verstorbenen verbrennt, sogar wer aus Verachtung gegen das
Christenthum nur die vierzigtägigen Fasten bricht und Fleisch ißt;
mit der einzigen Beschränkung, daß im letzteren Falle der Erwägung des Priesters anheimgegeben wird, ob etwa die Noth
jemand zum Fleischessen getrieben habe[3]). Außerdem wird dann
aber auch eine Anzahl dem weltlichen Gebiete angehöriger Verbrechen mit Todesstrafe belegt. Dahin gehört im Grunde schon
das Verbot, mit den Heiden Anschläge gegen die Christen zu
machen, an feindlichen Plänen gegen die Christen und den König
theilzunehmen[4]); dann aber weiter das Verbrechen des Treubruchs
gegen den König[5]), der gewaltsamen Entführung einer Tochter des
Herrn, Ermordung des Herrn oder der Herrin[6]); auf alle diese
Verbrechen ist Todesstrafe gesetzt.

Die Härte dieser Bestimmungen, welche Todesstrafe auch in
solchen Fällen androhen, wo sonst nur Wergeld gezahlt werden

---

[1]) c. 3. 5, vgl. auch unten S. 420 N. 1.

[2]) c. 8. c. 9: si quis hominem diabulo sacrificaverit et in hostiam
more paganorum daemonibus obtulerit, morte moriatur. c. 6: si quis a
diabulo deceptus crediderit secundum morem paganorum, virum aliquem
aut feminam strigam esse et homines commedere, et propter hoc ipsam
incenderit vel carnem eius ad commedendum dederit vel ipsam comme-
derit, capitali sententiae puniatur.

[3]) c. 7: si quis corpus defuncti hominis secundum ritum paganorum
flamma consumi fecerit et ossa eius ad cinerem redierit, capitae punietur. c. 4.

[4]) c. 10; gemeint ist der Landesverrath, der von dem in einem besonderen
Kapitel (11) erwähnten Treubruch bestimmt unterschieden ist.

[5]) c. 11: si quis domino regi infidelis apparuerit, capitali sententia
punietur; vgl. auch Waitz III, 2. Aufl. S. 313 N. 4.

[6]) c. 12: si quis filiam domini sui rapuerit, morte moriatur. c. 13:
si quis dominum suum vel dominam suam interfecerit, simili modo punietur. Die Bestimmungen sind nicht ganz deutlich; wer ist unter dem dominus zu
verstehen? Nach Gaupp, Recht und Verfassung der alten Sachsen S. 35. 39, der
Senior, wogegen aber die Allgemeinheit des Ausdrucks si quis, statt homo, vassus,
spricht; vgl. auch Eichhorn, Deutsche Rechtsgeschichte I, 574 f. Andere denken an
ein besonderes Abhängigkeitsverhältniß Freier oder Liten zu Edlen, das bei den
Sachsen vorgekommen zu sein scheint, vgl. Lex Saxonum c. 64, Leg. V, 81;
wo die Rede ist von einem liber homo, qui sub tutela nobilis cuiuslibet erat,
vgl. Waitz III, 2. Aufl. S. 132 N. 1; Usinger, Forschungen zur Lex Saxonum
S. 39; v. Richthofen, Leg. V, 62 N. 71; Zur Lex Saxonum S. 229; Kentzler,
Forschungen XII, 399 ff. Nitzsch a. a. O. I, 203 stellt sich unter dem dominus
den Gefolgsherrn („Trocht") vor. Es ist aber doch wohl an Liten oder Knechte in
ihrem Verhältniß zu ihren Herren zu denken.

mußte[1]), wird andererseits wieder einigermaßen gemildert dadurch, daß einige derselben sich möglicherweise nur an die Bestimmungen des älteren sächsischen Rechts anschlossen, das in mehreren Fällen härtere Strafen, besonders auch Todesstrafe gekannt zu haben scheint, wo sie bei anderen Stämmen nicht üblich war[2]). Außerdem aber enthält das Gesetz selbst zwei Bestimmungen, welche die wirkliche Anwendung der blutigen Strafen wesentlich beschränkten und ohne Zweifel die Folge hatten, daß dieselben verhältnißmäßig selten zum Vollzug gelangten; welche zugleich die Wirkung haben mußten das Ansehen der christlichen Kirche und ihrer Diener bei den Sachsen zu erhöhen, die Sachsen immer mehr der Kirche in die Arme zu treiben. Zu diesem Behufe wird den christlichen Kirchen das Asyl-recht gewährt; kein Verbrecher, der in eine Kirche geflüchtet, soll mit Gewalt daraus verjagt werden, jeder soll vor der Todes- und allen anderen Leibesstrafen sicher sein[3]). Ja, noch mehr; sobald jemand, der ein todeswürdiges Verbrechen begangen, sich freiwillig zu einem christlichen Priester begibt, ihm beichtet und Buße thut, soll ihm auf das Zeugniß des Priesters hin die Todesstrafe nach-gelassen werden[4]).

An die Aufzählung der mit dem Tode bedrohten Verbrechen schließt sich eine Reihe anderer Bestimmungen an, welche sich auf die verschiedensten Verhältnisse, kirchliche und andere, beziehen[5]). Voran stehen auch hier wieder die über kirchliche Angelegenheiten. Es werden Strafsätze festgesetzt für einzelne Vergehen gegen die kirchliche Ordnung. Alle Kinder sollen binnen Jahresfrist getauft werden, bei Strafe von 120 Solidi für den Edlen, von 60 Solidi für den Freien, von 30 für den Liten, der ohne Erlaubniß des Priesters sein Kind nicht zur Taufe darbringt[6]). Auf unerlaubte Ehen wird eine Strafe von 60 Solidi für den Edlen, 30 für den Freien, 15 für den Litus gesetzt[7]); mit derselben Strafe wird bedroht, wer

---

[1]) Das war z. B. der Fall bei c. 5, Ermordung eines Geistlichen.

[2]) Hauptsächlich hebt dies hervor Wilda, S. 100 f., dem zufolge die Todes-strafe bei den Sachsen vor Karl häufig war und eben jetzt durch den Einfluß der Kirche mehr verdrängt werden sollte; vgl. die Stellen bei Wilda a. a. O. und Waitz III, 2. Aufl. S. 124 N. 2; auch v. Richthofen, Zur Lex Saxonum S. 218 ff. 326 ff.; Dehio a. a. O. I, 27; Anm. S. 6.

[3]) c. 2, vgl. auch Wilda S. 100.

[4]) c. 14: si vero pro his mortalibus criminibus latenter commissis aliquis sponte ad sacerdotem confugerit et confessione data agere poeni-tentiam voluerit, testimonio sacerdotis de morte excusetur, vgl. Waitz III, 2. Aufl. S. 132—133. — Beachtenswerth dürfte auch sein, daß nach einem Schreiben Papst Hadrian's an Karl, welches ins Jahr 786 zu fallen scheint, der König den Papst damals nur fragen ließ de Saxonibus, qui christiani fuerunt et ad pa-ganismum reversi sunt, qualem penitentiam eis sacerdotes iudicare debe-ant (s. Jaffé IV, 248, Cod. Car. Nr. 81 u. unten z. J. 786).

[5]) Es sind die sog. capitula minora, c. 15—34.

[6]) c. 19, vgl. auch c. 8; die Taufhandlung wurde also öffentlich vorge-nommen.

[7]) c. 20, vgl. Waitz III, 2. Aufl. S. 133 N. 5; auch Eichhorn I, 575.

bei Quellen, Bäumen oder in Hainen noch heidnische Gebräuche verrichtet[1]). Die Leichen der christlichen Sachsen sollen nicht mehr in den heidnischen Grabhügeln beigesetzt, sondern auf den christlichen Kirchhöfen begraben[2]), die heidnischen Priester und Wahrsager den christlichen Kirchen und Geistlichen ausgeliefert[3]), an Sonn= und Festtagen, außer bei dringender Noth und in Kriegszeiten, keine Zusammenkünfte und Gerichtsversammlungen gehalten werden, sondern jedermann soll die Kirche besuchen, beten und gute Werke verrichten[4]).

Ebenso wichtig sind einige andere Bestimmungen, betreffend die Ausstattung der Kirchen. Jede Kirche soll von den Gau= eingesessenen, die zu ihr gehören, mit einem Hofe und zwei Hufen Landes ausgestattet werden; außerdem sollen sie ihr, und zwar je 120 Menschen, ohne Unterschied ob Edle, Freie oder Liten, einen Knecht und eine Magd schenken[5]). Ferner aber dient zur Aus= stattung der Kirchen der Zehnte. Der König selbst geht hier mit seinem Beispiel voran. Von allem, was an den königlichen Schatz entrichtet wird, seien es Friedensgelder, Strafgelder oder andere Einkünfte, soll der zehnte Theil den Kirchen und Geistlichen zu= fallen[6]); dasselbe wird dann aber auch von den Sachsen verlangt: Alle, Edle, Freie und Liten, sollen den zehnten Theil ihres Ver= mögens und ihrer Arbeit den Kirchen und Priestern darbringen; wobei übrigens, ebenso wie bei dem vom Könige entrichteten Zehnten, nur an den zehnten Theil des Einkommens, nicht des Vermögens selbst zu denken ist[7]). Es war eine Abgabe, die geradezu auf ein

---

[1]) c. 21.

[2]) c. 22.

[3]) c. 23: Divinos et sortilegos ecclesiis et sacerdotibus dare con-
stituimus.

[4]) c. 18.

[5]) c. 15: De minoribus capitulis consenserunt omnes. Ad unamquamque ecclesiam curte et duos mansos terrae pagenses ad ecclesiam recur-
rentes condonant, et inter centum viginti homines, nobiles et ingenuis
similiter et litos, servum et ancillam eidem ecclesiae tribuant. Die richtige
Interpunktion hat bereits Pertz, während Merkel mit der Handschrift nach similiter
einen Punkt setzt. Die Erwähnung des alten Großhundert beweist übrigens nicht, daß
Karl diese alte Eintheilung wieder aufnahm, sondern nur, daß sie auch damals noch
nicht in Vergessenheit gerathen war, ohne doch noch die geläufige zu sein; vgl. Waitz I,
3. Aufl. S. 216 N. 2; III, 2. Aufl. S. 134 N. 2; v. Richthofen, Zur Lex
Saxonum S. 176 N. 1; 376 ff.

[6]) c. 16: Et hoc Christo propitio placuit, ut undecumque census
aliquid ad fiscum pervenerit, sive in frido sive in qualecumque banno et
in omni redibutione ad regem pertinente, decima pars ecclesiis et sacerdotibus reddatur. Der Ausdruck Christo propitio placuit steht in einem bestimmten Gegensatz sowohl zu dem consenserunt omnes in c. 15, oben N. 5,
als zu secundum Dei mandatum praecipimus in c. 17, unten N. 7, bezeichnet
den freien Entschluß des Königs; vgl. Möser I, 239 N. c; Waitz III, 2. Aufl.
S. 134 N. 3.

[7]) c. 17: similiter secundum Dei mandatum praecipimus, ut omnes
decimam partem substantiae et laboris sui ecclesiis et sacerdotibus donent:
tam nobiles quam ingenui similiter et liti, iuxta quod Deus unicuique de-

göttliches Gebot zurückgeführt wird [1]), mit der Einführung des Christenthums daher ganz von selbst verbunden war; daß sie der Freiheit keinen Eintrag that, konnten die Sachsen schon daraus ersehen, daß auch der König selber sich ihr unterzog; dennoch richtete sich ihr ganzer Widerwille gegen die Leistung des Zehnten, und zu den späteren Aufständen in Sachsen hat diese Abgabe, die als die drückendste Last empfunden ward, allen Anzeichen nach nicht am wenigsten beigetragen [2]).

Der letzte Theil des Gesetzes beschäftigt sich mit Anordnungen, die es nicht mit besonderen Verhältnissen Sachsens zu thun haben, sondern eben nur dazu bestimmt sind, Verwaltung und Rechtspflege nach den im übrigen Reiche herrschenden Grundsätzen auch in Sachsen zu ordnen. Zur Herstellung der Rechtssicherheit werden strenge Strafen gesetzt auf die heimliche Aufnahme von Räubern und anderen Uebelthätern, werden genauere Bestimmungen getroffen über die Stellung von Bürgen vor Gericht und, falls einer keinen Bürgen findet, über die Beschlagnahme seines Vermögens, ferner über die gerichtliche Eidesleistung; einen anderen zu zwingen sich in Person als Pfand zu stellen wird ausdrücklich bei Strafe des Bannes verboten [3]). Und unter Androhung derselben Strafe wird es untersagt, jemand, der beim Könige selbst Recht suchen will, daran zu hindern oder durch Annahme von Geschenken sich bestechen zu lassen [4]). Besondere Festsetzungen werden ferner über die Stellung der Grafen getroffen. Es wird ihnen eingeschärft Frieden und Eintracht unter einander zu halten [5]); auf Ermordung oder Mithilfe zur Ermordung eines Grafen wird Einziehung des Vermögens als Strafe gesetzt; sie erhalten die Befugniß, bei Blutrache oder anderen schweren Verbrechen Bannbußen im Betrage von 60 Solidi, bei leichteren Verbrechen im Betrage von 15 Solidi zu verhängen [6]). In Betreff des Meineids wird auf das sächsische Recht verwiesen [7]). Endlich die letzte Bestimmung des ganzen

---

derit christiano, partem Deo reddant; vgl. Waitz III, 2. Aufl. S. 134 N. 3; daß an den Zehnten vom Ertrag der substantia, nicht von der substantia selbst zu denken ist, dafür spricht schon die Analogie der Bestimmung in c. 16.

[1]) Vgl. oben S. 325 N. 1; 3. Mos. 27, 30. 32; Forschungen zur deutschen Geschichte I, 311 N. 7.

[2]) Darüber später (auch Bd. II. z. J. 796); vgl. auch Rettberg II, 409 f.; Waitz III, 2. Aufl. S. 135 N. 2.

[3]) c. 24. 25. 27. 32, vgl. Waitz IV, 2. Aufl. S. 517.

[4]) c. 26: Ut nulli hominum contradicere viam ad nos veniendo pro iustitia reclamandi aliquis praesumat; et si aliquis hoc facere conaverit, nostrum bannum persolvat. c. 28, vgl. Waitz IV, 2. Aufl. S. 421.

[5]) c. 29: Ut universi comites pacem et concordiam ad invicem habere studeant; et si forte inter eos aliqua discordia aut conturbium ortum fuerit, aut nostrum solatium vel perfectum (profectum?) pro hoc non demittant.

[6]) c. 30. 31, vgl. Waitz III, 2. Aufl. S. 321—322.

[7]) c. 33: De periuris secundum legem Saxonorum sit, vgl. Boretius ebd. N. 9. Es ist allerdings eine Streitfrage, ob hier an das alte sächsische Herkommen oder an das geschriebene sächsische Gesetz (c. 21. 22, Legg. V, 60 f.) zu

Gesetzes hat wieder die besonderen Verhältnisse Sachsens im Auge; es wird den Sachsen verboten allgemeine Versammlungen zu halten, es sei denn daß der Königsbote eine solche berufe; die einzigen Versammlungen sollen die Gerichtstage sein, welche jeder Graf in seinem Bezirk zu halten verpflichtet ist[1]).

In dem ganzen Gesetze erscheint Sachsen wie ein dem übrigen Reiche vollständig einverleibtes Land; die Sachsen werden darin neben den anderen Unterthanen des Königs nicht zurückgesetzt; es werden nur, um ihre Verschmelzung mit diesen zu einem einzigen Staatskörper zu beschleunigen, die Hindernisse, welche der Verschmelzung auf sächsischer Seite hauptsächlich infolge der Religion entgegenstanden, aus dem Wege zu räumen, Maßregeln getroffen, die zwar den der neuen Ordnung Widerstrebenden die härtesten Strafen androhen, hingegen denen, welche sich fügen, die Rechte von Unterthanen des fränkischen Reichs in nichts verkümmern. Karl hat wohl schon damals dies Gesetz nur als ein Ausnahmegesetz betrachtet; 797 auf einer Reichsversammlung in Achen[2]) hat er mehrere der härtesten Bestimmungen desselben wieder aufgehoben.

Uebrigens sind außer den sächsischen wohl auch andere Angelegenheiten Gegenstand der Berathung in jener Versammlung gewesen. Man liest von einem Streite des Erzbischofs Weomad von Trier mit dem Abte Asverus von Prüm um den Besitz des Klosters Goarszelle im Sprengel von Trier, in welchem Karl auf einer großen Reichsversammlung an der Lippe, wahrscheinlich der unsrigen von 782[3]), sein Urtheil sprach. Goarszelle war schon von König Pippin auf einer Reichsversammlung zu Attigny 765 dem Abte Asverus übertragen worden, um dort die verfallene Ordnung her-

---

denken sei. Gaupp, S. 46, versteht es von dem alten Herkommen bei den Sachsen, von dem ungeschriebenen Rechte, und ihm folgen Wilda, S. 101 f.; Waitz III, 2. Aufl. S. 210 N. 1. 216. 346 N. 2; Daniels I, 266; ebenso v. Richthofen, Zur Lex Saxonum S. 115 ff.; Legg. V, 30. 46 N. 72. An das geschriebene Recht denken Merkel, S. 5 N. 3; Stobbe, Rechtsquellen I, 188 f. Die ewa Saxonum, auf welche das Capitulare Saxonicum von 797, c. 7. 8. 10, S. 72 verweist, ist auch von dem alten Herkommen zu verstehen.
   [1]) c. 34: Interdiximus, ut omnes Saxones generaliter conventus publicos nec faciant, nisi forte missus noster de verbo nostro eos congregare fecerit; sed unusquisque comes in suo ministerio placita et iustitias faciat. Et hoc a sacerdotibus consideretur ne aliter faciat. — Ueber die Annahme bei Schlosser und Bercht, Archiv IV, 299, Karl habe damals einem Theil der Sachsen ihr freies Grundeigenthum entzogen, die übrigens für 782 durch nichts beglaubigt ist, vgl. Waitz III, 2. Aufl. S. 151 ff. (Simson, Jahrbb. Ludwig's d. Frommen I, 54—56).
   [2]) Vgl. unten Bd. II.
   [3]) Wandalbert. Miracula s. Goaris, SS. XV, 372—373. Ueber die Glaubwürdigkeit der Schrift Wandalbert's vgl. Rettberg I, 465. 481; Wattenbach I, 5. Aufl. S. 243; Ad. Ebert a. a. O. II, 191. Die Zeit der Entscheidung Karl's ist nicht angegeben. Wandalbert spricht nur von einer Versammlung an der Lippe; ans Jahr 782 denkt aber auch Hontheim, Prodromus hist. Trevir. I, 43; ebenso Sickel II, 379; Mühlbacher S. 92 Nr. 244.

zustellen [1]). Asverus ließ, obgleich das Kloster schon zwei Kirchen besaß, eine neue größere bauen, die aber erst unter der Regierung Karl's vollendet wurde. Zur Feier der Einweihung schickte Karl den Erzbischof Lul von Mainz, die Bischöfe Basinus von Speier und Megingoz von Wirzburg ab, und in ihrer Gegenwart, unter großem Zulaufe des Volkes und wiederholten Wunderthaten des Heiligen wurde dann die Uebertragung der Gebeine des h. Goar in die neue Kirche und die Einweihung derselben vorgenommen. Die Zeit der Feierlichkeit ist nicht bekannt; ob man wegen der Bezeichnung Lul's als Erzbischof sie erst nach 780 ansetzen darf, ist fraglich, jedenfalls fällt sie vor 782, da in diesem Jahre nicht mehr Basinus, sondern Fraido Bischof von Speier ist [2]), aber wahrscheinlich nach 771, da der Sprengel von Trier zu dem Reichstheil Karlmann's gehört zu haben scheint [3]), wenn letzterer noch gelebt hätte, also wohl er, nicht Karl oder doch nicht dieser allein bei der Feier sich durch Bevollmächtigte hätte vertreten lassen [4]). Unter der Regierung Karl's brach dann aber zwischen Weomad von Trier und dem Abte Asverus Streit aus über den Besitz des Klosters. Weomad erhob für die Kirche von Trier Anspruch darauf; Asverus dagegen berief sich auf die Verleihung Pippin's und leugnete das Recht des Erzbischofs. Nachdem lange über die Sache hin und her gestritten war, schickte endlich Karl wiederholt Bevollmächtigte an Ort und Stelle, um das Rechtsverhältniß zu untersuchen und den Streit zur Entscheidung zu bringen. Die Untersuchung ergab, daß Asverus im Rechte, daß das Kloster ein königliches war und nicht der Erzbischof von Trier, sondern der König darüber zu verfügen hätte [5]). Da indessen Weomad bei dieser Entscheidung sich nicht beruhigte, wurde die Angelegenheit auf der Reichsversammlung vor dem Könige selbst zur Verhandlung gebracht. Der Vogt des Klosters, Radert, wurde eidlich vernommen und gab die

---

[1]) Miracula s. Goaris, l. c. S. 363—364. 373; Oelsner, König Pippin S. 393—394.

[2]) Ueber Bischof Basinus vgl. Rettberg I, 641; Oelsner S. 358 N. 4. Ueber Basinus' Todesjahr ist nichts bekannt, vgl. Remling, Geschichte der Bischöfe zu Speyer I, 205; wenn aber Remling die Theilnahme des Basinus an der Feier in Goarszelle in Zweifel zieht, geht er zu weit. Ueber Fraido vgl. die Urkunde oben S. 416 N. 1.

[3]) Die Precarie Sigifrid's für Prüm, Beyer I, 27 N. 23, die nach Regierungsjahren Karl's zählt, widerspricht nicht, da sie dem Jahre 772, nicht, wie Beyer irrthümlich angibt, dem Jahre 771 angehört.

[4]) Die Translatio s. Goaris wird erzählt in den Miracula s. Goaris, SS. XV, 363 f.; Mabillon, Annales II, 216; Eckhart, Francia orientalis I, 601 setzen sie schon ins Jahr 768, was aber zu früh ist; Holder-Egger, SS. XV, 364 N. 4, zwischen 768 und 782, bald nach 768. Vgl. in Betreff der obigen Zeitabgrenzung auch Böhmer-Will, Regest. archiepp. Maguntin. I, 42 Nr. 55; Göpfert, Lullus S. 48; Hahn, Bonifaz und Lul S. 329. Der letztere denkt an 774, die Zeit der Weihe von Lorsch (o. S. 196).

[5]) SS. XV, 373: non aliud quam quod abba protestatus fuerat invenerunt, regii scilicet quam ecclesiastici iuris possessionem loci sepedicti existere.

auch noch von 12 anderen Männern beschworene Erklärung ab, daß das Kloster nicht Eigenthum der Trierer Kirche sondern des Königs sei. Darauf gab Weomad sich zufrieden, Karl aber schenkte Goarszelle dem Kloster Prüm[1]).

Neben den inneren Angelegenheiten des Reiches scheinen den König in Lippspringe aber auch die Beziehungen zum Auslande beschäftigt zu haben. Fremde Gesandte erhöhten durch ihre An= wesenheit den Glanz der Versammlung. Der Dänenkönig Sigifrid, bei dem vor Jahren Widukind Zuflucht gefunden, hatte eine Ge= sandtschaft geschickt, an deren Spitze Halptan[2]) stand[3]), man kann vielleicht vermuthen, eingeschüchtert durch die großen Fortschritte Karl's in Sachsen und in der Absicht durch friedliche Versicherungen seinen Unmuth wegen des früher dem Widukind geleisteten Vor= schubs zu beschwichtigen[4]); aber zu einem Karl befriedigenden Ab= kommen mit Sigifrid scheint es jedenfalls nicht gekommen zu sein. Woran Karl besonders viel gelegen war, Sigifrid für das Christen= thum zu gewinnen, gelang ihm nicht. In dem Gedichte, worin Peter von Pisa in Karl's Namen dem Paulus Diaconus Glück wünscht zu seinem Entschlusse im fränkischen Reiche zu bleiben, ist die Rede von dreierlei Martern, zwischen denen ihm Karl im Scherz die Wahl gelassen habe: sich in Ketten schlagen oder in einem Kerker vergraben zu lassen oder den Sigifrid zur Annahme der Taufe zu bewegen, auf die Gefahr hin es mit dem Leben zu büßen[5]). Darauf erwidert Paulus in einem anderen Gedichte, worin er über Sigifrid sich aufs geringschätzigste äußert und über= zeugt ist, daß der Däne in seiner Furcht vor Karl nicht wagen

---

[1]) Unvereinbar mit der Verlegung dieses Vorfalls ins Jahr 782 ist die An= nahme, Weomad sei schon 776 gestorben, wie Mabillon, Annales II, 219; Le Cointe VI, 121 behaupten. Dem widerspricht aber nicht blos, daß Weomab's Nach= folger Richbod erst in den letzten Jahren des 8. Jahrhunderts begegnet, sondern auch die ausdrückliche Angabe der Ann. Maximin. SS. XIII, 22, die seinen Tod 791 ansetzen; vgl. unten Bd. II. und über die Trier'sche Bischofsreihe auch Kraus, in d. Jahrb. des Vereins von Alterthumsfreunden im Rheinlande, Jahrgang 1865, Heft 38, S. 42 ff.; SS. XIII, 296 ff.

[2]) Vgl. unten Bd. II. z. J. 807.

[3]) Halptani cum sociis suis, Ann. Laur. mai. l. c. Regino nennt, SS. I, 559, den König irrig Gottfrid und die Gesandten Altdeni et Hosmundi (vgl. Er= misch S. 75. 85, der Hosmundus emendirt); ob letzteres richtig, muß sehr dahin= gestellt bleiben. Uebrigens vgl. auch unten S. 426 N. 3.

[4]) Die Angabe der sog. Einhard'schen Annalen in der Stelle unten S. 426 N. 3, velut pacis causa seien die Gesandten gekommen, bezieht sich nur auf die Gesandten der Avaren und ist überdies nur ein erklärender Zusatz des Annalisten zu der Erzählung der Lorscher Annalen, welche die Notiz nicht haben. Dahlmann, Geschichte von Dännemark I, 19 f., denkt bei Sigifrid eher an friedliche Absichten, wo= gegen Leibniz, Annales I, 103, die dänischen Gesandten für Kundschafter im Interesse Widukind's hält; vgl. auch Kentzler, Forsch. XII, 350 N. 4; Diekamp S. 19. Zweifelhaft äußert sich la Bruère I, 189.

[5]) Ueber das Gedicht Peter's vgl. oben S. 414. Als supplicia bezeichnet Paulus selbst die drei Bedingungen, Poet. Lat. aev. Carolin. I, 51 v. 5:

　　　　Eheu supplicii mihi ponitur optio trini.

Gefragt hat Petrus, ib. v. 17—20:

würde ihm ein Haar zu krümmen: taufen solle er sich laffen oder mit auf den Rücken gebundenen Händen vor Karl erscheinen müffen, Thonar und Wodan würden ihn im Stich laffen[1]). Aber des Paulus Antwort ist ebenso scherzhaft gemeint wie das Ansinnen Karl's; von einem mit Karl befreundeten König konnte Paulus so nicht reden, Karl selbst hält eine Reise zu Sigifrid, um ihn zu taufen, für den sichern Weg zum Tode; das Ergebniß der Unter= handlungen in Lippspringe muß also viel zu wünschen übrig ge= laffen haben[2]).

Auch aus dem Osten, von den Avaren in Pannonien kamen Gesandte nach Lippspringe. Die Avaren gehörten sonst zu den gefährlichsten Nachbarn des Reiches; damals lag auch ihnen an einem friedlichen Verhältniffe zu Karl. Zu diesem Behufe ordneten ihre Fürsten, der sogenannte Khakhan und der Jugur, Bevoll= mächtigte an Karl ab[3]), dem eine solche friedliche Gesinnung der Avaren nur erwünscht sein konnte. Er hörte die Gesandten an und entließ sie, melden kurz die Annalen[4]).

... si pompiferi Sigifrit perpendere vultum,
    Impia pestiferi nunc regni sceptra tenentis,
Ut valeas illum sacro perfundere fonte,
    Vis, qui te cernens vita spoliabit et arte.

[1]) Das Gedicht ist zum ersten Mal herausgegeben von Dümmler bei Haupt, Zeitschrift Bd. 12 S. 452 ff.; dann Poet. Lat. I, 51—52; Paulus sagt von Sigifrid, v. 23 ff.:
    Sit licet hirsutus hirtisque simillimus hircis,
        Iuraque det hedis imperitetque capris,
    Sunt illi invalidae pavitanti in pectore vires,
        Nam nimium vestrum nomen et arma timet.
Ueber die Erwähnung von Thonar und Wodan vgl. unten z. J. 785.

[2]) Erst 798 begegnet Sigifrid wieder und zwar in Unterhandlungen mit Karl, Annales Einhardi, SS. I, 185, über die aber nichts genaues verlautet, vgl. später im 2. Bande.

[3]) Annales Laur. mai.: Illuc (nach Lippspringe) convenerunt Nordmanni missi Sigifridi regis, id est Halptani cum sociis suis. Similiter et Avari illuc convenerunt, missi a Cagano et Iugurro. Annales Einhardi: legatos Sigifridi regis Danorum et quos ad se Caganus et Iugurrus, principes Hunorum, velut pacis causa miserunt, et audivit et absolvit. Beide Anna= listen scheinen Caganus und Iugurrus für Eigennamen zweier avarischer Fürsten zu halten, was aber nur von mangelhafter Kenntniß der Zustände bei den Avaren herrühren kann. Ueber die Bezeichnung ihres Fürsten als Khakhan vgl. Zeuß, Die Deutschen und die Nachbarstämme S. 729 N.; ungewöhnlicher ist die Benennung Jugur, die aber auch eine hohe, der fürstlichen nahe stehende Würde bezeichnen muß, Zeuß S. 739 f.; vgl. auch Dümmler, Marken S. 5; unten Bd. II. z. J. 795. Dippoldt, S. 71, macht nach Olof Dalin's Geschichte von Schweden ganz sinnlos aus dem Iugurrus einen nordischen König Ifwar Widfamne, deffen Gesandte Halptan und Asmund (vgl. o. S. 425 N. 3) gewesen seien. — Ann. Petav. SS. I, 17: et ibi venerunt legationes Unorum ad praesentiam principis.

[4]) Die Annales Einhardi, in der vorigen Note. In diesen Zusammenhang gehört wohl auch die Nachricht der Annales s. Emmer. Ratispon. mai. SS. I, 92, zu 783: Huni ad Enisam venerunt, sed ibi nocuerunt nihil, die in Anbe= tracht des gleich darauf ein Jahr zu spät, 784, angesetzten Todes der Königin Hildegard vielleicht schon zu 782 gezogen werden darf. Die Avaren hatten demnach einen Kriegs= zug gegen Baiern unternommen, aber ohne Erfolg, da sie nur bis an die Enns, den Grenzfluß, kamen, vielleicht gar keinen Angriff gemacht. Es kann nichts nützen sich

Nachdem die nöthigen Anordnungen getroffen waren, verließ Karl Sachsen; sein Aufenthalt dauerte diesmal nur kurz; schon am 28. Juli ist er wieder in Hersfeld, schenkt dort diesem Kloster eine Kirche in Schornsheim[1]) (in der Nähe von Mainz), welche die Aebtissin Leobgytha oder Leoba von Bischofsheim an der Tauber[2]) von ihm zu Lehen hatte, unter Vorbehalt des lebenslänglichen Nießbrauchs für die letztere, sowie ein Lehen in der Wetterau und einige Leibeigene im Lahngau und im Buchonischen Walde[3]), und an demselben Tage dem Kloster Fulda die Villa Dinenheim (Dienheim) im Wormsgau und die Villa Turenheim (Dauernheim) in der Wetterau[4]). Dann kehrte er über den Rhein in seine Stammlande zurück[5]). Er kann aber kaum dort wieder angelangt gewesen sein, als von der Ostgrenze des Reiches die Nachricht von einer feindlichen Erhebung der Slaven eintraf. Die Sorben, ein slavischer Stamm zwischen Elbe und Saale, hatten einen Einfall in das benachbarte thüringische und sächsische Gebiet gemacht, wo sie raubten und plünderten[6]). Ein dem Hofe nahe stehender Annalist versichert, der Einfall habe wenig zu bedeuten gehabt[7]);

in Vermuthungen über den Zusammenhang der Ankunft avarischer Gesandter bei Karl mit dem Erscheinen eines avarischen Heeres an der Enns zu verlieren; jedenfalls bestand ein solcher Zusammenhang, und außerdem spielt auch noch die Stellung Tassilo's, sein Verhältniß zu Karl und den Avaren mit herein; aber es fehlt an jedem Anhaltspunkte, um in diese dunkeln Verhältnisse irgend welches Licht zu bringen. Nur das sieht man, daß schon damals an der Ostgrenze eine gewisse unruhige Bewegung herrschte.

[1]) Vgl. Rudolf's Vita Leobae c. 19, SS. XV, 130; Uebers. von W. Arndt, Geschichtschr. d. deutschen Vorzeit VIII. Jahrh. 2. Bd. S. 64; Lambert. V. Lulli, c. 20, SS. XV, 146; Holder-Egger im N. Archiv IX, 318 N. 2.

[2]) Vgl. Rettberg II, 336 ff.; Hahn, Bonifaz und Lul S. 132 ff. 140—141; auch unten z. J. 783. — Leoba hatte in vorgerücktem Alter die Leitung der ihr anvertrauten Klöster niedergelegt und sich nach Schornsheim zurückgezogen; sie scheint bereits am 28. September 782 gestorben zu sein (vgl. SS. XV, 130 N. 3; auch Hraban's Martyrologium, Dümmler, Forsch. z. deutsch. Gesch. XXV, 199 f.). Unrichtig Ann. necrol. Fuld. SS. XIII, 167: 780, 23. Sept.; Rettberg II, 337 u. a.: 779.

[3]) Mühlbacher Nr. 246; Wenck, III 2, S. 14 Nr. 13; vgl. Hahn, Bonifaz und Lul S. 283 N. 2, welcher annimmt, daß Erzbischof Lul von Mainz auf dem Reichstage zu Lippspringe in Karl's Umgebung gewesen sein werde, „um so mehr wenn jene kirchlich wichtigen Bestimmungen für Sachsen getroffen wurden".

[4]) Urkunde bei Dronke, Codex S. 46 Nr. 76, data V. kalendas Augustas. Actum Herfeldensi monasterio, ohne Jahr. Dronke setzt jedoch mit Recht die Urkunde 782 an, zumal sich für kein anderes Jahr ein Aufenthalt Karl's in Hersfeld zu Ende Juli nachweisen läßt und die Unterschrift des Kanzlers: Wigolt (Wigbald) ad vicem Radonis recognovi, mit der Unterschrift der anderen, in der vorigen Note angeführten Urkunde übereinstimmt. Vgl. Sickel I, 196. II, 43 (K. 94); Mühlbacher Nr. 247. Die Urkunde ist stark überarbeitet.

[5]) Annales Einh. l. c. Die Angabe bei Dippoldt S. 72, daß Karl über Köln auch wieder zurückgekehrt sei, ist in den Quellen nicht begründet.

[6]) Ann. Einh. l. c. Ueber die Wohnsitze der Sorben vgl. unten Bd. II. z. J. 806.

[7]) Ann. Laur. mai. l. c.: Misit missos suos ... super Sclavos paucos qui rebelles fuerant; eine Aeußerung, welche offenbar aus dem Einfall der Slaven gar zu wenig macht, andererseits aber auch zeigt, daß man hier nicht an einen schon auf der Versammlung in Lippspringe beschlossenen Angriffskrieg gegen die Sorben denken darf, wie v. Giesebrecht anzunehmen scheint, Kaiserzeit I, 5. Aufl. S. 116.

Karl hielt es auch nicht für nöthig sich selbst in die heimgesuchten
Gegenden zu begeben; dagegen bot er doch gleich eine ansehnliche
Streitmacht auf, um das Reich von den Feinden zu säubern. Drei
der höchsten Hofbeamten, der Kämmerer Adalgis, der Marschalk
Gailo und der Pfalzgraf Worab, erhielten die Weisung, mit dem
Aufgebote der Ostfranken und Sachsen die Sorben über die Grenzen
zurückzutreiben[1]). Zum ersten Male sollten die Sachsen in den
Reihen des fränkischen Heeres Dienst leisten; Karl muß sich ihrer
völlig sicher geglaubt haben. Allein eben da er so weit gegangen,
stellte sich heraus, daß er sich über die Stimmung in Sachsen einer
großen Täuschung hingegeben hatte.

Sobald Karl von Lippspringe den Rückweg an den Rhein
angetreten hatte, war Widukind wieder auf sächsischem Boden erschienen und hatte die Sachsen zum Kampf gegen die fränkische
Herrschaft aufgerufen[2]). Sein Ruf zündete in ganz Sachsen.
Gerade die Maßregeln, welche Karl im Glauben an die gesicherte
Unterwerfung des Landes getroffen, hatten der neuen Erhebung
wesentlich Vorschub geleistet. Die Einsetzung von Grafen, die Einreihung von Sachsen in das fränkische Heer, das harte Gesetz
mußten es dem ganzen Lande zum Bewußtsein bringen, daß es um
seine Unabhängigkeit geschehen war, wenn es nicht noch in der
zwölften Stunde zum allgemeinen Kampf gegen die fränkische
Herrschaft sich erhob[3]). So einmüthig wie nie vorher standen die
Sachsen auf gegen die Franken[4]), und wie immer, so richtete sich
auch diesmal ihre Erbitterung hauptsächlich gegen die christlichen
Niederlassungen und die Missionare in ihrem Lande. Von Wig-
mobia ist dies ausdrücklich überliefert. Willehad hatte dort seit

---

[1]) Annales Laur. mai. l. c., genauer die Annales Einhardi. — Kentzler
a. a. O. S. 367 N. 5. vermuthet unter den Ostfranken, mit Knochenhauer, Gesch.
Thüringens S. 12. 17 N. 1, Thüringer.

[2]) Annales Laur. mai.: Et cum reversus fuisset (Karolus), statim iterum
Saxones solito more rebellati sunt, suadente Widochindo; Ann. Einh. Vgl.
ferner über den damaligen Aufstand der Sachsen und Widukind's Ann. s. Amandi,
SS. I, 12 f. (Ann. Laubac. ib. S. 13); Ann. Petav. SS. I, 17; Ann. Guelferb.,
Alam. SS. I, 40; Ann. Sangall. mai., St. Galler Mitth. zur vaterl. Gesch.
XIX, 237. 271; Ann. Mosellan. SS. XVI, 497; Ann. Lauresham. SS. I, 32;
Chron. Moissiac. SS. I, 297 (dazu Forsch. zur deutschen Gesch. XIX, 134—135);
Vita Willehadi c. 6, SS. II, 381—382.

[3]) Geradezu den von Karl in Lippspringe getroffenen Einrichtungen wird der
Aufstand der Sachsen zugeschrieben von Funck, bei Schlosser und Bercht, Archiv IV,
297; vgl. auch v. Giesebrecht, Kaiserzeit, I, 5. Aufl. S. 116.
    Kentzler, Forsch. XII, 371—373, setzt diese Ereignisse erst hinter den Kampf
am Süntel; ebenso schon Rettberg II, 388; Ozanam II, 249 u. a. Dehio, Gesch.
des Erzbistums Hamburg-Bremen I, Anm. S. 3, läßt diese Frage unentschieden,
neigt jedoch mehr zu der Ansicht, daß der Aufstand in Wigmodia vor den Kampf
am Süntel falle. Vgl. auch Diekamp, Widukind S. 21 N. 4; Richter-Kohl, Annalen
S. 85 N. 1.

[4]) Daß die Westfalen sich nicht betheiligten, wie von Funck bei Schlosser und
Bercht a. a. O. angenommen wird, folgt aus den bekannten Thatsachen, dem Verlaufe des Feldzuges nicht. Vgl. auch Diekamp a. a. O. S. 21 N. 1.

2 Jahren[1]) mit dem größten Erfolge gepredigt, der Aufstand Widukind's machte alle seine Erfolge mit e i n e m Schlage wieder zu nichte[2]). Er mußte aus Wigmodia fliehen, entkam glücklich auf das benachbarte friesische Gebiet, in den Gau Riustri westlich von der Wesermündung, bestieg dort ein Schiff, fuhr zur See um Fries= land herum und gelangte so in Sicherheit auf fränkischen Boden[3]). Er scheint dann noch eine Zeit lang gewartet zu haben, ob der Aufstand schnell wieder niedergeschlagen würde; da dies nicht der Fall war und er daher vorderhand an eine Wiederaufnahme seiner Wirksamkeit in Sachsen nicht denken konnte, begab er sich nach Italien zum König Pippin und von dort nach Rom[4]). Hier, am Sitze des Apostels Petrus, empfahl er, wie sein Biograph bemerkt, sich und alle die in Sachsen das Evangelium predigten der gött= lichen Gnade; darauf kehrte er zurück ins fränkische Reich und nahm seinen Aufenthalt im Kloster Echternach. Dort sammelten sich um ihn seine Schüler, die ebenfalls aus Sachsen hatten flüchten müssen, und brachten nahezu zwei Jahre im Kloster mit ihm zu, mit geistlichen Uebungen und gelehrter Thätigkeit beschäftigt.

Inzwischen hatte der Aufstand in Sachsen gerade unter den Schülern Willehad's bereits auch seine blutigen Opfer gefordert. Nicht alle waren so glücklich gewesen zu entrinnen. Da die Sachsen Willehad selbst ihre Grausamkeit nicht hatten fühlen lassen können, sagt sein Biograph, ließen sie mit um so größerem Ingrimm seine Gehilfen büßen. Ein Presbyter Folcard und ein Graf Emming werden im Lerigau (Laras), zwischen Hunte und Ems, ein gewisser Benjamin im oberen Riustrigau, ein Geistlicher Atreban im Gau Dithmarschen, Gerwal mit seinen Gefährten im Bremischen er= schlagen[5]); auch die transalbingischen Sachsen, sieht man aus dem Schicksal des Atreban in Dithmarschen, waren in den Aufstand verflochten.

Dem Könige war von den Vorgängen in Sachsen noch nichts zu Ohren gekommen, als er den Adalgis, Gailo und Worad gegen

---

[1]) Vgl. oben S. 349.

[2]) Vita Willehadi, c. 6, SS. II, 381 f.

[3]) Vita Willehadi, c. 6. Es wird aus diesen Angaben nicht deutlich, ob auch Friesland in den Aufstand verwickelt war. Allgemein wird dies angenommen und auch Liudger's Vertreibung aus Friesland 782 angesetzt (so auch noch v. Richt= hofen, Zur Lex Saxonum S. 160 N. 1); sie kann aber erst 784 fallen, vgl. Excurs II, sowie Kentzler, Forsch. XII, 372 N. 5. 383—384; Dickamp, Widukind S. 30—31; Geschichtsquellen des Bisthums Münster IV, 24—25. 279. Dadurch erledigt sich auch, daß die Biographieen dieser Männer von einem Zusammentreffen Liudger's mit Willehad in Rom nichts wissen, was Rettberg, II, 452 N. 7, auf= fällt; die entgegenstehende, verworrene Angabe Adam's, I, 12, SS. VII, 288, die überdies durch ein dicitur abgeschwächt ist, kann dagegen nichts beweisen, obwohl Dehio, I, 16; Anm. S. 3, sie zu halten sucht.

[4]) Vita Willehadi, c. 7: Willehad ging nach Rom, cognoscens nullam sibi tunc temporis praedicandi oportunitatem inesse, also erst nachdem er ge= sehen, daß der Aufstand in Sachsen sich in die Länge ziehen würde.

[5]) Vita Willehadi, c. 6.

die Sorben schickte[1]); erst da diese schon unterwegs waren, traf die Nachricht ein. Ueber die Maßregeln Karl's verlautet nichts; aber für dringend muß die Gefahr im Reiche erkannt worden sein; ein Graf Theoderich im ripuarischen Franken, ein Verwandter des Königs, raffte, wie es scheint ohne die Schritte des Königs abzuwarten, eilends so viele Truppen als möglich zusammen und rückte mit ihnen in Sachsen ein, um sich dem Aufstand entgegenzuwerfen[2]). Unterdeß hatten auch Adalgis, Gailo und Worad von der Erhebung der Sachsen erfahren; sie waren mit dem ostfränkischen Aufgebote bereits bis Sachsen vorgerückt, an Verstärkung durch das sächsische Aufgebot war natürlich nicht zu denken[3]). Angesichts des gefährlichen Aufstandes und infolge des Ausbleibens der von Karl ihnen zugewiesenen sächsischen Truppen auch wohl nicht stark genug um den Feldzug gegen die Sorben antreten zu können, standen sie zunächst von letzterem ab und rückten den aufständischen Sachsen entgegen, ohne vom Könige Weisung abzuwarten oder ihm auch nur Meldung davon zu machen[4]). Der Annalist, der diesen Punkt so geflissentlich hervorhebt, redet trotzdem von einem glücklichen Ausgang ihres Unternehmens; die Franken zogen den Sachsen entgegen, berichtet er, schlugen sich tapfer, tödteten viele Sachsen und blieben Sieger[5]); doch fielen von den fränkischen Befehlshabern Adalgis und Gailo am Berge Süntel. Was es in Wirklichkeit mit diesem angeblichen Siege der Franken auf sich hatte, ergibt ein anderer Bericht, die einzige ausführliche unbefangene Darstellung des Hergangs, die aber an Genauigkeit viel

---

[1]) Et ignorante hoc domno Carolo rege, misit missos suos Adalghisum etc. berichten die Annales Laur. mai. l. c.

[2]) Annales Einhardi l. c.: Quibus in ipsa Saxonia obviavit Theodericus comes, propinquus regis, cum his copiis, quas audita Saxonum defectione raptim in Ribuaria congregare potuit. Ueber Theoderich's Verwandtschaft mit Karl verlautet nichts näheres, Vermuthungen gibt Le Cointe, VI, 222; vgl. ferner unten Bd. II. z. J 791. Und mehr als bloße Vermuthung ist es auch nicht, wenn Böttger, Die Brunonen, Vorfahren und Nachkommen des Herzogs Ludolf in Sachsen von 775 bis 9. Dezember 1117, S. 22 ff. 46, im Anschluß an Leibniz und Eckhart den Theoderich für den Vater der Jda, der Gemahlin des Grafen Egbert, von deren Vermählung die Vita s. Idae c. 2, SS. II, 571; Wilmans, Kaiserurkunden der Provinz Westfalen I, 472, erzählt, ausgibt; die vorgeblich dafür beigebrachten Beweise beweisen nichts. Des Egbert und der Jda Enkel soll dann Ludolf, der Großvater König Heinrich's I., gewesen sein, worüber unten zum Jahr 785.

[3]) Nach der Darstellung der Annales Laur. mai.: Coniungentes supradictam scaram (exercitum Francorum et Saxonum), stießen auch die Sachsen zu ihnen; dies ist an sich unwahrscheinlich und wird widerlegt durch die Annales Einhardi, die ausdrücklich nur die Ostfranken nennen.

[4]) Annales Laur. mai.: Inruerunt super Saxones, et nullum mandatum exinde fecerunt domno Carolo rege; hinsichtlich der Bedeutung dieser Worte vgl. unten Excurs III.

[5]) Et commiserunt bellum cum Saxonibus, et fortiter pugnantes et multos Saxones interemerunt, victores extiterunt Franci; hienach auch Ann. Enhard. Fuld. SS. I, 350: non sine gra   clade suorum (der Sachsen; vgl. Forschungen zur deutschen Geschichte XVIII, 603).

zu wünschen übrig läßt[1]), während Ausdrucksweise und Schilderung
klassischen Mustern, insbesondere dem Livius, nachgeahmt sind[2]).
Adalgis, Gailo und Worad, erzählt dieser Annalist, rückten in Eil=
märschen den Sachsen[3]) entgegen, als Graf Theoderich mit seinen
Truppen zu ihnen stieß[4]). Er gab ihnen den Rath, sie möchten
durch Kundschafter möglichst schnell in Erfahrung zu bringen
suchen, was für eine Stellung die Sachsen inne hätten und was
bei ihnen vorgehe; dann, falls die örtlichen Verhältnisse es zu=
ließen, wollten sie einen gemeinschaftlichen Angriff auf dieselben
machen[5]). Der Rath wurde gutgeheißen, man rückte gemeinsam
vor bis zum Süntelgebirge, damals Gesammtname der Berg=
kette, die sich am nordöstlichen Weserufer von Münder bis Minden
von Osten nach Westen hinzieht und auf dem linken Weserufer
noch bis gegen Osnabrück hin fortsetzt[6]). Auf der Nordseite des
Süntel waren die Sachsen gelagert[7]), die Franken waren durch den
Gebirgszug noch von ihnen getrennt[8]).

Graf Theoderich schlug nun ein Lager an der Stelle, wo die
Franken den Süntel erreichten, also auf der Südseite; hingegen
Adalgis, Gailo und Worad benutzten, um das Gebirge, welches
hier auf dem rechten Ufer in dem heutigen St. Jakobsberge[9]) steil
zum Flusse abfällt, leichter umgehen zu können, der mit Theoderich

---

[1]) Der Bericht der Annales Einhardi l. c. — v. Sybel sucht den Bericht der
Ann. Laur. mai. zu halten und die Bedeutung der Schlappe am Süntel auf ein
Minimum herabzudrücken (Kleine histor. Schriften III, 19—20). Vgl. dagegen Simson,
Forschungen zur deutschen Geschichte XX, 206; Harnack, Das karoling. und das by=
zantin. Reich S. 93 f.; Mühlbacher S. 94; Bernays, Zur Kritik karoling. Annalen
S. 175 f.; Richter=Kohl a. a. O. S. 86 N. 2. — Einigermaßen ähnlich vermuthete
allerdings auch schon Kentzler, a. a. O. S. 873, daß die Niederwerfung des Aufstandes,
ehe Karl selbst in Sachsen erschien, erfolgt sei, vielleicht mit Hilfe Theoderich's durch
den fränkisch gesinnten Adel; vgl. dagegen Diekamp, Widukind S. 24 ff.

[2]) Vgl. Forschungen zur deutschen Geschichte XIV, 136 f.; Manitius, Neues
Archiv VII, 517 ff.

[3]) Nur der Poeta Saxo, l. II., v. 60, Jaffé, IV, 560, und die mit diesem ver=
wandten Ann. Quedlinb., SS. III, 38, machen den Widukind persönlich zum Sieger
am Süntel, was natürlich ohne Belang ist.

[4]) Vgl. die Stelle oben — S. 430 N. 2 und über ihre Eilmärsche die Stelle in
der folgenden Note. Wo die Vereinigung erfolgte, ist nicht zu sehen.

[5]) Annales Einhardi l. c.: Is festinantibus legatis consilium dedit, ut
primo per exploratores, ubi Saxones essent vel quid aput eos ageretur,
sub quanta fieri posset celeritate cognoscerent, tum, si loci qualitas pate-
retur, simul eos adorirentur. Daß Theoderich die Stellung der Sachsen schon
kannte, wie la Bruère, I, 192, sagt, steht nirgends.

[6]) Vgl. v. Ledebur, Kritische Beleuchtung, S. 80 f.; Kentzler, Forschungen XII,
368 N. 3; v. Richthofen, Zur Lex Saxonum S. 139—140; Dehio a. a. O. I, 10.
Heute ist der Name „Süntel" auf den östlichen Theil des Bergzuges bei Hessisch=Oldendorf
beschränkt.

[7]) Ann. Einhardi l. c.: in cuius septentrionali latere Saxonum castra
posita erant; vgl. auch unten S. 432 N. 1.

[8]) Ausdrücklich sagen das die Annales Einhardi l. c., in der Stelle unten
S. 432 N. 1.

[9]) Vgl. Kentzler a. a. O. S. 370 N. 5; Diekamp, Widukind S. 23.

getroffenen Verabredung gemäß die Wasserstraße der Weser[1]) und
lagerten sich dann hart am Ufer derselben[2]). Aber nun hielten
diese Führer die Verabredung nicht weiter ein. Der Annalist
schiebt die Schuld auf ihren Ehrgeiz, ihre Eifersucht gegen
Theoderich; sie fürchteten, erzählt er, wenn Theoderich mit ihnen
an dem Kampf gegen die Sachsen theilnähme, möchte ihm der
Ruhm des Sieges zufallen, und beschlossen daher ohne ihn den
Kampf aufzunehmen. Aber in ihrer Eile hatten sie ganz versäumt
die nöthigen Vorbereitungen zum Kampf zu treffen. Einzeln, so
schnell jeden sein Pferd tragen konnte, erzählt der Annalist, warfen
sie sich auf die Sachsen, als hätten sie es nicht mit einem zur
Schlacht geordneten Feinde zu thun, sondern als brauchten sie nur
Fliehende zu verfolgen und Beute zu machen. Allein der Angriff
schlug gänzlich fehl. Die Sachsen wurden dadurch nicht einmal
überrascht, sondern standen bereits in Schlachtordnung vor ihrem
Lager, als die Franken anrückten; sie schlossen dieselben ein und
machten sie fast sämmtlich nieder[3]). Nur einer geringen Anzahl
gelang es zu entrinnen, sie flüchteten sich über die Berge zu
Theoderich[4]). Unter den Gefallenen aber befanden sich auch zwei
der Königsboten, Adalgis und Gailo, ferner 4 Grafen und gegen
20 andere erlauchte und vornehme Männer, ungerechnet die
übrigen, welche ihnen gefolgt waren und mit ihnen sterben
wollten[5]).

---

[1]) Ann. Einhardi l. c.: In quo loco cum Theodericus castra posuisset,
ipsi, sicut cum eo convenerat, quo facilius montem circumire possent,
transgressi Wisuram, in ipsa fluminis ripa castra posuerunt. Der Ausdruck
transgressi Wisuram ist offenbar unrichtig, es wäre denn, daß die Missi den
Fluß nachher abermals überschritten hätten und so wieder auf dasselbe Ufer zurückgelangt
wären. Ihr Zweck war ja aber nur, an dem Gebirge vorbeizukommen. Dieser Fehler,
der möglicherweise auf mißverständliche Auslegung eines von dem Annalisten benutzten
älteren Berichts zurückzuführen ist, bildet den Grund aller Schwierigkeiten, die man
auf verschiedene Weise zu lösen versucht hat. Vgl. Leibniz, Annales I, 104; v. Ledebur, Kritische Beleuchtung S. 77 ff.; Kentzler a. a. O. S. 368 ff.; Diekamp a. a. O.
S. 23; Richter-Kohl a. a. O. S. 85.
[2]) Die Stätte der Schlacht wird an der Porta Westfalica, bei Hausberge zu
suchen sein; vgl. v. Richthofen a. a. O. S. 139—140; über andere hierauf bezügliche
Meinungen Kentzler a. a. O. S. 371 N. 1. — Ueber den fränkischen Angriffsplan
vgl. auch la Bruère, I, 192 ff.; Leibniz a. a. O.
[3]) Annales Einhardi l. c.
[4]) Annales Einhardi l. c.: Qui tamen evadere potuerunt, non in sua,
unde profecti sunt, sed in Theoderici castra, quae trans montem erant,
fugiendo pervenerunt.
[5]) So die Annales Einhardi, vgl. Ann. Quedlinb. SS. III, 38. Daß
Adalgis und Gailo fielen, erwähnen auch Ann. Laur. mai. etc.; Einh. V. Karoli
c. 8 (Plures tamen eo bello tam ex nobilitate Francorum quam Saxonum
et functi summis honoribus viri consumpti sunt). Was la Bruère, I, 195,
erzählt, Adalgis und Gailo hätten in der Verzweiflung den Tod gesucht, ist seine
eigene Erfindung.
In anderen Quellen wird nur im allgemeinen erwähnt, daß die Sachsen bei
ihrer damaligen Empörung eine Anzahl Franken getödtet hätten, Ann. s. Amandi,
SS. I, 12: Saxones rebellantes plurimos Francos interfecerunt; Ann. Guelferb. SS. I, 40: et quosdam de Francis occisis; Ann. Nazar., Alam. ibid.;

Die Nachricht von diesem Unfall brachte auf Karl den pein=
lichsten Eindruck hervor. Er kann darauf in keiner Weise vorbereitet
gewesen sein, hatte augenscheinlich nicht die geringsten Rüstungen
getroffen, um den Sachsen eine stärkere Heeresmacht entgegenschicken
zu können [1]). Dennoch und ungeachtet der vorgerückten Jahres=
zeit zögerte der König keinen Augenblick selbst nach Sachsen auf=
zubrechen [2]). Er nahm von Truppen mit soviel er in Eile um sich
sammeln konnte; groß ist ihre Zahl wohl nicht gewesen [3]); trotzdem
ist keine Spur davon zu finden, daß ihm die Sachsen irgendwo
Widerstand entgegensetzten, sie scheinen über die rasche Ankunft
Karl's bestürzt gewesen zu sein [4]). Widukind verließ das Land
und suchte wieder Zuflucht bei den Dänen [5]). Karl selbst begab
sich nicht auf den Schauplatz des Kampfes, sondern zog weiter
nördlich bis an den Einfluß der Aller in die Weser; er war noch
nie so weit nach Norden vorgedrungen, stand an der Grenze von
Wigmodia, das nach allem zu schließen diesmal der Hauptsitz des
Aufstandes gewesen war und deshalb für das vom Könige beschlossene
Strafgericht die geeignetste Gegend schien [6]).

Die Häuptlinge der Sachsen leisteten der Aufforderung Karl's,
sich vor ihm zu verantworten, Folge und stellten sich in großer
Zahl in Verden, das bei dieser Gelegenheit zum ersten Male

Ann. Sangall. mai., St. Galler Mitth. zur vaterl. Gesch. XIX, 237. 271; Ann.
Mosellan. SS. XVI, 497: et quod nonnulli suorum in hac seditione interissent;
Chron. Moiss. SS. I, 297; vgl. Forschungen z. deutschen Gesch. XIX, 134—135.

[1]) Die Quellen, Annales Laur. mai. und Annales Einhardi, lassen eine
andere Deutung nicht zu. Unrichtig sind daher die Vermuthungen von Luden, IV,
334 f., Karl habe schon vor dem Kampfe am Süntel gerüstet, u. dgl. mehr.

[2]) Ann. Laur. mai.: Hoc audiensque domnus Carolus rex, una cum
Francis quos sub celeritate coniungere potuit illuc perrexit; Annales Einhardi: Cuius rei nuntium cum rex accepisset, nihil sibi cunctandum arbitratus, collecto festinanter exercitu in Saxoniam proficiscitur ... Eine genauere Zeitbestimmung zu treffen ist nicht möglich; eine Urkunde vom 26. September,
worin Karl dem Bischof Geminian von Modena die Immunität ertheilt, Ughelli,
Italia sacra, 2 a ed. II, 91 ist im Original erhalten, ihre Echtheit also (z. B.
von v. Bethmann=Hollweg, Ursprung der lombard. Städtefreiheit S. 92) mit Un=
recht bezweifelt, sie nennt jedoch keinen Ausstellungsort; vgl. Sickel II, 44 (K. 96).
257; I, 154 N. 6. 202 N. 6. 207; Wien. S. B. XLVII, 201. — S. ferner
unten S. 451 N. 6.

Gefälscht ist ein angebliches Privileg für St. Denis vom 16. September 782,
Sickel II, 404; Mühlbacher Nr. 250; der Ausstellungsort (Pfalz Düren) scheint einer
Urkunde vom 14. September 774 (Mühlbacher Nr. 167; oben S. 200) entlehnt.

[3]) Wenn auch Ann. Petav., SS. I, 17, berichten: tunc cum magno exercitu hostes in Saxonia; vgl. übrigens Ann. Mosellan., Lauresham., Guelferb.,
Nazar., Sangall. mai., Alamann.

[4]) Hieraus zieht v. Sybel, Kl. hist. Schriften III, 20, den ungerechtfertigten
Schluß, daß Graf Theoderich gleich nach der von den Königsboten erlittenen Schlappe
am Süntel die Insurgenten geschlagen haben müsse; vgl. oben S. 431 N. 1.

[5]) Ann. Laur. mai.: qui fuga lapsus est partibus Nordmanniae; Ann.
Einh.: eo quod is re perpetrata ad Nordmannos se contulerat.

[6]) Vgl. Vita Willehadi, c. 6, oben S. 428 f., über die Erhebung der Sachsen
in Wigmodia.

genannt wird[1]), bei ihm ein. Sie unterwarfen sich dem Könige
aufs neue[2]); aber Karl hatte das Versprechen des Gehorsams ja
schon so oft empfangen, hatte im Vertrauen darauf endlich den
Anfang mit der inneren Einrichtung des Landes gemacht und
namentlich christliche Priester in großer Zahl zur Predigt und
Taufe und zur Gründung von Kirchen ausgeschickt, die nun das
von den Sachsen gegebene Versprechen doch nicht vor Vertreibung
und Ermordung schützte. Mit einem Schlage waren die Fortschritte des Christenthums, wie das wenigstens von Wigmodia ausdrücklich überliefert ist, wieder zu nichte gemacht und dies wohl
noch mehr als die Niederlage seiner Truppen am Süntel ist die
Veranlassung der blutigen Strenge, womit der König in Sachsen
einschritt[3]). Er stellte eine Untersuchung über die Anstifter des
Aufstandes an, und da Widukind selbst, welchen Alle als den Urheber bezeichneten, entflohen war, so verlangte Karl die Auslieferung
aller derer, welche Widukind's Aufrufe folgend die Waffen gegen
die Franken getragen hatten. So wurden ihm 4500 Sachsen
überliefert und diese auf seinen Befehl alle an einem Tage zu
Verden an der Aller enthauptet[4]).

---

[1]) Ann. Laur. mai.: ad locum ubi Alara confluit in Wisora; Ann.
Einh.: super Alaram fluvium, in loco qui Ferdi vocatur. Zum J. 810,
wo die Königsannalen den Ort nicht nennen (SS. I, 197), geschieht es in den
Ann. s. Amandi, SS. I, 14, und im Chron. Moiss. SS. I, 309; vgl. ferner
Mühlbacher Nr. 440 und unten Bd. II.

[2]) Annales Laur. mai. l. c.: Tunc omnes Saxones iterum convenientes,
subdiderunt se sub potestate supradicti domno rege . . .; Ann. Einh. l. c.
accitisque ad se cunctis Saxonum primoribus.

[3]) Das bemerkt mit Recht auch schon Rettberg, II, 388. 452.

[4]) Ann. Laur. mai.: et reddiderunt omnes malefactores illos, qui ipsud
rebellium maxime terminaverunt, ad occidendum, quatuor milia quingentos;
quod ita et factum est, excepto Widochindum . . .; Ann. Einh.: Et cum
omnes Widokindum huius sceleris auctorem proclamarent, eum tamen
tradere nequirent, eo quod is re perpetrata ad Nordmannos se contulerat,
caeterorum, qui persuasioni eius morem gerentes tantum facinus pere-
gerunt, usque ad quattuor milia quingenti traditi et . . . iussu regis omnes
una die decollati sunt etc. Vgl. auch Ann. s. Amandi, SS. I, 12: et Karlus
congregatos Saxones, iussit eos decollare (hienach Ann. Laubacens. ib.
S. 13); Ann. Petav. SS I, 17: et caederunt Franci de Saxones multitudo
hominum; Ann. Mosellan. SS. XVI, 497: et ingentem Saxonum turbam
atroci confodit gladio; Ann. Lauresham. SS. I, 32; Ann. Sangall. Baluzii,
ed. Henking S. 204: Hoc anno domnus rex Karolus plures de Saxonis inter-
fecit.
    Traditi, sagen die Annales Einhardi, also, wie es scheint, sie wurden aus-
geliefert, was die Annales Laurissenses noch deutlicher aussprechen. Erwägt man
die Menge, so könnte es für wahrscheinlicher gehalten werden, daß sie sich freiwillig
stellten, d. h. wenn auch gezwungen durch die Verhältnisse, doch nicht geradezu von
ihren Landsleuten ausgeliefert, wie auch Luden, IV, 336 andeutet. Wir müssen uns
aber an die Quellen halten; vgl. auch v. Richthofen a. a. O. S. 140 N. 2; Kentzler
a. a. O. S. 375 N. 7; v. Ranke, Weltgeschichte V, 2, S. 145 N. 2. — Ueber die
Stelle der Hinrichtungen, ob sie in Verden selbst oder etwa in der Nähe auf der sog.
Halswinde, beim Einfluß der Halse in die Aller stattfanden, vgl. Hammerstein, Die
ältesten Gerichte im Stifte Verden, in der Zeitschrift des historischen Vereins für Niedersachsen, Jahrg. 1854, S. 62 N. 1. Die Quellen sagen, wie wir sahen: an der
Mündung der Aller in die Weser, bei Verden (oben N. 1).

Karl hatte die Sachsen nicht mehr als Feinde sondern als aufrührerische Unterthanen behandelt[1]) und war dazu von seinem Standpunkte aus berechtigt. In dem, wie es scheint, vor kurzem verordneten Gesetze war ja auf Untreue gegen den König u. s. w. die Todesstrafe gesetzt[2]). Allein so sehr der König auch durch das Auftreten der Sachsen gereizt, so gewiß seine Härte den Zeitgenossen weniger anstößig war als den späteren Jahrhunderten, nach deren Maßstab sie nicht beurtheilt werden darf, so bilden doch die Hinrichtungen zu Verden einen dunkeln Punkt in der langen Kette seiner ruhmvollen Thaten, der auch dadurch nicht völlig getilgt wird, daß Karl schwerlich mit kalter Ueberlegung so verfuhr, sondern ungeachtet seiner bei anderen Gelegenheiten ihm von Einhard nach= gerühmten ruhigen Selbstbeherrschung diesmal durch seine Leiden= schaft fortgerissen ward[3]). Sachsen, wie betäubt von dem gewaltigen Schlage, hielt wenigstens für den Augenblick sich ruhig und sah zu, wie der König außer den 4500 Hingerichteten noch eine große Anzahl Sachsen festnehmen ließ, die er dann als Gefangene in die fränkischen Lande mit fortführte[4]). Er kehrte noch vor Ablauf des Jahres über den Rhein zurück, feierte Weihnachten in Dieden= hofen an der Mosel und brachte dort auch den größten Theil des Winters zu[5]).

In diesem Winter ist zu Diedenhofen wohl eine Urkunde erlassen, welche zwar kein Datum trägt, aber dem Zeitraum von 781—791 anzugehören scheint und hier einzureihen sein wird[6]).

---

[1]) Das ist auch die Auffassung der Annales Einhardi: de auctoribus factae defectionis inquisivit (vgl. o. S. 434 N. 4). Wenn aber Ozanam, II, 249, behauptet, die vornehmsten Sachsen selber hätten über die Aufrührer zu Gericht ge= sessen, so liegt das nicht in der Angabe der Annales Einhardi, Karl habe cunctos Saxonum primores vor sich geladen.

[2]) Vgl. oben S. 419; Kentzler a. a. O. S. 374—375; Waitz III, 2. Aufl. S. 211; v. Ranke, Weltgeschichte V, 2, S. 145.

[3]) Einhard, Vita Karoli c. 18. Derartige Entschuldigungsgründe macht auch Ozanam a. a. O. geltend; auch la Bruère I, 197; Dippoldt, S. 73 finden die That zu entschuldigen; strenger urtheilen Leibniz, Annales I, 105; Luden IV, 335 f.; Hegewisch S. 184 u. a. Auf der andern Seite geht Phillips, Karl der Große im Kreise der Gelehrten S. 34 N. 44, zu weit, indem er meint, die Hinrichtung sei von den Zeitgenossen garnicht als Grausamkeit angesehen worden. Die Ansicht von Martin, II, 297, Karl habe ganz Sachsen die Vernichtung durch Feuer und Schwert gedroht, falls sie nicht die Schuldigen auslieferten, ist in den Quellen nicht be= gründet.

[4]) Annales Petaviani, SS. I, 17: et multos vinctos Saxones adduxerunt in Francia. Regino sagt: SS. I, 559: Interfectis itaque seditiosis exilioque damnatis.

[5]) Annales Laur. mai. l. c.; Ann. Einh. l. c. Auch Ostern (23. März) 783 feierte Karl in Diedenhofen (Ann. Laur. mai. l. c.; Ann. Einh. l. c.; Ann., ut videtur, Alcuini, 783, SS. IV, 2; Ann. Iuvav. mai. 783, SS. I, 87); noch am 30. April 783, beim Tode seiner Gemahlin Hildegard, ist er in Diedenhofen (Ann. Einh. 783, SS. I, 165) und selbst noch im Mai, Urkunde bei Bouquet V, 748 f.; vgl. unten S. 448 N. 2.

[6]) Sickel II, 44 (Nr. 97). 257. I, 207; Mühlbacher Nr. 252; Beyer I, 32 f. Nr. 27 ad 775—776; besser Waitz in den Forschungen zur deutschen Geschichte III,

Es ist ein Rechtsspruch Karl's in Sachen der Trierer Kirche gegen die Söhne Lantbert's, Wido, Hrodold und Warnar, welche jener das Kloster Mettlach an der Saar vorenthielten. Die Streit=frage reichte hinauf in die Zeiten der argen Verwirrung unter Bischof Milo, dem Günstling Karl Martell's. Zu Gunsten von Trier wurde geltend gemacht, daß schon die Vorgänger des jetzigen Erzbischofs Weomad, Milo und Hartham[1]), das Kloster von Karl Martell zu Beneficium bekommen, dann von Pippin eine Er=neuerung dieser Verleihung erhalten und daß Milo die Aebte des Klosters eingesetzt hätte, bis jener Lantbert das Kloster dem König Pippin gewaltsam entrissen und den Bischof Hartham daraus ver=trieben habe[2]). Ja schon Bischof Leodonius (Lutwin) von Trier, der Vater Milo's und Wido's (des Vaters des Lantbert) habe das Kloster Mettlach, welches er auf eigenem Grund und Boden gestiftet haben soll, der Peterskirche in Trier geschenkt. Dagegen behaupteten die Söhne Lantbert's, das Kloster von ihrem Vater als Alod erhalten zu haben. Karl stellte eine umfassende Untersuchung des Rechts=verhältnisses an. Als er in Diedenhofen in einer glänzenden Ver=sammlung — außer dem Pfalzgrafen Worad, 11 Grafen und zahlreichen anderen Getreuen waren die Bischöfe Angilram von Metz, Petrus von Verdun und Borno von Toul zugegen — Gericht hielt[3]), erschien der Königsbote Wicbert mit den Schöffen und

---

151 ff. Die von Sickel und Mühlbacher mit Rücksicht auf die in der Urkunde als anwesend erwähnten Bischöfe gezogene Zeitgrenze (779—791) läßt sich noch etwas enger ziehen, da Bischof Petrus von Verdun erst 781 ordinirt worden zu sein scheint (s. Jaffé IV, 220 N. 2; oben S. 403 und unten Bd. II. z. J. 792). Auch die Theil=nahme von Schöffen bestätigt diese Zeitbestimmung (vgl. unten S. 437 N. 1). Ein Aufenthalt Karl's zu Diedenhofen im J. 781 oder den ersten elf Monaten des J. 782 ist nicht bekannt; ebensowenig in der Zeit zwischen dem Mai 783 und dem Ende des Jahres 791. Vgl. übrigens auch Sickel II, 384; Mühlbacher Nr. 1058; Beyer I, 77 Nr. 69 (Urkunde Lothar's I. vom 29. August 842). Hier wird auch eine ver=lorene Urkunde Pippin's, durch welche dieser die Schenkung von Mettlach an Trier bestätigt hatte, erwähnt, deren in dem oben erzählten Prozeß und der Urkunde Karl's auffallenderweise nicht gedacht wird.

[1]) Der Bischof Harthamus ist sonst nicht bekannt, was indeß nicht ausschließt, daß Milo wirklich einen Nachfolger dieses Namens hatte; zwischen Milo und Weomad ist Raum genug für einen solchen, vgl. Rettberg I, 467 ff. 471 und oben S. 423 ff.

[2]) Beyer S. 32; Forschungen III, 152: nam agentes s. Petri vel scabinis dicebant, ut Lambertus genitor eorum per forcia potestate Pippini regis malo ordine ipsum monasterium invasisset et Harthamum episcopum exinde expoliasset. Mühlbacher gibt dies so wieder: „Da nach eidlichen Zeugenaussagen Lantbert unterstützt von K. Pippin es gewaltsam an sich gerissen . . . habe." Allein, so ausgelegt, würden diese Worte im Widerspruch mit dem übrigen Inhalt der Urkunde und auch mit der Achtung stehen, mit der in einer Urkunde Karl's von dessen Vater und Vorgänger gesprochen werden mußte. Auch heißt es nachher, Wido und seine Brüder hätten keine Beweise beibringen können, qualiter genitor eorum (Lantbert) contra Pippinum regem ipsum monasterium evindicasset (unten S. 437 N. 1). Möglicherweise könnte ein zu Pippini regis gehöriges Wort, wie tempore, ausgefallen sein.

[3]) Beyer S. 32; Forschungen III, 151: Cum nos in nomine Domini Theo=donevilla palatio nostro una cum optimatibus et fidelibus nostris ad uni=versorum causas audiendas vel recta judicia terminandas resederemus etc.

Zeugen aus dem Mosellande[1]), welche nebst Beamten dieses Erzbisthums[2]) bekundeten und beschworen und demgemäß einstimmig
urtheilten, Mettlach sei nach Recht und Gesetz in der Gewere des
Königs und der Peterskirche in Trier, weil Milo und Hartham
dies Kloster von Karl Martell und Pippin stets zu Beneficium
besessen hätten[3]). Wido und seine Brüder waren ebenfalls anwesend und machten ihre Ansprüche mit der oben angegebenen
Begründung energisch geltend, aber sie konnten ihre Gewere weder
durch Urkunden noch durch Zengen oder Schöffen erweisen, worauf
der Rechtsspruch des Königs und seines Gerichts dahin ausfiel,
daß sie das Kloster sofort der Peterskirche in Trier übergeben
sollten. So geschah es denn auch. Durch einen Bevollmächtigten
der Brüder fand die Uebertragung des Besitzes an die Trierer
Kirche statt[4]), und Erzbischof Weomad erhielt sodann die in Rede
stehende Urkunde. — Das altadliche austrasische Geschlecht der
Widonen, welches hier vorkommt, dessen Geschichte übrigens auch
noch mit einem anderen Kloster, nämlich Hornbach (bei Zweibrücken)
verwachsen ist[5]), ist das nämliche, aus welchem später die Herzöge

---

[1]) Beyer S. 32 f.; Forschungen III, 151: ibique veniens Wicbertus missus
noster una cum scabinis et testibus Moslinses und weiter unten (S. 152): et
tales testes vel scabini ibidem in presentia adfuerunt, qui per sacramenta
hoc adfirmaverunt ... Inde nos una cum fidelibus nostris totos scabinos
de ducatu Moslinse coniunximus, qui unanimiter iudicaverunt, ut Wido et
germani sui tales auctoritates non habuissent, qualiter genitor eorum contra
Pippinum regem ipsum monasterium evindicasset, nostra legitima ad partes
s. Petri esse deberet vestitura. Ueber den Ausdruck ducatus Moslinsis vgl.
Waitz, III, 2. Aufl. S. 356 N. 4, über die Mitwirkung so vieler (44) Schöffen ebd.
IV, 2. Aufl. S. 493 N. 4. — Die scabini sind seit 780 im Frankenreiche nachweisbar, Ficker, Forschungen zur Reichs- und Rechtsgeschichte Italiens III, 208;
Mühlbacher S. 95.

[2]) agentes s. Petri (vgl. oben S. 436 N. 2).

[3]) Beyer S. 32; Forschungen III, 152: et taliter iudicaverunt, ut per
legem et iusticiam illa vestitura partibus nostris atque s. Petri adesse
debuisset, pro eo quod Milo et Harthamus ipsum monasterium per beneficium Karoli maioris domus et domni Pippini regis semper habuissent.

[4]) Beyer S. 33; Forschungen III, 152: Sed dum Wido et germani sui
de vestitura legitima nec testes neque scabinos habere potuerunt, tunc
eis iudicatum fuit, ut in presentia nostra iam fato monasterio partibus
nostris in causa s. Petri Treverensis cum fide facta reddere deberent;
quod ita et fecerunt et per missum eorum vestitura a partibus s. Petri
Trever., ubi Weomadus archiepiscopus pontifex esse videtur, presentialiter
fecerunt, sicuti eis a nobis vel fidelibus nostris iudicatum fuit.

[5]) Vgl. Simson, Jahrbücher Ludwig's d. Fr. I, 14 N. 4; Mühlbacher Nr. 678.
745. 1006; auch 514. 515. 1005; Epist. Moguntin. 2, Jaffé III, 318; Vitae
s. Pirmini, Mone, Quellensammlung der badischen Landesgeschichte I, 33—34.
36—42; Mabillon, AA. SS. o. s. Ben. III, 2 (ed. Venet.), S. 132—134.
137—138; SS. XV, 26—27; Mir. s. Goaris c. 4, ib. S. 365; Astron. V.
Hludowici c. 21, SS. II, 618; Rettberg, I, 514—516; auch unten Bd. II. zum
Jahre 799 (über den Markgrafen Wido von der bretonischen Mark).

von Spoleto und darunter der Kaiser Wido hervorgingen. Der
hier genannte Wido ist der Urgroßvater dieses Kaisers[1]).

Die Angelegenheiten Sachsens stehen während des ganzen
Jahres so sehr im Vordergrunde, daß daneben andere Ereignisse
in den Quellen kaum Erwähnung finden. So betreffen auch die
einzigen Angaben über eine anderweitige Thätigkeit Karl's in
damaliger Zeit zwei Rechtsstreitigkeiten, in welchen der König durch
seine Abgesandten die Entscheidung treffen ließ. In der einen
handelte es sich um den Besitz der Villa Sueinheim (Schwanheim
bei Bensheim), auf welche das Kloster Lorsch Anspruch erhob,
weil Sueinheim auf der Feldmark des Dorfes Hurfeldun (Felheim?)
liege, welches Karl schon früher dem Kloster geschenkt hatte[2]). Die
Angelegenheit wurde auf einer öffentlichen Gerichtsversammlung
vor Karl verhandelt, wobei neben anderen auch der Graf Heimerich,
der Enkel der Stifterin des Klosters Williswinda, als Zeuge auf=
trat[3]). Da die Zeugen alle aussagten, daß Sueinheim in der
That zu der Markung von Hurfeldun gehöre, schickte Karl die
Grafen Richard und Guntram nach Sueinheim, wo dieselben am
6. Juni 783 ankamen und durch eine an Ort und Stelle vor=
genommene Untersuchung die Zeugenaussagen bestätigt fanden,
worauf denn auch der König die streitige Villa dem Kloster zu=
sprach[4]).

Von größerer Bedeutung war der andere Fall, in welchem
der König einschritt. Der Erzbischof Daniel von Narbonne hatte
eine Pilgerfahrt ins heilige Land unternommen und die Sorge für
seine Kirche einem gewissen Arluin als Vogt übertragen[5]). Der
Graf Milo von Narbonne hielt jedoch die Abwesenheit Daniel's
für eine günstige Gelegenheit um sich auf Kosten der Kirche zu
bereichern und bemächtigte sich vieler Besitzungen der Kirchen der
heiligen Justus und Pastor, des h. Paul und des h. Stephan in
Narbonne, wußte auch von Karl die Verleihung dieser Besitzungen

---

[1]) S. Waitz und Wüstenfeld in Forschungen zur deutsch. Geschichte III, 149 ff.;
383 ff.; Dümmler, Gesch. des ostfränk. Reichs II, 18; ders., Gesta Berengarii imp.
S. 16.

[2]) Codex Lareshamensis I, 321 f. Nr. 228; Sickel II, 373; Mühlbacher
S. 95 Nr. 252 a. Unter Hurfeldun wird Felheim (nördlich von Lorsch) schon ver=
muthet von Scriba, Regesten der bis jetzt gedruckten Urkunden zur Landes= und Orts=
geschichte des Großherzogthums Hessen I, 6 Nr. 73; vgl. auch Förstemann, Alt=
deutsches Namenbuch Bd. 2 (Ortsnamen) Sp. 806.

[3]) Irrthümlich nennt die betreffende Notiz in der Klosterchronik denselben einen
Sohn der Williswinda.

[4]) Auch im Datum ist ein Irrthum: der 6. Juni 783 fiel auf einen Freitag,
nicht, wie die Chronik sagt, auf einen Montag. Doch ist dies so wenig wie die Be=
zeichnung Karl's als Kaiser ein ausreichender Grund, an der Richtigkeit der Nachricht
in der Hauptsache zu zweifeln.

[5]) Histoire générale de Languedoc, I, preuves S. 24: Danielo episcopo
Jerosolymam profecto, remansit causidicus Arluinus. Ueber die Zeit von
Daniel's Abreise ist nichts bekannt; er war aber jedenfalls längere Zeit abwesend.

zu Beneficium zu erlangen[1]). Darauf erhob Arluin Klage bei den Bevollmächtigten Karl's auf einer Gerichtsversammlung in Narbonne. Milo, der sich auf die Verleihung durch Karl berief, war nicht im Stande sein Recht auf die streitigen Besitzungen nachzuweisen; hingegen brachte Arluin zahlreiche Zeugen bei, welche in der Marienkirche in Narbonne eidlich bekräftigten, daß jene Besitzungen dem Erzbischof Daniel zugehörten. Infolge dessen wurden dieselben dem Arluin zugesprochen und Milo angewiesen sie ihm als dem Vogte Daniel's zu übergeben, was Milo dann auch that, 3. Juni[2]). Dabei werden die königlichen Bevollmächtigten, welche die Verhandlungen leiteten, ausdrücklich als die Bevollmächtigten Karl's bezeichnet, ein Beweis mehr, daß auch nach der Einsetzung des jungen Ludwig als Königs von Aquitanien alle wichtigeren Angelegenheiten des Landes an Karl gelangten.

Aus Aquitanien ist zu diesem Jahre noch eine wichtige Klostergründung zu verzeichnen, die Gründung von Aniane durch Benedikt, der nach dieser Stiftung Benedikt von Aniane heißt. Benedikt war aus vornehmem gothischen Geschlechte, der Sohn des Grafen von Magdalona (Maguelonne)[3]) und führte, ehe er in den geistlichen Stand trat, den gothischen Namen Witiza[4]). Seine Jugend brachte er am Hofe König Pippin's zu, wo er zuletzt die Stelle eines Mundschenken versah[5]) und auch Kriegsdienste leistete. Nach Pippin's Tode blieb er am Hofe Karl's, erst im Jahre 774 beschloß er sich dem geistlichen Leben zu weihen und trat wider den Willen Karl's und seines Vaters in das Kloster St. Seine in der Diözese Langres ein[6]). Nach drittehalb Jahren wurde er zum Keller-

---

[1]) Ipsas villas senior meus Karolus rex michi eas dedit ad beneficio, sagt Milo, l. c. S. 25. An der Richtigkeit der Angabe ist nicht zu zweifeln; Milo hatte offenbar den König durch falsche Angaben über sein Recht auf die Besitzungen zu der Verleihung bewogen.

[2]) Milo wird verurtheilt, ut de ipsas villas se exigere fecisset, et Arloyno assertore causidico et mandario Danielo archiepiscopo per suum saionem (vgl Waitz IV, 2. Aufl. S. 410 N. 4) revestire fecisset, sicut et fecit. Ueber einen Denar mit der Inschrift Milo's vgl. Soetbeer in den Forschungen zur deutschen Geschichte IV, 344; man sieht nicht, wie Milo dazu kam, unter eigenem Stempel münzen zu lassen.

[3]) Ardonis vita Benedicti abbatis Anianensis, c. 1, SS. XV, 201.

[4]) Annales Anianenses, in der Histoire générale de Languedoc, I, pr. S. 18: Benedictus abba qui vocatur Vitiza (= Chron. Moissiac. cod. Anian. SS. I, 297 c) vgl. 794. 821, S. 301. 302); hienach Chron. Isidori contin. SS. XIII, 262. Vgl. auch Ermold. Nigell. In hon. Hludowici l. II, v. 535, Poet. Lat. aev. Carolin. II, 39.

[5]) Vgl. unten Bd. II. (den Abschnitt über die Hofbeamten).

[6]) Ardonis vita Benedicti, c. 2, SS. XV, 201. Als Zeit ist ausdrücklich angegeben das Jahr, in welchem Karl Italien unterworfen habe; P. J. Nicolai, Der heil. Benedict (Köln. 1865), S. 14 N. 1, nimmt an: schon 773; desgl. Waitz SS. l. c.; Foß, Ludwig der Fromme vor seiner Thronbesteigung, S. 39: 780, was falsch ist und wohl auf einem Versehen beruht (vgl. unten S. 440 N. 2). Derselbe, Benedikt von Aniane (wissenschaftl. Beilage z. Progr. des Luisenstädt. Realgymnasiums in Berlin, Ostern 1884), S. 18: 774.

Daß Karl und Benedikt's Vater gegen seinen Eintritt ins Kloster waren, ergibt sich aus der genaueren Erzählung der Vita.

meiſter des Kloſters beſtellt [1]), 5 Jahre und 8 Monate ſpäter, da der
Abt des Kloſters ſtarb, an ſeiner Stelle zum Abt gewählt, vielleicht
782 [2]). Allein Benedikt konnte ſich nicht entſchließen die Würde anzu=
nehmen, verließ das Kloſter St. Seine und begab ſich auf ſeine und
ſeines Vaters Beſitzungen, begleitet von einem blinden Mönche Wid=
mar, der ihm längſt rathend zur Seite ſtand [3]). Dort, an einem Bache
Anianus, unfern von dem Fluſſe Arauris (Erau, Hérault), bei einer
kleinen Kirche des h. Saturnin, errichtete er mit Widmar und
einigen anderen Gefährten eine beſcheidene Zelle zum Wohnen [4]).
Daraus iſt das Kloſter Aniane hervorgegangen. Die erſte Anlage
war nur ein unſcheinbarer Anfang, aber die ſtrenge Gewiſſen=
haftigkeit, mit welcher Benedikt nach der Regel des h. Benedikt
lebte, verſchaffte ihm in kurzer Zeit das größte Anſehen und be=
deutenden Zulauf. Sein Biograph und Schüler Ardo erzählt, wie
die frommen Männer jener Gegend, unter welchen ein gewiſſer
Nibridius, Atilio und Anianus mit Namen genannt werden [5]), ſich
um ihn ſammelten; ſchildert die Widerwärtigkeiten, die er zu be=
ſtehen hatte, den ſchmerzlichen Eindruck, welchen der Wankelmuth
Einzelner auf ihn machte und der ihn ſogar eine Weile auf den
Gedanken brachte das angefangene Werk wieder aufzugeben und

---

[1]) Nach der Erzählung der Mönche von Juden, SS. XV, 218, ſcheint es ſo,
als ſei Benedikt überhaupt nur 2½ Jahr in St. Seine geblieben; aber dies iſt wohl
ein Irrthum.

[2]) Ardonis vita Benedicti, c. 2. 3, SS. XV, 201—202. Indeſſen ſetzen Le
Cointe, VI, 187; Mabillon, Annales, II, 248, Benedikt's Weggang aus St. Seine
und die Anlage ſeiner Zelle ſchon ins Jahr 780, indem ſie die 5 Jahre und 8 Monate
auf die Geſammtdauer ſeines Aufenthalts in dieſem Kloſter beziehen; ebenſo Nicolai
S. 16—17, der ſogar das Jahr 779 herausrechnet (vgl. oben S. 439 N. 6); desgl.
Albr. Vogel bei Herzog und Plitt, Real=Encyklopädie für proteſtantiſche Theologie und
Kirche 2. Aufl. II, 287. — Die Jahreszahl 782 haben V. Benedicti c. 17, S. 205
und Chron. Moiss. cod. Anian. SS. I, 297 (vgl. Forſchungen zur deutſchen Geſchichte
XIX, 132 f.; Pückert in Ber. d. k. ſächſ. Geſ. der Wiſſenſch. phil.=hiſt. Cl. 1884
S. 156 N. 47 und unten N. 4), jedoch für den Bau des Kloſters Aniane ſelbſt
reſp. einen Neubau; vgl. Nicolai S. 91 N. 1.

[3]) Vita Benedicti, c. 2. 3, l. c. S. 201—203.

[4]) Vita Benedicti, c. 3; Schreiben der Kloſterbrüder von Juden, ib. c. 42,
S. 203. 218. Chron. Moiss. cod. Anian. l. c. läßt ihn 782 das Kloſter Aniane
erbauen (hienach Chron. Iſidori contin. l. c.: Tempore illo etc.); ebenſo Foß,
Ludwig der Fromme vor ſeiner Thronbeſteigung. S. 39 und Nicolai a. a. O.
S. 19; übrigens macht Foß gegen den klaren Wortlaut der Vita aus dem Bache
Anianus und dem Fluſſe Arauris einen einzigen Fluß Hérault.

[5]) Vita Benedicti c. 3, l. c. S. 203. Bei Nibridius iſt an den erſten Abt
von La Graſſe (Novaliä), oben S. 323 N. 1, zu denken, wohl denſelben, der ſpäter
als Erzbiſchof von Narbonne begegnet, vgl. auch die Notiz aus einem Nekrolog von
La Graſſe, bei Mabillon, Acta IV, 1, S. 196 N. a, wonach der Abt und der Erz=
biſchof eine und dieſelbe Perſon ſind; Jaffé VI, 831 N. 4; gegen die Identität
Sickel II, 281. Anianus iſt der Abt der Klöſter des h. Johannes und des h. Lorenz
in der Diözeſe Narbonne, denen Karl am 20. Juli 794 die Immunität verleiht, Urk.
bei Mahul, Cartulaire de Carcassonne, IV, 68; Sickel II, 57 (K. 143). 274;
Mühlbacher Nr. 318. Atilio iſt der Abt von St. Tiberi in der Diözeſe Agde, einem
Kloſter, das nachweislich zuerſt im 10. Regierungsjahre Karl's genannt wird, alſo
778, laut einer Urkunde aus der Zeit Karl's des Kahlen von 867, Gallia chriſtiana,
VI, pr. S. 313 f. Die 3 Aebte werden rühmend erwähnt von Theodulf, carm. 30,
v. 67 bis 70, Poet. Lat. aev. Carolin. I, 522.

nach St. Seine zurückzukehren[1]). Aber Atilio hielt ihn davon ab, und seine Ausdauer wurde belohnt durch den Erfolg. Die Zahl seiner Schüler nahm zu, aus weiter Ferne eilten sie herbei, der enge Raum der ersten Anlagen vermochte sie bald nicht mehr zu fassen, worauf Benedikt den Bau eines neuen Klosters begann[2]). Die Zeit, da Benedikt zu der Aufführung des Neubaues schritt, ist nicht bekannt[3]); doch gingen jedenfalls einige Jahre darüber hin; endlich 792 steht das neue Kloster fertig da[4]).

Die Annalen von St. Amand verzeichnen noch den Tod des Bischofs Gislebert, der am 23. Mai 782 starb[5]). Gislebert war früher Mönch in St. Amand gewesen, dann Abt des Klosters geworden und hatte sich um dieses besondere Verdienste erworben durch den Bau einer Kirche und verschiedene bauliche Verbesserungen im Kloster[6]). Nachher ward er Bischof von Noyon und Tournai, etwa 770[7]), wie es jedoch scheint ohne seine Stelle als Abt niederzulegen[8]). Ist auch über seine Wirksamkeit nichts Sicheres bekannt, so muß er doch in hohem Ansehen gestanden haben; Alkuin hat auf ihn eine Grabschrift verfaßt, worin er seiner Frömmigkeit, Demuth und Rechtschaffenheit rühmend gedenkt[9]). Im Kloster St. Amand, in der Kirche des h. Petrus ward er begraben[10]).

Außerdem erfolgte im Jahre 782 ein Wechsel in der Leitung des Bisthums Constanz und der Klöster St. Gallen und Reichenau, welcher namentlich für die beiden Abteien von besonderer Wichtigkeit war. Am 9. Februar starb Bischof Johann von Constanz, der

---

[1]) Vita Benedicti, c. 3, S. 203.

[2]) Vita Benedicti, c. 5. 42, S. 203. 218.

[3]) Vgl. oben S. 440 N. 2. 4.

[4]) Urkunde bei Bouquet V, 751, von Bouquet und auch von Sickel II, 49 (K. 115). 265 schon 787 gesetzt; angeführt ist Karl's 19. Regierungsjahr, das aber Böhmer Nr. 144 in Anbetracht des Ausstellungsortes Regensburg, wo Karl 792, nicht aber 787 nachweislich verweilte, von den langobardischen Regierungsjahren versteht; vgl. auch Mühlbacher Nr. 309; Foß, Benedikt S. 19.

[5]) Annales s. Amandi SS. I, 12; Ann. s. Am. breviss. SS. XIII, 38; Ann. s. Amandi brev., SS. II, 184; vgl. auch die Annales Elnonenses maiores, SS. V, 11, die jedoch beträchtlich jünger sind.

[6]) Sie sind erwähnt in der von Alkuin verfaßten Grabschrift Gislebert's, vgl. unten N. 8.

[7]) S. Annales Elnonenses maiores l. c., die Bischofs- und Abtsreihe SS. XIII, 383. 386. 751 und über die Zeit seiner Erhebung zum Bischof Le Cointe VI, 224, vgl. mit V, 760 f.

[8]) So Mabillon, Annales, II, 263. Dafür spricht auch, daß er in St. Amand begraben ist, vgl. unten N. 10 und Le Cointe, VI, 225. Hienach wird die o. S. 71 N. 7 (vgl. auch S. 351 N. 1) erwähnte Reihenfolge zu berichtigen sein.

[9]) Alcuin. carm. 88, 1, Poet. Lat. aev. Carolin. I, 305; eine andere Grabschrift von einem unbekannten Verfasser (aus dem 11. Jahrhundert?) ebd. S. 111 vgl. S. 100. Die Angabe, Gislebert habe das Kloster Marchiennes (abbatia Marcianensis), das bisher zur Diözese Noyon gehörte, dem Bischof von Arras und Cambrai überlassen und dafür von diesem die Ueberweisung des Klosters St. Amand in die Diözese Noyon erlangt, die auch noch Mabillon l. c. wiederholt, ist zurückgewiesen durch Le Cointe, VI, 224 f.

[10]) Annales Elnonenses maiores l. c.

auch Abt von St. Gallen und Reichenau gewesen war[1]). Das
Streben der beiden Klöster nach Unabhängigkeit dem Bisthum
gegenüber war noch immer nicht unterdrückt; kaum war Johann
todt, so versuchten sie der Abhängigkeit von Constanz sich wieder
zu entziehen. Es ist eine sonderbare Anklage, Johann habe den
Abteien die Wahl von zwei seiner Verwandten zu Aebten ange=
sonnen[2]), also selbst die Trennung derselben vom Bisthum herbei=
führen wollen; so kann es nicht gewesen sein; wählten die Mönche
nach Johann's Tode eigene Aebte, nur aber nicht seine Verwandten,
so hat dazu der Bischof gewiß nicht den Anstoß gegeben. Johann's
Nachfolger als Bischof von Constanz ward Egino, wie aus ver=
schiedenen Anzeichen zu schließen, ein Alamanne aus vornehmem
Geschlechte[3]); die Mönche von Reichenau wählten zu ihrem Abte
einen alten Mönch Petrus[4]), im Einverständnisse mit der Königin
Hildegard, deren Bruder der Graf Gerold[5]) ein Gönner des
Klosters und sein eifrigster Beschützer war[6]); in St. Gallen wurde
angeblich zunächst Raudpert oder Ratpert gewählt[7]). So war die

---

[1]) S. das Nekrolog von Reichenau, in den Mittheilungen der antiquarischen
Gesellschaft in Zürich, Bd. 6, S. 56, Facs. Fol. 4 (Böhmer, Fontt. IV, 141):
5. Id. Febr. Es ist der 9. Februar 782; in der Schenkung des Witerich vom
13. Mai 781 begegnet noch Johannes, Wartmann S. 89 Nr. 94; in der Schenkung
des Roadpert vom 8. November 782, Wartmann S. 93 Nr. 98, wird zuerst Waldo ge=
nannt. Ueber das Datum der letzteren Urkunde, das eigentlich auf den 2. November
781 lautet, vgl. Wartmann S. 93 N.; die Veränderung ist nothwendig. Zum
15. Regierungsjahre Karl's (9. Oct. 782 bis 8. Oct. 783) meldet den Tod Johann's
das Chronicon Suevicum universale, SS XIII, 63: Iohannes episcopus et
abbas obiit; zu 781 dagegen Herimann. Aug. chron., SS. V, 100.
Walahfrid. Strab. gibt in der metrischen Visio Wettini Johann's Amts=
dauer als Abt von Reichenau richtig auf 22 Jahre an, v. 35, Poet. Lat. aev.
Carolin. II, 304 (Vicenosque binos receperat inde Iohannes). Ungenau ist
die Angabe auf 21 Jahre in den Catalogg. abbatum S. Galli, SS. XIII, 326
bis 327 und bei Herimann. Aug. 759, SS. V, 99 (Bernold., ibid. S. 418).
Unrichtig ist auch, daß zwischen Johann und Waldo ein Jahr lang Raudpert Abt
von St. Gallen gewesen sei (unten N. 7). Vgl. Meyer von Knonau in St. Galler
Mitthl. zur vaterl. Gesch. XIII, 14 N. 30; Ladewig, Regest. epp. Constant. I,
11 Nr. 65.

[2]) Ueber diese Nachricht Ratpert's vgl. oben S. 340 f.

[3]) Darauf deutet, wie Neugart, Episcopatus Constantiensis S. 85; Rettberg
II, 109; Gelpke, II, 300, mit Recht bemerken, daß er in Urkunden neben anderen
Angehörigen vornehmer Familien als Zeuge erscheint, namentlich in der Urkunde
Wartmann S. 102 Nr. 108 zwischen dem Grafen Gerold und seiner Mutter Imma,
also dem Bruder und der Mutter der Königin Hildegard, woraus Neugart auf eine
Verwandtschaft mit der Königin schließen will; Ladewig a. a. O. S. 11. 12,
Nr. 66. 68.

[4]) Vgl. Herimann. Aug. chron. 781. 786, SS. V, 100; Chron. Suev. univ.
SS. XIII, l. c.; Walahfrid. Strab. Visio Wettini v. 36, l. c. S. 305.

[5]) Vgl. über denselben unten Bd. II z. J. 799.

[6]) Ratpert. Cas. s. Galli c. 8, St. Galler Mitthl. zur vaterl. Gesch. XIII,
14—15 (SS. II, 64, c. 3): Postquam igitur praefatus episcopus (Iohannes)
vita excessit, Augenses quendam senem presbyterum et monachum, nomine
Fetrum, sibi elegerunt abbatem cum consilio Hildigardae reginae, cuius
etiam adminiculo res apud illos ita perstitit, quia a Geroldo comite, ger=
mano praedictae reginae, locus ipse maxime constitit et augebatur.

[7]) In Ratpert. Cas. s. Galli l. c. wird er nur in einer Marginalnotiz erwähnt:
Nostri vero [Ratpertum sibi constituerunt abbatem, quo post unum annum

Vereinigung der Abtswürde in den beiden Stiftern mit dem Bisthum Constanz wieder gelöst, die alten Streitigkeiten brachen auf's neue aus, nahmen sogar einen größeren Umfang an, da Reichenau, welches bisher denselben fern geblieben war, jetzt, wenn auch nur kurze Zeit, mit derselben Heftigkeit wie St. Gallen sich daran betheiligte. Petrus hatte einen schweren Stand; sieht man recht, so hatte es Reichenau der Königin Hildegard zu verdanken, daß es sich gegen Constanz behauptete[1]). Egino machte die Ansprüche von Constanz mit aller Entschiedenheit geltend; namentlich seitdem Waldo[2]) als Abt an die Spitze von St. Gallen trat (jedenfalls vor dem 8. November 782)[3]), wurde der Kampf mit der alten Erbitterung fortgeführt, selbst der König griff in ihn ein.

Ungeachtet der wichtigen Vorgänge im Norden der Alpen hatte Karl aber auch Italien nicht aus den Augen verloren. Von seiner Sorge für die Ordnung seines italischen Reiches liegen einige Zeugnisse, wie es scheint, aus dieser Zeit vor.

Vielleicht zu Anfang März dieses Jahres ist auf einer Versammlung von Bischöfen und Aebten, von Grafen und anderen Getreuen des Königs, langobardischen und fränkischen, wahrscheinlich in Pavia ein Gesetz für das Königreich Italien erlassen[4]), in dessen Eingang Pippin allein genannt ist, an dem aber jedenfalls Karl, wenn auch nur mittelbar, durch die Pippin von ihm beigegebenen Rathgeber größeren Antheil hat als sein unmündiger Sohn. Das Gesetz steht unter den von Pippin erlassenen obenan[5]), auch sein Inhalt deutet darauf hin, daß es bald nach der Einsetzung Pippin's als König von Italien, schwerlich später als 782 gegeben ist[6]).

---

defuncto]; vgl. ebb. N. 33; XI, 137—138. S. ferner Herimann. Aug. chron. 781, SS. V, 100: Pro quo Egino ... et apud s. Gallum Roudpertus abbas annum 1 praefuerunt; Catalogg. abb. Sang., SS. XIII, 326 f.: Raudpertus annum 1 etc. Wie wir jedoch sahen, bleibt für ihn höchstens die Zeit zwischen dem 9. Februar und 8. November 782, so daß er statt ein ganzes Jahr höchstens 9 Monate Abt gewesen sein müßte. Wie Meyer von Knonau, St. Galler Mitth. XIII, 15 N. 33 bemerkt, kennt die in diese Zeit fallende Urkunde bei Wartmann Nr. 97 keinen Abt.

[1]) Das zeigen die Worte cuius .. adminiculo res apud illos ita perstitit, oben S. 442 N. 6; übrigens vgl. unten zum Jahr 784.

[2]) Vgl. Herimann. Aug. chron. 782, SS. V, 100; Ratpert. Cas. s. Galli l. c. S. 15; Catalogg. abb. s. Galli l. c.; Meyer von Knonau a. a. O. XIII, 15 N. 35. Waldo ist wohl der Diakonus, der früher viele Urkunden ausfertigt, Wartmann Nr. 57. 61—63, zuletzt Nr. 95; vgl. ebb. I, S. 57 Anm.

[3]) Darüber vgl. oben S. 442 N. 1.

[4]) Capp. 191 ff.; über die Zeitbestimmung vgl. unten N. 6.

[5]) Vgl. Boretius, Capp. l. c. und Die Capitularien im Langobardenreich, S. 125.

[6]) Im Capitular selbst ist eine Zeitbestimmung nicht enthalten; daß es aber in den Jahresanfang, vor Ostern gehört, ergibt sich aus c. 9 und dem Schlusse, wonach die Ausführung des Gesetzes schon 14 Tage nach Ostern erfolgt sein soll. Boretius meint: „Haud dubie Papiae, fortasse in concilio Kalendis Martiis more Langobardorum antiquo habito, hoc capitulare dicendi ratione Langobardorum edicto simillimum constitutum est." Für die Bestimmung des Jahres ist der einzige Anhaltspunkt, daß ein späteres Capitular Pippin's wohl dem Oktober d. J. 787 angehört, vgl. Boretius, Capitularien im Langobardenreich S. 128 f.;

Es zeigt in den langobardischen Verhältnissen große Unordnung und Verwirrung, namentlich allgemeine Rechtsunsicherheit; es hat offenbar den Zweck, nur einmal schnell den ärgsten Mißbräuchen zu steuern und einigermaßen die Ordnung herzustellen; es gehört einer Zeit an, da die Uebelstände, welche der Zusammensturz der alten Ordnung im Gefolge hatte, noch nicht überwunden waren, da die von Karl dem Lande gegebene eigene straffere Verwaltung, welche dieselben überwinden sollte, kaum erst in Wirksamkeit getreten war[1].

Die ersten Bestimmungen des Gesetzes betreffen kirchliche Verhältnisse. Auch auf diesem Gebiete scheinen grobe Mißbräuche eingerissen gewesen zu sein. Den Bischöfen wird wiederholt eingeschärft sich an die kanonische Ordnung zu halten und auch bei den ihnen untergebenen Geistlichen darüber zu wachen, daß sie ihr Leben nach den kanonischen Regeln einrichten. Aber diese Verfügung wird nicht für ausreichend gehalten; es wird der Fall vorgesehen, daß die Bischöfe bei ihren Geistlichen nicht auf kanonisches Leben halten, daß sie diese sogar selber zur Mißachtung der kanonischen Ordnung verleiten; in diesem Falle soll der Graf des betreffenden Ortes einschreiten und die verweltlichten Kleriker zur Heerespflicht heranziehen[2]. Die Kirchen auf dem Lande, die sog. Taufkirchen und andere, hatte man verfallen lassen; es mußte bestimmt werden, daß die Pflichtigen, welche sie früher unterhalten hatten, sie auch jetzt wieder in Stand setzen sollten, unter Anerkennung der alten Rechte des königlichen Hofes und der anderen Eigenthümer[3]. Zur Mitwirkung bei der Herstellung von Kirchen, ebenso wie beim Bau von Brücken und Straßen sollte, wie das schon von Alters her Gebrauch gewesen, jedermann verpflichtet sein und keine Befreiung von diesen Lasten vorgeschützt werden dürfen[4]. Die strenge Beobachtung der Regel in den Klöstern, die Sorge für den Rechtsschutz von Wittwen und Waisen, worauf auch sonst

---

Capp. I, 198 und unten zum Jahre 787; weshalb das unsrige zwischen 782 und 786 fallen wird. Die Zeitbestimmung 783 für das ebenfalls einer späteren Zeit als das unsrige angehörige Capitular, Legg. I, 46 ff. und Capp. I, 200 ff., wie sie Perz gab, ist unsicher, vgl. Boretius, Capitularien im Langobardenreich a. a. O.; Capp. l. c., wo er dies Capitular c. 790 setzt. Dies trägt daher für die Zeitbestimmung des ersten Capitulars nichts aus. Nur die im Text angeführten inneren Gründe sprechen schon für 782; vgl. auch Mühlbacher Nr. 490.

[1] Vgl. namentlich die Stellen unten S. 445 N. 7. 9.

[2] c. 2, Capp. I, 191: Et si quis pontifex cleros suos canonice ordine distringere noluerit et ad secularem pertraxerit habitum, quod canones cleros facere prohibent, comis qui in loco fuerit ordinatus distringat illos in omnibus ad suam partem sicut et alios exercitales.

[3] c. 1: Ut ecclesias baptismales seu oraculas qui eas a longo tempore restauraverunt mox iterum restaurare debeant, et tam curtis regia quam et Langobardos talem inibi habeant dominationem, qualem illorum a longo tempore fuit consuetudo; vgl. Capitulare cum episcopis Langobardicis deliberatum c. 4. 5, S. 189; Capitulare Mantuanum secundum c. 3, S. 196 und über die Taufkirchen Richter, Kirchenrecht, S. 463. 963 (8. Aufl.).

[4] c. 4, S. 192.

so vielfach gedrungen wird, ist auch hier nachdrücklich einge=
schärft[1]).

Die folgenden Bestimmungen haben hauptsächlich den Zweck
für größere Rechtssicherheit zu sorgen, den Rechtsverweigerungen
von Seiten der Bischöfe und der weltlichen Beamten entgegen=
zutreten. Die Bischöfe sollen verpflichtet sein, überall wo sie Be=
sitzungen haben Vögte zu bestellen[2]); den Grafen, Gastalden, den
Schultheißen und anderen Unterbeamten wird, falls sie in der
Rechtspflege säumig sind, mit strenger Strafe gedroht[3]); zur Be=
förderung der öffentlichen Sicherheit sollen die Grafen mit zuver=
lässigen Männern in der Stadt und auf dem Lande in Verbindung
treten, damit diese die ihnen zu Ohren kommenden Verbrechen,
Mord, Diebstahl, unerlaubte Vereinigungen beim Grafen zur
Anzeige bringen[4]). Auf flüchtige Sklaven soll sorgfältig gefahndet
und alle Beamten strenge verpflichtet werden, wo sie solche fänden,
dieselben an den königlichen Hof in Pavia auszuliefern, damit sie
innerhalb einer bestimmten Frist, 14 Tage nach Ostern, den recht=
mäßigen Eigenthümern zurückgegeben werden können[5]). Endlich
werden Pilger, welche Rom und andere heilige Stätten besuchen,
unter den besondern königlichen Schutz gestellt[6]).

Es waren lauter Bestimmungen, welche einem bringenden
Nothstande abhelfen und bessere Zustände anbahnen sollten. Das
Gesetz spricht es zum Schlusse selber aus, daß in der letzten Zeit
Ordnung und Recht verschwunden war; damit, wer seit so vielen
Jahren nicht mehr zu seinem Rechte habe kommen können, jetzt
endlich sein Recht erlange, so heißt es ausdrücklich, sei das Gesetz
erlassen[7]). Daher ergeht die Aufforderung an Bischöfe und Aebte,
Grafen und andere Beamte, es ungesäumt in Vollzug zu setzen,
14 Tage nach Ostern soll es im ganzen Königreich Italien ins
Leben getreten sein[8]); jeder Graf soll dann einen Bevollmächtigten
nach Pavia schicken, um über die Ausführung des Gesetzes
Rechenschaft abzulegen. Weitere Maßregeln behält sich der König
dann vor[9]).

---

1) c. 3. 5.
2) c. 6, vgl. Hegel, Städteverfassung von Italien, II, 19.
3) c. 7.
4) c. 8, vgl. Hegel, II, 36.
5) c. 9, S. 193.
6) c. 10.
7) Capp. I, 193: Et hoc damus in mandatis ut cunctis episcopis, abbatibus, comitibus seu actionariis nostris, ut haec omnis suprascripta
iustitia de praesenti absque ulla tarditate adimpleta fieri debeat, ut qui in
tantos annos iustitiam habere non potuerit, vel modo pro Dei omnipotentis
misericordia et per praeceptione domino et genitore meo Karoli regis
gentis Francorum et Langobardorum ac patricius Romanorum, simul et per
nostram praeceptionem unusquisque iustitia sua accipiat. Ita tamen, ut
quindecim dies post sanctum pascha omnia adimpleta esse debeant . . .
8) Vgl. die vor. Anmkg.
9) L. c.: et tunc unusquisque iudex noster dirigat missum suum ad
nos, ponendum nobis rationem, si nostram adimpleverint iussionem. Postea
habemus disponere cum Dei adiutorio, qualiter melius previderimus.

Vielleicht in einem gewissen Zusammenhang mit diesem Gesetze steht ein anderes, ebenfalls für Italien bestimmtes Capitular[1]), das in seinem Inhalt mit demselben mehrfache Aehnlichkeit zeigt[2]), sonst aber kaum eine Handhabe bietet um seine Zeit zu bestimmen, auch durch seine Form auffällt. Es ist wenig Sorgfalt auf dieselbe verwandt, die Bestimmungen sind meist kurz und ge= drängt gefaßt. Schwerlich ist dies Capitular ein in aller Form abgefaßtes Gesetz, sondern wahrscheinlich nur eine an die Bischöfe[3]), und zwar durch Königsboten[4]), gerichtete Instruktion. Die Mehr-

---

[1]) Das Capitulare cum episcopis Langobardicis deliberatum c. a. 780—790, Capp. I, 188 f., welches Pertz, Legg. I, 236, erst ins Jahr 823 unter Ludwig d. Fr. und Lothar, Baluze, Capp. I, 619, ins Jahr 819 setzte. Allein die Angaben über die Beschaffenheit der Handschrift, bei Boretius, Capp. l. c. und Capitularien im Langobardenreich S. 28 f. 108, lassen keinen Zweifel, daß es in Karl's Zeit gehört. — Daß das Capitular nur für Italien bestimmt war, schließt aus dem Ausdruck ad mundio palatii c. 5 richtig Boretius, Capp. I, 188; Capitularien im Langobardenreich S. 104; vgl. auch Waitz IV, 2. Aufl. S. 236 N. 4.

[2]) Vgl. Boretius, Capitularien im Langobardenreich S. 107 f.; Capp. I, 188. Allerdings sind diese Aehnlichkeiten, auf welche Boretius Gewicht legt, nicht gerade sehr frappant, zum Theil sogar nicht anzuerkennen. Derselbe meint, Capitularien im Langobardenreich S. 107, Pippin habe bei der Abfassung jenes wahrscheinlich in Pavia erlassenen Gesetzes das Capitulare cum episcopis Langobardicis delibe= ratum bereits vor sich gehabt und dessen Bestimmungen weiter ausgeführt. Er ver= legte dies Capitulare daher damals bereits ins Jahr 780 oder 781 (vgl. Mühl= bacher Nr. 234). Allein auch das umgekehrte Verhältniß, die Priorität des ausführ= lichen Capitulars, wäre denkbar, in welchem Fall auf dessen Bestimmungen in dem Capitulare cum episcopis deliberatum nur in kurzen Andeutungen hingewiesen wäre, abgesehen von einigen anderen Punkten, die dann bei dieser Gelegenheit noch hinzugefügt wurden.

[3]) Vgl. c. 8: ut hoc pleniter per vestram monitionem et per iudicium comitis emendatum fiat; ähnlich am Schluß: per vestram sanctissimam monitionem; c. 6: unusquisque in sua parrochia una cum consensu et adiu= torio comiti sui. Gegen die Bezeichnung des Capitulars als Capitulare epi= scopis datum bei Pertz l. c. ist insofern nichts einzuwenden, da es eben augenschein= lich für die Bischöfe bestimmt ist. Auch die Bezeichnung von Boretius: Capitulare cum episcopis Langobardicis deliberatum läßt sich hören, obgleich seine Ansicht, daß darin bald der König, bald die Bischöfe redend eingeführt würden, daß das Capitular vielleicht in einer vom Könige berufenen Synode der italischen Bischöfe erlassen sei (Capitularien im Langobardenreich S. 104 f.; Capp. I, 188) nicht zu= treffend ist; vgl. die folgende Anmerkung.

[4]) Dafür spricht der mehrfach in diesem Capitular vorkommende Ausdruck do= minorum nostrorum, der mit domini nostri abwechselt (c. 1. secundum iussio= nem dominorum nostrorum. 4. per iussionem dominorum nostrorum. 5. iu= stitiam dominorum nostrorum. 7. in elemosyna dominorum nostrorum regum. 10, Schl. dominorum nostrorum iudicio. Dagegen c. 6. ad aures piissimi domini nostri. 8. auribus precellentissimi domini nostri). Diese Ausdrücke zeigen zunächst deutlich, daß wir es nicht mit einem vom Könige selbst erlassenen Capitular zu thun haben. Unter domini nostri werden Karl und König Pippin von Italien, unter dominus noster Pippin zu verstehen sein. Die gleiche Ausdrucksweise trifft man in dem Protokoll über eine Verhandlung fränkischer Missi mit den Bewohnern Istriens, Waitz III, 2. Aufl. S. 488 ff. (vgl. unten Bd. II. z. J. 805): per iussio= nem piissimi atque excellentissimi d. Caroli magni imperatoris et Pippini regis filii ejus — pro . . . [iustitiis] dominorum nostrorum — de iustitia dominorum nostrorum — de iustitiis dominorum nostrorum — quoad illum diem, quo ad manus dominorum nostrorum pervenimus — sicut in omnem

zahl der in dieſem Capitular berührten Gegenſtände begegnen uns auch in dem oben erwähnten, wahrſcheinlich zu Pavia erlaſſenen Geſetze: die Beſtimmungen über das kanoniſche Leben der Kleriker[1]), über die Beobachtung der Kloſterregel durch Mönche und Nonnen, über die Unterhaltung der Kirchen, die Sorge für Arme, Wittwen und Waiſen[2]); woran ſich dann noch einige andere Beſtimmungen reihen, über die Entrichtung des Zehnten, die Beſchleunigung der Weihe erwählter Biſchöfe, die Beſtrafung verſchiedener Verbrechen, von denen das Geſetz von Pavia nicht redet[3]). Umgekehrt werden nicht alle in dem letzteren berührten Gegenſtände auch in dem zweiten Capitular erwähnt.

---

potestatem domini nostri faciunt; ferner in dem Placitum des Herzogs Hildiprand von Spoleto vom Auguſt 787, Mabillon, Ann. Ben. II, 713 Nr. 30. Boretius, Capitularien im Langobardenreich S. 106; Capp. I, 189, meint zwar, daß unter dominorum nostrorum Karl und ſeine Nachfolger zu verſtehen ſeien, daß jener Aus= druck abwechſelnd, alſo gleichbedeutend gebraucht werde mit domini nostri vel eius posteribus (c. 6. 8), daß hier die Lesart der Handſchriften nicht in proceribus verwandelt werden dürfe. Vielmehr glaubt Boretius, daß am Schluſſe, wo domi- norum nostrorum iudicio et eius proceribus ſteht, ebenfalls domini nostri iudicio vel eius posteribus zu leſen ſei.

[1]) Zu den Worten vivere et conservare (Baluze emendirte ſchon: conver- sare) vgl. Pippini cap. Papiense 787. 11, S. 199 (vita aut conversatio eorum); Einh. V. Karoli praef.: Vitam et conversationem etc. Was Bore= tius, Capitularien im Langobardenreich S. 107 N. 1; Capp. I, 189 a) zu dieſer Stelle bemerkt, halten wir für unzutreffend.

[2]) c. 1. 2. 3. 4. 5. 7.

[3]) c. 9. 10. 6. 8.

Wir fügen zu dem Bericht über dies Jahr noch hinzu, daß nach den Annalen von Weißenburg daſelbſt am 13. Auguſt 782, einem Dienſtage, ein ſtarkes Erdbeben ſtattfand, ſ. Mone, Zeitſchr. f. d. Geſch. des Oberrheins XIII, 492.

783.

Während der ersten Monate des Jahres hielt Karl Hof in seiner Pfalz zu Diedenhofen an der Mosel; Ostern, 23. März, feierte er hier[1]); sein Aufenthalt in der Pfalz muß wenigstens bis in den Mai gedauert haben[2]). Soviel zu sehen, beschäftigten ihn damals die Vorbereitungen zu einem neuen Zuge nach Sachsen. Als er das Jahr zuvor von dort zurückkehrte, mochte er glauben, durch die blutige Bestrafung der Sachsen den Gehorsam des Volkes für immer gesichert zu haben; allein es zeigte sich bald, daß seine Härte gerade die entgegengesetzte Wirkung hatte. Jetzt erst wurden die Sachsen ganz inne, was der Verlust ihrer Unabhängigkeit für sie zu bedeuten hatte; da es um dieselbe schon so gut wie geschehen war, standen sie auf um sie zurückzuerobern. Es war eine allgemeine Erhebung des ganzen Volkes, wie sie bis dahin noch nicht vorgekommen war; der Verlauf des Feldzugs zeigt deutlich, daß ganz Sachsen unter den Waffen stand[3]). Es kann sich um nichts geringeres gehandelt haben als um die Säuberung Sachsens von allen Franken, allen christlichen Priestern, um die Herstellung des alten heidnischen Glaubens und der alten vollen Unabhängigkeit[4]). An der Spitze der Erhebung stand gewiß auch diesmal Widukind; er muß aus Dänemark früh wieder nach Sachsen zurückgekommen sein, obgleich die Quellen nichts darüber angeben.

Die Erhebung der Sachsen fand, wie es scheint, schon zu Anfang des Jahres statt. Karl traf umfassende Rüstungen um sie niederzuschlagen; aber noch ehe er den Feldzug angetreten, wurde ihm

---

[1]) Annales Lauriss. mai. l. c. etc. (Vgl. oben S. 414 N. 3; 435 N. 5).

[2]) Ann. Einh. 783 S. 165, wonach seine Gemahlin Hildegard am 30. April starb, priusquam a memorata villa moveret; auch die Urkunde vom 1. Mai, Mühlbacher Nr. 253 (unten S. 449 N. 2).

[3]) Eine ausdrückliche Angabe über die Allgemeinheit der Erhebung haben nur die Ann. Einh l. c., welche von einer omnimoda defectio reden.

[4]) Von einer Absicht der Sachsen ins Fränkische einzudringen, deren Hegewisch, S. 185, Erwähnung thut, wissen die Quellen nichts.

seine Gemahlin Hildegard durch den Tod entrissen[1]). Sie starb am Vorabend des Himmelfahrtsfestes, 30. April[2]), in ihrem 26. oder 24. Lebensjahre[3]), und wurde zu Metz in der Kapelle des h. Arnulf, des Stammvaters der königlichen Familie, in der auch schon 2 Töchter König Pippin's sowie eine Tochter der Hildegard selbst ihre Ruhestätte gefunden hatten, beigesetzt[4]). Sie hatte in ihrer glücklichen Ehe Karl 9 Kinder geboren, 4 Knaben und 5 Mädchen[5]);

---

[1]) Annales Einhardi: ... cum ad expeditionem Saxonicam se prae-parasset ... priusquam de memorata villa moveret, Hildigardis regina uxor eius decessit 2. Kal. Maias; wonach also Karl jedenfalls schon vor dem Tode der Königin zu rüsten angefangen hatte.

[2]) Ihr Todestag wird angegeben in den Annales s. Amandi, SS. I, 12; Annales Petaviani, SS. I, 17; Annales Laur. mai. l. c.; Annales Einhardi (s. vor. Anmkg.); Ann. Mosellan. SS. XVI, 497; Ann. Maximinian. SS. XIII, 21; Ann. Guelferb., Nazar., Alam., Sangall. Baluzii, SS. I, 41; St. Galler Mitth. z. vaterländ. Gesch. XIX, 204. 237; Ann. Bawarici brev. SS. XX, 8; Ann. Flaviniacens. ed. Jaffé S. 688, welche hier überhaupt um ein Jahr zurück sind, z. J. 782, aber mit dem richtigen Wochentage (4 feria = Mittwoch); Ann. necrol. Fuld. 780, SS. XIII, 167; Kalendar. necrol. Laresham., Böhmer, Fontt. rer. Germ. III, 146. — Ann. s. Emmerammi Ratispon. SS. I, 92 setzen den Tod der Königin unrichtig zu 784; vgl. auch unten S. 458 N. 1.

Wenig Gewicht zu legen ist auf die Urkunde Sickel K. 99; Anm. S. 257—258; I, 221 N. 3; Mühlbacher Nr. 253; Bouquet V, 748 f., in deren Datum es heißt: in die ascensionis dominicae, in cuius vigiliis ipsa dulcissima coniux nostra obiit ... indictione sexta; denn der Text dieser nicht im Original, sondern nur in einer ziemlich gleichzeitigen Nachzeichnung erhaltenen Urkunde ist stark überarbeitet, die Datirung von allen damaligen Regeln abweichend. Ueberliefert ist diese Urkunde auch in der Historia s. Arnulfi Mettens., SS. XXIV, 536.

[3]) Ihr Alter ergibt sich aus ihrer Grabschrift, wonach sie im 13. oder 12. Lebensjahre stand, als sie sich mit Karl vermählte, und im 13. oder 12. Jahre ihrer Ehe starb, Paul. Gest. episcop. Mett., SS. II, 266; Poet. Lat. aev. Carolin. I, 58—59 Nr. 22, v. 21 ff.:

Alter ab undecimo iam te susceperat annus,
Cum vos mellifluus consotiavit amor;
Alter ab undecimo rursum te sustulit annus,
Heu genitrix regum, heu decus atque dolor!

vgl. oben zum Jahr 771, S. 104 N. 5. Es würde wenig ins Gewicht fallen, daß es auch in der Datirung der Urkunde Mühlbacher Nr. 253 (s. vor. Anmkg.) heißt: in anno tertio decimo coniunctionis nostrae, vgl. Havet, in Bibl. de l'Ec. des Chartes XLVIII (1887), S. 50 N. 1; aber der Verfasser der Grabschrift selbst, Paulus Diaconus, dürfte mit alter ab undecimo das 13. nicht das 12. Jahr gemeint haben (vgl. ebd. S. 48—49 u. unten Excurs VI.). Auch Stälin, Wirtembergische Geschichte, I, 245 N. 2, und ebenso Dümmler, Poet. Lat. I, 58 N. 7, setzen Hildegard's Geburt bereits in das Jahr 757 (wonach sie bei ihrem Tode 25—26 Jahre alt gewesen wäre), indem sie alter ab undecimo als das 13. Jahr auffassen. Nach der andern Auslegung würde sie 759 oder 760 geboren sein.

[4]) Paulus Diaconus, Gesta episc. Mett. l. c.; Ann. Mettens. SS. XIII, 30; Cod. 397 der St. Galler Stiftsbibliothek, Mitth. zur vaterl. Gesch. XIX, 216; Astronom. V. Hludowici c. 64, SS. II, 648; Hist. s. Arnulfi Mett. SS. XXIV, 537. — Dagegen ist es eine späte Erfindung, daß Hildegard auf ihren Wunsch in Kempten beigesetzt worden sein soll, vgl. Mühlbacher Nr. 157; De s. Hildegarde, AA. SS. Boll. Apr. III, 792. 796—797 u. unten.

[5]) Paulus Diaconus, Gesta episc. Mett., SS. II, 265. — Einh. V. Kar. 18 nennt unvollständig nur drei Söhne (Karl, Pippin, Ludwig) und drei Töchter (Rotrud, Berta, Gisla); vgl. unten S. 458 N. 6.

unmittelbar nach der Geburt des jüngsten Mädchens, Hildegard, starb sie[1]). Auf den Wunsch Karl's dichtete Paulus Diaconus ihre Grabschrift, worin er ebenso die Schönheit ihrer äußeren Erscheinung wie die Vorzüge ihres Geistes und Herzens mit Wärme preist, dann aber alle seine Lobsprüche in den einen zusammenfaßt, daß ein so großer Mann wie Karl sie zur Gattin gewählt habe[2]). Auch sonst werden die trefflichen Eigenschaften der Königin gerühmt[3]). Ihr kirchlicher Sinn sicherte ihr ein gutes Andenken beim Volke; Ratpert von St. Gallen weiß von ihrer lebendigen Theilnahme am Schicksal des Klosters Reichenau zu erzählen[4]); in Gemeinschaft mit ihrem königlichen Gemahl beschenkte sie St. Denis mit Kirchen im Veltlin[5]), die Abtei St. Martin in Tours mit Gütern in Oberitalien[6]); ebenso die einst von König Liudprand erbaute Kirche des h. Anastasius in Corte Olona mit einer Altardecke für den Altar

---

[1]) Vgl. unten S. 452 N. 1.

[2]) Es heißt in der Grabschrift, Poet. Lat. aev. Carolin. I, 58, v. 3—16]:

> Hic regina iacet regi praecelsa potenti
>   Hildegard Karolo quae bene nupta fuit.)
> Quae tantum clarae transcendit stirpis alumnos
>   Quantum, quo genita est, Indica gemma solum.
> Huic tam clara fuit florentis gratia formae,
>   Qua nec in occiduo pulchrior ulla foret.
> Cuius haut tenerum possint aequare decorem
>   Sardonix Pario, lilia mixta rosis.
> Attamen hanc speciem superabant lumina cordis
>   Simplicitasque animae interiorque decor.
> Tu mitis, sapiens, solers, iocunda fuisti,
>   Dapsilis et cunctis condecorata bonis.
> Sed quid plura feram? cum non sit grandior ulla
>   Laus tibi, quam tanto complacuisse viro!

vgl. ebd. S. 631; II, 688.

[3]) Annales Laur. mai. l. c.: domna ac bene merita Hildegardis regina; Poet. Lat. I, 107 (Nr. I, 14. In pallio altaris), v. 5—6: Hildegarda pio cum quo regina fidelis — Actibus insignis mentis amore dedit; Walahfrid. Strab. Visio Wettini, v. 811 ff., ibid. II, 329, von Gerold:

> Hic vir in hac patria summa bonitate nitebat,
> Moribus egregius, verax, mansuetus, honestus:
> Cui regina soror Hludowici cara genetrix
> Hildigardis erat, parili bonitate venusta.

Anekdoten, welche theils Karl's innige Liebe zu H., theils ihr weibliches Trachten nach Einfluß darthun sollen, beim Monachus Sangallensis I, 4. 13, Jaffé IV, 634 f. (ut est omnium consuetudo feminarum, ut consilium suum et votum virorum decretis praeponderare velint etc.). 642 (s. unten Bd. II, z. J. 799); vgl. auch II, 8, S. 675—676. L. v. Ranke, Weltgesch. V, 2, S. 245 erzählt, daß Karl beim Tode dieser Gemahlin „schwere Thränen zwischen Schild und Schwert herabfielen" — wir können nicht ersehen, nach welcher Quelle. Vgl jedoch Cod. Carol. 83, Jaffé IV, 251 f., wie auch Papst Hadrian das Andenken Hildegard's ehrte.

[4]) Casus s. Galli, c. 8, St. Galler Mitth. zur vaterl. Gesch. XIII, 14—15: vgl. Rettberg II, 122; oben S. 442 N. 7; S. 443 N. 1.

[5]) Jaffé, Reg. Pont. ed. 2 a Nr. 2443; Leg. Sect. V, 501 Nr. 8; Mühlbacher Nr. 177; oben S. 221 N. 2.

[6]) Mühlbacher Nr. 163; vgl. oben S. 193 N. 4.

des h. Petrus[1]). Auch die Gründung oder wenigstens die reiche
Ausstattung des Klosters Kempten ist ihr später zugeschrieben worden,
aber mit Unrecht[2]); richtig ist nur, daß Hildegard in Kempten die
Gebeine des h. Gordianus und h. Epimachus hatte beisetzen lassen[3]).
Mit der h. Leobgytha (Leoba), der Aebtissin des Klosters Bischofsheim an der Tauber, der Verwandten und Freundin des Bonifaz[4]),
stand die Königin in engem und häufigem Verkehr, sah sie mehrmals am Hofe bei sich. Am liebsten, so heißt es, hätte Hildegard
die Leobgytha beständig um sich gehabt, um sich an ihren Worten
und ihrem Beispiel zu erbauen. Aber Leobgytha verabscheute das
lärmende Treiben des Hofes, obwohl auch die Großen und namentlich die Bischöfe ihr die größte Hochachtung erwiesen und auf ihren
Rath sehr viel Gewicht legten. Ganz kurz vor ihrem Tode[5]), als
der Hof in Achen[6]) war, lud Hildegard sie noch einmal zu sich,
um die fromme Freundin noch einmal zu sehen, und Leobgytha,
die damals in Schornsheim bei Mainz wohnte[7]), folgte, wenn auch
ungern, in Rücksicht auf die alte Freundschaft der Einladung der
Königin. Von derselben mit gewohnter Freundlichkeit und Güte
empfangen, ließ sich Leobgytha doch wieder nicht halten, sondern
nahm von ihrer hohen Gönnerin auf Nimmerwiedersehen den
zärtlichsten Abschied[8]). Von Hildegard's Mildthätigkeit gegen Arme
und Kranke erzählte man sich rührende Beispiele[9]).

---

[1]) Poet. Lat. I, 107; vgl. oben S. 450 N. 3. — Uebrigens ließ König
Pippin von Italien Verzeichnisse der seiner Mutter übergebenen Güter aufnehmen,
Pippini capitulare c. 790 c. 14, Capp. I, 201 (De rebus quae Hildegardae
reginae traditae fuerunt volumus ut fiant descriptae per breves, et ipsae
breves ad nos fiant adductae; vgl. das. N. 6. 7 und unten S. 463 N. 5;
f. auch Responsa missis data. 826. c. 8, Capp. I, 314).
[2]) In Betreff des Näheren f. Sickel II, 395; Mühlbacher N. 157; Forschungen
zur deutschen Gesch. XXI, 230 ff. (v. Pflugk-Harttung); Le Cointe, VI, 233; Rettberg II, 131 f.; über angebliche Wohlthaten und Schenkungen Hildegard's für Otto-
beuern Chron. Ottoburan. SS. XXIII, 612; 614; über das Märchen von Hildegard und Karl's unebenbürtigem Bruder Taland Leibniz, Annales, I, 108; Le
Cointe, VI, 232 f.
[3]) Wenigstens nach einer allerdings nicht ganz unbedenklichen Urkunde Ludwig's
des Fr. vom 1. September 839; Sickel L. 367; Mühlbacher Nr. 967; Mabillon,
Vet. Analect. nov. ed. S. 448. — Hierin mag der Keim der Erfindung liegen.
[4]) Vgl. auch die Notiz über sie in Hraban's Martyrologium zum 28. Sept.
(Dümmler, in Forsch. z. deutschen Gesch. XXV, 199—200).
[5]) Leoba starb, wie es scheint, 28. September 782, vgl. oben S. 427 N. 2.
[6]) Ein Aufenthalt des Hofs in Achen in dieser Zeit ist nicht bezeugt, vgl. oben
S. 433 N. 2.
[7]) Vgl. oben S. 427.
[8]) Rudolf. vita Leobae c. 18. 20, SS. XV, 129. 130; vgl. auch Rettberg,
II, 337; Hahn, Bonifaz und Lul S. 140—141.
[9]) Vgl. die Erzählung in der Vita s. Gertrudis, unter den Miracula, Appendix 1, über die von der Königin einem armen krüppelhaften Mädchen erwiesenen
Wohlthaten, Acta SS. Boll. 17. Mart. II, 599; vgl. auch Le Cointe, VI, 228 ff.,
und über die Abfassung sowie die Glaubwürdigkeit der von Bonnell (Anfänge des karolingischen Hauses S. 151 f.) mit Unrecht für betrügerisch und ganz unglaubwürdig
erklärten Vita die Bemerkungen in den Act. SS. l. c. S. 593; Hirsch, De Sigeberti Gemblacensis vita et scriptis, S. 64; Wattenbach DGQ. 5. Aufl. I,
122 N. 1.

Der Königin folgte ihr jüngstes Kind, ebenfalls Hildegard ge=
heißen, binnen kurzem im Tode nach, kaum 40 Tage alt[1]).

Karl's Aufbruch nach Sachsen war durch die Todesfälle in
seiner Familie verzögert worden; nachdem aber die Beisetzung vor=
über war, scheint er nach einer Nachricht unverweilt den Feldzug
angetreten zu haben[2]), während dies nach einer anderen, jedoch
wahrscheinlich nicht glaubwürdigen, frühestens im Juni geschah[3]).
Es war wohl verhältnißmäßig noch früh' im Jahre, aber der Auf=
stand in Sachsen muß so schnell und gefährlich um sich gegriffen haben,
daß Karl nicht, wie gewöhnlich, den Anfang des Sommers abwartete,
sondern wohl so rasch wie möglich aufbrach[4]). Er hatte nicht
einmal Zeit gehabt seine Rüstungen ganz zu vollenden; er nahm
von seinen Truppen mit so viele sich unterdessen um ihn gesammelt
hatten; ein Theil des Heeres, nach einer Angabe zu schließen sogar
der größere, rückte ihm erst später nach[5]). Mitten im Lande
der Engern, am nordöstlichen Fuße des Osninggebirges, an einem

---

[1]) Paulus Diaconus l. c. S. 265 und die Grabschrift von ihm auf die
junge Hildegard, Poet. Lat. I, 59—60, wonach sie kaum 40 Tage alt wurde.
[2]) Nämlich nach dem Bericht der Annales Einhardi, l. c.: Cuius funeri
cum more solemni iusta persolveret, in Saxoniam, sicut dispositum habebat,
duxit exercitum; vgl. dazu die vorangehenden Worte in der Stelle o. S. 449 N. 1.
Weil die Ann. Laur. mai. von vorausgehenden Rüstungen Karl's nichts sagen,
solche überhaupt zu leugnen, wie durch Ranke geschieht, Zur Kritik, S. 425, liegt kein
genügender Grund vor. Die Urkunde Karl's vom 1. Mai, worin er zum Seelenheil
seiner Gemahlin die Villa Camnittum (Cheminot) an St. Arnulf in Metz schenkt,
Bouquet, V, 748 f.; Sickel K. 99, Anm. S. 257—258; Mühlbacher Nr. 253, ist
stark überarbeitet, wie denn im Datum neben den Regierungsjahren auch noch nach
den Jahren der Indiction und Incarnation gezählt wird. Mabillon, De re diplom.
S. 190; Annales II, 265, der sonst die Urkunde unanfechtbar findet, gibt aller=
dings zu, daß andere Beispiele der Zählung nach Jahren der Incarnation in dieser
Zeit in den Urkunden sich nicht finden, glaubt aber, im Andenken an seine eben ver=
storbene Gemahlin möge Karl in diesem Falle an die Kanzleiformeln sich nicht streng
gebunden haben, und will die Urkunde gelten lassen. Aber dadurch wird die Angabe
der Incarnation doch nicht wirklich erklärt. Falsch, mindestens verdächtig ist auch die
Schenkung der Hildegard selbst, vom 13. März, bei Calmet, Histoire de Lorraine,
I, preuves S. 292; vgl. Hist. s. Arnulfi Mett. l. c. S. 536.
[3]) Ann. Mosellan. SS. XVI, 497: et Berta obiit 6. Id. Iunii (8. Juni).
Et postea domnus rex perrexit in Saxonia; Ann. Lauresham. SS. I, 32.
— Nach anderen Nachrichten fiel der Todestag der Königin Bertrada dagegen auf
den 12. oder 13. Juli, s. unten S. 458 N. 1.
[4]) Diekamp, Widukind S. 29 N. 1 meint: wohl gegen Ende Mai; Kentzler,
Forsch. XII, 378: Ende Mai oder vielleicht auch erst im Juni. — Den damaligen
Zug nach Sachsen erwähnen auch Fragm. Bern. SS. XIII, 30; Ann. Petav.
SS. I, 17; Ann. Guelferb., Nazar., Alam., Sangall. mai., SS. I, 41; St. Galler
Mitth. XIX, 237. 271; Heuting zweifelt freilich, ob hier wegen des cede facta an
das Strafgericht zu Verden (782) zu denken sei; vgl. indessen o. S. 433 N. 3.
[5]) Vgl. die Stellen der Ann. Einh. etc. unten S. 454 N. 2. 3. Nach den
Ann. Laur. mai. cum paucis Francis ad Theotmalli pervenit. Aehnlich
drücken sich diese Jahrbücher auch bei anderen Gelegenheiten aus: vgl. 769, SS. I,
146, oben S. 44 N. 2 und unten Excurs III; vgl. jedoch Kentzler a. a. O. S. 379
und Mühlbacher S. 95. Ann. Nazar. sagen: cum agmine Francorum; Ann.
Petav.: commoto exercitu; Ann. Einh.: in Saxoniam . . . duxit exercitum
(oben N. 2); Ann. Mosellan. und Lauresham. sogar: cum exercitu magno.

Orte Theotmalli, dem spätern Detmold an der Werre, begegnete er den Sachsen[1]). Es kam zur Schlacht, aus welcher nach den Angaben der Annalisten die Franken als Sieger hervorgingen; die Mehrzahl der Sachsen, viele Tausende sollen gefallen, nur eine geringe Anzahl durch die Flucht entkommen sein[2]). Man darf ebenso wenig daran zweifeln, daß hier bei Detmold eine förmliche Feldschlacht stattfand[3]), wie daran, daß die Franken einen wirklichen Sieg[4]) in derselben er-

---

[1]) Iuxta montem qui Osneggi dicitur in loco Theotmelli nominato sagt Einhard in der Vita Karoli, c. 8; Ann. Laur. mai.: Theotmalli; Ann. Einh.: in eo loco qui Theotmelli vocatur; Ann. Enhard. Fuld. SS. I, 350; Thiotmellie; Ann. Mett. SS. XIII, 30: Theutmalli; Ann. Quedlinb SS. III, 38: Thiatmelli; Ann. Altahens. SS. XX, 783: Thietmelli; Annales Petav. haben: circa flumen Visera. Es ist die erste Erwähnung des spätern Det-mold, doch braucht es damals noch kein bewohnter Ort gewesen zu sein. Vielmehr war es in dieser Zeit wohl nur erst, was die alte Bezeichnung bedeutet, ein Ver-sammlungsort, ein Mallus, eine Dingstätte des Volkes, der dann auch später, als an der Stelle ein bewohnter Ort entstand, der alte Name blieb (vgl. Waitz I, 3. Aufl. S. 345 N. 8; Kentzler, Forsch. XII, 378 N. 4); denn Detmold ist dasselbe wie Theotmalli. Daß die Deutung von Theotmalli auf das heutige Detmold keinem Zweifel unterliegt, bemerken auch Preuß und Falkmann, Lippische Regesten I, S. 50.
[2]) Annales Laur. mai. l. c.: Ibi Saxones praeparaverunt pugna in campo, qui viriliter domnus Carolus rex und Franci solito more super eos inruentes [et Saxones terga vertentes], et Domino auxiliante Franci vic-tores extiterunt. Et cecidit ibi maxima multitudo Saxonum, ita ut pauci fugam evasissent. Et inde cum victoria venit suprascriptus gloriosus rex ad Paderbrunnen . . . Aehnlich die Annales Einhardi, wo der Kampf wieder-holt als proelium bezeichnet ist: commissoque cum eis proelio, tanta eos caede prostravit, ut de innumerabili eorum multitudine perpauci evasisse dicantur. — Ann. Sithiens. SS. XIII, 36: Carlus Saxones duobus magnis proeliis vicit, inmensa eorum multitudine interfecta; Ann. Enhard. Fuld. SS. I, 350. Ann. Petav.: et concitaverunt praelium circa flumen Visera. Ann. Mosellan.: et rebellantibus illis, commissum est bellum, et ceciderunt ex parte Saxo-num multa milia; Ann. Lauresh.; Ann. Lobiens. SS. XIII, 229, in Bezug auf beide Schlachten: et multa milia interfecta. Ann. Guelferb., Nazar., Alam., Sangall. mai.: cede facta (vgl. oben S. 452 N. 4). Von einem ent-schiedenen Siege spricht auch Einhard, V. Karoli l. c.: His duobus proeliis hostes adeo profligati ac devicti sunt, ut . . . Der Poeta Saxo erzählt von einem heißen Ringen bei Detmold und von den daselbst seitens des Königs erlittenen Verlusten; allein er hat sich dies wohl theils so ausgemalt, theils aus dem Zusammen-hange der Ereignisse geschlossen, l. II, v. 101—104 (vorher eine Lücke). 113—114, Jaffé IV, 561—562.
[3]) Der sog. Lorscher Annalist redet zwar nur von wenigen Franken, die Karl bei sich gehabt (vgl. oben S. 452 N. 5) und mit welchen er den Sieg gewonnen habe; es ist, als hätte Karl von der großen Ausdehnung des Aufstandes kaum etwas gewußt, als hätte er geglaubt mit einer Handvoll Leute ihn noch in der Entstehung dämpfen zu können, als wäre es bei Detmold zu einer förmlichen Schlacht garnicht gekommen, sondern nur zu einem glücklichen Handstreich Karl's gegen die überraschten und noch mit den Vorbereitungen zum Kampfe beschäftigten Sachsen. So Ranke, Zur Kritik, S. 425 f., indem er ausschließlich den Annales Laur. mai. folgt, den Bericht der Annales Einhardi nicht gelten lassen will. Aber gerade bei Schlacht-berichten zeigt sich der Lorscher Annalist weit weniger zuverlässig als die andere. — Aehnlich wie Ranke, H. v. Sybel, Kl. histor. Schriften III, 24, während Kentzler, Forsch. XII, 379 N. 380, sich gegen Ranke wendet.
[4]) Manche glauben, daß von einem wirklichen Siege der Franken bei Detmold kaum die Rede sein könne; so Möser, Osnabrückische Geschichte, I, 203; Hegewisch, S. 185; Luden, IV, 338; Rettberg II, 387. 389; Martin II, 298 u. a.; wogegen

rangen. Einhard hebt gerade hervor, daß der König dort zum erften Mal während des ganzen Krieges in größerer Feldfchlacht gegen die Sachfen kämpfte[1]), und hatte Karl dabei auch nur einen Theil feines Heeres, vielleicht fogar den kleineren bei fich, fo wird dadurch weder diefe Angabe Einhard's noch die übrigen Nachrichten der Quellen über den von dem Könige errungenen Erfolg widerlegt.

Allerdings rückte Karl nach diefem Kampfe nicht weiter in Sachfen vor, fondern zog fich nach Süden auf die andere Seite des Gebirges zurück, wie die fog. Einhard'fchen Annalen fich aus= drücken[2]). Erft in Paderborn machte er Halt, um dort die Ver= ftärkungen an fich zu ziehen, welche er noch aus dem fränkifchen Reich erwartete[3]). Unterdeffen waren die Sachfen in nordweftlicher Richtung am Nordrande des Gebirgszuges hin weiter gerückt und hatten, fchon auf weftfälifchem Boden, am Fluffe Hafe Aufftellung genommen. Sobald daher die fränkifchen Truppen, welche Karl noch erwartet, in Paderborn bei ihm eingetroffen waren, brach er auf, den Sachfen entgegen. Es läßt fich vermuthen und wird durch feinen nach der Schlacht an der Hafe unternommenen Zug an die Wefer und Elbe[4]) beftätigt, daß feine Abficht war mitten durch Sachfen hindurch bis an die öftliche Grenze des Landes zu ziehen und fo feine Herrfchaft überall wieder feft zu begründen; aber die Aufftellung der Sachfen an der Hafe drohte die Durch= führung diefes Planes zu durchkreuzen. Karl konnte nicht weiter

Leibniz, Annales I, 108 f.; Kleinforgen, Kirchengefchichte von Weftphalen, I, 170; La Bruère, I, 202 u. a. von einem Siege Karl's fprechen. Auch Mühlbacher, S. 95—96, nimmt einen wirklichen Sieg an, hält jedoch für wahrfcheinlich, daß auch die Franken bedeutende Verlufte erlitten; in letzterer Hinficht vgl. auch Kentzler a. a. O. S. 380; Diekamp, Widukind S. 28—29 u. o. N. 2.

[1]) Vita Karoli, c. 8: Hoc bello, licet per multum temporis spatium traheretur, ipse non amplius cum hoste quam bis acie conflixit, semel iuxta montem qui Osneggi dicitur in loco Theotmelli nominato, et iterum apud Hasa fluvium . . ., freilich nicht ganz richtig, vgl. Frefe, De Einhardi vita et scriptis, S. 15 fowie oben S. 225 f. u. 334 über die Kämpfe bei Brunisberg und Buocholt.

[2]) Ann. Einh. l. c.: Cumque de loco proelii ad Padrabrunnon se cum exercitu recepisset atque ibi castris positis partem exercitus, quae adhuc de Francia venire debuerat, operiretur, audivit Saxones in finibus West-falaorum super fluvium Hasam ad hoc congregari, ut ibi cum eo, si ve-nisset, acie confligerent. Quo nuntio commotus, adunatis quae tum ad se venerant quasque ante secum habebat Francorum copüs . . . Man darf indeffen den Ausdruck se . . . recepisset nicht in der Weife urgiren, wie es oft gefchehen ift (vgl. dagegen auch Ranke a. a. O. S. 425—426, dem Sybel a. a O. S. 24 fich anfchließt). Den Anlaß zum Rückzuge bot nur die numerifche Schwäche der fränkifchen Truppen, die Nothwendigkeit fich mit den übrigen zu vereinigen, nicht etwa daß der König bei Detmold gefchlagen war; vgl. Kentzler a. a. O. S. 379 N. 1; 380 N. 4.

[3]) Vgl. die Stelle in der vorigen Note. Nach den Ann. Laur. mai. hätte Karl überhaupt erft hier fein Heer herangezogen, nachdem er bei Detmold nur cum paucis Francis gekämpft hatte: Et inde cum victoria venit . . . ad Pader-brunnen, ibi coniungens exercitum suum. — Fragm. Bern. SS. XIII, 30: Inde itinere coepto rex ad Patrebrunnam pervenit adunatoque et aucto exercitu . . .

[4]) Vgl. unten S. 457 N. 1.

in das Innere Sachsens hineinrücken, so lange ein sächsisches Heer noch in Westfalen stand und ihn im Rücken bedrohte[1]); er mußte, obgleich er sich bereits in Engern befand, nach Westfalen zurückgehen und zunächst die Sachsen an der Hase aufsuchen. Er muß mit möglichst großer Schnelligkeit seine Bewegungen ausgeführt haben, denn schon einen Monat und wenige Tage nach der Schlacht bei Detmold[2]) stand er ihnen an der Hase aufs neue gegenüber und lieferte ihnen eine zweite Schlacht, die mit einer vollständigen Niederlage der Sachsen endigte. Viele Tausende von Sachsen fielen, noch weit mehr als in der ersten Schlacht, sagen alte Annalen; viele wurden gefangen genommen, eine reiche Beute gemacht[3]). Einhard bemerkt, durch diese beiden Schlachten seien die Sachsen so vollständig niedergeschlagen worden, daß sie später den König weder herauszufordern noch, wenn er von selbst kam, ihm auch nur Widerstand zu leisten wagten, außer in gedeckter und verschanzter Stellung[4]). Ueber den Kampfplatz sind genaue Nach-

---

[1]) Es kann zweifelhaft sein, ob das sächsische Heer an der Hase dasselbe war, das Karl schon bei Detmold gegenüberstand, nur etwa durch weiteren Zuzug verstärkt; oder ob es ein neues Heer war, das sich inzwischen in Westfalen gesammelt. Letzteres behaupten Funck, bei Schlosser und Bercht, Archiv IV, 298, und Diekamp, Widukind S. 28 N. 2, nach denen Karl bei Detmold mit den Ostfalen und Engern, an der Hase mit den Westfalen kämpfte; Kentzler, Forsch. XII, 380 N. 3; 381—382, nach dem bei Detmold ein Heer der Engern, an der Hase der Kern der Westfalen geschlagen wurde, und Leibniz, Annales I, 109, nach welchem Karl an der Hase die Westfalen und Engern sich gegenüber hatte. Die Quellen bieten jedoch für solche Unterscheidungen keinen Anhaltspunkt: nur soviel erhellt, daß die Sachsen nach den großen Verlusten, die sie in dem Treffen bei Detmold erlitten hatten, ihre Streitkräfte ergänzten (vgl. unten Anm. 3).

[2]) Einh. V. Karoli 8: uno mense, paucis quoque interpositis diebus (vgl. Poeta Saxo l. II, v. 106, Jaffé IV, 562: Transieruntque dies pauci, wo wohl die Vita Karoli benutzt ist); Kentzler S. 382 N. 2 vermuthet: im Juli; Diekamp S. 29 N. 1: im Juni (?) oder Juli.

[3]) Ann. Laur. mai. SS. I, 164: Et perrexit ubi iterum Saxones se coniunxerunt, ad fluvium, cuius vocabulum est Hasa. Ibi iterum pugna inita, non minor numerus Saxonum ibi cecidit, et Domino auxiliante Franci victores extiterunt; Ann. Einh. SS. I, 165, welche nach den oben (S. 454 N. 2) angeführten Worten fortfahren: ad locum, ubi congregati erant, sine dilatione profectus est, congressusque cum eis, eadem qua et prius felicitate dimicavit. Caesa est eorum infinita multitudo spoliaque direpta, captivorum quoque magnus abductus est numerus; Fragm. Bern. SS. XX, 30: inde (von Paderborn) proficiscens, super fluvium Hasa castra posuit. In quo loco Saxones iterum recuperatis viribus pugnam committunt cum Francis; sed suis fidelibus Dominus victoriam tribuens, plurimi Saxonum in eo bello sunt prostrati; Einhardi Vita Karoli 8: et iterum apud Hasa fluvium. His duobus proeliis hostes adeo profligati ac devicti sunt, ut . . .; Ann. Petav. SS. I, 17: secus fluvium Assa; Ann. Mosell. SS. XVI, 497: et iterum bellum commissum est, et pugnaverunt Franci cum Saxones, et opitulante gratia Christi habuerunt victoriam; et ceciderunt de parte Saxonum etiam multa milia, plurima quam antea. Et per gratia Dei victor reversus est in Francia; Ann. Lauresh.; vgl. auch oben S. 453 N. 2.

[4]) Vita Karoli c. 8, vgl. indeß Kentzler a. a. O. S. 381 und unten zum Jahr 784.

richten nicht erhalten[1]). Erst spätere Nachrichten geben dafür
eine Anhöhe in der unmittelbaren Nähe von Osnabrück aus, den
Schlagvorderberg oder, wie der Ort heute heißt, die Klus auf dem
rechten Ufer der Hase[2]). Es mag sein, daß die Ueberlieferung
Recht hat, die natürliche Beschaffenheit des Ortes macht es sogar
wahrscheinlich[3]); doch mit Bestimmtheit läßt sich darüber nichts
entscheiden.

Schwerlich nahm der König nach dem Siege sich die Zeit,
sogleich zu neuen kirchlichen Einrichtungen zu schreiten. Eine
späte Ueberlieferung erzählt, da in dem Kampfe bei Detmold der
Sieg sich auf die Seite der Sachsen geneigt, habe Karl das Ge=
lübbe gethan, im Falle der Sieg sich ihm zuwende, auf dem
Osning eine Kirche zu stiften; dieses Gelübde habe er nachher
erfüllt, so sei die Kirche zu St. Hulp erbaut, so genannt wegen
der dem Könige von Gott geleisteten Hilfe[4]). Die Geschichte weiß
von einem solchen Vorgange nichts. Ebenso wenig ist eine Spur
davon zu finden, daß Karl nach seinem Siege zu Osnabrück ein
Bisthum errichtet oder daß er auch nur gerade damals eine Kirche
in Osnabrück erbauen ließ, daß damals die Uebertragung der
Reliquien der hh. Crispin und Crispinian, neben dem h. Petrus
der Schutzheiligen der Kirche von Osnabrück, dahin stattfand[5]).

---

[1]) Vgl. über die verschiedenen Vermuthungen in dieser Beziehung Kentzler
a. a. O. S. 382 N. 1; Diekamp S. 29 N. 1. Man hat ihn verlegt in die
Gegend von Bramsche oder nach Bockeloh oder an die Hasemündung, zwischen
Quakenbrück und Haselünne.

[2]) S. die von Möser I, 205 N. c angeführte Stelle, die jedoch erst dem
12. Jahrhundert angehört und andere durchaus sagenhafte Nachrichten enthält. Fast
wörtlich damit übereinstimmend Heinrich von Herford, ed. Potthast S. 32 f.; f. ferner
auch Bote, Chronicon picturatum a. 786, bei Leibniz, SS. III, 289; Kentzler
a. a. O. S. 382 N 1. Ueber die Lage des Schlagvorderberges auf dem rechten
Ufer der Hase, seine Identität mit der Klus (vor dem Herrenteichsthor bei Osnabrück)
vgl. Meyer, in den Mittheilgg. des historischen Vereins zu Osnabrück 3. Jahrg. 1853,
S. 276 ff.

[3]) Vgl. was Möser I, 148 f. 205. 267 f. über die Beschaffenheit des muth=
maßlichen Schlachtfeldes, über den Weg, auf dem Karl nach Osnabrück gekommen,
über die Lage Osnabrücks an dem Vereinigungspunkt mehrerer großer Heer=
straßen angibt.

[4]) Die früheste Nachricht hat Bote's Chronicon picturatum, bei Leibniz,
Scriptores III, 285, worin der Vorgang schon zum Jahr 774 erzählt wird; dann
Albert Krantz, Saxonia, 1. 2 c. 4; also erst im 15. Jahrhundert findet sich die
Nachricht, wird aber noch immer, zuletzt noch von Koch, in der Zeitschrift für West=
falen, Neue Folge, Band 10, S. 105, als historisch beglaubigt wiederholt. Uebrigens
ist über den Ort der Kapelle Streit; über die verschiedenen Ansichten vgl. Preuß u.
Falkmann, Lippische Regesten I, S. 50.

[5]) Ueber die vorgebliche Errichtung des Bisthums Osnabrück 783 sowie über
die Erbauung einer Kirche daselbst, die aber wahrscheinlich nicht gerade während der
Unruhen von 783, sondern schon einige Jahre früher stattfand, vgl. oben S. 351 f.;
über die Verehrung des h. Crispin und h. Crispinian in Osnabrück Möser I, 278.
Ein Osnabrücker Kalendar aus dem 12. oder 13. Jahrhundert, herausgegeben von
Meyer in den Mittheilungen des historischen Vereins zu Osnabrück, 4. Band, 1855,
S. 108, setzt die Translation der Heiligen zum 20. Juni an; doch hat man kein
Recht, dabei mit Meyer, S. 115, gerade das Jahr 783 anzunehmen. Ueber die
Heiligen selbst vgl. die Acta SS. Boll. 27. Iun. V, 258.

Vielmehr begab sich Karl nach dem Zeugnisse der Quellen, sobald er an der Hase gesiegt, tiefer nach Sachsen hinein, überschritt die Weser, durchzog das Land der Engern und Ostfalen bis an die Elbe und führte überall die Abtrünnigen wieder zum Gehorsam zurück[1]. Es heißt, er habe das Land weit und breit verwüstet; von einem ernstlichen Widerstande, dem er noch begegnet, liest man nichts. Widukind mußte wenigstens für den Augenblick den Kampf aufgeben; daß er nach der Entscheidungsschlacht an der Hase, welche drei Tage gedauert haben soll, sich auf die ihm zugehörende Witekindsburg, einige Stunden östlich vom Kampfplatz, geflüchtet habe, dann von den Franken belagert, auch von dort entkommen sei, ist eine späte Sage, der es an jeder historischen Begründung fehlt[2]. Man darf vielleicht vermuthen, daß er Sachsen diesseits der Elbe verließ und eine Zuflucht bei den Nordalbingern, schwerlich wieder in Dänemark, suchte[3] — oder auch daß er sich zu den Friesen wandte[4].

Noch bei guter Jahreszeit, spätestens zu Anfang Oktober kehrte Karl aus Sachsen nach Francien zurück[5]; am 9. Oktober bestätigt er zu Worms dem Bischof Aribert von Arezzo, auf dessen persönliche Bitte, die Besitzungen seiner Kirche[6]. Er traf bei seiner Rückkehr aus Sachsen seine betagte[7] Mutter Bertrada nicht mehr am

---

[1] Ann. Laur. mai. SS. I, 164: Et iter peragens iamdictus domnus, Wisoram fluvium transiit, ad Albiam fluvium usque pervenit; Ann. Einh. SS. I, 165: Inde victor ad orientem iter convertit primoque usque ad Wisuram, deinde usque ad Albiam cuncta devastando peragravit; Fragm. Bern. SS. XIII, 30; Ann. Guelferb., Nazar., Alam., Sangall. mai.: terra devastavit. — Ueber die Sage, Karl sei auch nach Hadeln gekommen, vgl. Leibniz, Annales I, 109; auch unten Bd. II. z. J. 797.

[2] Sie findet sich bei Bote, Chronicon picturatum, Leibniz SS. III, 280; eine ähnliche Darstellung hat dann auch A. Krantz, Metropolis, I, c. 9, nur weniger ausführlich. Die dreitägige Schlacht und Widukind's Flucht auf Widukindsburg, aber ohne die darauf folgende Belagerung durch Karl, erwähnt schon Heinrich von Herford, S. 32.

[3] Wenigstens 785 hält Widukind sich in Nordalbingien auf, Annales Einhardi, SS. I, 167 (Poeta Saxo l. II, v. 178—183, Jaffé IV, 564); er wird möglichst in der Nähe geblieben sein, da die Wiederaufnahme des Kampfes von sächsischer Seite noch nicht aufgegeben war, wie die Ereignisse von 784 zeigen.

[4] Vgl. Diekamp S. 30 und unten z. J. 784.

[5] Ann. Laur. mai.: et inde reversus praefatus magnus rex in Franciam; Ann. Einh.: Inde reversus in Franciam (Poeta Saxo l. H, v. 125, l. c. S. 562); Ann. Petav.: et Karolus quippe victor cum suis hominibus remeavit in Franciam; Ann. Mosellan.: et per gratia Dei victor reversus est in Francia; Ann. Lauresh. — Fragm. Bern.: cunctisque bene dispositis atque ordinatis, rex in Franciam reversus est; dann wiederholt: Porro Karolus cum triumpho in Franciam reversus.

[6] Urkunde bei Muratori, Antiquitates VI, 359; Mühlbacher Nr. 256, womit Nr. 259 identisch (vgl. v. Jaksch, in Mitth. d. Inst. f. österreich. Geschichtsforschung II, 445); Ann. Laur. mai. l. c.: Et cum Wormaciam pervenisset domnus rex Carolus; Fragm. Bern. l. c.; Chron. Vedastin. SS. XIII, 705 (unten S. 459 N. 1).

[7] Einh. V. Karoli c. 18: Mater quoque eius Berthrada in magno apud eum honore consenuit. Hochbejahrt wird Bertrada, nach der Zeit, um welche ihre Vermählung mit Pippin stattgefunden haben wird (vgl. o. S. 13), zu schließen, allerdings nicht geworden sein.

Leben. Sie war, wie es scheint, am 12. Juli[1]) gestorben, zu Cauciacum (Choisy an der Aisne, bei Compiegne)[2]), und wurde auf Karl's Befehl in der Kirche von St. Denis, wo auch ihr Gemahl Pippin ruhte[3]), an dessen Seite feierlich beigesetzt[4]). Karl hatte ihr, bemerkt Einhard, immer die größte Ehrfurcht bewiesen, so daß es nie zu Mißhelligkeiten zwischen ihnen kam, außer bei Karl's Scheidung von der Tochter des Desiderius, welche er auf der Mutter Rath zur Frau genommen hatte[5]). Sie starb, nachdem sie das Glück gehabt hatte 3 Enkel und 3 Enkeltöchter in ihres Sohnes Hause heranwachsen zu sehen[6]).

Nicht lange nach seiner Rückkehr aus Sachsen, in Worms, vermählte sich Karl zum dritten Male, mit Fastrada, der Tochter eines ostfränkischen Grafen Radolf, also abermals mit einer

---

[1]) Den 12. Juli (4. Idus Iul.) nennen als Todestag die Ann. Laur. mai., die Ann. Einh. und die anderen davon abhängigen Quellen (Ann. Sith. SS. XIII, 36; Ann. Enh. Fuld. SS. I, 350; Fragm. Bern. SS. XIII, 30; Ann. Mett. ibid.; Chron. Vedast. ib. S. 705); vgl. auch das Necrologium von Argenteuil, Mabillon, Act. SS. o. s. Ben. III, 2, ed. Venet. S. 315 d. Den 13. Juli (3. Idus Iul.) nennen die Annales s. Amandi; den 13. Juni (in Idibus Iunii) wohl infolge eines Versehens, Ann. Max. SS. XIII, 21; den 8. Juni (6. Id. Iunii) ohne Zweifel unrichtig Ann. Mosell. SS. XVI, 497, und Ann. Lauresh. SS. I, 32; vgl. auch Chron. Moissiac. cod. Moiss. SS. I, 297; Mühlbacher S. 95. Einh. V. Karoli l. c.: Decessit tandem post mortem Hildigardae. Ohne Tagesdatum erwähnen den Tod der Königin-Mutter Ann. Petav. SS. I, 17: Et in ipso anno bonae memoriae Berta (matrona) obiit; Ann. Quedlinb. SS. III, 38; z. J. 781 melden Bertrada's, wie auch Hildegard's Tod Ann. s. Dionysii, SS. XIII, 719, die überhaupt viele falsche Jahreszahlen haben. Vgl. auch Gest. abb. Fontanell. c. 16, SS. II, 291; Schulausgabe von Löwenfeld, S. 45—46, und dazu unten z. J. 787.

[2]) Ann. s. Amandi, SS. I, 12: in Cauciaco defuncta est; Fragm. Bern. SS. XIII, 30: obiit in monasterio Cauciaco (vgl. Ann. Mett., unten Anm. 4). Das Kloster Choisy lag im Gau von Noyon und gehörte später dem Kloster St. Medard bei Soissons (Sickel II, 422).

[3]) Vgl. Mühlbacher S. 50; Oelsner S. 421 N. 3; 426 N. 4.

[4]) Einh. V. Karoli c. 18: Quam ille (Karl) in eadem basilica, qua pater situs est, apud sanctum Dionisium, magno cum honore fecit humari; Fragm. Bern. l. c.: Inde translata est in pagum Parisiacum, sepultaque est in basilicam sancti Dionisyi martiris iuxta sepulchrum viri sui gloriosi Pipini regis; Ann. Lobiens. SS. XIII, 229: et sepulta in monasterio beati Dyonisii iuxta Pippinum coniugem suum; Ann. Mett. SS. XIII, 30: et sepulta est in Cauciaco. Sed inde translata Parisius, sepulta est iuxta virum suum in aecclesia sancti Dionisii martiris. Die Angabe der Metzer Jahrbücher, daß Bertrada zuerst in Choisy selbst bestattet worden sei, kann aber leicht und dürfte sogar wahrscheinlich auf einer mißverständlichen Deutung der Vorlage beruhen. (Iohann. Longi chron. s. Bertini, SS. XXV, 765: cuius ac eciam mariti sui Pupini regis ossa nunc Arie [Aire] canonici cum multa reverencia servant et ostendunt). Von Bertrada's Aufenthalt in St. Denis wissen Mir. s. Dionysii c. 16, Mabillon, AA. SS. l. c. S. 315—316, zu erzählen.

[5]) Vgl. o. S. 96.

[6]) Vita Karoli c. 18. Einhard rechnet nur die Bertrada überlebenden Kinder Karl's von der Hildegard: 3 von Hildegard's Kindern waren schon früher gestorben, Lothar, Adalheid und Hildegard (vgl. o. S. 193. 308. 452), er befindet sich also hier insofern mit Paulus Diaconus, der von 9 Kindern der Hildegard spricht, oben S. 449 N. 5, nicht im Widerspruch.

Deutſchen [1]), bie ſich aber nicht derſelben Beliebtheit beim
Volke wie bie verſtorbene Königin Hildegard erfreute. Ein=
harb rebet von ihrer Grauſamkeit und ſchiebt auf ſie die
Schuld, baß auch Karl zuweilen von ſeiner gewöhnlichen Milbe
abgewichen ſei [2]). Dieſer Autor in ſeinem Leben Karl's und in
bem einen Falle auch die gewöhnlich nach ihm benannten Annalen
erzählen, baß um ihrer unerträglichen Grauſamkeit willen mehrere
Große und ſogar ſein eigener Sohn ſich gegen des Königs Leben
verſchworen [3]). Es iſt klar, baß Karl für Fraueneinfluß keineswegs
unzugänglich war; doch liegt kein genügender Grund vor zu glauben,
baß Fastrada für gewöhnlich und durchweg einen beherrſchenden
Einfluß auf ben König ausgeübt habe [4]). Uebrigens wird aus=
brüdlich hervorgehoben, baß bie neue, vermuthlich noch ſehr junge [5])
Gemahlin Karl's auch zur Königin erhoben wurde [6]).

In bemſelben Jahre mit ber Königin Hildegard ſtarb nach ber
Angabe einer alten Regensburger Aufzeichnung der Biſchof Arbeo

---

[1]) Annales Laur. mai.: Et cum Wormaciam pervenisset domnus
rex Carolus, sociavit sibi in matrimonium domna Fastradane regina; Fragm.
Bern.: pervenit ad Vurmaciam urbem, in qua sociavit sibi in matrimonium
preclaram Fastradam reginam; Chron. Vedastin. SS. XIII, 705. —
Annales Einhardi: duxit uxorem filiam Radolfi comitis natione Francam
nomine Fastradam. (Poeta Saxo l. II, v. 125—127, Jaffé IV, 562.) Einhard,
Vita Karoli, c. 18: de Fastrada uxore, quae de orientalium Francorum,
Germanorum videlicet, gente erat. Eďhart, Francia orient. I, 691, hält
Radolf für identiſch mit ben Grafen besſelben Namens, ber laut einer Urkunbe
Ludwig's b. Fr. vom 20. Januar 820 (Sidel L. 150; Mühlbacher Nr. 688, bei
Eďhart, II, 880; Monumenta Boica XXVIII, 13 Nr. 8) ber Wirzburger Kirche
einige Beſitzungen im Babanachgau weggenommen hatte und von Ludwig als ver=
ſtorben (Radolfus quondam comes) bezeichnet wirb. Theodulf. carm. 24 (Epi-
taph. Fastradae reg.), v. 3, Poet. Lat. I, 483 (II, 695): Nobilis ipsa viri
thalamo coniuncta potentis.
Vgl. ferner über dieſe Vermählung Ann. Enhard. Fuld. SS. I, 350; Ann.
Lobiens. SS. XIII, 229; bie Hersfelber Annalen (Herm. Lorenz S. 86); Ann.
Mosell. SS. XVI, 497; Ann. Lauresh. SS. I, 32; Paul. Gest. epp. Mett.
SS. II, 265.
[2]) Vita Karoli c. 20. Aber bas Blutbad von Verden war ſchon vorhergegangen!
[3]) V. Karoli l. c.; Ann. Einh. 792, SS. I, 179; vgl. unten z. J. 786
und Bb. II. zu ben Jahren 792 und 794; dagegen jebod Freſe, De Einhardi
vita et scriptis S. 16—17; Bernays, Zur Kritik karolingiſcher Annalen S. 143
bis 144; v. Ranke, Weltgeſchichte V, 2, S. 237 (245).
[4]) Sehr übertreibend äußert ſich in dieſem Sinne Luden IV, 339.
[5]) Fastrada ſtand bei ihrem Tobe (10. Auguſt 794) noch in ber Blüthe ber
Jahre; vgl. unten Bb. II.
[6]) Ann. Mosell. l. c.: sociavit sibi in coniugio Fastradam atque reginam constituit; Ann. Lauresh. l. c.; Chron. Moiss. SS. I, 297. — Als regina wird ſie bann auch öfters bezeichnet (z. B. Epist. Carol. 6, Jaffé IV, 349;
Formul. imperial. Nr. 49, Leg. sect. V, 323; Theodulf. carm. 24, v. 1,
Poet. Lat. I, 483; Ann. Laur. mai. 783. 785. 794, SS. I, 164. 166. 180;
Ann. Einh. 792. 794, SS. I, 179. 181; Einh. V. Karoli c. 20 etc.). — Selt=
ſamer und wahrheitswidriger Weiſe behauptet Capefigue, Charlemagne II, 228,
bei ber Aufzählung ber vier Frauen Karl's, berſelbe habe ſie — ober wenigſtens
Fastrada und Liutgard — nicht zu verſchiebenen Zeiten nach einander, ſondern zugleich,
eine neben ber anderen zu Frauen gehabt. Auch in letzterer Beziehung berechtigt
nichts zu ſolchem Verbacht, wenn Karl auch mit Liutgard ſchon ehe er ſie heirathete
ein Liebesverhältniß unterhalten hatte (vgl. auch unten Bb. II. z. J. 800).

von Freising[1]), und zwar am 4. Mai[2]). Man erinnert sich, daß Tassilo
und seine Gemahlin Liutperga diesem Bischof, weil er sich zu den
Franken hinneigte, mehrere Pfarrkirchen entzogen und dieselben
dem Kloster Alwa (jetzt Frauenchiemsee) zugewendet hatten[3]). Es
scheint, daß dies Zerwürfniß schon ziemlich früh eintrat[4]) und daß
dem Bischof Arbeo während seiner letzten Lebenszeit die Leitung
seines Bisthums entzogen war. Schon 782 erscheint der Abt Atto
von Schledorf[5]) mit derselben betraut, der nun auch Arbeo's
Nachfolger wurde.

Die Jahrbücher verzeichnen zum Jahr 783 eine große Hitze,
die so ungewöhnlich stark gewesen sein soll, daß viele Menschen
infolge derselben starben[6]).

Der König begab sich, soviel man sieht, von Worms gleich
nach Heristal, wo er den Winteraufenthalt nahm. Er feierte
daselbst Weihnachten[7]) und blieb bis nach Ostern[8]) des folgenden
Jahres dort.

---

[1]) Annales s. Emmerammi Ratisponensis maiores, SS. I, 92, irrthümlich
z. J. 784 (vgl. o. S. 449 N. 2). Trotzdem behalten das Jahr 784 bei Potthast,
Bibl. hist. su 1. S. 315; Riezler, Gesch. Baierns I, 148   m. deutsche
mler, Forsch. z. deutsch.   DGO.
ab. XII,
1, 155; XIII, 1 (Denkschriften Bd. 47), S. 22. Dagegen entschieden sich schon Le
Cointe VI, 241; Mabillon, Annales II, 268 für 783 als Todesjahr Arbeo's.
Vgl. auch Herzberg-Fränkel im N. Archiv XII, 103—104.

[2]) Freisinger Nekrolog, bei Eckhart I, 835; Freisinger Todtenbuch (Hf. der
Münchner Staatsbibliothek Nr. 6421), aus Jaffé's Nachlaß mitgetheilt von Dümmler,
Forsch. z. deutsch. Gesch. XV, 163; Series epp. Frising. SS. XIII, 358. Rett-
berg II, 259. 260 N. 16 nennt 782 als Todesjahr Arbeo's, weil in einer Urkunde
aus diesem Jahre schon sein Nachfolger Atto begegne, vgl. jedoch oben S. 60 N. 8.
Allerdings datirt die betr. Urkunde aus dem 35. Regierungsjahr Tassilo's, welches
auf 782 führt, aber Atto wird darin nicht als Bischof, sondern als Abt bezeichnet
(Meichelbeck, Historia Frising. I, 85: Attoni vero abbati dominante atque
defendente). — S. übrigens über den damaligen Bischofswechsel in Freising auch
Carm. Salisburgens. I, 3, v. 5—6, Poet. Lat. II, 639:
    Arpeo quartus erat doctus ac lingua modestus.
    Quintus apostolicam tenuit pius Atto cathedram.

[3]) S. Graf Hundt, Ueber die bayrischen Urkunden aus der Zeit der Agilolfinger, Abhh. der Münchner Akad. XII, 1, S. 185—186. 219 Nr. 13; oben
S. 60 N. 5.

[4]) Es ist wenigstens auffallend, daß Arbeo schon bei der Stiftung von Kremsmünster im J. 777 fehlt (o. S. 60 N. 7; 283).

[5]) Dahin war das Kloster in der Scharnitz verlegt worden, wo vor Atto auch
Arbeo Abt gewesen war; vgl. Rettberg II, 259. 263; die Urkunden in den Monumenta Boica IX, 10 ff.; Graf Hundt a. a. O. XIII, 1, S. 22—23.

[6]) Annales Mosellani l. c.: Et fuit estus tam vehementer calidus, ita
ut plurimi homines de ipso calore exspirarent; Ann. Lauresh. l. c.

[7]) Ann. Laur. mai. l. c.; Fragm. Bern. l. c.; Ann. Einh. l. c.: Ipse
in Heristallio villa ibidem hiematurus consedit ibique natalem Domini
. . . celebravit.

[8]) Ueber seine Osterfeier (784) in Heristal vgl. Ann. Laur. mai.; Ann.
Einhardi; Ann. ut videtur Alcuini, SS. IV, 2 N. *); Ann. Iuvav. mai.
SS. I, 87.

Um diese Zeit mag auch die Entstehung des folgenden Ge=
setzes[1]) fallen, welches in Pavia erlassen sein wird[2]). Zwar ist
König Pippin darin nicht genannt[3]); allein sein Inhalt[4]) ·wie
seine Ueberlieferung[5]) lassen keinen Zweifel daran, nicht nur, daß
es für Italien, sondern daß es ausschließlich für Italien be=
stimmt war[6]).

Auch dies Gesetz beschäftigt sich mit kirchlichen und weltlichen
Verhältnissen ohne Unterschied, jedoch überwiegend mit weltlichen.
Voran stehen die Bestimmungen über kirchliche Angelegenheiten.
Die Inhaber von Herbergen sollen auch wirklich für die Armen
sorgen; versäumen sie ihre Pflicht, so sollen sie entfernt und durch
andere ersetzt werden[7]). Taufkirchen sollen nicht von Laien,
sondern nur von Priestern verwaltet werden, wie es die kanonische
Ordnung vorschreibe[8]). Wiederholt wird darauf gedrungen, daß
jede Kirche einen Vogt habe, „um der Ehre der Kirche und der
Achtung vor den Priestern willen"[9]). Bei frommen Spenden,
deren Verleiher stirbt, ehe er sie verwendet hat, soll der Königs=
bote in Gemeinschaft mit dem Bischof des betreffenden Sprengels
die Spende binnen bestimmter Frist im Namen des Königs zur
Ausführung bringen[10]).

---

[1]) Pippini capitulare c. 790, Capp. I, 200 ff. Mit Sicherheit ist die Zeit
nicht zu bestimmen. Aus c. 14, unten S. 463 N. 5, ergibt sich, daß das Capitular
nach dem Tode der Königin Hildegard, d. h. nach dem April 783, erlassen ward,
aber nicht ob kurz oder lange nachher. Pertz nahm 783 an; Boretius, Capitularien
im Langobardenreich S. 127 ff.; Capp. l. c., entscheidet sich für einen längeren
Zwischenraum, wie denn dies Gesetz im Liber leg. Langobardor. Papiensis und
in einigen Handschriften auf das Pavesei Capitular Pippin's vom Oktober 787 folgt.
Mühlbacher Nr. 494 setzt es um 788, namentlich wegen der Erwähnung Benevents
in c. 16; vgl. jedoch unten S. 463 N. 6. Jedenfalls falsch ist es, wenn Pertz
das Gesetz in Diedenhofen oder Worms erlassen werden läßt; vgl. Boretius, Die
Capitularien im Langobardenreich S. 130 und unten N. 6.

[2]) Vgl. Boretius, Capitularien im Langobardenreich S. 129—130.

[3]) Die Aufschrift lautet nur: Incipit capitulare qualiter praecepit domnus
rex de quibusdam causis.

[4]) Vgl. ebd. S. 126—127.

[5]) Nur in italischen Handschriften und im Liber Papiensis, und zwar unter
den Capitularien Pippin's.

[6]) Vgl. Boretius, Capitularien im Langobardenreich S. 125 ff., wonach die
von Pertz gemachte Unterscheidung eines fränkischen und eines langobardischen Textes
ganz haltlos ist und nur eine einzige Ausfertigung des Gesetzes angenommen werden
kann, eine langobardische. Uebrigens vgl. auch Waitz III, 2. Aufl. S. 359 N. 1;
IV, 2. Aufl. S. 7 N. 1 und o. S. 331 f.

[7]) c. 1, Capp. I, 200; vgl. Pippini capitulare 782—786 c. 3, S. 192;
Capitulare Mantuanum eccl. 787? c. 3, S. 195.

[8]) c. 2; vgl. Capitulare Mantuanum eccles. 787? c. 4, S. 195;
Mühlbacher S. 203.

[9]) c. 3, S. 201; vgl. das Capitular Pippin's 782—786 c. 6, S. 192.

[10]) c. 8: Si cui (v. l. cuius; es scheint doch wohl von dem Verleiher,
nicht von dem Empfänger die Rede zu sein) res in elemosina datae sunt et ipse
mortuus fuerit antequam eas dispenset, tunc missus dominicus una cum
episcopo parrochiae illius consideret, qualiter in domni regis mercede ipsa
elemosina fiat facta, et infra triginta noctes (bis zum Ablauf des Dreißigsten)
impleta esse debeant.

Unter den Bestimmungen über weltliche Angelegenheiten be-
zwecken mehrere die Wahrung der Rechte des Königs, die Sicherung
seiner Einkünfte. Die von den Grafen eingezogenen Güter sollen
dem Könige gehören[1]. Von den Friedensgeldern sollen dem
Könige zwei Drittel zufallen, ein Drittel dem Grafen, wenn er die
Sache selbst gerichtlich erledigt hat; wenn aber der Graf säumig
gewesen ist und erst der Königsbote die Sache zur Entscheidung
gebracht hat, so soll der Graf sein Drittel zu Gunsten des Fiscus
verlieren[2]. Klöster und Xenodochien (Pilgerherbergen) sollen im
Eigenthum des Königs bleiben, und Verleihungen derselben nur zu
Beneficium gemacht werden[3]. Strenge wird den abhängigen Leuten
begegnet. Die Unfreien auf den königlichen und kirchlichen Gütern
sollen nicht in das Mundium aufgenommen werden[4]; die unbe-
fugte Aufnahme von Aldien königlicher Güter in Piacenza, welche
damals vorgekommen sein muß, wird untersagt[5]. Andrerseits
werden Freie gegen Unterdrückung durch die Grafen nachdrücklich
in Schutz genommen[6].

Andere Bestimmungen gelten einzelnen rechtlichen Verhältnissen.
Wiederholt wird bestimmt, daß bei Verbrechen die Rache aufhören,
Bußgelder entrichtet werden sollen, unter Zugrundelegung des
Rechts, nach welchem der Verletzte lebt; der Grundsatz der persönlichen Rechte wird ausdrücklich anerkannt[7]. Außerdem wird
als Grundsatz ausgesprochen, daß das geschriebene Gesetz dem Ge-
wohnheitsrechte vorgehen solle[8], worin liegt, daß das Gewohnheitsrecht giltig bleiben soll, bis es durch bestimmte Gesetze ausdrücklich
aufgehoben sei. Mit dem Gewohnheitsrecht ist hier das alte lango-

---

[1] c. 7: De rebus forfactis per diversos comites, volumus ut ad palatium pertineant.

[2] c. 5, vgl. Waitz IV, 2. Aufl. S. 170.

[3] c. 6: De monasteria et senedochia qui per diversos comites (comitatus v. l.) esse videntur, ut regales sint; et quicumque eas habere
voluerint, per beneficium domno nostro regis habeant. Vgl. Cap. Mantuan. eccles. 787? c. 3, S. 195; Waitz IV, 2. Aufl. S. 213. Waitz erklärt
Sickel's Bedenken gegen die Lesart (Beiträge zur Diplomatik V, Wien. S.-B. XLIX,
316 N. 2) für nicht begründet.

[4] c. 12: De mancipias palatii nostri et ecclesiarum nostrarum nolu-
mus mundium recipere, sed nostras ipsas mancipias habere (vgl. Waitz IV,
1. Aufl. S. 294 N. 2). Eichart, Francia orientalis, I, 690, versteht hier mundium als pretium, quo se quis ab obligatione aliqua redimit, was aber
mundium nicht heißen kann. Boretius, Capp. l. c. S. 201 N. 5, bezieht die Bestimmung auf den Fall, daß Sklavinnen fremde Männer heirathen, indem er auf
Ed. Liutpr. c. 126, Leg. IV, 160 verweist.

[5] c. 15; Genaueres über die Veranlassung der Bestimmung ist nicht bekannt.

[6] c. 13; vgl. Waitz, 2. Aufl. III, 413; IV, 338.

[7] c. 4, vgl. dazu das Capitulare Haristallense vom März 779, c. 22,
S. 51. Es ist ausdrücklich darauf Rücksicht genommen, daß die Bevölkerung Italiens
aus verschiedenen Nationalitäten besteht; es ist die Rede de diversis generationi-
bus hominum qui in Italia commanent, und weiter heißt es: De vero statu
ingenuitatis aut aliis quaerelis unusquisque secundum suam legem se ipsum
defendat.

[8] c. 10: Placuit nobis inserere: ubi lex est, praecellat consuetudinem,
et nulla consuetudo superponatur legi; vgl. Waitz III, 2. Aufl. S. 623—624.

barbische Volksrecht gemeint, im Gegensatz zu der fränkischen Ge=
setzgebung[1]). Aber auch die letztere nimmt Verschiedenes aus dem
alten Rechte in sich auf. Dahin gehört gleich in dem vorliegenden
Gesetze die Verfügung über den Gebrauch von Reisepässen, über
die Bewachung der Wege und Thore[2]); dann eine privatrechtliche
Bestimmung zum Schutze der Töchter gegen Benachtheiligung durch
rechtswidrige Freilassung seiner sämmtlichen Sklaven von Seiten
des Vaters[3]). Hingegen neues Recht scheint zu sein, was zu
Gunsten der Frauen über ihr eventuelles Recht Schenkungen zu
machen bestimmt wird[4]).

Endlich regelt das Capitular auch Verhältnisse, welche mehr
dem Bereich der laufenden Verwaltung als der Gesetzgebung an=
gehören. Es verfügt, daß über die Besitzungen der verstorbenen
Königin Hildegard in Italien Inventare angefertigt und an den
König eingeliefert werden sollen[5]); es ordnet ferner die Aus=
weisung und Rückkehr der Flüchtlinge, die aus Benevent, Spoleto,
der Pentapolis und der Romagna entwichen waren, in ihre
Heimath an[6]).

---

[1]) Darüber vgl. Hegel II, 4.

[2]) c. 17: Sicut consuetudo fuit sigillum et epistola prendere et vias
vel portas custodire, ita nunc sit factum, von Eckhart, I, 690, irrig von der
Verpflichtung königliche Schreiben zu befördern verstanden. Daß an eine Art von
Pässen zu denken ist, bemerkt schon Waitz IV, 2. Aufl. S. 29 N. 2; dann Bo=
retius l. c. N. 9. Die Bestimmung des alten Rechts, worauf hier Bezug genommen
wird, steht im Edict des Rachis, Capitula in breve c. 13, Leg. IV, 192.

[3]) c. 9, vgl. Edict. Liutprandi c. 65, Leg. IV, 134.

[4]) c. 11: Placuit etiam nobis, ut quaecumque femina potestatem
habet per comiatum (mit Erlaubniß) viri sui res suas vendere, habeat potestatem et donare.

[5]) c. 14: De rebus quae Hildegardae reginae traditae fuerunt: volumus ut fiant descriptae per breves, et ipsae breves ad nos fiant adductae.
Welches die Besitzungen der Königin waren, ist nicht überliefert; Karl hatte sie ihr
wohl geschenkt, da sie mit ihm in Italien war, wie von 773—774 und 780—781
gewiß ist, vgl. oben S. 148 ff.; 369 ff. und Boretius, Die Capitularien im Langobardenreich S. 128. Die Anfertigung eines Inventars entsprach einer alten langobardischen Sitte, worauf Boretius a. a. O. und Capp. I, 201 N. 7 aufmerksam
macht (vgl. Liutpr. notit. de actorib. regis c. 5, Leg. IV, 181). Auffällig wäre
es, wenn man mit dieser Ausfertigung Jahre lang gewartet hätte, während doch an=
zunehmen ist, daß sie bald nach dem Tode der Königin vorgenommen ward; vgl. o.
S. 461 N. 1.

[6]) c. 16: De fugitivis partibus Beneventi et Spoleti sive Romaniae
vel Pentapoli, qui confugium faciunt, ut reddantur et sint reversi ad proprium locum. Die Verordnung bezieht sich nicht auf einen bestimmten Fall in der
Vergangenheit, sondern regelt überhaupt das Verfahren gegen solche Flüchtlinge; das
Entweichen derselben aus der Heimath muß also häufig vorgekommen sein. Man
hat wohl gemeint (s. Mühlbacher S. 204 Nr. 494), die Erwähnung Benevents
zeige, daß das Capitular erst nach der förmlichen Unterwerfung desselben, nicht
vor 788, erlassen worden sei; denn vorher hätte doch von einer Auslieferung der
nach Benevent gezogenen Flüchtlinge nicht die Rede sein können. Allein diese
Auffassung beruht auf der falschen Lesart bei Pertz: De fugitivis qui in partibus
... confugium faciunt; vgl. dagegen die Erläuterung von Boretius, Capp. I, 201
N. 8, wonach es sich wohl eher um Flüchtlinge handelt, welche in Pippini regnum
ex partibus Italiae Pippino non subiectis kamen.

In den Beziehungen Karl's zu Rom trat eine Aenderung nicht ein, doch bilden den Gegenstand des Briefwechsels, wenigstens soweit er uns aufbewahrt ist, nur Fragen von untergeordneter Bedeutung. Seit den vergeblichen Versuchen die Herausgabe der ganzen Sabina an den päpstlichen Stuhl zu erwirken[1]) scheint sich der Papst über die Sache beruhigt zu haben, er kommt später nie wieder darauf zurück, aber nicht weil er seinen Willen durchgesetzt, sondern weil er sich von der Unausführbarkeit seiner Forderungen überzeugt hatte[2]).

Obgleich demnach in dieser wenigstens vom Papste so wichtig genommenen Sache der König auf seinen Wunsch nicht eingegangen war, hielt Hadrian doch die Verbindung mit Karl angelegentlich aufrecht. So ließ er ihn durch einen Bischof Georg wissen, daß er am Grabe des h. Petrus unabläffig für ihn um Sieg über alle heidnischen Völker bete[3]), macht ihm, jedoch nach confusen Berichten, Mittheilung von den Bedrängnissen, in welche das griechische Reich durch einen Einfall der Araber, die bis Amorium in Phrygien vorgedrungen seien, gerathen wäre, und von inneren Wirren im Reiche des Khalifen Mahdi selbst[4]). Er fand sich eben im Gefühl seiner eignen Schwäche ganz auf die Hilfe des Königs angewiesen, die er jeden Augenblick in Anspruch nehmen mußte. In Ravenna, auf das er doch immer so entschieden seine eigenen Hoheitsrechte geltend gemacht hatte, sah er sich gerade damals außer Staube wirksamen Gebrauch davon zu machen, mußte zusehen, wie zwei Große der Stadt, Eleutherius und Gregor, denen er die ärgsten Schandthaten nachsagte, ungestraft ihr Wesen trieben, dann sich zum König begaben und bei ihm gegen den Papst zu wirken suchten[5]). Hadrian bittet den König dringend, ihnen kein Gehör zu schenken, sondern sie nach Rom auszuliefern; aber selber das Urtheil über sie sprechen will er nicht, das sollen die königlichen Bevollmächtigten thun, da er sich selbst offenbar nicht die Macht zutraut seinem Urtheilsspruche Geltung zu verschaffen[6]).

Schwierigkeiten waren, wie es scheint um jene Zeit[7]), im Kloster des h. Vincentius am Vulturnus (San Vincenzo am

---

[1]) Vgl. o. S. 407.
[2]) Vgl. Forschungen I, 507, besonders N. 2.
[3]) Jaffé IV, 229—230, Codex Car. Nr. 75 (781 Apr.—783 Apr.; der Königin Hildegard wird noch wie einer lebenden gedacht).
[4]) Jaffé IV, 230 f., Codex Car. Nr. 76 (781 Apr. — 783 Apr.); genauer läßt sich die Zeit auch dieses Briefes, der übrigens nicht von Belang ist, nicht ermitteln. Ueber den Inhalt vgl. ibid. N. 3. 4, wo Jaffé auf Theophanis chronographia, ed. de Boor, I, 452 und Weil, Geschichte der Chalifen II, 94 ff. verweist.
[5]) Jaffé IV, 232—234, Codex Car. Nr. 77 (783 post Apr.); der Brief fällt in die Zeit nach dem Tode der Hildegard; von der Vermählung Karl's mit Fastrada hat der Papst noch keine Kunde (ib. S. 234 N. 1).
[6]) Jaffé IV, 233—234; vgl. Forsch. I, 508 f.
[7]) Die genauere Zeitbestimmung dieser Vorgänge gründet sich auf folgende Argumente. Der Umstand, daß Papst Hadrian in den betreffenden Briefen, Codex Car.

Volturno) entſtanden. Es handelte ſich um den Abt Potho, gegen den ſchwere Anklagen erhoben worden waren: er ſollte ſich von der Theilnahme am Pſalliren für das Heil des Königs und ſeiner Kinder ausgeſchloſſen, beleidigende Aeußerungen gegen Karl und die Franken gethan haben; kurz, er wurde der Untreue gegen den König angeklagt und infolge deſſen von dem letzteren auch abgeſetzt[1]). Ihm gegenüber ſteht ein anderer Abt, Aut-pert von San Vincenzo, der aus dem Frankenreich gebürtig war[2]), ein gelehrter Mann, der ſich als Schriftſteller einen

---

Nr. 68. 69, Jaffé IV, 216. 217, Karl als ſeinen Gevatter bezeichnet (nostroque spiritali compatri), erweiſt, daß dieſelben der Zeit nach Oſtern 781 angehören; vgl. o. S. 379 N. 3. Ferner ſteht feſt, daß ſie vor den März 787 fallen müſſen, weil nach einer Urkunde Karl's, Siđel, K. 111 (112); Mühlbacher Nr. 275; Mu-ratori, SS. rer. It. Ib, 367, damals Paulus Abt des betreffenden Kloſters war; vgl. F. Hirſch, Forſch. z. deutſchen Geſchichte XIII, 48 N. 2. Außerdem kommt in Betracht, daß in Nr. 68 S. 216 die Königin und die Kinder der Königs (una cum domna regina vestrisque sobolis), in Nr. 69 S. 218 nur die Kinder (una cum precellentissimis subolis vestris) erwähnt werden. Unter der domna regina iſt wahrſcheinlich nicht mehr Hildegard, ſondern Faſtrada zu verſtehen, da jene ſeit Oſtern 781 von Hadrian ſtets als spiritalis commater begrüßt wird (o. S. 379 N. 4). Man möchte daher annehmen, daß Nr. 69 früher als Nr. 68, in der Zeit zwiſchen dem Tode der Hildegard (30. April 783) und der Wiedervermählung Karl's, mit Faſtrada, Nr. 68 aber nach dieſer abermaligen Vermählung des Königs, die auch noch 783, etwa im Frühherbſt, erfolgte, geſchrieben ſei; vgl. auch Cenni I, 424 N. 2. Jaffé ſetzt dieſe Briefe in den Mai—Juni 781, l. c. S. 212 ff., beſonders S. 216 N. 1; 218 N. 1; vgl. auch Reg. Pont. ed. 2 a I, 297 Nr. 2431. 2432. Er glaubt, daß Nr. 68 während Karl's Anweſenheit in Italien geſchrieben ſein müſſe, weil danach (S. 216) die ganze Brüderſchaft von San Vincenzo den König Karl auf-ſuchte. Dieſer Grund hat Gewicht; jedoch iſt nicht vollkommen deutlich, ob alle Kloſterbrüder oder nur die 10 vornehmſten vom Papſte die Erlaubniß erbaten und erhielten, ſich zum Könige zu begeben. Auf die Nichterwähnung der Königin in Nr. 69 legt Jaffé keinen Werth; er führt ſie nur auf eine Auslaſſung im Codex zurück. Für Jaffé's Annahme entſcheiden ſich auch F. Hirſch, Forſch. XIII, 48 ff., und Malfatti H, 265—266.

Le Cointe VI, 150 ff. und Mabillon, Annales II, 246 f., ſetzten dieſen Vor-gang ſchon ins Jahr 778 bezw. 779; Meo ins J. 777. Allerdings wird der Tod des Abts Autpert, welcher Cod. Carol. Nr. 68 S. 213 erwähnt iſt, in dem Chron. Vulturnense (Muratori l. c. S. 365) ins Jahr 778 geſetzt (bei Mabillon, AA. SS. o. s. Ben. III, 2, ed. Venet. S. 240, wird als Tag der 19. Juli hinzugefügt); vgl. Bähr, Geſchichte der römiſchen Literatur im karolingiſch. Zeitalter S. 191. 293. Nach dem Abtskataloge des Kloſters San Vincenzo, bei Ughelli, Italia sacra VI, 378, ſtarb der Abt Autpert bereits 777, ihm folgte Hainrad bis zum 2. November 780, dann Poto bis 22. April 783. Dieſe Angaben, von denen allerdings auch Waitz, SS. rer. Langob. S. 546 N. 1 Gebrauch macht, ſind jedoch ganz unzuverläſſig; vgl. Jaffé l. c. S. 213 N. 3; Ferd. Hirſch a. a. O. S. 50 N. 1. Der Abt Autpert, von deſſen Tode im Cod. Car. Nr. 68 die Rede iſt, kann aus dem oben angegebenen Grunde nicht vor 781 geſtorben ſein.

[1]) Cod. Car. Nr. 69, S. 217: qui insons aput vos accusatus est immo et per vestram prefulgidam iussionem exinde ablatus.

[2]) Autpert ſagt von ſich ſelbſt am Schluſſe ſeiner Expositio in Apocalypsin: Ambrosius, qui et Autbertus, ex Galliarum provincia ortus, intra Samnii vero regionem apud monasterium martyris Christi Vincentii maxima ex parte divinis rebus imbutus . . . (Mabillon, AA. SS. o. s. Ben. III, 2, S. 234), angeführt von Ferd. Hirſch, Forſchungen a. a. O. S. 48 N. 3; vgl. SS. rer. Langob. S. 546 N. 1; Bähr a. a. O. S. 293. Dieſer Commentar wurde

gewiſſen Namen gemacht hat[1]). Allein Hadrian nahm ſich des Potho an. Die Anklagen gegen dieſen rührten namentlich von einem Mönche Namens Rodicauſus her. Indeſſen ſcheint derſelbe ziemlich allein geſtanden zu haben. Auf einmüthigen Wunſch der Brüderſchaft des Kloſters, wie er — aber allem Anſchein nach übertrieben — behauptet, gab der Papſt dem abgeſetzten Abte ein Schreiben an Karl mit, worin er Potho's Unſchuld betheuerte, die Tüchtigkeit ſeiner Amtsführung rühmte und dringend um die Wiedereinſetzung desſelben in ſeine Abtswürde bat[2]). Hierauf geſchah es wohl, daß Karl den Papſt durch ein Schreiben, welches der Erzbiſchof Poſſeſſor[3]) überbrachte, aufforderte, ein Unterſuchungsverfahren in dieſer Sache nach den kanoniſchen Regeln anzuſtellen[4]). Darauf berief Hadrian zu dieſem Zwecke eine Verſammlung, an welcher eine Anzahl geiſtlicher und weltlicher Großer, nämlich der

---

von Autpert zur Zeit Papſt Paul's I. (757—767) verfaßt. Der Commentar wird auch erwähnt und gerühmt von Alkuin, In Apocalypsin, praefat., Mai, Script. vet. nov. coll. IX, 258, welcher den Verfaſſer als presbyter bezeichnet.

[1]) Mittheilungen über Autpert ſind von Johannes ſeinem Chronicon Vulturnense einverleibt (Muratori, SS. rer. It. Ib, 359—365; auch bei Mabillon, Acta III, 2, 236 ff.; Act. SS. Boll. 19. Iul. IV, 646: Vita s. Ambrosii Autperti). Dieſe Nachrichten ſind jedoch ohne erheblicheren Werth und beſonders chronologiſch ſehr unzuverläſſig. Die Angabe, Autpert ſei der Lehrer und Erzkanzler Karl's geweſen, iſt völlig aus der Luft gegriffen; vgl. Mabillon, Annales II, 237; Tiraboschi, Storia della letteratura italiana III, 229 N. a. Ein von Autpert verfaßtes Leben der drei Gründer und erſten Aebte von St. Vincenzo am Volturno (Vita Paldonis, Tatonis et Tasonis Vulturnensium) iſt gleichfalls im Chronicon Vulturnense erhalten; ſ. dasſelbe SS. rer. Langobard. S. 546 ff. (Wattenbach, DGQ. 5. Aufl. II, 212 N. 2). Erwähnt wird es auch von Paulus Diaconus, welcher die große Gelehrſamkeit des Verfaſſers rühmt, Hist. Langob. VI, 40, l. c. S. 179: Monasterium vero beati Vincentii martyris, quod iuxta Vulturni fluminis fontem situm est et nunc magna congregatione refulget, a tribus nobilibus fratribus, hoc est [Tato, Taso et Paldo], iam tunc aedificatum, sicut viri eruditissimi Autperti eiusdem monasterii abbatis in volumine, quod de hac re conposuit, scripta significant. Außerdem vgl. über Autpert's gelehrte und ſchriftſtelleriſche Thätigkeit überhaupt die vorher erwähnten Nachrichten, SS. rer. Langob. S. 547; Wibald. epist. 167, Jaffé I, 278; Mabillon l. c.; Hist. litér. de la France IV, 141 ff.; Meo, Annali del regno di Napoli III, 112; Tiraboschi III, 194; Bähr a. a. O. 191 f. 293 ff. — Als Schriftſteller wenigſtens heißt er: Ambrosius Autpertus.

[2]) Dies geſchah in dem Briefe bei Jaffé IV, 217—218, Nr. 69. Auf die Unterſuchung, über deren Verlauf Hadrian in epist. Nr. 68, S. 212—216, berichtet, nimmt er hier nirgends Bezug. Vielmehr ſchreibt er: ... eo quod ullo (nullo?) modo vestrae regali potentiae infidelitatis reum quisspiam ex accusatoribus suis facere aut comprobare valebit, eo quod omnino falsum ei crimen obicitur, was auf die Zeit vor jener Unterſuchung hinzuweiſen ſcheint.

[3]) Dieſer Erzbiſchof Poſſeſſor iſt vermuthlich dieſelbe Perſon mit dem Biſchof Poſſeſſor, welcher früher, Cod. Carol. Nr. 53. 57. 58. 59, Jaffé IV, 177. 189. 192. 194, als Geſandter Karl's erwähnt wird; vgl. o. S. 207 N. 2; 240 N. 4, obwohl Jaffé im Index (S. 717) beide trennt. Wie wir ſahen, iſt über die Perſönlichkeit des Poſſeſſor Sicheres nicht bekannt; vgl. auch Jaffé IV. 212 N. 3.

[4]) Cod. Carol. Nr. 68, S. 212. Dieſem Briefe (S. 212—216) iſt auch das Folgende entnommen; er enthält eine Art Protokoll über das Verhör und die ganze Unterſuchung.

Gesandte des Königs Erzbischof Possessor, verschiedene Aebte, der Herzog Hildiprand von Spoleto[1]), mehrere päpstliche Hofbeamte, der Bibliothekar Theophylactus, der Saccellarius Stephanus, der Notar Campulus, ferner der Dux Theodorus u. s. w. theilnahmen. Autpert und Potho sollten sich in Person stellen. Autpert starb jedoch plötzlich auf der Reise[2]); dagegen erschien mit Potho, infolge der päpstlichen Aufforderung, zugleich eine Anzahl der angesehensten Mönche[3]) des Klosters San Vincenzo. Verhör und Untersuchung währten drei Tage. Als Ankläger gegen Potho traten Rodicausus und ferner drei Mönche auf, welche zu Autpert gestanden hatten und im Gefolge des Herzogs Hildiprand von Spoleto erschienen waren[4]). Potho bestritt indessen theils, die ihm zur Last gelegten Aeußerungen und Handlungen gethan zu haben, theils gab er ihnen eine andere Auslegung. Außerdem bezeugten mehrere Mönche, daß Rodicausus ein sündliches und schimpfliches Vorleben hinter sich habe und daher nach kanonischem Recht als Ankläger nicht zugelassen werden könne. Die Versammlung ging auf diesen Standpunkt ein und befand Potho für unschuldig. Indessen ließ sie denselben auch noch die eidliche Versicherung ablegen, daß er jene hochverrätherischen Aeußerungen gegen den König nicht gethan habe, demselben niemals untreu gewesen sei noch künftig werden wolle. Außerdem ließ man die zehn vornehmsten Mönche des Klosters, von denen fünf von Geburt Franken, fünf Langobarden waren, beschwören, daß sie niemals eine solche Aeußerung gegen den König aus dem Munde des Abts gehört hätten[5]). Zugleich erbaten und erhielten diese die Erlaubniß, insgesammt zum Könige reisen zu dürfen[6]). Den Ausgang der Sache kennt man nicht,

---

[1]) Jaffé IV, 213: Hildibrando duci, Taciperto et Prandulo. Diese drei betrachtet Malfatti II, 266 als königliche Richter in dem Prozesse („presenti tre giudici per parte del re, uno de' quali il duca di Spoleto Ildebrando").

[2]) Jaffé IV, 213: ipse quippe prefatus Autbertus dudum abba, calle itineris peragratus, repentina morte occupatus, minime nostris apostolicis valuit se manifestare presentiis; vgl. hiezu o. S. 464 N. 7.

[3]) Sie werden als primati monachi oder priores monachi bezeichnet (Jaffé IV, 213. 214. 216).

[4]) Jaffé IV, 214—215: Et introducti sunt alii tres monachi, qui cum Hildibrando duce venerunt et cum Autberto abbate moraverunt, adserentes adversus Pothonem abbatem . . .

[5]) Jaffé IV, 216: Simul et alii decem primati monachi ipsius venerabilis monasterii, quinque ex genere Francorum et quinque ex genere Langobardorum, statuimus ut preberent sacramentum: quia numquam audierunt ex ore abbatis quamlibet infidelitatem adversus vestram regalem excellentiam. Da Hadrian hier Franken und Langobarden unter den Mönchen sich gegenüberstellt, hat man angenommen, daß jener Streit auf einem nationalen Gegensatze zwischen den fränkischen und langobardischen Mönchen beruht habe (vgl. Mabillon, Ann. Ben. II, 237). Gegen eine solche Annahme erklärt sich jedoch wohl mit Recht F. Hirsch, Forschungen a. a. O. S. 48 N. 4.

[6]) Jaffé IV, 216: Ipsi vero petierunt se omnes pariter ad vestram regalem venire praesentiam. Nos quippe, illorum exquirentes fidem erga vestram regalem venire potentiam, sinuimus properandi. Das Wort ipsi würde man zunächst nur auf die vorhergenannten decem primati monachi (s. die

wie ja bei dem ganzen Hergang manches dunkel bleibt. Indessen ist derselbe in mehrfacher Hinsicht von Interesse. Einmal tritt in ihm wieder der Gegensatz zwischen dem Papste und dem Herzog von Spoleto hervor; Hildiprand erscheint als Protektor der Sache des Autpert, der sich vermuthlich bei ihm aufgehalten hatte, bevor er die Reise nach Rom antrat, und die Anklagen gegen Potho mögen wenigstens zum Theil durch den Herzog an Karl gelangt sein. Hadrian dagegen nimmt sich mit Eifer des Potho an. Ferner ist merkwürdig, wie hier Karl in Bezug auf ein beneventanisches Kloster, das königliche Kloster San Vincenzo am Volturno[1]), durchaus als Herr erscheint, der von dem Abte Trene verlangen, diesen durch den Papst vor ein geistliches Gericht stellen lassen kann; endlich wie der Papst auch in kirchlichen Fragen sich den Anordnungen des Königs fügt, den Entscheidungen desselben unterordnet.

---

vor. Anmkg.) beziehen. Indessen folgt dann auf das Schreiben des Papstes ein Verzeichniß von 42 Personen (Paulus presbiter, Venerandus presbiter, ein paar Diakonen u. s. w.). Jaffé hält dies für die Liste der Mönche von San Vincenzo, die sämmtlich zu Karl gereist seien (S. 216 N. 1. 2). Der Name des Rodicausus fehlt natürlich; ebenso ohne Frage diejenigen der anderen 3 Mönche, welche gegen Potho aufgetreten waren. Ob Jaffé's Annahme richtig ist, bleibe dahingestellt.

[1]) Vgl. F. Hirsch, Forschungen a. a. O. S..44 N. 4; 48 ff.

Die Bekämpfung der Sachsen nahm noch immer die Thätig=
keit des Königs vorwiegend in Anspruch. Der für die Franken
siegreiche Ausgang des Feldzuges von 783 stachelte die Sachsen
nur zu desto verzweifelterem Widerstande auf; sie erhoben sich aufs
neue, und die Gefahr des Aufstandes wurde noch dadurch erhöht,
daß auch ein Theil der Friesen dem Beispiele der Sachsen folgte.
Auch bei den Friesen hatte Widukind die Bewegung hervorgerufen;
durch ihn gereizt erhob sich ganz Friesland östlich und nördlich
des Flie, fiel von dem christlichen Glauben ab und opferte wieder
den alten Götzen[1]). Das Christenthum hatte in der letzten Zeit
in diesen Gegenden beträchtliche Fortschritte gemacht; Liudger
hatte seit sieben Jahren mit Erfolg im Ostragau gepredigt und ge=
tauft, jetzt mußte er flüchtig das Land verlassen. Nachdem er
seinen Schülern, die ohne Zweifel mit ihm zur Flucht gezwungen
waren, die nöthigen Anweisungen gegeben[2]), machte er selbst, wie
zwei Jahre früher Willehad, sich auf den Weg nach Rom, be=
gleitet von seinem Bruder Hildigrim und einem gewissen Gerbert,
mit dem Beinamen der Keusche[3]). Von Rom begab er sich dann
nach Montecasino, um dort die Zeit seiner unfreiwilligen Muße
im klösterlichen Leben zu verbringen und sich mit der Regel des
h. Benedict näher bekannt zu machen, welche schon damals in den
Klöstern die vorherrschende war[4]) und die er auch bei der von

---

[1]) Altfrid. vita s. Liudgeri I, 21, Geschichtsquellen des Bisthums Münster
IV, 24—25; Ann. Laur. mai. SS. I, 166 etc.; vgl. unten S. 470 N. 2.

[2]) Altfrid. vita s. Liudgeri I, 21: disposita turba discipulorum, was
jedenfalls nicht heißen kann, er habe sie über Friesland vertheilt, denn dieses mußten
sie natürlich auch verlassen. Daß Liudger's Flucht nicht schon 782 fällt, darüber vgl.
Excurs II; a ch die Bemerkung der Vita, Bischof Alberich von Utrecht sei um die=
selbe Zeit gestorben, führt auf 784; vgl. unten S. 485 N. 5.

[3]) Altfrid. l. c.: et Gerbertum, qui cognominabatur castus; vgl. hiezu
die N. 8 von Diekamp.

[4]) Altfrid. vita s. Liudgeri, I, 21, S. 25; über das Eindringen der Regel
des h. Benedict vgl. Rettberg II, 678 ff.

ihm selbst beabsichtigten und später ausgeführten Klosterstiftung zu Grunde zu legen wünschte[1]).

Unterdessen war Karl auf die Nachricht von der wiederholten Erhebung der Sachsen und eines Theils der Friesen[2]) zu einem neuen Feldzuge nach Sachsen aufgebrochen. Ostern, 11. April, befand er sich noch in Heristal[3]); bald darauf aber, sobald die Jahreszeit es gestattete, setzte er sich mit seinem Heere in Bewegung, wie der eine Annalist sagt, um dem sächsischen Kriege vollends ein Ende zu machen[4]). Bei Lippeham[5]), d. h. wahrscheinlich beim Einfluß der Lippe in den Rhein, ging er über den Strom und rückte nach Westfalen vor. Nirgends liest man von Widerstand, dem er begegnet; plündernd, wie in Feindesland, zog er in Sachsen hin und her und gelangte so bis zur Weser[6]). Die Quellen nennen den Ort, wo er den Strom erreichte, Huculvi. Die Lage desselben läßt sich zwar nicht mit vollkommener Sicherheit ermitteln; wahrscheinlich ist es aber Hockeleve (setzt Petershagen) unterhalb Minden, an der Weser; gewiß ist, daß es ein Ort am unteren Laufe der Weser war, wo bei den niedrigen Ufern leicht Ueberschwemmungen stattfanden[7]). Eben eine solche Ueberschwemmung hinderte den König seinen ursprünglichen Feldzugsplan auszuführen. Seine Absicht war gewesen, in die nördlichen Theile Sachsens zu eilen, die bis dahin von den fränkischen Waffen fast noch ganz unberührt geblieben und die wohl auch der Hauptheerd der Em-

---

[1]) Altfrid. l. c.; übrigens ist das Kloster Werden, das hier gemeint ist, erst um die Wende des 8. und 9. Jahrhunderts gegründet.

[2]) Ann. Lauriss. mai. SS. I, 166: Et tunc rebellati sunt iterum Saxones solito more, et cum eis pars aliqua Frisonum; Fragm. Bern. SS. XIII, 30; Chron. Vedastin. SS. XIII, 705 (Denique Frisones dum nequiret adire rebelles).

[3]) Ann. Laur. mai. l. c. etc.; vgl. o. S. 460 N. 8.

[4]) Ann. Einh. l. c.: Cum primum oportunitas temporis advenit, ad reliquias belli Saxonici conficienda rex animo intento . . . venit ad Wisuram. Die Ausdrucksweise schließt sich auch hier an die alten Historiker an, vgl. Flor. I, 35; Liv. IX, 29; N. Archiv VII, 534.

[5]) Ann. Laur. mai.; Fragm. Bern.; Ann. Einh.; Ann. Guelferb. cont.; Ann. Naz. cont. SS. I, 41; Ann. Alam.; Ann. Sangall. mai.; St. Galler Mitth. XIX, 237. 271; vgl. o. S. 334 N. 1.

[6]) Annales Laur. mai. l. c.: et ingressus est Saxoniam circuiendo et vastando, usque quod pervenit ad Huculvi; Fragm. Bern. l. c. (Hucculvi); Ann. Einh.: et vastatis Westfalaorum pagis, venit ad Wisuram. Cumque in eo loco qui Huculbi dicitur castris super fluvium positis consedisset . . .

[7]) Ueber die Lage von Huculvi sind die verschiedensten Vermuthungen aufgestellt, vgl. v. Ledebur, Kritische Beleuchtung, S. 84 ff.; v. Richthofen, Zur Lex Saxonum S. 142 N. 1; Kentzler, Forsch. XII, 385 N. 1. An Hockeleve (Petershagen) dachte zuerst Pertz, SS. I, 166 N. 88, dem u. a. v. Richthofen, Kentzler, Mühlbacher S. 97 beipflichten. — Kaiser Otto III. schenkt in einer Urkunde vom 9. Sept. 991 an Minden einen Wald Hukulin-hago. Andere erinnern an das mehr nördlich gelegene Oyel, früher Oculen im Hoya'schen, und an Otel zwischen Verden und Bremen, etwas links von der Weser. Andere Vermuthungen, auf Hörter u. s. w., sind ausgeschlossen.

pörung waren [1]), wahrscheinlich auch einen Zug nach Friesland zu
unternehmen [2]). Allein infolge heftiger Regengüsse schwoll die Weser
dergestalt an und überschwemmte das umliegende Land so, daß der
König sie nicht überschreiten konnte [3]). Er änderte daher seinen
Plan und entschloß sich zu einem Zuge gegen die Ostfalen [4]). Je=
doch ergriff er die Vorsichtsmaßregel, sich den Rücken zu decken,
indem er seinen Sohn Karl mit einer Abtheilung des Heeres in
Westfalen ließ [5]), um diesen Theil von Sachsen im Zaum zu halten.
Dann schlug er selbst den Weg nach Süden ein und rückte durch
Thüringen östlich bis an die Elbe, die er, wie es scheint, nahe bei
dem Einfluß der Saale erreichte [6]). Wie in Westfalen so suchte
er auch in Ostfalen durch die härtesten Mittel, durch Verwüstung
des Landes und Einäscherung der Wohnplätze [7]) die Widerstands=
kraft des Volkes zu brechen und sein Ansehen wiederherzustellen;
doch sieht man nicht, daß er weit ins Innere des Landes vordrang;
nachdem er bis Stagnfurt, dem späteren Steinfurt an der Ohre,
gekommen [8]), setzte er den Marsch noch bis Scahiningi, Schöningen

---

[1]) Ann. Laur. mai.: Ibi consilio inito, eo quod nimium inundaciones
aquarum fuissent . . . (vgl. 785); Fragm. Bern. (vgl. 785); Ann. Einh.: Vidit
se in aquilonales Saxoniae partes, sicut statuerat, propter nimias aquarum
inundationes, quae tum subito ex iugitate pluviarum acciderant, transire
non posse (vgl. auch den Schluß des Jahresberichts).

[2]) Vgl. Chron. Vedastin. (o. S. 470 N. 2).

[3]) Vgl. die Stellen in N. 1. Auch die Annales Mosellani, XVI,
497, und Annales Lauresh. SS. I, 32, melden eine große Ueberschwemmung:
nec non et inundatio aquarum pervalida (valida) fuit. — Kentzler glaubt nicht,
daß allein die Ueberschwemmungen den König an seinem Zuge nach dem Norden
verhindert hätten; wahrscheinlich seien bei ihm Nachrichten über feindliche Demonstra-
tionen der Westfalen in seinem Rücken und sehr beunruhigende Gerüchte über Empörungen im südöstlichen Sachsen eingelaufen; es bleiben dies Vermuthungen, denen
sich indessen auch Diekamp, a. a. O. S. 31, anschließt.

[4]) Ann. Laur. mai.; Fragm. Bern. — Kentzler a. a. O. S. 387, sucht
nachzuweisen, daß hierunter die Nordthüringer, nördlich von der Bode, zu verstehen
seien (?). Mit Recht weist er auf die große Aehnlichkeit dieses Zuges Karl's mit
demjenigen Pippin's im Jahr 748 hin (Hahn, Jahrbb. des fränk. Reichs 741—752,
S. 92 ff.; Mühlbacher S. 28).

[5]) Ann. Laur. mai.: — et filium suum domnum Carolum dimisisset
una cum scara contra Westfalaos: quod et ita factum est — una cum
scara, quae eo dimissa fuit (Regino, SS. I, 560: cum valida manu);
Ann. Einh.: et filium suum Karolum cum parte exercitus in Westfalaorum
finibus sedere iussit; weniger gut Fragm. Bern. SS. XIII, 31 (vgl. auch
Fragm. Vindobon.): et primogenitum filium suum cum reliqua parte exercitus super Westfalos misit; Ann. Tilian. SS. I, 221; Ann. Enhard.
Fuld. SS. I, 350.

[6]) Ann. Laur. mai.; Fragm. Bern.; Fragm. Vindobon.; Ann. Einh.;
vgl. auch Kentzler a. a. S. 387 N. 6; Mühlbacher S. 97.

[7]) Ann. Einh.

[8]) Ann. Laur. mai.: et inde ad Stagnfurd (Steinfurt v. l.); Fragm.
Vindobon.: et inde usque ad Steinfurt. — Leibniz, Ann. imp. I, 111, und
Pertz SS. I, 166 N. 89 vermuthen Staßfurt an der Bode, wogegen v. Ledebur,
Kritische Beleuchtung S. 88 ff., ausführt, daß dabei an einen jetzt verschwundenen
Ort Steinfurt an der Ohre zu deuten ist, dessen Lage er, S. 91, genauer an=
gibt; vgl. v. Richthofen, Zur Lex Saxonum S. 142 N. 2; Kentzler, Forsch. XII,
387; Mühlbacher S. 97.

an der Meissau[1]) fort; dies war der nördlichste Punkt, welchen er erreichte.

Die Ostfalen selbst machten vielleicht durch ihre Unterwerfung ein weiteres Vordringen Karl's überflüssig. Man liest — wenn wir anders eine sehr kurz gefaßte, unklare Nachricht richtig so deuten — von einem Abkommen, das in Schöningen zwischen dem Könige und den Ostfalen zu Stande kam[2]). Ein solches könnte wohl etwa nur dahin gegangen sein, daß die Ostfalen ihre Unter= werfung aussprachen gegen bestimmte Zusicherungen Karl's zu Gunsten ihres Lebens, ihrer Freiheit und ihres Vermögens. Jedenfalls fehlen irgendwelche zuverlässige Angaben über den In=

Das Rundschreiben Karl's, worin er auf den 17. Juni eine Versammlung nach Staßfurt ausschreibt (Sickel K. 206, Anm. 292; Mühlbacher Nr. 399; Jaffé IV, 387 f. Epist. Carolin. 24; Capp. I, 168 Nr. 75) und welches von Eckhart I, 692, und von Harenberg, Monumenta historica adhuc inedita S. 91 u. a. 784 angesetzt wird, fällt erst nach Karl's Kaiserkrönung, wie schon Pertz, Legg. I, 145 und Erhard, Regesta I, 70. 87 Nr. 176. 257 bemerken. Der Abt Fulrad, an den das erhaltene Exemplar gerichtet ist, kann allerdings nicht der bereits am 16. Juni 784 verstorbene Abt Fulrad von St. Denis, sondern wird der gleichnamige Abt von St. Quentin und Lobbes gewesen sein, der zu Anfang des 9. Jahrhunderts mehrfach erwähnt wird. K. v. Richthofen, Zur Lex Saxonum S. 142 N. 2, hält ohne ausreichenden Grund die Echtheit des Erlasses für zweifelhaft; vgl. in Betreff der Zeitbestimmung desselben unten Bd. II. zu den JJ. 804. 806. 812; ferner W. A. im Lit. Centralblatt 1884 Nr. 10, Sp. 309 und Wippermann, Beilage zum Jahresbericht über das Gymnasium zu Attendorn 1885—1886 (Siegen, 1886). Jener entscheidet sich für die letzten Monate des Jahres 805; dieser für 806. Gegen die erstere Ansicht ist indessen zu bemerken, daß dieser Aufgebotsbrief nicht in die letzten, sondern nur in die ersten Monate eines Jahres fallen kann: die allgemeine Heerversammlung soll ‚anno presenti‘ im Juni stattfinden, die Geschenke dem Kaiser Mitte Mai übersandt werden. Diekamp, Suppl. S. 12. 20 Nr. 82 141, ver= muthet mit Mühlbacher 804; desgl. Holder-Egger, SS. XV, 1, 267 N. 5.

[1]) Ann. Laur. mai.: et inde ad Scahiningi; Fragm. Bern.: inde Sca= huningi pervenit; Ann. Einhardi: de Scahiningi — hoc loco nomen erat — (Poeta Saxo l. II, v. 141—142, Jaffé IV, 563: donec pervenit ad illum, — Qui veteri locus est Scanningi nomine dictus; vgl. Ann. Laur. mai. 747, SS. I, 136: usque ad fluvium Missaha, in loco qui dicitur Scahiningi; Ann. Einh. 747, SS. I, 137: conseditque super fluvium Missaha in loco qui vo= catur Skahningi). — Schöningen, Braunschweig, Kr. Helmstedt.

[2]) Ann. Laur. mai.: ibique conventionem factam; die Ann. Einh. übergehen dies; Fragm. Vindobon., SS. XIII, 31: Ibi quoque contione cum Francis habita et victoria perpetrata . . .; vgl. auch Fragm. Bern., ibid., wo jedoch vorher nach den Worten ad fluvium Albiam pervenit die weiteren: et inde usque ad Steinfurt, inde Scahuningi pervenit, unzweifelhaft durch Ueberspringen von einem pervenit auf das andere, ausgelassen sind; Ann. Lobiens. SS. XIII, 229: et de eis (sc. Saxonibus) bis eo (anno?) triumphatum est; vgl. Meyer von Knonau, Forsch. z. deutsch. Geschichte VIII, 633 N. 4; Simson, ebb. XX, 402—403. — Mühlbacher S. 97 hält die Angabe des Fragments für ein Mißverständniß, was hinsichtlich des Wortes conventionem (Ann. Laur. mai.) zutreffen könnte; die Worte victoria perpetrata dürften wohl überhaupt nicht auf einen einzelnen Sieg bei Schöningen (was auch zu den vorhergehenden Worten wenig passen würde), sondern auf den siegreichen Erfolg des ganzen Feldzugs im allge= meinen zu beziehen sein; wir werden sie mit den unmittelbar darauf folgenden: in Franciam reversus est zu verbinden haben. — Ademar von Chabannes (Duchesne II, 74) schreibt allerdings auch: Ibi (sc. ad Scainingi) praelio facto victor existens, cum gloria reversus est Franciam.

halt des Abkommens durchaus[1]). Es gibt ein Schriftstück, das den Wortlaut desselben wiedergeben will; danach betrafen die Bestimmungen die Gründung eines Bisthums für Ostsachsen in Seligenstadt[2]), die Ausstattung der christlichen Kirchen in Sachsen, die Verpflichtung der Sachsen, binnen eines Jahres sich taufen zu lassen, alle heidnischen Gebräuche aufzugeben, den fränkischen Königen treu zu sein, vor dem 1. Mai dem Könige die schuldigen Geschenke zu entrichten und sie dann nach Eresburg zu senden; da die Sachsen dies alles mit aufgehobenen Fingern eidlich gelobt, habe der König sie in seinen Schutz aufgenommen. So soll das Abkommen von Schöningen gelautet haben, für welches als Zeit der 13. August angegeben wird[3]). Der Inhalt ist jedoch in mehreren Punkten so wenig den Verhältnissen angemessen, auch die Ausdrucksweise mehrfach so ungewöhnlich, daß der ganze Vertrag als erdichtet erscheint[4]).

Nach diesem Erfolge kehrte Karl nach Francien zurück[5]). Aber hartnäckiger als, wie es scheint, die Ostfalen zeigten sich die Westfalen, die doch schon weit häufiger und schwerer die Schärfe der fränkischen Waffen, aber zugleich auch länger und härter den Druck der fränkischen Herrschaft empfunden hatten. Sie mochten glauben mit dem jüngeren Karl und mit seinen, wie es scheint, verhältnißmäßig geringen Streitkräften[6]) leichter fertig werden zu können als mit dem König selber; vielleicht war bei ihnen Widukind wieder eingetroffen und spornte zu kräftigem Widerstand an[7]). Sie versuchten aufs neue das Glück der Waffen; sie sammelten sich an der Lippe; aber der jüngere Karl rückte ihnen auf die Nachricht davon sogleich entgegen, stieß im Dreingau[8]), auf der nördlichen Seite der mittleren Lippe, mit ihnen zusammen und

---

[1]) Die Vermuthungen Kentzler's darüber a. a. O. S. 388 ff. (Karl habe die Nordthüringer vom Tribut befreit) sind in der That haltlos; vgl. dagegen auch Waitz III, 2. Aufl. S. 138 N. 2.

[2]) Vgl. o. S. 355 N° 3.

[3]) Capp. ed. Boretius I, 461 N. 2.

[4]) Pertz, Legg. II b, 1, stellt den Vertrag unter die unechten Aktenstücke; ebenso Boretius l. c.; desgl. Sickel II, 395—396; Mühlbacher Nr. 258. Waitz III, 2. Aufl. S. 138 N. 2, ist entschieden gegen die Echtheit; ebenso äußern sich v. Richthofen a. a. O. S. 142 N. 2; Kentzler a. a. O. S. 389 N. 1; am ausführlichsten Rettberg II, 473 f. Erhard I, 70 zweifelt; s. dagegen Diekamp, Suppl. S. 11 Nr. 82.

Die Fälschung rührt wahrscheinlich von Joh. Christoph Harenberg her, welcher sie zuerst (1758) angeblich aus einer Gandersheimer Chronik herausgab.

[5]) Ann. Laur. mai.: — reversus est in Franciam supradictus gloriosus rex; Fragm. Bern.; Vindobon. (s. o. S. 472 N. 2); Ann. Einh.: de Scahningi .... in Franciam regressus est.

[6]) Die o. S. 471 N. 5 angeführten Worte des Regino stehen dieser Annahme nicht entgegen; sie haben keine Autorität.

[7]) Dies vermuthet Leibniz, Annales I, 111, obgleich die Quellen Widukind's nicht erwähnen.

[8]) Ueber diesen Gau vgl. Böttger, Diöcesan- u. Gaugrenzen Norddeutschlands Abth. 3, S. 80 ff.; Kentzler, Forsch. XII, 390 N. 2.

lieferte ihnen ein Treffen[1]), wie eine unserer Quellen ausdrücklich bemerkt und wie es überhaupt schon die Regel war, ein Reiter= treffen[2]). Der Sieg wird in den Quellen übereinstimmend den Franken zugeschrieben[3]); die Sachsen wurden zersprengt und ließen

---

[1]) **Ann. Laur. mai.**: Westfalai vero voluerunt se congregare ad Lip- piam. Quo audito a supradicto filio domni Caroli regis, obviam eis ac- cessit una cum scara, quae cum eo dimissa fuit, in pago qui dicitur Dra- gini, et inierunt bellum. Hiernach griff also Karl die Westfalen an, auf die Nach= richt, daß sie sich an der Lippe sammelten, und offenbar in der Absicht ihre Vereini= g ng zu einer größeren Macht zu verhindern; vgl. auch Kentzler a. a. O. S. 390. Anders Fragm. Bern. und Vindobon. SS. XIII, 31, wo eher die Westfalen als die angreifenden dargestellt zu werden scheinen, die Erzählung aber nur weniger präcis ist: Westfali vero, adunata manu valida, contra Karolum, filium magni regis Karoli, aciem dirigunt (super fluvium Lippiam), bellumque acerrimum commissum est; Chron. Vedastin., ib. S. 705: quos ei dum ob- viam irent . . .; Ebrard, Forsch. z. deutsch. Gesch. XIII. 468 f. Aehnlich auch die Annales Einhardi, denen z. B. Möser, Osnabrückische Geschichte I, 203, folgt: Karlus vero filius eius, cum ei iter agenti in pago Draigni iuxta Lippiam fluvium Saxonum occurrisset exercitus, commisso cum eis equestri proelio, felici ac prospero eventu dimicavit. Aber auch diese Jahrbücher drücken sich nur unbestimmter aus; die Versionen sind im Grunde nicht so sehr verschieden (vgl. auch Kentzler, Forsch. XII, 390 N. 1); doch verdienen hier die schärferen Annales Laur. entschieden den Vorzug, wie schon Ranke, Zur Kritik, S. 426 f. ausgeführt hat. Der Ort des Treffens ist nicht genau bekannt; gegen die Annahme, daß die Funde bei Beckum im April 1860, Ueberreste von Waffen, Skelette und dergl., aus diesem Treffen des jüngeren Karl herrühren, daß letzteres bei Beckum geliefert worden sei, vgl. Essellen, in den Jahrbüchern des Vereins von Alterthumsfreunden im Rheinland, Jahrg. 1862, S. 132 ff.

[2]) **Ann. Einh.** (s. die vor. Anmkg.). Ueber das Vorwiegen der Reiterei vgl. Waitz IV, 2. Aufl. S. 543 ff.

[3]) **Ann. Laur. mai.**: Auxiliante Domino, domnus Carolus, filius magni regis Caroli, victor extitit una cum Francis, multis Saxonibus inter- fectis. Volente Deo, inlaesus remeavit ad genitorem suum . . . Dies noch etwas ausgeschmückt in Fragm. Bern. und Vindobon.: in quo (bello) auxiliante Domino Karolus victor extitit, interfectisque plurimis, immo innumeris Saxonibus (innumerabilibus Saxonum Vindobon.), cum triumpho ad ge- nitorem suum . . . reversus est. — Ann. Einh.: . . . felici ac prospero eventu dimicavit; nam magno eorum numero interfecto, cae- teris in diversa fugatis, victor ad patrem . . . reversus est. — Ann. Enhard. Fuld. SS. I, 350: Karolus iunior . . . Westfalaos in proelio supera- vit et domuit; der Bericht der Ann. Sithiens. SS. XIII, 36: Saxones a Carlo sunt in proelio superati ist wohl nicht mit Sicherheit im Wortlaut festzustellen; statt sunt ist, wie auch Waitz bemerkt, vielleicht iuniore zu lesen; Ann. Quedlinb. SS. III, 38 (et filius eius Carolus interim pugnavit contra Westvalos in pago qui dicitur Dreini).

Trotz dieser Uebereinstimmung der Quellen wird ihre Angabe, Karl sei Sieger über die Sachsen geblieben, vielfach bestritten. Möser I, 206 N. d, bezeichnet die Nachricht von einem Siege des jungen Karl ohne weiteres als eine „falsche Nachricht" der „Hofzeitung"; Luden IV, 340 f. verwirft nicht blos diese Nachricht, sondern alle Angaben der Annalen über den ganzen Feldzug dieses Jahres als unrichtig, ver= worren, unwahr. Manches lassen dieselben ja allerdings zu wünschen übrig. Allein die Vermuthungen, durch die Luden den wahren Zusammenhang herzustellen sucht, sind ganz willkürlich; die Verlegung der Verschwörung des Hardrad, welche die Quellen aus= drücklich ein oder zwei Jahre später ansetzen, ins Jahr 784 ist ohne jeden Grund. Entscheidend war der Sieg des jungen Karl allerdings nicht, schon weil er nur ein verhältnißmäßig schwaches Heer gehabt hatte, vgl. Ranke, Zur Kritik, S. 427. Aber die Oberhand hatte er im Kampfe behalten, wie auch La Bruère I, 209; Martin II, 299;

eine beträchtliche Zahl Todter auf dem Platze, der junge Karl kehrte nach Worms zurück, wo sich der König eben aufhielt[1]).

Der Aufstand der Sachsen war allem Anschein nach für den Augenblick gedämpft, aber ein vollständiger entscheidender Erfolg war weder von dem König selbst noch von seinem Sohn durch dessen Sieg an der Lippe davongetragen. Die Erfahrungen der letzten Jahre hatten bewiesen, daß die Sachsen die Abwesenheit Karl's während des Winters und Frühlings regelmäßig benutzten, um sich inzwischen zu sammeln und neuen Widerstand vorzubereiten; diesmal beschloß Karl es nicht wieder so weit kommen zu lassen, sondern noch ehe die Sachsen von den jüngst erlittenen Schlägen sich erholt dem Aufstande vollends den letzten Stoß zu versetzen. Zu diesem Behuf faßte er auf einer Versammlung in Worms mit seinen Großen den Entschluß den Winter in Sachsen zuzubringen[2]). Noch vor Ablauf des Jahres 784 trat er mit seinem Heere einen neuen Zug nach Sachsen an[3]); Weihnachten feierte er im Lager bereits mitten im Lande der Engern, im Huettagau in der Villa Liudihi, vielleicht dem heutigen Lügde, südlich von Pyrmont, unweit der sächsischen Veste Skidrioburg, dem späteren Schieber an der Emmer[4]). Von da rückte er nach

---

Dippold, S. 82; Kentzler a. a. O. S. 390; Dielamp, Widukind S. 32, annehmen; nur ist es sagenhaft, wenn Dippold die Zahl der Gefallenen auf 7000 angibt, denn diese Nachricht geht nur auf Ademar von Chabannes zurück (Duchesne II, 74: cecideruntque in eo proelio de Saxonibus plus quam septem milia hominum).

[1]) Ann. Laur. mai.; Fragm. Bern. u. Vindobon.; Ann. Einhardi.

[2]) Ann. Laur. mai. SS. I, 166: ibique (in Worms) inito consilio cum Francis, ut iterum hieme tempore iter fecisset supradictus domnus rex in Saxoniam; quod ita et factum est; Fragm. Bern. SS. XIII, 31: In qua urbe (Worms) consilio inito cum obtimatibus suis, hiemali tempore iter in Saxoniam fecit (vgl. Fragm. Vindobon. ibid.; Ann. Mett.: cum consilio procerum suorum).

[3]) Vgl. vor. Anmkg.; Ann. Einhardi, SS. I, 167: Rex autem, congregato iterum exercitu, in Saxoniam profectus est; Chron. Vedastin. SS. XIII, 705: Iterum hiemis tempore Saxoniam Franci adiere; Ann. Mosell. SS. XVI, 497: iterum Karlus perrexit in Saxonia cum exercitu per duas vices; Ann. Lauresh. SS. I, 32; Ann. Max. SS. XIII, 21; Ann. s. Amandi, SS. I, 12: Carlus tribus (?) vicibus regressus est in Saxonia . . .

[4]) Ann. Laur. mai.: Et celebravit natalem Domini iuxta Skidrioburg in pago Waizzagawi super fluvium Ambra in villa Liudihi; Fragm. Bern. SS. XIII, 31: . . . iuxta castrum Scidrioburg in pago Waizzagaim super fluvium Ambra in villa Leuthidi (Ann. Mett. ibid.: Kiridriobure). Die Ann. Einh. nennen die Ortschaft Liudihi nicht, sondern schreiben nur: celebratoque in castris natalicio Domini die super Ambram fluvium in pago Huettagoe, iuxta castrum Saxonum quod dicitur Skidroburg. Den betreffenden Gau bezeichnen die Ann. Einh. mit seiner niederdeutschen Namensform, während die Ann. Laur. mai. etc. die oberdeutsche haben; vgl. Pertz, SS. I, 167 N. 93; Eckhart I, 694; Böttger, Diöcesan- und Gaugrenzen Norddeutschlands III, 103 ff.; v. Richthofen a. a. O. S. 143 N. 1; Kentzler a. a. O. S. 391 N. 4; Mühlbacher S. 97 und unten Bd. II. Excurs VI. — Falke, Codex trad. Corb., S. 5. 6 N. e.; S. 324 N. F. G.; S. 349 N. N. suchte mit Unrecht nachzuweisen, daß an zwei verschiedene Gaue zu denken sei. — Liudihi ist wahrscheinlich Lügde (vgl. Dielamp, Widukind S. 33; Mühlbacher S. 97); Andere meinen, Olden=Lüde (Pertz,

Norden vor bis nach Rimi am Zusammenfluß der Weser und
Werre, dem heutigen Rehme oberhalb der Porta Westfalica, überall
das Land verwüstend[1]), um den Sachsen alle Mittel zum Wider=
stande zu entziehen. Indessen sah er sich balb an der Fortsetzung
seines verheerenden Zuges gehindert; theils bie rauhe Winterjahres=
zeit, theils und hauptsächlich bedeutende Ueberschwemmungen nöthig=
ten ihn sich wieder nach Süden zurückzuziehen[2]). So nahm er
seinen Winteraufenthalt in Eresburg[3]), wohin er dann auch seine
Gemahlin und seine Kinder zu sich kommen ließ[4]); das fränkische
Heer warb in der Umgegend in Baracken vertheilt[5]).

SS. I, 167 N. 5; v. Richthofen S. 143 N. 1; Kentzler S. 391). — Schieder noch
jetzt Amtsort mit Schloß; Böttger a. a. O. III, 103: „Die Schieberburg lag auf
einer noch jetzt als Alten=Schieder bezeichneten Anhöhe des Kahlenberges, 1/4 St. von
der Emmer, wo noch Gräben und Wälle erkennbar sind"; Wilmans, Kaiserurkk. b.
Prov. Westfalen I, 248 f. Ueber die angebliche Stiftung eines Bisthums in Schieder
vgl. Rettberg II, 494—495.

Chron. Vedastin. SS. XIII, 705 (vgl. N. 1) läßt Kart unrichtig das damalige
Weihnachtsfest (784) mit seiner Familie in Eresburg feiern; freilich auch) Ann. Mosellan. SS. XI, 497 ungenau: rex Karlus demoratus est in Saxonia ad Heres-
brug (sic) de natale Domini usque in mense Iunio; Annales Lauresham.
SS. I, 32 (vgl. unten).

[1]) Ann. Laur. mai. 785, SS. I, 166: Tunc domnus Carolus rex supradictum iter peragens, usque ad Rimie pervenit super fluvium Wisora, ubi
confluit Waharna; Fragm. Bern. 785, SS. XIII, 31: Ut prediximus (?), Karolus rex Saxoniam vastando circuit, castraque posuit super fluvium Wisera,
ubi confluit amnis Waharna; Ann. Einh. 784, SS. I, 167: ad locum vocabulo Rimi, in quo Wisura et Waharna confluunt, populabundus accessit;
v. Ledebur S. 95; v. Richthofen a. a. O. S. 144; Oelsner S. 77.

[2]) Ann. Laur. mai.: Et propter nimias inundationes aquarum inde
reversus est ad Aeresburgum; Fragm. Bern. 785: Indeque pergens, propter nimiam inundationem aquarum reversus est in castrum Heresburgum
. . .; Ann. Einh. 784: Cumque eum ulterius progredi tam hiemalis temporis asperitas quam aquarum inundatio prohiberet . . .; vgl. o. S. 471 N. 1.

[3]) Ann. Laur. mai. 785 (Ibi tota hieme resedens); Fragm. Bern. 785
(ubi reliquam partem hiemis residens transegit); Fragm. Vindobon.; Ann.
Einh. 784. 785 (Aeresburgum castrum in hiberna concessit — Cum ibi
hiemare decrevisset . .); Ann. Petav. 784: Et eodem anno inverni temporis sedit (resedit?) domnus rex Karolus Herisburgo; Ann. Mosellan. 785,
Ann. Lauresh.; Chron. Vedastin. (vgl. Mühlbacher S. 98 u. oben S. 475 N. 2);
Ann. Nazar. cont. 785: rex Carolus in Heresburc super hiemem resedebat;
Ann. Guelferb. cont. ibid.; Ann. Alaman., Ann. Sangall. mai. (Meresburg),
St. Galler Mitth. XIX, 237. 271. — Ann. s. Amandi, SS. I, 12: et ibidem
(sc. in Saxonia) commoratus; Ann. Quedlinb. 785, SS. III, 38: Postea rex
totum illum annum (?) in Saxonia cum exercitu sedens. Karl verbrachte
auch Ostern 785 in Eresburg; vgl. unten S. 493—494.

[4]) Ann. Laur. mai. 785: uxorem suam domnam Fastradanem reginam
una cum filiis et filiabus suis ad se venire iussit; Fragm. Bern.; Chron.
Vedastin. (vgl. o. S. 475 N. 4); Ann. Einh. 785: accitis atque adductis ad
se uxore ac liberis; vgl. hiezu auch Capp. I, 225 (unten S. 479 N. 2).

[5]) Ann. Petav. SS. I, 17: et Franci sederunt in gyrum per borderes.
Bei borderes erinnert Eckhart I, 691, an den sächsischen Ausdruck boerde für
Amtsbezirk, und ebenso faßt die Angabe Rudorff, Das Amt Lauenstein, in der Zeit=
schrift des historischen Vereins für Niedersachsen, Jahrg. 1858, S 227, wonach per
borderes bedeuten soll: „compagnieweise" oder „nach Hundertschaften". Ducange ed.
Favre I, 706, nimmt hier borderes für limites, Grenze. Es ist jedoch eher an
die Bedeutung von aedes, casa zu denken, wofür Ducange I, 704 aus dem Angel=

Noch an einem andern Punkte des Reiches regt sich, wenn auch ohne erkennbaren Zusammenhang mit den übrigen Vorgängen, kriegerisches Leben. Die Annalen reden von einem Kampfe der Baiern mit einem Herzoge Hrodpert bei Bozen, in welchem dieser Herzog mit einer großen Zahl seiner Leute gefallen sei[1]). Jede zuverlässige genauere Nachricht über dieses Zusammentreffen fehlt. Man weiß sonst nichts von einem Herzog[2]) Hrodpert in dieser Zeit und dieser Gegend; erst viel spätere Combination hat aus ihm einen Hauptmann oder Statthalter Karl's in Italien gemacht[3]). Bozen gehörte zu dem Gebiete, welches, nachdem es schon im 7. Jahrhundert den Baiern von den Langobarden entrissen worden war, von Desiderius — vielleicht bei Gelegenheit der Vermählung seiner Tochter Liutperga mit Tassilo — wieder an diesen abgetreten zu sein scheint[4]); vielleicht darüber war es zu Streitigkeiten zwischen Baiern und Franken gekommen, indem letztere jene Ge=

---

sächsischen u. s. w. Beispiele liefert. Die sichere, authentische Erklärung liefern die Ann. Petav. selbst, da sie gleich darauf von tentoria reden (785: commoto exercitu de ipsis tentoriis); vgl. Waitz IV, 2. Aufl. S. 628 N. 1; v. Richthofen a. a. O. S. 144 N. 1; Kentzler a. a. O. S. 392 N. 2; Mühlbacher S. 98; auch unten Bd. II. z. J. 797 über die Entstehung von Herstelle. Nicht ganz richtig hierüber Pertz, SS. I, 17 N. 2, welcher meint, Karl habe seine Truppen in die Häuser der umwohnenden Sachsen vertheilt.

Die Ann. Quedlinb. SS. III, 38, fügen hinzu: omnia exercitui necessaria Saxones sibi ministrare praecepit — ähnlich wie der mit ihnen verwandte Poeta Saxo l. III, v. 351—353, Jaffé IV, 585, z. J. 797; vgl. unten Bd. II.

[1]) Annales s. Emmer. Ratisp. mai. 785, SS. I, 92: Pugna Baiowariorum cum Hrodperto ad Pauzana. Da diese Annalen mehrfach in der Angabe der Jahreszahlen irren (vgl. o. S. 449 N. 2), den Kampf bei Bozen aber in dasselbe Jahr mit dem Tode Bischof Virgil's von Salzburg, der 784 erfolgte, verlegen, so ist es nicht unwahrscheinlich, daß auch der Kampf bei Bozen 784 anzusetzen ist, wohin ihn überdies in der That die Ann. s. Rudberti Salisburg., SS. IX, 769, ebenso wie das Auctarium Garstense, SS. IX, 564, stellen. Auch Riezler, Geschichte Baierns I, 164 nimmt dies Jahr an. Die beiden letzteren Quellen nennen Hrodbert ‚dux‘ und lassen ihn mit vielen der Seinigen umkommen.

Wenn Aventin, Bayerische Chronik, B. III, c. 81, Werke V, 110, den Baiern 2 Heerführer Gewein und Iswein gibt, so beruht dies nur auf einer falschen Interpunktion der Stelle der Ann. s. Rudb. l. c., wo unmittelbar vorher die Erhebung der Gebeine zweier Salzburger Mönche Gavinius und Idwinus erwähnt wird: Elevati sunt Gavinius et Idwinus; vgl. das Verbrüderungsbuch von St. Peter in Salzburg, ed. v. Karajan S. 14; Riezler, S. B. der Münchner Akad. hist. Cl. 1881. S. 264. Ebenso wie Aventin Mederer, Beytr. z. Gesch. v. Baiern S. 305 ff.

[2]) Nur in den jüngeren der angeführten Quellen wird ihm die Bezeichnung als Herzog beigelegt, während in den Annales s. Emmer. dux nicht steht, oben N. 1.

[3]) Aventin a. a. O. Bd. III, Cap. 80, S. 108: Da nun künig Karl die Langbarder erobert het, setzet er dahin zu ainem haubtman herzog Ruprechten; der war nit so wol eins mit den Baiern; Cap. 81, S. 110: künig Karls haubtman in Italien, obg'nanter herzog Rueprecht — wider herzog Rueprecht aus der Lambardei (ietzo Mailand). Auch Mederer a. a. O. und Rudhart, S. 319, machen Hrodpert, im Anschluß an Aventin, zu Karl's Statthalter in der Lombardei.

[4]) Vgl. oben S. 59.

biete wohl für das langobardische Reich wieder zurückverlangten[1]). Ob Hrodpert den Einfall in das bairische Gebiet auf eigene Ver= antwortung oder im Auftrage Karl's unternahm, ist nicht zu sehen[2]), doch das erstere wahrscheinlicher, da Karl zu einem entscheidenden Vorgehen gegen Tassilo den Augenblick noch nicht für gekommen gehalten zu haben scheint und unter solchen Umständen auch schwer= lich einen bewaffneten Angriff auf Baiern gutgeheißen haben wird. Aber als ein Ausdruck der gereizten Stimmung auf beiden Seiten war der Vorgang doch vielleicht von Bedeutung, und die Nieder= lage der Seinigen konnte dann für Karl nur ein Grund mehr sein, Tassilo nachdrücklich zur Rechenschaft zu ziehen; sie ver= schlimmerte Tassilo's Stellung.

Wie sehr Karl durch den Sachsenkrieg in Anspruch genommen war, geht schon daraus hervor, daß abgesehen eben von dem Kriege selbst, aus dem ganzen Jahr 784 von keiner einzigen Regierungs= handlung Karl's Kunde erhalten, auch keine Urkunde aufbewahrt ist[3]), daß auch der Verkehr mit dem Papste auf Angelegenheiten von sehr untergeordneter Bedeutung sich beschränkt.

In jener Winterszeit 784/5, während welcher Karl sich mit seiner Familie in Sachsen aufhielt, scheint er Gesandte an den

---

[1]) So Mederer S. 306; Büdinger S. 120; Waitz III, 2. Aufl. S. 110 N. 2.

[2]) Aventin erzählt a. a. O. S. 110 folgendermaßen: Aber herzog Weit= chund aus Saxen der fiel in Frankreich, tet grossen schaden künig Karl. Darumb künig Karls haubtman in Italien, obg'nanter herzog Rueprecht maint, es wär ain anstiftung von herzog Thessel in Baiern, fiel in das land Baiern in das Etschtal, gewan die stat Potzen, blünderts und prents nach im aus. Die Baiern wolten solchs rechen, kamen in ir stat Potzen, namens wider ein, zogen in Italien hinein wider herzog Rueprecht aus der Lambardei (ietzo Mailand); was si aber ausgericht haben, schreibt herzog Thessels canzler mit namen Crantz (dieselbigen zeit im leben), es sei im lieber, das er schweig dan solchs beschreib. — Und sties herzog Thessel ainen ewigen frid mit seinen nachpaurn, den Haunen, an. — Mêrg'nanter herzog Ruprecht fil wider in Baiern, wolt die baierisch stat Potzen wider einnemen. Herzog Thessel schicket dahin sein haubtleut, den Gewein und Iswein, die erschluegen herzog Ruprecht und mit im vil der feind; das ander volk floch alles davon, und gewannen also die Baiern ainen grossen sig, vil guets. Das offenbare Mißverständniß, welches uns in diesem letzten Theil des Berichts begegnet, ist schon oben (S. 477 N. 1) erörtert. Aber auch das Vorhergehende erscheint meistentheils, wenn nicht vollständig, apokryph, obwohl sich Aventin auch hier auf jenes angebliche gleichzeitige Werk von Tassilo's Kanzler Cranz beruft. Zu einer Vervielfachung des Ereignisses könnte der Umstand Anlaß gegeben haben, daß in der ältesten Angabe (Ann. s. Emmer. Ratisp. mai.) nur von einem Kampfe der Baiern mit Hrodpert bei Bozen, erst in den beiden späteren auch von Hrodpert's Tod und Niederlage die Rede ist. Riezler, S. B. der bayer. Akad. d. Wissensch. a. a. O. S. 264—265 glaubt aller= dings wenigstens den rächenden Einfall der Baiern in die Lombardei als einen Zug betrachten zu dürfen, welcher in der That dem Werke des Cranz entlehnt sei. — Mederer, S. 306, nimmt Karl's Zustimmung zu dem Unternehmen an und redet, aber nur gestützt auf Aventin, von 2 Feldzügen, zuerst 784, da Bozen von Hrodpert geplündert, dann 785, da letzterer geschlagen sei.

[3]) Ueber Mühlbacher Nr. 259 (= Nr. 256) vgl. o. S. 457 N. 6.

Papst geschickt zu haben, welcher nicht lange vorher seinerseits
Boten und einen Brief an ihn gesandt hatte. Die Instruktion
der königlichen Gesandten, worin denselben ihr Auftreten ganz
genau punktweise vorgeschrieben wird, ist uns, wenn auch nicht un=
verstümmelt, erhalten[1]). Sie sollten dem Papste den Gruß des
Königs, seiner Gemahlin Fastrada, seiner Kinder und seines
ganzen Hauses und Hofes, sowie seiner Geistlichkeit und seines
Volkes entbieten[2]), ihm berichten, daß Karl und die Seinigen sich
wohl befänden[3]). Außerdem übersandte der König dem Papste
ein Schreiben[4]) und Geschenke, wie er sie eben in Sachsen habe
vorbereiten können, und bittet Hadrian, sich mit diesen Gaben einst=
weilen zu begnügen, bis er ansehnlichere aufzubringen vermöge[5]).
Auch dankt er Hadrian für die beständigen Gebete, womit der
Papst ihn und die beiderseitigen Getreuen begleite[6]).

Im übrigen liefern nur einzelne Bisthümer und Klöster durch
Veränderungen, die in ihnen vorgingen, durch Todesfälle unter
ihren Vorstehern noch einigen geschichtlichen Stoff für dies Jahr.

Im Kloster St. Gallen, welches mit dem Bisthum Constanz
längst im Kampfe lag, führte dieser Streit im Laufe des Jahres
784 zu einer neuen Veränderung in der Leitung des Stiftes[7]).
Es hatte eine Weile den Anschein gehabt als ruhte der Streit,

---

[1]) Capp. I, 225 Nr. 111 (Jaffé IV, 341—342, Epist. Carolin. 2; vgl.
S. 342 N. 1); Mühlbacher Nr. 260. — In c. 3 heißt es: Gratias agit vobis
dominus noster filius vester, quia dignati fuistis illi mandare per decora-
biles missos et melliflua aepistola vestra de vestra a Deo conservata sanitate; quia tunc illi gaudium et salus ac prosperitas esse cernitur, quando
de vestra sanitate vel populi vestri salute audire et certus esse meruerit.
Der hier erwähnte Brief des Papstes scheint sich im Cod. Carol. nicht zu befinden;
er scheint sich auch auf Höflichkeiten beschränkt zu haben. Von einer ganzen Reihe
von Briefen Hadrian's an Karl läßt sich nur im allgemeinen bestimmen, daß sie
dem Zeitraum von 784—791 angehören, Jaffé IV, 268—292, Codex Carolin.
Nr. 89—98; Genaueres Forsch. I, 509 ff., und unten zu 786.

[2]) Primo capitulo. Salutat vos dominus noster filius vester Carolus
rex et filia vestra domna Fastrada (regina ac filii et) filiae domni nostri,
simul et omnis domus sua (vgl. Waitz III, 2. Aufl. S. 496). 2: Salutant vos
cuncti sacerdotes, episcopi et abbates atque omnis congregatio illorum in
Dei servicio constituta, etiam et universus g(rex) et populus Francorum.

[3]) c. 5: Mandavit vobis filius vester, dominus videlicet noster, quia
Deo gratias et vestras sanctas orationes cum illo et filia vestra eius con-
luge et p(role) sibi a Deo datis vel omni domo sua sive cum omnibus fidelibus suis prospera esse videntur.

[4]) c. 6: Postea vero danda est aepistola dicentibus hoc modo: 'praesentem aepistolam misit vobis dominus noster filius vester' etc.

[5]) c. 7: Deinde dicendum est: 'misit vobis nunc dominus noster filius
vester talia munera qualia in Saxonia praeparare potuit et quando placet
sanctitati vestrae ostendamus ea.' 8: Deinde dicendum erit: 'dominus
noster, filius vester, hec parva munuscula paternitati vestrae destinavit,
inducias postolans interim dum meliora sanctitati vestrae praepare (praeparare: Jaffé) potuerit.'

[6]) c. 4. 5.

[7]) Vgl. hinsichtlich des Folgenden auch Ladewig, Regesten zur Geschichte der
Bischöfe von Constanz S. 11—12.

als würde es dem Kloster gelingen, mit seinen Ansprüchen unbe=
helligt durchzubringen; der Nachfolger des Abtes Ratpert, der nach
ungefähr dreivierteljähriger Amtsführung in der zweiten Hälfte des
Jahres 782 gestorben zu sein scheint, Waldo, war von den
Mönchen frei gewählt; wenn man in St. Gallen behauptete, auch
der König habe die Wahl genehmigt, so steht dies mindestens dahin[1].
Allein Bischof Egino war weit entfernt, der von seinem Vorgänger
Johannes eingenommenen Stellung irgend etwas zu vergeben. Der
Streit zwischen Bisthum und Abtei entbrannte aufs neue mit der
größten Heftigkeit, doch erfährt man nichts über die unmittelbare
Veranlassung dazu. Ratpert, unser einziger Berichterstatter über
diese Verhältnisse, ist freilich um Auskunft nicht verlegen; er schiebt
alle Schuld auf den Bischof, den er mit den schwärzesten Farben
malt. Er habe sich nicht gescheut das Kloster St. Gallen auf jede
mögliche Weise in Schaden zu bringen; wie früher Sidonius den
h. Otmar, so habe Egino den Abt Waldo verfolgt, um, wie es
seine Vorgänger gethan, das Kloster dem Bisthum aufs neue zu
unterwerfen. Zu diesem Behufe habe er an die Männer in der
Umgebung des Königs verschwenderisch Ländereien und selbst Geld
geschenkt und sie auf diese Weise für sich gewonnen; sogar ver=
ständigen Männern habe er durch diese Geschenke die Augen ver=
blendet und mit ihrer Hilfe sein frevelhaftes Unterfangen durchge=
führt; so sei das Kloster abermals widerrechtlich dem Bisthum
unterworfen worden[2].

Die Vorwürfe, welche Ratpert auf den Bischof häuft, sind
ohne Zweifel übertrieben, wenn nicht geradezu unberechtigt; aber
in der Sache selbst hat Ratpert Recht, d. h. der Bischof muß das
Stift wieder in Abhängigkeit von sich gebracht haben; Ratpert am
wenigsten hätte das erzählt, wenn es nicht wirklich der Fall ge=
wesen wäre. Es ist als hätten in der Hitze des Kampfes die
Mönche von St. Gallen das Abkommen von 780 bereits wieder
ganz vergessen gehabt[3]; was Ratpert selbst über das Auftreten

---

[1] Casus s. Galli c. 8, Mittheil. XIII, 15: Nostri vero . . . Waltonem
concoenobiotam (suum), virum sapientem, sibi abbatem rege permittente constituerunt; vgl. oben S. 442 f., namentlich über die Chronologie N. 7. Doch kaum
kann man, angesichts der Unzuverlässigkeit Ratpert's in diesen Dingen, entschiedene Zweifel
an der Richtigkeit dieser Angabe nicht unterdrücken; vgl. Meyer v. Knonau, ebd. N. 34.

[2] Casus c. Galli, c. 9, l. c. S. 15—16: Post obitum vero Iohannis
episcopi Egino episcopii Constantiensis iura suscepit. Qui mox omnia insi-
diarum genera circa monasterium nostrum exercere non metuens, sicuti
Sydonius sanctum Otmarum, ita et iste Waltonem persequi coepit abbatem,
quatenus iterum perverso more antecessorum suorum episcopatui subiceret
monasterium. Huius igitur rei gratia optimatibus regis praedia et pecunias contulit infinitas, illosque ad consensum suum provocans muneribus-
que, ut scriptum est (vgl. N. 37), etiam sapientium obtutus execans, quod
nequiter coepit, illorum adminiculo pessime complevit iterumque monasterium non equi observatione episcopio subici fecit.

[3] Vgl. oben S. 339 f., Urkunde bei Wartmann, I, 87 Nr. 92. J. v. Arx,
Geschichte des Kantons St. Gallen I, 33, folgt unbedingt Ratpert, steht daher auf
dem einseitig St. Gallischen Standpunkte.

Egino's erzählt, beweiſt keineswegs, daß dieſer mehr verlangte als ihm in jener Urkunde zugeſtanden war. Aber das Kloſter ſetzte ſeinen Widerſtand fort, bis am Ende der König ſelbſt wieder ein- griff. Jedoch auch ihm gelang es nicht ſogleich den Frieden her- zuſtellen. Er erklärte ſich für das Recht des Biſchofs, aber in St. Gallen gab man immer noch nicht nach. Abt Waldo wollte von Unterwerfung unter das Bisthum nichts hören; er ſoll, als Karl dieſes Anſinnen an ihn ſtellte, ihm trotzig erwidert haben: nachdem er bisher ſich in der ehrenvollen Stellung befunden habe unmittelbar unter dem Könige zu ſtehen, ſei er entſchloſſen künftig nie mehr einem geringeren Herrn ſich zu unterwerfen, ſo lange noch Kraft in ſeinen drei Fingern ſei[1]); wozu der Berichterſtatter Ratpert anmerkt, Waldo habe ſich vortrefflich auf die Schreibkunſt verſtan- den[2]). Seine Hartnäckigkeit half ihm nichts; die unabhängige Stellung, die er ſeiner eignen Ausſage zufolge vorher einge- nommen hatte, war eben auch nicht in der Ordnung, war gegen die 780 vom Könige beſtätigte alte Ordnung geweſen; er mußte weichen und begab ſich mit Zuſtimmung Karl's in das benachbarte Kloſter Reichenau[3]).

In Reichenau herrſchte ſeit einigen Jahren dieſelbe Spannung mit Conſtanz wie in St. Gallen; doch ſcheint dort der Gegen- ſatz früher ausgeglichen worden zu ſein, der Streit bald eine andere Wendung genommen zu haben als es unter Waldo in St. Gallen geſchah. Der Abt Peter war ebenſo im Widerſpruch mit dem Biſchof von den Mönchen gewählt worden wie in St. Gallen Waldo; der Biſchof hat offenbar auch Reichenau gegenüber ſeine Anſprüche keineswegs fallen laſſen[4]); dennoch behauptete ſich der

---

[1]) Casus s. Galli c. 9, S. 16 f.: Cum enim, inquit, semel manus vestrae dominationis ingressus, tantae celsitudinis merui dominio sublimari, nequa- quam post haec, dum horum trium digitorum vigorem integrum teneo — nam scriptor erat eximius — vilioris personae manibus me subdere de- crevi. Rettberg II, 117 N. 33, gibt hier die abweichende Erklärung, Waldo möge dabei eher an den Eid gedacht haben, den er unter Aufhebung der drei Schwurfinger früher dem Könige geleiſtet hatte; wogegen Gelpke, Kirchengeſchichte II, 301, die Auf- faſſung Ratpert's theilt. Indeſſen ſcheint die Erklärung Rettberg's, obſchon auch Meyer von Knonau, a. a. O. N. 40, ſie für paſſender hält als diejenige Ratpert's ſelbſt, verfehlt; vgl. auch die Worte des Florus von Lyon, Mansi XIV, 663: sed etiam mihi . . . tres prius digitos, quibus scribimus, radicitus amputari vellem quam etc.

[2]) Vgl. Meyer von Knonau a. a. O. S. 15 N. 35; 16 N. 40.

[3]) Casus s. Galli, c. 9, l. c. S. 17; vgl. N. 41. v. Arx I, 33, erzählt ungenau den Hergang ſo als wäre Waldo unmittelbar von Egino zur Abdankung gezwungen worden; ſein Rücktritt geſchah aber infolge von Karl's Einſchreiten, welches v. Arx ganz übergeht.

[4]) Das ergibt wohl die Erzählung Ratpert's, Casus s. Galli c. 8, oben S. 442 f., beſonders die Stelle S. 442 N. 6.

Abt Petrus bis zu seinem Tode, 786[1]); es scheint sogar, daß gerade während seiner Amtsführung der Streit wesentlich zu Gunsten des Klosters entschieden wurde. Reichenau hatte vor St. Gallen den glücklichen Umstand voraus, daß es sich der besonderen Fürsprache des Grafen Gerold, Bruders der Königin Hildegard, erfreute[2]); Gerold's und der Königin Verwendung hatte Reichenau es zu verdanken, daß es mit seinem Anspruch auf Unabhängigkeit durchdrang. In welche Zeit die Verleihung der Immunität und der freien Abtswahl zu setzen ist, welche laut einer Urkunde Ludwig's des Frommen dem Kloster von seinem Vater Karl ertheilt ward[3]), ist freilich nicht zu ersehen[4]). Reichenau hatte damit aber erreicht soviel es irgend zu erreichen hoffen durfte und was St. Gallen versagt blieb, und so war es natürlich, daß Waldo gerade hierhin sich zurückzog. Nach des Abtes Peter Tod, 786, wählten ihn die Mönche von Reichenau sogar zu dessen Nachfolger[5]), und da die Stellung Reichenaus zu Constanz bereits zu Gunsten der Selbständigkeit des Klosters entschieden und geordnet war, so war Waldo hier vollständig an seinem Platze; man findet nicht, daß seine Wahl oder Amtsführung bei dem Bischof oder dem Könige irgend auf Widerstand stieß[6]); hingegen sind Anzeichen davon vorhanden, daß er bei dem Könige sogar in Gunst stand[7]).

Ein weit ungünstigeres Schicksal hatte St. Gallen. Der Abgang Waldo's besserte die Lage des Stiftes nicht, gab es vielmehr

---

[1]) Catalogus abbatum Aug. SS. XIII, 331, wonach Petrus 5 Jahre Abt war, also, da er es 781 wurde, bis 786. Dieselbe Angabe bei Walahfrid. Strab. Visio Wettini, v. 36, Poetae Lat. aev. Carolin. II, 305; Herimann. Aug. chron. 781, SS. V, 100. Von einem Rücktritt des Petrus, ähnlich dem des Waldo in St. Gallen, findet sich keine Spur; er muß wohl wirklich 786 gestorben sein.

[2]) Casus s. Galli, c. 8, vgl. o. S. 442.

[3]) Darüber vgl. o. S. 342 f.

[4]) Man könnte etwa vermuthen, daß sie wohl nicht später als 783, in dieses oder das vorangehende Jahr zu setzen sei, weil Hildegard 783 starb; Sickel II, 311, bemerkt indessen mit Recht, daß die Zeit der Ertheilung des Privilegs sich aus den vorliegenden Nachrichten nicht bestimmen lasse.

[5]) Casus s. Galli, c. 9, a. a. O. S. 17; Walahfrid. Strab. visio Wettini v. 37, Poet. Lat. II, 305; Chron. Suev. univers. SS. XIII, 63—64; Herimann. Aug. 786, SS. V, 100; Catal. abb. Augiens. SS. XIII, 331; vgl. auch Tit. Augiens. V, 4, v. 10, Poet. Lat. II, 427; Heitonis Visio Wettini, praefat., Poet. Lat. II, 267; Ann. Alam. cont. Aug. 806; Ann. Weingart., SS. I, 49. 65.

[6]) Anders versteht Waldo's Wahl zum Abt von Reichenau Rettberg II, 122, indem er daraus auf ein Einverständniß zwischen St. Gallen und Reichenau über den ferneren Widerstand gegen Constanz schließt. Dann bliebe es aber unverständlich, weshalb Egino und Karl den Waldo in Reichenau ruhig gewähren ließen, da sie ihn doch in St. Gallen nicht länger hatten dulden wollen; wogegen alle Schwierigkeiten fortfallen, sobald Karl's Privileg für Reichenau vor 786 gesetzt wird, was keinem Bedenken unterliegt. Vgl. übrigens hiezu Meyer von Knonau a. a. O. S. 17 N. 42.

[7]) Vgl. Rettberg II, 122: namentlich die freilich zweifelhafte Nachricht, er habe interimistisch auch das Bisthum Basel verwaltet, gehört hieher; vgl. Rettberg II, 93.

ganz dem Bischof in die Hände. Egino nahm, wozu ihm das
Recht zustand, die Ernennung des neuen Abtes selbst vor, wählte
aber für diese Würde absichtlich keinen Angehörigen des Klosters,
sondern einen Weltpriester Namens Werdo[1]). Die Mönche sträubten
sich anfangs denselben aufzunehmen; sobald jedoch Werdo sich als
Mönch einkleiden ließ, gaben sie ihren Widerstand auf, und Werdo
erhielt, wie es der Bischof gewollt, die Weihe als Abt[2]). Die Ver=
suche des Klosters sich der Abhängigkeit von Constanz zu entziehen
waren auch diesmal wieder gescheitert, das im Jahr 780 anerkannte
Recht des Bischofs wieder zur Geltung gebracht; der neue Abt war dem
Bischof von Constanz untergeben. In den Urkunden wird mehrfach
vor Werdo Egino aufgeführt, Egino selbst nennt sich den Vorstand
von St. Gallen, den Werdo seinen Mitbruder[3]). Dies Verhältniß
entsprach dem St. Gallens als eines zu dem Bisthum Constanz
gehörenden Stifts. Ratpert entwirft jedoch, seiner Tendenz gemäß,
von dem Treiben Beider ein trostloses Bild. Sie schlossen, sagt
er, ein gottloses Abkommen gegen das Wohl der Mönche; die
Lage des Klosters ward immer trostloser, da die, welche hätten
seine Beschützer sein sollen, es bedrückten und unter den Mönchen
keiner war, der sie daran hätte hindern können[4]). Dennoch gaben
die Mönche ihre Sache noch nicht verloren, sondern warteten nur
auf den günstigen Augenblick um mit ihren Beschwerden wieder
hervorzutreten.

---

[1]) Casus s. Galli, c. 10, S. 17: Tunc praedictus episcopus assumens
quendam presbyterum forensem, nomine Werdonem, obtulit eum ad
nostrum monasterium, ut abbatem illum constituisset, ne, si de monachis
eisdem aliquem ordinasset, res ab eo aliquatenus cedere videretur; vgl.
hiezu jedoch Meyer von Knonau ebd. N. 44 und über die Chronologie die fol=
gende Note.

[2]) Casus s. Galli, c. 10; Herimann. Aug. chron. 784, SS. V, 100.
Waldo's Rücktritt fällt in die erste Hälfte 784, da er anderthalb Jahre Abt war,
Catalogg. abb. Sang. SS. XIII, 326 f.; o. S. 443. Werdo wird zuerst als
Abt genannt in einer Urkunde vom 1. September 785, Wartmann I, 96 Nr. 102.
Auffallend ist, daß diese Urkunde die erste uns erhaltene nach einer Urkunde vom
25. April 784, Wartmann Nr. 101, ist, in der übrigens kein Abt erwähnt wird
die lange Unterbrechung wird mit der Verwirrung im Kloster zusammenhängen.

[3]) Schenkung Graf Gerold's vom 3. Mai 786, bei Wartmann, I, Nr. 108::
ubi venerabilis vir Agino episcopus vel abba nomine Werdo. Bezeichnend
ist der Eingang der Urkunde bei Wartmann Nr. 109: Agino deo suffragante
Constantiensis urbis episcopus et rector monasterii sancti Gallonis. Dum
pluribus non est incognitum, sed omnimodis divulgatum, qualiter nos cum
confratre nostro Werdone abbate ipsius monasterii atque ceteris fratribus
convenit etc. Vgl. auch die Urkunde bei Wartmann Nr. 111 u. Meyer v. Knonau
a. a. O. S. 18 N. 45, welcher hervorhebt, daß Egino sich doch stets nur rector,
nie abbas nenne, den Werdo immer neben sich erwähne.

[4]) Casus s. Galli, c. 10, l. c. S. 18—19: Tunc vero quodam per-
versae fidei pacto inter episcopum et abbatem contra monachorum neces-
sitates effecto, res nostrae magis ac magis in desolationem vergere coeperunt, cum hi, qui tutores esse debuerant, afflixissent et nullus esset ex
nostris, qui eos prohibere potuisset.

Das Kloster Lorsch verlor in diesem Jahre durch den Tod seinen Abt Helmerich, dem Richbodo in der Abtswürde folgte [1]. Die Chronik des Klosters rühmt diesem letzteren verschiedene bauliche Verbesserungen nach; er habe gleich im Anfange seiner Amtsführung die hölzernen Gebäude auf der Nordseite, in denen die Brüder bis dahin gewohnt, niederreißen lassen, habe dafür ein Gebäude auf der Südseite errichtet und mit Mauern umgeben, auch mehrfache Verschönerungen mit der Kirche vorgenommen [2]. Der Chronist nennt ihn außerdem einen schlichten und verständigen Mann und preist seine vorzügliche Gelehrsamkeit in den geistlichen und weltlichen Wissenschaften [3], und dieses Lob ist wohl nicht übertrieben. Wie die Klosterchronik bestimmt versichert und auch anderweitig Bestätigung findet, ist Richbodo 10 Jahre später auf den erzbischöflichen Stuhl von Trier erhoben, ohne daß er jedoch die Abtswürde von Lorsch niedergelegt hätte. Ist diese Angabe, wie kaum zu bezweifeln, richtig [4], so gehörte unser Abt zu den angesehensten Mitgliedern des Gelehrtenkreises, welchen der König um sich sammelte und in welchem der Erzbischof Richbodo von Trier unter dem Namen Macarius einen hervorragenden Platz einnahm [5].

Ein anderes deutsches Kloster, Fulda, will 784 vom Papst Hadrian ein Privilegium erhalten haben, wodurch es, neben ver-

---

[1] Annales·Mosellani, SS. XVI, 497; Ann. Lauresh. SS. I, 32, zuverlässiger als die Lorscher Klosterchronik, die SS. XXI, 352, das Jahr 785 angibt, deren eigene weitere Angabe jedoch, Richbodo sei 20 Jahre 8 Monate nachdem er Abt geworden als Erzbischof von Trier gestorben, auf 784 führt, da Richbodo am 1. Oktober 804 starb, s. Ann. Laur. min. ed. Waitz S. 17; Ann. Enhard. Fuld. SS. I, 353; auch einen Text der Ann. Laur. mai. 804, SS. 192; Series abb. et praepos. Lauresh. SS. XIII, 317 (Helmericus abbas annos 5. — Richbodo archiepiscopus et abbas annos 21). Als Helmerich's Todestag wird der 13. Februar angegeben, Kalendar. necrolog. Lauresham., Böhmer, Fontt. III, 145. Falk, Gesch. des Klosters Lorsch S. 23 ff. 148 f.

[2] Chronicon Laureshamense, SS. XXI, 352; vgl. Kalendar. necrol. Lauresham. l. c. S. 150.

[3] Chron. Lauresh., SS. XXI, 352: vir ... simplex et sapiens atque tam in divinis quam in secularibus disciplinis adprime eruditus.

[4] Chron. Lauresh. l. c., bestätigt durch Kalendar. necrol. Lauresham., Böhmer, Fontt. l. c. S. 150; Series. abb. Lauresh. SS. XIII, 317. Nach 2 Handschriften der Gesta Trevirorum, SS. VIII, 163, war der Erzbischof Richbodo früher Abt in Mettlach an der Saar (vgl. Rettberg I, 472. 481). Die Angabe hat wenig Werth, ist aber auch mit derjenigen der Lorscher Chronik, die allerdings häufig ungenau ist, und der anderen Lorscher Aufzeichnungen nicht unvereinbar; vgl. Dümmler in v. Sybel's histor. Zeitschr. XV, 182; Plückert, Ber. der k. sächsischen Ges. d. Wiss. phil.-hist. Cl. 1884. I. II, S. 107 N. 1. Jedoch kann man sich für die Identität des Abts von Lorsch und des Erzbischofs von Trier kaum so ohne weiteres, wie von Rettberg I, 472, geschieht, auf die Urkunden berufen; diese nennen nur ganz vereinzelt Richbodo episcopus et abbas, Cod. Lauresh. I, 162 Nr. 100, sonst fast durchgehends bis 804 nur abbas. Die Datirung der Traditionen ist so mangelhaft und ungenau, vgl. z. B. Codex Lauresh. I, 396 f. Nr. 341. 342. 343, daß mit ihrer Hilfe über die chronologische Frage kaum etwas zu ermitteln ist.

[5] Vgl. Alcuin. carm. 31, Poet. Lat. aev. Carolin. I, 248, N. 6; Alcuin. epist. 100. 214. 215, Jaffé VI, 424. 709—711; Rettberg I, 471—472; Wattenbach DGQ. 5. Aufl. I, 242; unten Bd. II. z. J. 799.

schiedenen anderen Begünstigungen, unmittelbar unter die päpstliche
Gerichtsbarkeit gestellt wird, mit Vorbehalt jedoch der Rechte des
Diözesanbischofs[1]). Mit Ausnahme dieser Einschränkung ist es
ziemlich gleichlautend mit dem Privileg, das schon Papst Zacharias
dem Kloster ertheilt haben soll[2]); sein Inhalt entspricht ungefähr
dem Privileg, welches Hersfeld vom Papst Hadrian erhalten haben
will[3]); ungeachtet des Vorbehalts der bischöflichen Rechte ist die
Art wie hier der Papst in die kirchlichen Verhältnisse des fränki=
schen Reichs unmittelbar eingreift eine ganz ungewöhnliche Er=
scheinung; aber davon abgesehen liegen gegen die Echtheit der
Urkunde keine erheblichen Bedenken vor, und es ist nicht ganz
unmöglich, daß Fulda wirklich ein solches Privileg vom Papst
erhalten hat[4]).

In Utrecht starb am 21. August der Bischof Alberich[5]), sein
Nachfolger wurde Theodard, der vorher mit großem Eifer in
Friesland gepredigt haben soll[6]), also vielleicht ein Zögling der
Utrechter Missionsschule war. Es läßt sich annehmen, daß die
Schule auch unter ihm in der bisherigen Weise fortbestand, aber
bekannt ist darüber nichts, wie denn die einzige Nachricht über
Theodard's Amtsführung die ist, daß er 6 Jahre lang dem Bis=
thum vorgestanden habe.

---

[1]) Urkunde bei Dronke, Codex, S. 47 N. 77. Der Vorbehalt lautet: preter
sedem apostolicam et episcopum, in cuius diocesi idem venerabile monasterium constructum esse videtur.

[2]) Dronke, Codex, S. 2 ff. Nr. 4a. 4b; vgl. Rettberg I, 613 ff.,
welcher das Privileg Hadrian's nicht kennt, das des Zacharias verwirft, aber eigent=
lich nur deshalb, weil er darin den Vorbehalt der Rechte des Ortsbischofs vermißt
(S. 618), die in Hadrian's Privileg gewahrt sind. Vgl. auch Hahn, Jahrbücher,
Excurs XXVI, S. 227 f., wonach das verlorene erste Privileg das Recht der freien
Abtswahl enthielt, und J. Harttung, Diplomat.=historische Forschungen, S. 359 ff.
(über die verschiedenen überlieferten Fassungen).

[3]) Vgl. oben S. 205 f.

[4]) Jaffé, Reg. Pont. ed. 2a, I, S. 299 Nr. 2444, erklärt die Urkunde für
falsch; hingegen sucht Sickel, Beiträge IV, 35 ff. (Wien. S. B. XLVII, 598 ff.),
die Echtheit der Fulder Privilegien, auch schon des ersten von Zacharias, wenn nicht
in der uns erhaltenen Form doch dem Inhalt nach zu erweisen, die Wahrung der
bischöflichen Rechte in dem Privileg Hadrian's soll ein vom Papst an Lul, den
Diözesanbischof, gemachtes Zugeständniß sein, Sickel IV, 62 (624). Vgl. auch Hart=
tung a. a. O. S. 365 f.

[5]) Den Tag giebt Beka, Chronicon, ed. Buchelius S. 21, das Jahr die
Annales Mosellani, SS. XVI, 497, und Annales Lauresham., SS. I, 32.
Dazu stimmt, daß Altfrid in der Vita Liudgeri, I, 21, Geschichtsquellen des Bis=
thums Münster IV, 25, Alberich's Tod zur Zeit des friesischen Aufstandes angibt,
durch welchen Liudger verjagt ward. Die Angabe des Utrechter Bischofskatalogs, oben
S. 232 N. 10, wonach Alberich 10 Jahre lang Bischof war, also erst 785 gestorben
wäre, ist demnach nicht ganz genau.

[6]) Utrechter Bischofskatalog, citirt von Buchelius bei Heda S. 46 N.
Beka, S. 21, wo es heißt: qui Fresonicae gentis praedicator fuit inclytus.
Ob das besagt, er sei von Geburt ein Friese gewesen, ist höchst zweifelhaft; so versteht
es Heda, S. 43, welcher Beka's Angabe dahin erweitert: Theodardus natione
Friso, in sacra scriptura eruditissimus doctor et excellens praedicator. Ueber=
einstimmend geben ihm die Nachrichten eine Amtsdauer von 6 Jahren. — Series
epp. Traiectens. (14. Jahrh.), SS. XIII, 295 (Thiaterdus episcopus).

Unter den verschiedenen Todesfällen des Jahres 784 hat aber keiner den König näher berührt als der Tod des Abtes Fulrad von St. Denis, seines Kaplans[1]), der am 16. Juli starb und in St. Denis begraben ward[2]), später aber, wie es scheint, in dem von ihm selbst gestifteten Kloster Leberan im Elsaß seine Ruhestätte fand, wo der Tag seiner Uebertragung am 17. Februar gefeiert wurde[3]). Fulrad, ein um die karolingische Dynastie hochverdienter Staatsmann von weltgeschichtlicher Bedeutung, hatte bei Karl, wie schon bei dessen Vater Pippin, in großem Ansehen gestanden; er war schon bei den Unterhandlungen zwischen Papst Zacharias und Pippin, welche der Thronbesteigung des letzteren vorausgingen, sein Vertrauensmann gewesen, hatte den Königen auch später die wichtig= sten Dienste geleistet und sich unausgesetzt ihr Vertrauen erhalten[4]), wie die reichen Schenkungen beweisen, mit denen er bei jeder Ge= legenheit von Karl bedacht ward, namentlich sein Testament, worin er über eine Reihe der ansehnlichsten Besitzungen in der Nähe und Ferne verfügt[5]). Kein geringerer als Alkuin hat seine Grabschrift verfaßt[6]), neben welcher dann noch eine zweite, wahrscheinlich von Dungal von St. Denis gedichtete, erhalten ist[7]). Auch der hilfreiche

---

[1]) Vgl. unten Bd. II. (den Abschnitt über die Hofbeamten). Fulrad war auch Pippin's und Karlmann's Kaplan gewesen; o. S. 36. 100.

[2]) Das Jahr geben die Annales Mosellani und Annales Lauresham. ll. cc., den Tag ein Netrolog von St. Denis und Argenteuil, angeführt von Ma= billon, Acta SS. saec. III, p. 2, S. 339 (ed. Ven. S. 307) und Annales II, 269. Die Ann. Flaviniacens., ed. Jaffé S. 688, haben zwar 783, sind aber hier überhaupt um ein Jahr zurück. Daß Fulrad in St. Denis begraben ward, er= gibt seine eigene, von Alkuin angefertigte Grabschrift (unten N. 6) nicht, wie Mabil= lon, Annales II, 269 und Le Cointe, VI, 247 wollen; wohl aber, wie Le Cointe, VI, 248, erinnert, Alkuin's Grabschrift auf Fulrad's Nachfolger Maginarius, wonach dieser, der in St. Denis beigesetzt ward, neben Fulrad begraben ward, Poet. Lat. I, 319 (Alcuin. carm. 92, 3 v. l.). Uebrigens vgl. auch die folg. Note.

[3]) Ueber die Translation seiner Gebeine nach Leberau, woraus später irrig ge= schlossen ward, er sei gleich dort begraben worden, und deren Feier auf den 17. Fe= bruar fällt, vgl. Mabillon, Annales II, 271; Le Cointe VI, 247.

[4]) Vgl. Hahn, Jahrbb. d. fränkischen Reichs 741—752, S. 125 f.; Oelsner, König Pippin S. 126. 138. 194. 236. 256—258. 264; besonders S. 38. 268. 285. 287. 421—424.

[5]) Es ist aus dem Jahr 777, vgl. o. S. 265 f.

[6]) Sie steht Poet. Lat. aev. Carolin. I, 318—319, Nr. 92, 2 (vgl. II, 692) und lautet:

Presbyter egregius valde et venerabilis abba
  Strenuus actu, opere, pectore, mente pius,
Corpore Fulradus tumulo requiescit in isto,
  Notus in orbe procul, noster in orbe pater.
Inclytus iste sacrae fuerat custosque capellae,
  Hic decus ecclesiae, promptus in omne bonum.
Haec domus alma dei magno est renovata decore,
  Ut cernis, lector, tempore quippe suo.
Iste pios patres magno dilexit amore,
  Relliquias quorum haec domus alta tenet.
Credimus idcirco caelo societur ut illis,
  In terris quoniam semper amavit eos.

[7]) Hibernici exulis carm. 12, Poet. Lat. I, 404 (vgl. II, 693). Es heißt darin, v. 7—14:

Sinn, die liebenswürdige Persönlichkeit des großen Abts werden gerühmt.

Fulrad's Nachfolger als Abt von St. Denis war Magi=narius[1]), ungewiß ob derselbe, der früher bei Karlmann die Stelle des Kanzlers versehen hatte[2]). Maginarius war schon früher einige Male mit wichtigen Aufträgen Karl's an den Papst geschickt worden[3]) und ward es auch später noch[4]). Er war mit Fulrad nahe befreundet gewesen, nach Alkuin's Zeugniß sogar von früher Kindheit an von ihm erzogen worden[5]). Doch vermochte er dem Könige den Abt Fulrad, der übrigens, wohl schon wegen vorgerückten Alters, unter Karl bei weitem nicht mehr so hervor=tritt wie unter Pippin, sonst nicht zu ersetzen; die Stelle seines obersten Kaplans übertrug Karl — sei es alsbald oder erst einige Jahre später[6]) — vielmehr einem anderen, dem Bischof Angilram von Metz[7]). Ueber diese Ernennung Angilram's liegt ein Zeugniß von Karl selber vor, das auf die Stellung des Kaplans Licht wirft. Als Berather des Königs in den kirchlichen Angelegenheiten mußte der Kaplan regelmäßig am Hofe verweilen; da jedoch Angilram nach kanonischem Rechte verpflichtet war als Bischof von Metz in seinem Sprengel zu wohnen[8]), wandte sich Karl, wie er später auf der Frankfurter Synode im Jahr 794 selbst erklärte,

Clarus qui meritis vitae, spe, nomine fulsit,
  Virtutum radiis splendor ubique suis.
Qui probitate pater fuit omnibus atque magister,
  Illos arte monens, hos pietate regens.
Ecclesiae cultor, fautor peregrum, altor egentum,
  Proderat at cunctis hic pietate pari.
Eloquio dulcis, factis probus, ore serenus,
  Pectore nectareo, prumptus ad omne bonum.

[1]) Außer den Urkunden vgl. die Stelle in Maginarius' Grabschrift unten N. 5. — Schon bei Fulrad's Lebzeiten wird Maginarius sogar als Abt genannt in der Bulle Hadrian's I. vom 1. Dezbr. 781, Jaffé ed. 2a. Nr. 2435; Leg. Sect. V, S. 500 Nr. 6; o. S. 408 N. 1.

[2]) Vgl. o. S. 35 N. 7; auch unten Bd. II. (b. Abschnitt über die Hofbeamten).

[3]) Jaffé IV, 219. 223—226, Codex Carolin. Nr. 70. 72. 73; vgl. auch Waitz III, 2. Aufl. S. 515 N. 5; o. S. 406 f.

[4]) Jaffé IV, 248. 257. 262. 345—346. 348, Cod. Carol. Nr. 81. 85. 86; Epist. Carol. 4. 5.

[5]) Alkuin sagt im Epitaphium des Maginarius, Poet. Lat. I, 319, v. 3—4:
  Te pius ille pater (Fulrad) teneris nutrivit ab annis,
  Tu quoque successor eius honoris eras.

[6]) Oelsner im Art. Angilramnus, Allgem. Deutsche Biogr. I, 460, nimmt an, es sei erst 787 (er meint eigentlich 788) geschehen.

[7]) Vgl. unten Bd. II. den Abschnitt über die Hofbeamten; ein dort übersehenes Zeugniß Act. pont. Cenom. c. 19, Mabillon, Vet. Analect. ed. nov. S. 290. Nach Hincmar. De ordine palatii, c. 15, bei Walter, Corpus iuris germ. III, 765; ed. Prou (Paris 1884), S. 40, war Fulrad und nach ihm Angilram apo-crisiarius, Vertreter des Papstes, in dessen Namen und Auftrage er sein Amt, die Wahrung der kirchlichen Interessen am Hofe, versehen habe. Demgemäß machen Le Cointe VI, 248; Leibniz I, 112 f.; Eckhart I, 694 den Angilram zum capella-nus et apocrisiarius, aber mit Unrecht; einen apocrisiarius in dieser Stellung gab es unter Karl nicht, vgl. Waitz III, 2. Aufl. S. 520 f.

[8]) Vgl. Richter, Lehrbuch des Kirchenrechts, S. 478 ff. (8. Aufl.); Hincmar. De ord. palatii c. 14, ed. Prou S. 38.

an den Papst, um für Angilram die Befreiung von dieser Ver=
pflichtung auszuwirken, worauf Hadrian dem Bischof erlaubte
seinen ständigen Aufenthalt am Hofe zu nehmen[1]). Wohl ohne
Zweifel wegen dieser seiner Würde als oberster Kaplan des Königs
wird Angilram, der in den früheren Jahren den einfachen bischöf=
lichen Titel führt, bei der ersten Erwähnung nach 784, welche
freilich erst 788 geschieht, und seitdem regelmäßig als Erzbischof
bezeichnet[2]). Aehnlich geschah es später mit dem Bischof Drogo
von Metz, als dieser Erzkapellan Ludwig's des Frommen geworden
war[3]), wie denn auch Fulrad offenbar aus demselben Grunde
öfters als Archipresbyter, einmal vom Papste als Archipresbyter
Franciens (des Frankenreichs) bezeichnet wird[4]).

Der neue Erzkaplan, aus vornehmer Familie entsprossen, in
Gorze unterrichtet, dann Mönch in St. Avold und später in dem
Kloster Senones in den Vogesen, seit 768 Bischof von Metz, war
ein Mann von literarischem Interesse[5]). Er hat, wie schon
früher erwähnt wurde, den Donatus zu seiner Lebensbeschreibung
Trudo's, des Heiligen von St. Trond, und den Paulus Diaconus
zu seiner Geschichte der Bischöfe von Metz veranlaßt. Nennt ihn

---

[1]) Synodus Franconofurtensis 794, c. 55, Capp. I, 78: Dixit etiam
domnus rex in eadem synodum, ut a sede apostolica, id est ab Adriano
pontifici, licentiam habuisse, ut Angilramnum archiepiscopum in suo palatio assidue haberet propter utilitates ecclesiasticas. Es handelte sich um
die Einsetzung von Angilram's Nachfolger als Kaplan, vgl. unten Bd. II. (den Abschnitt über die Hofbeamten); Waitz a. a. O. und über den Consens der Bischöfe auch
Hincmar. De ord. palatii l. c.

[2]) Mühlbacher Nr. 285 (Gallia christiana, ed. altera, XIII, Sp. 447);
Nr. 289; Alcuin. epist. 128, Jaffé VI, 515, nennt Angilram archiepiscopus
et s. capellae primicerius; Karl in der Stelle oben N. 1 ebenfalls archiepiscopus; weitere Beispiele unten Bd. II. (im Abschnitt über die Hofbeamten); Rettberg I, 502. II, 601; übrigens auch Pauli hist. Langob. VI, 16, SS. rer. Langob. S. 170 (s. oben S. 40 N. 2: praefatae ecclesiae archiepiscopo).

[3]) Vgl. Simson, Jahrbb. d. fränk. Reichs unter Ludwig d. Fr. II, 233 N. 5
(übrigens auch Act. pont. Cenom. c. 14, Mabillon, Vet. Analect. ed. nov.
S. 276. 278; Simson, Die Entstehung der pseudoisidorischen Fälschungen in Le
Mans, S. 97 N. 4).

[4]) Vgl. Oelsner, König Pippin, S. 421—422 und unten Bd. II. a. a. O.;
übrigens auch Nota de unctione Pippini, SS. rer. Meroving. I, 465; SS.
XV, 1: ubi et venerabilis vir Folradus archipresbiter et abbas esse cog-
noscitur; Jaffé, Reg. Pont. Rom. ed. 2a. Nr. 2331; Leg. Sect. V, 503
Nr. 12: Pulrado Deo amabili arcipresbytero; Jaffé l. c. Nr. 2435; Leg.
Sect. V, S. 500.
Diese Bezeichnung findet sich gelegentlich selbst für Angilram (s. Bd. II. a. a. O.).

[5]) Vgl. oben S. 39—40. Wattenbach, DGO. 5. Aufl. I, 185, ist sogar nicht
abgeneigt, ihm vermuthungsweise die Autorschaft des ältesten Theiles der Annales
Laurissenses maiores zuzuschreiben. Eine ungereimte Vermuthung Eckhart's
(Francia orient. I, 743), nach welcher A. sehr wahrscheinlich die letzte Fortsetzung
des Fredegar beizumessen sein soll, wiederholt Rettberg I, 502. Diese Fortsetzung
scheint hier überdies mit dem Fragm. ann. Chesn. (SS. I, 34) confundirt.

jener seinen Lehrer[1]), so bezeichnet ihn Paulus als einen ebenso durch Milde wie durch Frömmigkeit ausgezeichneten Mann[2]).

Man könnte, was Angilram's erzbischöflichen Titel betrifft, auch vermuthen, Papst Hadrian habe ihm als Erzkapellan das erz= bischöfliche Pallium verliehen[3]); es wäre eine gesteigerte Höflichkeit gegen den König selbst gewesen. Von einer Reise aber, die An= gilram in dieser Angelegenheit nach Rom unternommen, findet sich nirgends eine Spur. Erst geraume Zeit später wird eine solche Reise Angilram's um diese Zeit, im Jahre 785, erwähnt und zwar in anderem Zusammenhange. Die sog. Kapitel des Angilram nämlich führen eine Aufschrift, der zufolge sich Angilram am 19. September 785 in Rom befand, wo seine Sache verhandelt worden sei: da seien ihm diese Kapitel, eine aus den griechischen und römischen Canones, aus den römischen Synodalschlüssen und den Verordnungen der römischen Bischöfe und Kaiser veranstaltete Sammlung, vom Papste Hadrian übergeben worden[4]). Man er= fährt nicht, was das für eine Angelegenheit Angilram's war, die in Rom verhandelt wurde. Der nächste Gedanke ist, daß er die päpstliche Erlaubniß zum Aufenthalt außerhalb seiner Diöcese habe einholen wollen[5]); allein ihrem Wortlaut nach wäre die Angabe eher von einer gegen Angilram erhobenen Anklage zu verstehen, gegen welche sich derselbe dann persönlich in Rom vertheidigt hätte[6]). Der Inhalt der Kapitel, welche Hadrian dem Bischof überreicht haben soll, läuft daraus hinaus, die Bischöfe gegen solche Anklagen sicher zu stellen. Indessen die so befremdliche Aufschrift

---

[1]) S. die Widmung der Vita s. Trudonis, Mabillon, AA. SS. o. s. Ben. II, 1072 f.; ed. Venet. S. 1024 f. (o. S. 40 N. 1).

[2]) Hist. Langob. VI, 16, SS. rer. Langob. S. 170 (viro mitissimo et sanctitate praecipuo, f. o. S. 40 N. 2).

[3]) So vermuthet Rettberg II, 601 (vgl. Act. pont. Cenom. c. 11. 14, Ma= billon, Vet. Analect. ed. nov. S. 255. 276; Simson, Die Entstehung der pseudoisidorischen Fälschungen in Le Mans, S. 97 N. 4).

[4]) Die Aufschrift lautet, in der Ausgabe bei Hinschius, Decretales Pseudo-Isidorianae et Capitula Angilramni, S. 757: Ex grecis et latinis canonibus et sinodis romanis atque decretis praesulum ac principum romanorum haec capitula sparsim collecta sunt et Angilramno Mediomatricae urbis epi-scopo Romae a beato papa Adriano tradita sub die XIII. Kalendarum Octobrium indictione nona quando pro sui negotii causa agebatur. Die abweichende Lesart: ... haec capitula sparsim collecta et ab Angilramno Mediomatricae urbis episcopo Romae beato Adriano tradita, für welche sich früher Wasserschleben, Beiträge zur Geschichte der falschen Dekretalen, S. 23, ent= schied, ist unhaltbar, hingegen die erste, welcher aus inneren Gründen schon Rett= berg I, 503 f., den Vorzug gab, von Hinschius, S. 165 ff., als die einzig in den Handschriften begründete erwiesen und nachträglich auch von Wasserschleben als solche anerkannt.

[5]) So Theiner, De Pseudo-Isidoriana canonum collectione, S. 28; Wasserschleben in Herzog's Realencyklopädie für protestantische Theologie (1. Aufl.), Bd. 12, S. 346; aber beide widerlegt von Rettberg I, 500; Hinschius, S. 169 f.

[6]) Vgl. Rettberg I, 505, und besonders Hinschius S. 170, der für diesen Sprach= gebrauch Beispiele anführt.

ift falſch[1]), und in der That fällt unzweifelhaft jede Beziehung
Angilram's zu den Kapiteln fort. Hinkmar von Reims iſt der
erſte, der dieſelben ausdrücklich erwähnt[2]), in einer Weiſe, welche
der falſchen Auffchrift entſpricht, aber er hat ſeine Angabe nur aus
dieſer, und zwar faſt wörtlich geſchöpft.

Ueberhaupt gehört die Entſtehung der Kapitel jener Zeit noch
garnicht an; nur ihre Bezeichnung als Angilram'ſche, die Voraus=
ſetzung, daß die Ueberſchrift echt ſei, hat dazu geführt, ſie ſchon in
eine ſo frühe Zeit zu ſetzen. Der Inhalt der Kapitel, ihr naher
Zuſammenhang mit den Fälſchungen aus der Mitte des 9. Jahr=
hunderts, mit der Sammlung des Benedictus Levita und den
Pſeudoiſidoriſchen Dekretalen[3]), erhebt es zur Gewißheit, daß ihre
Entſtehung ebenfalls erſt dieſer Zeit angehört. Jedenfalls ſind ſie
nicht aus den Pſeudoiſidoriſchen Dekretalen geſchöpft, während das
Verhältniß zu Benedict, dem ſie noch viel näher ſtehen, nicht
ebenſo klar iſt. Sie können vielleicht aus dieſem entlehnt ſein, ſind
aber vermuthlich nur demſelben Material wie deſſen Fälſchungen
entnommen[4]). Auf alle Fälle können die ſog. Angilram'ſchen
Kapitel erſt gegen das Ende der erſten Hälfte des 9. Jahrhunderts
entſtanden ſein.

Vielleicht einen noch größeren Verluſt als Karl durch den
Tod Fulrad's erlitt in dieſem Jahre Herzog Taſſilo von Baiern
durch den Tod des Biſchofs Virgil von Salzburg, der am 27. No=

---

[1]) Vgl. beſonders Hinſchius, S. 165 ff., nach deſſen Darlegung des Handſchriften=
ſtandes nachträglich auch Waſſerſchleben, in der Abhandlung: Die Pſeudoiſidoriſche
Frage, bei Dove, Zeitſchrift für Kirchenrecht, Bd. IV, S. 286, ſeine Anſicht von
der Echtheit der Ueberſchrift und der Kapitel überhaupt hat fallen laſſen. Waſſerſch=
leben, S. 287, verſucht außerdem zu zeigen, daß die Kapitel nicht von Anfang
an mit der Ueberſchrift verſehen waren, ſondern daß die letztere erſt etwas ſpäter
hinzugefügt wurde; vgl. auch denſelben in Herzog's Realencyklopädie, 2. Aufl.,
Bd. XII, S. 374 und übrigens auch Joſ. Langen in v. Sybel's hiſtoriſcher Zeitſchr.
XLVIII, 483 N. 3.

[2]) Im Streit mit ſeinem Neffen Hinkmar von Laon, in den Capitula adversus Hincmarum Laudunensem, c. 24, Hincmari archiepiscopi Remensis opera
II, 475, wo Hinkmar ſchreibt: De sententiis vero, quae dicuntur ex Graecis
et Latinis canonibus et synodis Romanis atque decretis praesulum ac
ducum (!) Romanorum collectae ab Adriano papa et Engelramno Metensium
episcopo datae, quando pro sui negotii causa agebatur, quam dissonae
inter se habeantur, qui legit satis intelligit . . . Damals war alſo jedenfalls
auch ſchon die Ueberſchrift vorhanden.

[3]) Die näheren Ausführungen bei Hinſchius S. 170 ff., denen zuletzt auch
Waſſerſchleben, Die pſeudoiſidoriſche Frage S. 286 ff., und Dove in Richter's Kirchen=
recht, 8. Aufl. S. 89, beigetreten iſt; vgl. jedoch auch die folg. Note.

[4]) Hinſchius (S. 143 ff.) glaubt, daß Pſeudoiſidor ſowohl aus Benedict als aus
den Angilram'ſchen Kapiteln geſchöpft habe, die letzteren aber größtentheils aus Bene=
dict entlehnt ſeien. Dagegen nahm Waſſerſchleben, Beitr. z. Geſchichte der falſchen De=
kretalen, S. 56 ff., in Bezug auf Pſeudoiſidor und Benedict das umgekehrte Ver=
hältniß an und hielt hieran hinſichtlich der vordamaſiſchen Dekretalen auch noch ſpäter,
Die Pſeudoiſidoriſche Frage, S. 279 ff., feſt. Dove bei Richter, 8. Aufl. S. 98
N. 21, führt aus, daß für keine Anſicht entſcheidende Zeugniſſe beigebracht ſeien,
neigt ſich aber entſchieden der denjenigen von Hinſchius zu. Vgl. übrigens auch Rettberg
I, 646 ff.; Goecke, De exceptione spolii (Diſſ. Berlin 1858), S. 32 ff.; Simſon,
Die Entſtehung der pſeudoiſidoriſchen Fälſchungen in Le Mans, S. 106—107.

vember starb[1]). Virgil hatte sich nicht nur um die Salzburger
Kirche, sondern um ganz Baiern die größten Verdienste erworben.
Durch seine Bemühungen um die Mission bei den benachbarten
Slaven gewann er neue Gebiete für das Christenthum, für Baiern,
für deutsches Wesen[2]); durch die Erbauung des Doms hat er sich
in Salzburg selbst ein dauerndes Denkmal gesetzt[3]). Eines der
wichtigsten historischen Denkmäler für die Geschichte der bairischen
Kirche während mehrerer Jahrhunderte ist noch unter seiner Amts-
führung und gewiß auch unter seiner Einwirkung begonnen, das
Verbrüderungsbuch von St. Peter in Salzburg, vielleicht aus
Anlaß des Todtenbundes, welchen die bairischen Bischöfe und eine
Anzahl bairischer Aebte auf der Synode von Dingolfing geschlossen
hatten[4]). Bei der großen Zahl der Verbrüderten, gegen welche
man die Verpflichtung übernommen hatte sie sowohl bei ihren
Lebzeiten als nach ihrem Tode ins Gebet einzuschließen, ergab sich
von selbst das Bedürfniß genaue Verzeichnisse über ihre Namen
zu führen; der Kreis der Verbrüderten erweiterte sich aber immer
mehr, Jahrhunderte lang wurden die Verzeichnisse fortgeführt, und
aus diesen Verzeichnissen besteht das Verbrüderungsbuch, das durch
die Fülle seines Inhalts für die verschiedensten Verhältnisse die
sichersten Anhaltspunkte darbietet[5]). Neben seiner kirchlichen
Thätigkeit hatte aber Virgil auch politisch eine bedeutende Stellung
eingenommen. Wegen seines Widerstandes gegen die von Bonifaz
und dem Papste vertretenen hierarchischen Grundsätze hatte er von
beiden manches zu leiden gehabt; in um so nähere Beziehungen
war er zu dem nach allen Seiten auf die Wahrung seiner Selbständigkeit bedachten Herzog Datilo von Baiern getreten, und es

---

[1]) Den Tag gibt die Vita s. Virgilii, SS. XI, 88, die in diesem Punkte
wohl Glauben verdient, obgleich sie sonst vorwiegend erbaulichen Inhalts ist. Das
Jahr 784 nennen die Annales Iuvav. mai. SS. I, 87 und Annales Salisburg.
SS. I, 89; Ann. s. Rudberti Salisb. SS. IX, 769; das Auctarium Garst.
SS. IX, 564. Das J. 785 geben die Annales s. Emmer. Ratisp. mai. SS. I, 92,
und ihnen folgt Mabillon, Annales II, 274; sie sind jedoch ungenau, setzen der Königin
Hildegard Tod 784 statt 783 an (vgl. o. S. 449 N. 2; 460 N. 1; 477 N. 1).
Schon 780 nimmt als Todesjahr Le Cointe VI, 179 f. an, allein die Vita s.
Virgilii, auf die er sich beruft, gibt 784, nicht 780, und kommt ohnehin neben dem
Zeugniß der Annalen kaum in Betracht; vgl. auch Rettberg II, 233 ff. — Unrichtig
gibt der Catal. archiepp. Salisburg. SS. XIII, 355 dem Virgil nur eine Amtsdauer von 21 (statt 41) Jahren.
[2]) Vgl. oben S. 131 f.
[3]) Vgl. oben S. 215 ff.
[4]) Ueber den Todtenbund vgl. oben S. 54 ff., über die Anlage des Ver-
brüderungsbuchs aus Anlaß des Todtenbundes Büdinger, S. 100 N. 3, der sich
nur zu bestimmt darüber ausdrückt. Nach den Erörterungen von Karajan, in der
Einleitung zur Ausgabe, S. IX ff., wäre die erste Eintragung in das Verbrüderungsbuch vielleicht schon vor dem 13. August 780 (S. IX, a.), sicher vor dem 20. Mai
781 (S. XII, r.) erfolgt. Herzberg-Fränkel (S. 73—75. 101) setzt die erste Anlage
aber erst 784, in das letzte Jahr Virgil's, vgl. die folgende Anm.
[5]) Ueber Verbrüderungsbücher überhaupt und über die Entstehung und Einrichtung des salzburgischen vgl. Karajan, in der Einleitung S. I ff.; Herzberg-
Fränkel im Neuen Archiv d. Ges. f. ältere deutsche Geschichtskunde, XII, 53 ff.

ist kein Zweifel, daß diese enge Verbindung auch mit Datilo's Sohn und Nachfolger Taſſilo fortdauerte[1]). Auch wegen ſeiner vor=geſchrittenen geographiſchen Kenntniſſe, wegen ſeiner Behauptung, es gebe noch eine andere Welt und andere Menſchen unter der Erde (Antipoden), erfuhr er einſt vom Papſt Zacharias An=fechtungen[2]). Dafür aber hat nach ſeinem Tode der erſte Gelehrte des Zeitalters, Alkuin, in einer für den neuen Dom zu Salzburg beſtimmten Inſchrift ſein Andenken geehrt, ſeine Freudigkeit im Dienſte Chriſti, ſeine Bemühungen um die Verbreitung des Evan=geliums, ſeine Frömmigkeit und Klugheit geprieſen[3]).

Die Wiederbeſetzung des erledigten Biſchofsſtuhles geſchah erſt im folgenden Jahre; ſo lange war auch das Stift zu St. Peter ohne Abt; Bertricus, der als ſolcher aufgeführt wird, leitete in=zwiſchen das Kloſter als ſtellvertretender Abt, was er ſchon unter Virgil geweſen war und auch unter deſſen Nachfolger Arno blieb[4]).

---

[1]) Vgl. oben S. 218 und die dort N. 3. 4 angeführten Stellen.

[2]) Zacharias ſchreibt an Bonifaz, bei Jaffé III, 191 Nr. 66: De perversa autem et iniqua doctrina, quae contra Deum et animam suam locutus est — si clarificatum fuerit, ita eum confiteri: quod alius mundus et alii homines sub terra sint seu sol et luna — hunc, habito concilio, ab aecclesia pelle, sacerdotii honore privatum; vgl. über dieſe Stelle auch Rettberg II, 236; Büdinger, S. 102 N. 2; Oelsner, König Pippin S. 176—177.

[3]) Alcuini carm. 109, 24, v. 6—7. 11, Poet. Lat. aev. Carol. I, 340:
— peregrina petens Christi iam propter amorem
Delicias mundi et patriam contempsit amatam . . .
Vir pius et prudens, nulli pietate secundus.
Vgl. ferner Convers. Bagoarior. et Carantanor., c. 2, SS. XI, 6; Carm. Sa=lisburg. Nr. 2; Nr. 1 v. 6, Poet. Lat. II, 637. 639.

[4]) Vgl. oben S. 217 f. und Excurs I; auch Zeißberg, Arno, erſter Erzbiſchof von Salzburg, in den Sitzungsberichten der Wiener Akad., philoſ.=hiſtor. Cl., Bd. 43 S. 310. Irrig behauptet Büdinger, S. 122, indem er Bertricus als Nachfolger Virgil's in der Abtswürde betrachtet, durch Virgil's Tod ſei die Verbindung zwiſchen dem Bisthum und dem Kloſter zu St. Peter gelöſt worden.

Für Sachsen brachte das Jahr 785 die Entscheidung. Karl's Entschluß, auch während des Winters das Land nicht zu verlassen, gab den Ausschlag. Den Sachsen blieb keine Zeit mehr sich wieder zu sammeln. Karl hatte Eresburg zu seinem Aufenthaltsorte ge= wählt[1]); doch war es nicht damit gethan, daß er eben nur auf sächsischem Boden verweilte; vielmehr diente ihm Eresburg blos als Ausgangspunkt für eine Reihe kleinerer kriegerischer Unter= nehmungen, wie sie die winterliche Jahreszeit gestattete. Während seine Familie und ein Theil der Truppen in Eresburg zurückblieb, wurden einzelne Heeresabtheilungen auf Streifzüge ins innere Sachsen ausgeschickt, an denen hin und wieder auch der König selbst theilnahm. So wurde das Land nach den verschiedensten Rich= tungen durchzogen, mit Plünderungen, mit Mord und Brand er= füllt; die festen Plätze wurden genommen, die Straßen gesäubert[2]); als der Winter vorüber war, regte sich nirgends mehr eine Spur des Widerstandes. Inzwischen hatte Karl in Eresburg selbst wieder neue Befestigungen anlegen lassen[3]), auch eine Kirche da= selbst erbaut[4]); er hatte Ostern, 30. März, in Eresburg ge=

---

[1]) Vgl. oben S. 476.

[2]) Annales Laur. mai., SS. I, 166; Fragm. Vindobon. und Bern. SS. XIII, 31; Annales Einhardi, SS. I, 167. (Ann. Petav. SS. I, 17; vgl. unten S. 496 N. 1.)

[3]) Ann. Mosellan. SS. XVI, 497: et edificavit ipsum castellum a novo; Ann. Lauresham. SS. I, 32; Ann. Max. SS. XIII, 21.

[4]) Annales Mosellani, l. c.; Ann. Lauresham.; Ann. Max.; Urk. Lud= wig's des Frommen vom 20. Juni 826, Wilmans, Kaiserurkk. der Prov. Westfalen I, 26: capellam, quam dudum dominus et genitor noster Karolus . . . in castello, quod dicitur Heresburg, construi iussit; Urk. Ludwig's des Deutschen vom 22. Mai 853, ebb. I, 120: ecclesiam Eresburg, quam avus noster Ka= rolus primo construens in Saxonia decimis dotavit circumquaque habitan= tium per duas Saxonicas rastas; vgl. unten Bd. II. z. J. 799; Waitz, III, 2. Aufl. S. 134 N. 3; v. Richthofen, zur Lex Saxonum S. 153 N. 2; 175 N. 1. Letzterer meint, daß diese Kirche an die Stelle eines älteren Bethauses getreten sei, das dort schon früher, wahrscheinlich 775, gegründet, aber vielleicht 776 von den

feiert[1]) und behielt es bis in den Juni hinein als Standquartier bei[2]); dann aber, nachdem aus Francien die nöthigen Zufuhren herbeigeschafft waren[3]), verlegte er dasselbe tiefer nach Sachsen hinein, nach Paderborn.

In Paderborn, wo der König, wohl frühestens Ende Juni, eine Heerversammlung mit den Franken und den Sachsen hielt[4]), traf auch der siebenjährige Ludwig, König der Aquitanier, beim Vater ein[5]). Es war, wie Ludwig's anonymer Biograph erzählt, Karl daran gelegen, daß die Aquitanier durch seine eigene lange Abwesenheit nicht übermüthig werden sollten[6]); er wollte ihnen das deutliche Bewußtsein erhalten, daß ihr König Ludwig selbst, daß Aquitanien vollständig dem fränkischen Könige unterthan sei; dazu kam bei Karl die Besorgniß, der Knabe möchte des fränkischen Wesens entwöhnt werden und fremde, aquitanische Sitte annehmen. Deshalb beschied er Ludwig, von dem jener Biograph rühmt, daß er schon ganz gut habe reiten können, zu sich. Mit stattlicher kriegerischer Begleitung machte sich Ludwig auf den Weg, doch blieben zum Schutze der Grenzen gegen feindliche Angriffe die Grenzgrafen in Aquitanien zurück[7]). Allerdings trat Ludwig in

---

den Sachsen zerstört worden wäre (vgl. oben S. 260). Er legt dabei jedoch ein ungebührliches Gewicht auf den Ausdruck basilica, der im damaligen Sprachgebrauch Kirche überhaupt bedeutet.

[1]) Annales Laur. mai. l. c.; Fragm. Bern. und Vindobon. l. c.; Ann., ut videtur, Alcuini, SS. IV, 2; Ann. Iuvav. mai. SS. 1, 87.

[2]) Annales Mosellani l. c.; Ann. Lauresham. l. c.

[3]) Annales Einhardi, l. c.

[4]) Annales Laur. mai.: — ut, dum tempus congruum venisset, sinodum publicum tenuit ad Paderbrunnen; Fragm. Vindobon., SS. XIII, 31: conventum Francorum habuit ad Patrebrunna; Ann. Einhardi: publicum populi sui conventum in loco, qui Padrabrunno vocatur, more solemni habuit. Ac peractis his, quae ad illius conventus rationem pertinebant . . .; Ann. Mosellani: Placitumque habuit ad Paderbrunnun cum Francis et Saxonibus; Ann. Lauresham. Es ist unrichtig, wenn Regino, SS. I, 560, welchem die Ann. Mett., SS. XIII, 31, folgen, diese Versammlung (als ein Maifeld) in den Mai verlegt. Wenigstens blieb nach den Ann. Mosellan. und Lauresham. Karl bis zum Juni (usque in mense Iunio) in Eresburg. Fragm. Vindob. läßt die Versammlung in Paderborn aestatis tempore stattfinden; vgl. Ann. Laur. mai. und Ann. Einh. sowie über zwei Fulder Urkunden aus Paderborn vom 19. Juni 785 Dronke, Cod. dipl. S. 50 f. Nr. 82. 83, Mühlbacher S. 98 u. unten.

[5]) Funck, Ludwig der Fromme S. 8, verwirrt die Ereignisse, indem er Ludwig's Ankunft in Paderborn in die ersten Tage des Jahres 785 setzt.

[6]) Vita Hludowici c. 4, SS. II, 609: Inter quae cavens, ne aut Aquitanorum populus propter eius longum abscessum insolesceret aut filius in tenerioribus annis peregrinorum aliquid disceret morum, quibus difficulter expeditur aetas semel imbuta, misit et accersivit filium iam bene equitantem cum populo omni militari, relictis tantum marchionibus.

[7]) Vgl. die Stelle in der vorigen Note. Die Angabe, cum populo omni militari habe Karl ihn nach Sachsen gerufen, könnte die Vermuthung nahe legen, Karl habe auf alle Fälle für den Sachsenkrieg auch das aquitanische Aufgebot an sich ziehen wollen; doch braucht man die Stelle nicht so zu verstehen; der Biograph selbst gibt ja für Ludwig's Berufung ganz andere Gründe an. Auch bezieht der Ausdruck

Paderborn in seinem Aeußern als Angehöriger seines Reichs auf; der mehrgenannte Biograph schildert ihn, wie er mit seinen Ge= spielen in wasconischer Tracht erschien, in einem runden Mäntelchen, mit gepauschten Aermeln, weiten Hosen, Stiefeln mit eingeschlagenen Sporen, in der Hand einen Wurfspieß; so hatte Karl selbst in väterlichem Behagen ihn sehen wollen [1]).

Die Maßregeln, welche Karl damals etwa zur weiteren Ord= nung der sächsischen Verhältnisse getroffen haben mag, sind nicht überliefert [2]). Auch wie lange Karl's Aufenthalt in Paderborn dauerte, ist unbekannt [3]). Obgleich die Unterwerfung Sachsens be= reits vollendet schien, setzte er doch seinen Marsch ins Innere des Landes fort. Er brach von Paderborn auf, heißt es, alle Wege standen ihm offen, niemand widersetzte sich ihm, er zog durch ganz Sachsen, wohin er wollte [4]). Zuerst schlug er die Richtung nach Norden ein und kam bis in den Gau Dersia zwischen dem oberen Lauf von Hase und Hunte [5]); er verheerte das Land, überschritt

---

populus militaris sich wohl mehr auf die Vassallenschaft Ludwig's, sein unmittel= bares Kriegsgefolge; vgl. unten Bd. II. z. J. 794; Waitz, III, 2. Aufl. S. 547 bis 548.

[1]) Vita Hludowici c. 4, l. c.: Cui filius Hludowicus pro sapere et posse oboedienter parens, occurrit ad Patrisbrunam, habitu Wasconico cum coaevis sibi pueris indutus, amiculo scilicet rotundo, manicis camisae dif= fusis, cruralibus distentis, calcaribus caligulis insertis, missile manu ferens; haec enim delectatio voluntasque ordinaverat paterna.

[2]) Zwar nicht gerade auf die Versammlung in Paderborn, aber doch in dieses Jahr werden mehrfach auch Aenderungen im friesischen Recht, die Aufzeichnung eines Theils des friesischen Gesetzes verlegt, zuletzt noch von Richthofen in der Aus= gabe Legg. III, 640 ff., wo die ältere Literatur angeführt ist; vgl. auch Waitz III, 2. Aufl. S. 157 ff. Die Aufzeichnung ist aber nicht so bestimmt und unmittelbar vom König ausgegangen, ihre Vornahme gerade im Jahr 785 so unsicher, daß die Frage an dieser Stelle bei Seite gelassen werden kann.

[3]) Im Juni kam er nach Paderborn, oben S. 494. Seine Anwesenheit da= selbst in diesem Monat wird, wie schon bemerkt, auch bezeugt durch zwei Schenkungs= urkunden eines gewissen Huc für Fulda, die am 19. Juni in Paderborn ausgestellt sind, Dronke, Codex, S. 50 f. Nr. 82. 83; o. S. 494 N. 4. Huc's Besitzungen lagen im Elsaß, er war also kein Sachse, sondern eben mit Karl nach Paderborn gekommen; er mag vielleicht mit dem späteren Grafen Hugo von Tours, dem Schwiegervater Lothar's I., zusammenhängen; vgl. Simson, Jahrbb. Ludwig's d. Fr. I, 167. An Fulda schenkt dann auch Erzbischof Lul von Mainz seine Güter in Bargalaha an der Unstrut am Sonntag 25. September, was aufs Jahr 785 führt. Der Zusatz: cum ... rex Carolus curiam haberet apud nos ist aber interpolirt (vgl. Foltz, in Forsch. z. deutschen Gesch. XVIII, 506 u. oben S. 14 N. 5). Die Urkunde bei Dronke, S. 46 Nr. 75, trifft im Inhalt zusammen mit einer Schenkung Karl's, worin dieser ebenfalls seine Besitzungen zu Bargalaha an Fulda schenkt, die aber ohne Zweifel falsch ist; Dronke S. 46 Nr. 74; vgl. Sickel II, 411 und oben S. 14.

[4]) Annales Laur. mai. l. c.: Et inde iter peragens, vias apertas, ne= mini contradicente, per totam Saxoniam quocumque voluit; Fragm. Bern. l. c.; vgl. oben S. 493 über die Säuberung der Straßen.

[5]) Pertz SS. I, 17 N. 3 will für Dersia irrig Hessia oder Hessiga lesen; über die Lage des Gaues Dersia vgl. v. Ledebur, S. 100 ff.; Böttger, Diöcesan= und Gaugrenzen Norddeutschlands II. Abth. S. 47 ff.

dann die Weſer und zerſtörte überall die Befeſtigungen der Sachſen[1]); ſo gelangte er bis in den Bardengau am linken Ufer der Elbe[2]). Dort erfuhr er, daß Widukind und Abbi bei den Nordalbingern eine Zuflucht gefunden hätten[3]). Ueber die Perſönlichkeit des Abbi[4]), der hier als ein anderes Haupt der noch in der Rebellion verharren=den Sachſen erwähnt wird, iſt näheres nicht bekannt[5]), obſchon eine Quellenſchrift ihn als Schwiegerſohn Widukind's bezeichnet[6]); jedenfalls muß auch er zu den Großen des Landes gehört haben[7]).

---

[1]) Annales Petaviani, SS. I, 17: Tunc domnus rex Karolus commoto exercitu de ipsis tentoriis, venitque Dersia, et igne combussit ea Ioca, ve-nit ultra flumen Visera, et eodem anno destruxit Saxonorum cratibus sive eorum firmitatibus, et tunc adquisivit Saxones cum dei auxilio. Die ſog. Lorſcher und Einhard'ſchen Annalen ſind hier weniger genau oder verlegen mindeſtens dieſe Verheerungen, Zerſtörungen von Befeſtigungen u. ſ. w. ſchon in den Winter 784—785.

[2]) Ann. Laur. mai.; Fragm. Vindob.; Ann. Einh.; Ann. Mosellan., Lauresham.; Ann. Max. SS. XIII, 21.

[3]) Ann. Einhardi: ibique audiens Widokindum ac (die Handſchriften haben ad) Abbionem esse in transalbiana Saxonum regione; vgl. aber auch Poeta Saxo, l. II, v. 178 ff., Jaffé IV, 564, wo allerdings ſchlecht (v. 181 ff.):

Finibus in patriis, quos sepserat ad borealem
Albia lata plagam, iuxta confinia terrae
Danorum . . . .

Widukind war ja Weſtfale (ſ. o. S. 272).

[4]) Die ſog. Lorſcher Annalen nennen ihn Abbi oder Abbio; ebenſo Fragm. Vindobon.: Abbi; die Ann. Einh.: Abbio (vgl. die vorige Anmerkung). Eine Anzahl Handſchriften der Annales Einhardi hat zwar Albionem ſtatt Abbionem, wonach viele dieſen Sachſen Albion, andere wieder Alboin nennen, Leibniz, Annales, I, 115; Eckhart, I, 700; Dippoldt S. 86; la Bruère, I, 217 u. a. Allein dieſe Lesart, welche ſich auch in einem Theil der Codices des Regino, SS. I, 560 (a), dem Chron. Vedastin. (SS. XIII, 705) und dem gefälſchten Schreiben Karl's an König Offa von Mercia (Bouquet V, 620) findet, ſcheint auf eine Corruptel zurück-geführt werden zu müſſen, vgl. Pertz, SS. I, 168 o). Poeta Saxo, l. II, v. 179, Jaffé IV, 564, und Ann. Quedlinb. SS. III, 38 haben Abblonem.

[5]) Weil er in den Quellen neben Widukind genannt wird, hat man auch von ihm ſpäter beſtimmteres wiſſen wollen, hat ihn zum Stammvater des anhaltiſchen Hauſes gemacht, Eckhart, Historia geneal. princ. Saxoniae super. S. 493; zum erſten Pfalzgrafen von Sachſen, zum Herrn von Holſtein, zum Gemahl von Widu=kind's Schweſter Haſala, Kleinſorgen, Kirchengeſchichte, I, 180; Leben Wittekinds des Großen, S. 115 f., wo noch andere Stellen angeführt ſind. Lauter unhaltbare Ver-muthungen, wie ſchon Leibniz, Annales I, 116 anmerkt; vgl. aber auch unten S. 508 f. Auch zu einem Bruder Widukind's iſt er gemacht worden; vgl. Diekamp, Widukind S. 64 N. 4; Kentzler in Forſch. XII, 395 N. 5.

[6]) Fragm. Vindobon. l. c.: Widikindus et Abbi gener eius. Man wird dieſer Angabe kaum mit Sicherheit Vertrauen ſchenken dürfen, obſchon Kentzler, Forſchungen z. deutſchen Geſch. XII, 384 N. 6; 395 N. 5 und Diekamp, Widukind, S. 64 N. 4, ſie wohl zu beſtimmt als willkürlichen Zuſatz zurückweiſen; vgl. auch Waitz, Forſchungen VIII, 631. Uebrigens könnte durch gener auch ein anderes Verhältniß der Verſchwägerung, etwa Schwager, bezeichnet ſein.

[7]) Das erdichtete Schreiben Karl's an Offa (Bouquet V, 620) bezeichnet den Withimundus et Albion als duces Saxoniae. Keinen Werth hat es allerdings auch, wenn der Poeta Saxo den A. ausdrücklich als einen ſächſiſchen Großen be=zeichnet, l. II, v. 179—180. 194, Jaffé IV, 564 (qui de maioribus eius — Gentis erat — idem proceres), oder wenn Adam von Bremen, I, 12, SS. VII, 288; 2. Schulausg. S. 10, von Widukind ſchreibt: baptizatusque est ipse cum

So lange Widukind seinen Widerstand gegen die fränkische Herr=
schaft nicht aufgab, war jedoch die Ruhe in Sachsen nicht gesichert;
der König entschloß sich daher, wo möglich auch ihn zu freiwilliger
Unterwerfung zu bewegen. Er knüpfte Unterhandlungen mit Widu=
kind und Abbi an, wobei er sich der Vermittelung geborener Sachsen
bediente, und ließ sie durch diese auffordern, sich persönlich bei ihm
einzufinden[1]). Anfangs trugen dieselben Bedenken sich vor ihm
zu stellen, sie verlangten eine Bürgschaft für ihre persönliche Sicher=
heit und ihre Straflosigkeit; Karl ging indessen auf ihren Wunsch
ein, verpflichtete sich ihnen durch Stellung von Geiseln die ge=
forderte Bürgschaft zu geben; wogegen Widukind und Abbi sich
verpflichteten in Francien vor ihm zu erscheinen[2]). Es könnte
scheinen, als ob beide sich bereits in Sachsen, im Bardengau, per=
sönlich bei dem Könige einfanden und mit demselben dies Abkommen
schlossen[3]); man fragt jedoch, wie sie das hätten thun können ohne
sich bereits hierfür gleiche Sicherheiten stellen zu lassen. — Darauf
trat Karl den Rückmarsch aus Sachsen an, es muß schon spät im
Herbst gewesen sein; unterwegs berührte er, wie es heißt, wieder
Eresburg, wo sich der junge Ludwig von ihm verabschiedete, um

---

aliis Saxonum magnatibus. Dagegen ist es wichtiger, daß Papst Hadrian I. in
einem Briefe aus dem Anfange des J. 786, worin er Karl zu der Unterwerfung und
Bekehrung der Sachsen beglückwünscht, schreibt: eorumque optimatum subiugantes
(Cod. Carolin. 80, Jaffé IV, 246; vgl. unten S. 500 N. 2.

[1]) Annales Laur. mai.: mittens post Widochindum et Abbionem, et
utrosque ad se conduxit, et firmavit, ut se non subtrahissent, nisi in Franciam ad eum pervenissent; Ann. Einh.: primo eis per Saxones, ut omissa
perfidia ad suam fidem venire non ambigerent, suadere coepit. Zu diesen
Sachsen den nachher genannten Amalwin zu rechnen, wie Eckhart, I, 697, u. a.
thun, ist aber durchaus unstatthaft; Amalwin war kein Sachse, sondern ein fränkischer
Hofbeamter, vgl. unten S. 498 N. 5.

[2]) Ann. Laur. mai., welche nach den oben N. 1 citirten Worten fortfahren:
petentibus illis, ut credentias haberent, quod inlaesi fuissent; sicut et
factum est etc.; Ann. Einh.

[3]) Die o. N. 1 citirte undeutliche Stelle der Annales Laur. mai., besonders
die Worte et utrosque ad se conduxit führen zunächst allerdings auf eine
solche Annahme. Auch sind sie in mehreren abgeleiteten Quellen so verstanden
worden; vgl. Ann. Tiliani, SS. I, 221: venit ad Bardingaugi, et Widogingus
ibi ad eum venit; Fragm. Vindobon., SS. XIII, 31: ibi (nach dem Bardengau) ad eum Widikindus et Abbi, gener eius, venit, et firmaverunt sub
sacramentis, illum se secuturos esse in Franciam; Regino, SS. I, 560:
et utrosque ad se fecit venire, quos sacramento firmavit, ut in
Franciam ad eum venirent; Dietamp, Widukind S. 35 N. 4; ganz verworren
Ann. Max. SS. XIII, 21 (Widuchin Saxo . . . in Saxoniam venit ad domnum regem in Attiniaco palatio). Die Ann. Einhardi erwähnen dagegen
nichts von einer Zusammenkunft des Widukind und Abbi mit dem Könige in Sachsen;
auch glaubt Leibniz, l. c. S. 116 die Worte der Ann. Laur. mai. anders erklären
zu können; vgl. auch Ebrard, in Forsch. zur deutschen Gesch. XIII, 469; Kentzler
ebb. XII, 396 N. 1. — Die Transl. s. Alexandri, c. 3, SS. II, 676, sagt
nicht zutreffend, daß Widukind nachher sua sponte zu Karl nach Attigny ge=
kommen sei.

nach Aquitanien zurückzukehren[1]). Vielleicht während seines damaligen
Aufenthalts in Eresburg kam Willehad dahin, der nach seiner Vertreibung aus Wigmodia und einer Reise nach Rom die letzten zwei
Jahre in Epternach zugebracht hatte, jetzt aber die Unterwerfung der
Sachsen für soweit vorgerückt hielt um seine Missionsthätigkeit wieder
aufnehmen zu können[2]). Karl war damit einverstanden, verlieh ihm,
um seine Stellung zu sichern, die Zelle Justina (Justine?)[3]) und hieß
ihn in seinen alten Sprengel zurückkehren. Willehad begab sich
wieder nach Wigmodia, fing wieder an zu predigen, stellte die zerstörten Kirchen her und setzte ihnen in der Predigt schon bewährte
Männer vor[4]).

Karl begab sich dann nach Attigny. Er beauftragte einen
seiner Hofbeamten, den Amalwin, dem Widukind und Abbi die verheißenen Geiseln zuzuführen[5]), und noch vor Ablauf des Jahres

---

[1]) Vita Hludowici l. c.: Mansit ergo cum patre, inde (von Paderborn)
usque ad Herisburc cum eo vadens, usquequo sol ab alto declinans axe
ardorem aestivum autumnali cumdescensione temperaret.

[2]) Vita s. Willehadi, c. 8, SS. II, 382: Post haec autem iterum venerandus domini sacerdos Willehadus regem adiit Karolum, qui tunc forte
in castello consederat Saxoniae Eresburch . . . vgl. oben N. 1 u. S. 429.
Vielleicht ist Karl's zweiter Aufenthalt in Eresburg in diesem Jahre, im Herbst auf
dem Rückweg aus Sachsen, gemeint (vgl. Kentzler a. a. O. S. 396 N. 4; Mühlbacher S. 98); möglicherweise aber auch der frühere in der ersten Hälfte des Jahres
(vgl. Arndt, Uebers., Geschichtschreiber der deutschen Vorzeit VIII. Jh. Bd. III,
S. 11 N. 2).

[3]) V. Willehadi l. c.: Qui pro consolatione laboris ac praesidio sub-
sequentius eius dedit ei in benefitium quandam cellam in Frantia, quae
appellatur Iustîna, praecepitque ei, ut iterum pro nomine Christi coeptam
repeteret parrochiam. Wahrscheinlich Justine, Dep. Ardennes, Arr. Réthel, Cant.
Nouvion en Porcien, später Sitz eines Reimser Dekans; vgl. Spruner-Menke, Hist.
Handatlas, Vorbem. S. 16; Mühlbacher S. 98. Nach Valesius wäre Mont-Jutin
in Oberburgund (Dep. Haute-Saône) gemeint; vgl. Pertz, SS. II, 382 N. 14; Arndt
a. a. O. S. 11 N. 4; v. Richthofen, Zur Lex Saxonum S. 162; Kentzler,
Forsch. XII, 396; Dehio I, 17. Die Zelle soll, wie wir sehen, in Frantia gelegen
haben.

[4]) Vita s. Willehadi, c. 8, SS. II, 382 f.: rursus venit Wigmodiam
et fidem domini publice ac strenue gentibus praedicabat. Ecclesias, quoque destructas restauravit probatasque personas qui populis monita salutis
darent singulis quibusque locis praeesse disposuit. Sicque ipso anno, divino ordinante instinctu, gens Saxonum fidem christianitatis, quam amiserat,
denuo recepit; der letzte Satz nach Ann. Lauresham. SS. I, 32; vgl. Ann.
Mosellan. SS. XVI, 497; Chron. Moiss. SS. I, 297; Forschungen zur deutschen
Geschichte XIX, 133 ff.

[5]) Ann. Laur. mai., SS. I, 168: Tunc domnus rex reversus est in
Franciam, et mittens ad supradictum Widochindum et Abbionem obsides
per missum suum Amalwinum. Diese Jahrbücher scheinen also die Sendung des
Amalwin mit den Geiseln erst hinter die Rückkehr Karl's nach Francien zu setzen; so
scheint es auch das Fragm. Vindobon. SS. XIII, l. c. verstanden zu haben:
Postquam vero reversus est in Franciam, misit . . . (das Weitere fehlt).
Dagegen lassen die Ann. Einhardi, SS. I, 167—169, Amalwin's Sendung noch
vor der Rückkehr des Königs nach Francien erfolgen — atque impetratis, quos
sibi dari precabantur, suae salutis obsidibus, quos eis Amalwinus, unus
aulicorum, a rege missus, adduxerat — Nam rex, postquam ad eos accer-
siendos memoratum Amalwinum direxit, in Franciam reversus est. Für

kamen auch Widukind und Abbi nebst einer Anzahl sächsischer Ge=
nossen[1]), dem Amalwin[2]) und den Geiseln[3]) in der Pfalz Attigny
an[4]) und ließen sich mit zahlreichen anderen Sachsen[5]) taufen[6]). Es
dürfte zur Weihnachtszeit geschehen sein[7]). Karl selbst versah
Pathenstelle bei seinem langjährigen großen Gegner[8]) und ehrte
ihn durch reiche Geschenke[9]).

[1]) A. unus aulicorum setzt Poeta Saxo, l. II, v. 190 f., Jaffé IV, 564, jedenfalls
unpassend: Amulwinus, quidam vernaculus aulae — Eius; vgl. auch unten
Bd. II. den Abschnitt über die Hofbeamten. Amalwin wird aller Wahrscheinlichkeit
nach ein Franke gewesen sein. Willkürlich wird sein Name in Amalung verwandelt
und er mit dem oben S. 269 genannten Sachsen Amalung identifizirt, der dann noch
zu einem Verwandten Widukind's gemacht wird, Eckhart I, 697; Genßler, Wittekind
S. 39 f.; alle diese Annahmen schweben völlig in der Luft.

[1]) Ann. Mosellan. SS. XVI, 497: Widuchind . . . cum sociis suis;
Ann. Lauresham SS. I, 32; Ann. Lobiens. SS. XIII, 229: cum multis Saxonibus; vgl. unten N. 5.

[2]) Ann. Einh. SS. I, 167—169: cum eodem ipso (sc. Amalwino).

[3]) Ann. Lauriss. mai. SS. I, 168: qui cum recipissent obsides illos
secum deducentes . . .

[4]) Ann. Laur. mai., l. c.; Ann. Einh. SS. I, 169; Ann. Enh. Fuld.
SS. I, 350; Transl. s. Alexandri c. 3, SS. II, 676; Ann. Quedlinb. SS. III,
38. — Ann. Mosellan. l. c.; Ann. Lauresham. l. c.; Ann. Max. SS. XIII,
21; Ann. Lobiens. l. c.; Ann. Altahens. SS. XX, 783.

[5]) Ann. Laur. mai. l. c.: una cum sociis eorum; Ann. Lobiens. l. c.;
Ann. Quedlinb. l. c.: cum sociis eorum; vgl. oben N. 1.

[6]) Die Taufe erwähnen, außer den schon erwähnten Quellen, auch Ann. Flaviniac. 784, ed. Jaffé S. 688; Ann. s. Amandi, SS. I, 12: Widichinus
convertitur; V. Willehadi c. 8, SS. II, 383 (vgl. Forschungen zur deutschen
Gesch. XIX, 133 ff.) etc.; Diekamp S. 40 N. 3. — Ann. Lauriss. min. ed.
Waitz S. 414 sagen: Widuchindus Saxo . . . venit ad regem, fidelis
effectus.

[7]) Vgl. Diekamp S. 37 N. 3.

[8]) Ann. Mosellan.; Lauresham.; Max.

[9]) Ann. Mosellan.; Lauresh.; Max.

Die zahlreichen Märchen über Widukind's Taufe, die durch Bonifaz vorgenommen
sein soll und an alle möglichen Orte verlegt wird, zählt Leibniz 1, 116 auf; sie be=
dürfen keiner Widerlegung, vgl. aber auch unten S. 502 N. 3. Noch erhalten ist
das sächsische Taufgelöbniß, das wohl auch bei Widukind's wie bei der Taufe der
in Sachsen selbst zum Christenthum Uebergetretenen angewendet wurde, s. Müllen=
hoff und Scherer, Denkmäler deutscher Poesie und Prosa, 2. Ausg. S. 155 Nr. 51.
494 ff.; Capp. ed. Boretius I, 222 Nr. 107. Es lautet nach der neuesten
Ausgabe:

Forsáchistu diobolae? et respondeat: ec forsacho diabolae.
end allum diobolgeldae? respondeat: end ec forsacho allum diobol-
    geldae.
end allum dioboles uuercum? respondeat: end ec forsaco allum dio-
    boles uuercum and uuordum thunaer ende woden ende saxnote ende
    allum them unholdum the hira genotas sint.
gelobistu in got alamehtigan fadaer? ec gelobo in got alamehtigan
    fadaer.
gelobistu in crist godes suno? ec gelobo in 'crist gotes suno.
gelobistu in halogan gast? ec golobo in halogan gast.

Boretius bemerkt zu diesen Fragen und Antworten nur, sie schienen sächsisch
und aus dem 8. Jahrhundert zu sein. Nach Pertz, Legg. I, 19, gehört diese Ab=
schwörungsformel schon in die Zeit des Bonifaz, des Concils von Lestines 743, und
ihm folgt noch Hahn, Jahrbücher, S. 38 N. 1. Hingegen setzt Müllenhoff, Denk-

Erst jetzt, nachdem Widukind getauft, galt die Unterwerfung Sachsens für vollständig[1]). Auch der König faßte so die Ereignisse auf, sah sich endlich nach dreizehnjährigem Kampfe am Ziel und verkündigte laut seinen Sieg. Mit dieser Nachricht reiste, wohl erst nachdem Widukind getauft war, der Abt Andreas von Luxeuil nach Rom, der zugleich Hadrian den Wunsch des Königs ausdrückte, es möchte für den großen Sieg ein Dankfest angeordnet werden[2]). Hadrian sagte dies bereitwillig zu, bestimmte dafür den

---

mäler, 2. Ausg. S. 496, die Formel später, nach 765, bringt sie in Verbindung mit Fulda, von wo aus unter Sturm die Mission am thätigsten betrieben wurde, und erklärt ihre Entstehung so, daß bald nach 772 in Fulda die dort verwendete Formel des Taufgelöbnisses ins Sächsische umgeschrieben, später um den die Sachsengötter nennenden Zusatz vermehrt wurde. Und diese Herleitung des Gelöbnisses aus Fulda hat eine gewisse Wahrscheinlichkeit für sich (vgl. indessen Waitz III, 2. Aufl. S. 161 N. 3). Kein ganz ausreichender Grund ist dagegen vorhanden, die von Müllenhoff (a. a. O. S. 155; vgl. S. 494 f. 497) eingeklammerten Worte and uuordum — genotas sint (vgl. Boretius a. a. O. c) zu beanstanden, obschon sie allerdings über die Frage, der sie entsprechen, hinausgehen. Dümmler, bei Haupt, Zeitschrift, Bd. 12, S. 449, zweifelt nicht an der Echtheit. Auffallender ist, daß Paulus Diaconus, wo er dem Dänenkönig Sigfrid droht:

Nec illi auxilio Thonar et Waten erunt,

in dem Gedicht Poet. Lat. aev. Carolin. I, 52 Nr. 14 v. 36, vgl. oben S. 426, als dänische Götter Thonar und Wodan nennt. Wie jedoch Dümmler in Haupt's Zeitschr. a. a. O. erinnert, konnte Paulus, der als Italiener nur wenig wissen mochte von den Dänen, unter welchen überdies die Mission erst geraume Zeit später in Gang kam, die sächsischen Namen leicht auch auf die Dänen übertragen. Etwas später als das sächsische fällt das bei Müllenhoff und Scherer folgende fränkische Taufgelöbniß, 2. Ausg. S. 156 Nr. 52; es gehört nach Mainz und in die Zeit Richulf's, 787—813, S. 498 ff.

[1]) Annales Laur. mai.: Et tunc tota Saxonia subiugata est; vgl. Ann. Enhard. Fuld.; Ann. Sith. SS. XIII, 36; Transl. s. Alexandri l. c.; Ann. Lobiens. l. c.; Ann. Quedlinb. l. c.; Ann. Altah. l. c. — Ann. Einhardi l. c.: quievitque illa Saxonicae perfidiae pervicacitas per annos aliquot, ob hoc maxime, quoniam occasiones deficiendi ad rem pertinentes invenire non potuerunt (diese Begründung ist indessen nicht zutreffend; vgl. Diekamp, Widukind S. 39 N. 1). — V. Willehadi c. 8: Sicque ad tempus sedata sunt mala, quae illius fuerant ingesta pernitie. Post haec vero cum omnia pacifica viderentur et sub leni iugo Christi Saxonum ferocia licet coacta iam mitescerent colla . . . — Ann. s. Amandi, SS. I, 12: Carlus adquisivit Saxonia; Ann. Petavian. SS. I, 17: et tunc adquisivit Saxones cum Dei auxilio; Ann. Guelf., Nazar., Alam., Sangall. mai., SS. I, 41; St. Galler Mitth. XIX, 237. 271: et Saxones in pace conquisivit.

[2]) Das ergibt das Antwortschreiben des Papstes, bei Jaffé IV, 245 ff., Codex Car. Nr. 80; der Brief wird auch von Jaffé in den Anfang des Jahres 786 gesetzt. Abt von Luxeuil war Andreas nach Le Cointe, VI, 261. 293, dem sich Mabillon, Annales, II, 271; Pagi, ad a. 786 Nr. 8 anschließen. Es heißt in diesem Briefe des Papstes (S. 246): Magis autem inibi de vestris Deo presidiatis regalibus triumphis conperientes: qualiter saevas adversasque gentes, scilicet Saxonum, ad Dei cultum suae sanctae catholicae et apostolicae ecclesiae rectitudinis fidei atque — Domino auxiliante, Petri Pauluque apostolorum principum interventione suffragante — sub vestra eorum colla redacta sunt potestate ac dicione, eorumque optimatum subiugantes, divina inspiracione regalem annisum universam illam gentem Saxonum ad sacrum deduxistis baptismatis fontem; unde nimis amplius divinae clementiae referuimus laudes, quia nostris vestrisque temporibus gens paganorum in vera et magna deducentes religione atque perfectam fidem vestrisque re-

23., 26. und 28. Juni 786; da sollten Litaneien abgehalten werden in allen der römischen Kirche zugehörigen Gebieten und gleichzeitig im ganzen fränkischen Reiche; ja, auch noch über die Grenzen desselben hinaus, jenseits der Meere, soweit Christen wohnten, sollte das glückliche Ereigniß gefeiert werden; aus diesem Grunde, bemerkt der Papst in seinem Antwortschreiben an Karl, habe er den Zeitpunkt für die Feier so spät angesetzt[1]. Hadrian selbst preist Gott, weil er die heidnischen Völker zum wahren Glauben bekehre und der Herrschaft Karl's unterwerfe; „darauf", schreibt er dem König, „magst du sicher vertrauen: wenn du die dem heiligen Petrus und uns gemachten Versprechungen reinen Herzens und willigen Sinnes erfüllst, so wird Gott noch mächtigere Völker dir zu Füßen legen".

Auch dem angelsächsischen Könige Offa von Mercia machte Karl angeblich Mittheilung von seinem Siege[2], denn es gezieme mächtigen und gefeierten Königen durch das Band der Freundschaft sich an einander anzuschließen und zu freudigen Ereignissen sich gegenseitig Glück zu wünschen, damit im Bande der Liebe Christus in allen und von allen verherrlicht würde. Nachdem schon früher das langobardische Reich sich ihm unterworfen[3], schreibt er an Offa, hätten nun auch die sächsischen Heerführer Widukind und Abbio mit fast allen Bewohnern Sachsens die Taufe genommen, um in Zukunft dem Herrn Jesu Christo zu dienen; diese Heilsbotschaft theile er, Karl, der mächtigste unter den christlichen Königen des Ostens, dem Offa, dem mächtigsten christlichen Könige im Westen, mit, damit er sich darüber freue[4]. Allein dies angebliche Schreiben Karl's an Offa ist weiter nichts als eine plumpe Fälschung[5].

galibus substernuntur dicionibus. Vgl. hiezu auch das Schreiben Hadrian's an Constantin und Irene vom 26. Oktober 785, Jaffé, Reg. Pont. ed. 2 a. Nr. 2448; Mansi XII, 1056, wo er von Karl sagt: omnis Hesperiae occiduaeque partis barbaras nationes suo subiiciens regno adunavit.

[1] Jaffé IV, 247: Similiter et vestra regalis potentia in suis dirigat universis finibus seu transmarinis partibus, ubi christiana moratur gens, instar perficiendum triduanas Ietanias. Et ideo talem protelatum emisimus spacium, propter tam longinquas christianas nationes ultra vestrum regale morantes regnum.

[2] Der Brief, bei Bouquet V, 620, ist ohne Datum, scheinbar jedoch aus Veranlassung von Widukind's und Abbi's Taufe, also bald nach derselben geschrieben.

[3] Mit Rücksicht hierauf pflegte man dies Schreiben in das Jahr 774 einzureihen; es ist darin auch von der Taufe des Langobardenkönigs Desiderius die Rede!

[4] Withimundus et Albion cum fere omnibus incolis Saxoniae baptismi susceperunt sacramentum, domino Iesu Christo de cetero famulaturi. Hoc igitur salubri mandato ego Carolus regum christianorum orientalium potentissimus vos, o Offane regum occidentalium christianorum potentissime, cupio laetificare et te in dilectione speciali amplecti sincerius.

[5] Vgl. Mabillon, Ann. Ben. II, 298; Jaffé IV, 335 N. 1; Sickel II, 276; Mühlbacher Nr. 261; als Muster diente, wie es scheint, Karl's Brief an Offa, Alcuin. epist. 57, Jaffé VI, 286 ff.

Die Genugthuung, welche Karl bei seinen letzten Erfolgen empfand, war wohl berechtigt. Haben auch in Sachsen einige Jahre später neue Unruhen sich geregt, so ist doch Widukind gegen Karl nie wieder aufgestanden. Er tritt nach seiner Taufe vom öffentlichen Schauplatz ab[1]); allein schon was er bis dahin für Sachsen gethan, reichte aus um seinen Namen zu einem der gefeiertsten in der Geschichte Sachsens zu machen. Er lebte im Andenken seines Volkes fort als der älteste und größte Held des Landes, dessen Thaten in zahlreichen Sagen verherrlicht sind[2]). Unter den über Widukind aufbewahrten Ueberlieferungen tragen viele ein so ausschließlich sagenhaftes Gepräge, daß sie als historische Zeugnisse von vornherein garnicht in Betracht kommen können; so vor allem gerade die Erzählungen über Widukind's Taufe, wie er als Bettler verkleidet in Karl's Lager sich einschleicht um es auszukundschaften, wie er der Spendung des heiligen Abendmahls zusieht und dabei statt der Hostie die Gestalt eines schönen Knaben erblickt, wie er dann, an einem krummen Finger erkannt, vor Karl geführt wird, ihm die Erscheinung erzählt und dadurch gläubig geworden sich taufen läßt. Bei dieser Gelegenheit soll er dann auch statt des schwarzen springenden Rosses, das er vorher in seinem Wappen geführt, ein weißes Roß in dasselbe aufgenommen haben, welches auf diesem Wege in das Wappen der sächsischen Herzöge gekommen sei[3]). Neben dieser und verschiedenen anderen ähnlichen Ueberlieferungen finden sich aber auch Nachrichten, die nicht so ohne weiteres als sagenhaft sich darstellen, mehr vereinzelte kürzere Angaben, die scheinbar einen mehr geschichtlichen Gehalt haben; Angaben über Widukind's Familie, über seine Herkunft und seine Nachkommen, über seine Schicksale nach seiner Taufe. Doch stehen auch von diesen Nachrichten die meisten lediglich auf dem Boden der Sage. So die Angabe einer späten Chronik, welche seinen Vater Werniken[4]), und wieder einer anderen Chronik, die ihn Edelhard nennt[5]). Auch die Nachricht, seine Gemahlin sei Gheva ge-

---

[1]) Die jüngere Vita Mahthildis, c. 2, SS. IV, 285, läßt ihn nach seiner Taufe heimkehren (in propriam remeavit patriam), und dies ist auch durchaus wahrscheinlich, vgl. Diekamp, Widukind S. 43.

[2]) Vgl. über diese Sagen auch Diekamp, Widukind S. 55 ff.

[3]) Die Erzählung findet sich zuerst bei Bote im Chronicon picturatum, Leibniz, SS. III, 289, woraus sie dann Albert Krantz, Saxonia, II c. 24; Metropolis, I c. 9. entlehnt hat. Es ist eine vollständige Legende. Der Vorfall wird nach Wolmirstedt an der Elbe verlegt, außerdem aber auch Belhem in der Diözese Osnabrück, Mitterbach im Fuldischen, Siburg bei Dortmund, endlich Minden als Ort der Taufe genannt, vgl. Kleinsorgen, I, 180. Daß Bonifaz die Taufe vollzogen, behauptet schon die ältere Vita Mahthildis c. 2, SS. X, 576; dagegen nennt den Lul Fabricius, Saxonia illustrata, p. 435. Mit Ausnahme der Angabe über das Wappen hat die Erzählung schon Heinrich von Herford, S. 33.

[4]) Werner Rolewinck, De antiquorum Saxonum situ et moribus, II c. 5, bei Leibniz, SS. III, 622. Das Citat aus der braunschweiger Reimchronik bei Rettberg, II, 408 N. 20, ist falsch, wird aber von Seibertz, I, 199 N. 79, nachgeschrieben.

[5]) Chronica Engelhusi, bei Leibniz, SS. II, 1062, aus dem Anfange des 15. Jahrhunderts.

wesen, eine Schwester oder Tochter des Dänenkönigs Sigfrid[1]), ist lediglich eine unbeglaubigte Vermuthung, zu der eben nur sein längerer Aufenthalt am dänischen Hofe geführt haben kann, und für seine angebliche zweite Gemahlin, Suatana, eine böhmische Königstochter, läßt sich vollends kein Zeugniß beibringen[2]).

Nicht viel besser steht es mit den Nachrichten über die Stellung, die er nach seiner Bekehrung einnahm. So wenig er früher Herzog von Westfalen oder von Westfalen und Engern oder gar König von Engern war[3]), so wenig ist er das nach seiner Taufe gewesen; es ist willkürlich, die Angabe der Quellen[4]), Karl habe ihn bei der Taufe mit reichen Geschenken ausgestattet, so zu deuten, er habe ihm die herzogliche Würde in Westfalen und Engern verliehen. An bestimmten Nachrichten darüber fehlt es ganz; aber es ist durchaus unwahrscheinlich, daß er nach seiner Unterwerfung irgend eine öffentliche Stellung bekleidete[5]). Ein Schriftsteller der zweiten Hälfte des 10. Jahrhunderts erzählt, wie er vorher ein erbitterter Verfolger und Zerstörer der Kirche gewesen, so sei er seit seiner Taufe der eifrigste Diener Gottes und der Kirche geworden, habe verschiedene Gotteshäuser erbaut und sie mit zahlreichen Reliquien von Heiligen und den Mitteln zu ihrem Unterhalt ausgestattet,

---

[1]) Braunschweigische Reimchronik, v. 297. 401, M. G. Deutsche Chroniken II, 462. 464, welche aber eben nur die an Widukind's Aufenthalt bei Sigfrid sich an= knüpfende Sage wiedergibt. Doch führt Kleinsorgen I, 244, Gheva unbedenklich als Widukind's Gemahlin auf, und der Verfasser des „Leben Wittekinds des Großen", S. 144 ff., sieht Widukind und Gheva sogar ins Herz hinein und schreibt 7 Seiten über ihre Vermählung; auch noch Böttger, die Brunonen, S. 114. 259. 421, läßt Gheva gelten.

[2]) Vgl. Leibniz, Annales. I, 253: Altera Suatana nulla quod sciam auto= ritate iuvatur.

[3]) Vgl. oben S. 272. Widukind's Bezeichnung als Herzog der Sachsen, die sich zuerst in Altfrid's Vita Liudgeri, I, 21, l. c. S. 24, dann in den späteren sächsischen Schriftstellern häufig findet, ist eine ganz allgemeine und bedeutet eben den Heerführer. Dagegen bezeichnet ihn schon die jüngere Vita Mahtildis c. 1, SS. IV, 284, als dux in occidentali regione, also in Westfalen, was bereits den Landesfürsten bedeutet, und Böttger, Die Brunonen, S. 222 N. 356, mißt dieser Angabe sehr mit Unrecht Glauben bei; vgl. dagegen auch Diekamp S. 67. König der Engern heißt er wiederholt bei Heinrich von Herford, S. 26. 34 und sonst, wahrscheinlich auf Grund der verlorenen Chronica Saxonum; König überhaupt schon bei Thietmar, Chronicon, I. c. 6, SS. III, 737. Vgl. jedoch auch die folgende Note und unten S. 507 N. 1.

[4]) Der Annales Mosellani etc. (s. o. S. 499 N. 9), aus welcher Angabe Schaten, Historia Westfaliae, I, 339. 426, die Uebergabe der herzoglichen Würde in Westfalen und Engern an Widukind folgert. Nach dem Leben Wittekinds des Großen, S. 175, erhält er von Karl die Statthalterschaft über die sächsischen Länder; er heißt da, S. 75: Herzog zu Engern, Graf von Jülich, Jburg und Minden, Dy= nasta in Ostphalen. Die Schrift ist völlig unbrauchbar; der Verfasser kennt Widu= kind's Persönlichkeit so genau, daß er ihn mit Hannibal und Sokrates vergleicht, S. 90 ff., begeht aber dafür, wo bestimmte Nachrichten vorliegen, die gröbsten Ver= stöße, läßt z. B. (S. 137 ff.) den bekannten Schwur der Könige zu Straßburg 842 die Sachsen Karl 782 schwören.

[5]) Schon Möser, I, 207, hat das ganz richtig hervorgehoben; vgl. auch Die= kamp a. a. O. S. 44.

darunter namentlich die Kirche zu Enger in Westfalen[1]). Auch
dieser Nachricht kommt nur ein zweifelhafter Werth zu; was sie im
allgemeinen von Widukind's Frömmigkeit sagt, ist an sich nicht
unglaubhaft, wenn auch nicht als sicher bezeugt zu betrachten; was
die Gründung der Kirche in Enger betrifft, so ist das Kloster daselbst nach mehreren urkundlichen Zeugnissen erst durch die Königin
Mahthilde, die Gemahlin König Heinrich's I., gestiftet worden[2]).
Man könnte also höchstens annehmen, daß eine von Widukind zu
Enger gegründete Zelle durch Mahthilde zu einem Collegiatstift
erweitert worden sei[3]). Gar keinen Grund hat die noch weit
spätere Angabe von der Betheiligung Widukind's an der Errichtung
des Bisthums in Minden[4]). Es bleibt eben nur zu vermuthen,
daß er den Rest seines Lebens auf seinen Besitzungen zubrachte,
die nach der angesehenen Stellung zu schließen, welche er in Sachsen
einnahm, sehr bedeutend gewesen sein mögen und die ihm wohl
vom König nach seiner Unterwerfung gelassen oder zurückgegeben
worden sind[5]). Sicheres über ihren Umfang und ihre Lage ist
aber nicht bekannt. Enger finden wir später allerdings im Besitze
seiner Nachkommenschaft[6]). Auch die falsche Angabe, wonach er
zur Ausstattung des Bisthums Minden beigetragen haben soll, setzt
voraus, daß er in diesen Gegenden begütert war, daß also wenigstens
ein Theil seiner Besitzungen in Engern lag, was man demnach
auch angenommen hat[7]). Da Widukind ein Westfale war, werden

---

[1]) Vita Mahthildis antiquior c. 2, SS. X, 576: (Widikindus) relicto
errore credulus ad agnitionem veritatis poenitendo sponte pervenit, et sicut
prius persecutor destructorque pertinax fuit ecclesiae, deinde christianissimus ecclesiarum et dei extitit cultor, ita ut ipse singulas totis viribus stu-
dendo construeret cellulas, quas plurimis sanctorum reliquiis nec non
ceteris perfectas relinquebat utilitatibus, quarum una multis adhuc nota
remanet Aggerinensis dicta, et eadem quae modo retulimus adhuc aliqua
ibidem supersunt.

[2]) monasterium in loco Angeri nuncupato, ab eadem domina matre
nostra regina in honore sanctae dei genitricis semperque virginis Mariae
sanctique Laurentii martiris constructum, sagt Otto d. Gr. in der Urkunde
vom 14. Juli 947, M. G. Dipl. reg. et imp. I, 173 Nr. 91; vgl. S. 205. 442.
498 Nr. 123. 328. 361; Dielamp, Suppl. S. 64. 65. 73. 76 Nr. 409. 413.
462. 474. Was Genßler, S. 46 f. dagegen vorbringt ist nichtig. Ueber die Annahme von Wilmans f. die folgende Anmerkung; über die Angaben der Annales
Mind. bei Harenberg und der Grabschrift Widukind's in Enger, wonach er selbst
dieses Stift gegründet, vgl. unten S. 506 N. 6; 507 N. 1.

[3]) So Wilmans, Kaiserurkk. der Provinz Westfalen I, 439 ff.; vgl. auch
Dümmler, Otto d. Große S. 441—442; Waitz, Heinrich I. 3. Aufl. S. 17—18.

[4]) Sie steht in Bote's Chronicon picturatum, bei Leibniz SS. III, 289,
dann bei Krantz, Metropolis I. I. c. 9; vgl. Rettberg II, 447.

[5]) Vgl. oben S. 502 N. 1 über die Nachricht der jüngeren Vita Mahthildis
c. 2; auch Kentzler, Forsch. XII, 397; Transl. s. Alexandri l. c.: Witukind
quoque, qui inter eos et claritate generis et opum amplitudine eminebat
(vgl. Einh. V. Karoli 2; Wetzel S. 20).

[6]) Vgl. Vita Mahtildis antiquior c. 8, SS. X, 578, und dazu Wilmans
a. a. O. S. 440.

[7]) Vgl. oben S. 272 N. 6. Die Aufzählung seiner Besitzungen im Leben
Wittekinds des Großen S. 175 ff. schwebt ganz in der Luft; ebenso ist ohne Beweis,
was Genßler, S. 50 f., über dieselben sagt, vgl. auch Rettberg, II, 407.

auch seine Stammgüter im wesentlichen dort gelegen haben; doch ist auch dies nicht sicher zu erweisen; daß mehrere Ortsnamen mit seinem Namen gebildet sind, ist kein Beweis dafür [1]). Eher läßt sich anführen, daß Widukind's Enkel Waltbert in Wildeshausen an der Hunte, noch auf westfälischem Boden, ein Kloster gründet, die Familie also dort begütert war [2]). Aber auch in dem Hessengau scheint Widukind Besitzungen gehabt zu haben. Ein Schrift=steller aus der zweiten Hälfte des 9. Jahrhunderts erzählt, und es ist dies die früheste Erwähnung Widukind's seit seiner Taufe, als Liudger einmal durch das Gebiet der Hessen ge=kommen, habe er einem Manne das Leben gerettet, der wegen eines an dem sächsischen Herzog Widukind verübten Pferde=diebstahls zum Tode verurtheilt und eben gesteinigt worden war [3]). Liudger, heißt es, kam an der Stelle vorbei, wo der Ge=steinigte bereits für todt liegen gelassen worden war; da er erfuhr, daß es ein Christ war, bat er Widukind um die Erlaubniß ihn beerdigen zu dürfen. Derselbe sollte eben ins Grab gelegt werden, als Liudger begann: „Hebt ihn heraus, denn es ist Leben in ihm." Und der Gesteinigte fing an zu athmen, seine Wunden wurden ver=bunden, und er war in kurzem wieder hergestellt. Nach seinem Namen Buddo erhielt der Ort die Bezeichnung Buddonfeld. So der betreffende Biograph Liudger's, nach dessen Erzählung Widu=kind in jener Gegend sich aufgehalten haben müßte; eine Thatsache, die ganz natürlich ist, wenn er dort Güter besaß, aber keineswegs zu der Vermuthung berechtigt, Buddonfeld sei sein regelmäßiger Aufenthaltsort, seine Residenz gewesen, von dort aus habe er sein Herzogthum verwaltet [4]).

---

[1]) Schon Leibniz, Annales, I, 116, macht darauf aufmerksam, dann Möser, I, 207 N. a, der richtig bemerkt, daß aus gleichzeitigen Zeugnissen auch im Stifte Osnabrück keine Besitzungen Widukind's mehr nachgewiesen werden können.

[2]) Die Translatio s. Alexandri, SS. II, 674 ff., beschreibt, wie Waltbert sich für seine Stiftung die Gebeine des h. Alexander verschafft. Die Zweifel, welche A. Wetzel in seiner Schrift über diese Translatio (Kiel 1881) gegen die Glaub=würdigkeit derselben erhebt, sind unbegründet, vgl. Neues Archiv VII, 228 f.; Waitz, Gött. gel. Anz. 1881. St. 23. 24, S. 706—712; Wattenbach DGQ. I, 5. Aufl. S. 224 N. 1. Allerdings stehen indessen die Worte Igitur predicti Witu=kindi filius nomine Wibreht auf einer Rasur. — Ueber Waltbert vgl unten S. 508. Möser I, 207 N. a äußert sich über die Zugehörigkeit von Wildeshausen zu seinen Gütern unbestimmt.

[3]) Vita secunda s. Liudgeri I, 25, ed. Diekamp, l. c. S. 69 f.

[4] Das führt Genßler, S. 48 ff., weiter aus, indem er sich auf das Vor=kommen eines ducatus Budinisvelt in Urkunden für Korvei beruft. Doch begegnet diese Bezeichnung nur in einer einzigen Urkunde, und zwar Ludwig's des Fr. vom 8. Juni 833, bei Wilmans, Kaiserurkk. der Provinz Westfalen I, 43: in du=catu Budinisvelt. Schon Leibniz, Annales I, 434, hebt das Auffallende dieses Ausdrucks hervor und weiß ihn sich nicht zu erklären; höchst wahrscheinlich sind in der zwar auch im Original erhaltenen, aber auch sonst nicht lückenfreien Urkunde aus Versehen zwischen ducatu und Budinisvelt ein paar Worte (etwa Saxo=niae loco) ausgefallen (Wilmans a. a. O. S. 569; Diekamp, Widukind S. 48); keinesfalls folgt daraus, daß Widukind's Besitzungen ein Herzogthum Buddonfeld bildeten. Uebrigens ist die Notiz bei Genßler: facultas coquendi salem in ducatu Buthinveldio den unechten Annales antiqui Corbeiae Saxonicae, bei Leibniz,

Was sonst noch von Widukind aus der Zeit nach seiner Taufe erzählt wird, gehört wieder ganz der Sage an. Ein Chronist des 14. Jahrhunderts will wissen, Gott habe die Friesen für die Ermordung des Bonifaz dadurch gestraft, daß Widukind, Fürst des jenseitigen Friesland, den Ostergau und Westergau in eine Einöde verwandelt und alle Bewohner zur Sühne für die heiligen Märtyrer niedergemacht habe[1]). Eine Nachricht, die so wie der Chronist sie gibt nicht wahr sein kann und bei der Geschichte Widukind's aus dem Spiele bleiben muß[2]). Und ebenso unbeglaubigt ist, was über seinen Tod berichtet wird: er sei im Kriege von Herzog Gerold von Schwaben erschlagen worden[3]). Auch die Zeit seines Todes ist unbekannt, die Angaben schwanken zwischen mehreren Jahren, 804, 805, 806, 807, 812[4]); als Todestag wird später der 7. Januar genannt[5]), als Ort seines Begräbnisses Enger, von wo seine Gebeine später nach Paderborn gebracht sein sollen[6]).

SS. II, 296, entnommen. Ueber die Lage von Buddonfeld (Knochenfeld) und die verschiedenen Orte dieses Namens vgl. Falke, Traditiones Corb., S. 55. 63 ff.; besonders aber Diekamp, Widukind, S. 45 ff.; Geschichtsquellen des Bisthums Münster IV, 70 N. 1. Am ehesten ist an Wüstung Büdefeld bei Goldhausen, unweit Corbach, oder an Wüstung Buddenfelds=Brock bei Driburg zu denken.

[1]) Beka, Chronicon, S. 16: Widekindus princeps ulterioris Frisiae ... Lavicam pertransiens comitatus de Oestergou et Westergou in vastam solitudinem redegit ...; vgl. hiezu Diekamp, Widukind S. 79 N. 5.

[2]) Möglicherweise hat der Chronist nur von einem Strafgericht reden wollen, das Gott über die Friesen verhängte, ohne daß bei Widukind selbst ihre Bestrafung für den Mord des Bonifaz das Motiv war, so daß der Feldzug auch vor Widukind's Taufe angesetzt werden könnte, wenn überhaupt Beka hier Glauben verdiente; das ist aber eben nicht der Fall. Genßler, S. 41 f, denkt an einen Feldzug Widukind's nach seiner Taufe; Buchelius zu Beka, S. 19 N. y, an einen Feldzug noch unter Pippin, aber nicht von unserem Widukind.

[3]) Diese Sage findet sich schon in der Kaiserchronik, ed. Maßmann v. 14877, und daraus in der sächsischen Weltchronik, M. G. Deutsche Chron. II, 151 (Hertoge Gerolt van Swaven sloch dot koning Widekinde), vgl. Diekamp, Hist. Jahrb. der Görres=Gesellschaft, Bd. V. 1884. S. 259. Ferner schreibt Bote, Chronicon picturatum, Leibniz, SS. III, 295: Hertoch Wedekint buwede eynen dom to Engeren in Westfalen, unde wart dar na dot geslagen van Hartoghen Gerolde van Swaven. Daraus das Chronicon Rittageshusanum, bei Leibniz, SS. II, 72, und Krantz, Saxonia, II c. 24, dessen weitere Angabe aber, der Kampf sei ausgebrochen wegen streitiger Grenzgebiete in Thüringen, schon Schaten, Historia Westfaliae, I, 424, als bloße Vermuthung von Krantz selbst verworfen hat. Bei Gerold kann nur gedacht werden an den mehrfach genannten Bruder der Königin Hildegard, der aber schon 799 starb, Annales Laur. mai. SS. I, 186 etc. u. unten Bd. II. — Leibniz, Annales, I, 258, will daher Widukind's Tod vor 799 setzen, während alle Angaben erst auf den Anfang des 9. Jahrhunderts hinweisen, vgl. die folgende Note; die ganze Erzählung ist unfraglich vollkommen zu verwerfen.

[4]) Die Citate bei Seibertz, I, 200 N. 83; vgl. dazu Wilmans I, 388, N. 4; die Stellen sind alle sehr spät und ohne jedes Gewicht.

[5]) Bei Rolewinck, Leibniz, SS. III, 627, vgl. auch unten N. 6; S. 507 N. 2; Wilmans I, 388 N. 5; 445.

[6]) Iohannes de Essendia, in seiner hist. belli a Carolo M. contra Saxones gesti, (Scheidt,) Bibl. Goetting. S. 54, berichtet von Widukind: obiit VII. Idus Ianuarii et sepultus est in choro canonicorum regularium in villa Angaria. — Das Chronicon picturatum fährt nach den oben N. 3 angeführten Worten fort: unde wart to Engheren in den dom begraven. Do lach he

Später ward in Enger sein Grabmal gezeigt, mit einer Inschrift, welche ihn als den Gründer des Stiftes, als den König der Engern bezeichnet, woraus allein schon hervorgeht, daß das Grabmal erst einer Zeit angehören kann, in der bereits die Legende sich seiner Gestalt bemächtigt hatte[1]). Denn auch das ist geschehen; hat auch die Kirche selbst ihn nicht heilig gesprochen, so wurde er doch vom Volke selbst wie ein Heiliger verehrt, sein Gedächtnißtag in der Kirche gefeiert[2]), seine Reliquien sorgfältig aufbewahrt[3]).

Aber auch noch in anderer Richtung hat die spätere Ueberlieferung sich mit Widukind beschäftigt. Zahlreiche vornehme Geschlechter Sachsens leiten von ihm ihren Ursprung her, aber fast bei keinem läßt sich der Anspruch begründen, wenn man auf dem Boden der Geschichte stehen bleibt[4]). Nur das erlauchte Geschlecht der sächsischen Kaiser, der Ottonen, darf Widukind unter seine Ahnen zählen, aber auch dies nur in beschränkter Weise, der Stammvater

wente to keyser Hinrikes tyden de Vogeler, do wart de dom to broken und gelacht to Vallersleve . . . Alse wart Hertoge Wedekint uppgraven und wedder gegraven in den dom to Padelborne; Albert Krantz a. a. D. Dies ist jedoch willkürliche Sage, wie Wilmans I, 389 N. 3 bemerkt. Noch unbrauchbarer ist die Angabe in dem vorgeblichen Decerptum ex annalibus vetustis Mindensibus, bei Harenberg, Monumenta inedita, S. 162, wonach Witikindus, dux olim Saxonum contra Francos, obit sepultus in ecclesia canonicorum apud Angari, quam fundaverat. Es ist dies ein Machwerk Harenberg's (Wilmans I, 388 N. 4), die Angabe, wie man sieht, mit Johannes von Essen übereinstimmend.

[1]) Monumentum Wittikindi Warnechini filii Angrivariorum regis XII Saxoniae procerum ducis fortissimi. Hoc collegium dionisianum in dei opt. max. honorem privilegiis reditibusque donatum fundavit et confirmavit, heißt es in der Inschrift auf dem Grabmal. Genauere Nachricht über letzteres, seine Erneuerung durch Karl IV. im Jahr 1377, seine späteren Schicksale geben Falke, im Codex tradit. Corb., S. 200, und besonders Rose, Wittikinds Grabmal zu Enger, in der Zeitschrift für Westfalen, Bd. 10, S. 194 ff.; ferner Wilmans a. a. D. S. 388—389. 444—445. Letzterer glaubt, daß die Hauptfigur des Denkmals vielleicht noch dem 12. Jahrhundert angehöre, daß Widukind in der That zu Enger begraben sei und seine Gebeine noch dort ruhen. — Ein Aufsatz über die Ruhestätte Widukind's von F. v. Hohenhausen in der Berliner Voss Ztg. 1882. Sonntagsbeil. Nr. 9 wird erwähnt in Jahresber. der Geschichtswissenschaft V. 1882. II, 22 N. 10.

[2]) Nachweislich von den Karthäusern in Köln am 7. Januar, aber wahrscheinlich erst durch den Einfluß des Geschichtsschreibers Werner Rolewinck († 1502), vgl. Leibniz, Annales, I, 252; Wilmans a. a. D. 388 N. 5. Auch in die Acta SS. Boll. ist er aufgenommen, zum 7. Januar, I, 380 ff. Von der Wunderkraft seiner Gebeine redet auch die Inschrift auf seinem Grabmal, bei Leibniz l. c.

[3]) Darüber Falke a. a. D.; Rose a. a. D.; Wilmans I, 445 (hinsichtlich der Uebersiedelung nach Herford; der Restitution an Enger im J. 1821). Von den zahlreichen sagenhaften Ueberlieferungen, zum Theil aus sehr später Zeit, sind viele zusammengestellt in den Westfälischen Provincialblättern, I, 4, 35 ff., und in den Mittheilungen des historischen Vereins zu Osnabrück, 3. Jahrg. 1853.

[4]) Eine Aufzählung dieser verschiedenen fürstlichen Geschlechter gibt Leibniz, Annales I, 254 f.; Hübner, Genealogische Tabellen I. Nr. 147; Schaten, I, 426. Selbst Hugo Capet soll von Widukind herstammen, wie denn die Capetinger in der That von einem späteren Sachsen (jedenfalls einem Deutschen) Witichin abstammen; die Ableitungen beruhen aber alle auf willkürlichen Aufstellungen. Wilmans glaubt, daß die Billunger und die Grafen von Oldenburg ihren Stammbaum auf Widukind zurückführen können.

des Geschlechts ist er nicht gewesen. Nicht früher als zu An=
fang des 12. Jahrhunderts tritt die Nachricht auf, Liudolf, der
Großvater König Heinrich's I., sei ein Nachkomme Widukind's
gewesen [1]), eine Behauptung, welche nachher häufig wiederholt
worden ist, aber bei näherer Prüfung sich als unhaltbar er=
weist [2]). Hinreichend ist es hingegen bezeugt, daß Widukind der
Ahnherr ist von Mahthilde, der Gemahlin Heinrich's I., der
Mutter Otto's des Großen; dies versichert der sächsische Geschicht=
schreiber Widukind [3]). Nur ist es nicht möglich, das Geschlecht
Mahthildens bis hinauf zu Widukind mit Sicherheit zu ver=
folgen, da man nur von ihrem Vater Thiederich und ihrer
Mutter Reinhilde, letzterer friesischen und dänischen Ursprungs,
weiß [4]). Widukind hatte einen Sohn Wicbert oder Wibrecht, dessen
Sohn Waltbraht oder Waltbert das Kloster Wildeshausen gründete,
851 [5]). Von Waltbert, dessen Frau Altburg hieß, kennt man zwei
Söhne, von denen der ältere, Wicbert, Rector von Wildeshausen
und Bischof von Verden war [6]), wogegen der Name des jüngeren
nicht genannt ist [7]). Diesen letzteren hat man zum Großvater der
Königin Mahthilde, zum Vater des Thiederich machen wollen, aber
ohne jeden stichhaltigen Beweis [8]); es ist nur eine Vermuthung,

---

[1]) Bei Ekkehard, Chronicon, SS. VI, 179: Ex eiusdem Saxonicae gentis
(Widukind's) stirpe vir nobilis et permagnificus est egressus, nomine Lui-
tolfus, dann in verschiedenen späteren Arbeiten. Die Stellen sind aufgezählt bei Waitz,
Jahrbücher Heinrichs I., 3. Aufl., Excurs 1, S. 179 ff.

[2]) Die ausführliche Erörterung und Widerlegung bei Waitz, a. a. O. Schon
Leibniz, Annales I, 257, äußert Bedenken; auch bei Kleinsorgen, Kirchengeschichte I,
244 ff. wird die dort aufgestellte Geschlechtstabelle mit vielfachen Zweifeln begleitet;
übrigens vgl. die Aufstellungen bei Eckhart, Historia genealogica principum
Saxoniae superioris, S. 1 ff., und unten S. 509 N. 1.

[3]) Widukindi Res gest. Saxon. I. c. 31, SS. III, 431: Erat namque
ipsa domina regina filia Thiadrici, cuius fratres erant Widukind, Immed
et Reginbern . . . et hi erant stirpis magni ducis Widukindi, qui bellum
potens gessit contra magnum Karolum per triginta ferme annos; vgl. III.
c. 28, ib. S. 455; Adam. Gest. Hammaburg. eccl. pontif. II. 45, SS. VII,
322; Dümmler, Otto d. Gr. S. 221 N. 3.

[4]) Die ältere Vita Mahthildis c. 2, SS. X, 576; vgl. Waitz, Heinrich I.
3. Aufl. S. 17.

[5]) Translatio s. Alexandri c. 4, SS. II, 676; Wicbert's Gemahlin war
Odrad, nach der Urkunde Waltbert's und seiner Gemahlin für Wildeshausen, bei
Wilmans I, 532 ff.

[6]) Vgl. Wilmans I, 395. 410.

[7]) Urkunde Waltbert's und seiner Gemahlin Altburg für Wildeshausen, bei Wil=
mans I, 532, worin sie als ihren filius primogenitus Wibert bezeichnen, außerdem
von dem filius fratris sui (Wibert's) reden. Möser I, 319 N. f, behauptet, dieser
Bruder Wicbert's habe Reginbern geheißen, und beruft sich auf Grupen, Observationes rerum et antiquitatum Germanicarum et Romanarum, S. 552 ff.,
wo aber auch nur Vermuthungen aufgestellt sind, kein Beweis geführt ist. Meyer,
in den Erläuterungen zu dem Calendarium et Necrologium vetustissimum
ecclesiae cathedralis Osnabrugensis, Mittheilungen des historischen Vereins zu
Osnabrück, 4. Jahrg. 1855, S. 183, nennt diesen zweiten Sohn nach seinem Vater
Walbert, aber ebenfalls ohne jeden Beweis, und leitet dann von ihm die Herkunft
des 978 gestorbenen Bischofs Ludolf von Osnabrück ab.

[8]) So Wilmans I, 263. 436—438; auch schon Grupen, Observationes
a. a. O., und Möser, I, 317, welche letzteren Wicbert's vorgeblichem Sohne Regin=

die richtig sein kann; allein mit Bestimmtheit läßt sich die Nach=
kommenschaft Widukind's über seinen Urenkel Wicbert und dessen
Bruder hinaus nicht verfolgen; zwischen ihnen und Mahthildens
Vater Thiederich ist eine Lücke. Es kann sein, daß Widukind neben
seinem Sohne Wicbert noch andere Kinder hatte; auch werden solche
genannt, ein Sohn Widukind, eine Tochter Hasala; allein beide
sind gänzlich unbeglaubigt und die darauf gegründeten genealogischen
Ableitungen ohne Halt[1]).

Die Unterwerfung Sachsens war der größte Erfolg der frän=
kischen Waffen im Jahre 785, aber nicht der einzige. Während
Karl im Norden beschäftigt war und sein Sohn Ludwig selbst, der
König der Aquitanier, sich in seiner Umgebung befand, gelang
im Süden eine Erwerbung, durch welche die Franken jen=
seits der Pyrenäen im arabischen Spanien festen Fuß faßten.
Nachdem Karl's spanischer Feldzug im Jahr 778 gescheitert war,

---

bern die Mahthilde zur Gemahlin geben, die Aebtissin von Herford und Mutter des
Thiederich, bei welcher die junge Mahthilde, des letzteren Tochter, erzogen wurde.
Das berichtet die jüngere Lebensbeschreibung der Mahthilde, c. 2, SS. IV, 285;
die ältere, a. a. O., erwähnt die Aebtissin Mahthilde nicht, kennt sie also auch nicht
als Mutter des Thiederich. Will man sie dennoch als solche gelten lassen, wie auch
von Waitz geschieht, Heinrich I. S. 18, so bleibt doch ihr Gemahl, die Art ihrer Ab=
stammung von Widukind, immer noch ungewiß. Mooyer, in dem Verzeichniß der
Aebtissinnen, Zeitschrift für Westfalen, IV, S. 100 f. weiß auch nur, daß Mahthilde
früher verheirathet gewesen, aber nicht mehr.

[1]) Hasala ist genannt in Bote's Chronicon picturatum, bei Leibniz, SS. III,
292, wonach Widukind und Gheva 2 Kinder hatten, Wypert (Wicbert) und Hasala,
oder, wie Leibniz, Annales I, 254, vorschlägt, Gisela. Ganz fabelhaft ist der Sohn
Widukind aus der Ehe mit Suatana, vgl. Leibniz, Annales I, 253. Den Namen
der Tochter Hasala könnte man allenfalls gelten lassen, da der neben ihr genannte
Wicbert auch sonst beglaubigt ist; doch ist das Chronicon picturatum für diese
Zeit eine zu unsichere Quelle. Und eben nur auf dem Chronicon picturatum, nach
dessen weiterer Angabe Hasala sich vermählte mit einem edeln Sachsen Berno, dem
Sohne von Widukind's Kampfgenossen Bruno dem Engern, ruht jene Behauptung,
oben S. 508, von Widukind stamme Liudolf ab; er soll der Sohn oder Enkel des
Berno und der Hasala gewesen sein. Die Widerlegung s. bei Waitz, Heinrich I.
3. Aufl. a. a. O.; sie gilt auch für Böttger, Die Brunonen, S. 112 ff, der ohne
genügende neue Beweisgründe und ohne Kritik die Aufstellung wiederholt und mit
weiteren genealogischen Combinationen in Zusammenhang bringt. Alle 3 sächsischen
Heerführer zu Karl's Zeit, der Westfale Widukind, der Enger Bruno, der Ostfale
Hassio, dann der Graf Theoderich von Ripuarien sollen die Vorfahren Liudolf's sein:
Bruno, der Sohn des Berno und der Hasala, also Enkel Bruno's und Widukind's,
soll sich vermählt haben mit einer dem Namen nach unbekannten Tochter von Egbert
und Ida, oben S. 430 N. 2, Böttger S. 81. Der ältere Bruno aber, Widukind's
Genosse, soll zur Frau gehabt haben eine Tochter des Grafen Theoderich von Hohseo=
burg, illius loci primarius, Annales Einh. SS. I, 135, der sich 743 den Franken
ergab: dieses Theoderich, des ältesten bekannten Fürsten des Welfenhauses, Böttger
S. 117, Sohn sei Hassio gewesen, der also, wenn auch nicht in gerader Linie, eben=
falls zu den Vorfahren Liudolf's gehörte, der Bruder von Liudolf's Urgroßmutter
war. Alles unhaltbare Vermuthungen: nur die Abstammung Liudolf's von dem
älteren Bruno ist wahrscheinlich, sein Zusammenhang mit dem Geschlechte des Hassio,
angesichts seiner Besitzungen in Ostfalen, wenigstens leicht denkbar, aber ohne daß
die Mittelglieder sich herstellen lassen. Ganz aus der Luft gegriffen ist vollends, was
Böttger S. 138 ff. 145 über die Abstammung Theoderich's des Ostfalen, Bruno's,
Widukind's, Theoderich's von Ripuarien und Egbert's aus altem königlichen Ge=
schlechte behauptet, keine Spur davon ist zu finden; wenigstens nicht in einigermaßen
beglaubigten Zeugnissen.

hört man eine Reihe von Jahren nichts mehr von Versuchen der
Franken sich in Spanien festzusetzen; es scheint die Absicht gewesen
zu sein, vorläufig in Aquitanien eine feste Ordnung herzustellen,
ehe man sich wieder auf größere Unternehmungen einließ. Indessen
boten die Unruhen in Spanien selbst, die Kämpfe, welche Abdurrahman gegen widerspenstige Statthalter fortwährend zu bestehen
hatte [1]), Gelegenheit, früher als sonst vielleicht beabsichtigt war
eine Machterweiterung nach dieser Seite hin zu erreichen. Die
Aufforderung dazu, scheint es, ging von Spanien aus. Man liest,
die Bewohner von Gerunda, Gerona nordöstlich von Barcelona,
hätten ihre Stadt im Jahr 785 dem König Karl übergeben [2]), der
dort von früher her Verbindungen gehabt haben kann; denn
schon Pippin hatte zu der Stadt Beziehungen gehabt [3]), und jener
arabische Große Ibn al Arabi, der im Jahr 777 Karl nach
Spanien einlud, war, wie es scheint, Statthalter von Gerona gewesen und hatte 778 bereits die Unterwerfung der Stadt erklärt [4]).
Die Verhältnisse, unter welchen 785 Geroua sich den Franken
übergab, sind nicht bekannt; die Angabe der Chronik schließt zwar die
Möglichkeit nicht unbedingt aus, daß es erst nach einem vorangegangenen Kampfe geschah; aber jedenfalls ist sagenhaft, was darüber eine spätere Chronik erzählt, Karl selbst habe einen Zug gegen
Gerona unternommen, habe Mahomet, den Gebieter der Stadt,
in einer Schlacht besiegt und darauf Gerona eingenommen; unter
zahlreichen Wundererscheinungen am Himmel sei er eingezogen in
die Stadt [5]). Die beglaubigte Geschichte weiß nichts von einem
Zuge Karl's nach Spanien in diesen Jahren; im Gegentheil, ein
solcher ist mit ihr unvereinbar; auch der vorgebliche Gebieter der
Stadt, Mahomet, ist nicht zu erweisen [6]). Jene Wunderzeichen sind

[1]) Vgl. Lembke, Geschichte von Spanien, I, 347 f.; Dorr, De bellis Francorum cum Arabibus gestis, S. 23.

[2]) Chronicon Moissiacense, SS. I, 297: Eodem anno (785) Gerunden-
ses homines Gerundam civitatem Carolo regi tradiderunt; Ann. Barcinon.
SS. XXIII, 2: Gerundam civitatem homines tradiderunt regi Karolo; vgl.
Pertz, SS. I, 297 p.; Dorr a. a. O. S. 43; Simson, Forschungen z. d. Gesch. XIV,
134 f.; Rob. Arnold, Beitr. zur Kritik karolingischer Annalen I. (Leipziger Diss.,
Königsberg 1878) S. 61—62 u. unten Bd. H. z. J. 790.

[3]) Vgl. oben S. 289.

[4]) Vgl. oben S. 286 N. 3; 299.

[5]) So das Chronicon Rivipullense (vom Kloster Ripoll in Catalonien) bei
Bouquet V, 71 N. p. und daraus bei Pertz in der Ausgabe des Chronicon
Moissiac. SS. I, 297 p), welches den Vorgang 786 ansetzt: Hic Carolus
dictus Magnus anno Domini 786 cepit civitatem Gerundae, vincens in
proelio Machometum, regem ipsius civitatis. Et dum cepit ipsam civitatem,
multi viderunt sanguinem pluere, et apparuerunt acies in coelo, in vestimentis hominum et signa crucis. Et apparuit crux ignea in aëre supra
locum, ubi nunc est altare b. virginis. Et propter hoc mutavit sedem,
quae erat in ecclesia s. Felicis, in loco ubi nunc est.

[6]) Schon Aschbach, Geschichte der Ommaijaden in Spanien, I, 178 N. 25,
und Dorr, S. 23 N. 4, bemerken, daß die Erzählung ganz fabelhaft ist; vgl. auch
Lembke a. a. O. I, 359 N. 2; Gaston Paris, Hist. poétique de Charlemagne
S. 65. — Leibniz, Annales I, 118; Eckhart, I, 702 halten wenigstens an dem
Mahomet „rex" (Wali, vgl. o. S. 286 N. 2) von Gerona fest, aber unberechtigter-

dieselben, welche in vielen Jahrbüchern zum Jahr 786 berichtet werden[1]); jene Chronik bringt dieselben mit der Erwerbung von Gerona durch die Franken in Verbindung und setzt die letztere deshalb auch 786. Insoweit läßt sich also ein Einblick in die Ent- stehung der Fabel gewinnen. So dunkel aber auch der Hergang dieser Erwerbung von Gerona bleibt: durch dieselbe war für Karl jenseits der Pyrenäen ein fester Punkt gewonnen, von wo aus er den Emir von Cordova beobachten, bei gelegener Zeit seine eigene Macht in Spanien erweitern konnte. Und wenigstens zwei andere benachbarte Städte müssen bald nachher ebenfalls in seine Gewalt gekommen sein, Urgel und Ausona; sie erscheinen schon nach wenigen Jahren als den Franken unterworfen[2]). Aber von einer gesonderten Verwaltung dieser Gebiete unter einem eigenen Markgrafen findet sich noch keine Spur; sie sind zunächst wohl unmittelbar mit dem Königreich Aquitanien vereinigt worden; erst später ist die spanische Mark gegründet[3]). Vorläufig machten noch die Wasconen den Franken hinlänglich zu schaffen, die Grenzkriege mit ihnen wollten kein Ende nehmen[4]).

In diese für den Herzog Tassilo von Baiern ohnehin so schwierige Zeit fiel, wie wir bereits gesehen haben, nun auch noch ein Wechsel in der Leitung des wichtigsten bairischen Bisthums durch den zu Ende 784 erfolgten Tod des Bischofs Virgil von Salzburg[5]). Es dauerte ein volles halbes Jahr, bis der Bischofs- stuhl wieder besetzt war. Die Wahl fiel nicht wieder auf einen Schotten (Iren), sondern auf einen in den neuen bonifazischen Grundsätzen groß gewordenen Mann, der wahrscheinlich ein ge- borener Baier war, Arno, vorher allerdings Abt von St. Amand im Hennegau. Es sind über Arno's Herkunft verschiedene An-

---

weise. Möglich, daß die Uebergabe der Stadt mit dem Gegensatze zwischen Christen und Arabern zusammenhing, vgl. Le Cointe, VI, 259; doch drückt sich Aschbach a. a. O. zu bestimmt darüber aus.

[1]) So in den Ann. Lauresham., SS. I, 33, und daraus im Chron. Mois- siacense, SS. I, 298: Eo anno mense Decembri apparuerunt acies terri- biles in coelo, quales numquam nostris temporibus nec antea apparuerunt, necnon et signa crucis apparuerunt in vestimentis hominum, et nonnulli sanguinem dixerunt se videre pluere . . .; auch in den Ann. Barcinon. l. c., wo diese Notiz unmittelbar auf die oben (S. 510 N. 2) angeführte Nachricht über die Uebergabe von Geroua folgt: Apparuerunt acies in celo et signum † in vesti- mentis hominum, et multi viderunt sanguinem pluere . . .; vgl. Forschungen XIV, 134.

[2]) Vgl. Histoire générale de Languedoc, I, 444; Aschbach a. a. O.; Foß, Ludwig der Fromme, S. 5; Funck, Ludwig der Fromme, S. 10.

[3]) Die Histoire générale de Languedoc, a. a. O., und Funck, S. 9 f., setzen schon in dieses Jahr die Gründung der spanischen Mark. S. jedoch unten Bd. II. z. J. 795.

[4]) Vgl. unten zum Jahr 788 und Bd. II. z. J. 790. Fauriel III, 363; Funck, S. 10; Leibniz I, 118, setzen den Kampf des Grafen Chorso gegen den Wasconen Adelrich schon 785 oder 786 an; er fällt aber wahrscheinlich erst 788 oder gar 789.

[5]) Vgl. o. S. 490 ff.

fichten aufgeſtellt, er iſt für einen geborenen Sachſen[1]) oder aber, mit Rückſicht auf Aeußerungen Alkuin's, der ihn zuweilen ſeinen Bruder nennt[2]), für einen Angelſachſen gehalten worden[3]); beides ohne zureichenden Grund, obſchon die letztere Anſicht wenigſtens nicht unbedingt zurückzuweiſen iſt. Wahrſcheinlicher aber war er von Geburt ein Baier, wenn es auch nicht möglich iſt ſeine Herkunft genau nachzuweiſen. In Urkunden von Freiſing begegnet uns ſeit 765 unter den Zeugen ein Diakonus Arn, ſeit 776 ein Presbyter Arn[4]); es iſt wohl derſelbe, welcher das Jahr darauf in der Stif= tungsurkunde von Kremsmünſter genannt wird und nach der den Inhalt dieſer Stiftungsurkunde zum Theil wiederholenden Beſtäti= gungsurkunde Karl's von 791 der ſpätere Biſchof von Salzburg war[5]). Doch war Arno jedenfalls nicht ununterbrochen in Baiern; ſeit 778 wird er in den bairiſchen Urkunden nicht mehr aufgeführt. Vermuthlich begab er ſich um dieſe Zeit nach dem Hennegau in das Kloſter St. Amand; da Gislebert, Biſchof von Noyon und Tournai und Abt von St. Amand, am 23. Mai 782 ſtarb, ward Arno an ſeiner Stelle zum Abte von St. Amand gewählt, und zwar unmittelbar darauf, denn ſchon zum 26. Mai wird ſeine Abts= weihe verzeichnet[6]). Seines Bleibens in St. Amand war jedoch nicht lange, ſchon 3 Jahre ſpäter ward er auf den biſchöflichen Stuhl von Salzburg berufen, wo ſeine feierliche Biſchofsweihe am 11. Juni 785 erfolgte[7]). Arno's Verbindung mit St. Amand wurde

---

[1]) Von Hanſiz, Germania sacra II, 98, und Zauner, Chronik von Salzburg, I, 40, doch ohne Beweis; die Angabe des Catalogus archiepisc. et episc. Laureac. et Patav., bei Rauch, Scriptores rerum Austriacarum II, 356, kann für einen ſolchen nicht gelten. Vgl. auch Zeißberg, Arno, S. 308 N. 3. Ueber den Namen Arno vgl. Zeißberg, Alkuin und Arno, in der Zeitſchrift für die öſterreichiſchen Gym= naſien, 13. Jahrg. 1862, S. 95 N. 1.

[2]) Alcuin. epist. 64. 90. 134, Jaffé VI, 302. 377. 524; Rettberg II, 237 N. 30.

[3]) Von Mabillon, Annales II, 263; Meichelbeck I a, 90; Metzger, Historia Salisburg. S. 222. Rettberg, a. a. O., hat jedoch ſchon bemerkt, daß die dem Arno von Alkuin beigelegten Bezeichnungen als frater, germanus nur ein Ausdruck der Freundſchaft ſind; vgl. auch Zeißberg, Alkuin und Arno, S. 88.

[4]) Urkunden bei Meichelbeck I b, 33 Nr. 13; 57 Nr. 50; die Zuſammenſtellung der anderen bei Zeißberg, Arno S. 308 N. 3.

[5]) Urkundenbuch von Kremsmünſter S. 2, vgl. mit S. 6; Mühlbacher N. 302. Schon Hanſiz, a. a. O., macht darauf aufmerkſam, dann Zeißberg S. 308. (Gegen die Herbeiziehung der Urkunde bei Meichelbeck, I a, 58 f., vom Jahr 758, worin Haholt ſeinen Sohn Arno dem geiſtlichen Stande weiht und welche Rettberg, II, 238, auf unſern Arno bezieht, der alſo einen Vater Haholt gehabt, erklärt ſich ſchon Meichelbeck, I a, 59; dann Zeißberg, a. a. O. Wenn Büdinger, S. 122, Arno's Geburt um 744 anſetzt (Allgem. D. Biogr. I, 575 nennt er kein Geburtsjahr), iſt das bloße Vermuthung; man lieſt nur, daß er beträchtlich jünger als der um 735 ge= borene Alkuin war.

[6]) Vgl. oben S. 441; den Tag der Weihe gibt ein Martyrolog, bei Zeißberg, Alkuin und Arno, S. 95 N. 5; Arno, S. 309 N. 1.

[7]) Annales Iuvav. mai., SS. III, 122: Arn episcopus ordinatur 3. Id. Iun.; Ann. Iuvav. min., SS. I, 88; Ann. s. Emmerammi Ratisp. mai. 786, SS. I, 92; Auctar. Garst. 785, SS. IX, 564; vgl. auch Catall. archiepp. Salisburg., SS. XIII, 353. 355; Carm. Salisburg., Poet. Lat. aev. Carolin. II, 637—638; Zeißberg, Alkuin und Arno, S. 96 N. 6.

aber dadurch nicht gelöst. Daß er noch bei seinem Tode als Abt
von St. Amand bezeichnet wird[1]), beweist zwar nicht, daß er die
Abtswürde behielt[2]). Es wird bei seinen Lebzeiten ein anderer
Abt von St. Amand genannt[3]), den wir nicht als bloßen, von ihm
selbst eingesetzten Stellvertreter Arno's werden betrachten dürfen[4]).
Aber auch noch später, da er längst Bischof von Salzburg war,
blieb Arno nicht bloß mit jenem Kloster in Verbindung, sondern
nahm dort auch noch längeren Aufenthalt[5]).

Alkuin rühmt das Verdienst, das sich Arno durch die von ihm
vorgenommenen Bauten um St. Amand erwarb[6]); vielleicht hat
es Arno der Freundschaft Alkuin's mit zu verdanken, daß er Bischof
von Salzburg wurde. Alkuin hatte einige Zeit nach seiner Ankunft
im fränkischen Reiche von Karl zwei Klöster zum Unterhalt angewiesen bekommen, Bethlehem oder Ferrières im Sprengel von
Sens und St. Lupus in Troyes[7]); von hier aus scheint die Verbindung zwischen Alkuin und Arno angeknüpft zu sein, während
Arno noch in St. Amand war, und verschiedene Briefe Alkuin's
zeigen, wie innig ihr Verhältniß wurde[8]). Es war natürlich, daß
Tassilo bei der bedrohlichen Gestalt, die sein Verhältniß zu Karl
annahm, für den wichtigen Salzburger Stuhl sich nach einem
Manne umsah, der freundschaftliche Beziehungen zum fränkischen
Hofe hatte[9]); andererseits mußte auch Karl viel daran liegen, mit
der einflußreichen Stellung eine den Franken zugeneigte Persön-

---

[1]) Die Annales Elnonenses mai. SS. V, 11 geben zu 821 seinen Tod an
mit den Worten: Obiit Arno archiepiscopus, abba de sancto Amando. Aber
ebenso wird auch der frühere Abt Agilfrid, nachher Bischof von Lüttich, in diesen
Annalen noch bei seinem Tode 787 Abt von St. Amand genannt. Daß er es nicht
mehr war, wird einfach dadurch bewiesen, daß Arno mindestens 782—785 Abt war.
Ganz falsch ist es, wenn Zeißberg, S. 309, Agilfrid für den Nachfolger Arno's in
St. Amand hält; vgl. auch Karajan, Verbrüderungsbuch von St. Peter, S. XXIX.
[2]) So Karajan S. X. XXIX, der dies auch daraus schließen will, daß in dem
Ordo vivorum der Congregatio s. Amandi, S. 4 Reihe 20, obenan Arno steht.
Zeißberg, S. 309, nimmt wenigstens an, daß Arno den Titel eines Abts von St.
Amand beibehielt; vgl. jedoch die vorige Note.
[3]) Der Abt Adalricus, dessen Tod die Annales Elnon. mai. l. c. zu 819
angeben; vgl. auch Series abb. s. Amandi, SS. XIII, 386; Ann. Bertiniani 833,
rec. Waitz S. 6 N. 6 (Zusatz am Rande der Haudschr. von St. Omer); dazu
aber Waitz, SS. XV, 309 N. 6; Simson, Die Entstehung der pseudoisidor. Fälschungen in Le Mans, S. 108.
[4]) Vgl. Karajan, S. X.
[5]) Darauf macht auch Rettberg II, 238, aufmerksam; vgl. Alcuin. epist. 133,
Jaffé VI, 522—523. Auch das ist hervorzuheben, daß die zweite Elevation der
Gebeine des h. Amandus im Jahr 809 Arno's Werk war, vgl. Mabillon, Annales II, 386 f.
[6]) In verschiedenen metrischen Inschriften, carm. 88, 4, 14; 109, 15, Poet.
Lat. I, 306. 308. 338.
[7]) Vita Alcuini c. 9, SS. XV, 190 (Jaffé VI, 17 N. 5); vgl. Alcuin.
epist. 104. 105, Jaffé VI, 437. 439; oben S. 411 N. 2.
[8]) Vgl. die oben S. 512 N. 2 angeführte Zusammenstellung bei Rettberg II,
237 N. 30.
[9]) Vgl. Rettberg II, 238 f.; Giesebrecht, Königsannalen S. 201.

lichkeit bekleidet zu sehen: beide Theile hatten ein Interesse an der Erhebung Arno's. Es ist leicht möglich, wenn auch nicht über= liefert, daß Karl bei Tassilo bestimmte Schritte zu Gunsten Arno's that[1]); jedenfalls konnte Tassilo bei den Rücksichten, die er zu nehmen hatte, kaum eine bessere Wahl treffen. Arno selbst, auf dessen guten Willen man auf beiden Seiten rechnete, kam in eine schwierige Stellung und konnte später dem Vorwurf nicht entgehen, die Sache seines Herzogs nicht hingebend genug vertreten zu haben[2]). Das über Tassilo hereinbrechende Verderben war er nicht im Staube abzuwenden; dafür ist er später unter Karl auch in Staatsgeschäften desto erfolgreicher thätig gewesen, ohne darüber die Sorge für seine Diözese zu vergessen; um die Kirche von Salzburg, wo er, wie sein Vorgänger, die bischöfliche Würde mit der des Abtes von St. Peter vereinigte[3]), hat er sich die größten Verdienste er= worben.

Noch scheint in diesem Jahre auch in Wirzburg ein Bischofs= wechsel stattgefunden zu haben. Dort stand seit einer Reihe von Jahren, spätestens seit 754[4]), an der Spitze des Bisthums Megin= gaub oder Megingoz, einer von den Genossen des Bonifaz, der ihm auch noch die bischöfliche Weihe ertheilt hatte[5]), übrigens kein Angelsachse von Geburt[6]), sondern ein Franke[7]) aus vornehmer Familie, die in der Gegend an der fränkischen Saale sehr begütert erscheint und mehrere Klöster, Megingaudeshausen, Mattencelle, vielleicht auch Schwarzach stiftete[8]). Megingoz tritt während seiner

---

[1]) Auch Rettberg II, 239 denkt an die Möglichkeit; Karl konnte sich dabei auf die Abhängigkeit berufen, worin Tassilo infolge des von ihm dem Könige geleisteten Treueides stand.

[2]) Büdinger, S. 122 f., nimmt an, Arno sei dem Herzog nur halben Herzens ergeben, seine Unterstützung zweifelhaft gewesen; vgl. jedoch unten zu 788.

[3]) Vgl. Excurs I, und Zeißberg S. 310; in einem Schreiben, Monumenta Boica XIV, 351 Nr. 2, nennt sich Arno den exiguus et quasi abortivus servus servorum dei indignus vocatus abba et episcopus successor religiosissimi et famosissimi Virgilii.

[4]) Bischof Burchard von Wirzburg scheint 754 (2. Febr.) gestorben und ihm dann Megingaud gefolgt zu sein; vgl. Holder-Egger, SS. XV, 50 N. 1; 58 N. 5.

[5]) Darüber Rettberg II, 318 f.; Oelsner, König Pippin S. 358 N. 4. 366 bis 367; Megingoz' Grabschrift sagt ausdrücklich:

[Ad sanctae?] quondam Bonifacius arcis honorem
   Perduxit sacro constituitque gradu,

vgl. auch Wandalbert. De mirac. s. Goaris c. 1, SS. XV, 364, sowie die Widmung seiner Vita Bonifatii durch Willibald an Lul und Megingoz, Jaffé III, 429 f.

[6]) Wie die V. Burchardi auctore ut traditur Egilwardo, l. III. c. 1, SS. XV, 60 angibt; vgl. dazu auch ebd. S. 47 N. 7 (in Betreff der Herkunft Burchard's).

[7]) Holder-Egger, SS. XV, 60 N. 3, glaubt, er sei Mönch in Fritzlar gewesen; vgl. Lup. V. Wigberti c. 5, SS. XV, 39—40 N. 2 (Bonifat. epist. 64, Jaffé III, 183) Derselbe hält auch für möglich, daß M. mit dem Presbyter Me= gengot identisch sei, welcher eine Urkunde für Fulda vom Jahr 747 unterschreibt (Dronke, Trad. Fuld. S. 4). Anders Hahn, Bonifaz und Lul, S. 319 N. 7; vgl. Rettberg I, 599. II, 320.

[8]) Das Genauere bei Rettberg II. 318. 330 ff. Die Schenkung für Fulda von Matto und Megingoz vom 19. April 788, bei Dronke, Codex S. 53 Nr. 87, rührt nicht vom Bischof Megingoz her, sondern diese Brüder Matto und Megingoz

langen bischöflichen Wirksamkeit verhältnißmäßig wenig hervor[1]),
doch häufig genug um erkennen zu lassen, daß er mit Eifer und
Sorgfalt seines Amtes wartete[2]); endlich, nach mehr als dreißig-
jähriger Amtsführung, da er seine Kräfte schwinden fühlte, legte er
seine Würde nieder[3]). Der einzige, freilich sehr späte Bericht darüber erzählt, Megingoz habe vor seinem Rücktritt selbst noch aus
der Zahl der Geistlichen seiner Kirche seinen Nachfolger bestellt,
Bernwelf, und ihm die Weihe ertheilt in Gemeinschaft mit Lul und
mit Bischof Willibald von Eichstädt; zugleich die einzige Handhabe
für die Zeitbestimmung; da Lul und Willibald 786 (resp. 787)
starben, kann Megingoz' Rücktritt kaum später als 785 fallen[4]).

Der Wechsel in der Leitung der Kirche von Wirzburg war
aber nicht blos ein Personenwechsel, sondern hatte allem Anschein
nach tiefer greifende Folgen. Der neue Bischof Bernwelf, von dem
man liest, er sei früher im Auftrage des von Karl mit der Mission
daselbst betrauten Bischofs von Wirzburg in der Gegend von
Paderborn thätig gewesen, verfuhr in der Verwaltung seiner Kirche
nach anderen Grundsätzen als sein Vorgänger[5]). Es wird erzählt,

---

sind seine Neffen, denn ihre Schwester Juliane, die Matto in einer zweiten Schenkungsurkunde nennt, bei Droufe Nr. 88, ist Megingoz' Nichte, Bonifat. et Lull. epist.
128, Jaffé III, 295, wo freilich ihr Name nicht genannt ist, ihr Vater Megingoz'
Bruder, vgl. den Stammbaum bei Rettberg II, 332 N. 27.

[1]) Eine Wirzburg betreffende Urkunde, die in die Zeit seiner Amtsführung fällt,
ist die genaue Wirzburger Markbeschreibung bei Eckhart I, 674 f.; Müllenhoff und
Scherer, Denkmäler deutscher Poesie und Prosa, 2. Ausg. S. 176 f., welche unter
der Leitung des Königsboten Eberhard vorgenommen ist, wie aber schon Eckhart l. c.
bemerkt, nicht auf die Diözese, sondern auf die Stadt Wirzburg sich bezieht. Die
Urkunde ist datirt vom 14. October 779 und hat es nur zu thun mit der Seite
westlich vom Main. Hingegen die ganze Wirzburger Mark umfaßt die darauf
folgende deutsch abgefaßte Markbeschreibung, die aber jedenfalls nicht wie die erstere
ein amtliches Schriftstück ist, vielleicht, wie Scherer, Denkmäler S. 535 vermuthet,
gerade durch die lateinische Urkunde amtlich berichtigt werden sollte, so daß die deutsche
Beschreibung noch etwas älter wäre.

[2]) Was über seine Amtsführung bekannt ist, zählt Rettberg II, 318 f. auf;
vgl. ferner Hahn, Bonifaz und Lul S. 145 N. 3. 319. 322. 329. 334—335;
Oelsner a. a. O. S. 367.

[3]) Tandem senio iam imbecilior effectus, heißt es in der V. Burchardi
auct. ut tradita Egilwardo, III. 1, SS. XV, 60.

[4]) Vita Burchardi l. c. und c. 3, S. 61. Hier wird dem Bernwelf allerdings nur eine Regierungszeit von 7 Jahren gegeben und im Catal. epp. Wirzeb.
SS. XIII, 338 sowie Ann. Wirziburg. (S. Alban. Mog.) 800, SS. II, 240;
Chron. Wirziburg. SS. VI, 27 sogar nur von 6; aber diese Frist ist offenbar
vom Tode des Megingoz, welcher 794 am gleichen Tage wie Bernwelf (26. Sept.)
gestorben sein soll (vgl. unten S. 517 N. 2), nicht von dem Rücktritt desselben gerechnet (Rettberg II, 320 N. 45). Für 785 als Zeit des letzteren entscheidet sich
auch Eckhart I, 703 f., nur daß ihm der Nachweis, der Rücktritt sei in den Anfang
Oktober zu setzen, nicht gelungen ist; ferner Gropp, Geheiligter Wirzburgischer Bischofssitz, S. 102. Ueber die Verwirrungen in der Chronologie vgl. Eckhart I, 702 f. —
Die Erwähnung des Bernwelf (Berohelpos, episcopus civitate Wirsburgo) als
auf der Lateransynode im April 769 anwesend im cod. Vossian. des Liber pontif.
(V. Stephani III.), Duchesne I, 473. 482, kann wohl auf keinen Fall richtig sein.

[5]) Vgl. Schaten, Historia Westfaliae I, 369, der sich auf alte Wirzburgische
Aufzeichnungen beruft.

nachdem er kaum Bischof geworden, habe Bernwelf die Mönche in dem Stifte zu St. Kilian, mehr als 50 an der Zahl, von dort verjagt und gezwungen sich zu Megingoz zu begeben; gegen diesen selbst habe er Anschuldigungen erhoben wegen Veruntreuung von Gegenständen, die Megingoz' Vorgänger Burchard den ihm nahe Stehenden vermacht, Kleidern, Handschriften und anderen Dingen[1]). Wie es sich mit diesen Anklagen verhielt, ist nicht zu ermitteln[2]); die Hauptsache ist jedenfalls das Auftreten Bernwelf's gegen jene Mönche. Ihr Vorhandensein, vollends ihre große Zahl beweist, daß vorher in Wirzburg das mönchische Leben sehr begünstigt ge= wesen sein muß; den neuerdings zur Geltung gekommenen hierarchi= schen Anschauungen, welche eine strenge Sonderung der Mönche von den Klerikern, die Fernhaltung der ersteren von den geistlichen Verrichtungen der letzteren verlangten, entsprach das nicht, da die Anhäufung von Mönchen in dem Stifte zu St. Kilian, welches zugleich Sitz des Bischofs war[3]), den Unterschied zwischen Klerikern und Mönchen mehr und mehr verwischen mußte. Dem vorzu= beugen, die vorherrschenden hierarchischen Grundsätze streng zur Geltung zu bringen, war offenbar die Absicht Bernwelf's, die er auch, da er die Mönche ohne weiteres verjagte, schonungslos durch= führte[4]). Es ist die einzige Maßregel von Bedeutung, die aus der Amtsführung Bernwelf's überliefert ist[5]); hingegen hat er durch sein strenges Auftreten gegen die Mönche den Anstoß dazu gegeben, daß Megingoz noch als Klostergründer auftritt.

Megingoz hatte sich mit wenigen Gefährten nach einem Orte Rorinlacha, Rorbach am Main im Speffart, zurückgezogen, den ihm ein gewisser Hatto geschenkt[6]). Da die aus Wirzburg ver= jagten Mönche ihm dahin folgten, legte er daselbst ein Kloster an, das nachher den Namen Neustadt erhielt und bei dessen Gründung ihm auch König Karl zur Hand gegangen sein soll[7]). Inzwischen

---

[1]) Vita Burchardi l. c.

[2]) Die Vermuthung von Eckhart I, 705, Megingoz habe das Kloster in Neu= stadt auf Kosten der Kirche von Wirzburg gebaut, schwebt in der Luft, widerspricht sogar der Erzählung in der Vita Burchardi.

[3]) Vgl. Rettberg II, 329.

[4]) Diesen Gesichtspunkt macht schon geltend Fries, Gesch. der Bischöfe von Würzburg, neu herausgeg. Würzburg 1848, I, 38; dann auch Schaten, Historia Westfaliae I, 369; noch deutlicher Rettberg II, 320.

[5]) Nur noch ein Gütertausch mit dem Fiscus ist sonst von ihm bekannt, er= wähnt in der Urkunde Ludwig's d. Fr. Mühlbacher Nr. 940; bei Eckhart II, 884; Monumenta Boica XXVIIIa, S. 31 Nr. 21; Rettberg II, 320; vgl. auch unten S. 519 N. 3.

[6]) Vita Burchardi l. c. Genaueres über diesen Hatto ist nicht bekannt; vgl. Eckhart I, 704.

[7]) Vita Burchardi l. c. Der Biograph, der freilich erst dem 12. Jahr= hundert angehört, beruft sich für seine Angaben über den Streit zwischen Megingoz und Bernwelf auf die Aufzeichnung eines Augenzeugen: Cuius tamen disceptationis modum et finem si quis scire voluerit, a quodam monacho, qui tunc inter= erat, conscriptum repperire poterit (vgl. auch Holder=Egger ibid. S. 46).

verfolgte ihn Bernwelf fortwährend mit seinen Ansprüchen; um endlich Ruhe davor zu bekommen, stellte er das Kloster unter den besonderen Schutz des Königs[1]). In dieser seiner Stiftung beschloß er auch sein Leben; er starb angeblich 794, 26. September[2]).

---

[1]) Vita Burchardi l. c.: Tantam denique tamque diutinam inquietudinem patri quondam et magistro suo subrogatus episcopus inflixit, ut taedio affectus sese suosque discipulos, ipsum quoque locum, qui tunc Rorinlacha, postea vero Niuvenstat dictus est, Karoli regis patrocinio committeret et eius adiutorio monasterium ibidem a se suisque monachis inhabitandum institueret. Das ist aber auch die einzige brauchbare Nachricht über die Gründung von Kloster Neustadt; die angebliche Stiftungsurkunde Karl's, wonach dieser selbst der Stifter wäre, Mühlbacher Nr. 315, und zwei andere die Stiftung betreffende Urkunden, Monumenta Boica XXXI, 11. 40 Nr. 5. 16, sind erwiesenermaßen falsch, wie schon Eckhart I, 705 ff.; Rettberg II, 333 f. u. a. dargethan haben; vgl. Sickel II, 424 (442); Mühlbacher Nr. 460. 573 (288); Böhmer-Will, Regest. archiepp. Maguntin. I, 42 Nr. 59.

[2]) Nach der Angabe im Catal. epp. Wirzeburg. SS. XIII, 338, Annales Wirziburg. (s. Albani Mog.), SS. II, 240, und Chron. Wirziburg. SS. VI, 27; jedoch wird dabei die Dauer seiner Amtsführung ganz falsch angegeben, vgl. Schäffler, in Archival. Zeitschr. III, 286. Den Todestag (26. Septbr.) hat u. a. auch das Merseburger Todtenbuch, Neue Mittheilungen des thüring.-sächsisch. Vereins XI, 6. 20.

Ein neuer Abschnitt beginnt in Karl's Regierung. Die Unter=
werfung Sachsens, welche seit Jahren die Kräfte des Reiches vor=
zugsweise in Anspruch genommen, ist in der Hauptsache vollendet,
Karl bekommt freie Hand zu neuen Unternehmungen. Keine Ab=
spannung folgt auf die Anspannung der letzten Jahre, Auflehnungen
gegen die königliche Autorität werden rasch und kräftig unterdrückt,
dann ungesäumt an neue Aufgaben Hand angelegt, wie vordem im
Norden, so jetzt im Osten und Süden des Reichs, in Baiern, in
Italien die Herrschaft des fränkischen Königs zur Anerkennung ge=
bracht.

Karl hatte diesmal zu seinem Winteraufenthalte die Pfalz in
Attigny gewählt, wo er Weihnachten 785 zubrachte[1]) und auch
noch zu Ostern, 23. April, 786 verweilte[2]). Dort[3]) muß wohl
auch die vom 29. März dieses Jahres datirte Urkunde[4]) ausgestellt
worden sein, durch welche er dem Kloster Onolzbach oder Ansbach,

---

[1]) Annales Lauriss. mai. 785, SS. I, 168.

[2]) Annales Lauriss. mai. l. c.; Ann. Einh. 786, SS. I, 169; Ann.
ut videtur Alcuini, SS. IV, 2; Ann. Iuvav. mai. SS. I, 87.

[3]) Das überlieferte Actum lautet freilich: Aquisgrani palatio nostro; vgl.
indessen Mühlbacher Nr. 262; Sickel II, 46 Nr. 105; 259, will wenigstens Aquis
lesen, vgl. I, 232—233.

[4]) Sickel K. 105; Mühlbacher Nr. 262; bei Falckenstein, Urkunden und Zeug=
nisse vom Burggrafthum Nürnberg S. 1 ff. Nr. 1; Strebel, Franconia illustrata
S. 132 ff.; Ussermann, Episcopatus Wirceburgensis, Codex probationum
S. 3 Nr. 3 etc. Die Echtheit dieser Urkunde wurde früher bestritten; vgl. Bensen,
Historische Untersuchungen über die ehemalige Reichsstadt Rotenburg S. 48 f.; ferner
besonders Rettberg, II, 340 ff., welcher die Litteraturnachweise über die Streitfrage
von der Gründung des Klosters Ansbach enthält. Auch Eckhart, I, 489. 796, hütet
sich Gumbert als Gründer des Klosters zu bezeichnen. Für die Echtheit des Diploms
dagegen Sickel, Beiträge zur Diplomatik III, 37 (Wien. S.=B. XLVII, 211);
Urkf. der Karolinger II, 46. 259—261.
In der That schreibt auch die Vita s. Gumberti, bei Strebel S. 199 und
Acta SS. Boll. 15. Iul. IV, 69 ff., die Gründung von Ansbach dem Gumbert
zu, kann aber bei ihrem durchaus legendenhaften Charakter nicht als Zeugniß gelten.
Die Vita Burchardi auct. ut traditur Egilwardo II. 10, SS. XV, 57—58,
erzählt nur von der Schenkung von Ansbach durch Gumbert an Wirzburg und sagt,

welches der Bischof[1]) Guntpert (Gumbert) im Rangau am Zusammenfluß der Rezat und des Onolzbaches im Walde Virngrund[2])
erbaut und ihm übergeben hatte, die Immunität und das Recht der
Abtswahl verlieh. Später überließ Karl, auf Vermittelung des Grafen
Unroch, Ansbach durch einen Tausch dem Bischof Bernwelf von Wirzburg[3]). — Ein alter Annalist hebt hervor, in diesem Jahre habe
man, außer dem italienischen, keinen Feldzug unternommen[4]); er
ist an große Kriegszüge gewöhnt, durch kleine vereinzelte Kämpfe
läßt er sich den Frieden nicht stören. Die Nachricht ist eigentlich
geradezu unrichtig. Auch das Jahr 786 fängt mit stürmischen
kriegerischen Aussichten an. An zwei Punkten des Reiches, im
Westen in der Bretagne und im Osten in Thüringen, stiegen
drohende Wolken herauf. Weder hier noch da ist ein Zusammenhang mit dem letzten großen Ereigniß im Reiche, mit der Vollendung der Eroberung Sachsens, zu erkennen; wobei es doch immer
möglich bleibt, daß ein solcher Zusammenhang bestand, daß die
Kriegslast der letzten Jahre die Unzufriedenheit beförderte, die vor-
aussichtliche Erschöpfung der Widerstandskraft des Königs nach
einer Reihe von Kriegsjahren zu einer Erhebung gegen ihn er-
muthigte, wenn auch der letzte Grund der Bewegung in Thüringen
ein anderer gewesen sein mag als in der Bretagne[5]).

---

diese jetzige Propstei sei nach alter Tradition ehemals eine nicht unbedeutende Abtei
gewesen: Hae autem sunt possessiones, quibus episcopium Wirziburgense
large ditavit: Eltimoin (Eltmann am Main, Bez. Haßfurt), Onoltespach,
utrumque cum suis reditibus et appendiciis, quorum prius, cum olim castellum fuisset munitissimum, modo magnificentiam suam ipsis tantum ruinis
declarat: sequens vero, quod nunc prepositura canonicorum est, olim abba-
tiam non ignobilem fuisse, hucusque a maioribus per multas iam genera-
tiones hereditatum testimonium illius provinciae non celat; vgl. Rettberg
a. a. O. S. 339; Sickel II, 259.

[1]) Daß Gumbert als Abt eines Klosters den Bischofstitel führt, ist nicht auffallend, vgl. Rettberg H, 340 ff.; Sickel II, 260; Holder-Egger, SS. XV, 57 N. 8.
Auch die unten N. 3 angeführte Urkunde Ludwig's des Fr. vom J. 837 bezeichnet
ihn so; vgl. auch eine Urkunde Konrad's I. v. J. 911, M. G. Dipl. reg. et
imp. I, 2 Nr. 1 etc.

[2]) infra waldo qui vocatur Vircunnia. Sollte hiebei nicht an fergunna
= Waldgebirge zu denken sein? Vgl. unten N. 3 und Bd. II. z. J. 805.

[3]) Urk. Ludwig's des Fr. vom 20. Dez. 837; Sickel L. 356; Mühlbacher
Nr. 940, bei Eckhart II, 884, oben S. 516 N. 5, wonach Guntbert in quadam
silva locum qui dicitur Onoltespah nebst anderen Gütern Ludwig's Vater Karl
übergeben, Karl diese Besitzungen durch Tausch an Bischof Bernwelf von Wirzburg
überlassen hat. Vgl. auch die übereinstimmende notitia de concambio bei Strebel
S. 212 Nr. 5. — Die Behandlung von Ansbach als Tauschgegenstand durch Karl
steht mit der Verleihung der Immunität nicht im Widerspruch. Vielleicht ging das
Kloster, nachdem es durch Tausch an das Bisthum Wirzburg gekommen war, ein
(Sickel II, 260).

[4]) Annales Petaviani, SS. I, 17: Hic annus fuit sine hoste (vgl.
Dümmler in v. Sybel's histor. Zeitschr. XV, 182). Wahrscheinlich ist die Nachricht
auch nur in dem Sinne gemeint, daß der König selbst keinen Feldzug unternahm;
vgl. unten S. 551 N. 4.

[5]) Darüber und über abweichende Ansichten in Betreff dieses Punktes vgl.
unten S. 521 ff.

Die Unruhen in Thüringen fallen, soviel zu erkennen ist, etwas früher als die in der Bretagne, reichen noch zurück ins Jahr 785; aber erst 786 trat der König ihnen entgegen[1]). Man liest, Karl sei schon frühzeitig von den Plänen seiner Gegner unterrichtet worden, habe jedoch eine Zeit lang gewartet, ehe er einschritt[2]). Seine Absicht war also, erst in der Stille seine Gegenmaßregeln zu treffen. Die Nachrichten geben übereinstimmend an, daß die Bewegung sich auf einen weiten Umfang erstreckte und den König mit einer großen Gefahr bedrohte[3]). Ueber den Zweck der Verschwörung haben wir nur ziemlich unbestimmte Kunde[4]). Nach der ausführlichsten Darstellung, die jedoch kein großes Vertrauen einflößt[5]), war die Losung der Verschworenen keine andere als die, den König festzunehmen und zu ermorden oder, falls das nicht ge=

---

[1]) Schon zu 785 (Ende) geben über dies Ereigniß die Annales Einhardi, SS. I, 169, ihren ziemlich summarischen Bericht. Desgleichen unter 785 die Ann. Sithiens. SS. XIII, 36; Poeta Saxo l. II, v. 197—207, Jaffé IV, 565; Ann. Quedlinb. SS. III, 38; Ann. Altah. SS. XX, 783 (Herm. Lorenz, S. 86). Auch die Ann. Lauriss. mai. SS. I, 168, wo jedoch die ganze Sache in allen Handschriften mit Ausnahme von zweien (5. und 6. bei Pertz) übergangen ist (vgl. SS. I, 129—130; Ranke, Zur Kritik S. 434). Sie fehlt auch in den Ann. Tiliani, bei Regino u. f. w. — Dagegen erzählen die hierüber ausführlicheren Ann. Lauresh. SS. I, 32 das Ereigniß unter 786; ebenso Ann. Max., SS. XIII, 21; ferner Ann. Nazar. SS. I, 41 ff.; auch Ann. Iuvav. min. SS. III, 122; Ann. s. Emmerammi Ratisp. mai. SS. I, 92. Jedenfalls erfolgte die Ergreifung und Bestrafung der Verschworenen erst 786, auch nach Ann. s. Amandi, SS. I, 12; Ann. Guelferb. SS. I, 41; Ann. Alamann. ed. Henking S. 237 und auch Ann. Fuld. ant. SS. III, 117*, cod. Casselan. und Monac., während die Wiener Originalhandschrift allerdings 785 hat (vgl. Sickel, Forsch. z. deutsch. Gesch. IV, 458—460). Die Annales Enhardi Fuld. SS. I, 350 erwähnen die Verschwörung und ihre Unterdrückung, wie Ann. Sith., bereits unter 785, dann jedoch 786 die Verurtheilung der Schuldigen, wie Ann. Fuld. ant. (vgl. Simson, Ueber die Annales Enhardi Fuldensis und Sithienses S. 14. 16 u. unten Excurs IV).

[2]) Annales Nazariani: Quod nequam consilium regi multa tempora latere nequaquam potuit; aber erst transactis aliquibus temporibus schritt er ein. Ann. Max.: quod Domino revelante et protegente regem minime latuit; Ann. Einh.: Sed huius (coniurationis) indicium cito ad regem delatum est etc. (Ann. Enhard. Fuld.: et cito compressa est, sc. coniuratio; Ann. Sith.: et cito compressa; Ann. Lauresham.: Quod compertum . . .).

[3]) Die Annales Einhardi l. c. bezeichnen die Verschwörung ausdrücklich als eine inmodica coniuratio, eine tam valida conspiratio; desgl. Einh. V. Karoli c. 20: valida coniuratio; Ann. Lauresham.: Quod factum multos exterruit.

[4]) Thegan. V. Hlud. c. 22, SS. II, 596, sagt von Harbrad: qui iamdudum insurgere in domnum Karolum voluit et ei regnum minuere; Ann. Lauresham.: ac coniurantes invicem coegerunt quos poterant, ut contra domnum regem insurgerent; Ann. Max.: invicem coniurantes contra domnum regem insurgere. — Sonst ist meist von einer coniuratio oder einem consilium malum gegen den König (Ann. Iuvav. min.; Ann. s. Emmerammi Ratisp. mai.) die Rede.

[5]) Vgl. Boretius, Die Capitularien im Langobardenreich S. 133 f.; auch Waitz III, 2. Aufl. S. 292 N. 2 und unten. In der Handschrift der Ann. Nazar. sind die Berichte über 786 und die folgenden Jahre von den vorhergehenden durch einen ziemlich breiten Zwischenraum getrennt (f. SS. I, 22; übrigens auch Heigel in Forsch. zur deutschen Geschichte V, 402—403).

lingen würde, ihm wenigstens den Gehorsam aufzukündigen [1]). Jedenfalls ging die Absicht wohl auf Losreißung vom fränkischen Reiche [2]). Es war wenigstens ursprünglich nur eine Verschwörung eines Theils der Grafen und der Vornehmen [3]), keine allgemeine Volksbewegung, wenn die Urheber auch möglichst viele zum Beitritt nöthigten und verführten [4]). Vorzugsweise erwähnt wird dabei ein Graf Harbrad als Haupt der Verschwörung [5]), die denn auch geradezu nach ihm benannt wurde [6]). Ein Tochtersohn desselben Mannes war später (817) in die Empörung König Bernhard's von Italien gegen Kaiser Ludwig I. verwickelt [7]). Ueber die Ursache der Unzufriedenheit ist nur eine einzige Angabe vorhanden. Einhard nämlich schreibt diese wie die spätere Verschwörung Pippin's des Buckligen der Grausamkeit der Königin Fastrada zu, durch welche Karl sich habe verleiten lassen, seinen von Natur

---

[1]) Ann. Nazariani l. c.: consilium fecerunt, ut Carolum regem Francorum dolo tenerent et occiderent; si ergo hoc scelum (sic) atque nefandissimum crimen perpetrare non praevaluissent, saltim hoc cupiebant constituere, ut non ei oboedissent neque obtemperassent iussis eius; vgl. auch das Folgende (S. 42). — Poeta Saxo l. II. v. 198. 199, Jaffé IV, 565: Ut dirum facinus scelerato corde patrarent — Vel ferro regem vel qualibet arte necando bietet keine brauchbare Bestätigung. Ob die Stelle in einem Capitulare missorum, Capp. I, 66: quia modo isti infideles homines magnum conturbium in regnum domni Karoli regi voluerint terminare et in eius vita consiliati sunt . . . auf die Theilnehmer an dieser Verschwörung bezogen werden darf, bleibt mindestens zweifelhaft; vgl. unten S. 524 N. 2.

[2]) Vgl. oben S. 520 N. 4.

[3]) quidam comites, nonnulli etiam nobilium, sagen die Ann. Lauresh. SS. I, 32; Ann. Max.: Quidam comites; Ann. Einh. 817, SS. I, 204: Hardradus . . . cum multis ex ea provincia (sc. Germania) nobilibus.

[4]) Vgl. Ann. Lauresham., oben S. 520 N. 4 und: eos autem, qui innoxii in hac coniuratione seducti sunt.

[5]) Ann. Lauriss. mai. (die beiden Wiener Hdschr.): Coniuratio Hardradi et orientalium Francorum; Ann. Einh. 785, SS. I, 169: cuius (coniurationis) auctorem Hardradum comitem fuisse constabat — auctoribus eius. 817, S. 204: — cuius maternus avus Hardradus olim in Germania cum multis ex ea provincia nobilibus contra Karolum imperatorem (!) coniuravit. Thegan. c. 22, l. c.: Hardrade, qui erat dux Austriae infidelissimus, qui iamdudum insurgere in domnum Karolum voluit et ei regnum minuere; Ann. Iuvav. min. l. c.: Hartrat partibus Austriae consilium malum fecit contra domnum Karolum regem; Ann. s. Emmerammi Ratisp. mai. l. c.: Hartrat malum consilium fecit; Ann. Fuld. ant. l. c. (Hartrat et ceteri exiliati sunt).

[6]) Ann. Enhard. Fuld. l. c.: Coniuratio orientalium Francorum, quae vocatur Hartrati; ebenso Ann. Sith. l. c. (Hardrati).

[7]) Ann. Einhardi 817, l. c.; Thegan. c. 22 l. c.; vgl. Jahrbb. Ludwig's d. Fr. 1, 113 f. und unten S. 528 N. 7. Sonst ist über Harbrad's Persönlichkeit näheres nicht bekannt: Thegan bezeichnet ihn, wie wir sahen (oben N. 5), als dux Austriae, d. h. als einen ostfränkischen Grafen. In einer Urkunde Karl's für Fulda, vom Dezember 781, ist die Rede von einer Ortschaft Rostorp (Rasdorf), welche von einem Harbrad diesem Kloster geschenkt, später aber von einem Königsboten eingezogen war, Sickel K. 88; Mühlbacher Nr. 240; Dronke, Cod. dipl. Fuld. S. 45 Nr. 73. Vgl. dazu unten S. 524 über Beziehungen der Verschworenen zu Fulda, die es einigermaßen wahrscheinlich machen, daß jener Harbrad mit dem unsrigen identisch oder wenigstens verwandt war.

milden und gütigen Sinn zu verleugnen[1]). Es ist jedoch die
Frage, inwieweit diese Nachricht auf Genauigkeit Anspruch hat[2]).
Jedenfalls ist von bestimmten Fällen, worin sich dieser Einfluß in
Bezug auf die Thüringer äußerte, nichts bekannt[3]). Wahrscheinlich das Gefühl einer erlittenen Zurücksetzung, persönlicher Beleidigung bei einigen Großen hat den Anstoß zu der Verschwörung
gegeben[4]). Dann aber mögen noch weitere Rücksichten mit hineingezogen, weitere Beweggründe hinzugekommen sein. Zwar findet
sich kein Anzeichen davon, daß die allgemeine politische Lage von
Einfluß war auf die Entschließungen der thüringischen Großen,
daß der Untergang der Unabhängigkeit Sachsens, das Baiern
drohende gleiche Schicksal von ihnen als Mahnung betrachtet wurde,
ehe auch noch letzteres gefallen wäre, auf ihre Unabhängigkeit Bedacht zu nehmen[5]); auf keinen Fall ist diese Erwägung die Triebfeder ihres Auftretens gewesen. Hingegen war es eine naheliegende
Befürchtung, daß nach der Ueberwältigung Sachsens Karl in seinem
Streben nach Durchführung der Reichseinheit, nach Verwischung
und Beseitigung der Stammeseigenthümlichkeiten rücksichtsloser als
bisher fortfahren, daß er auch die Thüringer weniger schonend
behandeln werde; denn, ist auch der Grund nicht sicher zu erkennen,
Thatsache ist es doch, daß während des langen Sachsenkrieges
Thüringen mit besonderer Schonung behandelt, von den fränkischen
Heeren, die nach Sachsen zogen, fast nie berührt worden war[6]).
Wenigstens der Masse des Volkes gegenüber, welche für die wahren

---

[1]) Vita Karoli c. 20: Harum tamen coniurationum Fastradae reginae
crudelitas causa et origo extitisse creditur. et idcirco in ambabus contra
regem conspiratum est, quia uxoris crudelitati consentiens, a suae naturae
benignitate ac solita mansuetudine inmaniter exorbitasse videbatur. Ueber
den Ausdruck in ambabus (sc. coniurationibus) vgl. unten S. 523 N. 2.

[2]) Frese, De Einhardi vita et scriptis, S. 16—17, ist der Meinung, daß
hier in der Vita Karoli eine Angabe der Ann. Einhardi 792, SS. I, 179, welche
sich nur auf die Verschwörung Pippin's und seiner Genossen bezieht, unrichtig auch
auf die thüringische Verschwörung von 786 ausgedehnt worden sei; vgl. Bernays,
S. 143—144: v. Ranke, Weltgeschichte V, 2, S. 237; o. S. 459 N. 3.

[3]) Die betreffende Erzählung in den Ann. Nazar., unten S. 523 f., hebt sogar
auch die große persönliche Milde Karl's — freilich im Widerspruche mit sich selbst —
hervor; vgl. o. S. 33 N. 4; auch Ann. Lauresham. (Fragm. Chesn.): solita
clementia omnia consilio regens.

[4]) Darauf weist auch schon Knochenhauer, Geschichte Thüringens, S. 6, hin,
wenn auch nicht so bestimmt. Nur darf man die Weigerung eines thüringischen
Grafen, seine einem Franken verlobte Tochter diesem herauszugeben, nicht schon hieher
ziehen, wie Eckart I, 712: Leibniz, Annales I. 119, u. a. thun, vgl. unten S. 523 f.

[5]) Das sucht Luden IV, 340 ff. auszuführen, der zu diesem Behuf die Verschwörung schon 784 ansetzt, vgl. oben S. 474 N. 3; seine Behauptung ist aber
schon widerlegt von Knochenhauer, S. 7 ff.

[6]) Auch Knochenhauer, S. 7 f., hebt diesen Umstand hervor, aber in einem
anderen Zusammenhange, verwirft den Schluß, als habe zwischen den Thüringern
und Sachsen eine gewisse Verbindung bestanden, den Grund in strategischen
Rücksichten. Eine sichere Erklärung ist nicht möglich: aber falsch ist es jedenfalls,
wenn Martin II, 301, behauptet, die Thüringer hätten am meisten unter den Sachsen-
kriegen gelitten, und daraus die Bewegung herleitet.

Beweggründe der Verschworenen wohl weniger empfänglich gewesen
wäre, konnte mit solchen Vorstellungen am ehesten etwas ausgerichtet werden, und daß die Bewegung in der That nicht beschränkt
blieb auf die Kreise der Großen, sondern mindestens auch ein er-
heblicher Theil des Volkes von ihr ergriffen wurde, scheint aus
den Quellen hervorzugehen[1]). Genau geben sie freilich den Umfang
der Bewegung nicht an. Der Hauptsitz derselben war Thüringen,
aber bestimmte Angaben zeigen, daß sie auch nach Ostfranken Verbreitung fand[2]), überhaupt sich über einen größeren Theil des
rechtsrheinischen Theils des Reichs erstreckte[3]).

Unter solchen Umständen ist es keine Uebertreibung, wenn in
Quellen aus der nächstfolgenden Zeit die Verschwörung als eine
weitreichende, mächtige bezeichnet wird[4]). Der König aber mit
seinem Zuwarten erreichte seinen Zweck, konnte seine Rüstungen
vollenden, wiegte zugleich die Verschworenen in solche Sicherheit
ein, daß sie sich garnicht beeilten loszuschlagen und Karl sie am Ende
doch noch überraschen konnte. Es gibt einen ausführlichen, freilich
theilweise etwas seltsamen Bericht darüber, wie er die Verschworenen
in die Falle lockte[5]). Einer derselben, ein Thüringer, vielleicht
jener Graf Hardrad, hatte seine Tochter, die einem Franken nach
fränkischem Rechte verlobt war, diesem bis dahin vorenthalten.
Karl ließ ihn durch einen eigenen Bevollmächtigten auffordern sie
ihrem Verlobten zu überlassen[6]). Aber dieser weigerte sich, rief

---

[1]) Die Ann. Gueil., Alam., Nazar. sowie die Ann. s. Amandi reden
allgemein von den Thüringern, die Annales Einhardi und Ann. Laur. mai.
(codd. 5. 6), nebst den Ableitungen (Ann. Enhard. Fuld., Sith., Quedlinb.,
Altah.) von den orientales Franci, haben also die ganze Bevölkerung im Auge;
vgl. auch die folgende Note.
[2]) Vgl. die vor. Note; ferner Ann. Lauresham.: in partibus Austriae; Ann.
Max.; Ann. Iuvav. min.; Thegan. c. 22 (Hardrado, qui erat dux Austriae
infidelissimus); Ann. Einh. 785: trans Rhenum apud orientales Francos;
817: in Germania; Einh. V. Karoli c. 20: in Germania. Daß zu dem Ausdruck Einhard's oben S. 522 N. 1: in ambabus . . . conspiratum est, nicht
Germaniis, wie Eckhart, I. 712; Wenck, II. 337 N. wollen, sondern conspira-
tionibus zu ergänzen ist, bemerkt schon Knochenhauer, S. 4 N. 1. Wenn die Ann.
Nazar. von dem Thüringer, der seine Tochter ihrem fränkischen Verlobten verweigert
unten N. 6, sagen: congregavit pene universos Thuringos proximosque
suos, so können die proximi wohl jenes Thüringers sein,
wie Martin II. 301, annimmt, möglicherweise sollen aber auch die Nachbarn der Thüringer damit bezeichnet werden. Ueber die Möglichkeit, unter Thuringi auch noch
Ostfranken und Hessen mitzubegreifen, vgl. Knochenhauer, S. 6. 7 N. 1. Andererseits
wird Franci Austrasiorum, Toringi, Ann. Laur. mai.: 787, S. 172, in Ann.
Einh. 787, S. 171—173, mit: orientales quoque Franci wiedergegeben.
[3]) Vgl. außer den in der vorigen Anmerkung citirten Ausdrücken, welche hierauf
hinweisen (trans Rhenum; in Germania), auch allenfalls die Drohung eines
Thüringers in Ann. Nazar. S. 42: — tu numquam postmodum citra Renum
flumen transire vivus cognosceberis.
[4]) In den Annales Einhardi und der Vita Karoli, oben S. 520 N. 3.
[5]) In den Annales Nazariani, SS. I, 41 ff.
[6]) Schon Eckhart I, 712 f. weist darauf hin, daß nach den Annales Einhardi zu 817, SS. I, 204, und Thegan, Vita Hlud. c. 22, SS. II, 596, Hardrad's Tochter mit dem fränkischen Grafen Meginher vermählt war; vgl. Jahrbb.
Ludwig's d. Fr. I, 113 N. 9. II. 245 N. 6, sowie unten Bd. II. z. J. 811.

vielmehr die Thüringer unter die Waffen, um dem Könige Gewalt
entgegenzusetzen. Jetzt hatte Karl Veranlassung zum Einschreiten
erhalten; die Vorbereitungen waren getroffen, er schickte Truppen
in die aufständischen Gegenden, ließ dieselben verwüsten und hatte
binnen kurzem den Aufstand erstickt. Von einem Widerstande der
Thüringer findet sich keine Spur; sie waren, wie ausdrücklich be=
richtet ist[1]), auf Karl's Einschreiten noch nicht gefaßt gewesen und
nahmen nur noch darauf Bedacht der Bestrafung zu entgehen. Sie
suchten, wenigstens die Häupter der Verschwörung, eine Zuflucht
im Kloster Fulda und baten den Abt Baugolf, bei dem Könige
Fürsprache für sie einzulegen. Baugolf willfahrte ihrer Bitte und
erreichte bei Karl wenigstens soviel, daß er ihnen eine Zusammen=
kunft bewilligte, um sich bei ihm zu verantworten. Allein das Er=
gebniß der Besprechung war ein ungünstiges. Die Frage des
Königs, ob es wahr sei, daß sie ihn zu ermorden beabsichtigt oder
im Falle des Mißlingens ihm den Gehorsam hätten verweigern
wollen, konnten sie nicht mit nein beantworten; einer der Ver=
schworenen soll sogar in seinem Trotze dem König erwidert haben:
„Wenn meine Genossen dächten wie ich, würdest du niemals wieder
lebend den Rhein überschreiten." Hierauf schickte Karl, wie es heißt,
noch ehe er die Entscheidung über ihr Schicksal traf, sie in Beglei=
tung seiner Bevollmächtigten theils nach Rom, theils nach Neustrien
und Aquitanien, um dort über den Gebeinen der Heiligen, also
in besonders feierlicher Weise, ihm und seinen Söhnen den Eid der
Treue zu leisten[2]). Aber schon auf dem Rückwege sollen einige

---

[1]) In den Annales Lauresh. heißt es: Cumque perspicerent, quod opus
nefandum implere non possent neque oportunum tempus adesset, subito
exterriti latebras undique quesivere. Daraus das Chronicon Moissiac.
SS. I, 297.

[2]) Annales Nazariani l. c.; Ann. Lauresham. l. c.: Quod compertum,
domnus rex (solita clementia omnia consilio regens) iussit eos ad se venisse. — Martin, II, 301 f. wirft diese erste Zusammenkunft der Verschworenen
mit Karl fälschlich zusammen mit der Reichsversammlung in Worms.
Die Art der Eidesleistung erinnert an die Eide, welche Tassilo und die bai=
rischen Großen 757 leisten mußten (Ann. Laur. mai.; Ann. Einh. SS. I, 140 bis
141; Oelsner S. 303). — In dem bereits erwähnten Capitulare missorum,
Capp. I, 66, heißt es, c. 1: et inquisiti dixerunt, quod fidelitatem ei non
iurasset. Es ist indessen, wie gesagt, höchst zweifelhaft, ob diese Angabe hieher zu
beziehen ist, obschon dies auch durch Roth, Gesch. des Beneficialwesens S. 387;
Waitz III, 2. Aufl. S. 291—292. 295 N. 2; Mühlbacher Nr. 264 und Diekamp,
Hist. Jahrbuch der Görres=Gesellschaft V, 1884, S. 257, geschieht. Sickel II, 272 f.,
deutt dagegen an die Verschwörung Pippin's im Jahr 792. Boretius schwankt
zwischen beiden Jahren; vgl. unten Bd. II. Vielleicht ist gar weder an die eine
noch an die andere Verschwörung zu deuten. Die vorliegende Fassung jenes Capitulare missorum scheint jedenfalls für Italien bestimmt gewesen zu sein (Hegel II,
5); das Pronomen isti infideles homines deutet auf Ungetreue, die nicht weit zu
suchen waren. Waitz III, 2. Aufl. S. 291 N. 2, deutet sogar die Möglichkeit an,
daß an die Erhebung des Herzogs Hrodgaud von Friaul zu deuten wäre, indessen ist
dasselbe aus den von Boretius, Capitularien im Langobardenreich S. 134 und Sickel
a. a. O. entwickelten Gründen wahrscheinlich hinter das Duplex legationis edictum
vom 23. März 789, Capp. I, 63 (c. 18), zu setzen.

von ihnen festgenommen und geblendet worden fein[1]). Ein Ver=
fahren Karl's, welches, wenn es wirklich so stattfand, nicht mit Un=
recht als ebenso grausam wie treulos bezeichnet worden ist[2]), aber
überhaupt nicht recht begreiflich erscheint[3]). Die übrigen Schuldigen
erhielten ihren Spruch jedenfalls auf der Reichsversammlung in
Worms, die sich auch noch mit der Bestrafung anderer Aufständischer
zu beschäftigen hatte, der Theilnehmer an den Unruhen in der
Bretagne.

Noch während es in Thüringen gährte, fand nämlich auch in der
Bretagne eine Erhebung gegen die Autorität des fränkischen Königs
statt. Dort, auf der äußersten Nordwestspitze Galliens, wohnte
eine fast ungemischte keltische Bevölkerung; vor den eindringenden
Angelsachsen zurückweichend, so wird erzählt, fuhr einst ein großer
Theil der früheren Bewohner des Landes aus Britannien hinüber
aufs Festland und nahm am äußersten Ende Galliens die Gebiete der
Veneter und Coriosoliten (von denen die Städte Vannes und
Quimper ihren Namen führen) ein[4]). Sie wurden von den frän=
kischen Königen unterworfen und zinspflichtig gemacht und pflegten,
wenn auch ungern, den ihnen auferlegten Zins zu entrichten[5]). Was
sie, abgesehen von diesen Lasten, gerade damals bewog sich gegen

---

Die Beziehung auf Italien zeigt zunächst die Handschrift, in welcher dies Capi=
tular überliefert ist (Boretius, Capp. I, 66; Waitz a. a. O. S. 293; Hegel II, 5);
ferner die Angabe in c. 4, S. 67, wo uns auch Hörige, Colonen und Knechte als
Vassallen begegnen: fiscilini quoque et coloni et ecclesiasticis adque servi,
qui honorati beneficia et ministeria tenent vel in bassallatico honorati sunt,
sowie die Bestimmung in c. 5, ibid., worin den Königsboten eingeschärft wird, den
Grundsatz der Persönlichkeit des Rechts gewissenhaft zu achten und durchzuführen, vgl.
Waitz III, 2. Aufl. S. 344 ff. 447; Hegel a. a. O. — Hinsichtlich der Datirung
läßt sich auch nicht die Anknüpfung an die antiqua consuetudo (c. 1) geltend
machen. Allerdings war früher unter den Merovingern der Treueid gebräuchlich ge=
wesen, Waitz II, 1, 3. Aufl. S. 205 ff.; III, 2. Aufl. S. 290; Roth, Geschichte
des Beneficialwesens S. 112 f. 387, welcher letztere deshalb in der hier getroffenen
Verfügung nicht entfernt eine Neuerung sieht, jedoch wenigstens ohne Zweifel zu weit
geht, wenn er selbst die 789 vorgeschriebene Eidesformel für die von jeher übliche
hält. Ebenso wenig muß der Eid deshalb schon im fränkischen Reich eingeführt ge=
wesen sein, weil Karl 787 allen Beneventanern durch Bevollmächtigte den Eid ab=
nehmen ließ, desgleichen nach dem Tage von Augsburg alle Baiern, der populus
terrae, ihm den Eid leisten mußten (Ann. Laur. mai. 787; Ann. Einh. 786.
787, SS. I, 169. 170. 173).
[1]) Ann. Nazar.; vgl. Ann. Guelferb. l. c.: Turingi depraehensi et de=
tenti; Ann. Alam. l. c.
[2]) Hegewisch, S. 189. Man kann hiegegen auch kaum einwenden, daß der
Friede, den Karl den Verschworenen nach den Annales Nazar., S. 42, bewilligt
hatte, ihnen nur persönliche Sicherheit bei der Besprechung mit Karl, nicht Straf=
losigkeit verbürgt habe.
[3]) Vgl. Waitz III, 2. Aufl. S. 292 N. 2.
[4]) Annales Einhardi, SS. I, 169.
[5]) Ann. Einhardi, l. c.: Is populus, a regibus Francorum subactus
ac tributarius factus, inpositum sibi vectigal, licet invitus, solvere solebat
(Poeta Saxo l. II, v. 221—222, Jaffé IV, 565); vgl. Ermold. Nigell. In ho=
norem Hludowici l. III, v. 16. 23—24. 43—44. 47. 52. 77. 123. 214. 407,
Poet. Lat. aev. Carolin. II, 41—44. 47. 52; Ann. Bertin. 863. 864, ed. Waitz
S. 61. 72; SS. I, 459. 465; Waitz, DVG. IV, 2. Aufl. S. 104 N. 4; Jahrbb.

Karl aufzulehnen [1]), wird nicht berichtet, aber es läßt sich denken, daß sie mehr als andere durch Karl's Politik in ihrer Volksthüm= lichkeit sich gefährdet sahen, daß sie die Lasten der fortgesetzten Kriege, für deren Bedeutung ihnen bei ihrer Abgeschlossenheit jedes Verständniß abgehen mußte, noch weit drückender als die übrigen Reichstheile empfanden. Hier ging, soviel man vermuthen darf, die Erhebung nicht, wie in Thüringen, aus der Unzufriedenheit einzelner Großen, sondern der Masse der Bevölkerung hervor; hier ist weit mehr als in Thüringen der nationale Gegensatz wirk= sam gewesen. Auch der Widerstand, welchen die Franken in der Bretagne fanden, scheint hartnäckiger gewesen zu sein als in Thü= ringen. Die Aufständischen begnügten sich nicht den Zins zu ver= weigern, sondern setzten sich zur Wehre. Karl schickte, da er von der Auflehnung der Bretagne hörte, im Frühjahr, nach Ostern (23. April) [2]), unter dem Oberbefehl seines Seneschalks Audulf [3]) ein Heer dahin ab [4]). Man liest von den Verhauen, von den Kastellen und Befestigungen, die sie zwischen den Sümpfen angelegt hatten und welche die Franken überwältigen mußten [5]). Es heißt, Audulf sei der Empörung sehr schnell Herr geworden [6]), jedenfalls hatte er aber vorher verschiedene Kämpfe zu bestehen, in die Be= festigungen nicht blos einzuziehen, sondern sie mit den Waffen zu nehmen [7]). Mit den befestigten Plätzen fielen dann aber auch die

---

Ludwig's d. Fr. I, 128. 130 N. 3. Der Zins betrug unter Karl dem Kahlen, wo er als ein altherkömmlicher bezeichnet wird, 50 Pfund Silber (1000 Solidi). — Ann. Lobienses, SS. XIII, 229, berichten zu diesem Jahre (786), wohl jedenfalls ungenau: Brittones vectigales fiunt.

[1]) Ann. Einh. l. c.: Cumque eo tempore dicto audiens non esset — perfidae gentis contumatiam; Einh. V. Karoli c. 10: qui ... dicto audien= tes non erant.

[2]) Daß es erst nach Ostern geschah, bemerken ausdrücklich die Annales Ein= hardi. Doch setzt Leibniz, Annales I, 118, den Anfang der Auflehnung schon 785, wenn nicht noch früher an; Karl wäre danach nur vor Beendigung des Sachsen= krieges nicht in der Lage gewesen die Bretagne zum Gehorsam zurückzuführen, und diese Annahme könnte möglicherweise nicht unzutreffend sein.

[3]) Vgl. über denselben unten Bd. II zu den JJ. 805 und 811 und den Ab= schnitt über die Hofbeamten. Im Chron. Vedastin. SS. XIII, 705 wird er un= richtig als Schenk (pincerna) des Königs bezeichnet. Eckhart I, 713 f. nimmt an, daß Audulf als Graf im Taubergau (Mühlbacher Nr. 421; Wirtemb. Urkb. I, 66 Nr. 62), wo er Güter an den Bischof Egilward von Wirzburg austauschte, von Ge= burt ein Ostfranke gewesen sei. Sein Tod wird nach Ann. s. Emmerammi Ra= tisp.. mai. 819, SS. I, 93, in das Jahr 818 zu setzen sein.

[4]) Ann. Laur. mai.; Ann. Einh. etc.; Einh. V. Karoli c. 10. Wenn der Poeta Saxo l. II, v. 208 f., Jaffé IV, 565, sagt
        Magni decreto Caroli sacrique senatus
        Missus in occiduas exercitus exiit horas,
so ist dies willkürlich.

[5]) Annales Laur. mai.: et ibi multos Brittones conquesierunt, una cum castellis et firmitates eorum locis palustribus seu et in caesis. Et ... in multis firmitatibus Brittonum praevaluerunt Franci, et cum victoria, domino volente, reversi sunt; vgl. Jahrbb. Ludwig's d. Fr. I, 135 N. 1.

[6]) Annales Einhardi: perfidae gentis contumatiam mira celeritate compressit.

[7]) Die Annales Laur. mai., oben N. 5, lassen daran keinen Zweifel.

Aufrührer selbst in Aubulf's Gewalt. Im August war die Erhebung bereits wieder unterdrückt[1]), Aubulf ließ sich Geiseln stellen[2])
und führte außer ihnen auch noch eine Anzahl Häuptlinge der
Bretonen, Machtiern, Mactiern, wie sie bei diesen in der heimischen
Sprache hießen, Capitanei, wie der fränkische Annalist den Begriff
wiedergibt, mit sich fort an den Rhein, nach Worms, wo sie auf
der großen Reichsversammlung im August vor Karl erscheinen
mußten[3]). Es waren Häuptlinge, die mit erblicher Gewalt einem
oder auch mehreren Bezirken vorstanden, worin sie Gericht hielten,
Abgaben erhoben und sonst wichtige Regierungsrechte ausübten[4]);
eine Stellung, die sie im wesentlichen auch behaupteten, als Karl
und seine Nachfolger dem Lande fränkische Verwaltung mit fränkischen Beamten gaben[5]).

Es ist unbekannt, wo Karl seit Ostern bis zum August sich
aufgehalten hatte[6]), wo er dann in Worms eine große Reichsversammlung und Synode der Bischöfe hielt[7]). Hier kamen vor

[1]) Nach den Annales Lauresh. l. c. (Fragm. Chesn.) fand die Reichsversammlung in Worms, der Aubulf als Sieger beiwohnte, im August statt. Zwar ist
in der jetzt wieder aufgefundenen Handschrift von St. Paul in Kärnten (vgl. Neues
Archiv I, 413; Wattenbach DGQ. I, 5. Aufl. S. 137 N. 1), wie es scheint, der
Name des Monats ausgelassen und Chron. Moissiac. SS. I, 298 hat sogar: in
mense Aprili. Allein am 23. April war Karl ja noch in Attigny, während die
Urkunden seine Anwesenheit in Worms im August bestätigen (vgl. oben S. 518 N. 2
und unten S. 529). Malfatti II, 333, setzt also die Versammlung mit Unrecht in
den April; auch gibt er auf der folgenden Seite selbst den August an.
[2]) Annales Einhardi (s. die folgende Anmerkung); Einh. V. Karoli c. 10:
missa in eos expeditione, qua et obsides dare et quae imperarentur se
facturos polliceri coacti sunt. — Ann. Lobiens. SS. XIII, 229: Brittones
vectigales fiunt, et tota Brittannia Francorum ditioni subicitur; Ann.
Mettens. SS. XIII, 32: Qui, victis Brittonibus, totam illam regionem Francorum ditionibus subegerunt; vgl. o. S. 525 N. 5.
[3]) Annales Einhardi: regique apud Wormaciam et obsides, quos acceperat, et complures ex populi primoribus adduxit; also nicht die primores
selbst wurden, wie Martin II, 302, will, als Geiseln abgeführt. Capitanei nennen
diese primores die Annales Laur. mai.: Et capitaneos eorum ad sinodum
repraesentabant supradicto domno rege Carolo in Wormaciam; vgl. Ann.
Mett. l. c. (Principesque Brittonum secum adducentes); Regino, SS. I, 560
(eorum primates); Waitz III, 2. Aufl. S. 103 und die folgende Note.
[4]) Man kennt sie aus zahlreichen Urkunden des Klosters Redon in der Bretagne, im Cartulaire de l'abbaye de Redon en Bretagne, publié par de
Courson; lateinisch werden sie in den Urkunden auch bezeichnet als principes, tiranni,
letzteres aber ohne ungünstige Nebenbedeutung. Genauer über ihre Stellung handelt
de Courson in den Prolégomènes zu dem Cartulaire, p. CCLXIX, und
Waitz in der Besprechung des Cartulaire, Göttinger gel. Anz. Jahrgang 1864,
S. 1771 f.
[5]) Vgl. de Courson a. a. O.; Waitz a. a. O. S. 1773.
[6]) Die Stiftungsurkunde des Bisthums Verden, nach welcher er sich am
29. Juni in Mainz befunden hätte (Mühlbacher Nr. 263), ist falsch; vgl. unten
z. J. 787.
[7]) Ann. Laresham. (Fragm. Chesn.) l. c.: Procedente autem tempore
in mense Augusto (vgl. o. N. 1) apud Wormaciam sinodum episcoporum
ac conventum magnificum coire fecit (Chron. Moissiac. SS. I, 297—298);
Ann. Guelferb. SS. I, 41: rex Karolus Wormatiam resedit; Ann. Alam.
ed. Henking S. 237; Ann. Nazar. SS. I, 42; vgl. ferner die Urkunden Mühlbacher Nr. 265. 266, unten S. 529.

allem die jüngsten Ereigniffe zur Sprache. Aus den Vorgängen
in der Bretagne machte man wenig, ließ es allem Anschein nach
dabei bewenden, daß man sich durch Geiseln des Gehorsams ver=
sichert hatte und eine Anzahl der Häuptlinge des Landes dem
Könige in Worms ihre Huldigung darbringen mußte[1]). Weit
ernsthafter faßte man die Verschwörung der Thüringer auf, die
viel weniger zu entschuldigen, viel gefährlicher war als bei jenen
Kelten. Die strengsten Strafen wurden über die Anstifter dieser
thüringischen Verschwörung verhängt[2]). Sie wurden theils zur Blen=
dung und zum Exil, theils wenigstens zum Exil verurtheilt[3]); ob
einige sogar zum Tode, ist weniger sicher bezeugt[4]). Auch sagt
Einhard ausdrücklich, es sei thatsächlich niemand getödtet worden[5])
außer dreien, welche nicht anders bewältigt werden konnten, da sie
sich ihrer Festnehmung mit gezücktem Schwert widersetzt und
dabei selbst einige Leute niedergemacht hatten[6]). Zu denjenigen,
welche das Schicksal der Blendung erlitten, gehörte auch das Haupt
der Verschwörung, der Graf Hardrad[7]). Selbstverständlich wurden
den Schuldigen, insoweit sie solche besaßen, auch ihre Aemter,

---

[1]) Daß die Abhängigkeit der Bretagne von der fränkischen Herrschaft auch nach
786 vorderhand noch eine sehr lose blieb, bemerkt mit Recht auch de Courson,
S. XXI; vgl. unten Bd. II. zu den JJ. 799 und 811.

[2]) Ann. s. Amandi, SS. I, 12, sagen im allgemeinen: Carlus violavit
Toringos pro eorum culpis; Ann. Max. SS. XIII, 21: et ultionem con-
dignam in eis exercuit. — Nach Ann. Nazar. SS. I, 42 wurden einige der
Verschworenen in Worms ergriffen; ob diese Angabe richtig ist, mag dahingestellt
bleiben; die Darstellung der Ann. Laurésh. (vgl. o. S. 524 N. 2) könnte den Vor=
zug verdienen.

[3]) Ann. Lauriss. mai. 785 (codd. 5. 6), SS. I, 168: et auctores eorum
partim morte, partim exilio damnati sunt; Ann. Einh. 785, SS. I, 169:
auctoribus eius partim privatione luminum, partim exilii deportatione con-
demnatis; Ann. Enhard. Fuld. 786, SS. I, 350: Auctores conspirationis
contra regem partim morte, partim cecitate et exilio damnantur; Einh.
V. Caroli c. 20: Cuius (coniurationis) auctores partim luminibus orbati,
partim membris incolomes, omnes tamen exilio deportati sunt; Ann.
Lauresham. SS. I, 32: ubi decernens, quod hi, qui potissime in hac coniuratione devicti sunt, honore simul ac luminibus privarentur; Ann. Nazar.
l. c.: aliqui vero pervenerunt ad civitatem Wagionum (sic), et ibidem con-
prehensi sunt et exinde exiliati, et illuc evulsi esse cognoscentur (sic)
oculi eorum (vgl. oben N. 2); Ann. ant. Fuld., SS. III, 117*; Forsch. z. d.
Geschichte   , 458—460: Hartrat et ceteri exiliantur (exiliati sunt); vgl.
unten N. 1.V

[4]) Wie man sieht (vor. Note), berichten dies nur die betreffenden Handschriften
der Ann. Laur. mai. und die Ann. Enhardi Fuld.

[5]) Hierauf mag es auch beruhen, wenn der Poeta Saxo l. II. v. 206 f.,
Jaffé IV, 565, berichtet: . . . cuius (regis) clementia nulli — Reddiderat
dignam tanto pro crimine poenam.

[6]) Einh. V. Karoli c. 20: neque ullus ex eis est interfectus nisi tres
tantum; qui cum se, ne comprehenderentur, strictis gladiis defenderent,
aliquos etiam occidissent, quia aliter coerceri non poterant, interempti sunt.

[7]) Thegan. V. Hlud. c. 22, SS. II, 596: qui eodem supplicio ipse
deputatus est, sicut filiae suae filius sustinuit cum consentaneis suis (d. h.
der Blendung). Hienach ist die oben N. 3 citirte Nachricht der Ann. Fuld. ant.
ungenau.

Würden und Lehen abgesprochen[1]), die Güter Aller für den Fiscus eingezogen[2]). Und diese Strafe wird von den Schriftstellern der Zeit noch für überaus milde gehalten[3]), Karl's große Mäßigung und Nachsicht rühmend hervorgehoben und es als eine große Gnade von ihm gepriesen, daß er allen, die ohne ihre Schuld sich zur Theilnahme hätten verleiten lassen, die Strafe geschenkt habe.

In Worms befand Karl sich noch am 31. August, wo er dem Kloster Hersfeld zwei Schenkungen machte, bestehend in der Kirche zu Grebenau mit den dazu gehörigen Besitzungen[4]), welche er ihm auf Bitte des Erzbischofs Lul von Mainz überließ, und in der Villa Dorndorf an der Werra[5]); und wieder am 5. November, laut einer Urkunde, worin er dem Kloster St. Germain des Prés bei Paris, wo Hrotbert[6]) Abt ist, die Villa Madriolä (Marolles) an der Seine im Gau von Melun schenkt, damit der Abt und die Mönche des Klosters für ihn, seine Gemahlin und seine Söhne, wie für die Wohlfahrt des Reichs desto eifriger beten[7]). Es sind seit mehreren Jahren wieder die ersten Schenkungen Karl's an

----

[1]) Ann. Lauresham.: quod ... honore ... privarentur.

[2]) Annales Nazariani, SS. I, 43: Possessiones vero vel agros eorum omnes infiscati esse noscuntur; vgl. die Bemerkung von Hahn, Bonifaz und Lul S. 291, über den Zusammenhang, in welchem hiemit vielleicht manche Uebertragungen Karl's in Thüringen an das Kloster Hersfeld stehen.

Daß die Erzählung der Annales Nazar. von der erzwungenen Reise der Verschworenen nach Rom, Neustrien und Aquitanien, oben S. 524 N. 2, und von der Einziehung ihrer Güter nicht verstanden werden kann von einer Verpflanzung eines großen Theils der Thüringer in andere Provinzen des Reichs und von einer Einziehung ganz Ostfrankens für den Fiscus, infolge dessen erst Ostfranken von Thüringen getrennt worden sein soll, betont schon Wenck II, 338 f.

[3]) Von den Annales Naz. und Lauresh. (vgl. Poeta Saxo und Einh. V. Caroli ll. cc.); die Lauresh. sagen: eos autem, qui innoxii in hac coniuratione seducti sunt, clementer absolvit.

[4]) Urkunde bei Wenck, Hessische Landesgeschichte III 2, S. 15 Nr. 15, übrigens nicht unverdächtig, wie auch Wenck selbst, a. a. O. S. 16 N., und schon bei Gelegenheit des ersten Abdrucks Bd. II b, S. 12 N., ausführt, ohne jedoch zu einem bestimmten Ergebniß zu kommen. Rettberg I, 605 N. 66 läßt die Urkunde gelten. Nach Mühlbacher Nr. 266 ist sie zweifelhaft, mindestens verunächtet; vgl. auch Sickel, K. 106, Anm. S. 261—262; Hahn, Bonifaz und Lul S. 284; Ausfeld S. 32 N. 3 bezeichnet sie als gefälscht.

[5]) Urkunde bei Wenck, III 2, S. 17 Nr. 16, im ersten Abdruck, Wenck II 2, S. 14 N. 11, irrig 30. Nov., II. kal. Dec., statt II. kal. Sept. datirt; übrigens, wie die vorige Urkunde, von Stumpf, Die Reichskanzler I, 66 als verdächtig bezeichnet. Sickel, K. 107, Anm. S. 261—262; I, 312 N. 17. 354 f., und Mühlbacher Nr. 265 halten jedoch den Inhalt für unbedenklich; vgl. Hahn a. a. O.; Breviarium Lulli, bei Wenck II 2, S. 16.

[6]) Der Name des Abtes lautet in dem betreffenden Diplom Hrotbertus, dagegen in der Originalurkunde Tardif Nr. 92, S. 70 Ratbertus; vgl. ferner Ann. s. Germani Paris. (aus dem Ende des 11. Jahrh.) 768, SS. III, 167: cuius (Karl's d. Gr.) tempore Rotbertus abbas, wo jedoch die Abtsreihe unrichtig angegeben ist; oben S. 130 N. 2 u. unten Bd. II. z. J. 811.

[7]) Sickel, K. 108, Anm. S. 262 f.; Mühlbacher Nr. 267; Tardif S. 65 f. Nr. 85; vgl. ib. S. 70 Nr. 92; 133 f. Nr. 208 (Urkunde Karl's d. Kahlen vom 20. April 872; Böhmer Nr. 1779).

Klöster, von denen man weiß[1]); woraus aber keineswegs folgt, daß seine Fürsorge für Kirchen und Klöster in der Zwischenzeit nachgelassen hatte.

Während im Reiche die Rüstungen zu einem neuen Feldzug betrieben wurden[2]), verlor die angesehenste bischöfliche Kirche Deutschlands, die von Mainz, ihr Haupt durch den Tod des Erzbischofs Lul. Aus der Wirksamkeit Lul's, namentlich während der letzten Jahre seines Lebens, ist wenig bekannt, eine seiner hohen Würde entsprechende hervorragende Rolle hat er demnach wohl nicht gespielt, was zusammenhängen mag mit den Widerwärtigkeiten und Mißhelligkeiten, in die er früher mit Sturm von Fulda und mit dem päpstlichen Stuhle gerathen war, deren Nachwirkungen trotz Sturm's Tode und trotz der schließlichen Ertheilung des Palliums an Lul doch leicht auch nachher noch sich fühlbar gemacht haben können[3]). Seitdem er 780 das Pallium erhalten, finden sich, außer bei Gelegenheit des Rücktritts Megingaud's von Wirzburg, nur noch in einzelnen Urkunden seine Spuren. Was seine Correspondenz betrifft, so ist die Mehrzahl seiner Briefe verhältnißmäßig unwichtigen Gegenständen gewidmet, überdies garnicht an Angehörige des fränkischen Reichs, sondern an angelsächsische Fürsten und Geistliche gerichtet. In der fortgesetzten Verbindung mit seiner angelsächsischen Heimat suchte Lul Trost für die Anfechtungen, die er im fränkischen Reiche erfuhr; seinen angelsächsischen Landsleuten klagt er seinen Kummer und seine Sorgen; beim Erzbischof Coena von York führt er bittere Klage über die Bedrückung der Kirche, über die Willkür der Fürsten, die ihr nach Gutdünken neue Gesetze aufzwingen; körperliche Beschwerden gesellen sich zu seiner Bekümmerniß und legen ihm den Gedanken an sein Ende nahe[4]). Dem Abt Gudberct von Jarrow und Wearmouth in Northumberland[5]), einem Schüler des Beda[6]), schreibt er von der Fortdauer seiner körperlichen Leiden und macht sich vertraut mit dem Ge-

---

Die durch Karl ertheilte Bestätigung einer Schenkung [des Grafen Warin und seiner Gemahlin Friderun an Fulda, datirt Lorsch, 2. Sept., 9. Indiction, welche Dronke, Codex S. 51 Nr. 84, ins Jahr 786 setzt, wäre, da Karl in ihr als Kaiser erscheint, eher ins Jahr 801 zu verlegen; sie ist aber eine Fälschung, s. Sickel II, 410 f.; Mühlbacher Nr. 367; Foltz in Forsch. zur deutschen Gesch. XVIII, 506.

[1]) Vgl. jedoch oben S. 519 über die Verleihung von Immunität und Abtswahl an Ansbach; die Stiftungsurkunde des Bisthums Verden ist, wie schon S. 527 N. 6 berührt, falsch.

[2]) Vgl. unten.

[3]) Vgl. oben S. 201 f.

[4]) Vgl. oben S. 210, Bonifatii et Lulli epist. Nr. 122, Jaffé III, 288: Quia moderni principes novos mores novasque leges secundum sua desideria condunt. Dieser Brief, welchen Will S. 41 Nr. 51 mit Jaffé in die Jahre 767—781 setzt, fällt, nach Hahn, Bonifaz und Lul S. 300, in die Zeit zwischen 773 und 778.

[5]) Vgl. über denselben Hahn a. a. O. S. 308 ff.; die richtige Namensform scheint Cuthbert oder Cutberht (ebd. S. 312 N. 7; 313 N. 3).

[6]) Bonifatii et Lulli epist. Nr. 134, a. a. O. S. 300; Hahn S. 311.

bankeu aus diesem Thränenthale zu scheiden[1]); er bittet ihn für sein Seelenheil zu beten und ihm zur Stärkung in seinen Leiden einige Schriften Beda's zu schicken; um die Uebersendung anderer Schriften Beda's hatte er den Erzbischof Coena ersucht[2]), und wenigstens der Brief, womit Gudberct die Uebersendung der gewünschten Schriften an Lul begleitete, ist aufbewahrt[3]). Es bestanden förmliche Gebetverbrüderungen zwischen Lul und zahlreichen Geistlichen in England; Gudberct erinnert Lul an den mit ihm geschlossenen Bund[4]); der Bischof Cyncheard von Winchester hat von Lul ein Verzeichniß aller Priester, Diakonen, Mönche und Nonnen seines Sprengels erhalten und dasselbe allen Klöstern und Kirchen seiner eigenen Diözese mitgetheilt, mit der Weisung, für jene die Messe zu lesen und zu beten, und er schickt an Lul eine Liste der Geistlichen seines Sprengels, damit Lul auch seinerseits die entsprechenden Anordnungen treffen könne[5]). Es war die Erneuerung einer Verbindung, welche bereits zwischen Bonifaz und früheren Bischöfen von Winchester geschlossen war[6]). Selbst Könige lassen sich in diese Gebetsgemeinschaft einschließen: der König Cynewulf von Wessex, der gleichfalls schon mit Bonifaz einen solchen Bund zu gegenseitiger Fürbitte geschlossen hat, erneuert ihn mit Lul[7]); der König Aeardwulf von Kent und der Bischof Aeardulf von Rochester bitten ihn, im Gebet ihrer und der Ihrigen zu gedenken. Stirbt einer von beiden Theilen, so soll der Ueberlebende Messen und Almosen für sein Seelenheil veranstalten[8]).

So sehr nun aber an diesem regen Verkehr Lul's mit seinen Landsleuten vielleicht Mißbehagen und bittere Stimmung ihren Antheil gehabt haben mag, so liegt darin doch keine auffallende Erscheinung, wie schon der Vorgang des Bonifaz zeigt. Außerdem gibt es auch

---

[1]) Bonifatii et Lulli epist. Nr. 123, S. 289: Cogor enim continua corporis egritudine de hac luce fugitiva et valle lacrimarum, pio et districto iudici rationem redditurus, migrare. Idcirco subpliciter obsecro, ut pro animae meae salute enixius Dominum depreceris. Auch dieser Brief, dessen Echtheit Dünzelmann, Forsch. zur deutschen Gesch. XIII, 26, und Will, S. 41 Nr. 52, bestreiten, gehört nach Hahn, S. 309, dem Zeitraum von 773 bis 778 an.

[2]) Bonifatii et Lulli epist. Nr. 122 S. 288.

[3]) Bonifatii et Lulli epist. Nr. 124, S. 290; vgl. die Stelle in der folgenden Note; übrigens auch epist. Nr. 134, S. 301—302; Hahn a. a. O. S. 309 bis 310.

[4]) Bonifatii et Lulli epist. Nr. 124, l. c.: Insuper etiam librum, quem clarissimus ecclesiae Dei magister Baeda de aedificio templi conposuit, ad consolationem tuae peregrinationi mittere curavi, tuam fraternitatem humiliter obsecrans, ut olim condicte inter nos amicitiae foedera usque ad finem firmum custodire digneris . . .

[5]) Bonifatii et Lulli epist. Nr. 110 (c. 755—756), Jaffé III, 270; Hahn S. 259—260.

[6]) Bonifatii et Lulli epist. Nr. 110, S. 269.

[7]) Bonifatii et Lulli epist. Nr. 138, S. 306—307; Lappenberg, Gesch. von England I, 265.

[8]) Bonifatii et Lulli epist. Nr. 120, S. 285—287. Jaffé und Will, S. 40 Nr. 43, setzen diesen Brief in die Zeit von 760 bis 778; Lappenberg, Gesch. von England I, 241 N. 2 in die Jahre 764—775; Hahn a. a. O. S. 316 ff. entweder 754—772 oder 775.

noch andere Beispiele von der lebhaften Verbindung, welche angel=
sächsische und irische Geistliche auch noch lange nach ihrer Ueber=
siedelung aufs Festland mit den Kirchen und Klöstern ihrer Heimat
unterhielten[1]. Es war eine Verbindung, die beiden Theilen zu
Statten kam. Bischof Cyneheard spricht es einmal geradezu aus,
nicht nur in der Spendung geistigen Trostes durch Gebet und
Messen solle ihre Gemeinschaft bestehen, sondern auch in der Mit=
theilung von Gegenständen zur Befriedigung ihrer weltlichen Be=
dürfnisse. Er bittet Lul ihm auch in solchen Dingen behülflich
zu sein, ihm unbekannte Bücher geistlichen und weltlichen Inhalts
zu schicken, worunter er besonders medicinische Schriften hervorhebt,
und erbietet sich zu Gegendiensten[2]. Und ein Presbyter Wigberht[3]
ersucht ihn um Mittheilungen über die Bekehrung der Sachsen,
denn viele Angelsachsen seien bereit derselben ihre Kräfte zu
widmen[4].

Doch bei aller seiner Hinneigung zu der alten Heimat findet
sich keine Spur davon, daß Lul in der Leitung des ihm anver=
trauten Sprengels etwas versäumte. Ist auch von seiner Thätig=
keit in dieser Richtung so gut wie nichts bekannt, so genügt doch
das wenige um zu zeigen, daß er in der Durchführung der kano=
nischen Ordnung keine Nachsicht kannte und daß er unter der
hohen Geistlichkeit des Reiches Vertrauen genoß. Bis zur Ver=
hängung des Banns ging er, als er bei der Herstellung strenger
Zucht und Ordnung in seiner Diözese auf Widerstand stieß[5]); auch

[1] So das Beispiel von Salzburg, vgl. Büdinger, Oesterreichische Geschichte,
I, 98 ff.
[2] Bonifatii et Lulli epist. Nr. 110, S. 269—270: Et hoc profitemur,
quod omnia quae, tua sanctitate suggerente, mandata sunt, studiosissime
Domino favente conplere satagimus, non tantum in spirituali orationum so-
latio exhibendo et missarum sollemnitate celebranda pro vobis et pro illis,
qui in vestris regionibus in Christi confessione obeunt; sed etiam, si qua
saecularis substantiae solatia vestris usibus profutura in his regionibus adi-
pisci poterimus, vestrae participationi parata erunt. Et hoc petimus, si
qua apud vos solamina nobis necessaria vel ignota spiritalis quidem scientiae sive in libris antiquis, qui a nobis non habentur, sive in aliis ecclesiasticis administrationibus, ut nobis libenter participare non negetis. Nec
non et, si quos saecularis scientiae libros nobis ignotos adepturi sitis —
ut sunt de medicinalibus, quorum copia est aliqua apud nos, sed tamen
sigmenta (pigmenta? Jaffé) ultramarina, quae in eis scripta conperimus,
ignota nobis sunt et difficilia ad adipiscendum — vel si qua in aliis qui-
buslibet negotiis vel speciebus nobis necessariis providetis, communicare
dignemini. .
[3] Vgl. Hahn, S. 318—322.
[4] Bonifatii et Lulli epist. Nr. 136, S. 304: De cetero autem si in
regione gentis nostrae, id est Saxanorum, aliqua ianua divinae misericordiae aperta sit, remandare nobis id ipsum curate. Quam multi cum
Dei adiutorio in eorum auxilium festinare cupiunt.
[5] In der Sache der Presbyter Willefrith und Enraed, Epistolae S. 279 bis
280 Nr. 114; vgl. Hahn, S. 270—272. Dies Schreiben ist nicht an einen Papst
(wie Jaffé l. c. S. 279 N. 1 und Rettberg I, 577 meinen), sondern wahrscheinlich
an eine Synode gerichtet; vgl. Oelsner, S. 223 N. 6. 228; Will S. 37 Nr. 21;
Göpfert S. 23. 24 N. 6. Es nimmt Bezug auf Bestimmungen der Synode von
Verneuil vom J. 755 (Capp. I, 34—35 c. 8. 9).

Uebertretung der Klosterregel straft er mit Excommunication[1]); vom Bischof Megingoz von Wirzburg sind mehrere Briefe erhalten, worin er sich vertrauensvoll an Lul wendet[2]). Vor allem aber lag sein Kloster Hersfeld ihm am Herzen, und hatte auch die Nach= barschaft von Fulda das Wachsthum desselben anfangs beeinträchtigt, so mußte Lul doch schon nach kurzer Zeit den Wohlthätigkeitssinn des Königs wie der Privatleute zu Gunsten seiner Stiftung anzu= regen, durch die Uebergabe des Klosters an den König und durch die Uebertragung der Reliquien des h. Wigbert nach Hersfeld um 780[3]). Wenige Klöster sind seit einigen Jahren vom Könige so reich mit Schenkungen bedacht wie Hersfeld; ein Güterverzeichniß, welches seinen Besitzstand im Einzelnen angibt, erweckt die höchste Meinung von seinem Reichthum. Danach beträgt die Summe der Besitzungen, welche der König selber dem Kloster bis zu dem Zeit= punkt schenkte, wo Lul es ihm übergab (775), nicht weniger als 420 Hufen und 290 Mansi, die Schenkungen von Privatleuten bis zu diesem Augenblick 414 Hufen und 343 Mansi, und dazu sollen dann, seitdem das Kloster ein königliches geworden war, man sieht nicht recht ob bis zum Tode Lul's oder bis zu der Zeit der Aufzeichnung des Güterbestandes, Schenkungen im Betrage von 205 Hufen und 113 Mansi gekommen sein, die Zahl der Mönche, als das Verzeichniß abgeschlossen ward, 150 betragen haben[4]).

---

[1]) Schreiben an die Aebtissin Suitha (Oswitha?) Epistolae S. 292 f. Nr. 126; vgl. Hahn, S. 327—328. 342; Oelsner, S. 231—232.

[2]) Bonifatii et Lulli epist. Nr. 132 S. 298 f., über Ehescheidungen und Wiederverheirathung; Nr. 128 S. 294 f. über die Bestellung einer neuen Aebtissin in Mattencelle nach dem zu erwartenden Tode seiner Schwester, vgl. Rettberg, II, 332, und oben S. 514 N. 8; Nr. 135 S. 302—303 über den Eintritt eines Ver= wandten von Megingoz in den geistlichen Stand; vgl. Hahn, S. 319—320. 322. 334—335; Oelsner, S. 312—313.
  Lul und Megingoz veranlaßten auch den Mainzer Presbyter Willibald zur Ab= fassung seiner Biographie des h. Bonifaz (Jaffé III, 429. 481).

[3]) Darüber vgl. oben S. 219 f. 343 f.

[4]) Das Verzeichniß führt die Aufschrift: Breviarium s. Lulli und steht bei Wenck, II b, S. 15 ff. Nr. 12 (berichtigte und mit Erklärung der Ortsnamen ver= sehene Ausgabe von Landau in Zeitschr. für hess. Gesch. und Landeskunde X, 184 ff.); vgl. Hahn a. a. O. S. 284—291; Will S. 44 Nr. 78, wo weitere Litteratur ange= führt ist. Benutzt ist dasselbe auch in Lambert's Vita Lulli, c. 16. 19; vgl. Holder= Egger, Neues Archiv IX, 292 N. 3; SS. XV, 133 N. 6; 145 N. 1; 146 N. 3. Die erhaltene Abschrift ist aus dem 12. Jahrhundert.
  Die Bezeichnung Karl's als imperator ergibt für die Aufzeichnung die Zeit nach 800; sonst aber bleibt hinsichtlich der Entstehung des Schriftstücks manches un= gewiß. Ganz deutlich werden die Schenkungen vor der durch Lul vorgenommenen Uebergabe des Klosters an Karl unterschieden von den Schenkungen, welche das Kloster nachher erhielt, wie auch Wenck, II 1, S. 297 N. m, unter Zurücknahme seiner zuerst, II b, S. 15 N., geäußerten Ansicht sich richtig verbessert; hingegen sieht man nicht recht, ob das Verzeichniß der späteren Schenkungen die Zeit von jener Ueber= gabe an Karl bis auf Lul's Tod oder weiter bis zum Abschluß des Breviariums im Auge hat; jenes vermuthen Wenck, II 1, S. 297 N. m, sowie Will a. a. O., und die Aufschrift breviarium s. Lulli spricht dafür, wenn sie auch kein vollgiltiger Be= weis ist; dieses Rettberg, I, 604, indem er meint, das Verzeichniß sei bei der Uebergabe an Karl angelegt, dann bis zu Anfang des 9. Jahrhunderts fortgeführt.

Zuverlässig sind jedoch diese Angaben nicht, weil das Alter des Verzeichnisses zweifelhaft ist; daß es erst nach 800 fällt, zeigt schon Karl's Bezeichnung als Kaiser; aber auch ob es im Anfang des 9. Jahrhunderts aufgezeichnet ist, kann wohl nicht mit voller Sicherheit gesagt werden[1]). Auch stimmt die Angabe der Gesammtsumme auf 1050 Hufen und 795 Mansi nicht einmal zu der Summe der einzelnen aufgezählten Besitzungen, welche andere Zahlen ergeben[2]).

Eine Legende aus der zweiten Hälfte des 9. Jahrhunderts schreibt dem Lul auch die Gründung des Klosters Bleidenstadt im Taunus, im Sprengel von Mainz, zu, wohin er die Reliquien des h. Ferrutius, die bisher in Castel geruht, übertragen und dadurch Leute zu klösterlichem Leben herbeigezogen habe[3]). Bestätigt wird dies durch eine Inschrift des Hrabanus Maurus auf dem Grabe des Ferrutius[4]). Genaueres über die Zeit der Stiftung ist nicht zu ermitteln[5]). Im Jahr 812 soll dann die Kirche von Lul's Nachfolger Richulf geweiht sein[6]).

In Hersfeld beschloß Lul seinen Tod zu erwarten, dessen alsbaldigen Eintritt er prophetisch ahnte. In der Lebensbeschreibung

---

Aehnlicher Ansicht ist Hahn (S. 285—286), welcher glaubt, daß das Breviar in seiner jetzigen Gestalt im Anfange des 9. Jahrhunderts, aber auch nicht später, entstanden, ein älteres, noch zu Lul's Zeit (vielleicht 775) angefertigtes Register darin benutzt sei. Lambert nimmt an, daß das Kloster schon bei der Uebergabe an Karl 150 Mönche gezählt habe, und scheint anzunehmen, daß das Inventar damals schon vorhanden war (V. Lulli c. 19, l. c. S. 146, vgl. SS. V, 139; Hahn, S. 279 N. 1; 286 N. 4). Ueber einen auffallenden Ausdruck vgl. Ausfeld, Lambert von Hersfeld und der Zehntstreit S. 27 N. 3.

[1]) Hahn a. a. O. hält diese Zweifel allerdings für unbegründet. Wenck, II 1, 297 N. m, erörtert Unterscheidung von Hufen und Mansen, wie sie in dem Verzeichniß sich findet; vgl. Hahn S. 287 N. 1.

[2]) Vgl. die Berechnungen bei Hahn, S. 288—291.

[3]) Megenhart von Fulda in dem Sermo de s. Ferrucio, SS. XV, 150.

[4]) Poet. Lat. aev. Carolin. II, 225 Nr. 70:
    Martyris ergo sacri dudum huc transtulit ossa
    Ferrutii Lullus praesul et urbis honor.
Hienach bezeichnet Göpfert, Lullus S. 48—49, jene Nachricht wohl nicht mit Recht als wenig gesichert; vgl. Hahn a. a. O. S. 331 N. 2. — Anders Poet. Lat. I, 431 Nr. II, 2, v. 6 ff., wo es heißt:
    Eugenius, Bernger conderunt ossa sepulchro,
    Post levita humilis Ricolfus condidit ista,
    Quam cernis, lector, signans et carmine tumbam.
vgl. ib. II, 694 über die Abweichungen bei Falk, Forschungen zur deutschen Gesch. XXII, 435.

[5]) Mabillon, Annales, II, 242, und die Herausgeber der Gallia christiana V, 579 denken ohne Beweis an 777; Will S. 40 Nr. 45: c. 778; desgl. Göpfert S. 48; Schliephake, Gesch. von Nassau I, 112; vgl. jedoch Hahn a. a. O.

[6]) Vgl. Serarii Rerum Moguntinensium libri quinque, in Joannis rerum Moguntiacarum vol. I, S. 381; Will S. 48 f. Nr. 19. Die oben N. 4 angeführten Verse (Poet. Car. I, 431) können sich nicht hierauf beziehen, da R. dort noch als levita (Diaton) bezeichnet wird; vgl. unten S. 538. Dagegen heißt es in Hraban's Inschrift, Poet. Car. I, 225, v. 3 ff. weiter:
    Riculfus post haec, Haistulfus praesul et ipse
    Amplificant aulam, aedificant tumulum etc.
vgl. auch Sermo de s. Ferrucio, SS. XV, l. c.; Schliephake a. a. O. S. 113 f.

Lul's von Lambert[1]) wird erzählt, er habe seinen Suffragan den Bischof Witta (Albuinus) von Buraburg, einen Angelsachsen wie er selbst, zu sich kommen lassen und ihm aufgetragen noch die Messe zu lesen und sich dann ihm selbst voraus nach Hersfeld, wohin er nothwendig schleunig reisen müsse, zu begeben und dort alles für seinen Empfang vorzubereiten. Witta, der diesen Anweisungen sofort entsprach, celebrirte die Messe noch ganz gesund; in dem Augenblick jedoch, da er damit zu Ende war, starb er eines plötzlichen Todes. Lul ließ seine Leiche zunächst zu Schiff bis Höchst am Main bringen, von wo sie dann auf dem Landwege nach Hersfeld weiter befördert und hier beigesetzt wurde[2]). Auch Lul selbst trat seiner Absicht gemäß den Weg nach Hersfeld an, erkrankte aber dort gleich selbst zum Tode und starb im 32. Jahre nach seiner Weihe, am 16. Oktober. Der mindestens theilweise legendenhafte Charafter dieser Erzählung ist unverkennbar, indessen beruhen

---

[1]) c. 21, SS. XV, 146—147: Sentiebat iam per spiritum instare diem dormitionis suae. Rem tamen silentio premendam censuit, tum ne tam e vicino imminens mortis articulus necessariis suis merorem iniceret ... tum ut ea quae de funere suo apud se disposuerat rectius ac maturius curarentur. Habebat secum eximiae, ut creditur, sanctitatis virum nomine Albuinum, episcopalis officii negocia post episcopum obire solitum, quem appellatione vulgata corepiscopum vocant, eoque in divinis rebus et privatim et puplice adiutore ac suffraganeo utebatur. Huic ad se accersito: 'Causam', inquit, 'incidi, quae ad Herveldense monasterium profectionem maturare me exigat. Tui sit officii, celebratis prius missarum solemniis, me protinus insecuturum antecedere et quae mihi mecumque venientibus sint receptui providere' Ille morarum impaciens iussa ocius capessit et que proficiscentibus usui forent disponit, missam celebrat, quid tali commento strueretur, penitus ignorans. Cumque incolumi adhuc, ut a medicis dici solet, temperie tocius corporis sacramentis dominicis participasset, repente spiritum exhalavit. Et ne quis fortuitum id fore suspicaretur, mirum in modum eodem momento et vitam finivit et missam. Archiepiscopus tantae rei miraculo nihil permotus, sed industrium mortis suae precursorem pronissimo favore amplexatus, navi iussit imponi et per Rhenum amne secundo (? vgl. ebb. N. 3) devectum, in loco qui dicitur Hohstedi exponi. Ubi cum ad funeris officium frequens de toto episcopatu populus occurrisset, magnifice susceptus, per terram in Herveldense monasterium est translatus; nec ulla funebrium honorum ambitione caruit, si quis honor tumuli, si quod solamen humandi est transmissa in omnes fide (fides?) solida, quod magni momenti sint apud Deum eius merita. At beatus Lullus eodem quo instituerat ordine in monasterium Herveldense contendit. Ubi protinus morbo attactus, cum ordinationis suae annum ageret trigesimum secundum, 17. kal. Novemb. honestissima morte perfunctus naturae concessit ... Hienach abgefürzt bei Surius, Acta SS. V, 840 und in den Acta SS. Boll. 16. Oct. VII, 2, S. 1052, wo Albuin als coepiscopus Lul's bezeichnet wird. Die unrichtige Bezeichnung desselben als corepiscopus bei Lambert glaubt Holder-Egger, SS. XV, 147 N. 1, auf eine mißverständliche Auslegung der Vita Wigberti, c. 24, ibid. S. 42—43, zurückführen zu können.

[2]) Eine Grabschrift auf Witta gibt Wenck, II 1, 261 N. 2; daß er nicht in Hersfeld, sondern in Buraburg begraben sei, behauptet ein Fritzlarsches Martyrolog, bei Wenck, II 1, 262 N. a, der aber schon S. 261 N. 2 ausführt, daß die Behauptung werthlos ist; vgl. auch Rettberg, I, 599.

ihre Zeitbestimmungen auf glaubwürdigen Angaben[1]). Zu widersprechen scheint freilich, daß der Tod Witta's auf den 26. Oktober angesetzt wird; allein die Zeugnisse dafür sind gänzlich unzureichend und berechtigen uns nicht vom 16. Oktober als Todestag Lul's abzugehen[2]). An diesem Tage ward später auch in der Mainzer Kirche sein Gedächtniß gefeiert[3]). Freilich gehen selbst über das Todesjahr die Nachrichten auseinander[4]); doch sind die Zeugnisse für 786 entschieden überwiegend[5]), und es leidet keinen Zweifel, daß Lul in diesem Jahre gestorben ist[6]). Sein Kloster Hersfeld

---

[1]) Vgl. Holder-Egger, Neues Archiv IX, 292 N. 3; SS. XV, 147 N. 4. Eine 32jährige Amtszeit geben dem Lul auch Ann. Lauriss. min., ed. Waitz S. 412; Ann. Enhard. Fuld. 754, SS. I, 347; Marian. Scott. SS. V, 547; Epitome, SS. XIII, 77; Ann. Disibodenberg. 755, Böhmer, Fontt. III, 174; vgl. ferner die Series archiepisc. Moguntin., SS. XIII, 312. 313. 315, wo freilich die Ziffer in einigen Verzeichnissen in 22 verschrieben ist. — Denselben Todestag hat, sogar mit Angabe der Stunde, Marianus Scottus, SS. V, 548: Lullus archiepiscopus Mogontinus obiit 17. Kal. Nov. hora diei secunda, was nicht wohl erdichtet sein kann; Will a. a. O. S. 44 Nr. 82; Hahn a. a. O. S. 331 N. 7. Falsch Kalendar. necrol. Lauresham., Böhmer, Fontt. III, 149: XVIII. kal. Oct. (14. September) Lulli archiepiscopi.

[2]) Ueber die Angabe des 26. Oktober als Todestag Witta's vgl. Vandermoere und Vanhecke in der praefatio zu der Vita maior des Lul, Act. SS. Boll. l. c. S. 1080. Mit Rücksicht darauf wollen Le Cointe VI, 352; Mabillon, Annales, II, 285, u. a. den Todestag Lul's 17. Kal. Novemb. verändern in Kal. Nov., ihn statt am 16. Oktober am 1. November ansetzen; doch hat schon Mabillon selbst, Acta SS. saec. III, 2, S. 398; dann Wenck, II 1, 260 N. y sich dagegen erklärt; ebenso zuletzt noch Vandermoere und Vanhecke, die mit Recht hervorheben, daß nicht blos die Angaben über Witta's Todestag einer sehr späten Zeit angehören, sondern daß auch davon abgesehen bei der Ansetzung von Witta's Gedächtnißfeier ein Irrthum weit eher denkbar war als in Betreff von Lul's Todestag.

[3]) Wenigstens bis gegen Ende des 15. Jahrhunderts, dann am folgenden Tage (17. Oktober); vgl. Vandermoere und Vanhecke, l. c.; Falk in Forsch. zur deutschen Gesch. XXII, 434; Hahn S. 331 N. 7.

[4]) 785 hat die Wiener Originalhandschrift der Annales Fuld. ant., vgl. Sickel, Forsch. zur deutschen Gesch. IV, 458—459; das Jahr 787 die Ann. Disibodenbergens, Böhmer, Fontt. III, 174.

[5]) 786 nennen die Annales Lauresham. (cod. Lauresham. und Fragm. Chesn.), SS. I, 33, vgl. auch Chron. Moiss. cod. Moiss., SS. I, 298; ferner Ann. Maxim. SS. XIII, 21; Ann. Fuld. ant., codd. Casselan. und Monac. SS. III, 117*; Annales Enhard. Fuld., SS. I, 350; die Hersfelder Jahrbücher (Herm. Lorenz S. 87); Ann. Wirzib. (s. Albani Mog.), SS. II, 240; desgleichen Hermann von Reichenau, SS. V, 100, und Marianus Scottus (808), SS. V, 548 (vgl. Vandermoere und Vanhecke l. c. S. 1079); Mariani Scotti epitome, SS. XIII, 77; Series archiepp. Moguntin. (IX.), ibid. S. 315. — Hiemit stimmt auch überein, daß Lul's Nachfolger Richulf im März 787 geweiht wird, vgl. unten S. 538 N. 6. Die Erwähnung Lul's in der Stiftungsurkunde von Bremen 788 (Mühlbacher N. 286) widerlegt nichts, da die Urkunde falsch ist, vgl. unten, und Rettberg, I, 578. — Hahn, S. 331, ist geneigt den Tod beider Männer mit einer großen Sterblichkeit in Verbindung zu bringen, welche in Ann. Lauresham. (cod. Lauresh. und Fragm. Chesnii), SS. I, 33, unmittelbar vor dem Tode des Erzbischofs Lul erwähnt wird. Aber jene Sterblichkeit könnte nach dem Zusammenhange nicht vor der zweiten Hälfte des Dezember eingetreten sein; vgl. auch unten S. 552 N. 1.

[6]) Unrichtig geben daher Le Cointe, VI, 352; Mabillon, Annales, II, 285; Leibniz, Annales, I, 139, u. a. als Todesjahr Lul's 787; Oelsner, S. 492 N. 8, und Göpfert, S. 50 N. 1, das Jahr 785; wogegen schon Eckhart. I, 715; Pagi

nahm seine Gebeine auf[1]); als dann eine neue Kirche erbaut ward,
wurden dieselben feierlich erhoben und in der letzteren beigesetzt, wobei
sie vermeintlich eine wunderthätige Kraft bewiesen, im Jahr 852[2]);
da jedoch diese Kirche 1037 niederbrannte[3]), wurde eine neue Gruft
erbaut und die Reliquien Lul's nebst denen des h. Wigbert dahin
übertragen, im Jahr 1040[4]). Aber auch hier scheinen sie keine
bleibende Ruhestätte gefunden zu haben, noch andere Kirchen
rühmten sich später des Besitzes einzelner Reliquien des Heiligen[5]).

Der Nachfolger Lul's ward Richulf, ein Mann, über dessen
Vergangenheit wenig sicheres bekannt ist, der auch während seiner
langen Amtsführung verhältnißmäßig selten hervortritt, aber doch
in einer Weise, daß man sieht, er stand dem Könige persönlich
näher als sein Vorgänger Lul[6]). Es wird sogar erzählt, er sei
vorher am Hofe Karl's von großem Einfluß und sein vertrauter
Rathgeber gewesen; dieser habe ihn, einen Laien, aus eigener Machtvollkommenheit kraft eines vom Papst Hadrian schon 774 ihm verliehenen Privilegiums zum Erzbischof ernannt[7]); allein wie dieses

ad a. 786 Nr. 11; dann auch Wenck, II 1, 299 N. o; Rettberg, I, 578; Vandermoere und Vanhecke S. 1078 ff., sowie ferner Will, S. 44; Hahn, S. 331
N. 7 (während er in der Allgemeinen deutschen Biographie XIX, 633 zwischen 785
und 786 schwankt) u. s. w. sich für 786 entscheiden.

[1]) Eine Grabschrift auf Lul, herausg. von Dümmler, Poet. Lat. aev. Carolin. II, 649; nach der Handschrift verbessert Forsch. XXV, 177—178; Hahn, ebd.
XXII, 423—424, vermuthet in Lul selbst den Verfasser. — Lobsprüche auf Lul enthalten Alcuin. carm. 4, v. 52—55, Poet. Lat. aev. Car. I, 222, und die an ihn
gerichteten Verse Aelbert's (Coena's), Jaffé III, 291; auch Hraban's Epitaph auf
den Erzbischof Haistulf von Mainz, Poet. Lat. II, 237 Nr. 84, v. 9—10. —
Will, Vorrede S. XV, vertheidigt ihn gegen die Angriffe von Alberdingk Thijm
(S. 111); s. ferner Hahn, S. 333 ff.

[2]) Lambert. vita Lulli, c. 22, SS. XV, 147 f.; genau das Jahr 852
geben Lambert, SS. III, 47: Translatio sancti Lulli in coena Domini, und
Ann. Altahens. SS. XX, 784, wo noch hinzugesetzt wird: 7. kal. April.
(26. März); vgl. H. Lorenz, Jahrbücher von Hersfeld S. 92. Der Gründonnerstag 852
fiel aber vielmehr auf den 7. April; V. Lulli l. c., S. 147, sagt ungenau, es sei
60 Jahre nach der Beisetzung Lul's geschehen: Post traditum sepulture corpus b.
Lulli sexagesimus iam fluxerat annus; vgl. ebb. N. 7; Hahn, S. 333 N. 1.

[3]) Lambert. SS. III, 101.

[4]) Lambert. SS. V, 152.

[5]) Darüber vgl. Vandermoere und Vanhecke, l. c., S. 1081 f. — Will,
S. 45 Nr. 82, verweist auf ein Verzeichniß der in Hersfeld bestatteten Heiligen, in
welchem es heißt: S. Lullus requiescit hic corpore.

[6]) Vgl. über ihn Will a. a. O., Vorrede S. XVI—XVII; Richulf stammte,
wie es scheint, aus der Wetterau. Darauf, daß der Monachus Sangallensis, bei
welchem die Bischöfe überhaupt sehr schlecht wegkommen, ihn I, 16—19, Jaffé IV,
644 ff., als dumm und hochmüthig schildert, ist nichts zu geben; vgl. auch Wattenbach DGQ. I, 5. Aufl. S. 227; Ebert III, 216 u. unten Bd. II. z. J. 813. —
Ebenso ist R. gewiß ohne wahren Grund von Benedictus Levita und Hinkmar mit
den Fälschungen des ersteren und des Pseudo-Isidor in Zusammenhang gebracht.

[7]) Serarius, Rerum Moguntinensium libri quinque, bei Joannis, I, 379,
sagt von Richulf: Fuit in Carolo Magni aula vir praepotens eiusdemque
consiliarius intimus, uti narrat MS.; dann folgt die Berufung auf das von
Hadrian ertheilte Privileg, worüber zu vgl. oben S. 175, jedoch verwahrt sich Serarius a. a. O. selbst dagegen, daß Richulf als Laie zum Bischof ernannt sei; vgl.
auch Will, S. XVI.

vorgebliche Privileg eine Erdichtung ist, ebenso unzweifelhaft die ganze Nachricht; denn war es auch damals sogar die Regel, daß der König selbst unmittelbar die Bischöfe ernannte, wovon er bei der Wiederbesetzung vollends eines so wichtigen Bisthums keine Ausnahme gemacht haben wird, so ist doch nicht anzunehmen, daß er seine Wahl auf einen Laien lenkte. Vielleicht ist der neue Erz= bischof dagegen kein anderer als jener Diakonus Richulf, den Karl im Jahr 781 mit dem obersten Mundschenken und zwei päpstlichen Abgeordneten an Tassilo geschickt hatte, um diesen an seinen dem Könige geleisteten Eid zu erinnern[1]). Aus Briefen, die Alkuin an ihn richtet, geht hervor, daß er dem Gelehrtenkreise angehörte, der in Karl's Umgebung sich gebildet hatte, und in diesem den Na= men Flavius Damötas führte[2]). Auch zeigt sich allerdings, daß Ri= chulf schon vor seiner Ernennung zum Erzbischof ein Mitglied dieses Kreises war[3]). Außerdem entnimmt man aus dieser Correspondenz, daß Richulf den König auf einem der letzten Feldzüge nach Sachsen begleitet hatte[4]). Dann scheint Richulf als Missus fungirt zu haben[5]). Seine sehr nahen Beziehungen zu Alkuin würden schon darauf schließen lassen, daß er auch bei Karl selber wohl ge= litten war.

Die Weihe des neuen Bischofs verzögerte sich bis in den An= fang des folgenden Jahres, fand erst am 4. März 787 und zwar in Fritzlar statt[6]). Das Stift Fritzlar lag im Sprengel des Bis= thums Buraburg; daß Richulf dort die Weihe nahm, hatte wahr= scheinlich seinen besonderen Grund. Schon früher hatte Fritzlar, eine Stiftung von Bonifaz, zu Mainz in einem gewissen Abhängig= keitsverhältniß gestanden, Lul hatte 782 die Kirche von Fritzlar

---

[1]) Annales Laur. mai. SS. I, 162; Ann. Einhardi, SS. I, 163; vgl. oben S. 394 f. und auch S. 534 N. 4.

[2]) Alcuin. epist. 4, Jaffé VI, 147 (Flavio Damoetae filio karissimo). 148; 9, S. 153—154 (Flavio Damoetae viro clarissimo — dulcissime Damoeta); 12, S. 164 (Daomoete piscatori magno); 157, S. 586 (Venerando patri et in Christri membris magnifico Damoete archisacerdoti humilis magister Albinus salutem); 211, S. 705 (Probatissimo amico Damoetae); Alcuin. carm. 5, v. 8; Theodulf. carm. 27, v. 58—59, Poet. Lat. aev. Carol. I, 223. 492; vgl. unten Bd. H. z. J. 813.

[3]) Alcuin. epist. 4 fällt in die Jahre 783—785 (vgl. besonders Jaffé VI, 148 N. 1); auch Nr. 9 wenigstens in die Jahre 783—786; vgl. auch Mabillon, Ann. Ben. II, 266, welcher dies Schreiben schon 783 ansetzt und dem Eckhart I, 689, folgt.

[4]) Alcuin. epist. 4, Jaffé VI, 148—149: Sed valde solicitus sum de itinere tuae profectionis in hostem; quia plurima solent in talibus evenire pericula rebus etc. — Damoeta Saxoniam . . . recessit etc.; Will, S. XVI.

[5]) Alcuin. epist. 9, Jaffé VI, 154: Et in diversarum auditu causarum iustitia semper resonet in ore etc.

[6]) Richolfus ordinatur in episcopatum Mogontiae 4. Non. Mart. in die dominico in monasterio beati Petri quod est Frislar, berichtet Marianus Scottus, SS. V, 548; vgl. auch Ann. Wirzihurg. (s. Albani Mog.), SS. II, 240; Ann. Disibodenb., Böhmer, Fontt. III, 174; Will, S. 45 Nr. 3. Es lassen sich gegründete Bedenken gegen diese Angabe nicht erheben. — Chron. Suev. univ. SS. XIII, 63.

geradezu an den König vergeben, der sie dafür in seinen Schutz aufnahm[1]); andrerseits bestanden zwischen Fritzlar und Buraburg nahe Beziehungen[2]). Es scheint, daß Richulf's Entschluß sich in Fritzlar weihen zu lassen zusammenhing mit der Absicht das Stift als Bestandtheil der Mainzer Diözese erscheinen zu lassen, das Bisthum Buraburg aufzuheben. Kurze Zeit nachher ist dieses Bisthum mit Mainz vereinigt, und nichts steht der Annahme im Wege, daß die Vereinigung eben in dieser Zeit, nach Witta's Tod, erfolgte oder damals doch der erste Schritt dazu geschah[3]). Von einem Nachfolger Witta's als Bischof von Buraburg verlautet nichts. Zwar nennt ein Fritzlarsches Martyrologium einen Bischof Meingot, der an Stelle Witta's zum Bischof geweiht und dem die Leitung von Fritzlar übertragen worden sei[4]); allein es erweist sich in allen seinen Nachrichten als unzuverlässig[5]) und gründet sich wahrscheinlich auf ein bloßes Mißverständniß[6]). Schon Bonifaz hatte den Megingoz beauftragt, das Leben in Fritzlar streng nach der Regel zu ordnen[7]), und der Biograph des h. Wigbert bezeugt, daß er dies gethan hat[8]). Jedenfalls scheint Richulf, indem er sich in Fritzlar zum Bischof von Mainz weihen ließ, den ersten Schritt zu der Vereinigung des Bisthums Buraburg mit Mainz gethan zu haben;

---

[1]) Urkunde bei Wenck, II 2, 10. Nr. 7, vgl. oben S. 415.

[2]) Als Bischof von Fritzlar wird indessen Albūin (Witta) nur in einem irrthümlichen Zusatze des cod. Erfurt. zu Lup. Vita Wigberti, c. 24 bezeichnet. Im Texte selbst heißt es: Albuino presuli eiusdem oppidi (d. h. von Buraburg), SS. XV, 42 N. 5.

[3]) Jedenfalls mit Unrecht setzt Eckhart I, 715 die Einverleibung Buraburgs in Mainz schon bei Lebzeiten Lul's und Witta's an.

[4]) Bei Wenck, II 1, 262 N. a: Beato tandem Wicberto confessore . . . deposito in Christo, Meingotus, magisterii in monasterio custos et adiutor ac eius miraculorum speculator secretissimus, in locum Albuwini (Witta's) episcopi in sua ecclesia Burborch humati et Magni Caroli consensu Lullique praesulis auctoritate ordinatur episcopus coenobioque huiusmodi magistrali in Friddislar praeficitur. Diese Stelle ist zuerst veröffentlicht bei Fülling (nicht Schminke), Diss. hist. de antiquit. Fritislar. (Marburg. 1715), S. 29; wie es dort, S. 42, ferner heißt, wird daselbst zum 16. März (17. Kal. Apr.) Meingotus episcopus loci ipsius als gestorben notirt; vgl. Rettberg, I, 599; Holder-Egger, SS. XV, 40 N. 2; Hahn, Bonifaz und Lul, S. 319 N. 7.

[5]) Falsch ist die Angabe, Lul habe Meingot noch als Nachfolger Witta's geweiht; falsch die Angabe, Witta sei in Buraburg begraben; falsch die weitere Angabe, die Gebeine des h. Wigbert seien von Buraburg zurück nach Fritzlar gebracht, vgl. oben S. 343 f.; Holder-Egger l. c.

[6]) Vgl. Holder-Egger l. c. In c. 5. der Vita Wigberti, SS. XV, 39—40, heißt es nämlich: cum Megingozo, qui postea culmen episcopale (nämlich in Wirzburg, vgl. oben S. 514) subiit. — Nach der Ansicht von Rettberg I, 599, hätte Meingot als Abt von Fritzlar den bischöflichen Titel fortgeführt. Wenck, II, 262 f., betrachtet den Meingot als Nachfolger Witta's im Bisthum, dessen Sitz nur von Buraburg nach Fritzlar verlegt sei.

[7]) S. Bonifatii et Lulli epist. 64 (747 post Aug. 13), Jaffé III, 183, wo er Mengingotus diaconus heißt.

[8]) Vita Wigberti c. 5, l. c. S. 39—40: Ibi cum Megingozo, qui postea culmen episcopale subiit, diu conversatus est et laxam antehac et fluidam fratrum conversationem ad normam suae vitae coercuit, wobei also auch Megingoz mitwirkte.

auf einmal geſchah dieſelbe ſchwerlich, ſie iſt wohl eher allmählich und Schritt für Schritt bewerkſtelligt[1]). Daß Buraburg nicht mit Mainz, ſondern mit Paderborn verbunden worden ſei, als dort ein Bisthum geſtiftet ward, iſt eine grundloſe Vermuthung[2]).

Auch die Würde eines Abtes von Herſfeld war durch Lul's Tod erledigt. Zwar wird noch bei Lebzeiten Lul's, in einer Ur= kunde vom 31. Auguſt 786, ein Abt Buno genannt[3]), und auf= fallen könte es nicht, wenn Lul einem ſolchen als ſeinem Stell= vertreter die Leitung der Abtei übertragen hätte; wogegen es un= wahrſcheinlich iſt, daß er ſelbſt die Abtswürde gänzlich niederlegte[4]); allein auch das erſte iſt zweifelsohne nicht der Fall geweſen. Die Urkunde, durch welche Buno für dieſe Zeit allein bezeugt wird, iſt verdächtig. Zutreffender iſt die Angabe eines Abtskatalogs aus dem 11. Jahrhundert, der als Lul's Nachfolger Balthart, dann erſt Buno nennt[5]). Balthart's Tod iſt in den Herſfelder Jahr= büchern zu 798 verzeichnet[6]); er kann alſo recht wohl als Lul's Nachfolger betrachtet werden, der ſelber bis zu ſeinem Tode die Abts= würde beibehalten haben mag[7]). Buno können wir wenigſtens ſeit 820 als Abt von Herſfeld verfolgen[8]); er ſtarb 840[9]). Zwiſchen Balthart und Buno beſteht jedoch eine Lücke; Balthart's nächſter Nachfolger muß Erzbiſchof Richulf geweſen ſein, welcher im Jahr

---

[1]) So im ganzen auch Rettberg, I, 599. Wenck II 1, 268 ff., welcher die Einziehung erſt nach Meingot's Tode, gegen Ende von Karl's Regierung anſetzt, will dieſelbe daraus erklären, daß dadurch Mainz habe entſchädigt werden ſollen für die Verluſte, welche es durch die Gründung der neuen Bisthümer in Sachſen und deren Ausſtattung mit vormals mainziſchen Gebieten erlitten habe; ein Motiv, das, unge= achtet die Einrichtung der ſächſiſchen Bisthümer ſpäter fällt, auch ſchon 787 wirkſam geweſen ſein kann und auch mit der Einziehung durch Richulf in ſeinen erſten Jahren ſich verträgt.

[2]) So u. a. Serarius a. a. O. I, 313; Le Cointe, VI, 548; widerlegt von Wenck II 1, 269, vgl. Rettberg, II, 442.

[3]) Bei Wenck, III 2. S. 15 Nr. 15; vgl. oben S. 529 N. 4.

[4]) Das vermuthen Wenck, II 1, 303 f.; Rettberg I, 605; doch wiſſen beide dafür nur die in der vorigen Note erwähnte Urkunde geltend zu machen, die aber als verdächtig in dieſem Falle aus dem Spiel bleiben muß.

[5]) In der Kloſtergeſchichte von Herſfeld von Lambert, SS. V, 139, wo nach Lul genannt ſind Balthart abbas, Buno abbas etc.

[6]) Bei Lambert, Annales, SS. III, 40, ſowie in den Ann. Altahens. SS. XX, 783; vgl. Herm. Lorenz, Jahrbücher von Herſfeld S. 87 N. 10.

[7]) Wogegen Wenck den in der Urkunde genannten Buno als Buno I. zwiſchen Lul und Balthart einſchiebt und Rettberg, I, 605 N. 66, ebenfalls 2 Aebte mit Namen Buno annimmt, den erſten als Nachfolger Lul's; vgl. Sickel II, 262.

[8]) Vgl. die Urkunde Ludwig's des Fr. vom 8. Mai 820, Mühlbacher Nr. 698; Lambert. 831, SS. III, 44; Ann. Hildesheim., ed. Waitz (Hannover 1878), S. 16; Lorenz a. a. O. S. 90.

[9]) Ann. Altahens. SS. XX, 784: Bun abbas obiit. Lambert's ab= weichende Angabe: 846. Bun abbas Herveldensis obiit, cui Brunwart successit (SS. III, 47) iſt unrichtig, wie der Umſtand erweiſt, daß in den Privi= legien Ludwig's des Deutſchen für Herſfeld vom 31. Oktober 843 (Mühlbacher S. 526, Nr. 1334. 1335) bereits Buno's Nachfolger Brunward erſcheint, vgl. Dümmler, Geſchichte des oſtfränk. Reiches I, 2. Aufl. S. 243 N. 1; Lorenz, S. 90 N. 6.

802 urkundlich als Vorstand von Hersfeld bezeugt ist und dies wohl bis zu seinem Tode (813) blieb[1]).

In der Zeit von wenig mehr als einem Jahre traten so Megingoz, Witta, Lul, bald auch Willibald von Eichstädt vom Schauplatz ab, von den Gefährten und unmittelbaren persönlichen Schülern des Bonifaz wohl die letzten. Neue Männer, ein neues Geschlecht trat an die Stelle; neben den Angelsachsen, die noch immer ihren Einfluß behaupten, wie denn auch Alkuin vermöge seiner wissenschaftlichen Wirksamkeit zugleich in kirchlichen Angelegenheiten eine hervorragende Rolle spielt, nehmen auch Eingeborene des fränkischen Reichs in größerer Zahl die Bischofsstühle ein, und für Karl's Entwürfe ist dieser Umstand förderlich. Die Einrichtung einer hierarchischen Ordnung, der engste Anschluß der fränkischen Kirche an Rom, diese beiden Hauptaufgaben, die Bonifaz sich gestellt, waren ein Menschenalter nach seinem Tode im wesentlichen durchgeführt und gesichert. Aber so wie Karl die Verbindung mit Rom verstand, ist es zweifelhaft, ob die Schule des Bonifaz noch weiter unbedingt mit ihm Hand in Hand gegangen wäre; für die oberste Leitung auch der kirchlichen Verhältnisse, die er in Anspruch nahm, für die Unterordnung Roms unter den König konnte er bei geborenen Angehörigen des eigenen Reichs und bei Fremden, die wie Alkuin nicht aus des Bonifaz Schule hervorgegangen waren, bessere Unterstützung finden. Und daß Karl in keiner Weise daran dachte dem Papste eine unabhängigere Stellung einzuräumen, zeigte sein Auftreten bei seiner nächsten Anwesenheit in Italien, wohin er noch zu Ende des Jahres aufbrach.

Im Juni war im Umfang des ganzen Reiches die, wie man dachte, vollendete Unterwerfung Sachsens durch ein kirchliches Dankfest gefeiert worden[2]); im August auf der Reichsversammlung in Worms hatte der König die Unterwerfung der Bretonen entgegengenommen und über die Aufständischen aus Thüringen zu Gericht gesessen; weit und breit im Reich herrschte Ruhe und Friede. Aber schon standen neue wichtige Ereignisse bevor. Da Karl sah, daß er nach allen Seiten hin Frieden hatte, sagen die alten Annalen, beschloß er sich nach Italien zu begeben, um an den Stätten der seligen Apostel zu beten, die Angelegenheiten Italiens zu ordnen und mit den Gesandten des griechischen Kaisers eine Besprechung über die Regelung der beiderseitigen Beziehungen zu halten[3]). Die

---

[1]) Urkunde bei Wenck II b, S. 18 Nr. 13, vom 3. März 802, und Wenck, III 2, S. 18 Nr. 18, vom 15. September 802, wovon jedoch die erste nicht unverdächtig, während die andere sogar im Original erhalten ist, aber nur eine Schenkung an Hersfeld auf Bitten des Erzbischofs Richulf bestätigt.

[2]) Jaffé IV, 247, Codex Car. Nr. 80, vgl. oben S. 500—501.

[3]) Annales Laur. mai. SS. I, 168: Tunc domnus rex Carolus perspiciens, se ex omne parte deo largiente pacem habere, suscepit consilium orationis causa ad limina beatorum apostolorum iter peragendi et causas Italicas disponendi et cum missis imperatoris placitum habendi de conveniitis eorum, vgl. auch unten. Aehnlich drücken sich Ann. Lauresham. SS. I, 38 zum J. 800 aus, vgl. unten Bd. II.

Annalen geben Karl's Beweggründe richtig an, aber äußerst dürftig und unbestimmt. Inwiefern machten die Verhältnisse in Italien Karl's Anwesenheit daselbst nothwendig? und worüber hatte er mit den griechischen Gesandten Unterhandlungen zu führen?

Die Verhältnisse Italiens und, was damit zusammenhing, die Beziehungen zum griechischen Reiche waren sehr verwickelt und müssen bei der Mangelhaftigkeit der Quellen auch mehrfach dunkel bleiben. Karl hatte bei seinem letzten Aufenthalt, 781, zwar manches gethan um Ordnung herzustellen, dadurch aber nur eine vorübergehende, keine dauernde Ordnung der Verhältnisse herbei= geführt, vielleicht nicht einmal herbeiführen wollen; der Zustand, in dem er Italien 781 zurückließ, kann in seinen eignen Augen kein befriedigender gewesen sein, hatte er doch eine so wichtige Frage wie die Stellung zum Herzogthum Benevent völlig uner= ledigt lassen müssen. Was damals nicht hatte geschehen können, dafür war jetzt der Augenblick gekommen. Karl war im Jahr 781 auf eine Beilegung der schwebenden Streitigkeiten eingegangen, bei welcher es deutlich ist, daß er eben nur den gerade obwaltenden Umständen Rechnung trug, daß er sein letztes Wort noch nicht gesprochen haben wollte. Er hatte die Unterwerfung Benevents vertagt und sich damit begnügt, daß die Kaiserin Irene dem Herzog Arichis und seinem Schwager Adelchis, dem Sohne des Desiderius, keine Unterstützung lieh, wenigstens in den Theilen des früheren langobardischen Reiches, die er inne hatte, Karl's Herrschaft aner= kannte; das etwa war wohl der Preis für die Verlobung seiner Tochter Rotrud mit Irenens Sohn Constantin gewesen[1]). Der Papst hatte auf eine solche Wendung der fränkischen Politik nach Kräften hingewirkt, und Karl konnte sich um so eher dafür entscheiden, da Hadrian seinerseits sich dazu verstand sein Auftreten gegen Tassilo zu billigen[2]), da er außerdem im Norden, in Sachsen noch zu sehr beschäftigt war um schon damals auch in Italien durchgreifen zu können. Im Jahr 786 war dieses Haupthinderniß, der Krieg in Sachsen, beseitigt; sogleich traten die italischen Verhältnisse in den Vordergrund, um die Abmachungen von 781 war es geschehen.

Zunächst und hauptsächlich galt Karl's neue Unternehmung dem Herzoge von Benevent. Fast der ganze Süden Italiens war im Be= sitze des Arichis, der als selbständiger Fürst in Benevent herrschte und als Gemahl einer Tochter des Desiderius, der Adelperga, sich, wie es scheint, gewissermaßen als Nachfolger von Desiderius in dieser Herrschaft betrachtete und als solcher auftrat. Während die Herrscher von Benevent sich früher Herzöge genannt hatten, legte Arichis zuerst sich, wie wir sahen[3]), die Bezeichnung: Fürst von

---

[1]) Vgl. oben S. 384 ff.

[2]) Annales Laur. mai. SS. I, 160. 162; Ann. Einh. ib. S. 163, da die fränkischen Gesandten, welche Tassilo an seinen dem Frankenkönig geschworenen Eid erinnern sollen, von päpstlichen begleitet werden, vgl. oben S. 382. 394 f.

[3]) Vgl. o. S. 364; indessen fanden wir, daß Paulus Diaconus die Gemahlin des Arichis nur als ductrix anspricht (S. 365 N. 1).

Benevent bei. Aber Karl betrachtete sich als Nachfolger der lango=
bardischen Könige im ganzen Umfang ihres Reiches, als König von
Italien[1]), so daß ein Zusammenstoß zwischen ihm und Arichis auf
die Dauer nicht ausbleiben konnte; Karl mußte, wenn er wirklich
König der Langobarden, von Italien sein wollte, auch von Arichis
die Anerkennung seiner Oberhoheit erzwingen. Unterdessen war
die Macht des Fürsten von Benevent fortwährend im Wachsen
begriffen, und wurde dadurch auch unmittelbar nur der Papst be=
droht, so konnte Karl doch auch um seiner eignen Stellung in
Italien willen das Gebahren des Arichis nicht gleichgiltig ansehen.
In der That lassen die Quellen kaum einen Zweifel daran, daß
Karl selbst die Verhältnisse so auffaßte; der jüngere Bearbeiter
der großen Reichsannalen sagt wohl mit Recht, der König sei nach
Italien gezogen um Benevent anzugreifen, weil er es für angemessen
gehalten, seiner Gewalt den Rest jenes Reiches zu unterwerfen,
dessen Haupt er in dem gefangenen König Desiderius (der also
noch lebte?) und dessen größten Theil er in dem bereits unter=
worfenen Langobardien in seiner Gewalt hatte. In dieser Absicht
sei er mitten im rauhen Winter in Italien eingerückt[2]).

Allein das einzige Ziel Karl's bei seinem neuen Zuge nach
Italien war die Unterwerfung des Arichis nicht; wie berührt, kamen
noch verschiedene andere Verhältnisse dabei in Betracht, die mit der
beneventanischen Angelegenheit mittelbar oder unmittelbar zusammen=
hingen: das Verhältniß zu den Griechen, zum Papste, auch zu
Tassilo von Baiern; alle diese Fragen haben damals Karl be=
schäftigt und alle waren in einander verschlungen; indem Karl an
die eine Hand anlegte, nahm er auch die anderen wieder auf. Doch

---

[1]) Ueber das Verhältniß zu seinem Sohne Pippin, insofern dieser ebenfalls
„König der Langobarden" war, vgl. oben S. 389 und unten Bd. II. z. J. 810.

[2]) Annales Einhardi. SS. I, 169: Rex, pace undique parta (vgl. oben
S. 541 N. 3), statuit Romam proficisci et partem Italiae quae nunc Bene-
ventus vocatur adgredi, conveniens esse arbitratus, ut illius regni resi-
duam portionem suae potestati subiceret, cuius caput in capto Desiderio
rege maioremque partem in Langobardia iam subacta tenebat. Nec diu
moratus, sed contractis celeriter Francorum copiis, in ipsa hiemalis temporis asperitate Italiam ingreditur. Ranke, Zur Kritik S. 428 ff., macht auf=
merksam auf den Unterschied zwischen dieser Darstellung, wonach bei Karl die Unter=
werfung Benevents schon bei Beginn des Zuges beschlossene Sache gewesen, und der
Angabe der Annales Laur. mai., oben S. 541 N. 3, die von einem solchen
Vorhaben Karl's nichts enthalte und ihn ganz in friedlichem Gedanken nach Italien
ziehen lasse, wo er erst durch den Papst zum Kampf gegen Arichis bestimmt worden
sei, und er gibt der letzteren Erzählung den Vorzug. Allein die beiden Angaben
stehen unter einander garnicht in einem solchen Gegensatz, die sog. Lorscher Annalen
drücken sich nur sehr unbestimmt aus, wogegen die anderen gerade heraus reden
und nichts sagen, worauf nicht auch die allgemeiner gehaltenen Angaben der ersteren
Anwendung finden könnten. — F. Hirsch, Forsch. zur deutschen Geschichte XIII,
51 N. 1, schließt sich allerdings Ranke's Ansicht an; ähnlich auch Harnack, S. 21 ff.,
obschon dieser einräumt, daß eine Regelung der unklaren Stellung des Herzogthums
Benevent beabsichtigt war. Vgl. indessen auch Mühlbacher, S. 101—102; Bernays,
Zur Kritik karoling. Annalen S. 153.

läßt bei der Dürftigkeit der erhaltenen Nachrichten der innere Zu= sammenhang sich nur unvollkommen erkennen.

Am wenigsten hört man von der Stellung, welche Taffilo zu den Vorgängen in Italien einnahm. Als Gemahl von Desiderius' Tochter Liutperga stand er mit Arichis und Adelchis in verwandt= schaftlicher Verbindung; als Herzog von Baiern, der lange Zeit gewohnt gewesen war selbständig zu herrschen·, befand er sich in ähnlicher Lage wie Arichis, hatte mit ihm dasselbe gemeinschaft= liche Interesse gegen Karl[1]); nahe läge die Vermuthung, er sei mit Arichis in eine Verbindung zu politischen Zwecken eingetreten, in ein Bündniß zur Vertheidigung der Selbständigkeit von Baiern und Benevent[2]). Aber es ist eine bloße Vermuthung, keine Spur ist zu finden von einer Verabredung Taffilo's mit Karl's Gegnern, mit Arichis und Adelchis, oder mit den Griechen[3]); auch was über ein Einverständniß Taffilo's mit den Avaren berichtet ist, bezieht sich nach dem ausdrücklichen Zeugniß der Quellen auf eine spätere Zeit[4]). Und doch sah Taffilo sein Verhältniß zum Frankenreiche, wie es im Jahr 781 hergestellt worden war[5]), als unhaltbar an. Das zeigt der Schritt, den er nachher that, sein Entschluß die päpstliche Vermittelung anzurufen[6]); er beweist dagegen nicht im

---

[1]) Vgl. auch Harnack S. 9, über den Zusammenhang, in welchem Karl die beneventanischen und die bairischen Angelegenheiten betrachtete.

[2]) Auch Riezler, Gesch. Baierns I, 164 vermuthet, daß Taffilo der Auflehnung des Arichis nicht völlig fremd geblieben sei, wenn er ihm auch keine thätige Hilfe leistete.

[3]) Lehuërou, Histoire des institutions carolingiennes, S. 353 f., und nach ihm Sugenheim, Geschichte der Entstehung und Ausbildung des Kirchenstaates, S. 42, übertreiben die Macht des Arichis und Taffilo und die Gefahr für Karl. Nach ihnen wäre Arichis die Seele einer furchtbaren Liga gewesen, an der außer Taffilo und den mit ihm verbündeten Avaren auch alle unzufriedenen Langobarden, die Griechen und die noch nicht unterworfenen Reste der Sachsen betheiligt gewesen wären und mit welcher selbst die Verschwörung des Hardrad zusammengehangen hätte. Aehnlich äußern sich la Bruère I, 225 ff.; Gaillard II, 135 f.; Hege= wisch S. 190, welche von einem engen Bündniß zwischen Taffilo und Arichis reden und dasselbe als das Werk ihrer Gemahlinnen, der Schwestern Adelperga und Liut= perga, darstellen, durch deren Vermittlung die Verbindung zwischen ihren Männern eingeleitet sei. Alle diese Behauptungen sind ohne Beweis, vgl. auch die folgende Note. Weit besonnener und richtiger äußert sich in diesem Falle Luden IV, 347.

[4]) Annales Laur. mai. 788, SS. I, 172: nisi postea fraudolens appa- ruit, postquam filium suum dedit cum aliis obsidibus et sacramenta . . . sed confessus est postea ad Avaros transmisisse, nämlich nach seiner Unter= werfung im Jahr 787. Und darauf geht auch die spätere Angabe der Annales Laur. mai. SS. I, 174: Et ista omnia . . Tassilo seu malivola uxor eius . . . per fraudem consiliaverunt, wobei an die vorher erzählten Angriffe der Avaren zu denken ist. Auf keinen Fall genügt der Umstand, daß vor diesen der Kampf zwischen Griechen und Langobarden erwähnt ist, um mit Lehuërou a. a. O. diese Stelle als Beweisstelle, und als einzige, für jene Liga anzuführen. Auch die Angabe Einhard's, Vita Karoli c. 11, über Taffilo's Verbindung mit den Avaren nöthigt keineswegs dieselbe in diese Zeit zu setzen, da sie nur ungenauer ist als diejenige der Annalen, vgl. unten.

[5]) Vgl. oben S. 396.

[6]) Annales Laur. mai. 787, SS. I, 170 etc.; vgl. unten.

allerentferntesten, daß Taffilo sich mit Arichis oder den Avaren in eine Verbindung eingelassen hatte. Karl hat sich nachher mit einer sehr unvollständigen Unterwerfung von Benevent begnügen müssen, aber trotz der großen Schwierigkeiten, denen er hier begegnete, liest man kein Wort von einer drohenden Bewegung, die Taffilo während Karl's Abwesenheit gemacht; auch daraus geht hervor, daß ein Bündniß zwischen Arichis und Taffilo nicht bestand, und hätte Karl an ein solches geglaubt, so würde er nicht während seines Zuges nach Italien Taffilo sich selbst überlassen haben; er konnte das nur wagen, weil er wußte, daß Taffilo für Arichis nichts unternehmen wolle oder könne, und annahm, daß er sich ruhig verhalten würde.

Aber wenn nicht an Taffilo, so mochte Arichis dafür an den Griechen eine Stütze finden. Seine Hoffnung war nicht so schlecht begründet, wie es aussah. Die Verlobung von Karl's Tochter Rotrud mit dem Sohne der Irene, dem jungen Kaiser Constantin, hinderte nicht, daß die Griechen nöthigenfalls für Arichis Partei ergreifen konnten. Seit jener Verlobung war es zwischen Griechen und Franken zu keinen Streitigkeiten in Italien gekommen; die Griechen hatten, soviel zu bemerken, der Verbindung mit Arichis sich enthalten, noch bestand das Bündniß zwischen ihnen und Karl fort. Man kann nicht sagen, daß Karl den Verabredungen von 781 zuwiderhandelte, denn man kennt den Inhalt derselben, abgesehen von dem vereinbarten Familienbündniß, nicht; aber er handelte wohl dem Geiste des Vertrages, den Voraussetzungen zuwider, auf welchen derselbe beruhte. Der Vertrag hatte vielleicht die Bedeutung, daß dadurch der Besitzstand, die Machtverhältnisse, wie sie 781 in Italien lagen, in dauernde verwandelt werden sollten; das beabsichtigte Ehebündniß zwischen Constantin und Rotrud sollte dann etwa den Fortbestand dieser Machtvertheilung verbürgen. Karl verließ einen solchen Standpunkt bei einem Einschreiten gegen die Unabhängigkeit von Benevent[1]); es war nicht anders zu erwarten als daß in solchem Falle ein Zerwürfniß mit den Griechen eintreten würde. Arichis hatte noch vor kurzem mit dem griechischen Herzoge von Neapel um Amalfi im Kampfe gelegen[2]), was indessen auf seine Stellung zur griechischen Kaiserin kaum einen Schluß erlaubt, da das Herzogthum Neapel nur in sehr loser Verbindung mit dem übrigen Reiche stand[3]); jedenfalls hinderte dieses feindselige Verhältniß ihn nicht, bei der ersten Nachricht über die von Seiten Karl's drohende Gefahr mit Neapel Frieden zu

---

[1]) Eine andere Auffassung vertritt M. Strauß, S. 18 f.
[2]) Der Papst berichtet darüber selbst an Karl in dem Briefe bei Jaffé IV, 249 ff., Codex Car. Nr. 82; hingegen sind die Fragmenta chronici Neapolitani bei Peregrinus et Pratillus, Historia princ. Langob. III, 33, welche einen genauen Bericht über den Kampf enthalten, untergeschoben, vgl. Köpke, in Pertz, Archiv IX, 212 ff. Ueber das Nähere vgl. Forschungen zur deutschen Geschichte, I, 513; auch Harnack a. a. O. S. 17—18.
[3]) Vgl. Hegel I, 227.

schließen[1]). Noch weniger aber als Arichis konnte Karl selbst im unklaren sein über die Haltung, welche die Griechen seinen Plänen gegenüber einnehmen würden; und es war für ihn um so dringender geboten vor den Griechen auf der Hut zu sein, das Verhältniß zu ihnen auf das ernstlichste in Erwägung zu ziehen, da auch der Papst zu Constantinopel in Beziehungen stand, welche mit seiner engen Verbindung mit Karl, mit seiner Unterordnung unter den fränkischen König sich schlecht vertrugen.

Unter den Punkten, welche auf Karl's Entschluß nach Italien zu ziehen maßgebend einwirkten, nahm auch seine Stellung zum Papste, nahmen die Verhältnisse des römischen Stuhls eine wichtige Stelle ein. Sie waren in den letzten Jahren wesentlich unverändert geblieben. Der Briefwechsel zwischen Hadrian und Karl hatte fortgedauert, berührte jedoch durchgehends nur Gegenstände von untergeordneter Bedeutung. Von dem Einfluß des Papstes auf die kirchlichen Angelegenheiten des fränkischen Reiches ist wenig zu bemerken, wenn auch einzelne Spuren davon vorhanden sind, daß Karl Gewicht auf die Stimme des Papstes legte. Er fragt bei Hadrian an, wie es mit den Sachsen zu halten sei, welche vom Christenthum wieder ins Heidenthum zurückgefallen seien, welche geistliche Strafen ihnen die Priester auferlegen sollten; worauf der Papst ihm mittheilt, welches Verfahren in diesem Falle die Satzungen der Kirche vorschreiben[2]). Hingegen sind von den Privilegien, welche verschiedene Kirchen des fränkischen Reichs von Hadrian erhalten haben wollen, die meisten falsch[3]); echt erscheint

---

[1]) Erchempert. Historia Langobardorum Beneventanor. c. 2, SS. rer. Langob. S. 235; Pactum, quod constituit domnus Arechisi gloriosus princeps cum iudex Neapolitanorum ... Leg. IV, 213 f.; das Epitaph auf den Consul Cäsarius († 788), Poet. Lat. aev. Carolin. I, 112 Nr. 8, besonders v. 17—18:

Sic blandus Bardis eras, ut foedera Graiis
Servares sapiens inviolata tamen

und v. 23—24:

Nutritus obses Arichis moderamine sancti
Salvasti patriam, permemorande, tuam.

Dieser Cäsarius, welcher ein Alter von 26 Jahren erreichte (ib. v. 25—26), war als Geisel an den Herzog Arichis von Benevent überliefert worden, wie es scheint, in einer früheren Zeit, vgl. Ferd. Hirsch, Das Herzogthum Benevent bis zum Untergange des langobardischen Reiches, S 48 N. 6. Es wird ihm nachgerühmt, daß er bei den Langobarden (Beneventanern) beliebt gewesen sei und doch den Griechen die Treue bewahrt habe. Vgl. Meo, Annali, III, 138 ff., der über die in der Angabe der Einzelheiten nicht ganz unverdächtige, jedenfalls schwer verständliche Nachricht des Erchempert handelt. Das erwähnte Pactum hielt er für unecht; vgl. auch Forsch. zur deutschen Gesch. I, 514 N. 4, während es Peregrini wenigstens von dem bei Erchempert erwähnten Vertrage unterschied, vgl. Waitz, SS. rer. Langob. S. 235 N. 3; übrigens auch Malfatti II, 337—338.

[2]) Jaffé IV, 248 f., Codex Car. Nr. 81, aus dem Jahre 786, etwa aus dem Juli.

[3]) Es sind die Privilegien für Hersfeld, o. S. 205 f., für Straßburg (Jaffé Reg. Pont. ed. 2 a. Nr. 2401; oben S. 184 f.), für Kempten (ib. Nr. 2406), für St. Martin in Tours, bei Le Cointe VI, 295 (Jaffé l. c. Nr. 2452), für St. Maurice in Wallis, unten S. 552. Ueber das Privileg für Fulda vgl. oben S. 484 f.

nur die Beftätigung, welche Hadrian in einer Urkunde vom 1. Juli
786 dem Klofter St. Denis für das demfelben fchon von einem feiner
Vorgänger, Stephan II., (757) ertheilte Privileg[1]) gewährt; es wird
darin dem Klofter die Befugniß eingeräumt, daß zum Behuf der
Predigt in feinen Mauern ein eigener Bifchof feinen Sitz haben
folle, von dem Abte und den Mönchen felbft gewählt; die benachbarten Bifchöfe follen verpflichtet fein ihm die Weihe zu ertheilen,
und würden fie fich deffen weigern, fo foll der Gewählte fie beim
Papfte felbft einholen können. Kein benachbarter Bifchof darf fich
auf den Befitzungen des Klofters die Seelforge oder irgend welche
geiftliche Amtsverrichtungen anmaßen: das Klofter felbft hat das
Recht fie durch feinen Bifchof auszuüben zu laffen[2]).

Weit bedeutender erfcheint der Einfluß, den Karl in Italien,
auch in den Gebieten der römifchen Kirche ausübt. Ein Mönch
und Presbyter Johannes, wie es fcheint, ein Italiener, kommt zu
Karl, etwa im Jahr 784, und berichtet ihm von allen möglichen
Mißbräuchen und Unfug, der in Italien an der Tagesordnung fei[3]),
und diefe Befchwerden müffen fich auf die Zuftände in Rom, in
den päpftlichen Gebieten bezogen haben, denn Karl fchickt den
Herzog Garamannus nach Rom und läßt durch ihn den Papft auffordern dem Unwefen zu fteuern[4]). Im Exarchat und in der
Pentapolis treiben die venetianifchen Kaufleute lebhaften Handel,
vorzugsweife Sklavenhandel; Karl hat fchon früher gegen den
Sklavenhandel Verordnungen erlaffen, auch den Papft aufgefordert
auf die Abfchaffung deffelben hinzuwirken[5]); etwa 785 oder doch
in dem Zeitraum, in welchem wir uns hier befinden, läßt er ihm
den Befehl zugehen die venetianifchen Kaufleute aus Ravenna und

---

[1]) Jaffé l. c. Nr. 2331.

[2]) Jaffé l. c. Nr. 2454; Bouquet V, 596; Fragment bei Tardif S. 65
Nr. 84, nach einer Copie des 9. Jahrh.; eine Abfchrift mit anno pontificatus I.
(772) am 30. Juni 1260 von Alexander IV. beftätigt. Vgl. Harttung, Diplomatifch-
hiftorifche Forfchungen S. 73 ff. 526 f.

[3]) Jaffé IV, 270 ff., Codex Car. Nr. 91, aus der Zeit von 784—791;
genaueres über diefen Brief in den Forfchungen I, 509 f.

[4]) Hadrian fagt felbft, in dem angeführten Brief, Jaffé l. c. S. 271: Illud
autem, quod nobis vestra innotuit regalis potentia per suum fidelissimum
missum, scilicet Garamannum gloriosum ducem, pro Iohanne monacho
atque presbitero — qui, sicuti in vestris referebatur regalis apicibus, de
captivatione hominum et de aliis inlicitis causis, quae a pravis perpe-
trantur hominibus, vobis enuntiasset, ut Deo propitio per vestrum precel-
sum regalem dispositum corrigerentur vel emendarentur — quemadmodum
nobis poposcit regalis potentia, libenti eum suscepimus animo, solito in
omnibus vestris accommodantes votis.

[5]) In dem Briefe bei Jaffé IV, 205—206, Cod. Car. Nr. 64 (774—780;
wie Martens, Röm. Frage S. 159 meint, entweder 774—776 oder 778—780),
vgl. oben S. 321 und Gregorovius II, 409 f. (3. Aufl. S. 351 f.). Auch das
Heriftaller Capitular von 779, c. 19, Capp. I, 51, und das Capitular von Mantua
von 781 (?) c. 7, Capp. I, 190, enthalten Verfügungen über den Sklavenhandel,
vgl. oben S. 330. 375; übrigens hinfichtlich des Sklavenhandels der Venetianer
auch V. Zachariae, Duchesne I, 433.

der Pentapolis auszuweisen[1]). Hadrian bleibt nichts übrig als die Befehle des Königs zu vollziehen. Er ordnet sofort die Aus= weisung der Venetianer an[2]); er muß versprechen, den durch den Mönch Johannes zu Karl's Kenntniß gebrachten Mißbräuchen ein Ende zu machen, obgleich Johannes ein Mensch ist, über den er lieber die entehrendsten Strafen nach der ganzen Strenge der Klosterregel, Excommunication und Auspeitschung verhängt hätte[3]). Aber Hadrian ist den Forderungen Karl's, ja dem Auftreten seiner Beamten, der langobardischen Herzöge, gegenüber völlig macht= und willenlos. Der Herzog Gudibrand von Florenz, selbst jener Garamannus, der Bevollmächtigte Karl's, gestatten sich Ge= waltthätigkeiten gegen den Papst, überfallen und berauben die Be= sitzungen der römischen bezw. ravennatischen Kirche; Hadrian ist gänzlich wehrlos, muß sich begnügen bei Karl Beschwerde zu er= heben und um Abhilfe zu bitten[4]); Gudibrand hatte sich Ein= griffe in die Besitzungen des Hilariusklosters zu Galliata im Apennin und der Pilgerhospize auf den Alpenstraßen erlaubt. Hadrian's Mittel reichen nicht aus um auch nur die Kirchen in gutem bau= lichen Stande zu erhalten; von Karl muß er sich die Balken zur Ausbesserung der Kirchen, das Zinn zur Bedachung der Peterskirche liefern lassen; da die Beamten Karl's mit der Ablieferung zögern, ist es nicht möglich auch nur die Peterskirche gegen die Unbilden der Witterung zu schützen; Hadrian erklärt sich für gänzlich ent= blößt von den Mitteln das Dach der Kirche herzustellen[5]). So

---

[1]) Jaffé IV, 276 f., Codex Car. Nr. 94 (784—791). Die Venetici ad negotiandum, d. h. die venetianischen Handelsleute, sollen vertrieben werden a parti- bus Ravennae seu Pentapoliis, wobei Ravenna für den Exarchat überhaupt zu stehen scheint.

[2]) Jaffé IV, 277; der Erzbischof von Ravenna wird durch Hadrian mit der Vollziehung des Befehls in dem Gebiete der Ravennater Kirche, wo die Venetianer Besatzungen und Besitz haben, beauftragt.

[3]) Vgl. die Stelle oben S. 547 N. 4. Aber in demselben Briefe sagt Hadrian ausdrücklich, l. c. S. 272—273: In eo quod nobis pro eo vestra poposcit regalis potentia: ut nequaquam a nobis condemnatus, anathematizatus vel flagellatus fuisset neque aliquam atversitatem ei facere debuissemus, quatenus in his omnibus vestram accommodantes regalem petitionem, in quantum necesse fuit, ipsum ammonuimus monachum atque in proprium suum locum inlesum absolvimus. Nam, si vestrum illi non profuisset re- gale adminiculum, ecclesiasticam illi disciplinam canonice inferentes sicuti monacho gyrillo (gyrovago? Jaffé), a nobis correctus et emendatus, mo- nachicam regulam illi demonstrare inreprehensibiliter habuissemus. Ob nimium vero amorem vestrum cum magna patientia atque benignitate susceptus commonitusque ultro citroque divinis preceptis, in pace abso- lutus est.

[4]) Jaffé IV, 269—270. 277, Codex Car. Nr. 90. 94 (beide aus dem Zeit= raum von 784—791); vgl. Forschungen 1, 512.

[5]) Jaffé IV, 249—251, Codex Car. Nr. 82 (783—786); S. 250: et unde eius aulae tecti restaurare minime habemus; unter aula ist ohne Zweifel die Peterskirche selbst, nicht etwa blos der Vorhof zu verstehen, wie Cod. Car. Nr. 21, S. 94; V. Hadriani, Duchesne l. c. S. 497. Vgl. übrigens auch oben S. 367.

war es mit der weltlichen Macht des Papstes bestellt, so schildert er selbst sie in seinen eigenen Briefen.

Bei dieser Lage des Papstes hatte er selbst wie Karl das größte Interesse daran, daß der letztere wieder einmal in Italien erschien und Ordnung in die Verhältnisse brachte. Aber durfte Hadrian hoffen, daß Karl dabei sich nach seinen Wünschen richten würde? Fielen die Interessen, die Entwürfe des Papstes und des Königs zusammen? Hadrian und Karl standen äußerlich im besten Vernehmen, in einem fortgesetzten freundschaftlichen Verkehr. Hadrian versäumt keine Veranlassung den König seiner Ergebenheit zu versichern, sich ihm gefällig zu erzeigen; dem Bischof Erminbert von Bourges verleiht er auf Karl's besonderen Wunsch das Pallium und ernennt ihn zum Erzbischof von Aquitanien[1]); da es bei dem Bau des Doms in Achen an Marmor fehlt, überläßt Hadrian auf Bitten Karl's demselben Marmor, Mosaiken und andere Kunstwerke aus seinem Palast in Ravenna[2]), und Karl unterstützt seine erwähnte Bitte durch das Geschenk von ein paar Pferden, die er dem Papste schickt[3]), und lieferte außerdem, wie schon berührt, Holz und Zinn zur Restauration römischer Kirchen[4]). Allein der wahre ganze Ausdruck des zwischen Papst und König bestehenden Verhältnisses sind diese Höflichkeitsbezeigungen nicht. Hadrian hatte längst die Erfahrung gemacht, daß Karl nicht daran dachte seine Forderungen wegen Ausführung des alten Schenkungsversprechens zu erfüllen; nur seine eigene vollständige Ohnmacht und seine Abhängigkeit von Karl, welche die Folge davon war, kann ihn bewogen haben den König durch ein entgegenkommendes Auftreten möglichst zu gewinnen, und Karl hatte keinen Grund dies nicht auch von seiner Seite zu erwidern. Aber Hadrian empfand diese Abhängigkeit schwer; es wäre zu verwundern, wenn er nicht gewünscht hätte sich ihr zu entziehen, in ein freieres Verhältniß zu Karl zu kommen. An Gelegenheit den Versuch zu machen fehlte es nicht. Die Lage der Dinge im griechischen Reiche war ganz dazu angethan die Stellung des Papstes zu verbessern. Hadrian hatte schon vor Jahren erkannt, wie günstig der durch die Kaiserin Irene herbeigeführte Umschwung in den griechischen Verhältnissen für ihn war[5]); inzwischen hatte Irene durch keinen

---

[1]) Jaffé IV, 278 f., Codex Car. Nr. 95 (784—791); über die Zeit vgl. auch Le Cointe VI, 315.

[2]) Jaffé IV, 268, Codex Car. Nr. 89 (781—791); vgl. Einh. V. Karoli c. 26; Forschungen I, 511 N. 3 und später im II. Bande. — Waitz, SS. rer. Langob. S. 383 N. 11 vermuthet allerdings, und vielleicht mit Recht, Karl habe diese Bitte erst nach seinem Besuch in Ravenna im Frühjahr 787 (Agnell. c. 165 u. unten S. 577) vorgebracht.

[3]) Jaffé IV, 268 f.; es waren zwei Pferde, von denen das eine unterwegs starb; das andere bezeichnet Hadrian nur als equum utilem und bittet um schönere Pferde.

[4]) Jaffé IV, 249 ff.; vgl. oben S. 548.

[5]) Vgl. oben S. 384.

Widerstand in ihrer bilderfreundlichen Haltung sich irre machen laffen, vielmehr ihre Bemühungen fortgesetzt den Bilderdienst in ihrem Reiche wieder einzuführen, und Hadrian hatte die Genug= thuung, daß Irene und Constantin in einem eigenen Schreiben ihm ihre Absicht ankündigten, die Angelegenheit auf einer demnächst zu haltenden allgemeinen Kirchenverfammlung zur Berathung zu stellen, und ihn aufforderten derselben beizuwohnen[1]). Hadrian's Antwort ist vom 26. Oktober 785[2]); sie athmet den Geist der stolzesten Zuversicht, ihre Sprache steht im schneidendsten Gegen= saß zu dem Tone, in welchem Hadrian an Karl schrieb, zu den wirklichen Machtverhältniffen. Als eine neue Helena und ein neuer Constantin, schreibt er, würden Irene und ihr Sohn gepriefen werden, wenn sie die Bilderverehrung herstellten. In langer Aus= einandersetzung sucht er dieselbe zu rechtfertigen und beschwört zu= letzt den Kaiser und die Kaiserin die Bilder herzustellen, damit er sie wieder aufnehmen köne in den Schooß der heiligen katholischen römischen Kirche. Er stellt ihnen Karl als Vorbild hin, welcher die päpstlichen Ermahnungen befolgt und in allem Hadrian's Willen erfüllt, dem h. Petrus Provinzen, Städte, Castelle und andere Territorien überlaffen, ihm die von den Langobarden vorenthaltenen Patrimonien zurückgegeben habe und nicht aufhöre ihm täglich Gold und Silber zu spenden; dafür habe Gott ihm gewährt alle barbarischen Völker des Westens mit seinem Reiche zu vereinigen; so würden, wenn sie dem h. Petrus seine Rechte und Patrimonien zurückgeben wollten, unter seinem Schutze auch Constantin und Irene über die Barbaren triumphiren. Hadrian stellt hier Karl ein Zeugniß aus, von welchem er selbst am besten wußte, daß Karl es in diesem Umfange mindestens nicht verdiente; sein Bestreben ist unverkennbar, in den Augen der Irene sein Verhältniß zu Karl als ein möglichst günstiges darzustellen, auf die Kaiserin durch seine nahen Beziehungen zu Karl Eindruck zu machen, während er dem Könige gegenüber, daran ist kein Zweifel möglich, seine Be= ziehungen zu Irene in demselben Sinne zu verwerthen suchte. Er nahm die Einladung zu der Kirchenverfammlung zwar für seine eigene Person nicht an, versprach dagegen seine Bevollmächtigten dahin zu schicken[3]); er durfte bei der entschiedenen Stimmung der Kaiserin mit einigem Grunde hoffen, daß nicht nur der Bilderdienst

---

[1]) Mansi, Conciliorum amplissima collectio XII, 984 ff.; erwähnt wird das Schreiben auch bei Theophanes, Chronographia, ed. de Boor S. 460, und in den Verhandlungen des Concils von Nicäa, Mansi XII, 1128; über die be= treffenden Hergänge im allgemeinen vgl. Hefele, 2. Aufl. S. 441 ff. (befonders 445 ff.).

[2]) Sie steht bei Mansi XII, 1055 ff., ein um dieselbe Zeit an den Patriarchen Tarafius gerichtetes Schreiben Hadrian's bei Mansi XII, 1077; vgl. Jaffé, Reg. Pont. ed. 2a. Nr. 2448. 2449; Neues Archiv V, 579; V. Hadriani, Duchesne I, 511—512. 522 N. 119 (Flodoard. De pontif. Roman., Muratori III b, 194).

[3]) Vgl. auch Iohann. Gest. epp. Neapolitan. c. 45, SS. rer. Langob. S. 427.

hergestellt, sondern daß dadurch auch die vollständige Rückkehr der
Griechen in den Schooß der römischen Kirche angebahnt werden
würde. Wenn es so weit kam, so mußte das Verhältniß zum frän=
kischen Könige eine wesentliche Veränderung erfahren, stand Karl
vielleicht gar in Gefahr den Patriciat der Römer zu verlieren[1]).
So forderten, nachdem kaum der Sachsenkrieg vorderhand zu
Ende, zahlreiche andere Fragen eine Lösung, oder doch ein be=
stimmtes Auftreten Karl's. Alle griffen sie in einander ein, die
Fäden, durch welche sie unter einander zusammenhingen, einzeln
zu verfolgen ist aber nicht mehr möglich. Am meisten kam auf
Italien an, dorthin setzte sich denn auch Karl noch vor Ablauf des
Jahres in Bewegung. Die Rüstungen waren vermuthlich schon
seit längerer Zeit im Gange, obschon die Zusammenziehung der
Truppen schnell vor sich gegangen sein soll; Karl selbst befand sich
am 5. November noch in Worms[2]), bald nachher aber, in der Winters=
zeit[3]), brach er mit dem Heere auf[4]). Um die Zeit da er über die
Alpen zog wurde das ganze Reich durch wunderbare Himmels=
erscheinungen geängstigt. Die Annalisten berichten von Zeichen und
Wundern, wie man sie noch nie vorher am Himmel gesehen; das
Zeichen des Kreuzes sei im Dezember auf den Kleidern der Leute
zu erblicken gewesen, es habe angeblich Blut geregnet[5]), 6 Tage
vor Weihnachten sei ein gewaltiges Blitzen und Donnern erfolgt,

---

[1]) Anders faßt die Verhältnisse auf Mor. Strauß, Beziehungen Karl's d. Gr.
zum griechischen Reiche, S. 25 N. 5; vgl. auch Harnack S. 18 ff.
[2]) Urkunde bei Tardif, S. 65 f. Nr. 85, vgl. oben S. 529.
[3]) Ann. Petavian. SS. I, 17: invernis temporis; Ann. Einh. SS. I,
169: in ipsa hiemalis temporis asperitate (ausgemalt bei dem Poeta Saxo,
l. II, v. 237—241, Jaffé IV, 566); Weihnachten ist Karl in Florenz, s. unten S. 553.
Den Zug nach Italien bezw. Rom erwähnen auch viele andere Jahrbücher,
Ann. Laur. mai. SS. I, 168; Ann. s. Amandi 787, SS. I, 12; Ann. Lauresh.
SS. I, 33; Ann. Max. 787, SS. XIII, 21; Ann. Laur. min. ed. Waitz S. 414;
Guelferb., Nazar., Alam., Sangall. mai., Sangall. brev. 785, SS. I, 41. 43;
Henking l. c. S. 222. 237. 271; Coloniens. edd. Jaffé u. Wattenbach l. c.
S. 127; ferner Einh. Vit. V. Karoli c. 10 etc.
[4]) Ranke, Zur Kritik S. 429 f., will Karl ohne Heer nach Italien ziehen
lassen, weil die Annales Laur. mai. eines solchen nicht erwähnen; ähnlich Mal=
fatti II, 336. Daß er ein Heer mitnahm, bezeugen aber nicht nur die Annales
Einhardi (contractis celeriter Francorum copiis) und Einhard's Vita Karoli
c. 10 (postea cum exercitu Italiam ingressus), sondern auch die Ann. Petaviani
l. c.: Hic annus fuit sine hoste, nisi tantum invernis temporis perrexit
domnus rex Karolus in Italiam cum suo exercitu . . . Vgl. ferner unten
S. 560 N. 5, wo Karl mit einem Heere von Rom nach Capua aufbricht (Erchempert.
Hist. Langobard. Beneventanor. c. 2, SS. rer. Langob. S. 235); Mühl=
bacher S. 102; auch oben S. 543 N. 2. (Chron. Salernit. c. 10, SS. III, 477:
Gallorum, Saxonum, Alemannorum simulque et Langobardorum Burgun=
dionumque validam movens exercitum etc. kommt freilich nicht in Betracht.)
[5]) Am ausführlichsten die Annales Lauresh. SS. I, 33: Eo anno mense
December apparuerunt acies terribili in coelo tales, quales numquam antea
apparuerunt nostris temporibus; nec non et signa crucis apparuerunt in
vestimentis hominum, et nonnulli sanguinem dixerunt se videre pluere;
unde pavor ingens et metus in populo irruit (vgl. Bernays S. 18), ac mor=
talitas magna postea secuta est. Et Lullus archiepiscopus obiit. (Chron.
Moiss. SS. I, 298: Decembri—terribiles.)

das faſt im ganzen Frankenreiche zu hören geweſen ſei, zahlreiche
Menſchen und die Vögel unter dem Himmel getödtet habe, und
darauf ſei ein großes Sterben über die Menſchen gekommen[1]).

Der Weg, den Karl nach Italien einſchlug, iſt unbekannt; die
Nachricht, er habe unterwegs das Kloſter St. Maurice an der
Rhone beſucht, wonach er wohl über den großen St. Bernhard
gezogen wäre, entbehrt der ſicheren Begründung[2]). Karl ſoll
danach etwa 14 Tage in St. Maurice ſich aufgehalten, dann den
Abt Altheus, zugleich Biſchof von Sitten, den Nachfolger des
Wilcharius, mit ſich nach Rom genommen und Altheus dort auf
den Wunſch Karl's vom Papſte ein Privileg erhalten haben, worin
dem Kloſter alle früheren Verleihungen und Gerechtſame beſtätigt
werden. Allein die Urkunde iſt ebenſo ſicher falſch, wie die voraus=
gehende Erzählung über die Art, auf welche Altheus zu ihr ge=
kommen, unglaubwürdig[3]). Glauben verdient nur die Angabe

---

[1]) So das Fragmentum annalium Chesnii, SS. I, 33: Multa etiam re-
feruntur signa apparuisse eodem anno, signum enim crucis in vestimentis
hominum apparuit, ac sanguinem de terra ac de coelo profluere; nec non
et alia multa signa apparuerunt, unde pavor ingens ac timor in populo
salubriter inruit, ita ut se multi corrigerent. Et sex dies ante natale Domini tonitrua et fulgura immensa apparuerunt, ita ut ecclesias concussit
in Widli, et pene per totam Franciam auditum fuit, et multi homines
interfecti fuerunt; etiam aves coeli ab ipso tonitruo occisi sunt. Et arcus
coeli in nubibus apparuit per noctem. Et postea vero mortalitas magna
fuit, et Lullus archiepiscopus migravit de hac luce. Pertz (ib. N. 1) hält für
möglich, daß unter Widli das Emporium Witla an der Maasmündung bei Briel
oder Brielle (vgl. Ann. Enhard. Fuld. 836, SS. I, 360 N. 14) zu verſtehen ſei;
mindeſtens bleibt dies jedoch vollkommen fraglich. — Da dieſer wie der andere Text,
oben S. 551 N. 5, den Tod Lul's unmittelbar nach der mortalitas magna erwähnt,
könnte es ſcheinen als wäre auch Lul von dieſer Seuche hingerafft worden, was
jedoch chronologiſch nicht ſtimmt, man müßte denn Lul's Tod erſt ins Jahr 787
ſetzen. Allein den Zeugniſſen für 786 gegenüber kann die bloße Reihenfolge der
Angaben in dieſen Annalen nichts beweiſen; vgl. auch oben S. 536 N. 5.
S. übrigens hinſichtlich jener Wunderzeichen auch Ann. s. Amandi 787, SS. I,
12; Ann. Petav. SS. I, 17; Ann. Laur. min. ed. Waitz S. 414; Ann.
Enhard. Fuld. a. 781 (infolge flüchtiger und ungeſchickter Benutzung der Ann.
Laur. min.), SS. I, 349; Ann. Iuvav. min. SS. I, 88; Ann. s. Emmerammi
Ratisp. mai. SS. I, 92; Ann. Flaviniacens. 785, ed. Jaffé S. 688; dazu auch
oben S. 510 N. 5; 511 N. 1.
[2]) Le Cointe VI, 311; vgl. auch Mühlbacher S. 102. Die Nachricht, welche
Giſi im Anz. f. ſchweiz. Geſch. IV, 140 freilich für nicht unglaubwürdig hält, findet
ſich in der kurzen legendenhaften Erzählung, welche der Urkunde Hadrian's für
Altheus wie als Einleitung unmittelbar vorausgeht. Die Urkunde allein ſteht in der
Gallia christiana XII, instr. S. 424, und bei Guicheron, Bibliotheca Se-
busiana, in Hofmann's Nova scriptorum collectio I, 322; die Urkunde mit vor-
ausgeſchickter Erzählung bei Grémaud, Origines et documents de l'abbaye de
St. Maurice d'Agaune S. 30; vgl auch die folgende Note.
[3]) Zu den falſchen Urkunden wird das Privileg auch gerechnet von Jaffé, Reg.
Pont. Rom. ed. 2a. Nr. 2489, wogegen Grémaud S. 30 und Boccard, Histoire
du Vallais S. 31, an der Echtheit nicht zweifeln. Die Urkunde, welche im Schwei-
zeriſchen Urkundenregiſter I, 25 Nr. 23 Nr. 120 und ſonſt ſchon 780 angeſetzt wird, iſt
genau nach derſelben Schablone angefertigt wie das vorgebliche Privileg Papſt
Eugen's I., Grémaud S. 28 (Jaffé l. c. Nr. 2084); nur das Recht der freien
Abtswahl fehlt in dem Privileg Hadrian's, ſonſt ſind, abgeſehen von den in das

der ältesten Chronik von St. Maurice, daß zur Zeit Kaiser Karl's Altheus ein Privilegium erhalten habe[1]); wie es lautete, ist unbekannt und ganz ungewiß, ob Karl 786 St. Maurice berührte. Erst in Italien finden wir den König wieder, in Florenz, wo er Weihnachten feierte[2]). Während seines dortigen Aufenthalts scheint er der Kirche S. Miniato in Monte Fiorentino für das Seelenheil seiner verstorbenen Gemahlin Hildegard mehrere Häuser geschenkt zu haben[3]). Pavia, die Hauptstadt des italischen Königreichs, hatte er, soviel wir erfahren, nicht berührt; die inneren Verhältnisse Langobardiens hatten diesmal eben nicht zunächst und vorwiegend für ihn den Anlaß zu dem Zuge nach Italien gegeben[4]).

Allerdings, wenn auch im Königreich Italien die neuen Zustände allmählich angefangen hatten sich zu befestigen, so fehlte doch noch viel zur Herstellung einer befriedigenden Ordnung. Zwar hört man sehr wenig über die Thätigkeit, welche die von Karl seinem Sohne Pippin beigegebenen Rathgeber entfalteten, aber es begegnen uns deutliche Anzeichen, daß jener Bajulus Rotchild sich in der Leitung der Reichsangelegenheiten starke Willkürlichkeiten erlaubte[5]). Auch Eigenmächtigkeiten der Grafen und der niederen Beamten, insbesondere dem Klerus und den Kirchen gegenüber, scheinen häufig gewesen zu sein[6]). Es ist ein Erlaß Karl's[7]) an alle

---

Privileg Hadrian's eingeschobenen Namen der Besitzungen des Klosters und von der Vertauschung der Namen Eugen und Chlodovech in der ersten Urkunde mit Hadrian und Karl in der zweiten, beide Urkunden fast wörtlich gleichlautend, bis auf die Namen der zahlreichen Zeugen hinaus, welche die Urkunden unterscheiden; es sind in beiden dieselben, obgleich die zweite Urkunde c. 130 Jahre nach der ersten fallen würde! Die Urkunde König Rudolf's II. von Burgund, Historiae patriae monumenta, Chartarum tom. II, S. 62, welche Grémaud herbeizieht, spricht eher für die Unechtheit, da sie von einer Verleihung Eugen's an Altheus redet, also eine Verwechselung der beiden Urkunden begeht, welche zeigt, daß König Rudolf die Originale nicht zu Gesicht bekommen hatte. Bei dem in dieser Urkunde genannten König Karl ist, da er nach Lothar und Ludwig aufgeführt wird, wohl nicht an Karl d. Gr. zu denken.

[1]) Bei Grémaud S. 27: domnus Alteus episcopus et abbas. Tempore domni Karoli imperatoris accepit privilegium; vgl. Sickel II, 374. Wann Altheus auf Wilcharius folgte, ist ungewiß. Ueber die Verwirrung in der Abtsreihe vgl. o. S. 100 N. 3; ferner Gisi a. a. O.

[2]) Annales Lauriss. mai. l. c.; Ann. Einh. l. c.; Chron. Vedastin. SS. XIII, 705 l. c.

[3]) S. Mühlbacher Nr. 272; die Urkunde selbst, welche in den Zeitraum von 783—800 fallen muß, ist verloren.

[4]) Dem steht nicht entgegen, daß die Ann. Laur. mai. unter den Absichten des Zuges nennen causas Italicas disponendi (o. S. 541 N. 3); Ann. Enhard. Fuld. SS. I, 350 geben die Worte derselben ungenau wieder (et ipse per Italiam rebus ordinatis orationis causa Romam vadit).

[5]) Vgl. oben S. 388; Waitz III, 2. Aufl. S. 648, sowie unten Bd II. zum Jahre 810.

[6]) Auch die Gewaltsamkeiten des Rotchild, von denen wir Kunde erhalten, beziehen sich auf einen Bischof und einen Abt (Bd. II. a. a. O.).

[7]) Karoli epistola in Italiam emissa, 790—800, Capp. I, 203 f.

Beamten, hohe und niedere, auch an die Königsboten[1]) erhalten, der nur für Italien bestimmt gewesen sein kann[2]). Er wirft ein schlimmes Licht auf das Verhältniß der weltlichen zu den geistlichen Behörden. Er ertheilt den ersteren eine scharfe Rüge wegen der Mißachtung der Autorität und der Befugnisse der Bischöfe und anderen Geistlichen, insbesondere, weil sie sich weigern die Pfarrer den Bischöfen zu präsentiren, fremde Kleriker ohne bischöfliche Erlaubniß an ihren Kirchen anstellen, ferner und hauptsächlich es auch unterlassen, den Vorschriften des Heristaller Capitulars von 779 gemäß, den Zins und den doppelten Zehnten von den kirchlichen Beneficien zu leisten und Precarienbriefe über dieselben zu nehmen[3]). Um diesen Uebertretungen des kanonischen und weltlichen Rechts ein Ende zu machen, schickt der König im Einverständniß mit seinen Bischöfen, Aebten und anderen Geistlichen[4]) den Beamten den gemessenen Befehl, den Bischöfen um Gottes und des Friedens willen in den betreffenden Punkten Folge zu leisten. Wer es noch ferner wagt den Kirchen jene Einkünfte vorzuenthalten u. f. w., werde deswegen dem Könige selber Rede zu stehen haben[5]). Gewiß ist, daß die Synode[6]), auf welcher die Absendung dieses Erlasses beschlossen wurde, in den Zeitraum zwischen 779 und 800 fallen muß. Die eine Zeitgrenze ergibt die wiederholte Berufung auf das gedachte

---

[1]) dilectis comitibus seu iudicibus et vassis nostris, vicariis, centenariis vel omnibus missis nostris et agentibus.

[2]) Die Bestimmung desselben allein für Italien geht daraus hervor, daß es sich nur in italischen Handschriften findet, vgl. Boretius, Die Capitularien im Langobardenreich S. 112; Capp. l. c. S. 203.

[3]) Karl läßt sich vernehmen: Cognoscat utilitas vestra, quia resonuit in auribus nostris quorumdam praesumptio non modica, quod non ita obtemperetis pontificibus vestris seu sacerdotibus, quemadmodum canonum et legum continetur auctoritas, ita ut presbyteros nescio qua temeritate presentari episcopis denegetis, insuper et aliorum clericos usurpare non pertimescatis et absque consensu episcopi in vestras ecclesias mittere audeatis, necnon et in vestris ministeriis pontifices nostros talem potestatem habere non permittatis, qualem rectitudo ecclesiastica docet. Insuper nonas et decimas vel census inproba cupiditate de ecclesiis, unde ipsa beneficia sunt, abstrahere nitimini et precarias de ipsis rebus, sicut a nobis dudum in nostro capitulare institutum est, accipere neglegitis et ipsam sanctam Dei ecclesiam una cum ipsis episcopis vel abbatibus emendare iuxta vires vestras denegatis; vgl. auch unten N. 5.

[4]) Quapropter nos una cum consensu episcoporum nostrorum, abbatum necnon et aliorum sacerdotum haec instituta partibus vestris direximus.

[5]) L. c. S. 203—204: Si quis autem, quod absit, ullus ex vobis de nonis et decimis censibusque reddendis atque precariis renovandis neglegens apparuerit et inportunus episcopis nostris de his quae ad ministerium illorum pertinere noscuntur vel sicut in capitulare dudum a nobis factum continetur contradicere praesumpserit, sciat se procul dubio, nisi se cito correxerit, in conspectu nostro exinde deducere rationem.

[6]) Vgl. o. N. 4.

Capitular von Heristal[1]), die andere der Titel, welchen der König in dem Erlasse führt. Man hat wohl gemeint, den letzteren in eben dies Jahr 786 setzen zu dürfen[2]), weil man ihn in einem vielleicht dem Jahr 787 angehörigen Capitular als "im vorigen Jahre" gegeben allegirt zu finden glaubte[3]), indessen diese Auslegung ist nicht nur unsicher, sondern höchst wahrscheinlich falsch[4]). Nach der Stelle, welche der erwähnte Erlaß in den meisten Handschriften einnimmt[5]), scheint er vielmehr nicht vor 790 abgesandt worden zu sein.

Etwa in denselben Zeitraum (790—800) scheint auch eine Verordnung[6]) zu gehören, an deren Bestimmung für Italien kein Zweifel ist[7]), und welche von den langobardischen Bischöfen ausgegangen zu sein scheint[8]). Es ist eine Verordnung ausschließlich geistlichen Inhalts, welche sich aber mehrfach eng an die langobardischen Edicte anschließt und in 5 Capiteln Bestimmungen gegen Verheiratung von Nonnen, welche ihr Klostergelübde brechen, gegen Zauberei, Wahrsagen und andern Aberglauben, gegen Ehen unter Blutsverwandten, sowie gegen Ehebruch und Halten einer Concubine neben der Ehefrau trifft. Die Vergehungen werden mit geistlicher Buße bedroht[9]). Die betreffenden Bestimmungen empfangen jedoch auch die Bestätigung des Königs — wahrscheinlich Pippin's von Italien[10]) —, welcher verfügt, daß die Uebertreter überdies noch Wergeld an den Hof zahlen sollen[11]).

---

[1]) c. 13, Capp. I, 50. Das Wort dudum deutet, nach mittelalterlichem Sprachgebrauch, an sich eher auf einen kurzen als langen Zeitraum seit dem Erlaß jenes Capitulars hin.

[2]) Vgl. Boretius, Capitularien im Langobardenreich S. 113 ff.; Mühlbacher Nr. 27½.

[3]) Capitulare Mantuanum secundum, generale, c. 8, Capp. I, 197: De decimis ut dentur, et dare nolentes secundum quod anno preterito denuntiatum est a ministris reipublice exigantur (vgl. auch ibid. S. 194. 327 c. 9, N. 5).

[4]) Vgl. Boretius, Capp. I, 197 N. 4.

[5]) Vgl. Boretius, Capp. I, 203 (Capitularien im Langobardenreich S. 113).

[6]) Capitula cum Italiae episcopis deliberata, Capp. I, 202 f.; die vermuthliche Zeitbestimmung gründet sich auf die Stelle, welche dies Capitular in der einzigen Handschrift einnimmt; vgl. auch Capitularien im Langobardenreich S. 135, wo Boretius an die Zeit um 792 dachte.

[7]) Vgl. Boretius, Capitularien im Langobardenreich S. 131, der auch den Widerspruch von Daniels I, 284 N. 2, zurückweist; Capp. l. c.

[8]) Boretius, Capitularien im Langobardenreich S. 130; Capp. l. c.

[9]) c. 1. 2. 4.

[10]) Vgl. Boretius, Capitularien im Langobardenreich S. 130. 135; Capp. I, 202.

[11]) c. 6, S. 203: Sic placuit domni regi, ut qui as nefandas criminas emendare de terminibus sibi commissis, ut diximus, emendare neglexerit, ut in sacro palatio widrigildum suum componat.

Nach kurzem Aufenthalt in Florenz setzte Karl seinen Zug zunächst weiter fort nach Rom — mit einer Beschleunigung, welche die sogen. Einhard'schen Annalen auch hier hervorheben[1]).

---

[1]) Ann. Einh. SS. I, 169: quanta potuit celeritate Romam ire contendit (Poeta Saxo l. II, v. 246, Jaffé IV, 566); vorher: Nec diu moratus, sed contractis celeriter copiis (vgl. oben S. 551 N. 4).

Daß König Pippin seinen Vater von hier aus auf dem Zuge begleitet habe, also kurz vorher zu ihm gestoßen wäre (Mühlbacher S. 102; Malfatti II, 337), folgt aus Leo Marsicanus, Chronica monasterii Casinensis I, 12, SS. VII, 589, keineswegs. Leo berichtet nur im allgemeinen (und zwar nach Erchempert. c. 2, SS. rer. Langob. S. 235) von der Theilnahme Pippin's an den Kämpfen gegen Arichis von Benevent; unmittelbar vorher erzählt er von Karl's römischer Schenkung vom Jahre 774.

Der Weg nach Süden führte den König also zunächst nach Rom[1]), wo ihm der Papst Hadrian den ehrenvollsten Empfang bereitete[2]) und wo er einige Zeit verweilte[3]).

Unterdessen hatte Arichis, wie wir schon wissen, längst Zeit gehabt von der ihm drohenden Gefahr sich zu überzeugen; da er sich augenblicklich ohne jede wirksame Unterstützung befand, zog er es vor den Zusammenstoß mit den Franken wo möglich zu vermeiden. Er ließ es sich beträchtliche Zugeständnisse kosten, den Frieden mit Neapel wiederherzustellen; darauf knüpfte er mit Karl selbst Unterhandlungen an. Er schickte seinen älteren Sohn Romuald mit reichen Geschenken nach Rom, um mit Karl über eine friedliche Auseinandersetzung zu unterhandeln. Es lag ihm vor allem daran, eine Invasion des Frankenkönigs in sein Fürstenthum fernzuhalten; er ließ Karl also bitten, eine solche zu unterlassen,

---

[1]) Ann. Laur. mai. SS. I, 168: Tunc domnus Carolus rex supradicto itinere iter peragens Romam venit; Ann. Einhardi, SS. I, 169: quanta potuit celeritate Romam ire contendit; Einh. V. Karoli c. 20: ac per Romam iter agens etc.; Ann. Enhard. Fuld. SS. I, 350: orationis causa Romam vadit; Ann. Sithiens. SS. XIII, 36; Ann. Lauriss. min. ed. Waitz S. 414; Ann. s. Amandi, SS. I, 12 (Ann. Laubacens. SS. I, 13); Ann. Petavian. SS. I, 17; Ann. Lauresham. (cod. Lauresh. und Fragm. Chesnii), SS. I, 33; Ann. Max. SS. XIII, 21; Pauli contin. Rom., SS. rer. Langob. S. 202; Hersfelder Annalen (Quedlinb. Weissemb. Lambert. SS. III, 38—39; H. Lorenz S. 87); Ann. Guelferb., Nazar., Alam., Sangall. mai., SS. I, 41. 43; St. Galler Mitth. zur vaterländ. Gesch. XIX, 238. 271; Ann. Augiens. Jaffé, III, 702; Ann. s. Emmerammi Ratisp. mai. SS. I, 92 etc.

[2]) Ann. Lauriss. mai. l. c.: et valde honorifice ante domno apostolico Adriano receptus est. (Chron. Vedastin. SS. XIII, 705.)

[3]) Ann. Laur. mai. l. c.: et aliquod dies ibi moratus est cum domno apostolico. (Poet. Saxo l. II, v. 247 f.; Jaffé IV, 566:

Quo cum suscepti tractans molimina belli,
Parum transigeret tempus . . .)

Karl's Zug nach Benevent scheint aber erst im März erfolgt zu sein (vgl. unten S. 560), während er doch wohl schon im Januar in Rom eingetroffen war.

während er sich übrigens bereit erklärte alle Forderungen des Königs zu erfüllen[1]). Romuald scheint ein schöner, trefflicher junger Mann gewesen zu sein[2]), an edlen Eigenschaften und hoher Bildung[3]) seinen Eltern, an denen er mit großer Pietät hing, ähnlich. Dem schon bejahrten Vater stand er, wie es scheint, bereits in der Stellung eines Mitregenten zur Seite, so war er auch der Mutter eine Stütze[4]); opferfreudig für sein Vaterland, hatte er sich der schweren Sendung mit willigem Gehorsam unterzogen[5]). Es scheint, daß

---

[1]) Ann. Laur. mai. l. c.: Et Harichis dux Beneventanus misit Romaldum filium suum cum magnis muneribus postolare de adventu iamdicti domni regis, ut in Benevento non introisset, et omnes voluntates praedicti domni regis adimplere cupiebant (ne Beneventum intraret, quia vellet omnes voluntates regis adimplere — cupiebat vv. ll.); Ann. Laur. min. l. c.: Harigisus dux Benebentanus mittens filium suum Rumoldum regi et munera, ut in terram suam ne intraret, et quicquid imperaret faceret ... (Chron. Vedastin. l. c.: et Aregisus Beneventanus dux ei legatos misit deprecantes, ut in Beneventano non introirent Franci); Ann. Einhardi l. c.: Aragisus dux Beneventanorum, audito eius adventu compertaque in terram suam intrandi voluntate, propositum eius avertere conatus est. Misso enim Rumoldo, maiore filio suo, cum muneribus ad regem, rogare coepit ne terram Beneventanorum intraret. Diese Sendung und ihr Zweck, wie er auch von den Ann. Laur. mai. angegeben wird, scheint die Meinung Ranke's (Zur Kritik S. 429) auszuschließen, Karl habe damals, vor Romuald's Ankunft, einen Krieg gegen Arichis noch garnicht beabsichtigt. Arichis muß von einer solchen Absicht des Königs gewußt, mindestens sie bestimmt vorausgesetzt haben, wenn er Romuald absandte um ihre Ausführung zu verhindern.

[2]) Vgl. das vom Bischof David von Benevent verfaßte Epitaph auf ihn, Poet. Lat. aev. Carolin. I, 111, Nr. 8 (II, 689).

[3]) L. c. v. 9—10:
Grammatica pollens, mundana lege togatus,
Divina instructus nec minus ille fuit.

[4]) S. Epitaphium Grimoaldi, v. 3—4, Poet. Lat. I, 430:
Nec non et Romoald, ipsius maxima prolis,
Sub patre iam princeps hic requiescit homo.
Vgl. hiezu F. Hirsch, Forsch. XIII, 56 N. 6. In dem Epitaph auf Romuald selbst heißt es, v. 5—6, l. c. S. 111:
Cuius fessa patris bene iam virtute senectus
Tuta regebatur, tucio matris erat.
(Chron. Salern. c. 22, SS. III, 483.)

[5]) In dem mehrgedachten Epitaph heißt es in Bezug auf seine Sendung und Vergeiselung v. 15 ff., l. c. S. 111:
Ceu Abraham genitor Ysaac, sic iste peregit,
Oblatus tacuit, iussa parentis agens.
Traditus ob patriae populi cunctique salutem,
Se opponens voluit pro pietate mori.
Obvius occurrit regi innumeraeque falangi,
Munivit fines, o Benevente, tuos.
Tu placida regis sedasti mente furorem,
Obruta Gallorum te ira loquente fuit.
Allerdings fügt sich dies dem Bericht der Quellen nicht recht ein; Romuald scheiterte ja schließlich mit dem Versuche den Frankenkönig zu beschwichtigen und vom Eindringen in das beneventanische Land abzuhalten.

Karl die von Romuald überbrachten Anerbietungen befriedigten. Allein der Papst drang auf Krieg gegen Arichis und fand Unter= stützung bei den fränkischen Großen[1]). So war es nicht, daß Hadrian's Verhältniß zum griechischen Hofe, an dem auch Arichis einen Rückhalt gegen die Franken suchte, auf seine Stellung zu Arichis hätte Einfluß üben können; soviel auch dem Papste daran lag, mit Hilfe möglichst naher Beziehungen zu Constantinopel den Franken gegenüber eine freiere Stellung zu gewinnen, an eine Verständigung zwischen dem Papste und dem Langobarden, dem Schwiegersohn des verhaßten Desiderius, war nicht zu denken. Der Papst hatte vielmehr ein lebhaftes Interesse an dem Kriege der Franken gegen Arichis. Er wünschte dringend die Macht dieses gefährlichen Nachbars geschwächt zu sehen; er konnte daran die Aussicht auf eine Erweiterung des Besitzstandes der römischen Kirche, auf die Befriedigung von Ansprüchen knüpfen[2]), für welche er schon früher Karl's Hilfe in Anspruch genommen hatte[3]). Der Papst und die fränkischen Großen stellten also dem Könige vor, daß auf die Versicherungen des Arichis kein Verlaß sei, daß man sich erst durch einen Zug nach Benevent eine sichere Bürgschaft für ihre Erfüllung verschaffen müsse[4]), und Karl, welcher sonst ja nicht gewohnt war durch den Papst sich in seinen Entschließungen be= stimmen zu lassen, mochte hauptsächlich darauf Rücksicht nehmen, daß unter seinen eigenen Großen die kriegerische Stimmung über= wog[5]). Dem vereinigten Zureden des Papstes und der fränkischen Großen oder doch einer Anzahl derselben gelang es den König zur Ablehnung der von Romuald überbrachten Anerbietungen zu be=

---

[1]) Annales Laur. mai. l. c.: Sed hoc (die Versicherungen Romuald's) minime apostolicus credebat neque obtimates Francorum, et consilium fe-cerunt cum supranominato domno Carolo rege, ut partibus Beneventanis causas firmando advenisset, quod ita factum est; hieraus Regino, SS. I, 560; wohl ohne Zweifel auch — mittelbar oder unmittelbar — Ann. Laur. min. l. c.: quod apostolicus audiens, non credidit [neque Franci], sed persuasit regem proficisci in terram Beneventi; Chron. Vedastin. l. c.: Hoc denique Francis annuere nolentibus. Es beruht wohl auch nur auf den angeführten Worten der Ann. Lauriss. mai., wenn die Annales Einhardi schreiben: Quo (Romam) cum venisset ac de profectione sua in Beneventum tam cum Hadriano ponti-fice quam cum suis optimatibus deliberasset . . . Vgl. Ranke, Zur Kritik S. 429.

[2]) Vgl. Ferd. Hirsch in Forsch. zur deutschen Gesch. XIII, 52—53, der sogar annimmt, Karl habe die beneventanische Schenkung an den Papst, von welcher unten die Rede sein wird, schon vor dem Zuge nach Benevent gemacht. Dies letztere hat Hirsch indessen wenigstens nicht bewiesen. Seine Auffassung bekämpft Mühlbacher, S. 102—103; auch Malfatti II, 348 erklärt sich gegen dieselbe.

[3]) Vgl. oben S. 320. 366.

[4]) Vgl. oben N. 1.

[5]) Die Situation bietet ein eigenthümliches Gegenbild zu derjenigen, da einst die vornehmsten Großen Karl's Vater Pippin die Heeresfolge gegen die Langobarden verweigert hatten (Einh. V. Karoli c. 6).

wegen[1]). Karl behielt den Romuald an seiner Seite zurück[2]) und trat den Marsch nach Benevent an[3]).

Der König nahm den Weg über Monte Casino[4]) und rückte von dort weiter nach Capua[5]), wo er noch früh im Jahre, jedenfalls einige Zeit vor dem 22. März, angekommen sein muß[6]). Arichis hatte ihm keinen Widerstand entgegengesetzt, nun schlug Karl bei Capua ein Lager und schickte sich an, die Feindseligkeiten zu eröffnen[7]). Ein hundert Jahre jüngerer Geschichtsschreiber der

---

[1]) Ranke, Zur Kritik S. 429, versteht die Angabe in den f. g. Annalen Einhard's l. c.: Sed ille (Karolus) longe aliter de rebus inchoatis faciendum sibi iudicans . . Capuam . . . accessit fo, als hätte Karl danach die Vorschläge Romuald's kurzer Hand zurückgewiesen. In der That würde man die Sachlage fo auffassen, wenn man nur diesen Bericht hätte. Andererseits konnte sich jedoch der Annalist allenfalls auch fo ausdrücken ohne mit der genaueren Nachricht der f. g. Lorscher Annalen in Widerspruch zu gerathen, wonach Hadrian und die Großen den Anstoß zu dem Entschluß Karl's gaben. Vgl. übrigens hinsichtlich der Ausdrucksweise der Ann. Einh. auch Plückert, Ber. der k. sächsisch. Ges. der Wissensch. phil.-hist. Cl. 1884, S. 168 N. 16.

[2]) Ann. Laur. mai.; vgl. Ann. Einh. und unten S. 563 N. 2.

[3]) Annales Laur. mai. und Annales Einhardi l. c.; Ann. Laur. min. l. c.; Ann. Lauresham. Fragm. Chesnii; Pauli cont. Rom. l. c.; Hersfelder Annalen (Lorenz S. 87); Erchempert. c. 2, l. c.; Chron. mon. Casinens. lib. I, auct. Leone, c. 12, SS. VII, 589.

[4]) Ann. Lauresham. cod. Lauresham. SS. I, 33; vgl. ferner Ann. Alam., Sangall. mai., Sangall. brev., Mitth. zur vaterländ. Gesch. XIX, 222. 237. 271; Ann. Coloniens. ed. Jaffé und Wattenbach S. 127. Nach allen diesen Nachrichten kam Karl erst nach Monte Casino, dann nach Capua; es widersprechen auch nicht Pauli cont. Romana, l. c.: in terram Beneventi profectus est; monasterium sancti Benedicti adiit und die Hersfelder Jahrbücher, Lorenz l. c.: Beneventum profectus est et monasterium sancti Benedicti adiit, welche beiderseits auf Ann. Lauresham. zurückgehen. Dagegen findet sich bei Leo von Ostia, Chron. mon. Casin. I, 12, SS. VII, 589, die irrige Angabe, daß Karl's Besuch in Monte Casino erst auf seiner Rückkehr von dem beneventanischen Zuge nach Rom erfolgt sei.

[5]) Ann. Lauresham. cod. Lauresham. SS. I, 33: et inde (von Monte Casino) perrexit ad Capuam; Ann. Alam., Sangall. mai., Sangall. brev., Coloniens. — Ann. Laur. mai. l. c.: Et dum Capuam venisset . . .; Ann. Einh. l. c.: cum omni exercitu suo Capuam Campaniae civitatem accessit; Einh. V. Karoli c. 10: Capuam Campaniae urbem accessit; Ann. Enhard. Fuld., SS. I, 350; Ann. Sith. SS. XIII, 36; Cod. Carol. Nr. 86, Jaffé, IV, 260 (dum Carolus magnus rex preterito anno a Capuana urbe reversus fuisset).

[6]) Vom 22. März ist eine Urkunde Karl's für Bischof David von Benevent datirt, Mühlbacher Nr. 274; Ughelli, Italia sacra VIII, 37, unten S. 570 N. 2, welche unzweifelhaft nicht vor der Unterwerfung des Arichis erlassen sein kann.

[7]) Einh. V. Karoli c. 10: atque ibi positis castris, bellum Beneventanis, ni dederentur, comminatus est; Annales Einhardi: ibique castris positis consedit, inde bellum gesturus, ni memoratus dux intentionem regis salubri consilio praevenisset. Die Erzählung von dem damaligen Unternehmen Karl's gegen Arichis von Benevent bildet eine der Stellen, wo sich die Ann. Einh. und die Vita Karoli ganz nahe berühren. Welche von beiden Schriften in der anderen benutzt ist, läßt sich indessen nicht mit voller Sicherheit entscheiden (vgl. o. S. 5), zumal die Vita Karoli, deren Darstellung sonst aus den Ann. Einh. geschöpft sein könnte, andrerseits auch wieder besondere Uebereinstimmungen mit den Ann. Lauriss. mai. zeigt; vgl. unten S. 564 N. 1.

Langobarden erzählt, es sei wirklich zum Kampfe gekommen; Arichis
habe anfangs mit aller seiner Macht tapfern Widerstand geleistet,
zuletzt aber nach hartem Kampfe, da die Feinde „wie die Heu=
schrecken alles bis auf die Wurzel abgenagt", sich entschlossen nach=
zugeben[1]). Allein der Chronist zeigt sich über die Vorgänge sehr
mangelhaft unterrichtet[2]), die zuverlässigen Quellen wissen von
einem Kampfe nichts, es hat offenbar keiner stattgefunden. Noch
ehe es zu einem solchen kam, wurde ein Vergleich geschlossen.
Sobald Arichis vernommen hatte, daß die Franken in Capua
ständen, räumte er seine Hauptstadt Benevent, ohne Zweifel aus
Besorgniß diese Stadt nicht behaupten zu können[3]), und schloß sich
in Salerno ein[4]), welches er mit neuen starken Mauern befestigt
hatte[5]) und das ihm außerdem auch vermöge seiner Lage am Meer
größeren Schutz versprach. Bald darauf, während Karl sich noch
in Capua befand, wurden neue Unterhandlungen angeknüpft und
ein friedliches Abkommen zu Staube gebracht. Würde nun der
Mönch von Salerno Glauben verdienen, so wäre man über den
Gang der Unterhandlungen aufs genaueste unterrichtet. Er weiß

---

[1]) Erchempert. Historia Langobardorum Beneventanor. c. 2, SS. rer.
Langob. S. 235: Super Beneventum autem Gallico exercitu [perveniente],
predictus Arichis viribus quibus valuit primo fortiter restitit, postremo
autem, acriter preliantibus, universa ad instar locustarum radice tenus
corrodentibus, magis civium saluti quam liberorum affectibus consulens...
(Leo, Chron. mon. Casin. I, 12, SS. VII, 589: Cum quo idem Carolus diversis ac variis eventibus dimicans . . .).

[2]) Erchempert weiß von dem Verlauf des Zuges nach Benevent, wie ihn die
anderen Quellen erzählen, garnichts genaues, berichtet eben nur ganz allgemein von
einem Kampf; mit Unrecht folgen seiner Erzählung Dippoldt S. 90, der sehr ver=
wirrt ist, und La Farina II, 21.

[3]) Daß er vor seinem Abzuge nach Salerno Benevent noch mit zahlreichen
Truppen und Lebensmitteln versehen habe, wie Muratori, Annali a. 787, und
nach ihm La Farina II, 21 angeben, läßt sich nicht nachweisen.

[4]) Ann. Laur. mai. l. c.: Harichisus dux reliquid Beneventum civitatem, et in Salernum se reclusit, et timore perterritus non fuit auxus per
semetipsum faciem domni regis Caroli videre (vgl. Bernays S. 18); Ann.
Einh. l. c.: Nam relicta Benevento, quae caput illius terrae habetur, in
Salernum maritimam civitatem velut munitiorem se cum suis contulit; Regino, SS. I, 560: Herigisus reliquit Beneventum et in Salernum secessit
ibique se munivit. Ohne Zweifel unrichtig berichten dagegen die Ann. Laur.
min. l. c.: Harigisus reliquens Capuam civitatem, in Salerno concluditur;
vgl. über diesen Flüchtigkeitsfehler Waitz ebd. S. 401.

[5]) S. über die Befestigung von Salerno durch Arichis Erchempert. l. c.
cap. 3, S. 235—236: Nanctus itaque hanc occasionem et, ut ita dicam,
Francorum territus metum, inter Lucaniam (Pesto) et Nuceriam (Nocera)
urbem munitissimam ac precelsam in modum tutissimi castri idem Arichis
opere mirifico exstruxit, quod propter mare conticuum (i. e. contiguum),
quod salum appellatur, et ob rivum, qui dicitur Lirinus, ex duobus cor-
ruptum Salernum appellabatur, esset scilicet futurum presidium principibus superadventante exercitu Beneventum (Chron. mon. Casin. lib. I.
auct. Leone c. 12, l. c.); Epitaph des Arichis, Poet. Lat. aev. Carolin. I,
67 Nr. 33, v. 33—34:
Nec minus excelsis nuper quae condita muris
Structorem orba, tuum, clara Salerne, gemis;

zu erzählen[1]), wie im Auftrage von Arichis die angesehensten Bischöfe des Landes sich zu Karl begaben, in ihrem bischöflichen Ornate, demütig auf Eseln reitend; wie sie nach einem scharfen Wortgefechte durch List und Kühnheit den König eingeschüchtert und Arichis gerettet hätten. Da Karl sie an seinen Schwur erinnerte, nicht länger leben zu wollen, wenn er nicht mit seinem Scepter die Brust des Arichis durchbohre, hätten sie ihn in eine dem heiligen Stephan geweihte Kirche geführt und auf ein in einer Nische angebrachtes großes Bild von Arichis gewiesen. Da habe Karl mit gewaltigem Ingrimm die Brust dieses Bildes mit seinem Scepter zerschlagen und die Krone auf dem Haupte des Arichis zerstört, dann aber auf Bitten der Bischöfe Frieden geschlossen. Er habe sofort mit seinem Heere den Rückmarsch angetreten und nur Einen seiner Großen nach Salerno geschickt, um des Arichis' Sohn Grimoald und andere Beneventaner als Geiseln in Empfang zu nehmen. Es ist eine Erzählung, die theils auf der eigenen Erfindung des Mönches beruht, theils auf sagenhaften Ueberlieferungen, wie sie verhältnißmäßig früh über das Ereigniß sich gebildet zu haben scheinen; glaubhaft sind nur die Namen der Bischöfe David von Benevent und Rodpertus von Salerno, die bei der Vermittelung des Friedens hauptsächlich betheiligt gewesen sein sollen.

Die zuverlässigen Quellen beschränken sich auf die Nachricht, daß Arichis Gesandte an Karl nach Capua schickte, um über den Frieden zu unterhandeln[2]), sein Land vor Verheerung zu schützen; darunter mögen die Bischöfe David und Rodpertus sich befunden haben; Arichis selbst wartete in dem festen Salerno den Erfolg der Unterhandlungen ab. Die Verhältnisse, unter denen er in dieselben eintrat, waren günstig, denn er hatte noch keine Niederlage erlitten. Nicht sowohl seine Wehrlosigkeit als vielmehr die Schwierigkeiten, mit denen Karl zu kämpfen hatte, auch die Achtung, welche immerhin noch die Macht und besonders die Person des Arichis einflößen mußten, führten den schnellen Abschluß des Friedens herbei[3]). Der Fürst der Beneventaner erklärte sich aber-

---

Paul. Diacon. carm. 6, ibid. S. 44; Chron. Salernitan. c. 10. 17, SS. III, 477. 481; Ann. Einh.; Regino; vgl. die vor. Anmerkung u. o. S. 364 N. 3.
Man würde nach Erchempert glauben, daß Arichis Salerno mit diesen Befestigungen erst nach dem Abzuge Karl's versehen habe, damit es künftig den Fürsten als Zufluchtsort und Rückhalt bei feindlichen Einfällen diene; allein Arichis benutzte es ja schon jetzt selbst dazu und starb überdies bald darauf (26. August 787). Wir haben daher sicherlich mit Waitz, SS. rer. Langob. S. 235 N. 8, anzunehmen, daß die Befestigung von Salerno bereits der Zeit vor der Invasion Karl's angehört. Hienach drückt sich auch Regino (s. die vorhergehende Note) wohl nicht genau aus. Vgl. Malfatti II, 338.
[1]) Chronicon Salernitanum c. 10, SS. III, 477.
[2]) Annales Laur. mai. l. c.; Ann. Einh. l. c.
[3]) Vgl. auch Ranke, Zur Kritik S. 430. Aus der Angabe der Annales Laur. mai., Arichis habe nicht selbst vor Karl zu erscheinen gewagt, folgt aber nicht, daß Arichis nur, weil ihm keine andere Wahl mehr geblieben, sich ohne Schwertstreich ergeben habe. Im Gegentheil, der Umstand, daß Arichis den König nicht selbst auf-

mals vollkommen bereit, die Forderungen des Frankenkönigs, seine Unterwerfung zuzugestehen[1]). Er erbot sich, ihm als Geisel nicht nur seinen Sohn Romuald, der ja schon in des Königs Häuden war, sondern auch den jüngeren Sohn Grimoald[2]) und Andere[3]) zu stellen — so furchtbar schwer dies Opfer, welches er im Interesse seines Landes brachte, seinem Vaterherzen fallen mußte[4]). Er ver= sprach Karl außerdem reiche Geschenke[5]), die er ebenso wie den Grimoald und die anderen Geiseln auch gleich mitgeschickt zu haben scheint[6]). Dagegen verlangte er, daß ihm sein persönliches Er= scheinen vor dem Könige erlassen würde[7]). Das war keine geringe Forderung, sondern eine solche, welche von einem ziemlich unge= brochenen Selbstgefühl des Herzogs von Benevent zeugte. Man

---

suchte und Karl dies auch nicht verlangte oder wenigstens nicht darauf bestand, beweist nur, daß Arichis sich Karl nicht wehrlos ergeben mußte (vgl. unten N. 7). Etwas Besonderes dahinter zu suchen, wie Hegewisch S. 193 thut, ist aber kein Grund vorhanden.

[1]) Ann. Einh. l. c.: promittens, se ad omnia quae imperarentur libenter oboediturum; Einh. V. Karoli c. 10: seque cum gente imperata facturum pollicetur . . . (Regino, SS. I, 560: promittens omnem fidelitatem, tantum ut ab impugatione cessaret; Ann. Laur. min. l. c.: obtinuit ut terra non vastaretur illa).

[2]) Ann. Laur. mai. l. c.: et ambos filios suos proferens, id est Rumaldum, quem domnus Carolus rex secum habebat, et Grimoaldum, quem supradictus Areghis secum habebat . . .; Ann. Einh. l. c.: utrosque filios suos regi obtulit; Einh. V. Karoli c. 10, ungenau: Praevenit hoc dux gentis Aragisus: filios suos Rumoldum et Grimoldum . . . obviam regi mittens, rogat, ut filios obsides suscipiat . . .; Ann. Laur. min. l. c.: mittit regi . . . Grimoldum, filium suum . . .; Erchempert. c. 2 l. c. (Chron. mon. Casin. I, 12, l. c.), vgl. unten S. 565 N. 2; besonders aber auch das Epitaph Grimoald's, Poet. Lat. aev. Carolin. I, 430 Nr. 1, v. 19 bis 20 (A patre pro patria directus regibus obses — Placavit patriam funus ad usque patris).

[3]) Ann. Laur. mai. l. c. (et offerens . . . et alios obsides); vgl. Ann. Laur. min. l. c.; Chron. Vedastin. SS. XIII, 705; Einh. V. Karoli c. 10 (oblatos sibi obsides).

[4]) Epitaph des Arichis, Poet. Lat. aev. Carolin. I, 67 Nr. 37 v. 21—22:
Cum natis proprium nil ducens tradere censum,
Insuper et patriae promtus amore mori.
Erchempert. l. c.: magis civium saluti quam liberorum affectibus consulens.

[5]) Ann. Laur. mai. l. c. S. 168: et offerens multa munera (vgl. S. 170); Ann. Laur. min. l. c.: mittit regi munera; Einh. V. Karoli c. 10: filios suos . . . cum magna pecunia obviam regi mittens . . . Nach Erchempert. l. c. hätte Arichis dem Könige sogar seinen ganzen Schatz übergeben (simulque cunctum thesaurum suum), was jedoch unglaubwürdig erscheint; bei Leo von Ostia, Chron. mon. Casin. l. c., heißt es dann, Karl habe von dem Herzoge dessen Krone und den größten Theil seines Schatzes (coronam illius et maximam partem thesauri) empfangen. Vgl. über die Schätze der Adelperga Cod. Carol. Nr. 84, Jaffé IV, 255; unten S. 618.

[6]) Vgl. oben N. 2.

[7]) Dies berichtet ganz bestimmt und offenbar der Sachlage entsprechend Einhard's Vita Karoli c. 10, deren Bericht insofern der eingehendste ist: seque cum gente imperata facturum pollicetur, praeter hoc solum, si ipse ad conspectum venire cogeretur; und nachher: eique, ut ad conspectum venire non cogeretur, pro magno munere concessit.

36*

liest, Karl habe mit feinen geiftlichen und weltlichen Großen er-
wogen, daß man das Land nicht zu Grunde richten, die Bisthümer
und Klöfter nicht der Verwüstung ausseßen dürfe; aus Furcht
vor dem Zorn Gottes, den er fonft auf fich laden würde, aus Rückficht auf die Wohlfahrt des Volkes von Benevent habe er, ungeachtet des Trozes, den ihm der Herzog immerhin noch bis zu einem
gewiffen Grade zu bieten wagte, von der Fortfeßung des Krieges
Abftand genommen[1]). Die Hauptfache lag, wie berührt, aber wohl
in der Schwierigkeit, wenn nicht etwa gar in der Unmöglichkeit
mehr zu erreichen. Dazu mochten Erwägungen in Bezug auf das
Verhältniß zu den Griechen kommen; Karl hatte wohl nicht Unrecht,
wenn er etwa die Beforgniß hegte, daß eine längere Fortdauer
des Kampfes zu einer Einmifchung derfelben führen könnte[2]).
Unter folchen Umftänden ging Karl auf die ihm von Arichis gemachten Anerbietungen ein[3]). Arichis follte nebft anderen Beneventanern dem Frankenkönige den Eid der Treue fchwören, und
diefer Eid wurde hernach durch Bevollmächtigte Karl's dem Herzog,
feinem Sohne Romuald und der ganzen Bevölkerung abgenommen[4]).
Außerdem verpflichtete fich Arichis zur Zahlung eines jährlichen

---

[1]) Annales Laur. mai.: Tunc domnus ac gloriosus rex Carolus per-
spexit una cum sacerdotibus vel ceteris optimatibus suis, ut non terra
deleretur illa et episcopia vel monasteria non desertarentur ... Gewiß
unrichtig fchließt Luden IV, 349 daraus auf eine Vermittlung des Papftes zu Arichis'
Gunften. — Die Annales Einhardi ftreifen diefe Erwägungen nur, und in einer
Weife, welche den Sachverhalt zu verhüllen geeignet ift, mit den Worten: divini
timoris respectu bello abstinuit (hienach der Poeta Saxo, l. II, v. 263 ff.,
Jaffé IV, 566—567, etwa: Karl habe aus Gottesfurcht nicht das Vergießen chrift-
lichen Blutes veranlaffen wollen). Einhard. Vita Karoli c. 10 fagt auch hier
eingehender und im wefentlichen mit den Annales Laur. mai. übereinftimmend:
Rex, utilitate gentis magis quam animi eius obstinatione considerata ...
Perß, SS. II, 448 N. 23, verfteht utilitas hier irrthümlich in dem Sinne von
virtus; Hegewifch S. 192 redet ganz verkehrt von dem Nußen, den Karl von den
Beneventanern glaubte erwarten zu können; Einhard will einfach fagen, Karl habe
fich mehr beftimmen laffen durch die Rückficht auf die Wohlfahrt des Volkes von
Benevent als auf die Hartnäckigkeit feines Herzogs, und inwiefern er auf die Wohlfahrt des Volkes Rückficht nahm, zeigen die Worte der Annales Lauriss. mai. Vgl.
auch die Parallelftelle Einh. V. Karoli 11, unten S. 598 N. 4. — Ann. Laur.
min. l. c.: (Harigisus) obtinuit, ut terra non vastaretur illa.

[2]) Darauf deutet auch Leibniß, Annales I, 130; weiter unten im Text
das nähere.

[3]) Irrig ftellt Sugenheim, S. 42, die Sache fo dar, als ob Arichis, unfähig
Karl Widerftand zu leiften, fich habe glücklich fchäßen müffen, durch Vermittlung
feiner Bifchöfe auf demüthigende Bedingungen Frieden zu erlangen.

[4]) Ann. Laur. mai. SS. I, 170: iuraverunt omnes Beneventani, supradictus dux quam et Rumaldus; Ann. Einh. SS. I, 169: misitque legatos,
qui et ipsum ducem et omnem Beneventanum populum per sacramenta
firmarent; Einh. Vita Karoli c. 10, ed. Waiß S. 10: legatisque ob sacramenta fidelitatis a Beneventanis exigenda atque suscipienda cum Aragiso
dimissis; cum hat hier nach Perß und Waiß die Bedeutung von apud; vgl. jedoch
Bernays, Zur Kritik karoling. Annalen S. 42 N. 1. Chron. Vedastin. SS. XIII,
705 fagt nicht zutreffend: omnesque Beneventani et ipse dux cum Rumaldo,
suo filio, regis amiciciam iuraverunt. Der Poeta Saxo, l. II, v. 269 ff.,
Jaffé IV, 567, gibt die Nachricht der Ann. Einh. fo wieder:

Tributs[1]). Als Bürgschaft für die Ausführung dieses Vertrages ließ Karl sich die angebotenen Geiseln von Arichis stellen, 13 Bene= ventaner, darunter des Herzogs jüngeren Sohn Grimoald, wogegen er den Romuald wieder frei gab[2]).

. . . Beneventanus quoque cunctus
Dedere se populus non distulit . . .
. . . . hoc deditionis
Confirmans foedus, per sacramenta spopondit,
Ut Francis rerum dominis serviret in aevum,

wie Jaffé ebd. N. 1 bemerkt, mit Benutzung von Vergil. Aen. I, v. 282.

[1]) Erchempert. c. 2, l. c. S. 235: collata Arichis pace sub foedere pensionis; die Verse im Epitaph des Arichis, Poet. Lat. aev. Carolin. I, 67 Nr. 33, v. 21—22:

Cum natis proprium nil ducens tradere censum.
Insuper et patriae promtus amore mori

(vgl. ebd. N. 3; Forsch. zur deutschen Gesch. XIII, 55 N. 2 und oben S. 563 N. 4) beziehen sich vielleicht nur auf die Stellung seiner Söhne als Geiseln durch Arichis, so daß proprium censum ein bildlicher Ausdruck wäre. Aus den Worten der Annales Einhardi 814, SS. I, 201, wo es von Ludwig dem Fr. heißt: cum Grimoaldo, Beneventanorum duce, pactum fecit atque firmavit eo modo quo et pater, scilicet ut Beneventani tributum annis singulis septem milia so- lidos darent, kann nicht, wie es in Forschungen zur deutschen Geschichte I, 516 N. 6, bei Malfatti II, 343 und Mühlbacher S. 103. 108 geschieht, geschlossen werden, daß Arichis sich damals gerade zu einem Tribut von 7000 Solidi jährlich verpflichtet habe. S. dagegen auch F. Hirsch, in Forsch. z. deutschen Gesch. XIII. a. a. O. Die betreffende Stelle der Ann. Einh. scheint sich vielmehr zunächst auf einen Vertrag zwischen Karl dem Gr. und dem Fürsten Grimoald IV. (Storesaiz) von Benevent zurückzubeziehen; Näheres hierüber und andere darauf bezügliche Stellen s. unten Bd. II. z. J. 812; auch Simson, Jahrbücher Ludwig's des Fr. I, 28 N. 4.

S. außerdem im allgemeinen über die Unterwerfung Benevents durch Karl Ann. Petav. 786, SS. I, 17: deinde adquisivit terram Beneventanam per Dei auxilium; Ann. Iuvav. min. SS. I, 88: Karolus Beneventum conqui- sivit; Ann. Quedlinb. SS. III, 39: Carolus omnem pene Calabriam atque Apuliam in ditionem suscepit; auch Einh. V. Karoli c. 15 (Italiam totam, quae ab Augusta Praetoria usque in Calabriam inferiorem, in qua Greco- rum ac Beneventanorum constat esse confinia, decies centum et eo amplius passuum milibus longitudine porrigitur).

[2]) Ann. Lauriss. mai. l. c.: elegit duodecim obsides et tertium deci- mum (duodecimum v. l.) filium supradicti ducis nomine Grimoaldum; Ann. Laur. min. l. c.: mittit regi . . . Grimoldum filium suum et 12 obsides; Chron. Vedastin. l. c. — Ann. Einh. l. c.: et minore ducis filio nomine Grimoldo obsidatus gratia suscepto, maiorem patri remisit. Accepit in- super a populo obsides undecim (Undenis auch beim Poeta Saxo l. II, v. 271, Jaffé IV, 567); Einh. V. Karoli c. 10: et oblatos sibi obsides sus- cepit — unoque ex filiis, qui minor erat, obsidatus gratia retento, maiorem patri remisit. — Ann. Enhard. Fuld. SS. I, 350: Grimaltum filium Aragisi, ducis Beneventanorum, in obsidatum accepit; Ann. Sith. SS. XIII, 36. — Ann. Lauresham., SS. I, 33, cod. Lauresham.: . . . et adduxit secum obsidem filium Aragis; Fragm. Chesnii: et filio Aregiso inde in ospitatum recepit. Vgl. außerdem besonders das Epitaph des Arichis, Poet. Lat. aev. Carolin. I, 68 Nr. 33, v. 43—44:

Viderat unius heu nuper funera nati,
Ast alium extorrem, Gallia dura, tenes.

Wie man sieht, besteht zwischen den Ann. Laur. mai. etc. und den An- nales Einhardi eine Differenz hinsichtlich der Zahl der Geiseln, da die letzteren nur von 11 Geiseln, außer Grimoald, reden; indessen muß auch später Tassilo neben 12

Das Abkommen, das Karl mit Arichis getroffen, war aber wichtig nicht blos für seine Stellung zu Benevent, sondern auch für sein Verhältniß zu den Griechen. Vielleicht wäre er nachdrücklicher gegen Arichis vorgegangen, hätte er nicht der Rücksicht auf die Griechen Rechnung tragen müssen; vielleicht hatte, daß er jenes nicht that, wenigstens theilweise seinen Grund in der Besorgniß vor dem Hofe von Constantinopel. Freilich, was von späteren verrätherischen Verbindungen zwischen dem Herzoge und dem dortigen Hofe verlautet, beruht so gut wie sicher nur auf Verleumdung. Etwa ein Jahr später setzt der Papst Hadrian den König in Kenntniß von Mittheilungen, die ihm selbst durch einen Priester aus Capua, Gregor, gemacht worden seien über den Plan eines Bündnisses zwischen Arichis und den Griechen[1]. Kaum sei der Vertrag zwischen Karl und Arichis geschlossen gewesen, wollte der Priester wissen, so habe Arichis Gesandte nach Constantinopel geschickt und den dortigen Hof ersucht, ihm die Würde eines Patricius und das Herzogthum Neapel zu verleihen und seinen Schwager Adelchis ihm mit Heeresmacht zu Hilfe zu schicken; er habe dagegen versprochen, die Oberhoheit des Kaisers anerkennen, selbst griechische Tracht annehmen zu wollen, und auf diese Anerbietungen sei man in Constantinopel im wesentlichen eingegangen. Die ganze Nachricht rührt von erbitterten Gegnern des Arichis her, fällt in eine Zeit, wo es diesen darauf ankam, den König von der Treulosigkeit desselben zu überzeugen; man kann sich des dringenden Verdachts nicht erwehren, daß Arichis nach seinem Tode bei Karl noch verleumdet werden sollte. Diese Thatsachen scheinen geradezu erdichtet zu sein[2].

---

anderen Geiseln als 13ten seinen Sohn Theodo stellen. Erchempert l. c. läßt den Arichis seinen Sohn Grimoald und seine Tochter Adelchisa als Geiseln stellen, welche letztere der König ihrem Vater (wie nach den anderen Quellen den Romuald) zurückgibt: geminam sobolem vice pigneris iam dicto tradidit cesari, hoc est Grimoaldum et Adelchisam . . . Ex quibus Adelchisa multa cum prece proprio restituta suum genitori, Grimoaldum vero secum remeans detulit Aquis . . . (hienach Chron. mon. Casin. I, 12, SS. VII, 589, ungenau: necnon et geminas soboles, Grimoaldum scilicet et Adelgisam, obsides gratia pacis recipiens recessit). Erchempert verdient jedoch hierin keinen Glauben, wenn auch allerdings der Ehe des Arichis und der Adelperga, wie authentisch bezeugt ist, wenigstens 4 Kinder entsprossen, vgl. des Paulus Diaconus Widmung seiner Historia Romana an die Herzogin: vale divinis domina mater fulta praesidiis celso cum compare tribusque natis (M. G. Auct. antiquiss. H, 5; Schulausg. S. 2) und Cod. Carolin. Nr. 84, S. 255, wo zwei Töchter erwähnt werden. — Chron. Salern. c. 20, SS. III, 483 nennt 5 Kinder aus dieser Ehe: Romoald, Grimoald et Gisifum (Gisolfum?), Theoderadam et Adelchisam.

[1] In dem Briefe bei Jaffé IV, 259 ff., Codex Car. Nr. 86 (788 post Ian.); über die Zeit des Briefes vgl. Forschungen I, 519 N. 2.

[2] Alles, was sonst bekannt ist, spricht dagegen, daß Arichis nach seiner Auseinandersetzung mit Karl gleich wieder auf Abfall gesonnen und sich an die Griechen gewandt haben sollte; vgl. F. Hirsch, Forsch. zur deutschen Gesch. XIII, 63 N. 1. Es erscheint auch als ein ungenügender Ausweg anzunehmen, die Aussagen Gregor's und Hadrian's hätten eine relative Glaubwürdigkeit, insofern sie nur geflissentlich Thatsachen, welche sich vor dem Friedensschlusse zwischen Karl und Arichis ereignet

Noch in Capua hatte Karl eine Besprechung mit griechischen Gesandten, die schon früher beabsichtigt gewesen war[1]. Es handelte sich dabei, wenn auch nicht ausschließlich, wie man aus dem Mangel einer ausdrücklichen Erwähnung anderer Punkte in den Quellen schließen könnte, doch vorzugsweise um die eheliche Verbindung von Karl's Tochter Rotrud mit dem Kaiser Constantin, mit welchem sie verlobt war[2]. Die Geschichte des Klosters Fontenelle (St. Wandrille, Diözese Rouen) berichtet von einer Sendung nach Constantinopel, mit welcher Witbold, ein Kapellan Karl's, und ein gewisser Johannes wegen der Rotrud, die Kaiser Constantin zur Frau verlangt, betraut worden seien[3]. Anderthalb Jahre seien sie abwesend gewesen; als daher 787 (24. September)[4] der Abt Widolaicus[5] von Fontenelle, Witbold's mütterlicher Oheim, gestorben, habe Witbold, dem die Nachfolge versprochen gewesen, die Abtswürde doch nicht erhalten können und sei dafür nach seiner Rückkehr von Karl durch das Kloster des h. Sergius in Angers entschädigt worden[6]. Die Ankunft griechischer Gesandten in Capua war

hatten, in die Zeit nach demselben verlegten (vgl. Leibniz, Ann. imp. I, 131; Forschungen I, 518 ff.; Benediger S. 38—39; Malfatti II, 370). — Anders Strauß S. 27—28 und Harnack S. 27 N. 1, welche den Mittheilungen des Gregor Glauben schenken.

[1] Die Annales Laur. mai. führen dieselbe unter den Gründen auf, die Karl zu seinem damaligen Zuge nach Italien bestimmten, vgl. oben S. 541 N. 3.

[2] Vgl. oben S. 384 ff.

[3] Gesta abbatum Fontanell. c. 16, SS. II, 291 (ed. Löwenfeld, S. 46): Causa autem legationis erat super Ruatrude, filia magni Caroli, quam isdem imperator Constantinus ad coniugium petebat.

[4] Gest. abb. Fontanell. c. 15, S. 290 (S 45): sub anno Domini 787 indictione 10, octavo Kalend. Octobris, qui est annus vigesimus gloriosissimi Karoli regis Francorum et quintus decimus Adriani apostolici. In diesen Angaben, wie auch in den gleich darauf folgenden, mangelt die Uebereinstimmung; Mor. Strauß, Die Beziehungen Karl's d. Gr. zum griechischen Reiche S. 20 N. 1 will den Tod des Widolaicus schon 786 ansetzen.

[5] Mit Mabillon (Ann. Ben. II, 163. 179 etc.); Roth (Beneficialwesen, S. 184 N. 66; 250; Feudalität S. 90); Sickel I, 82 N. 8 nehmen wir an, daß der Name des betreffenden Abts so lautete (Gest. c. 15. 16: Wido laicus — praefato Widone laico — Sepefato namque Widone laico). Eine sehr unwahrscheinliche Vermuthung hinsichtlich der Personen dieser Gesandten bei Dahn, Paulus Diaconus I, 48.

[6] Der Chronist ist, wie wir schon sahen, in seinen Zeitangaben ungenau. Er gibt für die Wiederbesetzung der Abtswürde von Fontenelle in Witbold's Abwesenheit durch Gervold drei Zeitbestimmungen an: das dritte Jahr nach dem Tode der Königin Bertrada, die im Juli 783 starb (o. S. 458 N. 1), dann das Jahr nach Christus 787 und das 21. Regierungsjahr Karl's, was auf die letzten Monate des Jahres 788 führen würde. Was ist nun richtig? Weiter (S. 292—293; 48) berichtet er, daß Gervold am 14. Juni 806 (hier sind die übrigen Angaben übereinstimmend, nur die Indictionsziffer ganz falsch) nach einer Regierung von 18 Jahren 5 Monaten und 13 Tagen gestorben sei. Dies führt auf den 1. Januar 788 als Tag seines Amtsantritts, wonach dann anzunehmen wäre, daß die Gesandten im Jahr 786 abgereist waren. Le Cointe VI, 351; Mabillon, Annales II, 287 entscheiden sich für 787 als Antrittszeit des Gervold; desgleichen Strauß, der annimmt, daß die Gesandten schon zu Anfang dieses Jahres in Begleitung der griechischen zurückgekehrt seien. Auch Döllinger, Das Kaiserthum Karl's d. Gr. (Münchner histor. Jahrbuch für 1865), S. 341, setzt ihre Abreise schon 785; ebenso Malfatti

ohne Zweifel eine Erwiderung der Sendung des Witbold und
Johannes, die vielleicht schon gewisse Schwierigkeiten in der Sache
im Namen Karl's erhoben hatten[1]. Aber nicht die Unterhandlungen
der letzteren in Constantinopel, obwohl Witbold sie geschickt und zu
Karl's Zufriedenheit geführt zu haben scheint[2], sondern die Besprechungen in Capua müssen entscheidend gewesen sein, denn, kam
Witbold auch erst später zurück, seine Vollmachten waren älter,
seine Sendung bezeichnet ein früheres Stadium der Unterhandlungen
als die Zusammenkunft in Capua. Nun haben wir zwar eine
Angabe, in der es heißt, damals habe die Verlobung stattgefunden[3].
Allein diese Nachricht ist durchaus ungenau und falsch, höchst wahrscheinlich einem bloßen Mißverständniß entsprungen. Gerade die
zuverlässigsten Quellen, obwohl sie sich zum Theil aus begreiflichen
Gründen sehr zurückhaltend ausdrücken, lassen keinen Zweifel darüber, daß der Sachverhalt gerade umgekehrt war. Schon 781 war
ein Vertrag über die Verlobung zu Stande gekommen, so daß
dieselbe, wenn auch vielleicht nicht förmlich vollzogen, doch jedenfalls beschlossene Sache war[4]. Die sog. Lorscher Annalen sprechen
nun von einer Unterredung Karl's mit den griechischen Gesandten
über die zwischen ihnen schwebenden Verhältnisse[5]. In den sog.
Einhard'schen Annalen wird erzählt, Karl habe mit den Gesandten
des Kaisers Constantin, die an ihn geschickt gewesen seien um seine
Tochter zu bitten, eine Besprechung gehabt und sei, nachdem er sie
entlassen, nach Rom zurückgekehrt[6]. Von einer Verlobung ist hier

---

II, 344; Dahn a. a. O. S. 47: 786 oder 785. — Leibniz, Annales II, 142 erwähnt ihre Rückkehr zu 788, weiß aber, wie es scheint, nicht recht, was er aus der
Sendung machen soll. Harnack, S. 18 N. 3, stellt nur fest, daß diese Gesandtschaft
vor Karl's Zug nach Italien abgegangen, aber noch nicht zurückgekehrt war.

[1] Vgl. Malfatti II, 345—346.

[2] Gest. abb. Fontanell. c. 16 S. 291 (46): sed illo hac legatione,
pro qua directus fuerat, strenuissime functo . . .

[3] Annales Enhardi Fuld. SS. I, 350: Hruodtrudis filia regis a Constantino imperatore desponsatur; ebenso Ann. Sithiens. SS. XIII, 36 (desponsata). Ueber die Auslegung dieser Worte vgl. o. S. 385 N. 4. (Derselbe Ausdruck in Einh. V. Karoli c. 19: Hruothrudem, quae filiarum eius primogenita et a Constantino Grecorum imperatore desponsata erat, eine Stelle,
welche den Poeta Saxo, l. V, v. 273 ff., Jaffé IV, 614, zu starken Mißverständ-
nissen verführt hat; vgl. Forschungen zur deutschen Geschichte I, 321.) — Die aus
den Ann. Enh. Fuld. entnommenen Nachrichten bei Petr. biblioth. und Herimann. Augiens., welche Malfatti (II, 345 N. 2) hier citirt, kommen natürlich
nicht in Betracht.

[4] Das Genauere darüber oben S. 385. Vgl. auch Waitz im N. Archiv
XII, 44 f.

[5] In der oben S. 541 N. 3 angeführten Stelle: Carolus . . . suscepit
consilium . . . cum missis imperatoris placitum habendi de convenentiis
(Abmachungen, Ducange-Favre, Glossar. II, 544) eorum; eine unbestimmte Angabe, die aber wenigstens ergibt, daß es sich um eine Unterhandlung über bestimmte, schon früher angeknüpfte Verhältnisse handelte.

[6] Annales Einhardi l. c.: Ipse post haec cum legatis Constantini
imperatoris, qui propter petendam filiam suam ad se missi fuerant, locutus
est, atque illis dimissis Romam reversus . . .

nicht die Rede[1]), und man hat dies nicht so zu erklären, als ob der Annalist mit Rücksicht auf den gleich nachher eintretenden Bruch Karl's mit den Griechen über die Verlobung lieber geschwiegen hätte. Vielmehr kamen nach den sog. Einhard'schen Annalen, an die man sich in dieser Sache halten muß, die griechischen Gesandten um Rotrud (infolge der schon früher stattgefundenen Verlobung) zu holen, und wenn weiter nur gesagt wird, Karl habe die Gesandten nach der Unterredung entlassen, so liegt darin wenigstens die Andeutung, daß Karl ihr Verlangen zurückwies. Ganz offen berichtet der Annalist ein Jahr nachher, Constantin habe Benevent verheeren lassen, weil er erzürnt gewesen sei über die Weigerung Karl's ihm seine Tochter zur Gemahlin zu geben[2]). Die Vermählung scheiterte also hienach nicht an der Weigerung des griechischen Hofes, sondern an der Karl's[3]). Man wird daran erinnert, wie ein paar Jahrzehnte früher König Pippin den Antrag des griechischen Kaisers abgelehnt hatte, seine Tochter Gisla mit dem Sohne desselben zu vermählen[4]). Der griechische Bericht läßt sich mit diesem allerdings nicht vereinigen. Da wird erzählt, nicht Karl, sondern Irene habe das Bündniß mit den Franken abgebrochen und ihrem Sohne, zu dessen großem Schmerz, vielmehr ein armenisches Mädchen, Maria, zur Frau gegeben; derselbe Bericht enthält ferner die Angabe, Irene habe den Saccellarius Johannes und den Adelchis, den Sohn und einstigen Mitregenten des Desiberius, welcher als Patricius in Constantinopel[5]) seinen langobardischen Namen mit einem griechischen vertauscht zu haben scheint, nach Italien geschickt, um gegen Karl anzukämpfen und einige seiner Unterthanen von ihm abzuziehen[6]).

---

[1]) Eckhart I, 715 läßt jetzt erst die Verlobung stattfinden, die Auflösung das Jahr darauf; Leibniz, Ann. imp. I. 130 spricht von einer Erneuerung der Verlobung, die aber nicht in aufrichtiger Absicht erfolgt sei.

[2]) Annales Einhardi, SS. I, 175, vgl. Poeta Saxo l. II, v. 380 ff.; Jaffé IV, 570, u. unten zu 788 (übrigens auch Einh. V. Karoli c. 19: mirum dictu, quod nullam earum cuiquam aut suorum aut exterorum nuptum dare voluit etc.).

[3]) So auch la Farina II, 27; Malfatti II, 346. Leibniz, Annales I, 142, scheint eher anzunehmen, daß Irene das Verlöbniß auflöste; ebenso Martin II, 303 N. 1; Venediger S. 43 N. 3. Auch Dippoldt S. 70; Döllinger, Kaiserthum Karl's d. Gr. S. 338; Schlosser, Gesch. der bilderstürmenden Kaiser S. 297; Dümmler in S. B. der Wiener Akad. phil.-histor. Cl. XX, 383 N. 1. und mit ihnen Ferd. Hirsch, Forschungen XIII, 56 N. 1, vertreten diese Auffassung (vgl. unten N. 6). Die Meinung ist, Irene habe befürchtet, ihr Sohn würde nach der Vermählung mit der Tochter des mächtigen Frankenkönigs sich der Abhängigkeit von ihr zu entziehen suchen, und deshalb die Auflösung des Verlöbnisses herbeigeführt. Auch ist immerhin zuzugeben, daß dies nicht nur mit dem Bericht des Theophanes, sondern auch mit dem Charakter und der sonstigen Handlungsweise der Kaiserin im Einklang stehen würde. Auch findet sich eine derartige Motivirung ihres Verhaltens bei Zonaras XV, 10, ed. Dindorf III, 358 (διὰ φόβον καὶ φιλαρχίαν, ἵνα μὴ δύναμιν ὁ υἱὸς αὐτῆς περιβάληται διὰ τὴν τῶν Φράγγων διὰ τὴν ἀγχιστείαν); vgl. M. Strauß S. 24 N. 23.

[4]) Vgl. Oelsner S. 397 u. oben S. 84.

[5]) Vgl. oben S. 188.

[6]) Theophanis Chronographia, ed. de Boor S. 463 f.: λύσασα δὲ ἡ βασίλισσα Εἰρήνη τὴν πρὸς τοὺς Φράγγους συναλλαγὴν ἀπέλυσε Θεοφά-

Karl blieb in Capua bis gegen Ende März. Er bezeichnete
seinen Aufenthalt daselbst durch die Bestätigung von Schenkungen
und Ertheilung von Privilegien an kirchliche Stiftungen des bene=
ventanischen Landes, deren Verwüstung durch den Krieg er ja
gescheut haben soll[1]). Dem Bisthum Benevent wurde auf die
Bitte des Bischofs David, welcher wahrscheinlich einer der Gesandten
des Herzogs Arichis war, am 22. März die Bestätigung seiner
Besitzungen und die Verleihung der Immunität zutheil[2]). Das
Kloster des h. Vincentius (S. Vincenzo) am Volturno erhielt, auf
Bitte des Abtes Paulus, die Bestätigung mehrerer ihm unter=
gebener Klöster nebst der Immunität und freien Abtswahl, am
24. März[3]); dem Abt Theutmar von Monte Casino verlieh Karl
für sein Kloster, am 28. März, die Bestätigung mehrerer Klöster
in der Stadt und Landschaft Benevent u. f. w., die Immunität und
das Recht der freien Abtswahl[4]) — und zwar in Rom, wo er also
in den letzten Tagen des Monats wieder eingetroffen war[5]) und
am 8. April Ostern beging[6]).

Der kurze Feldzug, in dem es zum Kampfe garnicht gekommen
war, hatte gleichwohl die Lage der Dinge wesentlich geändert. War
auch die Unterwerfung des Arichis nicht in aller Form erfolgt, so
hatte er doch Karl als Oberherrn anerkennen müssen; zugleich war
mit den Griechen gebrochen und dadurch der Entschluß des Königs
angekündigt, in der Ordnung der italischen Verhältnisse lediglich
nach eigenem Ermessen und ohne Rücksicht auf den Hof von Con=
stantinopel fortzufahren. Es war eine Wendung, welche niemand
unerwünschter kommen konnte als dem Papste; sein Wunsch eine

νην τὸν πρωτοσπαθάριον, καὶ ἤγαγε κόρην ἐκ τῶν Ἀρμενιακῶν ὀνόματι
Μαρίαν ἀπὸ Ἀμνίας, καὶ ἔζευξεν αὐτὴν Κωνσταντίνῳ τῷ βασιλεῖ καὶ υἱῷ
αὐτῆς, πολλὰ λυπουμένου αὐτοῦ καὶ μὴ θέλοντος διὰ τὴν πρὸς τοῦ Καρού-
λου θυγατέρα, τοῦ ῥηγὸς τῶν Φράγγων, σχέσιν, ἣν ἦν προμνηστευσάμενος.
... ἀποστείλασα δὲ Εἰρήνη Ἰωάννην, τὸν σακελλάριον καὶ λογοθέτην τοῦ
στρατιωτικοῦ, εἰς Λογγιβαρδίαν μετὰ καὶ Θεοδότου τοῦ ποτὲ ῥηγὸς τῆς
μεγάλης Λογγιβαρδίας πρὸς τὸ εἰ δυνηθεῖη ἀμύνασθαι τὸν Κάρουλον καὶ
ἀποσπάσαι τινὰς ἐξ αὐτοῦ. Vgl. hierüber unten zum Jahr 788 und M. Strauß
S. 24 N. 2. 3 über die an Theophanes sich anlehnenden Berichte des Zonaras
und Cedrenus.

1) Vgl. oben S. 564 N. 1.
2) Urkunde bei Ughelli, Italia sacra, 2. ed. VIII, 37, auch Le Cointe VI,
334; Mühlbacher Nr. 274.
3) Mühlbacher Nr. 275; Chronicon Vulturn. bei Muratori, SS. Ib, 366;
andere Urkunden für dies Kloster, l. c. S. 349. 360. 361, sind falsch, vgl. Sickel
II, 440.
4) Mühlbacher Nr. 276; Gattola, Accessiones ad historiam abbatiae
Cassinensis S. 14, erwähnt in Chron. mon. Casin. I, 12, SS. VII, 589.
Diese Urkunde ist interpolirt, aber im wesentlichen echt. Falsch sind dagegen andere
Urkunden für Monte Casino bei Gattola S. 13 und Mühlbacher Nr. 277; Sickel
II, 396. 263—264, zu K. 113.
5) Vgl. Ann. Laur. (Fragm. Chesnii), SS. I, 33; Ann. Laur. min. ed.
Waitz S. 414; Einh. V. Karoli c. 10 etc. sowie die folgende Anmerkung.
6) Vgl. Ann. Laur. mai. l. c.; Ann. Einh. 786, SS. I, 169; Ann., ut
videtur, Alcuini, SS. IV, 2; Ann. Iuvav. mai. SS. I, 87; Ann. Lauresham.
(cod. Lauresh.) SS. I, 33 etc.

friedliche Auseinandersetzung Karl's mit Arichis zu hintertreiben war nachträglich im Grunde doch noch gescheitert; der Bruch Karl's mit den Griechen, an denen er selbst einen Rückhalt gegen das fränkische Uebergewicht zu finden hoffte, mußte ihm um so empfind= licher sein, da Karl allem Anschein nach ihn darüber garnicht zu Rath gezogen hatte: als Karl von Capua nach Rom zurückkam, war derselbe bereits eine vollendete Thatsache. Indessen erhielt Hadrian für St. Peter vom Könige eine Schenkung beneventanischer Städte[1]), welche zugleich im Namen der Gemahlin und der Söhne Karl's, sowie der fränkischen Bischöfe, Aebte und weltlichen Großen ausgestellt wurde. In den Briefen, die Hadrian in der folgenden Zeit an Karl richtete, forderte er denselben wiederholt auf, die Städte im Gebiet von Benevent, wie er sie dem h. Apostel Petrus und dem Papst geschenkt habe, ihm vollständig zu übergeben[2]). Er macht, mit Ausnahme von Capua, die Städte nicht namhaft[3]). Zugleich scheint der König dem Papste einige tuskische Städte überlassen zu haben, insbesondere Populonia und Rosellä, vermuth=

---

[1]) Die Meinung von F. Hirsch, wonach der Papst diese Schenkung dem Könige schon abgewonnen hatte, bevor der letztere ins Beneventanische zog, ist schon oben S. 559 N. 2 berührt. — Malfatti II, 343 nimmt an, daß hierauf auch bei dem Friedensschluß mit Arichis die Rede gekommen sei, was allerdings innere Wahr= scheinlichkeit hat.

[2]) Jaffé IV, 252. 255 f. 259. 264—265; vgl. ferner Epist. Carolin. 4, ib. S. 345: de qua (sc. urbe Capuana) ... dominus Carulus ... don(atio)nem beato Petro apostolo fautori suo ... (obtulit) cum sua praecellentissima coniuge domina re(gina) eorumque novilissimos suvoles et cunct(is episc)opis, abbatibus (nec non) et omnes novilissimi Franci — petentes nobis (nämlich aliquanti ex civibus Capuani): bea(ti Petri) et nostri essent subiecti, siout per donationem praecellentissimi domini regis agniti sunt; 5, S. 347: illas civitates, quod sancto Petro vel domno apostolico donastis. — Martens, Die römische Frage S. 187 ff. Malfatti II, 349 bezieht dies auf das Jahr 781 und bezweifelt die Thatsache; allerdings hatte ja Fastrada ihren Gemahl nicht nach Italien begleitet.

[3]) Sugenheim S. 42; Papencordt S. 101; F. Hirsch, Forsch. XIII, 52 f.; Martens S. 193 u. a. nennen als die übrigen Städte außer Capua noch Sora, Arce, Arpino, Aquino und Teano, aber nur gestützt auf die falsche Urkunde Ludwig's des Fr. für Papst Paschalis I., Capp. reg. Francor. I, 353; vgl. Mühlbacher S. 104. 241—242 Nr. 622; Forschungen I, 517 N. 2. Vorsichtiger äußert sich Malfatti II, 348—349. Hirsch bemerkt allerdings zugleich, daß der Papst auf die Städte Sora u. s. w. auch ältere Rechte besessen habe, da dieselben früher zum Ducat von Rom gehört hätten und erst um das Ende des 7. Jahrhunderts durch den Herzog Gisulf I. von Benevent von demselben losgerissen worden seien, Forsch. a. a. O.; Herzogthum Benevent S. 26 (Paul. hist. Langob. VI, 27, SS. rer. Lan= gob. S. 174). In Cod. Carolin. Nr. 12 (Paul I. an Pippin, 761) Jaffé IV, 93 heißt es: in partes Campaniae, id est castro nostro qui vocatur Valen= tis; vgl. Oelsner S. 345.

In den Ann. Iuvav. min. SS. I, 88 und den Ann. Maxim. SS. XIII, 21, in welchen letzteren Salzburger Nachrichten benutzt sind, heißt es, Karl habe Benevent dem heiligen Petrus überlassen. Dort liest man: Karolus Beneventum conqui= sivit et dedit sancto Petro; hier: et Beneventum sancto Petro reddidit. — Gaillard II, 139 f., meint, jede Reise Karl's nach Rom habe dem heiligen Stuhle Nutzen gebracht, Karl habe seine Eroberungen in Italien immer für Rom gemacht.

lich auch Sovana, Toscanella, Viterbo und Bagnorea (Balneum Regis)[1]. Hadrian behauptet, von Alters her Ansprüche auf Populonia und Rosellä zu haben[2]), ist aber früher, soviel wir sehen, nie mit denselben hervorgetreten, Karl scheint also erst 787 ihm eine darauf bezügliche Verleihung gemacht zu haben. Hadrian muß jedoch diese beneventanisch-tuskische Schenkung freilich auch wieder anders verstanden haben als der König selber, und die Ausführung ist auch in diesem Falle hinter seinen Forderungen zurückgeblieben[3].

Und wie in dieser Angelegenheit, so ließ Karl auch sonst in seiner Stellung zum Papste keine wesentliche Veränderung eintreten. Bei allen wichtigeren Vorkommnissen zog er den Papst zur Mitwirkung herbei; der König entschied, der Papst war mit dem Ansehen der Kirche bei der Ausführung behilflich. Auch das Verhältniß zu Baiern wurde bei Karl's Anwesenheit in Rom wieder in den Kreis der Berathungen zwischen ihm und Hadrian gezogen. Der äußere Anlaß dazu kam diesmal von Tassilo. Schon seit mehreren Jahren, spätestens seitdem es um 784 wegen der Etschgebiete zwischen Franken und Baiern zu offenem Kampf gekommen war[4]), hatte die Spannung zwischen Karl und Tassilo einen hohen Grad erreicht, immer näher sah Tassilo sein Schicksal kommen, noch einmal machte er einen Versuch das äußerste abzuwenden[5]. Kurze Zeit nach Karl's Rückkehr aus Capua nach Rom trafen hier der Erzbischof Arno von Salzburg und der Abt Hunrich von Mondsee als Bevollmächtigte Tassilo's ein, um die Vermittlung des Papstes zwischen dem König und dem Herzog anzurufen, dem fast schon unvermeidlichen Zusammenstoß Tassilo's mit den Franken wo möglich noch vorzubeugen; das bezeichnen die Quellen als den Zweck ihrer Reise[6]), von einer Verbindung zwischen Tassilo und Arichis, für welche freilich innere Gründe sprechen, findet sich wenigstens

---

[1]) Jaffé IV, 252. 256. 264—265. Die letztgenannten Städte nebst den zu ihnen gehörigen Territorien waren dem Papste übergeben worden. Vgl. übrigens auch hiezu das erwähnte, gefälschte Pactum Ludwig's des Fr., Capp. l. c.

[2]) L. c. S. 252: fines Popolonienses seu Rossellenses, sicut ex antiquitus fuerunt.

[3]) Vgl. Forschungen I, 527 und unten zu 788.

[4]) Vgl. oben S 477 f.

[5]) Vgl. auch oben S. 544.

[6]) Annales Laur. mai.: Ibique venientes missi Tassiloni ducis, hii sunt Arnus episcopus et Hunricus abba, et petierunt apostolicum, ut pacem terminarent inter domnum Carolum regem et Tassilonem ducem. Aehnlich die Annales Einhardi (vgl. auch weiter unten: de legatis Tassilonis, qui ad se Romae venerant). Ann. Max. SS. XIII, 21: Ibique missi Tassilonis Arn episcopus et Hunricus abba pro pacis foedere venerunt inter Carolum et Tassilonem . . .; Ann. Laur. min. ed. Waitz S. 414: Tassilonis legati postulant Adrianum, ut pacem inter illum et regem faceret . . .; Chron. Vedastin. SS. XIII, 705. — Ueber den genannten Abt von Mondsee vgl. Hauthaler in Mitth. des Inst. f. österreich. Geschichtsforschung VII, 233. 236.

in den über ihre Sendung erhaltenen Nachrichten keine Spur[1]).
Der Papſt hatte ſchon vor ſechs Jahren für Karl gegen Taſſilo
Partei ergriffen, den Herzog an ſeinen in Compiègne geleiſteten
Huldigungseid erinnern laſſen[2]); eine Vermittlung, welche Hadrian
in die Hand nahm, mußte zur Vorausſetzung haben, daß Taſſilo
die durch den Eid ihm auferlegten, 781 zu Worms abermals von
ihm übernommenen Verpflichtungen anerkannte, die Herſtellung und
Sicherung der Unabhängigkeit Taſſilo's konnte dabei garnicht in
Frage kommen.   Dagegen mochte dem Papſte bei der kirchlichen
Geſinnung, welche Taſſilo während ſeiner ganzen Regierung be-
wieſen hatte, daran liegen, daß Karl ihn mit Schonung behandelte;
er war ſogleich bereit bei Karl ſeine vermittelnde Fürſprache für
Taſſilo einzulegen, man erfährt, er habe angelegentlich in den
König gedrungen, mit Taſſilo ſich friedlich zu verſtändigen[3]).   Karl
ſoll den Vorſtellungen Hadrian's bereitwillig Gehör geſchenkt und
erklärt haben, daß es längſt ſein Wunſch und Beſtreben geweſen
mit Taſſilo ſich zu vergleichen, daß aber alle ſeine Bemühungen
fehlgeſchlagen ſeien; er ſprach ſeine Geneigtheit aus, auf der
Stelle ein Abkommen zu treffen[4]).   Aber als Karl mit dem Papſt
und den bairiſchen Bevollmächtigten zuſammentrat, um die Bedingungen feſtzuſtellen, ergaben ſich ſofort Schwierigkeiten.   Arno
und Hunrich erklärten, daß ihre Vollmachten ihnen nicht geſtatteten bindende Verpflichtungen einzugehen[5]); ſie könnten lediglich die
Antworten des Königs und des Papſtes ihrem Herrn überbringen[6]),
alſo zu Bericht nehmen, ſei es daß ſie wirklich nur erſt über die Ab-

---

[1]) An eine ſolche Verbindung ſcheint Luden IV, 350. 542 N. 8 zu deuken,
wenn er ſagt, die Geſandten ſeien gekommen um zu ſehen, wie in Italien die Dinge
lieſen, erſt nach der Entſcheidung in Benevent hätten ſie ſich um Vermittlung an
Hadrian gewandt. Dafür ſcheint zu ſprechen, daß ſie ſpäter ohne Vollmachten zu
ſein behaupteten, doch kann das nichts beweiſen, ihre Zurückhaltung iſt auch aus anderen Gründen genügend zu erklären. Vgl. übrigens auch oben S. 544—545.

[2]) Vgl. oben S. 382. 394—396.

[3]) Annales Laur. mai.: Unde et domnus apostolicus multum se interponens, postolando iam dicto domno rege; Ann. Einh.

[4]) Annales Laur. mai.: Et ipse domnus rex respondit apostolico, hoc
se voluisse et per multa tempora quaesisse, et minime invenire potuit, et
proferebat statim fieri.   Et voluit supradictus domnus rex in praesentia
domni apostolici cum ipsis missis pacem firmare: et rennuentibus supra-
dictis missis, quia non auxi fuissent de eorum parte ullam firmitatem facere; Chron. Vedastin. SS. XIII, 705: Quod rex ei annuens facile, coram
apostolico cum illis pacem voluit firmare, sed illis negantibus . . .; Ann.
Laur. min. l. c.: quod rex libenter annuit, si hoc faceret, quod Pippino
regi cum iuramento patri suo promiserat et denuo ipsi et filiis suis sub
iureiurando firmaverat; quod rennuentes legati Tassilonis . . .; vgl. auch
die folgenden Noten und Waitz l. c. S. 401, gegen Manitius, Die Annales Sithienses etc. S. 15, welcher hier erhebliche Differenzen zwiſchen den Ann. Laur.
mai. und min. finden und den unklaren Bericht der letzteren auf Rechnung einer
früheren Redaktion der Ann. Laur. mai. ſetzen will.   Ann. Einh.

[5]) So die Stelle in der vorigen Note; über die Darſtellung der Annales
Einhardi vgl. die folgende.

[6]) Annales Einhardi: Cum rex . . . a legatis memorati ducis inquireret, quam huius pacationis firmitatem facere deberent, responderunt sibi

fichten und Forderungen Karl's und Hadrian's dem Herzog hatten
Gewißheit verschaffen sollen, sei es daß Karl mehr forderte als sie
nach ihren Vollmachten zugestehen durften. Offenbar war der von
Tassilo schon zu den Zeiten Pippin's und dann wiederholt im Jahr
781 geleistete Huldigungseid Gegenstand der Verhandlungen, wie
denn auf ihn der Papst gleich darauf bei seinem Auftreten gegen
Tassilo ausdrücklich Bezug nimmt; Karl wird — vielleicht schon
um den Papst zu binden — lediglich auf den Boden dieses Eides
sich gestellt, dann aber denselben in einer Weise ausgelegt und Ansprüche daraus hergeleitet haben, welche die Gesandten Tassilo's
nicht auf eigene Hand anzuerkennen wagten. Das war in den Augen
Karl's soviel als verweigerten sie überhaupt die Beobachtung des
doch schon geleisteten Eides; es war eine Behandlung der Angelegenheit, bei der auch dem Papst, selbst wenn er anders gewollt hätte,
kaum eine andere Wahl blieb als mit dem König Hand in Hand
zu gehen[1]). Hadrian schloß sich der Auffassung Karl's an; er sah
in dem Auftreten der Gesandten Trug und Unbeständigkeit, drohte
mit den Strafen der Kirche, erklärte Tassilo und seine Anhänger
dem Anathem verfallen, falls der Herzog den Pippin und später
noch einmal Karl geschworenen Eid nicht beobachten würde[2]).

---

de hac re nihil esse commissum nec se de hoc negotio aliud facturos
quam ut responsa regis atque pontificis domino suo reportarent. Nach
diesen Worten könnte es scheinen als hätte man sich über die Bedingungen des Vergleichs (pacatio) geeinigt und die Gesandten nur keine Bürgschaft für die
Erfüllung (firmitatem) zusagen können; allein die zweite Hälfte des Satzes zeigt,
daß der Sinn derselbe wie in den Annales Laur. mai., wo auch der Ausdruck
firmitas gebraucht ist; die Gesandten wollten sich überhaupt auf bindende Zusagen
nicht einlassen. — Auch der Poeta Saxo, l. II, v. 286—291, Jaffé IV, 567, hat
hier die Annalen richtig verstanden; vgl. ferner unten S. 575 N. 2.

[1]) Ueber die Ansicht, wonach der Papst den Ausschlag gegen Tassilo gegeben
haben soll, vgl. unten S. 575 N. 3.

[2]) Annales Laur. mai.: Apostolicus vero cum cognovisset de instabilitate vel mendacia eorum, statim supra ducem eorum vel suis consentaneis anathema posuit, si ipse sacramenta, quae promiserat domno Pippino
rege et domno Carolo itemque rege, non adimplesset; Ann. Laur. min. l. c.,
welche nach den oben S. 573 N. 4 angeführten entsprechenden Worten si hoc
faceret — sub iureiurando firmaverat fortfahren: Adrianus pontifex cum
sub anathematis vinculo constringit, si aliter facere vellet; Chron. Vedastin. l. c.: ducem cum sibi consentaneis anathematizat papa gloriosus,
si non regis prefati parerent iussionibus. Nach den Annales Einhardi:
Quorum verbis papa commotus velut fallaces ac fraudulentos anathematis
gladio statuit feriendos, si ab olim regi promissa fide discederent scheint
Hadrian auch die Gesandten Tassilo's selbst mit dem Anathem bedroht zu haben;
hierin liegt jedoch wohl nur eine scheinbare Abweichung von den Lorscher Annalen,
auf welche Ranke, Zur Kritik S. 431 f., jedenfalls zu großes Gewicht legt. Giesebrecht, Königsannalen S. 202 N. 21, bemerkt nicht richtig, daß die Vorwürfe des
Papstes sich nur auf Tassilo selbst und seine (anderen) Genossen, aber nicht auf die
Gesandten, bezogen hätten; vgl. oben S. 3 N. 2.

Ueber den unhistorischen Zusatz der Ann. Laur. min.: Quod perspiciens
Tassilo, promisit se in omnibus obedientem esse; quod et postea fefellit
et ad regem venire contempsit vgl. Waitz ebd. S. 401. Was Rettberg II,
185 N. 28 aus einer späten Schrift anführt, ist aus den Ann. Laur. mai. ausgeschrieben; vgl. Andr. Ratisbon. Pez, Thesaur. anecd. IV, 3, 440.

Aber lieber hätte er augenscheinlich einen Bruch zwischen Karl und Tassilo verhütet, wäre er der Nothwendigkeit, den Fluch über Tassilo verhängen zu müssen, ausgewichen; er machte noch einmal den Gesandten dringende Vorstellungen, sie möchten Tassilo beschwören, Karl, seinen Söhnen und dem Volke der Franken in allem gehorsam zu sein, damit nicht Blut vergossen und sein Land geschädigt würde[1]; weigere er sich zu gehorchen, so sollte ihn allein die Verantwortung für die Folgen treffen, an allen Verwüstungen, an allem Blutvergießen und anderem Unheil, womit Baiern heimgesucht werden würde, die Schuld auf Tassilo fallen, Karl und die Franken von aller Schuld im voraus freigesprochen sein[2]. Förmlich und feierlich stellt der Papst die Forderungen des Königs an Tassilo unter den Schutz der Kirche; so entsprach es Karl's Politik; Hadrian hatte das seinige gethan, um dem Herzoge das äußerste zu ersparen, aber der Verbindung mit Karl, die er sich nicht einfallen lassen konnte aufs Spiel zu setzen, mußte er den Herzog opfern[3]. Mit solchem Bescheide traten die Bevollmächtigten die Rückreise zu Tassilo an[4].

---

[1] Annales Laur. mai.: Et obtestans supradictos missos, ut contestarent Tassilonem, ut non aliter fecisset nisi in omnibus oboediens fuisset domno Carolo rege et filiis eius ac genti Francorum, ut ne forte sanguinis effusio proveniret vel laesio terrae illius.

[2] Annales Laur. mai.: Et si ipse dux obdurato corde verbis supradicti apostolici minime oboedire voluisset, tunc domnus Carolus rex et suo exercitus absoluti fuissent ab omni periculo peccati, et quicquid in ista terra factum eveniebat in incendiis aut in homicidiis vel in qualecumque malicia, ut hoc super Tassilonem et eius consentaneis evenisset et dominus rex Carolus ac Francis innoxii ab omni culpa exinde permansissent. Die Annales Einhardi übergehen dies. — Zeißberg, Arno S. 312 N. 1, verweist auf die Kurze Geschichte der Gründung des Klosters Mondsee, im Urkundenbuch des Landes ob der Enns I, 105, wonach der Papst

Vult ut signentur palma quaecumque rogentur
Atque fides dentur, sic omnia certificentur
Et pax firmetur, sed episcopus ista veretur.
Incerti pactum devitant hoc sibi factum,

wonach also Arno den Vertrag nicht hätte unterzeichnen wollen; allein die Erzählung gehört erst dem 12. Jahrhundert an und kann als Quelle hier nicht herbeigezogen werden. Inwiefern sie mit den wirklichen Quellen übereinstimmt, s. oben S. 573 N. 6.

[3] Die Ansichten über das Auftreten Hadrian's sind sehr verschieden. Die Franzosen, La Bruère I, 232 f.· reden von der Treulosigkeit Tassilo's, der nur durch eine plumpe List Karl und den Papst habe hinters Licht führen wollen; die Baiern, Mederer, Beyträge zur Geschichte von Baiern I, 310; Mannert, Die älteste Geschichte Bajoariens S. 250 ff.; Rudhart S. 320 schieben die Schuld an dem Scheitern der Unterhandlungen auf den Papst; aber wenigstens was Mannert über die zwischen Hadrian und Karl vorgenommene Vertheilung der Rollen um Tassilo zu verderben wissen will schwebt ganz in der Luft. Auch Ranke, Zur Kritik S. 431 f., überschätzt die Einwirkung des Papstes; denn so gewiß die Darstellung der sog. Lorscher Annalen den Vorzug verdient vor der in den Annales Einhardi, so handelte doch eben überall der Papst nur als Werkzeug Karl's.

[4] Ann. Einh.: atque ita, infecto pacis negotio, ·reversi sunt.

Auch Karl verließ bald nachher Rom, um nach dem Franken=
reiche heimzukehren[1]). Er hatte daselbst während der Tage seines
Aufenthalts an den heiligen Stätten seine Andacht verrichtet[2])
und empfing beim Abschied vom Papst eine Benediktion[3]),
d. h. eine Gabe. Ein späterer Schriftsteller weiß noch von einem
Streit zu erzählen, der während der Tage des Osterfestes zwischen
den römischen und fränkischen Sängern sich erhoben habe, und
führt auf diese Veranlassung die Errichtung der Sängerschulen in
Metz und Soissons zurück[4]); jedoch sind seine Angaben unglaub=
würdig, und es ist gewiß, daß nicht infolge eines solchen zufälligen
Anstoßes die Einführung des römischen Kirchengesanges im frän=
kischen Reiche stattfand[5]). Hingegen mag es zutreffen, daß Karl

---

[1]) Ann. Laur. mai. SS. I, 170: Franciam . . . reversus est; Ann.
Einh. SS. I, 171; Einh. V. Karoli c. 10: in Galliam revertitur; Ann.
Lauresh., SS. I, 33: et postea (nach Ostern, vgl. o. S. 570 N. 6) reversus
est in Francia cum magno gaudio; Fragm. ann. Chesnii; Ann. Max.
SS. XIII, 21.

[2]) Ann. Laur. mai. l. c.: oratione peracta (vgl. Regino, SS. I, 560);
Ann. Einhardi l. c.: adoratis sanctorum apostolorum liminibus votisque
solutis; Einh. V. Karoli l. c.: consumptisque ibi in sanctorum veneratione
locorum aliquot diebus (vgl. c. 27).

[3]) Ann. Laur. mai.: Et tunc in invicem sibi domnus apostolicus adque domnus gloriosus rex Carolus valedicentes, benedictione adsumpta . . .;
Ann. Einh.: apostolica benedictione percepta. In der Uebersetzung von
O. Abel und Wattenbach, S 80, ist dies vermuthlich nicht richtig wiedergegeben
mit: „den apostolischen Segen empfangen hatte". Vgl. hinsichtlich des Begriffes
einer solchen Benediktion Cod. Carolin. Nr. 17 (Paul I. an Pippin, Embolum),
Jaffé VI, 83 (Pro vere benedictionis causa direximus vobis apallaream
unam spatam ligatam in gemmis cum balteum suum . . . Quam parvam
benedictionem . . . Domno Carolo et Carlomanno pro magna apostolica
benedictione anulos singulos . . .); Ducange-Favre, Glossar. I, 628. 328.

[4]) Ademar l. II, c. 8, SS. IV, 117 f., wozu zu vergleichen Ioann. Diacon. Vita Gregorii M. l. II, c. 9—10, Migne LXXV, 91—92; Sigeberti
chron. 774, SS. VI, 334; auch Hadriani papae I. dicta, Mabillon, Mus.
Ital. I, 2, S. 41. Die erwähnte Vita Gregorii M., geschrieben 873—875
(s. P. Ewald in Hist. Aufsätze, dem Andenken an G. Waitz gewidmet, S. 18 N. 2;
29) ist die Quelle der anderen Darstellungen.
Andere, ebenfalls sagenhafte Erzählungen über denselben Gegenstand bei Andr.
Bergom. Hist. 4, SS. rer. Langob. S. 224; Landulf. Hist. Mediolan. II,
10 ff. SS. VIII, 49; ferner bei dem Mönch von St. Gallen I, 10, Jaffé IV,
639—641; Ekkehart. IV. Cas. s. Galli cap. 47, St. Galler Mitth. zur vater=
länd. Gesch. XV. XVI, 168—171 (M. G. SS. II, 102); Hist. Cremifan. SS.
XXV, 629.

[5]) Schon Pippin hatte ihn in seinem Reiche eingeführt, Capp. I, 61. 80 (Ad-
monitio generalis. 789. c. 80; Karoli epist. general. 786—800); Cod. Carolin.
Nr. 41, Jaffé IV, 139—140; Libr. Carolin. I, 6, Jaffé VI, 223 f.; übrigens
vgl. Genaueres unten im 2. Bande, besonders zum J. 802 und Excurs VIII, sowie die
eingehende Anmerkung von Meyer von Knonau, St. Galler Mitth. a. a. O. S. 169
N. 603; in Betreff des cantus Romanus in Metz auch Gest. Aldrici c. 1, SS.
XV, 309.
Ganz ohne Gewähr ist auch die Zeitbestimmung bei Ademar. Die Vita
Gregorii des Johannes Diaconus spricht nur im Allgemeinen von der Zeit Papst
Hadrian's I. und überdies von zwei verschiedenen, durch viele Jahre von einander
getrennten Vorgängen, welche Ademar in e i n e n zusammenzieht. Sigbert reiht die
Erzählung der Vita Gregorii, wie berührt, unter 774 ein, wo Karl ebenfalls Ostern

neben den politischen Fragen, die ihn beschäftigten, auch diesen Auf=
enthalt in Italien zugleich für die Hebung der Volksbildung in
seinem Reiche nutzbar zu machen, daß er diesmal, wie schon früher,
hier die geeigneten Männer an sich zu ziehen suchte, um ihn bei der
Ausführung seiner Pläne zu unterstützen, daß römische Sänger,
wie jener Schriftsteller berichtet, erfahrene Grammatiker und Com=
putisten ihn über die Alpen zurückbegleiteten[1]).

Inzwischen wurde Karl, nachdem er Rom verlassen[2]), noch
eine Zeit lang in Oberitalien zurückgehalten. Wir finden ihn in
der nächsten Zeit in Ravenna als Gast des Erzbischofs Gratiosus[3]).
Als der König zu Ende des vorigen Jahres in Italien erschienen
war, hatten die im Süden drohenden Verwickelungen ihn genöthigt
seinen Aufenthalt in seinem langobardischen Reiche abzukürzen[4]);
aber wenngleich auch jetzt auf dem Rückwege das der Erledigung
harrende Verhältniß zu Tassilo ihm nicht erlaubte noch länger von
den deutschen Gebieten fern zu bleiben, fand er, scheint es, doch
noch die Zeit auch in die langobardischen Angelegenheiten ordnend

---

in Rom feierte; Malfatti l. c. II, 282—283. 352—353 denkt an das Jahr 781,
in welchem dies auch der Fall war. Vgl. Mühlbacher S. 105 und unten Band II.
in dem Abschnitt über die Sorge für den Unterricht des Klerus, über Karl's ge=
wöhnlich in das Jahr 787 gesetztes Rundschreiben, Mühlbacher Nr. 283.

[1]) Ademar l. c. SS. I, 171: Et domnus rex Karolus iterum a
Roma artis grammaticae et computatoriae magistros secum adduxit in
Franciam et ubique studium litterarum expandere iussit. Ante ipsum
enim domnum regem Karolum in Gallia nullum studium fuit liberalium
artium — In Franciam cum gloria reversus est, adducens secum cantores
Romanorum et grammaticos peritissimos et calculatores. Vorher werden
als solche Sänger, die Hadrian dem Könige mitgab, Theodor und Benedikt genannt.
Johannes Diaconus nennt diese Namen nicht, spricht nur von zwei Sängern u. s. w.
(vgl. Bd. II, Excurs VIII). Die erwähnte V. Hadriani, Mabillon, Mus. It. I.
c. schreibt: Cantores enim doctoresque ecclesiae ab eo susceperat (nämlich)
Karl von Hadrian) et in Metensium urbe constituerat. Bei Ekkehart. Cas.
s. Galli l. c. heißen die römischen Sänger, welche Hadrian auf Karl's Verlangen
schickt, mit sichtlich erfundenen Namen Petrus und Romanus, vgl. Meyer von Knonau
l. c. S. 170 N. 604; auch Mon. Sangall. I, 10, Jaffé IV, 641. Effehard be=
zeichnet sie als et cantuum et septem liberalium artium paginis admodum
imbuti. Nach Andr. Bergom. SS. rer. Langob. l. c. kommt Leo III. vor den
Langobarden (!) flüchtig nach dem Frankenreich cum multis sapientissimis ars
litterarum, maxime cantores. Eher als diese verschiedenen Formen der Legende
verdient die Nachricht der Vita Alcuini (c. 5, Jaffé VI, 16; 8, SS. XV, 189)
Glauben, welche von dem angelsächsischen Presbyter Siguif, dem Genossen Alkuin's,
erzählt: Qui (suo cum avunculo Autberto presbitero puer partes has pe=
tierat) Romamque ecclesiasticum ordinem discendum ab eo ductus fuerat
necnon Mettis civitatis causa cantus directus.

[2]) Wohl noch im April.

[3]) Agnell. Lib. pont. Rav. c. 165, SS. rer. Langob. S. 383 f.; Mühl=
bacher S. 105. Vgl. hiezu oben S. 549 N. 2. Bei Agnellus wird erzählt, daß
der König einer Einladung des Erzbischofs von Ravenna zum Mahle folgte und von
der Einfalt, welche der letztere entwickelte, Karl, heißt es, gefiel diese Einfalt;
er rief: „Siehe, ein rechter Israeliter, in welchem kein Falsch ist!" (Ev. Joh. 1, 47.)
Post haec autem, quicquid imperavit (sic) ab eo praesul, obtinuit. Das
Ganze klingt etwas anekdotenhaft.

[4]) Vgl. o. S. 553. 556.

einzugreifen. Zeugniß seiner darauf gerichteten Thätigkeit sind zwei Capitularien, deren Entstehungszeit und Entstehungsort zwar nicht ausdrücklich angegeben sind, die aber nach ihrem Inhalt und den Beziehungen, welche andere Gesetze auf sie nehmen, nicht wohl zu einer andern Zeit als eben damals erlassen sein können, und zwar in Mantua[1]). Hierhin scheint also Karl weiter auf dem Rückweg aus Rom gekommen zu sein; zur Berufung einer Reichsversammlung reichte die Zeit vielleicht nicht aus, Karl erließ die beiden Capitularien vielleicht ohne die Mitwirkung einer solchen, jedenfalls nur als provisorische Verordnungen, deren Ergänzung bezw. Abänderung der nächsten Versammlung vorbehalten wurde, welche in der Mitte des Oktober stattfinden sollte[2]).

Das erste Capitular bezeichnet als seine Aufgabe, die in der Kirche eingerissenen Mißbräuche von Grund aus zu vertilgen[3]); auch hier wieder zeigt sich, welche Unordnung und Verwirrung damals in Italien geherrscht haben muß. Karl findet es nöthig, eine Reihe von Bestimmungen, die schon früher zur Herstellung einer festen kirchlichen Ordnung getroffen sind, nachdrücklich zu wiederholen; den Klöstern wird die Beobachtung der Regel aufs neue eingeschärft und den Aebten und Aebtissinnen mit Entfernung

---

[1]) Es ist das Capitulare Mantuanum duplex, Capp. I, 194 ff., das Pertz (LL. I, 109 ff.) in den Frühling 803 setzte und Pippin zuschrieb. Boretius zeigte bereits in seiner Schrift über die Capitularien im Langobardenreich S. 113 ff., daß das Capitular in zwei selbständige, wenn auch gleichzeitig erlassene Capitularien zu zerlegen ist, daß die Erwähnung des domnus imperator in c. 5 des zweiten Capitulars, welche auf die Zeit nach 800 zu deuten scheint, auf einer späteren Aenderung des echten Textes beruht, daß unter dem rex, welcher das Capitular erläßt, nicht Pippin, sondern Karl selber zu verstehen ist. Die Verweisung auf die das Jahr zuvor erlassene Verfügung über den Zehnten in c. 8 des zweiten Capitulars, unten S. 581 N. 1, können wir nicht näher erklären; die Erwähnung verschiedener schon von Karl getroffener Anordnungen in dem bald darauf erlassenen Capitular Pippin's, Capp. I, 198 ff., kann nur das hier in Frage stehende zweite Capitular im Auge haben, das also vor jenes, vor Ende 787 fallen muß, und die Verweisung in einem späteren Capitular Lothar's, Capp. I, 327 c. 9, auf die Bestimmungen eines Mantuanischen Capitulars, welches vermuthlich das zweite unsrige sein wird, ergibt dann, daß letzteres in Mantua erlassen wurde. Die genaueren Zusammenstellungen bei Boretius, Die Capitularien im Langobardenreich a. a. O.; Mühlbacher Nr. 280. 281, vgl. auch Sickel K. 114 u. o. S. 555. Ganz abweichend dagegen Malfatti II, 356 ff., dessen Bedenken immerhin nicht unbeachtet bleiben dürfen. [2]) Ueber die Eigenschaft der beiden Capitularien als provisorischer Verordnungen vgl. Boretius a. a. O S. 117 und unten S. 582 N. 1. Daß im Oktober in Pavia eine Reichsversammlung gehalten werden sollte, sagt der Schluß des zweiten, Capp. I, 198, vgl. unten S. 582 N. 1. Boretius vermuthet daher, daß diese Mantuaner Capitularien nicht auf einem Reichstage erlassen seien, obschon der Ausdruck in sequenti conventu auch eine entgegengesetzte Deutung nicht ausschließen dürfte. Die Ortsbestimmung in civitate Papia steht nur in der Handschrift von St. Paul in Kärnten; vgl. aber auch Boretius' Einleitung zu Pippin's Capitulare Papiense vom Oktober 787 (Capp. l. c.), besonders hinsichtlich der Ueberschrift desselben in den meisten Codices. [3]) Capp. I, 194: Placuit nobis Karolo gloriosissimi regis (diese Genitive erscheinen allerdings auffallend). ut vitia, que nostris temporibus in sancta Dei aecclesia emersa sunt, eradicentur et evellantur.

aus ihrer Stellung gedroht, falls sie sich nicht daran kehren[1]); es werden Verfügungen erlassen über Herstellung verfallener königlicher Pilgerherbergen, die Leitung der Taufkirchen durch Priester und den Schutz ihres Besitzes vor Eingriffen der Bischöfe, die Pflicht der Geistlichen sich der Theilnahme an der Jagd zu enthalten und keinerlei Possenspiele vor sich aufführen zu lassen[2]). Andere Bestimmungen sind gegen andere Mißbräuche gerichtet, gegen die Bedrückung und Ausbeutung der Diözesanen durch die Bischöfe bei deren Rundreisen durch ihre Sprengel, gegen Vergewaltigung der Vorsteher der Kardinalkirchen, denen zwar Obedienz gegen die Bischöfe eingeschärft wird, durch die letzteren[3]). Auch die Zehnten der Pfarr- und Taufkirchen sollen nicht dadurch geschmälert werden, daß ein Theil derselben an die Kathedralkirche und den Bischof abgeliefert wird, überhaupt den Klerikern ihre Einkünfte voll zugute kommen[4]). Man sieht, die meisten Bestimmungen richten sich gegen Uebergriffe der Bischöfe. Aber auch der König selbst, wie es scheint, bekennt sich gewisser Mißbräuche schuldig, deren er sich in Zukunft enthalten zu wollen verspricht; er gibt die Zusage, für die Weihe von Presbytern und anderen Geistlichen künftig keine Belohnungen mehr annehmen zu wollen, weder von ihnen selbst noch von ihren Eltern und Freunden, weder öffentlich noch im geheimen[5]). Ebenso wird gegen die den Kirchen über das herkömmliche Maß hinaus auferlegten Geschenke eingeschritten[6]). Alles Anordnungen, die sich als geboten durch den augenblicklichen Nothstand darstellen, worin sich die Kirche in Italien befunden haben muß.

Und ebenso ist das zweite Capitular hervorgerufen durch das Bedürfniß noch anderen fühlbar gewordenen Mißständen zu steuern, die theilweise auch wieder kirchliche Verhältnisse betreffen. Das Verbot herumschweifende Kleriker oder Mönche ohne Erlaubniß des Bischofs der betreffenden Diözese aufzunehmen wird erneuert, den Versuchen der Pflichtigen sich der Theilnahme an der Herstellung

---

[1]) c. 1. 2, S. 195, vgl. Pippin's Capitular von 782—786 c. 2. 3, Capp. I, 191—192, und das Heristaler Capitular von 779 c. 3, Capp. I, 47.
[2]) c. 3. 4. 6, vgl. das Capitular von Mantua (781?) c. 12, Capp. I, 191, das Pippin's von 782—786 c. 3, Capp. I, 192, das c. 790 erlassene c. 1. 2, Capp. I, 200; das Karl's c. a. 769, c. 3, Capp. I, 45 (vgl. jedoch Excurs V.); Capitul. Karlmanni 742 c. 2, S. 25.
[3]) c. 5, vgl. das Capitular von Mantua (781?) c. 6, Capp. I, 190; c. 8.
[4]) c. 11. 7.
[5]) c. 9: Propter ordinationes vel consecrationes presbiterorum ceterorumque clericorum nulla nos premia amodo accepturos promittimus, neque ab ipsis neque a parentibus vel amicis eorum, neque palam neque occulte. — Oder geben dies Versprechen etwa die Bischöfe, die Consecrirenden? Vgl. hiezu o. S. 578 N. 3; auch allenfalls die Zusätze: si ei placet — si vobis placet in der Handschr. von St. Paul in Kärnten, S. 195 g; 197 k; den Schluß des zweiten Capitulars, S. 198: nisi forte a rege aliter precipiatur; ferner die beachtenswerthen Bedenken Malfatti's (II, 356—357).
[6]) c. 10.

der Taufkirchen zu entziehen entgegengetreten[1]); vorzugsweise aber
versucht, die Rechtsverhältnisse der Kirche, ihre Theilnahme an
den öffentlichen Lasten, die Stellung ihrer Angehörigen zu den
weltlichen Gewalten zu regeln. Den Grafen und den niederen welt=
lichen Beamten wird untersagt, Gerichtstage und dergleichen Ver=
sammlungen in Kirchen oder diesen benachbarten Gebäuden zu
halten[2]). Aebte, Presbyter, Diakonen u. s. w. dürfen nicht vor
weltliche Gerichte gezogen werden, sondern nur vor ihre Bischöfe.
Bei Klagen gegen sie wegen kirchlichen oder privaten Grundbesitzes
soll der Richter den Kläger an den Bischof verweisen, damit dieser
ihm durch den Vogt sein Recht zukommen lasse. Kommt jedoch
hier keine Einigung zu Stande, dann soll die Sache vom Bischof
durch den Vogt vor den Grafen oder sonstigen weltlichen Richter
gebracht werden, jedoch ebenfalls unbeschadet der persönlichen Ex=
emtion der Geistlichen von dem weltlichen Gericht[3]). Aber auch
Unfreie, Aldien und selbst freie zinspflichtige Colonen, die aus
Armuth auf Gütern der Kirche sich niedergelassen, sollen bei pein=
lichen Anklagen gegen sie in analoger Weise der Gerichtsbarkeit
des Bischofs unterworfen sein, auch zu öffentlichen und privaten
Dienstleistungen nicht vom Grafen oder dessen Unterbeamten, sondern
von ihrem Patron und Herrn angehalten werden[4]). Ebenso soll man
sich, wo Kirchenleute zum Brückenbau und ähnlichen Diensten ver=
pflichtet sind, wegen derselben an den Vorsteher der Kirche halten,
dem ein verhältnißmäßiger Antheil zuzuweisen ist, die Kirchenleute
aber durch keinen Beamten zu dergleichen herangezogen werden;
wenn die Leistung zur festgesetzten Zeit nicht erfüllt ist, soll
der Graf den Leiter des Baues durch entsprechende Strafpfän=
dung zwangsweise zur Vollendung desselben anhalten[5]). Hin=

---

[1]) c. 2, S. 196, vgl. mit dem Capitular von Mantua c. 5 S. 190 (N. 2);
Karlmanni Capit. 742 c. 4 S. 25; Cap. 769? c. 4 S. 45; Cap. Haristall.
779 c. 6 S. 48; Karoli epist. in Italiam emissa 790—800, S. 203; ferner
c. 3, vgl. Pippin's Capitular 782—786 c. 4 S. 192.

[2]) c. 4: Ut placita publica vel secularia nec a comite nec a nullo
ministro suo vel iudice nec in ecclesia nec in tectis ecclesiae circumia-
centibus vel coerentibus nullatenus teneatur; vgl. Waitz IV, 2. Aufl. S. 377
bis 378 N. 1.

[3]) c. 1, vgl. Waitz IV, 2. Aufl. S. 443. 446 N. 1. 2; etwas andere Er=
klärung bei Richter=Kohl II, 673, nach Nißl, Der Gerichtsstand des Clerus im frän=
kischen Reich S. 145 ff. 182 ff.

[4]) c. 5, vgl Boretius, Capitularien im Langobardenreich S. 114 N. 1. 2;
Waitz, IV, 2. Aufl. S. 460 f., und über die libellarii, die freien zinspflichtigen
Colonen, Hegel, Städteverfassung von Italien I, 433; Waitz a. a. O. S. 178. —
Die Worte sicut in capitulare nostro scriptum est, welche Boretius a. a. O.
und Capp. l. c. N. 3 auf c. 1 dieses Capitulars bezieht, beurtheilt Mühlbacher,
S. 106 Nr. 281, etwas abweichend; er legt einen gewissen Werth auf die Lesart
des Cod. Cavens. in alio capitulare nostro. Diese Lesart ist indessen vereinzelt
und schwerlich richtig. Auffallend wäre allerdings wohl die Verweisung auf das
Capitular in ihm selbst, statt auf ein anderes gleichzeitig erlassenes Capitular (vgl.
Boretius, Capitularien im Langobardenreich S. 160). Aehnliche Verweisungen Capp. I,
203—204, o. S. 554 N. 3. 5.

[5]) c. 7, S. 197, vgl. Pippin's Capitular von 782—786 c. 4, Capp. I, 192,
und Waitz IV, 2. Aufl. S. 32.

gegen werden die weltlichen Beamten angewiesen, bei der Erhebung
des Zehnten die Kirche mit allen Mitteln zu unterstützen; das
Verfahren bei Eintreibung desselben wird genau geordnet, den
Säumigen, falls sie auf die dreimal wiederholte Mahnung des
Priesters nicht hören, der Eintritt in die Kirche verwehrt und,
wenn auch dies nicht wirkt, eine an die Kirche außer dem Zehnten
zu entrichtende Buße von 6 Solidi auferlegt; im Wiederho=
lungsfall werden die Strafen gesteigert, das Haus des Säumigen
mit Beschlag belegt, bis er Zahlung leistet, bei weiterem Unge=
horsam aber sogar Haft verfügt bis zur Verhandlung der Sache
vor Gericht, da dann außer dem Zehnten und den 6 Solidi, welche
der Kirche gehören, auch noch dem Staat die gesetzliche Buße zu
entrichten ist[1]). Man sieht, welchem Widerstande die Zahlung
des Zehnten auch in Italien begegnet sein muß; aber auch die
Beamten trugen Schuld an den herrschenden Mißständen. Er habe
gehört, sagt Karl, daß Untergebene der Grafen und einige mächtige
gräfliche Vassallen von den Kirchenleuten wie von anderem Volke
Beisteuern und Abgaben von Früchten sowie verschiedene Dienst=
leistungen auf dem Felde forderten und dieselben durch verschiedene
Kunstgriffe erzwängen: diese widerrechtliche Bedrückung des Volkes
solle aufhören, denn schon sei es infolge derselben in einigen
Gegenden dahin gekommen, daß viele den unerträglichen Lasten sich
durch die Flucht entzogen hätten und ganze Strecken Landes in
Einöden verwandelt seien[2]).

Bei derartigen Zuständen erscheint es nicht verwunderlich,
wenn Karl den auf die Mitte Oktober nach Pavia anberaumten
Reichstag nicht abwartete, sondern schon jetzt die nöthigen Ver=

---

1) c. 8: De decimis ut dentur, et dare nolentes secundum quod anno
preterito denuntiatum est a ministris reipublice exigantur, worauf dann die
genaueren Bestimmungen über das Verfahren folgen, vgl. Lothar's Capitulare Olonnense ecclesiast. primum (825, Mai), c. 9, S. 327 (De decimis vero dandis
statuimus, ut sicut in capitulari continetur, quod in Mantua factum est, ita
qui eas dare nolunt distringantur atque persolvant), dazu N. 5. Malfatti,
II, 357 f., bezieht dies auf ein Capitular Lothar's selbst und es ist wohl einzuräumen,
daß man zunächst an ein solches denken würde. Die Verweisung auf das quod
anno preterito denuntiatum est ist, wie schon (S. 578 N. 1) bemerkt, nicht zu
erklären; vgl. jedoch Capp. 1, 197 N. 4; Capitula de reb. ecclesiast. 787—813?
c. 3, S. 186; Ansegis II, 37, S. 422; übrigens auch Waitz IV, 2. Aufl.
S. 120 f. und über den auf das Haus des Widerspenstigen gelegten Bann, die Be=
zeichnung wiffa, wiffare, ebenda S. 516—517 N. 4.

2) c. 6: Audivimus etiam, quod iuniores comitum vel aliqui ministri
rei publice sive etiam nonnulli fortiores vassi comitum aliquas redibutio-
nes vel collectiones, quidam per pastum, quidam etiam sine pastum quasi
deprecando exigere solent, similiter quoque operas, collectiones frugum,
arare, sementare, runcare, caricare, secare vel cetera his similia a populo
per easdem vel alias machinationes exigere consueverunt, non tantum ab
aecclesiasticis set etiam a reliquo populo: que omnia nobis et ab omni
populo iuste amovenda videntur, quia in quibusdam locis in tantum inde
populus oppressus est, ut multi ferre non valentes per fuga a dominis vel
patronibus suis lapsi sunt et terre ipse in solitudinem redacte; vgl. Waitz IV,
2. Aufl. S. 18.

ordnungen erließ und denselben nur die Bestimmung beifügte, daß der Reichsversammlung vorbehalten bleiben sollte zweckmäßig er=scheinende Zusätze zu machen oder Abänderungen vorzunehmen [1]). Aber auch ihn selbst führte der Rückweg ins fränkische Reich über Pavia [2]), und auch hier bezeichnet er seinen Aufenthalt, so kurz er ohne Zweifel währte, durch kräftige Maßregeln zur Befestigung seiner Herrschaft. Es wird erzählt, Karl habe die Langobarden zu Pavia versammelt und die unzuverläſſigſten unter ihnen ins fränkische Reich in die Verbannung geschickt [3]); allein an eine berathende und Beschlüſſe faſſende Reichsversammlung iſt dabei nicht zu denken [4]); andere Nachrichten sagen einfach, Karl habe von Pavia eine Anzahl der vornehmsten Langobarden mit ſich in die Verbannung ins frän=kische Reich geführt [5]), und so kann auch die erſte Angabe nur sagen wollen, Karl habe die angeſehenſten Langobarden vor ſich beſchieden und die verdächtigſten derſelben in die Verbannung fort=geführt [6]). Ueber einen beſtimmten Anlaß zu dieſem Schritte,

---

[1]) L. c. S. 197—198: Hec interim, ut supra (wo?) dictum est, inter cetera pia christianitatis opera servare convenit, quousque in sequenti conventu medio Octubrio qui [in civitate Papia] condictus est, nisi forte a rege (Pippin?) aliter precipiatur, aliquid melius addendum mutandumve Deo duce inveniatur (fehlt in mehreren Handſchriften); vgl. o. S. 578 N. 2; 579 N. 5. Die betreffenden Verordnungen ſind alſo zunächſt nur proviſoriſche, vgl. Boretius, Die Capitularien im Langobardenreich S. 23. 117 und oben. Beſtimmt ausgeſprochen iſt das allerdings nur in dieſem Epilog des zweiten Capitulars; da aber auch das erſte gleichzeitig und vielleicht ebenſo wie jenes ohne Mitwirkung einer Reichsverſammlung erlaſſen iſt, ſo iſt wenigſtens zu vermuthen, daß es eben=falls vorläufig nur ein proviſoriſches war.

[2]) Ann. Guelferb. cont.; Ann. Nazar.; Ann. Alam. cont.; Ann. San=gall. mai. SS. I, 43 ; St. Galler Mitth. XIX, 238. 271.

[3]) Annales Nazariani, SS. I, 43: Carolus rex Francorum de Roma revertens, ad Paveia civitatem Langobardos congregavit, et exinde fraude=lentissimos (sic) eorum in Franciam exiliavit; vgl. die folgende Note.

[4]) Von einer ſolchen reden Leibniz, Annales I, 132; Le Cointe VI, 342; Leo I, 230; vorſichtiger drückt ſich ſchon Eckhart I, 720 aus. Nicht richtig hier=über Malfatti II, 358.

[5]) Die Fortſetzung der Annales Guelferbytani. SS. II, 43: Karolus de Roma revertens ad Paveia; et exinde duxit Langobardos nobilissimos, et exi=liavit eos in Franciam; ebenſo die Annales Alamannici und die Annales San=gall. mai., mit Fortlaſſung von nobilissimos. Die Angabe der Annales Nazariani kann daneben als ſelbſtändige Nachricht nicht betrachtet werden; ſie wie die Annales Alamannici beruhen auf den verlorenen Murbacher Annalen, von welchen die Guel=ferbytani eine ſo gut wie wörtliche Abſchrift zu ſein ſcheinen; das congregavit der Nazariani iſt alſo nur eine Erweiterung der in den Guelferbytani vorliegenden Nachricht ohne eigenthümlichen Werth; vgl. Heigel, in den Forſchungen V, 309 ff. — Auch in Ann. Laureshand. fragm. ann. Chesnii, SS. I, 33: et inde (die Erwähnung von Pavia fehlt hier) multos Langobardos nobiles adduxit — eine offenbar eng verwandte Nachricht (vgl. Dünzelmann, Neues Archiv II, 509, ſowie Bernays a. a. O. S. 24—25, mit deſſen Auffaſſung wir jedoch nicht überein=ſtimmen).

[6]) Eine Beziehung darauf enthält das Capitular Pippin's vom Oktober d. J. c. 10, Capp. I, 199, unten S. 608 N. 9, in den Worten de illis feminis, quarum ma-riti in Francia esse videntur (Karl ſcheint angeordnet zu haben, daß dieſe Frauen in ihren Beſitz eingeſetzt würden); vgl. auch Boretius, Capitularien im Langobardenreich

welcher nicht der erste seiner Art war[1]), verlautet nichts, von un=
mittelbar vorangegangenen Unruhen ist nicht die Rede. Möglich,
daß eine Anzahl von Langobarden verdächtig war sich in Ver=
bindung mit Karl's Gegnern, mit Arichis und Adelchis gesetzt zu
haben; indessen scheinen diejenigen, welche ihrer Heimat entzogen
wurden, nicht die gefährlichsten, sondern die vornehmsten gewesen
zu sein[2]). Sie sollten also vielleicht nicht zur Strafe für be=
gangene Untreue die Verbannung erleiden, sondern nur als Geiseln
die Ruhe Langobardiens verbürgen[3]), wie Grimoald, der Sohn
des Arichis, welchen Karl ebenfalls mit sich führte[4]), die Treue
Benevents. Die Zustände, die in Italien auch nach der Unter=
werfung des Arichis noch fortdauerten, müssen jedenfalls so be=
drohlich erschienen sein, daß der König eine solche Maßregel für
erforderlich hielt[5]).

Von Pavia kehrte Karl über die Alpen nach Norden zurück[6]);
vor dem 13. Juli[7]) befand er sich in Worms, wo er zunächst sein
Hoflager aufschlug[8]) und wo seine Gemahlin Fastrada und seine
Kinder, umgeben von dem bei ihnen zurückgelassenen Gefolge, ihn
bereits erwarteten und mit Jubel begrüßten[9]). Es war die Zeit,

---

S. 129; Capp. I, 198. S. ferner unten Bd. II. z. J. 808 über die Erwähnung
der Fortführung von Langobarden als Geiseln ins Frankenreich und die Confiskation
ihrer Güter in einer Urkunde vom 17. Juli 808 für den Manfred aus Reggio
(Mühlbacher Nr. 429) sowie über die Stelle bei Andr. Bergom. hist. 5, SS. rer.
Langob. S. 224.

[1]) Vgl. oben z. J. 776, S. 253.

[2]) Vgl. Ann. Guelferb., deren Angabe (nobilissimos; Fragm. Chesn.:
nobiles) vor derjenigen der Nazariani (fraudelentissimos) den Vorzug verdienen
wird; oben S. 582 N. 3. 5.

[3]) Vgl. o. S. 582 N. 6 und Bd. II. über die Urkunde von 808.

[4]) Ann. Lauresham. cod. Lauresham. 786, SS. I, 33: et adduxit
secum obsidem filium Aragis; vgl. o. S. 565.

[5]) Wenn die mehrerwähnte Urkunde vom Jahr 808 eine solche Maßregel un=
mittelbar mit der Eroberung des Langobardenreichs in Verbindung zu bringen
scheint, so könnte dabei allenfalls auch eine gewisse Scheu im Spiel gewesen sein
einzugestehen, daß sie noch so lange Zeit danach nöthig befunden worden war.

[6]) Vgl. o. S. 576 N. 1. Nach der Widmung der 796 geschriebenen Transl. s. Au=
gustini durch den Erzbischof Petrus Oldradus von Mailand an Karl, Baron. Ann. eccl.
a. 725 Nr. 2 (Domino regum piissimo Carolo Magno) könnte man allenfalls
annehmen, daß Karl damals nach Mailand gekommen sei. Es heißt daselbst: Opus,
quod celsitudo vestra, dum in urbe Mediolani moraretur, mihi imponere
dignata fuit, ut aliquid de translatione corporis b. Augustini episcopi de
Sardinia Papiam inquirerem et fideli sermone celsitudini vestrae transcri=
berem, quantum humana fragilitas laborare potuit, elaboravi; vgl. Nomina
epp. Mediolan. eccl., Dümmler, Gesta Berengarii imp. S. 163; Mabillon,
Ann. Ben. II, 67. 270. Es ist aber doch fraglich, ob sich hierauf bauen läßt;
vgl. Mabillon, AA. SS. o. s. Ben. III, 1. ed. Venet. S. 414.

[7]) Vgl. unten S. 585.

[8]) Annales Laur. mai. l. c. (Ann. Einh. SS. I, 171); Ann. Lauresham.
cod. Lauresh. SS. I, 33: et sic reversus est rex cum pace et gaudio ad
Wormaciam; Ann. Guelferb. SS. I, 43: et resedit Wormatia; Nazarian.;
Alam.; Sangall. mai.; Vita Willehadi c. 8, SS. II, 383.

[9]) Ann. Laur. mai. l. c.: — ad coniugem suam domnam Fastradanem
reginam . . . et ibi ad invicem gaudentes et laetificantes ac Dei miseri-

in der gewöhnlich die große Reichsversammlung stattfand[1]), und bald nach Karl's Ankunft ist sie auch wirklich in Worms selbst gehalten worden[2]) und hat über die wichtigste Frage des Augenblicks, über Tassilo's Schicksal, entschieden. Aber noch andere Angelegenheiten beschäftigten damals den König; auf der Reichsversammlung oder vielleicht noch vorher, jedenfalls in Worms und vor dem Beginn des Feldzugs gegen den Baiernherzog wandte er, wie die Bischofsweihe Willehad's zeigt, auch wieder den sächsischen Verhältnissen eine erhöhte Aufmerksamkeit zu.

In den Zuständen Sachsens war im Laufe der beiden letzten Jahre eine wesentliche Veränderung nicht eingetreten. Die wichtigsten Maßregeln zum Zwecke der kirchlichen wie der politischen Einrichtung des Landes waren schon vor der vollständigen Unterwerfung, vor der Taufe Widukind's im Jahr 785 getroffen; aber durch die wiederholten Erhebungen der Sachsen seit 782 waren diese Einrichtungen gefährdet, zum Theil wieder beseitigt worden; was dann nach 785 geschah, bestand zunächst nur darin, daß man an die schon früher getroffenen Maßregeln wieder anknüpfte, die zerstörten Kirchen wieder aufbaute, die vertriebenen Lehrer des Christenthums wieder zurückrief, ihre Zahl vermehrte, immer neue Kirchen, in immer entlegeneren Gegenden anlegte. Auch jetzt noch behalten diese Kirchen meistens die Eigenschaft bloßer Missionsplätze bei, von der Errichtung förmlicher Bisthümer findet sich meistentheils noch immer keine Spur; was später davon erzählt wird, ist ohne jeden sichern Anhalt[3]), die spärlichen Nachrichten, die aus dieser Zeit über die kirchliche Ordnung Sachsens erhalten sind, weisen bestimmt auf das Gegentheil hin.

Dahin gehört vor Allem was über die Wirksamkeit Willehad's berichtet wird. Im Jahr 785 war Willehad nach mehr als zweijähriger nothgedrungener Abwesenheit wieder nach Wigmodien zurückgekehrt und hatte dort seine Thätigkeit mit großem Erfolge wieder aufgenommen. Dabei war er aber doch immer nur in der Stellung eines Presbyters geblieben, obgleich er zum Bischof erkoren war und nach Kräften überall die oberste Leitung in die

---

cordia conlaudentes . . .; Ann. Einh. l. c.: Et cum uxorem suam Pastradam filiosque ac filias et omnem comitatum (vgl. Waitz III, 2. Aufl. S. 496 f.), quem apud eos dimiserat Wormaciae invenisset . . .

[1]) Vgl. Waitz III, 2. Aufl. S. 571. — Malfatti II, 359 will den Wormser Reichstag schon in den Mai verlegen.

[2]) Ann. Laur. mai., SS. I, 170: sinodum namque congregavit suprascriptus domnus rex ad eandem civitatem, sacerdotibus suis et aliis obtimatibus nuntiavit, qualiter . . .; Ann. Einh. SS. I, 171: generalem populi sui conventum ibi habere statuit (Poeta Saxo l. II, v. 300 f., Jaffé IV, 568: Conciliumque dehino procerum generale suorum — Intra Wormaciae muros collegit . . .).

[3]) Die beste Zusammenfassung der hieher gehörigen Punkte gibt Rettberg II, 413 ff.; übrigens vgl. auch unten S. 592.

Hand nahm[1]); denn die Sachsen, fügt Willehad's Biograph hinzu, duldeten auch nur Presbyter kaum gezwungen unter sich, einer bischöflichen Autorität hätten sie sich damals noch unter keinen Umständen gefügt[2]). Erst nach den bedeutenden Fortschritten, welche die Predigt seit der Taufe Wibukind's gemacht, konnte Karl einen Schritt weiter gehen. Während seines Aufenthalts in Worms, am 13. Juli, ließ er Willehad daselbst die bischöfliche Weihe ertheilen und setzte ihn, wie dessen Biograph sich ausdrückt, als geistlichen Hirten und Leiter über Wigmodien und die Gaue Laras, Riustri, den Asterga (Ostergau), Nordendi (um Norden) und Wanga — also über die Gaue zwischen der Elb= und Weser=, bezw. der Weser= und Emsmündung[3]) —, damit er dort mit bischöflicher Autorität dem Volke vorstünde[4]).

Karl war in Sachsen noch nie so weit gegangen. Willehad war der erste, der hier die Bischofsweihe empfing, aber ein Bisthum im späteren Sinne des Worts war hier auch jetzt noch nicht gegründet. Der Geschichtschreiber von Bremen und Hamburg, Adam, theilt den Wortlaut einer angeblich in der Bremer Kirche aufbewahrten Urkunde mit, die am 14. Juli 788 in Speier ausgestellt und die Stiftungsurkunde des Bisthums Bremen sein will[5]). Darin

---

[1]) Vita Willehadi c. 8: Hac itaque de causa septem annis prius (voran geht die Stelle in der folgenden Note) in eadem presbiter est demoratus parrochia, vocatus tamen episcopus et secundum quod poterat cuncta potestate praesidentis ordinans. Ob Dehio I, 19 diese Stelle richtig auslegt („wie er denn von seinen Untergebenen auch Bischof genannt wurde"), ist doch zweifelhaft (ähnlich allerdings auch Koppmann, Forsch VIII, 635); zutreffender scheint die Uebersetzung von Laurent (Geschichtschreiber der deutschen Vorzeit VIII. Jahrh. 3. Bd. S. 12): „obwohl er zum Bischof ernannt war".
[2]) Vita Willehadi c. 8: Quod (Willehad's Bischofsweihe) tamen ob id tam diu prolongatum fuerat, quia gens credulitati divinae resistens, cum presbiteros aliquocies secum manere vix compulsa sineret, episcopali auctoritate minime regi paciebatur; wozu Rettberg II, 452 bemerkt, das könne wohl nur heißen, eine geordnete Einrichtung von Bischöfen als fränkischen Beamten zugleich mit den Grafen habe sich noch nicht durchsetzen lassen, da es doch auf den Namen allein den Sachsen nicht ankommen konnte.
[3]) j. in Hannover, Oldenburg (Jever), Ostfriesland.
[4]) Vita Willehadi c. 8: in Wormatia positus civitate, servum dei Willehadum consecrari fecit episcopum tertio Idus Iulii constituitque eum pastorem atque rectorem super Wigmodia et Laras et Riustri et Astergâ necnon Nordendi ac Wanga, ut inibi auctoritate episcopali et praeesset populis et, uti coeperat, doctrina salutari operibusque eximiis speculator desuper intentus prodesse studeret; vgl. auch das Chronicon Moissiac. SS. II, 257, welches vermuthlich aus gemeinsamer Quelle, einer erweiterten Form der Annales Laureshamenses, geschöpft hat. (Forschungen z. d. G. XIX, 133 bis 134; Wattenbach, DGQ. I, 5. Aufl. S. 232—233; o. S. 6 N. 1. Was Koppmann, Forsch. z. d. Gesch. VIII, 634 N. 6, hierüber bemerkt ist unklar und scheint einen Widerspruch zu enthalten.)
[5]) Adam, Gesta Hammaburg. eccl. pontif. I, 12, SS. VII, 288 (2. Schulausg., Hannover 1876, S. 10), nachdem er von der Eintheilung Sachsens in 8 Bisthümer gesprochen, fährt fort: Cuius exemplar divisionis, quod ex praecepto regis in Bremensi ecclesia servatur, cognosci potest his verbis, worauf die Urkunde folgt. Außerdem ist dieselbe u. a. herausgegeben bei Lappenberg, Hamburgisches Urkundenbuch I, 4 ff. Nr. 2; das Bremische Urkundenbuch, herausgegeben

erklärt Karl, daß er nach Besiegung der Sachsen ihr ganzes Land nach der Sitte der Römer zur Provinz gemacht und nach bestimmter Abgrenzung unter Bischöfe vertheilt, den nördlichen Theil desselben aber, der einen großen Reichthum an Fischen besitze und zur Viehzucht sehr geeignet sei, Christus und seinem heiligen Apostel Petrus dargebracht und ihm in Wigmodien, an einem Orte an der Weser mit Namen Bremen eine Kirche und einen Bischofsstuhl errichtet habe. Dieser Parochie habe er zehn Gaue unterstellt und dieselben unter Aufhebung ihrer alten Namen und Eintheilung zu zwei Provinzen vereinigt mit den Namen Wigmodien und Lorgoe (Laras). Indem der König zum Bau der Kirche in den genannten Gauen 70 Mansen mit ihren Colonen darbringt, bestimmt er durch gegenwärtige Urkunde, daß die Bewohner der ganzen Parochie ihren Zehnten der Kirche und deren Vorsteher entrichten sollen. Auf Befehl des Papstes Hadrian und nach dem Rathe des Bischofs Lul von Mainz[1]), sowie aller anwesenden Bischöfe hat er ferner schon die Kirche von Bremen mit allem Zubehör dem Willehad übertragen und ihn am 13. Juli[2]) zum ersten Bischof dieser Kirche weihen lassen. Willehad aber hat dem Könige vorgestellt, daß die neue Parochie wegen der von den Barbaren drohenden Gefahren und der Unsicherheit der Zustände nicht im Stande sein werde für den Unterhalt der dort dem Herrn dienenden Knechte Gottes hinreichend zu sorgen; deßhalb schenkt Karl, da Gott ja auch bei den Friesen dem Glauben die Thür geöffnet hat, einen Theil von Friesland, welcher an diese Diözese stößt, der Kirche von Bremen, dem Bischof Willehad und seinen Nachfolgern zu ewigem Besitz, und vorsichtig gemacht durch vergangene Vorkommnisse, damit nicht jemand sich irgend welche Uebergriffe gegen die Diözese erlaube, hat er ihre Grenzen genau festsetzen lassen, gibt dieselben sorgfältig an und erklärt sie für fest und unwandelbar.

Allein Inhalt wie Form der Urkunde lassen keinen Zweifel, daß dieselbe eine spätere Erdichtung ist[3]), und wenn auch ein Theil

---

von Ehmck, S. 1 Nr. 1, gibt sie nicht vollständig. Die früheren Abdrücke sind durch Lappenberg's Ausgaben veraltet; vgl. Sickel II, 393—394; Mühlbacher Nr. 286 (dazu auch Nr. 287).

[1]) Man erinnert sich, daß dieser garnicht mehr lebte; vgl. über seinen Tod am 16. Oktober 786 oben S. 536.

[2]) Der Fälscher wollte die Urkunde auch dem Jahr der Weihe Willehad's anpassen, welches er jedoch nur ungefähr traf; vgl. Mühlbacher Nr. 286. — Böttger, Die Einführung des Christenthums in Sachsen S. 11 ff., welcher die Urkunde für echt hält, versteht sie dahin, daß schon 787 das Bisthum Bremen in aller Form gestiftet und eingerichtet gewesen wäre; es wäre eigentlich schon vor dem Erlaß dieser Urkunde gegründet und ihm in Willehad ein Bischof gesetzt, nur jetzt erst auch noch durch einen Theil Frieslands vergrößert und abgerundet und bei dieser Gelegenheit eine genaue Grenzbestimmung aufgestellt worden, ein Jahr nach der Bischofsweihe Willehad's.

[3]) Die Merkmale der Unechtheit sind so zahlreich und augenfällig, daß die Urkunde schon längst als gefälscht anerkannt ist, wie denn bereits Leibniz, Annales I, 122 ff.; Eckhart I, 721 f. u. a. die Unechtheit ausführlich nachgewiesen haben. Weiterhin haben dies Rettberg II, 453 f. und kürzer Erhard, Regesten S. 73 Nr. 192

ihres Inhalts auf älteren glaubwürdigen Quellen beruhen, ihre
Angaben über die Grenzen des Bisthums auch schon für die früheste
Geschichte desselben Werth haben mögen [1]), so kommen sie doch für
diese Zeit nicht in Betracht, da eben ein förmliches Bisthum
Bremen noch garnicht eingerichtet war [2]). Der Bericht in dem

gethan, ebenso Lappenberg a a. O. und Ehmck a. a. O.; vgl. ferner Koppmann, Die
ältesten Urkunden des Erzbisthums Hamburg-Bremen (Göttinger Diss. Hamburg 1866),
S. 53 ff.; Dehio a. a. O. I, Krit. Ausführungen S. 49—50; v. Richthofen, Zur
Lex Saxonum S. 163 N. 2; Sickel II, 393—394; Mühlbacher Nr. 286. Eine
Vertheidigung des Diploms in seiner jetzigen Gestalt, meinte Rettberg II, 453,
übernehme wohl niemand mehr; allein seine Voraussagung ist Lügen gestraft durch
W. v. Hodenberg und Böttger, dessen o. S. 586 N. 2 erwähnte, 1859 erschienene Schrift
die Echtheit der Urkunde darzuthun sucht, jedoch ohne Erfolg und in einer Weise,
daß es völlig überflüssig ist ihn besonders zu widerlegen. Von den neueren Ge-
schichtschreibern Bremens erkannten Misegaes, Chronik der freyen Hansestadt Bremen
I, 178 ff., wenigstens theilweise; Rotermund, Geschichte der Domkirche St. Petri zu
Bremen S. 15, stillschweigend die Unechtheit an; wogegen nachher noch Duntze,
Geschichte der freien Stadt Bremen I, 55, an der Echtheit nicht zweifelt. — Man
hat angenommen, daß die Anfertigung dieser Fälschung mit dem Bestreben Erzbischof
Adalbert's von Bremen zusammenhänge in seiner Diözese eine territoriale Gewalt zu
begründen (vgl. Waitz, Götting. Gel. Anz. 1860, I, 136 f.; Wilmans I, 372); jetzt
ist Adalbert jedoch von solchem Verdacht gereinigt, und diese Fälschung wohl eher einem
seiner Vorgänger zuzuschreiben (Dehio a. a. O. S. 49—50).

Verwandt mit dieser falschen Urkunde ist das sog. praeceptum pro Trutmanno comite vom 28. Sept. 789, u. a. bei Walter, Corpus iuris germanici II,
103 f., das Eingang und Recognition mit ihr gemein hat, statt der Bestimmungen über
die Einrichtung des Bisthums aber die Bestallung des Trutmann als Graf in einem
Theil Sachsens und Vogt aller Presbyter in Sachsen enthält. Waitz in den Göttinger Gel. Anz. 1860, I, 128 ff. macht auf die Verwandtschaft der beiden Urkunden aufmerksam (was übrigens auch schon früher geschehen war) und erblickt in
dem praeceptum pro Trutmanno gar keine wirkliche Urkunde, sondern nur eine
Formel (S. 137), welche dann bei der Anfertigung der Bremer Urkunde dieser zu
Grunde gelegt worden sei. Indessen ist neuerdings nachgewiesen worden, daß diese
Fälschung erst aus dem Anfang des 17. Jahrhunderts herrührt und mit Benutzung
der falschen Stiftungsurkunde für Bremen von dem Dortmunder Stadtschreiber Det-
mar Mülher angefertigt worden ist (s. Koppmann, Forsch. z. deutschen Gesch. IX,
607—617; Sickel II, 394 f. 438; Mühlbacher Nr. 294; der Artikel über Mülher
von A. Döring in der Allgem. Deutschen Biographie XXII, 489—490, wo er
Mulher genannt wird, scheint Ungenauigkeiten zu enthalten).

[1]) Darauf legt besonders Gewicht Misegaes I, 179, vgl. hauptsächlich Wedekind, Noten zu einigen Geschichtschreibern des deutschen Mittelalters II, 416 ff., auch
Rettberg II, 453; Koppmann, Die ältesten Urkunden des Erzbisthums Hamburg-
Bremen a. a. O. Jedenfalls kommt dieser Punkt erst bei der wirklichen Errichtung
eines Bisthums in Frage, noch nicht 787.

[2]) So auch Rettberg II. 417 f.; Erhard Nr. 192, der Willehad bestimmt und
mit Recht nur als Missionsbischof bezeichnet; v. Richthofen a. a. O. S. 163 N. 2;
Dehio I, 19. 21. Das Urkundenbruchstück bei Lappenberg S. 7 Nr. 4, das durch
die Erwähnung des Papstes Leo III. (zugleich aber des Erzb. Lul von Mainz! vgl.
o. S. 586 N. 1) und Karl's noch als König auf Entstehung in der Zeit zwischen
795 und 800 hinweisen würde und von der Errichtung einer cathedra episcopalis
in Bremen redet, übrigens Willehad's erst am Schluß gelegentlich erwähnt, ist ebenfalls unecht und aus den falschen Stiftungsurkunden für Bremen und Verden (unten
S. 590) zusammengeschweißt; vgl. Rettberg II, 454 f.; v. Richthofen a. a. O.;
Dehio a. a. O. Krit. Ausführungen S. 49; Sickel II, 393—394; Mühlbacher
Nr. 287; unten S. 590 N. 1; auf keinen Fall kann dieses Urkundenfragment, die
Urkunde selbst, deren Fragment es ist, mit Erhard S. 77 Nr. 214 (vgl. auch v.
Hammerstein bei Böttger S. 99) als echt in Anspruch genommen werden. S. Die-
kamp, Suppl. S. 15 Nr. 106.

Leben Willehad's und der wahrscheinlich aus gemeinsamer Quelle geschöpfte in der Chronik von Moissac[1]) ist der einzige, der über diese Vorgänge historische Auskunft gibt. Der Ort Bremen, welchen Willehad's Biograph schon einige Jahre früher bei Gelegenheit der Vertreibung Willehad's aus Wigmodien durch die aufständischen Sachsen genannt hat[2]) und der uns bei diesem Anlaß zum ersten Mal begegnet, wird bei Willehad's Bischofsweihe garnicht genannt; nur die Gebiete werden angegeben, welche dem neuen Bischof zugewiesen wurden. Der Biograph kann bei dem Bischofssitze, den nach seiner Aussage zuerst Willehad hier erhielt, an Bremen gedacht haben[3]), aber ganz nothwendig ist es nicht, und nur soviel läßt sich mit Bestimmtheit sagen, daß aus dem Missionsbezirk, welcher damals dem Willehad angewiesen ward, das spätere Bisthum Bremen hervorging[4]) und daß diese Entwickelung beschleunigt ward durch die Weihe Willehad's zum Bischof. Es ist allerdings bezeugt, daß Willehad selbst Bremen zum Bischofssitz bestimmte[5]), nicht aber, daß er das Bisthum schon eingerichtet hat; so weit ist es bei Willehad's Lebzeiten nicht mehr gekommen.

Nur noch kurze Zeit erfreute sich Willehad seiner bischöflichen Würde. Seine Erhebung zu derselben änderte in seiner Wirksamkeit nichts. Sein Biograph bemerkt ausdrücklich, er sei nur mit verdoppeltem Eifer in seiner bisherigen Thätigkeit fortgefahren[6]), und nachdem er seine Lebensweise geschildert, seine Enthaltsamkeit, seine Mäßigkeit, seine Strenge gegen sich selbst, seine Zerknirschung, seine Unermüdlichkeit in guten Werken, erzählt er, wie Willehad nicht aufhörte in seinem Sprengel umherzuziehen, durch seine Predigt die Neubekehrten im Glauben zu befestigen und die irrenden Seelen auf den Weg des Heils zu leiten. In einer gewissen Genossenschaft mit ihm scheint sein Landsmann und Freund[7]) Alkuin gestanden zu haben, welcher später seine Reue darüber ausspricht, Willehad verlassen zu haben[8]). An dem Orte, der Bremen hieß, erbaute Willehad eine Kirche und bestimmte ihn zum Bischofssitze; am

---

[1]) SS. II, 257; vgl. o. S. 585 N. 4.

[2]) Vita Willehadi c. 6, vgl. o S. 429.

[3]) Sicque ipse primus in eadem diocesi sedem obtinuit pontificalem, sagt er c. 8, was aber möglicherweise auch nur heißen könnte: er erhielt die Stellung eines Bischofs; vgl. auch die Stelle unten S. 589 N. 1.

[4]) Nichts anderes kann auch Rettberg II, 452 sagen wollen, indem er Willehad's Weihe als den Anfang des Bisthums Bremen bezeichnet.

[5]) Vgl. die Stelle unten S. 589 N. 1.

[6]) Vita Willehadi c. 8: Percepta vero consecratione pontificali, coepit in omnibus etiam devotius se agere et virtutum studia, quae prius exercuerat, multiplitius augmentando cumulare; Chron. Moiss. l. c.: et ibi docuit verbum Dei et baptizavit eos in primis (vgl. Dehio I, Krit. Ausführungen S. 52).

[7]) Vgl. oben S. 276.

[8]) Alcuin. epist. 13, Jaffé VI, 165: Multum me poenitet, quod recessi ab eo; vgl. Dehio I, 17 f.; Anm. S. 3—4, dessen Annahmen wir uns indessen keineswegs sämmtlich aneignen möchten.

1. November 789, einem Sonntag, weihte er die Kirche hier ein und gab ihr den Namen Peterskirche[1]). Es war die letzte öffentliche Handlung, die von ihm bekannt ist. Gleich darauf, während einer wiederholten Rundreise, erkrankte er in Pleccateshem (Blexen) an der Weser an einem heftigen Fieber und starb schon am 8. November nach Sonnenaufgang[2]). Seine Leiche ward nach Bremen gebracht und dort in der Peterskirche beigesetzt, später aber von seinem Nachfolger Willerich, als dieser an Stelle der hölzernen Peterskirche eine steinerne erbaute, in die östliche Kapelle derselben übertragen. Zahlreiche vermeintliche Wunder bezeichneten sein Grab[3]). Für seinen Sprengel aber war der Tod des Oberhauptes ein um so schwererer Verlust, da es eine Reihe von Jahren dauerte, bis Willehad in jenem Willerich einen Nachfolger fand[4]).

Bleiben demnach die Anfänge des Bisthums Bremen immerhin einigermaßen in Dunkel gehüllt, so ist dies weit mehr der Fall bei dem benachbarten Verden, über dessen früheste Geschichte es an jeder glaubwürdigen älteren Nachricht fehlt. Wie Bremen weist freilich auch Verden eine Stiftungsurkunde auf, die sogar älter als die bremische, schon am 29. Juni 786 von Karl in Mainz erlassen sein will[5]); aber auch sie ist erst ein späteres Machwerk, wie die Urkunde von Bremen; Inhalt und Form bezeugen gleich

---

[1]) Vita Willehadi c. 9, SS. II, 383: Aedificavit quoque domum Dei mirae pulchritudinis in loco qui dicitur Brema, ubi et sedem esse constituit episcopalem, ac dedicavit eam Kalendis Novembris die dominico ... Das Jahr ist nicht genannt, ergibt sich aber schon aus der Angabe, daß der 1. November ein Sonntag gewesen sei, was 789 der Fall war, vgl. N. 2. Irrig gibt Mißegaes I, 220 das Jahr 788 an.

[2]) Vita Willehadi c. 10, SS. II, 384; Chronicon Moissiac. 789, SS. II, 257. Das Todesjahr, wie das Chronicon Moissiac. es angibt, wird gesichert durch die Angabe der Vita Willehadi c. 11, er habe 2 Jahre 3 Monate 26 Tage die bischöfliche Würde bekleidet; ferner dadurch, daß der 1. und 8. November damals auf einen Sonntag fielen (l. c. cap. 9. 10). Duntze I, 56 u. a. setzen irrig seinen Tod 790 an, wobei sie für das Jahr der Weihe statt 787 das Datum der falschen Urkunde, 788, annehmen; vgl. auch Rettberg II, 453 N. 8; Dehio I, 18; krit. Ausführungen S. 52.

[3]) S. Vita Willehadi c. 10. 11 und über den Neubau der Kirche durch Willerich und die Translation Willehad's auch Adam, Gesta I, 20 (II, 46), SS. VII, 293. (322; 2. Schulausgabe S. 18. 73). Ueber die Annahme späterer Schriftsteller, Willehad habe in Friesland den Märtyrertod erlitten, die sich auf eine Inschrift unter dem Bildniß Willehad's auf dem 1410 neu erbauten Rathhaus in Bremen gründet, vgl. Mißegaes I, 223 ff; Rettberg II, 453 N. 9; sie ist ganz sagenhaft. Daß in Blexen, wie in Bremen selbst, noch jetzt ein Brunnen Willehad's Namen führt, bemerkt Mißegaes I, 222.

[4]) Erst um 805 trat Willerich sein Amt an, Adam, Gesta I, 15, SS. VII, 290 (2. Schulausg. S. 14), wo auch die Ursache der langen Vakanz erwähnt ist; vgl. später im 2. Bande z. J. 804; dazu auch Koppmann, Forsch. z. d. Gesch. VIII, 634 ff.

[5]) Die beste Ausgabe bei Lappenberg, Hamburgisches Urkundenbuch I, S. 1 ff. Nr. 1 nachher u. a. auch noch gedruckt bei v. Hodenberg, Verdener Geschichtsquellen II, S. 12; vgl. Sickel II, 394. 439—440; Mühlbacher Nr. 263.

unwiderſprechlich die Fälſchung[1]). Nur die geographiſchen Angaben über den Umfang des Sprengels von Verden ſcheinen auch
hier auf älteren brauchbaren Quellen zu beruhen[2]), die jedoch für
die angebliche Ausſtellungszeit der Urkunde ebenſo wenig ſchon in
Betracht kommen können wie bei der Urkunde für Bremen; denn
ſie ſetzen eben die Gründung eines wirklichen Bisthums, die genaue
Abgrenzung deſſelben ſchon voraus, die doch erſt ſpäter erfolgt ſein
kann, für deren Vornahme im Jahr 786 lediglich die gefälſchte
ſogenannte Stiftungsurkunde ſich beibringen läßt. Aber auch ſonſt
fehlt es ganz an ſicheren Zeugniſſen über den Urſprung des Bisthums; ſelbſt über den Ort der erſten Anlage gehen die Nachrichten
auseinander. Es heißt, ſchon 782 habe Karl ein Bisthum angelegt
in Bardowiek, das ſpäter, 814, nach Verden verlegt worden ſei
und als deſſen erſter Biſchof Giwibertus genannt wird[3]), und
anderswo wird erzählt, an einem Orte Kovende (Kuhfelde) habe
Karl ein Bisthum geſtiftet, das dann nach Verden übertragen
worden ſei: hier ſei auf Karl's Geheiß als erſter Biſchof Swibertus
geweiht[4]). Aber die erſte Angabe findet ſich nicht vor dem 14.,
die zweite gar erſt im 15. Jahrhundert, keine von beiden verdient
Glauben, ſie beruhen ohne Zweifel auf willkürlicher Erfindung[5]).
Die Gründung mag gleich in Verden ſelbſt erfolgt ſein, aber zu
welcher Zeit bleibt ungewiß. Der Ort Verden wird bei Gelegenheit des über die Sachſen verhängten Blutgerichts, 782, zum erſten

---

[1]) Schon die äußere Form, die Eingangsformel, die Datirung, die groben
Anachronismen, da die Erzbiſchöfe Hildibald von Köln und Amalhar von Trier die
Urkunde recognoſciren, genügen zur Verwerfung, die denn auch nicht mehr ausdrücklich begründet zu werden braucht, nachdem ſchon Pfeffinger, Vitriarius illustratus
I, 1198 f.; Leibniz, Annales I, 121 ff.; ferner Rettberg II, 459; Erhard, Re-
geſten S. 73 Nr. 189, die Unechtheit genügend nachgewieſen, auch Eckhart I, 698;
Lappenberg I, S. 1 N. 1 u. a. ſie anerkannt haben. Gegen die Echtheit der Ver-
dener Urkunde ſpricht ſich auch Böttger S. 91 ff. ausführlich aus. Der Inhalt
der Urkunde zeigt bis auf den Wortlaut hinab große Verwandtſchaft mit der Urkunde für Bremen, noch größere mit dem Urkundenfragment bei Lappenberg I, S. 7
Nr. 4, oben S. 587 N. 2, weshalb Lappenberg S. 7 N. 1 vermuthete, die letztere
Urkunde ſei in ihrer urſprünglichen Form vielleicht die Urkunde geweſen, welcher die
Stiftungsurkunde von Verden nachgebildet ſei. Daß das Verhältniß anders aufzu-
faſſen iſt, wurde oben S. 587 N. 2 bemerkt. Dagegen iſt es zweifelhaft, ob der
Bremer oder der Verdener falſchen Stiftungsurkunde die Priorität zuzuſchreiben iſt,
vgl. Sickel II, 394; Dehio I, Krit. Ausführungen S. 49; Mühlbacher Nr. 263. —
Böttger glaubt, die Verdener Urkunde ſei nach dem Vorbild der Bremer zu Ende des
11. oder Anfang des 12. Jahrhunderts angefertigt.
[2]) Vgl. Wedekind, Noten II, 416 ff.; Lappenberg I, S. 1 N. 1; Rettberg II,
459; Koppmann, Die älteſten Urkunden u. ſ. w. S. 53.
[3]) Vgl. Heinrich von Herford, ed. Potthaſt S. 32. 44, bezw. den Libellus
de fundatione etc.
[4]) Bei Bote, Chronicon picturatum, Leibniz SS. III, 288; dann bei
Albert Krantz, Metropolis I c. 6, wonach Suibert nicht einmal überhaupt der erſte
Biſchof der Diözeſe, ſondern der erſte nach der Uebertragung des Bisthumsſitzes
nach Verden war. Ueber Kovende vgl. Wedekind, Noten I, 92 f.
[5]) Die nähere Ausführung bei Rettberg II, 456 ff, der nur noch irrig die
Entſtehung des Libellus de fundatione ſchon ins 10. Jahrhundert ſetzt, deſſen Anſicht aber durch das jüngere Alter des Libellus nur bekräftigt wird.

Male genannt[1]), die Gegend war damals, vielleicht schon seit mehreren Jahren, dem Kloster Amorbach im Odenwald zur Mission überwiesen[2]), die wohl wenigstens soweit von Erfolg begleitet war, daß in Verden eine Kirche erbaut ward. Ausdrücklich berichtet ist zwar auch dies nicht, aber man mag es vermuthen. Einige Jahre nachher, um die Zeit, wo die angebliche Stiftungsurkunde ausgestellt sein soll, wird ein Bischof von Verden genannt, gegen dessen Dasein sich nichts erhebliches einwenden läßt. Verschieden benannt wird freilich auch seine Persönlichkeit. Zuerst, soviel zu sehen, in der falschen Stiftungsurkunde erscheint als der erste Vorstand der Kirche von Verden Suitbert[3]), in späteren Schriften wird er geradezu als erster Bischof von Verden bezeichnet[4]). Allein diese Angaben rühren her von einer Verwechselung Verdens mit Werda, dem späteren Kaiserswerth, wo der Angelsachse Suitbert nach seiner Ankunft im fränkischen Reich schon zu Anfang des 8. Jahrhunderts ein Kloster gegründet hatte; infolge dieser Verwechselung ist der schon um 713 gestorbene Suitbert für den ersten Bischof von Verden ausgegeben worden[5]). Es ist bloße Willkür, von dem Suitbert von Kaiserswerth einen Suitbert von Verden zu unterscheiden, nur der erste ist beglaubigt, einen Bischof dieses Namens in Verden hat es nicht gegeben[6]). Vielmehr ist Patto, welchen eine Liste[7]) als zweiten Bischof bezeichnet, als der erste zu betrachten. Freilich ist von ihm kaum mehr als der Name bekannt. Es war jener Abt von Amorbach, welchen Karl mit der Leitung

---

[1]) Annales Einhardi, SS. I, 165: super Alaram fluvium, in loco qui Ferdi vocatur; vgl. oben S. 433—434.

[2]) Darüber vgl. oben S. 353 f.; Abt von Amorbach war Patto oder, wie er auch genannt ist, Pacificus.

[3]) Aecclesiam (Verdensem) cum omnibus appendiciis et donativis Suitberto, sancte conversacionis viro et immortali memoriae coram deo et apud homines, commisimus, sagt die Urkunde, bei Lappenberg S. 2; Suitbert wäre also nach der Urkunde selbst 786 bereits todt gewesen, folglich nicht von Karl damals eingesetzt worden. Auch das Urkundenfragment, Lappenberg S. 8, äußert sich ähnlich. Rettberg II, 460 setzt infolge seines chronologischen Irrthums in Betreff des Libellus das Vorkommen Suitbert's als Bischof von Verden noch viel zu früh an; er wird sogar noch in der falschen Stiftungsurkunde nicht bestimmt als Bischof bezeichnet, obgleich die ecclesia, der er vorgesetzt wird, nach der Urkunde eben doch eine bischöfliche ist, so daß auf das Fehlen des bischöflichen Titels wenig ankommt. Daß die gefälschte Lebensbeschreibung Suitbert's von Marchelm oder Marcellin ihn nicht als Bischof von Verden kennt, bemerkt schon Rettberg II, 397. 461. Diese ist freilich erst im 14—15. Jahrhundert in Holland verfertigt.

[4]) In den Stellen oben S. 590 N. 3. 4; in dem Bischofsverzeichniß SS. XIII, 343 (13.—14. Jahrh.) und im Chronicon episcoporum Verdensium, bei Leibniz SS. rer. Brunsvic. II, 211 — eine Liste, in welcher sichtlich die falsche Stiftungsurkunde benutzt ist; vgl. Wedekind, Noten I, 95.

[5]) Vgl. Rettberg II, 460 ff., dessen genauer Ausführung nichts hinzuzusetzen ist. Schon Leibniz, Annales I, 125, hat die Verwechselung erkannt.

[6]) Vgl. Wedekind, Noten I, 96 ff.; Rettberg a. a. O.; über die willkürliche Annahme zweier Suitberte Rettberg II, 461 f.

[7]) In dem Bischofskatalog SS. XIII, 343 (wo der Name Spatto geschrieben ist) und in der Chronik bei Leibniz SS. II, 211; vgl. über diese Ausgabe indeß Krause in Forsch. XIX, 597. 599.

der Mission in diesen Gegenden beauftragt hatte[1]), wie es heißt, seiner Herkunft nach ein Schotte (Ire)[2]), derselbe, welcher in einem Fulder Nekrolog als Bischof Pacificus aufgeführt und dessen Tod zu 788 angemerkt wird; als sein Todestag ist hier der 2. Juni, sonst bald der 3., bald der 30. März bezeichnet[3]). Hat die Chronik von Verden Recht, so starb er nicht hier, sondern in seinem Kloster Amorbach; den Stuhl von Verden, sagt sie, hatte er nur dem Namen nach inne, wie mehrere seiner Nachfolger wurde er durch die Heiden von dort verjagt[4]). Man darf an dieser Stelle der Chronik wohl glauben, nur dem Namen nach war Patto Bischof; wie Willehad mag auch er zum Bischof geweiht worden sein, aber von der förmlichen Einrichtung eines Bisthums Verden war man noch weit entfernt, es kann hier eben nur erst eine Missionskirche angelegt sein[5]).

Und ebenso wenig ist irgend etwas sicheres von anderen Bisthumsgründungen in diesen Jahren bekannt[6]). Hinsichtlich der

---

[1]) Vgl. oben S. 353 f.

[2]) Natione Scotus abbas Amarbaracensis ecclesiae nennt ihn die Verdener Chronik bei Leibniz, II, 211. Gegen die willkürlichen Versuche, die Amarbaracensis ecclesia für Armagh oder wenigstens für ein Kloster unweit Verden zu erklären, hat sich mit Recht schon Rettberg II, 462 entschieden ausgesprochen. Aber überhaupt ist Patto's schottische (irische) Herkunft zweifelhaft, die Verdener Chronik nicht eben zuverlässig (obschon Lorenz, Deutschlands Geschichtsquellen II, 3. Aufl. S. 148, sie günstiger zu beurtheilen scheint); vgl. jedoch auch die folgende Anmerkung. Daß er der erste Bischof von Verden gewesen, nehmen bestimmt auch Wedekind I, 98 und Rettberg II, 462 an (vgl. auch Koppmann, Die ältesten Urkk. des Erzbisth. Hamburg-Bremen S. 53).

[3]) Pacificus episcopus verzeichnen zu 788 die Annales necrologici Fuldenses, SS. XIII, 168, vgl. ebd. S. 166; über die Identität von Pacificus mit Patto vgl. Eckhart I, 699 (Koppmann a. a. O.); über die in jenen Todtenannalen enthaltenen Beziehungen zu Verden Rettberg II, 462 N. 34. Als Todestag geben die Ann. necr. Fuld. den 2. Juni (4. Non. Iun.); den 30. März die Chronik von Verden a. a. O.; die Fasti Agrippinenses, Acta SS. Boll. Mart. III, 844, nennen zuerst den 3., nachher den 30. März. Rettberg II, 463 N. 37 entscheidet sich für den 3. März als die ältere Angabe, und zwar aus dem guten Grunde, weil in ihr Patto nicht als zweiter Bischof von Verden bezeichnet wird, sondern es nur heißt: S. Pattonis Scoti, qui a Carolo M. Verdensi ecclesiae episcopus est datus.

[4]) Leibniz SS. II, 211: Hic (Patto) quasi solo nomine tenuit cathedram Verdensem, sicut et plures successores sui, qui expulsi de sedibus suis a paganis, dyabolo suadente . . . sunt dispersi.

[5]) So auch Rettberg II, 463; Erhard Nr. 189.

[6]) Eine legendenhafte Erzählung von der Gründung einer Kirche in Elze, die zum Bisthum bestimmt worden sei, durch Karl d. Gr. bezw. Ludwig d. Fr. und die Verlegung desselben nach Hildesheim bringen zunächst der Annalista Saxo, SS. VI, 570. 571, und die Annales Palidenses, SS. XVI, 58, aus gemeinsamer Quelle; vgl. Simson, Jahrbb. Ludw. d. Fr. II, 284 ff.; Wattenbach DGQ. II, 5. Aufl. S. 226 N. 1. 398; dazu allerdings auch Jul. Voigt, Die Pöhlder Chronik und die in ihr enthaltenen Kaisersagen (Diss. Halle 1879) S. 6. Ferner ist diese Nachricht übergegangen in das Chronicon des Heinrich von Herford S. 44. 49 u. s. w. — Ganz willkürlich ist die Behauptung von Böttger S. 54 f., am 29. Juni 786, am Tage nach dem Dankfeste wegen Besiegung der Sachsen (vgl. oben S. 501), habe Karl zur Feier derselben die 3 Bisthümer Bremen, Verden und Münster gestiftet; s. auch unten Bd. II. z. J. 804.

sonstigen Fortschritte, welche damals das Christenthum in Sachsen machte, scheint schon was von dem Schicksal Patto's erzählt wird darauf hinzudeuten, daß dieselben nicht überall so erfreulich waren wie da, wo Willehad predigte. Außerdem liegt noch über die Mission in Westfalen eine kurze Nachricht vor, daß nämlich nach der Bekehrung Widukind's Karl einen Abt Bernrad zum Behufe der Predigt dahin geschickt habe[1]); aber mehr ist über Bernrad nicht überliefert. Die Vermuthung, es sei der ungefähr gleich= namige Abt von Weißenburg im Elsaß und spätere Bischof von Worms, Bernhar, gewesen, ist nicht begründet[2]); man liest nur, er sei nicht lange nachher gestorben, spätestens wohl 791[3]), worauf dann Liudger in seine Stelle eintrat.

Auch für Liudger wie für Willehad hatte die Unterwerfung der Sachsen und die Taufe Widukind's die Folge, daß er seine in den letzten Jahren unterbrochene Missionsthätigkeit wieder auf= nehmen konnte, und während Liudger früher nur im Auftrage Alberich's von Utrecht, aber, wie es scheint, unabhängig von Karl gepredigt hatte, wurde er jetzt von diesem unmittelbar in seinen Dienst gezogen. Liudger hatte nach seiner gewaltsamen Vertreibung aus Friesland im Jahre 784 sich in Monte Casino aufgehalten; erst nach drittehalbjähriger Abwesenheit kehrte er ins fränkische Reich zurück, Ende 786 oder Anfang 787[4]). Einer seiner Biographen erzählt, auf Alkuin's Empfehlung habe Karl ihn aus Italien zu sich gerufen[5]); ein anderer, zuverlässigerer, Altfrid, gibt an, erst nach seiner Rückkehr aus Italien sei sein Ruf zu Karl gedrungen[6]).

---

[1]) Vita secunda Liudgeri I, 17, Geschichtsquellen des Bisthums Münster IV, 62: Ea quoque tempestate devicto sive converso Widukindo, abbas quidam religiosus Bernrad nomine occidentalibus Saxonibus a rege missus fuerat doctor. Quo non multo post tempore migrante ad Deum, difficile in regno Francorum potuit inveniri, qui libenter ad predicandum inter barbares iret. Darauf wird Liudger mit der Predigt beauftragt; vgl. unten im 2. Bande, z. J. 804.

[2]) Die Vermuthung ist aufgestellt von Eckhart I, 697, wird aber von Rettberg II, 427 N. 19 mit schlagender Begründung zurückgewiesen.

[3]) Vgl. die Stelle der Vita secunda oben N. 1; auf 791 oder eine noch etwas frühere Zeit weist die nach der Vita secunda bald nach Bernrad's Tod ein= getretene Vakanz des erzbischöflichen Stuhls von Trier, welche 791 erfolgte; vgl. später im 2. Bande.

[4]) Altfrid, Vita Liudgeri I, 21. 22, l. c. S. 25; über die chronologische Anordnung der Ereignisse vgl. Excurs II. Uebrigens bemerkt schon Leibniz, Annales I, 121, daß Liudger 786 noch nicht nach Friesland zurückgekehrt gewesen zu sein scheine, während er doch seine Vertreibung schon 782 ansetzt; die richtige Datirung, 784 für die Vertreibung, 787 für die Rückkehr, hat Behrends, Leben des heiligen Ludgerus S. 18 ff.; Pingsmann S. 50. 55.

[5]) Vita secunda I, 14, S. 61: sed gloriosus imperator Karo- lus eius famam audiens, prodente eum maxime Alchuino praeceptore quondam suo, qui eo tempore de Brittannia in Franciam venit, misit semel et iterum atque litteris eiusdem Alchuini ad se eum venire man- davit.

[6]) Altfrid. l. c. cap. 22, S. 25: Post duos igitur annos et menses sex reversus est ad patriam suam, et pervenit eius fama ad aures glo-

Es mag sein, daß Alkuin den König bewogen hat ihn an sich zu
ziehen; Karl sandte ihn auf das Feld seiner früheren Thätigkeit
zurück, zu den Friesen, und übertrug ihm die Predigt in den fünf
Gauen östlich vom Loubach (Lauwers) bis an und über die Ems,
dem Gau Hugmerki, dem Hunusgau, Fivilgau, Emsgau, Fedirit=
gau und der kleinen Insel Bant, westlich von Norden[1]). Seine
Wirksamkeit war vom besten Erfolge begleitet; ja, er beschränkte
sich nicht auf das Festland, sondern schiffte mit Erlaubniß Karl's
hinüber nach Helgoland oder, wie die Insel nach dem Namen des
auf ihr verehrten Gottes Fosete genannt wird, Fosetesland[2]).
Schon Willibrord hatte zu Anfang des Jahrhunderts auf der Insel
gepredigt, sie aber nothgedrungen wieder verlassen müssen; schwer=
lich traf Liudger noch Anhänger des Christenthums dort an, er
mußte die Bekehrung neu beginnen[3]). Altfrid schildert, wie er an
die Insel heranfuhr, das Kreuz in der Hand, Gott preisend und
zu ihm betend. Ein dichter Nebel lag über Helgoland; als der
Glaubensbote nahte, zertheilte er sich, worauf der Mann Gottes
sich an seine Begleiter wandte und ihnen bemerkte, wie jetzt durch
Gottes Gnade der böse Feind verjagt sei, welcher früher die Insel
mit Finsterniß bedeckt hatte. Das Werk der Bekehrung ging rasch
von Statten, Liudger ließ die Heiligthümer des Fosete zertrümmern
und an ihrer Stelle christliche Kirchen bauen. Er taufte die Be=
völkerung aus derselben Quelle, aus der früher der h. Willibrord
einmal gewagt hatte drei Männer zu taufen, einer heiligen Quelle,
aus der vor Zeiten niemand anders als schweigend zu schöpfen sich
getrauen durfte, so daß Willibrord dafür beinahe hätte mit dem
Tode büßen müssen[4]). Liudger war glücklicher; sogar der Sohn
eines Häuptlings der Inselbewohner, mit Namen Landric, ließ sich
von ihm taufen; er erzog ihn in christlicher Wissenschaft und weihte
ihn dann zum Presbyter. Nicht überliefert ist die Zeit dieser Vor=

---

riosi principis Karoli. Diekamp (ebenda N. 2) erinnert hiebei daran, daß
Karl zu Anfang des Jahres 787 selbst in Monte Casino gewesen war; vgl.
oben S. 560.

[1]) Altfrid. l. c. S. 25—26; vgl. über die Lage der genannten Gaue und
die jetzt verschwundene Insel Bant (südlich von der Insel Juist) ebd. N. 1. 2 (nach
v. Ledebur, Die fünf Münsterschen Gaue und die sieben Seelande Frieslands); Spruner=
Menke, Hist. Handatlas Nr. 33.

[2]) Altfrid. Vita Liudgeri I, 22, S. 26. Ueber Fosete, Forseti, einen Sohn
Balders und Nannas, vgl. Grimm, Deutsche Mythologie 4. Ausg. I, 190 ff.; III, 80.

[3]) Alcuin. Vita Willibrordi c. 10, bei Jaffé IV, 47—48; vgl. auch
Adam. Gest. Hammaburg. eccl. pontif. IV, 3, SS. VII, 369 (2. Schulausg.
1879. S. 157), wo auf die V. Willibrordi ausdrücklich Bezug genommen wird;
Rettberg II, 520; Chron. Epternacense I, 41, SS. XXIII, 47 (nach der andern
Vita Willibrordi von Abt Thiofrid). Daß das Christenthum auf der Insel noch
zahlreiche Freunde gehabt und Liudger von diesen herbeigerufen sei, behauptet ohne
Beweis Behrends, Leben des h. Ludgerus S. 22.

[4]) Altfrid. Vita Liudgeri, l. c. S. 27, nach Alkuin's V. Willibrordi c. 10.
11, l. c. S. 48.

gänge, die Dauer von Liudger's Aufenthalt auf Helgoland[1]); er
kehrte jedenfalls wieder aufs Festland zurück um die Bekehrung der
Friesen zu vollenden, bis Karl ihm auch noch die kirchliche Leitung
eines Theiles von Westfalen übertrug und ihn zuletzt an die Spitze
des Bisthums Münster stellte[2]). Aber vorläufig ist auch in Westfalen von einem Bisthum noch keine Spur zu finden, in Münster
so wenig wie in Osnabrück, und während an letzterem Ort
wenigstens vielleicht schon seit einigen Jahren eine Missionskirche
bestand[3]), läßt sich für Münster auch nur eine solche noch nicht
nachweisen[4]).

Obgleich demnach über die Maßregeln Karl's in Sachsen und
dem anstoßenden Friesland aus den nächsten Jahren nach Widukind's Taufe nur wenig überliefert ist, so geht doch schon aus dem
wenigen, den Nachrichten über Willehad, Bernrad und Liudger ge-
nugsam hervor, daß auch diese Angelegenheiten im Jahr 787 ihn
ernstlich beschäftigten. Aber noch wichtiger war für den Augenblick
anderes, noch schwebte die Entscheidung über das Schicksal Tassilo's:
auch sie wurde rasch getroffen, gleich nachdem Willehad die Bischofsweihe erhalten.

Auf die Anordnung des Königs war, wie wir wissen[5]), in
Worms die Reichsversammlung zusammengetreten. Den geistlichen
und weltlichen Großen machte Karl Mittheilung von dem Verlauf
und den Ergebnissen seines Zuges nach Italien, insbesondere auch
von seinen Unterhandlungen mit den Gesandten Tassilo's und mit
dem Papste über sein Verhältniß zu dem Herzog[6]). Die Forderungen, die Karl in Rom an Tassilo's Bevollmächtigte gestellt und
welche diese nicht sofort zugestanden, sondern nur zum Bericht genommen hatten, sollten jetzt unverweilt, nöthigenfalls mit Waffengewalt durchgesetzt werden. Noch anderes freilich und schlimmeres
als sein Zögern diese Forderungen zu erfüllen wird Tassilo zur
Last gelegt. Einhard behauptet, lediglich Tassilo selbst durch seinen
Uebermuth und seinen Unverstand, seine unkluge und trotzige Nichtachtung seiner Pflichten habe den Krieg herbeigeführt; auf Betrieb

---

[1]) Behrends setzt S. 22 die Bekehrung von Helgoland ins Jahr 789, was
aber bloße Vermuthung ist; allerdings kann sie wohl kaum früher fallen. In eine
noch spätere Zeit gehört der von Altfrid gleich nachher erzählte Aufstand der Ost-
friesen unter Unno und Eilrat, wie die vorangehenden Worte Altfrid's zeigen:
qui (Liudgerus) multis annis genti Fresonum in doctrinae praefuit studio.
[2]) Vgl. unten Bd. II. z. J. 792 u. 804.
[3]) Das Genauere oben S. 351 f.
[4]) Denn die Angabe der Narratio de fundatione etc. von der Stiftung der
Bisthums Münster im Jahre 734, bei Leibniz a. a. O., kommt nicht in Betracht; auch
nicht die Heinrich's von Herford S. 32, der nur von der Stiftung einer Kirche redet.
Vgl. Diekamp, Supplement S. 17. 19, Nr. 126. 139.
[5]) Vgl. o. S. 584 N. 2.
[6]) Annales Laur. mai. SS. I, 170: sacerdotibus suis et aliis obtimatibus nuntiavit, qualiter omnia in itinere suo peragebantur, et cum venisset ad hunc locum, quod omnia explanasset de parte Tassilonis, sicut
enim erat . . .

feiner Gemahlin, die durch ihn das Schicksal ihres Vaters Deside=
rius habe rächen wollen, habe er sich mit den Avaren verbündet
und nicht nur des Königs Befehle nicht erfüllt, sondern ihn selbst
zum Krieg herausgefordert[1]). Aber genau ist diese Darstellung
nicht; man ersieht aus ihr nicht, ob Tassilo vor oder nach den in
Rom gepflogenen Unterhandlungen in Verbindung mit den „Hunen"
getreten sein soll; es würde auch nach ihr möglich erscheinen, daß
wenigstens erst der unbefriedigende Bescheid, welchen seine Gesandten
bei ihrer Rückkehr aus Rom brachten, ihn zu dem verzweifelten
Schritte getrieben habe. Indessen verliert Einhard's ungenau zu=
sammenfassender Bericht überhaupt seine Bedeutung neben dem aus=
führlicheren der Jahrbücher, besonders der sog. größeren Lorscher
Annalen, welche Schritt für Schritt die Ereignisse erzählen und mit
Bestimmtheit angeben, daß erst später, nachdem er Karl den Huldi=
gungseid aufs neue geleistet, Tassilo sich den Avaren in die Arme
geworfen habe[2]).

Die Versammlung in Worms ging auf des Königs Absichten
ein; jedoch wollte man es bei Tassilo vorerst noch einmal mit dem
Wege der Güte versuchen. Es wurden Gesandte an den Herzog
geschickt, mit der Aufforderung, alles zu erfüllen wie es Rechtens
sei und der Papst es befohlen habe, den Eid zu halten, Karl, seinen
Söhnen und den Franken in allem treu und gehorsam zu sein und
sich vor dem König persönlich in Worms zu stellen[3]). Aber Tassilo
leistete der Aufforderung keine Folge[4]), worauf Karl beschloß zur
Anwendung von Gewalt zu schreiten. Die jüngere Bearbeitung
der Reichsannalen legt sich den Hergang so zurecht, Karl habe den
Herzog auf die Probe stellen und sehen wollen, wie er die ver=
sprochene Treue zu halten gedenke[5]); in dieser Absicht habe er
Baiern mit Krieg überzogen. Diese Ausdrucksweise ist mindestens
nicht glücklich gewählt. Das richtige ist, daß Tassilo durch seine
Weigerung in Worms zu erscheinen seine Gesinnung bereits genügend
an den Tag gelegt hatte; nicht um seine Treue zu erproben, sondern
um die Ansprüche durchzusetzen, zu denen er sich berechtigt hielt,
griff Karl zu den Waffen.

---

[1]) Vita Karoli c. 11; vgl. oben S. 544 f.

[2]) Auch Waitz III, 2. Aufl. S. 110 N. 2 bemerkt, daß in die Angaben Ein=
hard's Ereignisse der späteren Zeit mit hereingezogen sind; doch sind Einhard's Dar=
stellung viele gefolgt. Vgl. auch Mühlbacher S. 106; Harnack S. 29 N. 1 und
über den wirklichen Hergang oben S. 544 N. 4 und unten S. 621 f.

[3]) Annales Laur. mai. l. c.; Chron. Vedastin. SS. XIII, 765. Einhard
in der Vita c. 11 setzt die Absendung der Gesandten irrig erst nach dem Aufbruch
der fränkischen Truppen gegen Baiern, als Karl am Lech lagerte, an.

[4]) Ann. Laur. mai.; Ann. Laur. min.; Chron. Vedastin.

[5]) Annales Einhardi l. c.: iniit consilium ut experiretur, quid Tassilo
de promissa sibi fidelitate facere vellet. Ueber das Verhältniß dieser Darstellung
zu der Erzählung in den Annales Laur. mai. und bei Einhard in der Vita (in
der es auch heißt: animum ducis per legatos statuit experiri) vgl. Giesebrecht,
Königsannalen S. 217; er hält sie für eine künstliche Combination beider, s. indessen
oben S. 5.

Die kriegerischen Vorbereitungen waren inzwischen vollendet. Durch einen gleichzeitigen Angriff von drei verschiedenen Seiten her[1] sollte Taffilo wo möglich erdrückt, ihm die Ueberzeugung von der Nutzlosigkeit jedes Widerstandes beigebracht werden. In allen Theilen des weiten Reiches hatte Karl die bewaffnete Macht aufgeboten. Der junge König Pippin erhielt den Befehl, mit der langobardischen Streitmacht von Süden her sich gegen die bairische Grenze vorwärts zu bewegen; er selbst sollte in Trient zurückbleiben, dagegen sein Heer bis Bozen vorrücken, dessen Besitz ja seit längerer Zeit zwischen Franken und Baiern streitig, das aber damals wohl noch in der Gewalt Taffilo's war[2]. Ein zweites Heer, bestehend aus dem Aufgebot der Austrasier, Thüringer und Sachsen, war beordert von Norden her die bairische Grenze zu überschreiten und sich bei Pföring an der Donau (zwischen Ingolstadt und Regensburg) aufzustellen[3]. An die Spitze eines dritten Heeres, vermuthlich der Neustrier und anderer links vom Rhein Wohnender, stellte der König sich selbst. Es war wohl das Hauptheer, jedenfalls allein schon von beträchtlicher Stärke: ein Dichter fingt von der Flotte, die Karl auf dem Rhein vereinigt und mit deren Hilfe er die Ueberfahrt des Heeres bewerkstelligt habe, von den zahllosen Schaaren, unter deren Tritt Germanien erzittert sei[4]. Mit diesem Heere eilte Karl durch Alamannien[5] an den Lech, Baierns Grenzfluß, und nahm Aufstellung auf dem Lechfeld bei Augsburg[6]. Der Kampf schien unmittelbar bevorzustehen, ein

---

[1] Vgl. hiezu F. Dahn, Karl der Große als Feldherr, Festrede (Beil. zur Münchner Allgem. Ztg. 1887 Nr. 81, vom 22. März).

[2] Annales Laur. mai. l. c. Ueber die Streitigkeiten um den Besitz der Etschgebiete vgl. o. S. 59. 477 f.

[3] Ann. Laur. mai. SS. I, 170—172; Ann. Einh. SS. I, 171—173; vgl. auch Ann. Laur. min.; Einh. V. Karoli c. 11; Gest. abb. Fontanell. c. 16, SS. II, 291 (ed. Löwenfeld S. 46). — Die Worte Franci Austrasiorum, Toringi der Ann. Laur. mai. geben Ann. Einh. durch orientales Franci wieder (vgl. oben S. 523 N. 2). Letztere sagen auch: cum tam valida manu; die Gest. abb. Font.: cum immenso exercitu.

[4] Hibernici exulis carm. 2, v. 78—82, Poet. Lat. aev. Car. I, 398:

Agmina coniungit, classemque in margine ponit
Reni, qui Gallis scindit Germanica terris.
Felici cursu dictum transnavigat amuem,
Inclitaque innumeris tremuit Germania turmis.

Vgl. über dies Gedicht und seinen Verfasser ibid. S. 393—394; H, 693; Neues Archiv IV, 142 ff. 254—256; Simson, in Forsch. z. d. Gesch. XIV, 623 ff.; Manitius, Neues Archiv VIII, 42. IX, 617; Ad. Ebert, Allgem. Gesch. d. Literatur des MA. II, 57—58. 60 N. 1; Wattenbach I, 145 N. 2. II, 482, sowie unten Bd. II, z. J. 799. Ebert bemerkt, daß der Poet dasselbe bereits im folgenden Frühjahr (788) dem Könige dargebracht haben müsse, da er später nicht gewagt haben würde den Baiernherzog in einem Karl selbst gewidmeten Gedichte zu entschuldigen.

[5] Vgl. Ann. Lauresham. cod. Lauresh.; Ann. Alamann., Sang. mai., Sang. brev.; Augiens.; Coloniens.; Quedlinb., SS. I, 33; St. Galler Mitth. XIX, 222. 238. 271; Jaffé III, 702; Jaffé et Wattenbach l. c. S. 127; SS. III, 39.

[6] Ann. Laur. mai.: et per semet ipsum venit in loco, ubi Lechfeld vocatur, super civitatem Augustam; Ann. Einh.: ipse cum exercitu, quem

Krieg, meint Einhard, so groß wie nur je einer gewesen[1]) — d. h. wohl namentlich auch im Hinblick auf die gewaltigen Streitkräfte, die Karl von allen Seiten herangezogen hatte. Die fränkischen Heere standen an den Pforten Baierns, für den Augenblick hatten sie dort Halt gemacht, auf den ersten Befehl Karl's bereit das Land zu überschwemmen[2]). Doch so weit kam es nicht[3]). Schon hatten des Königs gewaltige Rüstungen ihren Zweck erfüllt, die Uebermacht des ihn von allen Seiten umzingelnden Feindes schüchterte den Herzog ein[4]), und hätte er auch selbst den Muth gehabt sich ihr entgegenzuwerfen, so mußte er jeden Gedanken an Widerstand aufgeben angesichts der Haltung der Baiern. Er mußte sehen, erzählt der Annalist, wie das ganze bairische Volk die Treue gegen den König höher stellte als die Treue gegen ihn selbst, das Recht des Königs anerkannte und lieber ihm sein Recht zugestehen

---

secum duxerat, super Lechum fluvium, qui Alamannos et Baioarios dirimit, in Augustae civitatis suburbano consedit; Einh. V. Karoli l. c.: copiis undique contractis, Baioariam petiturus, ipse ad Lechum amuem cum magno venit exercitu. Is fluvius Baioarios ab Alamannis dividit. Cuius in ripa castris conlocatis . . . Ann. Maximinian. SS. XIII, 21: coadunato exercitu magno super fluvium Leh; Ann. Nazar. SS. I, 43: Postea autem commoto exercitu Francorum perrexit in fines Alamannorum et Beiweriorum. ad flumen quod appellatur Lech; Ann. Iuvav. min. SS. I, 88: et venit in Baioariam super fluvium Lech; Ann. s. Emmerammi Ratisp. mai. SS. I, 92: et inde ad Leh. Die in der vorigen Note angeführten Annalen sagen, daß er ad terminos Paioariorum oder in (ad) fines der Baiern bezw. Baierns kam. Vgl. ferner Annales Petav. SS. I, 17; Annales Lauresham. Fragm. Chesn. SS. I, 33.

[1]) bello, quod quasi maximum futurum videbatur, sagt er in der Vita c. 11.

[2]) Daß Karl (wie auch wohl die anderen Heere) an der Grenze mit dem Marsch inne hielt und auf diese Weise dem Herzog thatsächlich noch eine letzte Frist sich zu besinnen gönnte, ergeben die Annalen deutlich; daß er aber erst jetzt (oder etwa jetzt noch einmal) Gesandte an ihn geschickt haben sollte, wie man nach Einh. Vita Karoli c. 11 glauben könnte, ist, wie gesagt, nicht anzunehmen. Einhard's Angabe ist ungenau, in der That war die Gesandtschaft, wie die Annalen ergeben, schon von Worms aus abgeschickt, vgl. o. S. 596 N. 3. Richtiger ist die Darstellung der Annales Einhardi: in Augustae civitatis suburbano consedit, inde Baioariam cum tam valida manu procul dubio petiturus, nisi Tassilo sibi ac populo suo ad regem veniendo consuleret, was keine zweite Gesandtschaft Karl's anzunehmen nöthigt. Die Vermuthungen Luden's IV, 352 über Unterhandlungen zwischen Karl und Tassilo, welche der letzteren freiwilliger Unterwerfung vorausgegangen seien, und sein Verdacht, Karl sei dabei nicht offen und redlich gewesen, habe den Herzog inzwischen in sein Lager gelockt, sind aus der Luft gegriffen.

[3]) Ann. Lauresham. (cod. Lauresh.) l. c. berichten zwar von Karl: Introivit etiam in ipsam patriam; aber dies ist nicht richtig; vgl. auch Mühlbacher S. 107, welcher übrigens annimmt, daß Karl auf dem Lechfelde das Eintreffen des Nordheeres abgewartet habe und dies noch nicht heran gewesen wäre, als Tassilo sich unterwarf (?).

[4]) Ann. Laur. mai. S. 172: Tunc prespiciens se Tassilo ex omni parte esse circumdatum; Ann. Einh.: Nam videns se undique circumsessum; Ann. Laur. min.; Chron. Vedastin. l. c. — Einh. V. Karoli c. 11: Sed nec ille pertinaciter agere vel sibi vel genti utile ratus . . .

als ihm feindlich entgegentreten wollte[1]). Karl hatte richtig gerechnet, ſeine Art den — ohnehin von Taſſilo ſelbſt als Vermittler
angerufenen — Papſt in die Angelegenheit mit hineinzuziehen,
deſſen Mitwirkung ihm ſchon vor 6 Jahren ſo wohl zu Statten gekommen war, hatte die Folge, daß es nicht zum Blutvergießen kam.
Wegen des päpſtlichen Bannfluchs, heißt es in der Gründungs-
geſchichte des Kloſters Tegernſee, ließen die Baiern den Herzog im
Stich[2]); durch ſeine Weigerung in Worms zu erſcheinen und den
Forderungen des Königs nachzukommen hatte er das vom Papſt
ihm angedrohte Anathem nun wirklich auf ſein Haupt herabgezogen,
der Fluch der Kirche aber entfremdete ihm das Volk[3]). Und nicht
am wenigſten auf die nächſten Rathgeber Taſſilo's, auf den Biſchof
Arno, der ſelbſt Ueberbringer der Drohung Hadrian's war, ſcheint
dieſelbe Eindruck gemacht zu haben. Schon ſeine Beziehungen zu
Alkuin ſetzten ihn in den Stand, ſich von den Abſichten des Königs
ſichere Kenntniß zu verſchaffen; ſeine perſönliche Begegnung mit
Karl in Rom mag ihn in der Ueberzeugung befeſtigt haben, daß
derſelbe ſein Ziel unbedingt erreichen wolle. Die Stimmung des
Volkes in Betreff der Stellung zur Kirche theilte gewiß auch er;
wenn Einer, ſo war Arno berufen, dafür zu ſorgen, daß der Herzog
ſich keiner Täuſchung über die Gefahr des Augenblicks hingebe.
Man darf daher vermuthen, daß Arno beim Herzog die dringendſten
Vorſtellungen erhob, und ihnen mag es mit zuzuſchreiben ſein,
daß ſich Taſſilo zur Nachgiebigkeit entſchloß[4]).

---

[1]) Annales Laur. mai.: videns, quod omnes Baioarii plus essent fideles domno rege Carolo quam ei et cognovissent iustitiam iam dicti domni
regis et magis voluissent iustitiam consentire quam contrarii esse . . .

[2]) Historia fundationis monast. Tegerns. bei Pez, Thesaurus III, 3,
S. 495 (vgl. Wattenbach II, 66): Thessilo post longam libertatem deseren-
tibus tandem se Noricis propter anathema papae defecit.

[3]) Das hebt beſonders Ranke, Zur Kritik S. 431 f. hervor, der nur nicht
genug betont, daß der Papſt dabei nicht ſo ſehr aus eigenem Antrieb handelte, ſondern
ganz abhängig war von Karl, vgl. o. S. 573 ff. Daß der Conflict zwiſchen ihrem
kirchlichen Sinn und der Treue gegen den Herzog bei den Baiern den Ausſchlag
gegen Taſſilo gab, heben ſchon Mederer, Beyträge S. 316; Mannert S. 235;
Rudhart S. 322; ferner auch Martin H, 304 gut hervor.
Auf die damalige Unterwerfung Taſſilo's bezieht es ſich auch, wenn Papſt
Hadrian, Cod. Carolin. Nr. 86 (788 post Ian.), Jaffé IV, 260, an Karl ſchreibt:
Magis quippe de subiectione Baiuariorum, sicut nempe prediximus et opta-
vimus, ita et prestolantes audivimus de vestra praecelsa regale in trium-
phis victoria; vgl. ebd. N. 2 und F. Hirſch, Forſch. z. d. Geſch. XIII, 62 N. 4.
Forſch. I, 519 N. 2; 526 N. 5 wurde dies nicht richtig erſt auf die betreffenden
Vorgänge von 788 bezogen. Venediger S. 46 N. 7 vertheidigt freilich dieſe Anſicht.

[4]) Ohne Grund ſteht Arno in dem Verdacht damals in ſeiner Treue gegen
Taſſilo geſchwankt zu haben, den Mederer S. 317 ausſpricht, Büdinger S. 123;
Waitz III, 2. Aufl. S. 111 N. 1; Zeißberg S. 312 zu theilen ſcheinen. Die
Gunſt, in welcher er ſpäter bei Karl ſtand, erklärt ſich hinlänglich, wenn wir an-
nehmen, daß er 788 ſich von Taſſilo losſagte, zu einer Zeit, wo die Verhältniſſe ſich
weſentlich geändert hatten, vgl. unten S. 624.

Da er nirgends einen Ausweg mehr sah[1]), stellte sich Taffilo vor dem König[2]), wahrscheinlich auf dem Lechfeld[3]), am 3. Oktober[4]). Er bekannte sich schuldig die Treue gegen den König verletzt zu haben, bat um Verzeihung[5]), huldigte jenem aufs neue als Vasall durch Hand= reichung[6]), küßte ihm die Knie und leistete ihm abermals den Vasallen= eid[7]), gab das von Pippin ihm verliehene Herzogthum an Karl auf[8]), in der Form, daß er ihm einen an der Spitze mit einer männlichen Figur gezierten Stab überreichte[9]). Karl aber gab es ihm wieder zurück[10]) und schenkte ihm als seinem Vasallen aus Gold und Edel= steinen gearbeitete Armspangen und ein Pferd mit golddurchwirkter Decke[11]). Im Uebrigen war das Verfahren ganz ähnlich wie bei

---

[1]) Vgl. o. S. 598 N. 4.

[2]) Ann. Laur. mai.: undique constrictus Tassilo venit per semet-ipsum; Ann. Einh.: venit supplex; Einh. V. Karoli l. c.: supplex se regi permisit; Ann. Max. l. c.; Ann. Laur. min. l. c.: coactus venit ad regem; Annales Lauresham.: et venit ei Tasilo obviam pacifice; Guelferbytani; Nazar. etc.

[3]) Der Ort ergibt sich aus der Erzählung der Annalisten, und es ist kein Grund vorhanden, ihn, wie Böhmer, Regesten S. 16, unbestimmt zu lassen.

[4]) Der Tag in Ann. Lauresh. Fragm. Chesn. SS. I, 33: Quinto Non. Octobris. — Ueber die Urkunde Karl's für Benedikt von Aniane, mit dem Datum VI. Kal. Aug. anno XIX. regni nostri, actum in Raganesburg palacio nostro publico, bei Bouquet V, 751 (Mühlbacher Nr. 309), welche nicht schon 787, sondern erst 792 fallen kann, vgl. oben S. 441 N. 4.

[5]) Ann. Laur. mai.: et recredidit se in omnibus peccasse et male egisse; Ann. Einh.: ac veniam de ante gestis sibi dari deprecatus est — supplici ac deprecanti.

[6]) Ann. Laur. mai.: tradens se in manibus domni regis Caroli in vassaticum (vgl. 788, S. 172: sicut et caeteri eius vassi; Ann. Einh. 788, S. 173: sicut et caeteros vassos suos); Chron. Vedastin. l. c. Regino, SS. I, 560 sagt dafür: tradens se manibus eius ad servitium, wofür Ann. Met-tens. ungeschickt: ut servus, SS. I, 172 q), vgl. unten N. 11. — Ann. Lauresham. Fragm. Chesn. l. c.: et semetipso Carlo regi in manu tradi-dit. Annales Nazar. SS. I, 43: et effectus est vassus eius.

[7]) Ann. Laur. mai.: Tunc denuo renovans sacramenta etc. (vgl. auch 788); Ann. Laur. min.; Einh. V. Karoli l. c.: data insuper fide cum iura-mento, quod ab illius potestate ad defectionem nemini suadenti adsen-tire deberet.

[8]) Ann. Laur. mai.: et reddens ducatum sibi commissum a domno Pippino rege; Ann. Laur. min.: reddidit patriam; Ann. Lauresham. Fragm. Chesn.: et ei reddidit regnum Bagoariorum . . . (worauf eine Wiederholung folgt); Ann. Guelferbyt. cont. SS. I, 43: Reddidit ei ipsam patriam . . ., vgl. Nazar., Alam., Sangall. mai. ibid.; St. Galler Mitth. XIX, 238. 271.

[9]) Ann. Guelferb., welche fortfahren: cum baculo, in cuius capite simili-tudo hominis erat scultum; Ann. Nazar. — Waitz III, 2. Aufl. S. 111 N. 2 meint, daß dieses Sinnbild sich nicht sowohl auf das Land als auf die herzog-liche Würde bezogen haben werde.

[10]) Ann. Laur. min. l. c.: permittitur ei habere ducatum.

[11]) Das erzählen die bereits angeführten Versus Hibernici exulis in ihrer Schilderung des Hergangs am Schluß, v. 94 ff. (vorher eine große Lücke von zwei Blättern), Poet. Lat. aev. Car. I, 399:

Armillas grandi gemmarum pondere et auri,
Offertur sonipes auri sub tegmine fulgens.
His puer ex donis domini ditatur opimis,
Ad quem haec rex placidis depromsit dicta loquellis:

Arichis von Benevent[1]). Das ganze bairiſche Volk mußte Karl den Eid der Treue leiſten[2]), Taſſilo ſelbſt als Bürgſchaft für ſeine Treue zwölf Geiſeln ſtellen und als dreizehnten ſeinen Sohn und Mitregenten Theodo[3]). Um dieſen Preis, die abermalige und völlige Aufgabe ſeiner früher behaupteten Unabhängigkeit, mußte Taſſilo den Frieden erkaufen. Es kam alles darauf an, ob es ihm gelang ſich in ſeine Lage hineinzufinden; ſein Verhältniß zum König erforderte die zarteſte Behandlung, die ängſtlichſten Rückſichten; der leiſeſte Anſtoß genügte um ſein vollſtändiges Verderben herbei= zuführen, die Erfüllung ſeines Schickſals zu beſchleunigen.

Für den Augenblick hatte der König ſeinen Zweck erreicht[4]) und kehrte auf fränkiſchen Boden zurück[5]); er begab ſich zunächſt wieder nach Worms[6]), dann aber nach Ingelheim, wo er ſeinen

---

,Suscipe perpetui servitus pignora nostri.'
Oscula tum libans genibus predulcia regis
Dux atque has celeres produxit pectore voces:
,Rex tibi donetur munus per cuncta salutis,
Ast ego servitium vobis per saecula solvo.'
Sic fatus, regis cum dono ad castra recessit.
Ueber puer (v. 96) in der Bedeutung von Vaſſall etc. vgl. Waitz IV, 2. Aufl. S. 250 N. 2; 272. 273 N. 2; ebb. S. 246 u. III, 246 über den Kuß.

[1]) Vgl. o. S. 564—565.

[2]) Et populo terrae per sacramenta firmato, in Franciam reversus est, berichten die Annales Einhardi.

[3]) Ann. Laur. mai.: et dedit obsides electos duodecim et tertium decimum filium suum Theodonem. Receptis obsidibus . . . (788: postquam filium suum dedit cum aliis obsidibus); Ann. Einh. l. c. S. 173: acceptisque ab eo praeter filium eius Theodonem aliis, quos ipse imperavit, duodecim obsidibus (788: postquam filium suum obsidem regi dederat). — Obsides electos nennen alſo die Annales Laur. mai. die Geiſeln; die Annales Einhardi ſagen dafür: obsides, quos ipse (Karl) imperavit, vgl. auch Einh. V. Karoli c. 11: obsides qui imperabantur dedit, inter quos et filium suum Theodonem. — Ann. Laur. min. l. c. S. 414: dedit obsides et Theodonem filium suum; Ann. Petav. SS. I, 17: et accepit ibi obsides. Eine Anzahl anderer Annalen erwähnt wenigſtens auch, daß Taſſilo's Sohn Theodo als Geiſel geſtellt ward, Ann. Lauresham., Guelferb., Nazar., Alam., Sangall. mai., SS. I, 33. 43; St. Galler Mitth. XIX, 238. 271; ferner Ann. Iuvav. min. SS. I, 88; Annales s. Emmerammi Ratisp. mai. SS. I, 92; Annales Max. SS. XIII, 21.

[4]) Was nicht ausſchließt, daß Karl nur auf eine Gelegenheit wartete um den Herzog ganz aus ſeinem Lande zu entfernen; aber viel zu weit geht Luden IV, 353 f. in ſeinen Vermuthungen über die von Karl in dieſer Sache befolgte der Römer würdige Politik, wie er ſich ausdrückt. Umgekehrt kann La Bruère I, 235 f. ſich Karl's Milde gegen Taſſilo nur daraus erklären, daß er bei weiteren Schritten jetzt noch die Franken gegen ſich zu haben fürchtete. — Riezler, Forſchungen XVI, 444—445; Geſch. Baierns I, 168, ſtellt die Vermuthung auf, daß damals append. 2 der Lex Baiuwariorum (de duce protervo) Legg. III, 336 erlaſſen worden ſei; die Annahme von Merkel und von Brunner, Deutſche Rechtsgeſchichte I, 313 N. 4; 318 N. 22, daß dieſe Novelle erſt nach Taſſilo's Abſetzung entſtanden ſei, erſcheint allerdings unzuläſſig; denn da gab es keinen Herzog mehr.

[5]) Ann. Laur. mai.: tunc reversus est praefatus gloriosus rex in Franciam; Ann. Einh.; Ann. Petav. SS. I, 17: victor remeavit in Franciam; Ann. Lauresham. cod. Lauresh. SS. I, 33: et sic reversus est cum pace et gaudio ad Wormaciam.

[6]) Nach den Ann. Lauresham.; vgl. die vor. Anmerkung.

Winteraufenthalt nahm und Weihnachten feierte[1]). Ein ereignißrei=
ches Jahr lag hinter ihm, aber wie bedeutend auch seine Erfolge in
Benevent wie in Baiern waren, ein Abschluß war dadurch nirgends
bezeichnet; zum völligen Sturze Tassilo's, welcher beim König viel=
leicht schon beschlossene Sache war, hatte er doch den letzten Schritt
noch nicht gethan; auch in Italien hatte er Zustände zurückgelassen,
die auf die Dauer kaum haltbar waren, die Keime zu den gefähr=
lichsten Verwicklungen in sich trugen; Karl selbst kann sich am
wenigsten einer Täuschung darüber hingegeben haben. Noch zu
Ende 787 stiegen drohende Wolken am politischen Himmel herauf.
Zwar wissen die Quellen nach der Unterwerfung Tassilo's bis zum
Schluß des Jahres nichts mehr vom König zu berichten, aber es
sind bestimmte Anzeichen vorhanden, daß während der letzten
Monate des Jahres vorzugsweise die Vorgänge in Italien ihn be=
schäftigten, welche für seine Stellung auf der Halbinsel äußerst gefähr=
lich waren.

Die von Karl während seiner letzten Anwesenheit in Italien
hergestellte Ordnung der Dinge war namentlich in zwei Punkten
unvollkommen und gebrechlich, wegen Karl's Stellung zu den
Griechen und wegen der Haltung des Papstes. Die Auflösung der
Verlobung des jungen Kaisers Constantin mit Karl's Tochter
Rotrud hatte natürlich eine Spannung zwischen dem griechischen
Hofe und Karl zur Folge. War eine etwaige Unterstützung des
Arichis durch jenen inzwischen auch gegenstandslos geworden, so setzte
doch gleich darauf die Gunst der Verhältnisse ihn in den Staub,
sich in die beneventanischen Verhältnisse einzumischen und Karl
Schwierigkeiten zu bereiten.

Aber auch Karl's Beziehungen zum Papste waren mißlich.
Der Papst hatte durch sein Auftreten gegen Tassilo gezeigt, wie
abhängig er von dem Willen Karl's war, mag aber zugleich gehofft
haben, durch seine Willfährigkeit gegen den König sich Anspruch
auf Zugeständnisse von Seiten Karl's in der Angelegenheit zu er=
werben, die ihm damals, wie immer, am meisten am Herzen lag,
in Betreff des Vollzugs der Schenkungen. Allein man sieht nicht,
daß Karl aus seiner auch früher beobachteten spröden Haltung
herausgetreten wäre, daß er ernstliche Schritte gethan hätte, um
auch nur die in Aussicht gestellte Uebergabe einiger Besitzungen in
Tuscien und Benevent ins Werk zu setzen[2]). Hadrian konnte aus
Erfahrung wissen, wie wenig er da von Karl zu erwarten hatte,
und auch Karl's ganze Haltung während seines Aufenthalts in

---

[1]) Annales Laur. mai.: Et celebravit natalem Domini in villa quae
dicitur Ingilenhaim; Ann. Einhardi: Et in suburbano Mogontiacense, in
villa quae vocatur Ingilunheim, quia ibi hiemaverat, et natalem Domini
et pascha celebravit.

[2]) Der Brief Hadrian's bei Jaffé IV, 251 f., Cod. Car. Nr. 83, gehört,
wie es scheint, schon ins Jahr 787, nicht, wie Forschungen I, 527 N. 5 auf Grund
einer unrichtigen Lesung (uti denuo eos missos st. ut idoneos missos) ange=
nommen wurde, erst 788.

Italien hatte gezeigt, daß er ſich jetzt nicht mehr als früher von
ihm verſprechen durfte.   Weder bei ſeinem Abkommen mit Arichis
noch bei ſeinem Bruch mit den Griechen hatte Karl allzu viel
Rückſicht auf Hadrian genommen, zum Theil eher im Gegenſatz zu
den Wünſchen des letzteren gehandelt.   Unter ſolchen Umſtänden
war es natürlich, daß Hadrian die Abhängigkeit von den Franken
doppelt ſchwer empfand, daß er die Beſtrebungen der Kaiſerin
Irene, den Bilderdienſt herzuſtellen und dadurch eines der haupt-
ſächlichſten Hinderniſſe der kirchlichen Wiedervereinigung des griechiſchen Reichs mit Rom zu entfernen, mit geſpannter Aufmerkſamkeit verfolgte und auch für ſeine eigene Stellung große Hoffnungen
darauf baute.   An dem ernſten Willen der Kaiſerin war kein
Zweifel.   Sie hatte ſich nicht dadurch ſchrecken laſſen, daß die von
ihr ſchon 786 nach Conſtantinopel berufene Synode durch die
Gegner der Bilder hintertrieben worden war; im Mai 787 erließ
ſie die Berufungen zu einer neuen Synode nach Nicäa, welche im
September zuſammentrat und die bekannten Beſchlüſſe zu Gunſten
der Bilderverehrung faßte[1].   Der Papſt war auf dem Concil
durch Bevollmächtigte vertreten, er rühmt ſich ſpäter ſelbſt in einem
Schreiben an Karl, die Berufung der Synode veranlaßt zu haben[2];
ihr Zuſtandekommen, ihre Beſchlüſſe entſprachen ganz ſeinen
Wünſchen, der Bruch Karl's, ſeiner Schutzmacht, mit den Griechen
hatte ihn nicht abgehalten die Beziehungen zu denſelben ſeinerſeits
fortzuſetzen.   Karl hat ſpäter den Papſt ſeine Mißbilligung wegen
ſeines ſelbſtändigen Auftretens fühlen laſſen; für den Augenblick
hingegen hatte daſſelbe vorwiegend die Bedeutung, daß es zeigte,
wie wenig für Karl Verlaß auf den Papſt bei etwa eintretenden neuen Verwickelungen in Italien war[3].

Und dieſe Verwickelungen traten früher ein als irgend jemand
erwarten konnte, infolge des ſchnellen Todes des Herzogs Arichis.
Erſt 53 Jahre alt, ſtarb Arichis am 26. Auguſt 787, nachdem er
29 Jahre und 6 Monate lang in Benevent geherrſcht, in Salerno,
wo er auch begraben ward; Paulus Diaconus, der bereits den
fränkiſchen Hof wieder verlaſſen hatte und nach Italien zurückgekehrt war, fertigte ſeine Grabſchrift an und hat dadurch dem
Gedächtniß ſeines Gönners das ſchönſte Denkmal geſetzt[4].   Was

---

[1] Das genauere bei Hefele III, 2. Aufl. S. 457 ff.
[2] Et sic synodum istam secundum nostram ordinationem fecerunt,
ſchreibt er an Karl 794, bei Mansi XIII, 808, was freilich nicht wörtlich genommen
werden darf, denn angeordnet war die Synode von Irene. Vgl. auch V. Hadriani,
Duchesne l. c. S. 511—512; Iohann. Gest. epp. Neapolit. c. 45, SS. rer.
Langob. S. 427; Theophan. l. c. S. 460—461.
[3] Den Gegenſatz zwiſchen Karl und Hadrian, welchen des letzteren Theilnahme
an der Synode zeigt, betont auch Döllinger, Das Kaiſerthum Karl's des Großen,
in dem Münchner hiſtor. Jahrbuch für 1865 S. 334; nur wurde dadurch der Gegenſatz nicht erſt hervorgerufen, nicht erſt dadurch, wie Döllinger anzunehmen ſcheint,
Karl's Mißfallen gegen Hadrian erregt.
[4] Chronicon Salernitanum c. 17. 20, SS. III, 481 f. (Vixit autem
quinquaginta tres annos; obiit 7. Kal. Septembris . . .). Die Grabſchrift von

sollte aus Benevent werden? Des Herzogs ältester Sohn und Mitregent, Romuald, welchem höchst wahrscheinlich auch Karl die Nachfolge zugesichert hatte[1]), war in dem blühenden Alter von 25 Jahren, einen Monat vor dem Vater, am 21. Juli hingestorben[2]); sein dritter Sohn, Gisif (Gisulf?), vielleicht schon früher[3]); der zweite, Grimoald, befand sich als Geisel in Karl's Händen[4]). Es hing von Karl ab, ihn, den berufenen Nachfolger von Arichis, das Erbe seines Vaters antreten zu lassen; die Beneventauer wünschten Grimoald als Herzog und wandten sich durch Gesandte an Karl mit der Bitte ihm die Rückkehr nach Benevent und die Thronfolge zu gestatten[5]); das Verhältniß, in welches Arichis zuletzt zu Karl getreten war, konnte unter Grimoald fortbestehen, Karl hatte es in der Hand, sich von ihm die sichersten Bürgschaften für die Erfüllung der von Arichis übernommenen Verpflichtungen zu verschaffen. Allein Karl zögerte Grimoald freizulassen, man liest nicht aus welchen Gründen. Vielleicht machte es Eindruck auf ihn, daß Hadrian sich entschieden gegen die Einsetzung Grimoald's erklärte[6]), ohne Zweifel wollte er außerdem die Gelegenheit benutzen, Grimoald in noch größere Abhängigkeit von sich zu bringen als ihm dies mit Arichis gelungen war. Aber sein

---

Paulus Diaconus gibt das Chronicon Salern. c. 20, vgl. Poet. Lat. aev. Car. I, 66—68 Nr. 33. Den Tod des Arichis erwähnen auch Ann. Lauresham. Fragm. Chesn. SS. I, 33: Et Aragisus dux de Benevento mortuus est; Ann. Einhardi (788, SS. I, 175); Ann. Altahens. SS. XX, 783; Ann. Beneventani unrichtig zu 788, SS. III, 173; Erchempert c. 4, SS. rer. Langob. S. 236; vgl. Cod. Carolin. Nr. 84. 85. 86; Jaffé IV, 255. 257 f. 261—262; Epistolae Carolin. 4, ib. S. 346 und über Arichis auch noch Meo, Annali III, 152 ff.

[1]) Vgl. F. Hirsch, Forsch. XIII, 56 N. 7.

[2]) Chronicon Salern. c. 21, SS. III, 483, welches als Todestag den 21. Juli gibt (Vixit annos viginti quinque; depositus est duodecimo Kalendas Augustas principante patre anno tricesimo, indictione percurrente decima). Die Grabschrift Romuald's fertigte Bischof David von Benevent, vgl. Poet. Lat. I, 111—112 Nr. 8, und über Romuald's Tod auch Ann. Lauresham. Fragm. Chesn. l. c. und Cod. Carolin. Nr. 86, Jaffé IV, 262. Die Behauptung von Lehuërou S. 304, man habe bei den rasch auf einander folgenden Todesfällen an Vergiftung gedacht, ist ohne Beweis.

[3]) Da er während der Verhandlungen über die Nachfolge nie genannt wird; man kennt seinen Namen nur aus dem Chronicon Salern. c. 20 l. c. S. 483; vgl. o. S. 565 N. 2.

[4]) Vgl. oben S. 565. 583.

[5]) Die Beneventaner erklären den griechischen Spatharen, bei Jaffé IV, 261, Codex Car. Nr. 86: Quia nos apud regem Carolum emisimus missos nostros, petentes ab eo Grimaldum ducem nostrum recipiendi, vgl. auch Erchempert. c. 4, SS. rer. Langob. S. 236: Defuncto dehinc Arichiso, consilio abito, Beneventanorum magnates legatos ad Karlum destinarunt, multis eum flagitantes precibus, ut iam fatum Grimoaldum, quem a genitore obsidem iam pridie susceperat, sibi preesset concedere dignaretur; Chron. Salern. c. 24, SS. III, 484, und unten S. 615 f.

[6]) Jaffé IV, 254—255, Codex Car. Nr. 84; der Brief ist zwar vielleicht erst 788 geschrieben, es ist aber anzunehmen, daß Hadrian von Anfang an gegen Grimoald und daß auch Karl von Hadrian's Gesinnung unterrichtet war.

Zögern hatte für Karl nur schlimme Folgen. Ein so blosgestelltes, den Angriffen der Griechen ausgesetztes Gebiet wie Benevent konnte nicht ohne die größte Gefahr auch nur einen Augenblick geord= neter staatlicher Zustände entbehren; Karl enthielt ihm seinen recht= mäßigen Herrscher vor und führte dadurch eine Verwirrung herbei, die niemand gefährlicher wurde als ihm selber[1]). Er erleichterte es dadurch den Griechen sich in die Angelegenheiten Benevents einzumischen, versetzte das Volk von Benevent, indem er selbst dessen Forderungen nicht bewilligte, in die Lage es mit einer An= lehnung an die Griechen zu versuchen, und in der That waren beide Fälle eingetreten, ehe noch Karl irgend welche Schritte gethan hatte, den drohenden Gefahren zu begegnen.

Der griechische Hof, in seinem Unwillen über die von Karl erfahrene Zurückweisung, beschäftigte sich mit Rachegedanken[2]), und obgleich es in Constantinopel nicht unbekannt geblieben sein konnte, daß Arichis sich unterdessen Karl unterworfen hatte, glaubte man doch noch immer ihn ohne Mühe gewinnen zu können, gab sich der Hoffnung hin, er würde auch jetzt noch die Abhängigkeit vom griechischen Kaiser der von Karl vorziehen, mit Freuden die Ge= legenheit ergreifen, der letzteren mit griechischer Hilfe sich wieder zu entziehen. Angeblich begaben sich im Auftrage der Kaiserin zwei Spathare nebst dem Patricius Theodoros von Sicilien nach Italien, um Arichis den Patriciat zu übertragen; sie brachten golddurch= wirkte Gewänder, Schwert, Kamm und Scheere mit, damit Arichis sich mit denselben bekleiden und scheeren lassen möchte; sein Sohn Romuald wurde als Geisel gefordert. Ferner soll es die Absicht der Griechen gewesen sein, damit Arichis den Abfall von Karl möglichst ungestört bewerkstelligen könnte, die Franken im Norden zu beschäftigen, Adelchis (oder, wie er als Patricius in Constan= tinopel hieß, Theodot) mit einem griechischen Heere Treviso oder Ravenna angreifen zu lassen[3]). Diese Mittheilungen, welche Karl durch den Papst erhielt, tragen freilich ein parteiisches, wenn nicht geradezu lügenhaftes Gepräge. Hadrian hatte diese Nachrichten, wie er schreibt, durch einen von ihm vereidigten Presbyter Gregorius aus Capua erfahren. Ihre Glaubwürdigkeit ist jedoch um so zweifel= hafter, als darin Alles auf die Schuld des Arichis selbst zurück= geführt, dieser bezichtigt wird den byzantinischen Hof zu dergleichen

---

[1]) Günstiger beurtheilt das Verhalten Karl's F. Hirsch, Forsch. XIII, 57 N. 1; 59 N. 5; vgl. auch Malfatti II, 366, der aber wohl ohne Grund vermuthet, daß die fränkische Partei in Benevent den König geradezu zur Vereinigung des Landes mit dem italischen Königreich aufgefordert habe.

[2]) Vgl. o. S. 569.

[3]) Jaffé IV, 260—261, Cod. Carol. Nr. 86, wo es in letzterer Beziehung heißt: De vero Ahalchisus eius (des Arichis) cognato emisit (der griechische Kaiser) ei dicens: „Qui aput illam non dirigimus; sed eum dirigimus cum exercito in Tervisio aut Ravenna.“

Schritten veranlaßt zu haben[1]) und zwar durch eine Gesandtschaft, die er, nachdem Karl Capua verlassen, nach Constantinopel geschickt haben sollte.

Thatsache ist nur das spätere Eintreffen jener griechischen Gesandten[2]), auch allem Anschein nach gewiß, daß man von byzantinischer Seite nicht nur der fränkischen Oberhoheit über Benevent ein Ende machen wollte, sondern mit förmlichen Eroberungsplänen in Oberitalien umging, auch dort wieder festen Fuß zu fassen suchte.

Zwar die Unternehmung des Adelchis gegen Ravenna oder Treviso muß, wenn sie überhaupt wirklich geplant gewesen sein sollte, dann mindestens aufgegeben sein. Aber, wie es scheint, erschien Adelchis mit kaiserlichen Bevollmächtigten noch zu Ende des Jahres in Calabrien nahe bei der Grenze von Benevent und dehnte von hier seine Umtriebe bis in die Pentapolis aus[3]).

Bei allen den betreffenden Vorgängen in Italien fällt es auf, daß von König Pippin, von der besonders für Italien eingesetzten Regierung nirgends die Rede ist. Karl hat diese Angelegenheiten, die für die Machtstellung des ganzen fränkischen Reiches von so unmittelbarer Wichtigkeit waren, in seiner eigenen Hand behalten, vom Norden der Alpen her ohne Vermittlung des Königs von Italien nach freiem Ermessen in sie eingegriffen und sie geleitet. Nur in den inneren Verhältnissen Langobardiens hatte Pippin freiere Hand, und so ist denn die einzige Spur seiner Thätigkeit während dieser Zeit, wo für Karl seine ganze Machtstellung in Italien auf dem Spiele stand, ein Gesetz, welches wenigstens wahrscheinlich damals erlassen ist, das aber auch vorwiegend nur an Karl's gesetzgeberische Thätigkeit sich anschließt. Karl hatte, als er nicht lange nach Ostern dieses Jahres auf dem Rückweg aus Rom in Mantua zwei Capitularien erließ, etwaige Abänderungen und Zusätze zu denselben der langobardischen Reichsversammlung vor-

---

[1]) Vgl. o S. 566; F. Hirsch a. a. O. S. 62 ff.; Malfatti II, 373; anders Strauß S. 28.

[2]) Jaffé IV, 261; vgl. S. 258. Es steht fest, daß die Gesandten in Acropoli vor dem 20. Januar 788 landeten.

[3]) Jaffé IV, 253: Sic enim de iam dicto nequissimo Athalgiso nobis nunciatum est: quia in veritate — Deo sibi contrario — cum missis imperatoris partibus scilicet Calabriae residet, iuxta confinium ducati Beneventani . . . (der Papst bezieht sich hier auf einen Brief des Bischofs Campulus von Gaëta). Similiter et de Pentapoli pro eiusdem Athalgisi arrogantia nobis in scriptis intimaverunt. Quatenus . . . infra alios misimus apices tam a Caaeta quamque Pentapoli series nobis destinatas — (also Hadrian schickt diese Briefe mit). Nempe quidem scimus: quia ipse iniquus et perfidus Adalgisus pro nulla alia causa in istis declinavit partibus, nisi tantummodo pro vestra nostraque contrariaetate. 254 f. Vgl. hiezu die Angabe des Theophanes, ed. de Boor S. 463 f., o. S. 569 N. 6, wo es heißt, daß die Kaiserin Irene den Saccellarius Johannes mit „Theodot, dem Sohne des einstigen Königs von Langobardien" zur Abwehr gegen Karl ausgesandt habe, und zwar etwa im November der 12. Indiktion. Dies würde der November 788 sein; man wird aber mit Jaffé, l. c. N. 2, an die 11. Indiktion, d. h. den November 787 zu denken haben. Hirsch a. a. O. S. 57.

behalten, die Mitte Oktober in Pavia zusammentreten sollte[1]); und
hier scheint in der That das fragliche Gesetz Pippin's[2]) entstanden
zu sein, da es wiederholte Hinweisungen auf die von Karl in
Mantua erlassenen Verordnungen enthält[3]), Bestimmungen gegen
herumschweifende Kleriker und Mönche, wie sie ähnlich aber auch
schon früher ergangen waren, und über die Erhaltung und Herstellung der Taufkirchen[4]). Ueberhaupt beruft sich das Capitular
mehrmals ausdrücklich auf den Befehl, die Verfügungen Karl's,
die es nur einschärfen und zur Ausführung bringen will: im ganzen
Königreich Italien, so beginnt das Gesetz, soll ohne Aufschub den
Kirchen und Herbergen, den Armen, den Wittwen und Waisen und
allem Volke ihr Recht werden nach dem Befehl des Königs Karl[5]).
Die Absicht der herrschenden Unordnung und Willkür zu steuern
ist auch bei diesem Gesetze unverkennbar. Namentlich werden die
Beamten vor gewaltthätigen Uebergriffen gewarnt. Bischöfe und
Aebte, Grafen, königliche Vassallen sollen, wenn sie zum oder vom
Hofe des Königs oder sonst im Reiche reisen, nicht das Recht haben
unterwegs zwangsweise Requisitionen vorzunehmen; nur im Winter
sollen solche Reisende auf Beherbergung Anspruch haben, aber auch
dann jede Wegnahme fremden Gutes ihnen untersagt sein[6]). Verboten wird den Grafen und ihren Unterbeamten jede Belästigung
der freien Colonen auf Kirchengut (Libellarii) und ihre Herbeiziehung zu anderen Diensten als denen, die sie zur Zeit der lango-

---

[1]) Capp. I, 194 ff., vgl. oben S. 578 ff., besonders die Stelle S. 582 N. 1.

[2]) In mehreren Handschriften lautet die Ueberschrift: Incipit capitulare quem
Pippinus rex instituit cum suis iudicibus in Papia. Vgl. hiezu oben
S. 578 N. 2, sowie unten N. 5.

[3]) c. 2. 3 sind eine schärfere Fassung von c. 2 im zweiten Capitular von
Mantua; auch c. 7 entspricht dem c. 4 des ersten und c. 3 des zweiten Mantuanischen Capitulars u. s. w. Zuerst hat das hervorgehoben Boretius, Die Capitularien im Langobardenreich S. 117. 128 f.; vgl. Capp. I. 198. Auch macht er
geltend, daß der Inhalt von c. 10 (vgl. o. S. 582 N. 6) in diese Zeit paßt. Er
hat daher das Capitular wohl richtig Mitte Oktober 787 angesetzt, im Gegensatz zu
Pertz, Legg. I. 69 ff., welcher zu Jahr 789 oder 790 annahm. — Boretius
folgt auch Sickel II, 49 (K. 115 bis). 265. Mühlbacher Nr. 493, S. 203, äußert
allerdings das beachtenswerthe Bedenken, daß die auf Mitte Oktober 787 angesagte
Versammlung wegen der Heerfahrt gegen Tassilo, bei der Pippin ja auch betheiligt
war, auf einen anderen Zeitpunkt verlegt worden sein müßte. Tassilo's Unterwerfung
war, wie wir wissen, am 3. Oktober erfolgt.

[4]) c. 2. 3, vgl. das Heristaller Capitular von 779 c. 6; das 2. von Mantua
787 c. 2; ferner c. 7, vgl. Pippini capitulare 782—786 c. 1; auch das von
Boretius um 790 gesetzte Capitular Pippin's c. 2, S. 200.

[5]) c. 1, Capp. I, 198: Placuit nobis atque convenit, ut omnes iustitiae
pleniter factae esse debeant infra regnum nostrum absque ulla dilatione,
tam de ecclesias quam de sinodochiis seu pauperes et viduas vel orfanos
atque de reliquos homines secundum iussionem domini nostri Karoli regis,
vgl. Cap. Mantuan. 781? c. 1, S. 190; ferner c. 7. 8. 10, S. 198—199, nebst
den von Boretius und Mühlbacher allegirten Stellen. In einem Codex lautet die
Aufschrift des Capitulars; . . . Incipit capitula de diversas iustitias secundum
sceda domni Caroli genitoris nostri.

[6]) c. 4, vgl. Waitz IV, 2. Aufl. S. 28 N. 2.

barbiſchen Herrſchaft geleiſtet[1]); verboten die Mißachtung der von
Karl beſtätigten Immunitätsprivilegien und noch andere Uebergriffe, die ſie ſich geſtatteten[2]). Jeder freie Langobarde ſoll, vor-
behaltlich der Rechte des Grafen, das Recht behalten ſich zu com-
mendiren, wenn er nicht ſchon einen Herrn hat[3]); dagegen ſoll,
wer ſeinen Herrn verläßt, ohne Genehmigung deſſelben von einem
andern nicht als Vaſſall angenommen werden dürfen[4]). Eingriffe
in fremdes Eigenthum ohne richterliches Urtheil werden ſtreng unterſagt[5]), die Erhaltung und Ausbeſſerung der Wege, Fähren und
Brücken an den Orten, wo ſolche ſchon immer angelegt waren, befohlen[6]). Die Klöſter betreffend hält man die früheren Mahnungen
gewiſſenhaft nach der Regel zu leben nicht mehr für ausreichend:
Pippin kündigt ſeinen Entſchluß an, beſondere Königsboten, einen
Mönch und einen Hofgeiſtlichen, Kapellan, in alle Klöſter ſeines
Reichs, Mönchs- und Nonnenklöſter, abzuordnen, um den Wandel
der Inſaſſen ſowie ihre Wohnung und Unterhaltsmittel einer
Viſitation zu unterziehen[7]). Endlich wird auch Fürſorge getroffen
für die langobardiſchen Frauen, deren Männer von Karl ins
fränkiſche Reich abgeführt worden ſind[8]). Pippin will Königsboten ausſchicken, um zu unterſuchen, ob denſelben dem Befehle
Karl's gemäß ihr Recht geworden iſt; wo dieſes nicht der Fall,
ſollen die Königsboten mit den zuſtändigen Grafen darauf Bedacht
nehmen, daß ihnen dazu verholfen werde[9]).

Ein weiterer Todesfall traf, wie es ſcheint, in dieſem Jahre
die hohe Geiſtlichkeit des Reichs. Biſchof Willibald von Eichſtädt,
ein Bruder des Wynnebald[10]), des Gründers von Kloſter Heidenheim,

---

[1]) c. 6, vgl. Karl's zweites Mantuaniſches Capitular von 787 c. 5, oben
S. 580.

[2]) c. 8. 12; vgl. ebd. c. 1; Mühlbacher a. a. O.

[3]) c. 13.

[4]) c. 5, vgl. das Capitular von Mantua 781? c. 11.

[5]) c. 14: Ut nullus alteri presumat res suas aut alia causa sine iudicium tollere aut invadere; et qui hoc facere presumperit, ad partem
nostram bannum nostrum conponat.

[6]) c. 9, vgl. das Capitular Pippin's 782—786 c. 4, S. 192; Waitz IV,
2. Aufl. S. 32 N. 3.

[7]) c. 11: Stetit nobis, ut missos nostros, unum monachum et alium
capellanum, direxerimus infra regnum nostrum previdendum et inquiren-
dum per monasteria virorum et puellarum, que sub sancta regula vivere
debent, quomodo est eorum habitatio vel qualis est vita aut conversatio
eorum, et quomodo unumquemque monasterium de res habere videtur,
unde vivere possit.

[8]) Vgl. oben S. 582.

[9]) c. 10: Placuit nobis de illis feminis, quarum mariti in Francia
esse videntur, ut missi nostri per regnum nostrum hoc debeant inquirere,
si eorum iustitias sic pleniter habeant sicut fuit iussio domni nostri an non:
et qui sic habuerit, bene; sin autem, tunc volumus ut ipsi missi nostri
cum ipso comite, in cuius est ministerio, ita conpleant sicut domnus noster
demandavit.

[10]) Vgl. hinſichtlich der Namensform Holder-Egger, SS. XV, 80 N. 1; Wattenbach DGQ. I, 5. Aufl. S. 129.

und der Walbburga, nach Wynnebald's Tod († 19. Dezember 761) Aebtissin des Klosters, war nach dem Zeugnisse seiner Biographie schon 41 Jahr gewesen, als ihn Bonifaz 741 in seine Würde ein= setzte[1]). Dennoch müssen die Angaben, welche seinen Tod ins Jahr 781 verlegen[2]), verfrüht sein. Während er im allgemeinen in seiner langen Amtsführung sich nur wenig bemerklich macht, erscheint er gerade nach 781 noch mehrere Male; er ist in Wirzburg an= wesend, als Megingoz seine Stelle niederlegt[3]), und noch am 8. Oktober 786 macht er eine Schenkung an Fulda, wo er sich eben befindet[4]). Seitdem hört man von ihm nichts mehr, bei seinem hohen Alter ist anzunehmen, daß er kurz darauf gestorben ist[5]);

---

[1]) Vita Willibaldi ep. Eichstetens. der Nonne von Heidenheim, c. 5. 6, SS. XV, 105, über deren Echtheit und Zuverlässigkeit Rettberg, II, 351 f.; Holder= Egger l. c. S. 81—82; ebenso eine kürzere Vita, bei Mabillon, Acta SS. saec. III. 2, S. 390, welche indessen erst dem 11. Jahrhundert anzugehören scheint und durchaus werthlos ist (vgl. SS. XV, 85—86); Anon. Haserens. c. 2, SS. VII, 254. Willibald scheint anfangs nur Regionarbischof gewesen zu sein (vgl. Riezler in Forschungen zur deutschen Geschichte XVI, 403—406; Gesch. Baierns I, 104; Holder= Egger l. c. S. 105 N. 9). Daß der gleichnamige Verfasser der Vita Bonifatii nicht der Bischof von Eichstädt ist, wie früher angenommen ward, bedarf keines besonderen Beweises mehr.

[2]) Gundecharii liber pontificalis Eichstetensis, SS. VII, 245: Anno ab incarnatione Domini 781. sanctus Willibaldus Non. Iul. consortium con= scendit angelorum, aetate quippe 77 annorum; sedit annos 36 (vgl. ibid. S. 252, Konrad von Kastel); daraus der Anonymus von Herrieden, c. 2, SS. VII, 254; auch Series epp. Eichstetensium Altahensis, SS. XIII, 336: S. Willibaldus episcopus sedit annos 36. Die 36jährige Amtsdauer mag von der wirklichen Gründung des Bisthums Eichstädt an gerechnet sein; demnach gab man W. aber ein Alter von 77 Jahren, weil man wußte, daß er bei seiner Weihe zum Bischof 41 gezählt hatte. Er erreichte jedoch ein höheres Alter (von etwa 87 Jahren), da er im Jahre 700 geboren sein muß (vgl. auch Holder=Egger, SS. XV, 88 N. 1).

[3]) Vgl. o. S. 515.

[4]) Urkunde bei Dronke, Codex S. 52 Nr. 85; Eckhart, I, 704, setzt dieselbe irrig ins Jahr 785.

[5]) Auch Mabillon, Annales II, 276; Le Cointe, VI, 353; Eckhart, I, 704; Rettberg, II, 356, setzen Willibald's Tod nicht vor 786, sondern theils in dieses, theils in das folgende Jahr; vgl. auch Holder=Egger, SS. XV, 81 N. 3 (welcher auf M. Lefflad, Regesten der Bischöfe von Eichstätt, Progr. des bischöfl. Lyce= ums das. 1871, I, S. 2 verweist). Propst D. Popp wollte hingegen an 781 fest= halten (vgl. SS. VII, 243 N. 15; Riezler, Forsch. XVI, 406). Leibniz, Annales I, 139, will weder von 787 noch von 781 etwas hören, sondern nimmt 2 Bischöfe von Eichstädt jenes Namens an, von denen der eine der Verfasser der Vita Bonifatii sein soll, gestützt auf die Angabe in jener späten Vita Willibaldi c. 19, bei Ma= billon, Acta SS. l. c. S. 390, Willibald sei schon nach siebenjähriger Amtsführung gestorben. Allein bereits Mabillon, l. c. S. 382 N. a. bemerkt, daß diese Angabe nur ein Mißverständniß jenes Biographen ist, welcher die Hinweisung auf Willibald's Pilgerfahrt ins heilige Land bei der Nonne von Heidenheim, c. 6, SS. XV, 105, die 7 Jahre dauerte, irrthümlich auf die Dauer seiner Amtsführung bezieht. Willi= bald's Unterschrift unter der Schenkungsurkunde der Gründerin und ersten Aebtissin von Kloster Milz, zwischen der oberen Werra und der fränkischen Saale, Namens Emhild, vom 25. März 783, bei Le Cointe, VI, 244 f., ist mit der ganzen Urkunde falsch, vgl. Rettberg, II, 346 f.; im Widerspruch mit dieser Urkunde schenkt Emhild

als Todestag wird der 7. Juli gefeiert, was, wenn richtig, auf
787 führen würde¹). Sein Nachfolger ward Gerhoch, welcher die
Kirche mit verschiedenen Kostbarkeiten bereicherte, einem goldenen
Kelch, einer mit Gold, Bernstein und Edelsteinen verzierten Evan=
gelienkapsel, auch die Herstellung eines kostbaren Altars anfing²);
sonst wird von ihm nur noch erzählt, er habe in Heidenheim an
Stelle der Nonnen Kanoniker gesetzt³), sein Tod wird zum 2. Fe=
bruar 802 berichtet⁴).

---

später, 800, Milz an Fulda; darüber und über die vorgebliche Bestätigungsur=
kunde Karl's vgl. Sickel II, 411—412; Foltz, Forschungen zur deutschen Geschichte
XVIII, 506.

¹) Vgl. Gundechar, oben S. 609 N. 2, der vielleicht im Tage weniger geirrt hat
als im Jahr; doch kann der Gedächtnißtag auch willkürlich angesetzt sein.

²) Gundechar, SS. VII, 245; Series epp. Eichstetens. SS. XIII, 336.
In einem Schreiben Karl's des Gr., welches vor Weihnachten 800 fällt, erscheint
Bischof Gerhoch unter den Adressaten (Epist. Carolin. 19, Jaffé IV, 374). —
Ueber die Kirchenschätze vgl. die Angabe eines Anonymus bei Gretser, Catalogus hi=
storicus episcoporum Eystettensium, in Opera omnia X, 837; Le Cointe,
VI, 355. Nach Adalbert von Heidenheim, in der N. 3 zu nennenden Schrift, bei
Gretser l. c. X, 823, war Gerhoch filiaster Willibaldi.

³) So Adalbert, in der Relatio qua ratione sub Eugenio III. pont. max.
monasterium Heidenheimense ad ordinem s. Benedicti redierit, bei Gretser,
Opera omnia, X, 823, wo es heißt: (Gerhoch) oblitus religionis . . . canonicos
in eodem loco constituit; religio ergo paulatim evanescere coepit abbatia=
que in praeposituram conversa venalis habebatur.   Der Anonymus von
Herrieden, SS. VII, 256, schreibt aber nicht, wie Gretser X, 837 behauptet, diese
Maßregel dem Bischof Ercanbald zu, sondern redet von dem ähnlichen Verfahren Er=
canbald's gegen Herrieden.

⁴) Den Tag gibt Gundechar l. c.; über das Jahr vgl. Gretser, X, 837.

Die fränkischen Annalen wissen zum Jahr 788 fast nur von großen Erfolgen und Siegen König Karl's zu erzählen; sie beginnen ihren Bericht, abgesehen von der Bemerkung, daß Karl Ostern, 30. März, zu Ingelheim gefeiert habe[1]), erst mit der zweiten Hälfte des Jahres. Aus der ersten Hälfte wäre mehr zu erzählen gewesen von den Gefahren, welche den König von verschiedenen Seiten bedrohten, von den Umtrieben seiner Feinde. Das Schweigen der Jahrbücher ist Ursache, daß darüber fast jede genauere Kunde fehlt, abgesehen von den Vorgängen in Italien, über welche die Briefe des Papstes und eines fränkischen Bevollmächtigten einiges Licht verbreiten.

Hadrian hatte erst kürzlich durch Karl's Gesandten, den Grafen Arvinus, den König wissen lassen, was er über den Aufenthalt und das Treiben des Adelchis erfahren hatte, als auch schon beim Papst Gesandte Karl's ankamen, der Kapellan Roro und Betto, mit dem Auftrage, sich zu erkundigen, ob es wahr sei, daß Adelchis sich in Italien eingefunden habe[2]). Außerdem schickte der König andere Bevollmächtigte nach Italien[3]), zu Verhandlungen mit den Beneventanern. Dem Befehle Karl's gemäß begaben dieselben sich

---

[1]) Annales Laur. mai. 787, SS. I, 172; Ann. Einhardi 787, SS. I, 173; Ann., ut videtur, Alcuini, SS. IV, 2; Ann. Iuvav. mai. SS. I, 87; III, 122; Urkunde Karl's für den Abt Altpert von Farfa, vom 28. März 788, actum in Ghilim Haim villa nostra, was aus Inghilinhaim (Ingelheim) corrumpirt ist, bei Fatteschi S. 281 Nr. 35; vgl. hiezu das interessante Placitum des Herzogs Hildiprand von Spoleto vom August des vorhergehenden Jahres, Mabillon, Ann. Ben. II, 713 Nr. 30.

Die Urkunde Mühlbacher Nr. 344, welche nach ihrem Datum am 26. März des 20. Regierungsjahres Karl's, d. h. 780, in Sithiu (St. Omer) ausgestellt sein würde, gehört jedenfalls nicht in dies Jahr; vgl. unten Bd. II. z. J. 800 und die daselbst angeführten Stellen.

[2]) Jaffé IV, 253; vgl. ebd. S. 263.

[3]) Es muß angenommen werden, daß diese Bevollmächtigten mehrere Wochen vor dem 20. Januar 788, noch 787 in Rom ankamen, denn vor dem 20. Januar war ihre Sendung bereits gescheitert, vgl. unten S. 615 N. 3.

zuerst nach Rom, um dort mit dem Papste Rücksprache zu nehmen; sie kamen aber nicht alle zugleich in Rom an, sondern zuerst der Diaconus Atto und der Thürwart (Ostiarius) Goteramnus, hierauf auch der Abt Maginarius von St. Denis, der Nachfolger Fulrad's, und der Diaconus Joseph; ein fünfter Gesandter, der Graf Liuderich, wurde noch erwartet. Hadrian rieth den Gesandten auf der Reise nach Benevent zusammen zu bleiben; Maginarius und Joseph sollten in Rom bleiben bis zur Ankunft des Liuderich, der zu ihnen gehörte, Atto und Goteramnus aber bis Valva im Herzogthum Spoleto vorausreisen und dort, an der beneventanischen Grenze, auf die drei anderen Bevollmächtigten warten[1]). Die Gesandten scheinen zunächst diesem Vorschlage ungefähr entsprechend gehandelt zu haben. Aus dem von Maginarius verfaßten Bericht über die Reise, der dazu bestimmt war Karl vorgelegt zu werden, scheint hervorzugehen, daß sie sich verständigt hatten im engsten Contact mit einander zu bleiben, nur daß Maginarius und seine Genossen einen andern Weg nach Benevent wählten als die anderen; welcher Theil früher einträfe, sollte den andern erwarten[2]). Allein es kam anders. Otto und Goteramnus kamen vier Tage früher als ihre Genossen nach Benevent. Die letzteren hatten jene wiederholt auffordern lassen, hier auf sie zu warten, damit sie je nach Umständen dann entweder zusammen weiter nach Salerno reisen oder aber die beneventanischen Großen zur weiteren Unterhandlung nach Benevent einladen könnten[3]). So hätte es den Anweisungen des Papstes entsprochen. Die Entscheidung über diese Frage sollte sich nach den Nachrichten, welche die Gesandten über die fränkische oder antifränkische Gesinnung der Beneventaner, insbesondere auch des Hofes und der Großen empfangen, auch nach den eigenen Wahrnehmungen, die sie selbst im Lande machen würden, richten[4]).

---

[1]) Genau erzählt das der Papst in dem Schreiben bei Jaffé IV, 256 ff., das einen Bericht über den Ausfall der Sendung enthält und um das Frühjahr (istius temporis verni) 788 geschrieben zu sein scheint, wie es denn jedenfalls in die Zeit nach dem 22. Januar fällt; vgl. Epist. Carolin. 5, ib. S. 347; dazu auch die Darstellung von Malfatti II, 366 ff., welcher die Triebfedern der handelnden Persönlichkeiten zum Theil richtig erkannt haben dürfte.

[2]) Der Bericht des Maginarius ist ausführlicher als der Hadrian's, aber sehr lückenhaft erhalten und daher nur stellenweise zu benutzen. Da heißt es, bei Jaffé IV, 346, Epist. Carolin. 5: (convenit) inter nos: ut illi (irent ad Valvae oppid)o, nos vero per Sangrum in fine Beneventana; et si quis de nobis prior (advenisset), ibidem suos pares expectare debuisset; et quodcumque in ipso itin(ere nostro) de vestra fidelitate cognovissemus, illis significassemus et illi simili(ter nobis). Der Papst sieht aber auch schon hierin eine Verletzung seiner Rathschläge, Cod. Carolin. 85, S. 257: Qui precedentes, scilicet Atto cum Goteramno, nullo modo nostris accommodaverunt consiliis, sed, relinquentes penitus Maginarium seu Ioseph et Liudericum, abierunt singulariter Benevento. Vgl. hiezu Strauß S. 30 N. 1.

[3]) Epist. Carolin. 5, S. 346—347.

[4]) Epist. Carolin. 5, l. c.: quodcumque in ipso itin(ere nostro) de vestra fidelitate cognovissemus (vgl. o. N. 2) — si ... nos ibi (ad) Benevento fidelitatem eorum co(gnovissemus) ... si vero non.

Diese Berichte fielen nach Maginarius' Brief ungünstig aus[1]). Allein als Maginarius mit seinen beiden Gefährten nach Benevent kam, fanden sie, daß Atto und Goteramnus schon Tags vorher nach Salerno aufgebrochen waren[2]). Maginarius dagegen ließ sich in Benevent von der Weiterreise abhalten, da ihm von fränkisch gesinnten Beneventanern bedeutet worden war, man würde ihn in Salerno zurückhalten, bis man Gewißheit über die Beschlüsse Karl's hinsichtlich des Grimoald und der durch die beneventanische Gesandtschaft ihm überbrachten Wünsche habe und wenn sie, die fränkischen Gesandten, nicht bestimmte Zusicherungen in Bezug auf die Einsetzung des Grimoald als Herzog und die Rückgabe der dem heiligen Stuhle überlassenen Städte gäben. Erst dann und dann bereitwillig würde man sich Karl's Geboten fügen[3]). Vielleicht auch persönlich ängstlich[4]), schützte Maginarius unter diesen Umständen eine Krankheit vor, welche ihn an der Reise nach Salerno verhindere, während seine beiden Genossen sich weigerten ohne ihn dahin zu gehen, und bat die Herzogin Adelperga, welche sich in Salerno befand[5]), und einige ihrer Großen brieflich, den Atto und Goteramnus, welche, wie gesagt, dahin gegangen waren, nebst einer Anzahl beneventanischer Großer (12 bis 14) nach Benevent zu schicken; hier wollten sie denselben die Aufträge Karl's eröffnen und mit ihnen in Verhandlungen eintreten. Maginarius behielt sich dabei vor, nach wiedererlangter Gesundheit diese beneventanischen Großen wo möglich nach Salerno zu begleiten oder eventuell doch durch Atto, Goteramnus, Joseph und Liuderich dahin begleiten zu lassen, um die Verhandlungen dort zum Abschluß zu bringen[6]). Allein Adelperga weigerte sich beneventanische Große nach Benevent zu schicken und sandte vielmehr nur den Goteramnus nach Benevent,

---

[1]) Ibid.: dum per vestros fideles cognovissemus, quod ipsi homines Beneventani (sicut) rectum fuerat non erant — dum in fine Beneventana intrassemus, nullam fidelitatem adu(ersus vestram excellentiam c)ognovimus — dum nos per infideles vestros — Deo sibi contrario — usque ad Benevento venissem(us) . . .; Cod. Carolin. 85, S. 257 (Qui dum Maginarius cum sociis suis a fidelibus vestris audissent, sicut nobis ipsi intimaverunt, eo quod infideliter peragerent tam relicta predicti Arichissi ducis quamque ceteri Beneventani, erga vestram regalem excellentiam atque nostrum apostolatum iniqua atque adversa tractari non desinunt . . .).

[2]) Epist. Carolin. 5, S. 347: (Sed) dum nos . . . usque ad Benevento venissem(us, putantes) nostros pares invenire et ibi (cum eis) considerare, qualiter vestram iussionem (feci)ssemus, illi iam uno die antea quam nos venissemus iter ad Salernum (fecerant); Cod. Carolin. 85, S. 257, wo der Papst nach den oben S. 612 N. 2 angeführten Worten fortfährt: Qui postergum (post tergum) eorum euntes, Maginarius cum Ioseph et Liuderico, in Benevento iam Attonem et Goteramnum nullo modo invenire valuerunt, eo quod in Salerno perrexerant (ad) Adalbergam, relictam Arichis ducis.

[3]) Bericht des Maginarius bei Jaffé l. c. S. 347—348. Ueber die beneventanischen Städte, welche Karl dem Papst geschenkt hatte, vgl. oben S. 571.

[4]) Vgl. F. Hirsch a. a. O. S. 60.

[5]) Vgl. auch oben N. 2.

[6]) Epist. Carolin. l. c. S. 348.

damit dieser sich dort mit den anderen fränkischen Bevollmächtigten ins Einvernehmen setze[1]). Da kam dem Maginarius und seinen Genossen wiederum durch fränkisch Gesinnte zu Ohren, daß man es auf einen Handstreich gegen die fränkischen Bevollmächtigten abgesehen hätte. Sie sollen angeblich erfahren haben, die Beneventaner hätten sich mit Neapolitanern, Sorrentinern und Amalfitauern verschworen, sie bei Salerno bei nächtlicher Weile überfallen und tödten zu lassen[2]). Auch Goteramnus, den sie von solchen Nachrichten in Kenntniß setzten, soll ihnen seinerseits ähnliche Mittheilungen über die Gesinnung des beneventanischen Hofes gemacht haben. Goteramnus wollte nach Salerno zurück, um Atto, der dort geblieben war, zu retten; aber Maginarius hielt ihn davon ab: es sei besser, daß e i n e r festgehalten werde als z w e i[3]). Indessen flüchteten die Bevollmächtigten beim Morgengrauen über die spoletinische Grenze nach Valva[4]). Atto seinerseits suchte angeblich Schutz am Altar der Kirche von Salerno. Die Beneventaner beschwichtigten indessen seine Besorgnisse und schickten ihn zu Karl, um den König ihrer Treue zu versichern[5]) und ihn nochmals um

---

[1]) Ibid.: Sed ipsa Adalberga noluit suos primatos dirigere; (sed so)lum Goddramno ad nos in Benevento direxit; Cod. Carolin. 85, S. 257: una cum Goderamno, qui ad eos (den Maginarius, Joseph und Liuderich) adloquendum venerat a Salerno.

[2]) Jaffé VI, 262, wo der Papst dies nach den Mittheilungen des Presbyters Gregor von Capua erzählt. Vgl. hinsichtlich ihrer Unglaubwürdigkeit auch die Urtheile von Malfatti II, 369—370 und Strauß S. 31.

[3]) Epist. Carolin. 5, S. 348: Sed dum per vestros fidelissim(os cognov)issemus, quod illi nos perdere voluerunt, omnia Goddramno de vestra in(fidelitate retuli)mus et ille similiter nobis. Et Goddramnus voluit revert(ere a)d (S)alern(o ob Attonem. Sed di)ximus, ut melius fuisset, quod unus detentus fuisset quam duo.

[4]) Ibid.: — ad pullorum cantum . . . (re)ce(ssimus) et pugnando (pervenimus) in fine (Spo)litana; Cod. Carol. 85, S. 257: — fugam arripientes Maginarius cum Ioseph et Liuderico, una cum Goderamno . . . introierunt in finibus ducati Spoletini in prelato oppido Valvae; et ibidem morantur usque ad vestrum regalem triumphum dispositum. Nr. 86, S. 262: Qui, a Benevento reversi Spoletio, ideo exinde fugerunt . . . Et prefati missi vestri, haec cognoscentes, coacti fugam arripuerunt.

Meo III, 162 behauptet, infolge der Nähe griechischer Gesandter habe sich das Gerücht von der Ankunft eines griechischen Heeres verbreitet und daher seien die Besorgnisse der fränkischen Gesandten entstanden; Atto habe gewußt, daß diese Besorgnisse unbegründet wären, und sei deshalb in Salerno geblieben. Diese Darstellung ist den Quellen nicht gemäß und wird durch die sich aus ihnen ergebenden Thatsachen widerlegt. Vgl. dagegen auch F. Hirsch a. a. O. S. 61 N. 1.

[5]) Cod. Carolin. 85, S. 257—258: Atto vero audiens, ut fertur, fugiens intus in ecclesia Salerno, pre timore eiusdem ecclesiae altare tenuit. Ipsi autem Beneventani eum suadentes, ut reor, dissimulantes mitigaverunt et (ad) vestram excellentiam fictae miserunt, se ipsos fideles in omnibus commendantes — dum Atto diaconus ad vestram reversus est excellentiam. Daß Atto thatsächlich in der Kirche Schutz gesucht, bezweifeln Malfatti S. 370; Strauß S. 31.

Einsetzung des Grimoald als Herzog zu bitten; auch soll Atto ihnen versprochen haben dafür einzutreten[1]).

Man glaubt zu erkennen, daß eigentlich Verhandlungen der fränkischen Bevollmächtigten mit dem Hofe in Salerno verabredet waren[2]) — daß aber ein Theil der letzteren sich durch den Papst bestimmen ließ denselben auszuweichen. Die Unehrlichkeit der Machinationen des Maginarius wird von ihm selber kaum verhüllt, zum Theil sogar zugestanden.

Diese Vorgänge fallen in die letzten Tage des Jahres 787 und die erste Hälfte des Januar 788; kurz vor dem 20. Januar hatte Atto Salerno verlassen[3]). Man hatte dort, wie der Papst schreibt, so lange Atto sich daselbst befand, die griechische Gesandtschaft, welche sich schon vorher angemeldet haben muß, nicht empfangen wollen[4]). Sobald jedoch Atto sich auf die Rückreise zu Karl begeben hatte, landeten die beiden griechischen Spathare mit dem Statthalter von Sicilien, dem Patricius Theodorus, an der Küste von Lucanien in Acropoli und begaben sich von da — wie es heißt, mit beneventanischem Geleit — nach Salerno, wo sie am 20. Januar ankamen und drei Tage mit Adelperga und den Großen des Landes Unterhandlungen pflogen[5]). Ueber den Verlauf derselben ist nur weniges bekannt, der einzige, unzuverlässige Gewährsmann dafür der Papst. Er berichtet, die Beneventaner hätten den Griechen erklärt, daß sie Karl wiederholt, erst durch eigene Gesandte, dann durch Atto, um die Freilassung Grimoald's[*] hätten bitten lassen, und sie aufgefordert, bis Grimoald in Benevent eingetroffen wäre, in Neapel, also auf griechischem Boden, zu verweilen. Sobald Grimoald nur einmal die Herrschaft übernommen habe, werde er die von seinem Vater Arichis übernommenen Verpflich-

---

[1]) Jaffé IV, 261, wonach die Beneventaner später der griechischen Gesandtschaft in Salerno erklärten: insuper et per Attonem diaconem, ipso nobis pollicente, rogum (= rogationem) emisimus: ut penitus eum (sc. Grimaldum) ducem consequenter susciperemus. Strauß, S. 31 N. 1, scheint diese Stelle übersehen zu haben.

[2]) Woher hätte sich Maginarius auch sonst, unter einem Vorwande, bei der Herzogin Adelperga zu entschuldigen gebraucht, daß er nicht dahin kam?

[3]) Jaffé IV, 258, vgl. S. 261; Forschungen I, 522.

[4]) Jaffé IV, 261: Et dum ibidem Salerno Atto fidelissimus vester missus fuisset, Beneventani ipsis Grecis minime recipere voluerunt.

[5]) Jaffé IV, 258: — intimaverunt nobis (nämlich der Presbyter Gregor und andere Männer aus Capua dem Papste): quia, dum Atto diaconus ad vestrum reversus est excellentiam, statim missi Grecorum duo spatarii imperatoris (Constantin's VI.) cum diucitin (= dioeceten), quod Latine dispositor Siciliae dicitur, in Lucaniae Acropoli descendentes, terreno itinere Salerno aput relictam Arichisi ducis peragrantes tercio decimo Kalendas Febroarias pervenerunt. Qui ibidem cum ipsis tres dies consiliantes, Beneventani . . .; 261: Sed post reversionem predicti Attoni diaconi, tunc eos terreno itinere a finibus Grecorum deferentes Salerno receperunt. Et cum Athalberga relicta Arichis seu optimatibus Beneventanis tribus diebus persistentes consiliati sunt. Ueber die beiden Spathare und den Statthalter von Sicilien vgl. auch ib. S. 260; über den letzteren ferner Theophan. Chronographia, ed. de Boor I, 464.

tungen, welchen dieser nicht mehr habe nachkommen können, voll=
ständig erfüllen und sich dem Kaiser unterwerfen[1]). Aber wir
wissen, wie problematisch es sich mit diesen angeblichen Verpflich=
tungen des Arichis verhält[2]), und konnten die Beneventaner im
Ernst glauben, daß Grimoald im Staube sein würde ein solches
Verhalten einzuschlagen, wenn er Karl seine Einsetzung verdankte?
Es klingt unwahrscheinlich, daß sie auch nur den Griechen mit
einer solchen Aussicht geschmeichelt haben sollten. Wenn sie es
dennoch thaten, erscheint es wie eine Vorspiegelung, zu dem Zweck,
die griechische Gesandtschaft, bei welcher dann auf einen hohen
Grad von Leichtgläubigkeit und Urtheilslosigkeit gerechnet wurde,
hinzuhalten. Jedenfalls blieb den Spatharen nichts übrig als
dem ihnen ertheilten Rathe zu folgen; sie begaben sich unter dem
Geleite der Beneventaner nach Neapel, um dort die Ankunft Gri=
moald's in Benevent abzuwarten[3]). Sie erstatteten nach Constan=
tinopel Bericht über Arichis' und seines Sohnes Romuald Tod
und den Einfluß dieser Ereignisse auf die politische Lage und er=
warteten neue Instruktionen[4]). Inzwischen spannen sie dort, wie
der Papst schreibt, im Verein mit den Neapolitanern, welche ihnen
einen ehrenvollen und feierlichen Empfang bereitet hatten, und dem
Bischof Stephan von Neapel unausgesetzt neue feindselige Ränke
gegen das fränkische Interesse[5]).

Der Aufenthalt der Spathare in Neapel mag lange gedauert
haben. Die Entscheidung Karl's über die Freilassung Grimoald's
ließ geraume Zeit auf sich warten; sie wurde ihm eben beträchtlich
erschwert durch die zum Theil schon von uns gekennzeichnete
Stellung, welche der Papst zu der Angelegenheit einnahm. Hadrian
konnte nicht daran denken mit den Griechen gemeinschaftliche Sache
gegen die Franken zu machen, aber auch daran, daß Karl seine
Machtstellung in Benevent behaupte, lag ihm nur insoweit als
davon die Befriedigung seiner eigenen Ansprüche abhing. Hadrian
ließ sich in dieser Frage lediglich von zwei Rücksichten leiten: von
der Rücksicht auf den Vortheil der römischen Kirche, dann aber
auch von seiner Abneigung gegen die Langobarden, namentlich von

---

[1]) Jaffé IV, 261, Codex Carol. Nr. 86: — Sed propter hoc morari
vos Neapolim convenit, dum usque ipso Grimualdo recipere possimus ducem. Et quod genitor eius Arigichisi minime valuit adinplere, Grimualdus eius filius, dum culmen genitoris sui adeptus fuerit, prorsus
imperialem voluntatem cum omne dicione, sicut cum suo constitit genitore, in omnibus adimplemus, pariter nobiscum promissa explente.

[2]) Vgl. oben S. 566. 605 f.

[3]) Jaffé IV, 258. 261. 265. — Schon früher (Cod. Carol. Nr. 84, S. 254
bis 255) spricht Hadrian nach unbestimmter Nachricht von griechischen Gesandten,
die sich in Neapel aufzuhalten schienen. Es müssen damit aber natürlich andere ge=
meint sein.

[4]) Jaffé IV, 262.

[5]) Jaffé IV, 258. 261—262; vgl. indessen in Betreff des genannten Bi=
schofs von Neapel ib. S. 264, wo man sieht, daß er dem Papste Mittheilungen über
die Pläne der Griechen machte, u. unten S. 633 N. 2.

seinem tiefen Haffe gegen Desiderius und dessen ganze Familie, also
auch gegen seine Tochter Adelperga und ihren Sohn Grimoald.
In beiden Fällen hatte Karl ein anderes Interesse. Hadrian ist
freilich sehr daran gelegen, daß Adelchis sich nicht in Italien fest=
setze, er muß daher schon aus diesem Grunde auch gegen die
Griechen, die Adelchis unterstützen, in dieser Sache Partei ergreifen;
er wünscht dringend, daß die Beneventaner zum Gehorsam zurück=
geführt werden möchten, und macht nach einer Berathung mit
Roro und Betto dem König den Vorschlag, wenn Benevent sich
nicht seinem Willen füge, am 1. Mai ein starkes fränkisches Heer
dort einrücken zu lassen[1]), später, im Sommer, würde es das ver=
derbliche Klima verbieten und andererseits könne es nicht ohne
Gefahr bis zum September hinausgeschoben werden. Allein Hadrian
sagt nirgends, wie er sich Karl's Stellung in Benevent denn eigent=
lich denkt; wohl aber verräth er selbst ganz deutlich, daß er keines=
wegs um Karl's willen, sondern lediglich in seinem eigenen Interesse
die Unterwerfung von Benevent wünscht. Gleich in dem ersten
Schreiben, das er in der Angelegenheit an den König richtet, schickt
er die Erklärung voraus, daß er es unter keinen Umständen ange=
messen finde den Grimoald nach Benevent zurückkehren zu lassen,
auch wenn die Beneventaner Karl's Forderungen sich fügten[2]).
Und noch in demselben Brief wiederholt er das Verlangen, daß
Karl in der Sache Grimoald's Anderen nicht mehr als ihm, dem
Papste, Glauben schenken lassen solle; „denn", fügt er hinzu, „seid ge=
wiß, wenn Ihr den Grimoald nach Benevent schickt, so seid Ihr im
Besitz Italiens nicht sicher"[3]). Er macht dem Könige hauptsächlich
Furcht vor Adelchis und einer Wiederherstellung des alten selbständigen
Langobardenreichs mit Hilfe der Griechen[4]). Er hat auch durch

---

[1]) Jaffé IV, 254: Enim vero una cum fidelissimis missis vestris pertractantes consideravimus: ut, si minime ipsi Beneventani adimplere voluerint regalem vestram voluntatem, Kalendas Maias vestra robustissima
hoste in confinio preparata super ipsos irruere Beneventanos inveniretur,
et demum pariter penetrantes. In his confirmari pro aestivo temporis
egritudine non audebimus. Et iterum, si super eos Kalendas Maias usque
in Septembrio mense exercita non evenerint, dubium non esse videtur,
ut forte . . . Adalgisus per insidias Grecorum non aliquam nobis vobis-
que conturbacionem facere moliatur. Vgl. hiezu ibid. S. 258 (unten) und
ferner über die Seuchen in Benevent, welche den fränkischen Heeren oft verderblich
wurden, unten Bd. II. zu den JJ. 800. 801. 802 nebst den dort angeführten
Quellenstellen.

[2]) Jaffé IV, 254: Nos vero haec omnia considerantes . . . nobis
sic aptum esse videtur: ut, si voluntatem vestram fecerint ipsi Beneventani, non ullo modo expedit, Grimualdum filium Arichisi Benevento
dirigere.

[3]) Jaffé IV, 255: Quapropter nimis poscentes quaesumus vestram
prerectissimam excellentiam: ut, nullo modo pro causa Grimualdi filii Arichisi credere plus cuiquam iubeatis quam nobis. Nam pro certo sciatis:
quia, si ipsum Grimualdum in Benevento miseritis, Italiam sine contur-
batione habere minime potestis.

[4]) Ib. S. 254. 255.

einen Bischof Leo heimlich erfahren, daß Adelperga — die wir
doch später in Salerno finden — mit der Absicht umgehe, sobald
Grimoald nach Benevent käme, mit ihren beiden Töchtern unter
dem Scheine einer Wallfahrt nach St. Angelo auf dem Monte
Gargano und von dort nach Tarent sich zu begeben, wo sie ihre
Schätze verborgen habe[1]). Um jeden Preis sucht der Papst Grimoald's Rückkehr nach Benevent zu hintertreiben[2]), und es ist,
wie gesagt, nicht schwer seine wahren Beweggründe zu durch-
schauen. Neben dem persönlichen Hasse gegen Grimoald leitete ihn
das Bestreben, auf Kosten Benevents das Gebiet der römischen
Kirche zu vergrößern. Der Wunsch der Beneventaner, daß die
Schenkung beneventanischer Städte an St. Peter rückgängig
gemacht werden sollte[3]), mußte schon allein genügen um den Papst
zum erklärten Gegner von Grimoald's Freilassung zu machen; jene
Städte in seine Gewalt zu bringen, darin ging jetzt hauptsächlich
sein Dichten und Trachten auf. Hadrian's eigene Briefe legen
davon Zeugniß ab. Die Mittheilungen, die er über das Treiben
der Beneventaner und Griechen an Karl richtet, sind regelmäßig
nur die Einleitung zu dem dringendsten Ersuchen, dem heiligen
Petrus die ihm gehörigen Städte zu übergeben. Zwar versichert
Hadrian, gewiß nicht aus Habsucht, um jene Städte zu erhalten,
theile er dem König mit, was er über die Pläne von Adelperga
wisse, sondern nur um der Sicherheit der heiligen katholischen und
apostolischen römischen Kirche und um des Sieges des Frankenkönigs willen; aber unmittelbar darauf tritt er doch mit seinen
Ansprüchen auf die Städte hervor und macht sie in den stärksten
Ausdrücken geltend. Karl soll seinen Bevollmächtigten klar und
bestimmt die Weisung geben, daß sie nicht wagen sollten zu ihm
zurückzukehren, ehe sie die dem h. Petrus in Benevent geschenkten
Städte demselben überliefert und ihm zu seinen Rechten in Bezug
auf Populonia und Rosella verholfen hätten. Was Hadrian dem
Könige selber nicht vorzuwerfen wagt, das sagt er ihm von seinen
Gesandten: „Einige Euerer Bevollmächtigten unternehmen es Euere
heilige Schenkung zu verachten und zu schänden; aber wie Ihr
in Tuscien eine Anzahl von Städten dem h. Petrus geschenkt habt,
so sorget dafür, daß auch die Städte in Benevent uns unverzüglich
überliefert werden, damit Euere Bevollmächtigten mit Euerem bestimmten Befehle versehen sie uns sofort ausliefern können und
niemand im Staube sei das von Euch dargebrachte Opfer zu nichte
zu machen[4])." Und auch in dem folgenden Briefe wird er nicht
müde seine Ansprüche zu wiederholen, erinnert aufs neue an die
Schenkung in Benevent, die Karl vollständig dem h. Petrus über-

---

[1]) Jaffé IV, 255 (hiezu unten Bd. II. z. J. 813, über das Pilgerwesen).
[2]) Vgl. auch Jaffé IV, 263.
[3]) Vgl. oben S. 613 N. 3.
[4]) Jaffé IV, 255—256: Quia sunt alii ex missis vestris, qui contemnere
moliuntur et fedare vestram sacram oblacionem . . .

geben möge, damit er, Hadrian, für Karl, seine Gemahlin und
seine Kinder am Grabe des Apostels beten könne[1]); warnt den
König, „auf das thörichte Gerede anderer zu hören oder durch Ge=
schenke sich gewinnen zu lassen"[2]). Aber bei bloßen Vorstellungen
blieb er nicht stehen. Es eröffneten sich ihm Aussichten wenigstens
zum Besitze Capuas[3]) ohne fränkische Mitwirkung zu gelangen,
und er beschloß die Gelegenheit zu benutzen. Ein Presbyter
Gregor mit neun anderen Capuanern fand sich bei ihm in Rom
ein, theils um ihm über das Treiben der Beneventaner und Griechen
Mittheilungen zu machen, theils und hauptsächlich um dem Papst
zu huldigen: sie erklärten, sie wollten seine und des h. Petrus
Unterthanen sein, wie sie durch die Schenkung Karl's als solche
anerkannt wären[4]). Es ist aber deutlich, daß sie nicht im Auftrage
ihrer Stadt erschienen, sondern als Vertreter einer, der päpst=
lichen Partei, welche von der Rückkehr Grimoald's nichts wissen
wollte[5]); ihr Anerbieten war daher für den Papst von zweifel=
haftem Werthe. Dennoch wies er es nicht zurück, sondern suchte
es, soviel die Verhältnisse gestatteten, auszubeuten. Freilich wagte
er dabei doch nicht ganz nach eigenem Ermessen zu verfahren; er
trug daher dem Maginarius, Joseph und Liuderich, welche sich
damals wohl noch in Italien befanden, in einem Schreiben den
Sachverhalt vor, sprach selber seine Meinung dahin aus, daß es
zweckmäßig sei „diese Capuaner in den Dienst des h. Petrus auf=
zunehmen, damit Zwietracht in Capua entstände", was für den
h. Petrus und Karl das vortheilhafteste sei, und wünschte den Rath
der fränkischen Bevollmächtigten zu hören[6]). Seine Entscheidung
traf er also noch nicht sogleich[7]), aber bald. Mindestens hatte er

---

[1]) Jaffé IV, 259: Qui. dum ipse claviger regni celorum beatus Petrus
apostolus. fautor et protector vester in integro vestram susceperit sacram
donationis oblationem, digne valeamus in eius alma confessione tam pro
vobis quamque spiritali filia nostra domna regina vestrisque nobilissimis
subolis fundi preces. . . .

[2]) Jaffé IV, 258: Et nulli hominum inanes fabulas attendat, neque
muneribus suadere quispiam eam valeat.

[3]) Vgl. oben S. 571.

[4]) Jaffé IV. 258. 345, wo die Namen der übrigen neun genannt sind: 260.
In dem Schreiben Hadrian's an Maginarius, Joseph und Liuderich (S. 345, vgl.
unten N. 6) läßt Hadrian sie fordern: bea:ti Petri) et nostri essent subiecti,
sicut per donationem praecellentissimi domini regis agniti sunt.

[5]) Das ergibt das zuletzt erwähnte Schreiben Hadrian's, vgl. die folgende
Note sowie Forschungen I, 520 und Hirsch, ebd. XIII, 62 N. 1.

[6]) Das lückenhaft erhaltene, wie es scheint, an die genannten fränkischen Be=
vollmächtigten gerichtete Schreiben steht u. a. bei Jaffé IV, 345 f., Epist. Carolin.
4. Hadrian fragt an: Et (proinde) vestrum petimus consilium: si eos in
servitio beati Petri apostoli recipere debeamu(s an non). Er meint: Nobis
quippe melius e:sse ap)paret, si eos recipiemus, ut inter eis dissen(sio) fiat
et divisis inveniantur; (eo) quod ad partem atque effectum beati Petri
(simul et) praecellentissimi filii nostri domini regis sic expedit: ut, dum
divisi fuerint, melius (cohibeantur) sine nostro vestroque labore.

[7]) Er berichtet darüber nachher, Jaffé IV, 260: vgl. Forschungen I, 519;
Jaffé l. c. S. 345 N. 5 und unten S. 636.

hiedurch eine Handhabe erhalten, um bei Karl mit größerem Nachdruck auf die Erfüllung seiner Forderungen zu bringen, und dem Interesse Karl's drohte die Fortdauer des unfertigen Zustandes in Benevent immer größeren Schaden zuzufügen.

Die Lage des Königs war peinlich. Ein Krieg mit den Griechen, und auf einem so unterwühlten Boden wie dem italischen, war keine kleine Aufgabe für das fränkische Reich; dazu innerhalb des Reiches selbst der zur Verzweiflung getriebene Tassilo und ferner der drohende Einfall der mit diesem verbündeten Avaren[1]). Noch nie jedenfalls, seit er zur Regierung gekommen, hatte Karl einer solchen Anhäufung von Gefahren gegenübergestanden[2]). Ist es auch nicht erwiesen, daß Tassilo und die Avaren in unmittelbarer Verbindung mit den Griechen standen, so ist dies doch wenigstens möglich, aus inneren Gründen sogar wahrscheinlich[3]), und jedenfalls hatten Tassilo und die Avaren von den offen betriebenen feindseligen Plänen der Griechen gegen die Franken Kunde, was sie in ihren eigenen Entwürfen nur bestärken konnte. Es verlautet nichts von den Rüstungen des Königs. Aber Karl schlug den richtigen Weg ein, um die Feinde niederzuwerfen. Er kam den Angriffen der Gegner zuvor, hatte den nächsten Feind entwaffnet, noch ehe die übrigen zur Stelle waren, und brachte durch diesen großen ersten Erfolg das Uebergewicht auf seine Seite.

Tassilo mußte sein Schicksal allerdings schon deshalb ereilen, weil er sich mit den Avaren verbündet hatte, aber um so mehr, weil Karl zugleich durch die Griechen mit einem großen Krieg bedroht war. Unter diesen Umständen war es für das fränkische Reich geradezu eine Lebensfrage, daß diese feindliche Gewalt im Innern unterdrückt, daß Tassilo vollständig unschädlich gemacht würde. Mit dem Sturze Tassilo's eröffnete Karl den Kampf gegen seine Feinde[4]).

---

[1]) S. unten.

[2]) F. Hirsch, Forschungen XIII, 64 N. 1, bemerkt allerdings mit Grund, daß diesen Gefahren nachher verhältnißmäßig leicht Trotz geboten werden konnte.

[3]) Rettberg II, 185 spricht ohne weiteres von einem Bündniß Tassilo's mit den Griechen; auch Harnack S. 29 hält ein solches für unzweifelhaft. La Bruère I, 242 ff.; Gaillard II, 168 ff.; Martin II, 303 ff. nehmen sogar ein Bündniß zwischen Griechen, Avaren, Baiern und Beneventanern an; ähnlich Strauß S. 27 N. 2, gegen dessen betreffende Erörterung sich aber manches sagen läßt. Die genannten Gelehrten drücken sich theilweise zu bestimmt aus. Nicht sehr in Betracht kommt, daß auch die Annales Lauresh. SS. 1, 33 reden de pessimis consiliis et machinationibus, quas ipse Tassilo et coniux illius cum omnes gentes qui in circuitu Francorum erant, tam christiani quam et pagani, consiliati sunt contra Francos; und ähnlich die Ann. Nazariani, SS. I, 44, de insidiis atque dolosis consiliis, quod cum multis gentibus iam olim ei praeparare conatus fuerat. Diese allgemein gehaltenen Angaben sind neben den genauen der Annales Laur. (Ann. Einh. und V. Karoli 11), die nur von einer Verbindung mit den Avaren reden, von zweifelhaftem Werthe.

[4]) Daß die Kriegsgefahr von Seiten der Griechen Karl's Vorgehen gegen Tassilo beschleunigte, deutet auch Leibniz, Annales I, 140 an; auch Hegewisch S. 200 scheint es sagen zu wollen. Gaillard II, 171 f. hebt gut den Zu-

Um einen Grund und Anlaß für sein Einschreiten gegen den Herzog brauchte Karl nicht verlegen zu sein. Tassilo hatte, seitdem er sich auf dem Lechfelde dem Könige aufs neue unterworfen, die Fassung und Ruhe, ohne die er sich in seiner schwierigen Stellung unmöglich behaupten konnte, gänzlich verloren. Die Haltung seines Volkes bei den Ereignissen des vergangenen Jahres mahnte doppelt zur Vorsicht; er hatte die Erfahrung gemacht, daß die Baiern vor dem Machtspruch der Kirche auch da sich beugten, wo er gegen ihren Herzog gerichtet war, daß sie den Fluch der Kirche mehr fürchteten als die Folgen der Untreue gegen den Herzog. Aber Tassilo nahm auf die Gesinnung des Volkes keine Rücksicht. Auf Betreiben seiner Gemahlin Liutperga, wie es heißt, trat er in die Verbindung mit den Avaren, den Grenznachbarn Baierns jenseits der Enns, und reizte sie zum Kriege gegen Karl; er lud Vassallen des Königs, die in Baiern ansässig waren, zu sich und trachtete ihnen nach dem Leben; er befahl seinen Leuten, wenn sie dem König Treue schwüren, mit einem stillen Vorbehalt, also falsch zu schwören; er ging noch weiter, machte gar kein Hehl aus seinem Entschlusse, um die gegen Karl übernommenen Verpflichtungen und das Schicksal seines als Geisel gestellten Sohnes sich nicht zu kümmern, ließ sich vernehmen: und wenn er zehn Söhne hätte, wollte er sie lieber zu Grunde gehen lassen, als daß er sich an die Verabredungen binde, die er beschworen hatte, besser sei es todt sein als so zu leben [1]).

---

sammenhang von Karl's Einschreiten gegen Tassilo mit der allgemeinen politischen Lage hervor, will nur den von Karl entworfenen Feldzugsplan im Einzelnen zu genau kennen.

[1]) Annales Laur. mai. l. c.: confessus est postea ad Avaros transmisisse, vassos supradicti domno rege ad se adortasse et in vitam eorum consiliasse: et hominis suos, quando iurabant, iubebat ut aliter in mente retinerent et sub dolo iurarent: et quid magis, confessus est se dixisse, etiamsi decem filios haberet, omnes voluisset perdere, antequam placita sic manerent vel stabile permitteret, sicut iuratum habuit; et etiam dixit melius se mortuum esse quam ita vivere — pro tantis peccatis (Ann. Max.: pro peccatis suis; Chron Vedastin.: commissa sua). Diese Anklagen werden gegen Tassilo erhoben und von ihm zugestanden auf der Reichsversammlung in Ingelheim, vgl. Ann. Einh. SS. I, 173: Obiciebant ei, quod postquam filium suum obsidem regi dederat, suadente coniuge sua Liutberga . . . in adversitatem regis et ut bellum contra Francos susciperent Hunorum gentem concitaret. Quod verum fuisse rerum in eodem anno gestarum probavit eventus. Obiciebantur ei et alia conplura et dicta et facta, quae non nisi ab inimico et irato vel fieri vel proferri poterant — perfidiae ac fraudis eorum; Poeta Saxo l. II, v. 340 ff. (donis crebroque rogatu — Iustigans Hunos). 371, Jaffé IV, 569. 570; Einh. V. Karoli c. 11: hortatu uxoris . . . iuncto foedere cum Hunis, qui Baioariis sunt ab oriente contermini (vgl. jedoch o. S. 544 N. 4); Ann. Max. SS. XIII, 21 (accusatus a multis); Synodus Franconofurt. 794 c. 3, Capp. I, 74: pro commissis culpis, tam quam tempore domni Pippini regis adversus eum et regni Francorum commiserat quam et quas postea sub domni nostri piissimi Karoli regis, in quibus fraudator fidei suae exititerat etc. — culpas perpetratas; Ann. Laur. min. S. 414 (omniaque fraudulenta eius consilia); unten S. 624. Ueber die Beschuldigung vassos supradicti domno rege ad se adortasse et in vitam eorum consiliasse vgl. Mederer, Beyträge S. 318, wonach diese vassi geborene bairische Unterthanen waren, welche sich aber Karl commendirt hatten.

So lauten die Beschuldigungen, die seine Gegner nachher gegen
ihn vorbrachten, von denen es freilich nicht möglich ist zu sagen,
ob sie alle begründet waren. Unzweifelhaft scheint aber Tassilo
seine Feindschaft gegen den König, seine Absicht die Treue zu
brechen, kaum verhehlt zu haben; ja, er hatte sie gebrochen, denn
die Zettelungen mit den Avaren scheinen durch deren späteres Auftreten hinlänglich verbürgt zu werden[1]). Die diesjährige Reichsversammlung ward dazu bestimmt, Tassilo's Sturz zu vollenden.
Der König berief die Versammlung nach Ingelheim[2]), wo er schon
seit Weihnachten Hof hielt[3]). Es war die gewöhnliche Zeit, wo dieselbe stattzufinden pflegte, zu Ende Juni oder in den ersten Tagen
des Juli[4]). Nicht nur die Franken, sondern auch die anderen der
Herrschaft Karl's unterworfenen Volksstämme, Sachsen, Langobarden
und Baiern u. s. w., waren daselbst vertreten[5]). Auch Tassilo erschien, er war, wie die Großen regelmäßig, mit seinen Räthen, Vasallen
u. s. w. besonders dazu geladen worden[6]). Eine bestimmte Kunde

---

[1]) Vgl. o. S. 621 N. 1. Mannert S. 254; Luden IV, 354; Rettberg II, 185 reden
von Spähern, mit denen Karl den Herzog seit seiner Unterwerfung 787 umstellt habe;
die Quellen wissen davon nichts, die Baiern selbst unterrichteten den König auf eigne
Hand von Tassilo's Entwürfen.

[2]) Ann. Laur. mai. l. c.: Tunc domnus rex Carolus congregans sinodum ad iamdictam villam Ingilenhaim; Ann. Einh. l. c.: Cum in eadem
villa (Ingilunheim) generalem populi sui rex conventum fieri decrevisset
— in eodem conventu; Ann. Petav. SS. I, 17 (vgl. III, 170): Eodem
quippe anno fuit placitum Angulisamo (Gest. abb. Fontanell. c. 16, SS. II,
291; Löwenfeld S. 46, an unrichtiger Stelle, s. ebb. N. 5); Ann. Mosellan. 787,
SS. XVI, 497: Hoc anno Karlus rex Francorum placitum suum habuit ad
Ingilinhaim; Ann. Laresham. cod. Laresh. SS. I, 33: et factum est ibi
(sc. in Ingulunhaim) conventum Francorum ceterarumque gentium, qui sub
dominio eorum erant; Fragm. ann. Chesn. ibid.: habuit rex Carlus conventum seu synodum in Inghilinhaim.

[3]) Vgl. o. S. 602 N. 1; 611 N. 1.

[4]) Wie sich daraus ergibt, daß Tassilo am 6. Juli in St. Goar zum Mönch
geschoren wird, vgl. unten S. 626 N. 5. Eine Urkunde, worin Karl einen Gütertausch zwischen Angilram von Metz bezw. dem Kloster Gorze und Bischof Borno von
Toul bestätigt, bei Tabouillot, Histoire de Metz IV, 17 f., vom 11. Juni 788,
ist ohne Ausstellungsort und die Datirung interpolirt, Sickel K. 118; Mühlbacher Nr. 285.

[5]) Ann. Laur. mai., SS. I, 172: Franci et Baioarii, Langobardi et
Saxones vel ex omnibus provinciis qui ad eundem sinodum congregati
fuerunt; Ann. Laresham.: conventum Francorum ceterarumque gentium,
qui sub dominio eorum erant (vgl. o. N. 2).

[6]) Ann. Laur. mai.: ibique veniens Tassilo ex iussione domni regis,
sicut et caeteri eius vassi; Ann. Einh.: Cum . . . Tassilonem ducem sicut
et caeteros vassos suos in eodem conventu adesse iussisset atque ille, ut
ei fuerat imperatum, ad regis praesentiam venisset . . .; Ann. Max. SS.
XIII, 21: Carolus rex Tassilonem ducem ad se venire iussit; Einh. V.
Karoli c. 11: Tassilo tamen postmodum ad regem evocatus; Ann. Lauresham. cod. Laresh. l. c.: Sic venit Tasilo ad domnum regem Carolum
in Ingulinhaim — sed et consiliarii Tassilonis et legatarii ipsius in praesenti adfuerunt; Fragm. Chesn. ibid.; Ann. Guelferb., Nazar., Alam.,
SS. I, 43; St. Galler Mitth. XIX, 238. In kürzeren Annalen wird wenigstens
erwähnt, daß Tassilo in Franciam gekommen sei (Ann. Sangall. brev. ibid.
S. 223; Augiens. Jaffé III, 702; Coloniens. edd. Jaffé et Wattenbach
S. 127). Hinsichtlich des Ausdrucks legatarii vgl. Waitz II, 2, 3. Aufl. S. 117.

von dem, was ihm bevorstand, kann er nicht wohl gehabt haben, aber ebenso wenig wird ihm entgangen sein, daß etwas gegen ihn im Werke war[1]). Die Rollen, scheint es, waren unter seinen Gegnern schon vorher vertheilt. Die fränkischen Königsannalen freilich, die nicht gern etwas sagen, was auf Karl einen Schatten werfen könnte, schweigen, so ausführlich sie bei Tassilo's Verurtheilung verweilen[2]), doch ganz über die ihm bei dieser Gelegenheit widerfahrene äußere Behandlung; aber im Kloster Lorsch, wo er vielleicht seine letzten Lebensjahre zubrachte, scheint man davon gewußt zu haben. Wenigstens findet sich eine genauere Erzählung in Lorscher Klosterannalen. Tassilo's Sturz war ja zum voraus beschlossen, man trug daher kein Bedenken, sich sofort seiner Person zu versichern. Er ward festgenommen und seiner Waffen beraubt, gleichzeitig von Karl eine Gesandtschaft nach Baiern geschickt, um des Herzogs Gemahlin und seine Kinder, seinen Schatz und sein Gesinde herbeizuholen; darauf erst begann gegen ihn die Untersuchung[3]).

Es waren Baiern[4]), die vor dem König und der Reichsversammlung auftraten und die Anklage des Treubruchs gegen ihren

---

Ueber die an alle Großen ergehende Aufforderung zum Erscheinen auf der Versammlung vgl. Waitz III, 2. Aufl. S. 578. Daß aber Tassilo schon das Jahr zuvor in Worms sein Erscheinen in Ingelheim ausdrücklich habe zusagen müssen, wie Martin II, 305 behauptet, steht nirgends.

[1]) Gewiß unrichtig meinen Mederer, Beyträge S. 315; Mannert S. 255, Tassilo sei ganz unbesorgt nach Ingelheim gekommen. Was La Bruère I, 246; Gaillard II, 173 f. über die von Tassilo vorher angestellten Erwägungen wissen wollen, schwebt in der Luft.

[2]) Nach Barchewitz, Das Königsgericht zur Zeit der Merovinger und Karolinger (Histor. Studien V), S. 43 ff, würde sowohl der Bericht der Ann. Laur. mai. wie derjenige der Ann. Lauresh. über diese Verhandlung gegen Tassilo auf eine Hofgerichtsurkunde zurückgehen. W. Arndt (ebd. Vorwort); Bernays a. a. O. S. 9; Brunner, Deutsche Rechtsgeschichte I, 30 N. 4 stimmen dieser Annahme zu. — Eine ältere, von Giesebrecht, Königsannalen S. 194 ff. ausgeführte Ansicht ging dahin, daß die ersteren Annalen ganz speziell die Rechtfertigung des von Karl gegen Tassilo eingeschlagenen Verfahrens bezweckten.

[3]) Annales Nazariani, SS. I, 43: Post haec ergo transmisit iam praefatus rex legatos suos in Baiweriam post uxorem ac liberos iam praefati ducis, qui studiose atque efficaciter iussionem regis implentes adduxerunt haec omnia una cum thesauris ac familia eorum copiosa valde ad iam dictum regem. Cumque haec ita agerentur, comprehensus est iam praefatus dux a Francis, et ablatis armis eius ductus est ante regem; vgl. auch Ann. Guelferb.: et post illum uxor sua ibidem; Ann. Alam., ibid.; St. Galler Mitth. XIX, 238; Fragm. Chesn., SS. I, 33: et ibidem Dasilo venit et uxor sua cum filiabus duabus. — Bernays S. 11 vertheidigt die Darstellung der Ann. Nazar. gegen Barchewitz; vgl. auch Waitz DVG. III, 2. Aufl. S. 112 N. 3. Tassilo's Gefangennahme erwähnen auch Ann. s. Amandi, SS. I, 12: capto Tassilone; Ann. Iuvav. mai. SS. I, 87: captus Tassilo dux; Ann. Iuvav. min.; Ann. s. Emmerammi Ratisp. mai. ib. S. 88. 92.

[4]) Ann. Laur. mai.: et coeperunt fideles Baioarii dicere, quod . . .; Ann. Einh.: crimine maiestatis a Baioariis accusatus est; Chron. Vedastin. SS. XIII, 705; Ann. Lauresham. cod. Lauresh.: . . . consiliarii Tassilonis et legatarii ipsius in praesenti adfuerunt et coram eo ipsum consilium dicebant . . .

Herzog ihm ins Antlitz erhoben, Baiern, welche jene ganze Reihe von Verbrechen aufzählten, bereu er nach seiner Unterwerfung sich schuldig gemacht habe. Und die Berichterstatter fügen hinzu, Tassilo habe sich nicht zu rechtfertigen vermocht, sondern seine Schuld bekennen müssen[1]); er sei vollständig überführt worden[2]). Einerseits war ein solches Geständniß nicht eben von großer Bedeutung. Andrerseits hatten aus dem Munde der Baiern die Anklagen allerdings besonderes Gewicht, sie konnten am besten von dem Treiben, den Entwürfen des Herzogs wissen, sein Bündniß mit den Avaren kann, wie schon bemerkt, keine Erdichtung gewesen sein, auch was ihm außerdem von Aeußerungen seiner feindseligen Gesinnung und Absichten nachgesagt ward, hatte sicher Grund. Das Auftreten der Baiern kann, nach der Haltung, die sie das Jahr zuvor eingenommen hatten, für Tassilo nicht einmal überraschend gewesen sein, auch nicht, wenn selbst Männer aus seiner nächsten Umgebung sich jetzt von ihm lossagten. Die ihn damals zur Nachgiebigkeit gegen Karl bewogen hatten, konnten unmöglich seine späteren, gegen den König gerichteten Schritte billigen; je unmittelbarer sie bei der von Tassilo geleisteten Huldigung betheiligt gewesen, desto mehr fühlten sie sich persönlich gebunden, für die Beobachtung der vom Herzog übernommenen Verpflichtungen einzustehen, betrachteten es als Gewissenssache, sobald er diese Verpflichtungen brach, ihn auf seinem Wege nicht weiter zu begleiten. In dieser Lage befand sich namentlich Bischof Arno von Salzburg; es ist nicht ausdrücklich gesagt, aber nicht zu bezweifeln, daß er infolge von Tassilo's seitheriger Haltung sich von demselben abgewandt hatte, und ist auch die hohe Gunst, worin er schon bald nachher bei Karl stand, kein Beweis, daß Arno gerade zu benen gehörte, die in Ingelheim öffentlich gegen Tassilo auftraten, so wird doch auch dieses durch eine andere Nachricht wahrscheinlich gemacht[3]).

Allein so schwer auch das Zeugniß seiner eigenen Unterthanen gegen den Herzog ins Gewicht fallen mochte, so wenig es ihm auch gelang die Anklagen zu entkräften, so schien dadurch das Schicksal, das man ihm zu bereiten entschlossen war, doch selbst seinen Gegnern noch nicht genügend gerechtfertigt. Mochten einige der gegen ihn

---

[1]) Ann. Laur. mai.: Quod et Tassilo denegare non potuit, sed confessus est; Ann. Einh.: quorum ne unum quidem infitiari coepit; Ann. Lauresh. cod. Lauresh.: et ille nullatenus potuit denegare; Ann. Nazar.: Quod cum ille negare nequaquam praevalere videbatur . . .

[2]) Ann. Laur. mai.: et de haec omnia conprobatus; Ann. Einh.: Sed noxae convictus; Ann. Laur. min. S. 414: Iterum Tassilo convincitur de infidelitate etc.

[3]) Die Annales Lauresham. SS. I, 33 scheinen es in den oben S. 623 N. 4 angeführten Worten: Sed et consiliarii Tassilonis etc. zu sagen. Ueber die entgegenstehenden Ansichten, wonach Arno schon früher von Tassilo sich abgewandt hätte, vgl. oben S. 599 N. 4.

vorgebrachten Beschuldigungen doch nicht hinlänglich erwiesen[1]), mochten sie alle erwiesen, aber die ihm zugedachte Strafe nicht dem Herkommen gemäß sein[2]): man erinnerte sich, sagen die Annalen, seiner früheren Uebelthaten, man zog ihn nachträglich noch zur Verantwortung wegen seines vor 25 Jahren gegen Pippin begangenen Ungehorsams, als er das Heer in Aquitanien verließ[3]). Es war ein durchaus willkürliches Verfahren, auf jenen alten Hergang wieder zurückzukommen, nachdem man Jahrzehnte lang und insbesondere auch bei der Annahme der Huldigung Tassilo's 781 zu Worms und 787 am Lech darüber hinweggesehen; nur Karl's Entschluß um jeden Preis den Herzog zu verderben macht den Schritt erklärlich. Das ihm in solcher Weise zur Last gelegte Verbrechen, der Herisliz, war ein schwereres als die anderen alle, welche ihm die Baiern vorzuwerfen vermochten; es war ein Majestätsverbrechen, auf welchem nach den fränkischen Gesetzen der Tod stand[4]). Darauf sprach die ganze Versammlung, neben Franken, Langobarden, Sachsen und Angehörigen der übrigen Provinzen des Reiches auch Baiern, einmüthig das Todesurtheil über den Herzog aus[5]). Der König ließ es jedoch nicht vollstrecken. Von Mitleid ergriffen, sagen die Annalen, und weil Tassilo sein Blutsverwandter war, erwirkte er von der Versammlung, daß die Todesstrafe nicht

---

[1]) Luden IV, 357 hält Tassilo für unschuldig; Waitz III, 2. Aufl. S. 113 hebt hervor, daß es weniger verbrecherische Thatsachen als unzufriedene Aeußerungen und verdächtige Reden gewesen zu sein scheinen, die gegen ihn vorlagen. Aber an dem Bündniß mit den Avaren wenigstens, an der Thatsache, daß Tassilo sie wirklich herbeigerufen hatte, kann kein Zweifel sein; die Annales Einhardi drücken sich darüber deutlicher aus als die Annales Laur. mai. (o. S. 621 N. 1) und, wie die folgenden Ereignisse zeigen, mit Recht.

[2]). Für schuldig halten den Herzog auch Rudhart S. 322 und Mannert S. 256; aber letzterer bemerkt, daß unter allen diesen von den Baiern vorgebrachten Anklagen nicht ein einziger Punkt gewesen sei, der nach den fränkischen Gesetzen die Verhängung der Todesstrafe erlaubte.

[3]) Annales Laur. mai.: — reminiscentes priorum malorum eius et quomodo domnum Pippinum regem in exercitu derelinquens, et ibi quod theodisca lingua harisliz dicitur, visi sunt iudicasse se eundem Tassilonem ad mortem; vgl. Synod. Fanconofurt. 794. c. 3, o. S. 621 N. 1; Oelsner König Pippin S. 380.

[4]) Ueber das Verbrechen des herisliz vgl. Waitz IV, 2. Aufl. S. 582. Die Annales Einhardi reden nur von einem crimen maiestatis, nennen Tassilo reus maiestatis (vgl. auch Chron. Vedastin.; Ann. Lobiens, wo falsch potestatis, SS. XIII, 705. 229), wobei jedoch eben gerade an das Verbrechen des herisliz zu denken ist; Waitz III, 2. Aufl. S. 309 N. 2 bemerkt ausdrücklich, daß es unrichtig wäre anzunehmen, das Verbrechen des herisliz sei nur neben dem Majestätsverbrechen in Betracht gezogen.

[5]) Annales Laur. mai. oben S. 622 N. 5 und o. N. 3, worauf sie fortfahren: Sed dum omnes una voce adclamarent capitale eum ferire sententiam . . .; Ann. Einh.: uno omnium adsensu ut maiestatis reus capitali sententia damnatus est — licet morti addictum; Ann. Lauresham. cod. Lauresh. SS. I, 33: tunc iudicaverunt eum morti dignum. Einhard in der Vita Kar. c. 11 geht über die Verurtheilung Tassilo's in Ingelheim hinweg, indem er nach der Erzählung der Unterwerfung desselben (im Jahr 787) nur fortfährt: Tassilo tamen postmodum ad regem evocatus, neque redire permissus,

vollzogen wurde[1]); es ist augenscheinlich die Absicht, die Verurtheilung lediglich als das Werk der Reichsversammlung erscheinen,
Karl erst eingreifen zu lassen um durch seine Gnade das strenge
Recht zu mildern[2]). Er richtete, heißt es, an Tassilo die Frage,
was er wünsche daß mit ihm geschehen solle, worauf dieser um
die Erlaubniß bat sich scheeren lassen zu dürfen und ins Kloster
zu gehen, um für seine vielen Sünden Buße zu thun und seine
Seele zu retten; und diese Bitte ward ihm gewährt[3]). Genauer
erzählen den Hergang Annalen des Klosters Lorsch. Tassilo sollte
sogleich an Ort und Stelle geschoren werden, aber er bat den
König flehentlich, daß es nicht hier in der Pfalz zu Ingelheim
geschehen möchte, wegen der Schmach und Schaube vor den Franken[4]). Auch dieses gestand Karl zu; er schickte ihn nach dem nahen
St. Goar und ließ dort, am 6. Juli, die Tonsur zum Kleriker an
ihm vollziehen[5]). Aber seinen dauernden Aufenthalt konnte er

---

neque provincia, quam tenebat, ulterius duci, sed comitibus ad regendum
commissa est. Vielleicht erklärt sich dies Schweigen über das gegen Tassilo in
Ingelheim beobachtete Verfahren nicht lediglich aus der Kürze der Darstellung, sondern
auch aus Rücksicht auf Karl.

[1]) Annales Laur. mai.: iamdictus domnus Carolus piissimus rex motus
misericordia ob amorem Dei et quia cumsanguineus eius erat, contenuit
(wofür in einigen Handschr., auch bei Regino, gesetzt obtinuit) ab ipsis Dei ac
suis fidelibus, ut non moriretur; Ann. Einh.: Sed clementia regis licet
morti addictum liberare curavit; Ann. Lauresham. cod. Lauresh.: Rex
autem misericordia motus super eum, noluit eum occidere . . .

[2]) Mederer, Beyträge S. 315 f.; Mannert S. 257; Luden IV, 358 erblicken
in Karl's Verfahren bloße Heuchelei, wogegen Gaillard II, 175 die in der Begnadi-
gung zum Klosterleben liegende Milde hervorhebt.

[3]) Ann. Laur. mai.: Et interrogatus a iamfato clementissimo domno
rege praedictus Tassilo, quid agere voluisset, ille vero postolavit, ut licentiam haberet sibi tonsorandi et in monasterio introeundi et pro tantis
peccatis poenitentiam agendi et ut suam salvaret animam; hienach Ann.
Max. SS. XIII, 21—22 (Chron. Vedastin. ib. S. 705); Regino SS. I, 560:
terrae prostratus licentiam in monasterium intrandi expetiit; Ann.
Lauresham. cod. Lauresius. SS. I, 33: sed cum ipsius petitione clericum
eum fecit. Auch Ann. Einh. sagen, nach Ann. Laur. mai., Tassilo sei gern
ins Kloster getreten (— quam libenter intravit); nach Ann. Nazar. muß er sich
allerdings wider Willen scheeren lassen (s. die folgende Anmerkung).

[4]) Annales Nazariani, SS. I, 44: Invitus iussus est comam capitis de-
ponere. Ille autem magnis precibus postulabat regem, ut non ibidem in
palatio tonderetur, propter confusionem videlicet atque obprobrium, quod
a Francis habere videbatur.

[5]) Annales Nazariani l. c.: Rex enim precibus eius adquiescens, ad
sanctum Gawarium, qui iuxta Reno flumine in corpore requiescere co-
gnoscitur, eum transmisit, et ibidem clericus effectus est. Das Datum,
6. Juli, gibt Ann. Lauresham. Fragm. Chesn. SS. I, 33: Et ipse Dasilo ad
sancto Goare pridie Nonas Iulias tuuseratus est. Irrig nehmen Mannert
S. 258; Martin II, 305 u. a. Gawarius in den Ann. Naz. für Nazarius, lassen
also Tassilo in Lorsch statt in St. Goar die Tonsur empfangen; falsch in Lorsch
Otto Frising., Chron. V, 29, SS. XX, 226; ungenau auch Ann. Mosellan.
SS. XVI, 497: ibique (d. h. in Ingelheim, vgl. jedoch ebd. N. 52) Dasilo dux
Boioariorum, honore ablato, clericus factus.

hier in der St. Goarszelle natürlich nicht behalten, ſondern er wurde von hier in das ferne Kloſter Gemeticum, Jumiéges an der Seine unterhalb Rouen, gebracht[1]), welches er vielleicht ſpäter mit Lorſch vertauſchte[2]). Letzteres iſt indeſſen nur ſehr ungenügend bezeugt. Der damalige Abt von Jumiéges, Landricus, ſcheint in beſonderem Grade das Vertrauen König Karl's beſeſſen zu haben.

Der König war aber nicht damit zufrieden Taſſilo's ſelbſt ſich entledigt zu haben, er fand es nöthig, auch ſeine Angehörigen un= ſchädlich zu machen. Auch Taſſilo's Söhne, Theodo und Theotbert, wurden geſchoren und ins Kloſter geſchickt; Theodo erhielt die Tonſur im Kloſter St. Maximin in Trier, Theotbert kam ohne

---

Die Thatſache, daß Taſſilo geſchoren bezw. ins Kloſter geſteckt wurde, wird auch ſonſt vielfach beſtätigt; vgl. Ann. Einh.: Nam mutato habitu in monaste-rium missus est, ubi tam religiose vixit quam libenter intravit; Ann. Pe-tav. SS. I, 17: et Taxilo dux tonsus est, hienach Gest. abb. Fontanell. c. 16, SS. II, 291 (Löwenfeld S. 46); Ann. Lauresham. cod. Lauresh.; Ann. Guelferb., Alam., SS. I, 43; St. Galler Mitth. XIX, 238; Ann. Iuvav. mai. und min. SS. III, 122; I, 88; Ann. Max. SS. XIII, 22; Ann. Laur. min. S. 414: tonsoratur et in monasterio mittitur etc. Im Datum einer Urkunde vom 28. April 790, Meichelbeck, Hist. Frising. I b, 80 Nr. 100: anno, quo domnus rex Karolus Bawariam acquisivit ad (ac) Tassilonem clericavit, vgl. Hundt in Abhh. der hiſt. Cl. der Münchner Akad. XII, 1, 213; Mühlbacher S. 110; Synod. Franconofurt. 794. c. 3, Capp. I, 74 (ut secum haberet in monasterio). In den Ann. Quedlinburg. SS. III, 39 heißt es: uterque (sc. Tassilo et Thiado filius eius) monachi facti; auch in dem Necrol. Laures-ham. Böhmer, Fontt. III, 151: Thassilo dux ex laico monachus und in ſeiner Grabſchrift: Thassilo dux primum, post rex, monachus sed ad imum (vgl. Graf Hundt a. a. O. S. 193). Wir haben aber geſehen, daß Taſſilo nach den beſten Zeugniſſen, wenigſtens vorläufig, nur zum Kleriker geſchoren wurde — etwa wie 818 die Halbbrüder Ludwig's d. Frommen, vgl. Simſon, Jahrbücher I, 127 N. 5 und die nächſte Anmerkung.

[1]) Ann. Petav. l. c.: retrususque Gemitico monasterio (Gest. abb. Fontanell. l. c.); Ann. Mosellan 787, SS. XVI, 497: et ad Gemeticum ductus; Ann. Nazar. SS. I, 44: et exinde exiliatus est ad cenubium quod appellatur Gemedium. Ueber den damaligen Abt Landricus von Jumiéges, welcher auf Karl's Befehl mit dem Grafen Richard ein Verzeichniß der Güter des Kloſters St. Wandrille aufnahm, vgl. Gest. abb. Fontanell. c. 15, SS. II, 290; Löwenfeld S. 45. — Die Angabe Ademar's, SS. IV, 118, Taſſilo ſei mit Theodo Mönch geworden in Olto monasterio, ubi s. Bonifacius requiescit, alſo in Fulda, verdient keinen Glauben, wird von Eckhart I, 726 mit Unrecht zu halten geſucht, vgl. auch unten S. 628 N. 1. -- Unter exilium iſt nicht ſowohl Verbannung als Ein-ſchließung zu verſtehen, Waitz IV, 2. Aufl. S. 515 N 3. Hinſichtlich der Wahl von Jumiéges vgl. Oelsner, König Pippin S. 388; o. S. 201.

[2]) Dies iſt allerdings nur durch ſpätere Quellen bezeugt, die ſogar zum Theil nicht von Lorſch, ſondern von Lorch reden, ſ. Ottonis Frising. chron. V, 29 (vgl. oben S. 626 N. 5); Ann. duc. Bavariae. SS. XVII, 366; Hist. Cre-mifan. SS. XXV, 660 N. 5; 667; Aventin, Bayeriſche Chronik III, 84, Werke V, 144: „Und wurden alſo (Taſſilo nebſt Gemahlin und Sohn) verstossen von land und leuten, verspert in das closter Larſe am Rein in der alten Pfalz ligend; vgl. Falk, Geſch. des Kloſters Lorſch S. 26 ff. 149 ff.; Riezler, Münchner B. 1881. I, 259; Bernays a. a. O. S. 10 N. 1 (dagegen aber Pückert a. a. O. S. 132 N. 14; Necrol. Lauresham. Böhmer l. c. — Ma-billon, Ann. Ben. II, 290, nimmt an, Taſſilo und Theodo ſeien von St. Goar bezw. St. Maximin zunächſt beide nach Lorſch und dann nach der Frankfurter Synode (794) nach Jumiéges gebracht worden, um ſie weiter von Baiern zu entfernen. In Jumiéges, vermuthet er, ſeien ſie geſtorben.

Zweifel in ein anderes Kloster, das aber nirgends angegeben ist[1]). Des Herzogs Gemahlin Liutperga nahm ebenfalls den Schleier, man hört aber nicht, welches Kloster Karl ihr anwies[2]); und auch die Töchter, deren Namen Cotani und Hrodrud lauteten[3]), theilten das Schicksal der Eltern[4]); aber auch sie durften nicht beisammen bleiben, die eine nahm das Kloster Cala, Chelles bei Paris, die andere Laudunum, Laon, auf[5]).

Taſſilo tritt ſechs Jahre ſpäter, auf der Frankfurter Synode, noch einmal vor die Oeffentlichkeit; aber nur gezwungen, nur um noch förmlicher als 788 geschehen und scheinbar freiwillig die Herrschaft über Baiern dem König zu überlassen und dann für immer in die Einsamkeit und das Dunkel zurückzutreten[6]). Karl empfand das Bedürfniß, durch diese angeblich freiwillige Verzichtleistung des

---

[1]) Annales Nazariani, SS. I, 44: Duo quoque filii eius, his nominibus Theoto et Theotbertus, utrique tonsorati atque exiliati sunt; Ann. Lauresham. Fragm. Chesn., SS. I, 33: et filius eius Teudo ad beatum Maximinum comam capitis sui deposuit. In den großen Reichsannalen ist auch nur von diesem Sohne des Herzogs die Rede, Ann. Laur. mai.: Similiter et filius eius Theodo deiudicatus (diiudicatus v. l.) est et tonsoratus et in monasterio missus; Ann. Einh.: Similiter et Theodo, filius eius, tonsus et monasticae conversationi mancipatus est; vgl. ferner Ann. Herveld. (Lorenz S. 87). Daß Theodo in dasselbe Kloster mit Tassilo geschickt wurde, wie das Chron. Vedastinum (SS. XIII, 705) und Ademar wollen, ist nicht glaublich.

[2]) Ann. Lauresham. Fragm. Chesn. l. c.: et ipsius uxor velamen sibi imposuit; die Annales Nazariani l. c. sagen: exiliata esse conprobatur; vgl. auch Ann. Guelferb., Alam., SS. I, 43; St. Galler Mitth. XIX, 238. Was Rudhart S. 323 zu der unbestimmten Erwähnung von Kochsee im Sprengel von Augsburg bewogen hat, ist nicht zu sehen. Ebendahin soll sich jedoch die fränkische Königin Gisela begeben haben, in der man die Gemahlin des letzten, von Pippin entthronten Merovingers Childerich III. erblicken will. Daß Rettberg II, 167. 186 unrichtig ohne weiteres Kochsee angibt, bemerkt schon Büdinger I, 123 N. 5. Luden's Verdacht, IV, 358, ist willkürlich.

[3]) Riezler, Gesch. Baierns I, 170 N. 1 hält die Namen Cotani und Hrodrud, welche in das Verbrüderungsbuch von St. Peter in Salzburg, ed v. Karajan S. 4. 7, eingetragen sind, für diejenigen der Töchter des bairischen Herzogspaares. Allerdings folgen jene Namen im Verbrüderungsbuch auf Tassilo, Liutpirga, Deoto, vgl. Karajan p. XXXI Anders freilich Karajan in der Einleitung p XXXI—XXXII und Dümmler, Piligrim von Passau S. 9. 154 N. 13, vgl. unten Bd. II. z. J. 795. Dagegen theilt auch Herzberg-Fränkel im N. Archiv XII, 66 N. 3; 95 vollkommen Riezler's Meinung. In dem Frankfurter Capitular von 794, c. 3, Capp. I, 74 ist ebenfalls von Tassilo's Söhnen und Töchtern die Rede, aber nicht von seiner Gemahlin, welche vielleicht nicht mehr lebte.

[4]) Vgl. auch Ann. Guelferb., Alam., SS. I, 43; St. Galler Mitth. XIX, 238: et uterque (Tassilo und seine Gattin) cum filiis eorum exiliati sunt.

[5]) Ann. Lauresham. Fragm. Chesn. l. c.: — et filias eius, unam ex illis transmisit ad Cala monasterio et aliam ad Lauduno monasterio. — Bei Laon ist an das dortige Marien-Frauenkloster (später St. Jean) zu denken, in welchem im J. 830 sich die Kaiserin Judith aufhielt, vgl. Mabillon, Ann. Ben. II, 290. 527. Ueber die Verbannung bairischer Großer vgl. Annales Laur. mai. l. c. (Chron. Vedastin. SS. XIII, 705); Ann. Einhardi l. c.; unten S. 643.

[6]) Synod. Franconofurt. c. 3, Capp. I, 74; Annales Lauresham. SS. I, 36; Chron. Moissiac. cod. Moiss. SS. I, 301—302 (wo auch das Capitular benutzt ist; Forschungen zur deutschen Geschichte XIX, 128—129). Vgl. später im 2. Bande.

Herzogs die Berechtigung ſeiner eigenen Herrſchaft in Baiern dar=
zuthun: Taſſilo's frühere Verurtheilung, ſieht man, ward noch
immer nicht als gerechtfertigt angeſehen. Der Form nach iſt ſeine
Angelegenheit erſt damals, 794, zum völligen Abſchluß gebracht,
thatſächlich iſt ſein eigenes und das Schickſal Baierns ſchon 788
entſchieden. Mit der Selbſtändigkeit Baierns war es zu Ende[1]),
und ſo verzeichnet denn auch ein gleichzeitiger Chroniſt zu dieſem
Jahre: „Der allmächtige Gott kämpfte für den Herrn König Karl,
wie er für Moſes und die Kinder Iſrael that, als Pharao verſenkt
wurde im rothen Meere: ſo gab Gott der gewaltige Streiter ohne
jeden Krieg und Kampf das bairiſche Reich in die Hand des großen
Königs Karl[2])." Mit den Mitteln, deren Karl ſich zur Erreichung
ſeines Zweckes bediente, war er nicht wähleriſch geweſen[3]); aber
ſein Zweck entſprach den Verhältniſſen der Zeit, das Ergebniß war
für Baiern ſelbſt wie für das Reich ein wohlthätiges. Es war
garnicht möglich, daß der fränkiſche König, nachdem ſonſt im Reiche
alle ſelbſtändigen Gewalten und Herrſchaften gebrochen waren,
zuletzt vor Baiern ſtehen blieb; es war um Baierns und um des
ganzen Reiches willen vom größten Werthe, daß Baiern nicht durch
eine längere Fortdauer ſeiner Sonderſtellung den übrigen deutſchen
Stämmen immer mehr entfremdet, daß es vielmehr vollſtändig mit
denſelben vereinigt wurde; Karl hätte, wenn er darauf verzichtete,
wenn er auf halbem Wege ſtehen blieb, von allen Ueberlieferungen
der Politik ſeines Großvaters, ſeines Vaters und ſeiner eigenen ſich
losſagen müſſen. Nicht auf ſeinen Entſchluß ſelbſt, nur auf die
Wahl des Zeitpunkts, wo er ihn ausführte, haben die augenblick=
lichen Verwickelungen der politiſchen Lage beſtimmend eingewirkt,
und auch in dieſer Beziehung gab der Erfolg ihm Recht.

Durch Taſſilo's Sturz waren die Reihen der Gegner des
Königs durchbrochen, noch ehe ſie den Kampf gegen ihn aufge=
nommen hatten. Der nächſte Feind war vernichtet; Schlag auf

---

[1]) Die Eroberung von Baiern bezw. die Abſetzung Taſſilo's wird auch in vielen
kürzeren Jahrbüchern erwähnt, vgl. Ann. s. Amandi; Ann. Alam., Sangall. brev.,
Augiens.; Ann. Fuld. ant. SS. III, 117*; Ann. Laur. min.; die Hersfelder
Annalen u. ſ. w. — Bairiſche Urkunden datiren regnante Charlo rege primo
anno quando adquisivit gentem Baiuwariorum (Mon. Boica XXVIIIb,
13. 16. 19. 31); auch: anno, quo domnus rex Karolus Bawariam acquisivit
(oben S. 626 N. 5). Im Indiculus Arnonis, ed. Keinz S. 26 heißt es: eodem
anno, quo ipse Baioariam regionem ad opus suum recepit. Mühlbacher
S. 110.

[2]) Annales Petaviani, SS. I, 17: et idem anno pugnavit omnipotens
Deus pro domno rege Karolo, sicut fecit pro Moyse et filios Israel, quando
demersus fuit Farao mari rubro: sic Deus potens praeliator sine bello et
absque ulla altercatione tradidit regnum Bawarium in manu Karoli magni
regis (hienach Gest. abb. Fontanell. c. 16, SS. II, 291; Löwenfeld S. 46).
In Bezug auf den Hergang ſagt auch Gaillard II, 176 nicht unrichtig: Ce fut
une exécution de justice, et non une expédition militaire.

[3]) So unbedingt verwerflich, wie beſonders Mannert S. 251 ff. und Luden
IV, 354 ff. das Verfahren Karl's gegen Taſſilo darſtellen, war es aber nicht; hin=
gegen geht auf der anderen Seite auch Gaillard zu weit.

Schlag folgten die Niederlagen der anderen, von vier siegreichen Treffen wissen die Annalisten zu berichten, sie geben die Zeit derselben nicht an, aber innerhalb weniger Monate haben sie stattgefunden; als das Jahr zu Ende ging, war Karl aller seiner Feinde Herr und mächtiger als je vorher.

Von erheblichen Gefahren war Karl's Stellung in Italien bedroht gewesen. Hier hatte er aber schon vor dem Sturze Tassilo's seine Lage verbessert. Beinahe schon ein Jahr hatte die Ungewißheit in Betreff Benevents gedauert, Karl hatte zu keinem Entschlusse über das Schicksal Grimoald's kommen können; noch ehe er in Baiern zum Ziele gelangte, traf er jedoch auch hier die Entscheidung. Soviel zu sehen, hatte nicht am wenigsten der Widerspruch des Papstes gegen die Einsetzung Grimoald's den König verhindert sein letztes Wort zu sprechen. Auch währte dieser Widerstand fort. Jene Schreiben Hadrian's an Karl aus der ersten Hälfte des Jahres 788[1]), worin er dem Könige Mittheilungen über die angeblichen höchst verrätherischen Zettelungen des verstorbenen Herzogs Arichis mit den Griechen, von der Ankunft der griechischen Spathare, dem Aufenthalt und den Intriguen derselben in Neapel macht — Alles, wie es ihm der Presbyter Gregor von Capua berichtet hatte —, lassen keinen Zweifel an der Fortdauer seiner Absicht, die Einsetzung Grimoald's in Benevent zu hintertreiben[2]). Zu diesem Zweck sparte er keinen Versuch, spielte er jeden Trumpf aus, suchte er in jeder Weise Karl Besorgniß vor den Griechen und Adelchis einzuflößen, falls er nicht, seinem Rathe gemäß, von jener Einsetzung des Herzogs Abstand nähme.

Hadrian erreichte jedoch seinen Zweck nicht. Schon vor Tassilo's Fall, etwa im Mai 788[3]), entschloß sich Karl den Wünschen der Beneventaner zu willfahren und Grimoald die Rückkehr nach Benevent und die Uebernahme der Herrschaft seines Vaters zu gestatten. Grimoald mußte eidlich versprechen, die fränkische Oberhoheit anzuerkennen, als Zeichen dieser Anerkennung den Namen Karl's auf seine Münzen zu setzen und in seine Urkunden aufzunehmen und

---

[1]) Cod. Carolin. Nr. 85. 86 (jedenfalls nach dem 22. bezw. nach dem Januar 788 geschrieben), Jaffé IV, 256—263; vgl. oben S. 566. 605 f.

[2]) Wie Hadrian auch selber schreibt; quia numquam voluimus, ut Grimualdus Arichis (sic) Beneventano remeasset, Cod. Carol. 87, S. 263.

[3]) Vgl. Bethmann, in Pertz, Archiv X, 269 N. 1; Meo, Annali III, 163; F. Hirsch in Forschungen XIII, 65 N. 1. Bethmann setzt Grimoald's Rückkehr in das Frühjahr; Meo und Hirsch in den Mai. Dem entsprechend nimmt Malfatti, II, 380 an, daß Karl in der Zeit von März bis April, vielleicht zum Osterfest (30. März) die für Grimoald günstige Entscheidung traf. Nach dem Sturze Tassilo's setzt sie dagegen Venediger S. 50; ebenso früher Abel, Forschungen I, 526 N. 5, erst in den Spätsommer, was aber mit einer unrichtigen Datirung von Cod. Carol. N. 86 zusammenhing, vgl o. S. 599 N. 3; 602 N. 2. In einer Urkunde Grimoald's bei Ughelli VIII, 37 lautet das Datum am Schluß auf den Juni der 12. Indiction (789) und nennt Grimoald's zweites Regierungsjahr, was zu der Vermuthung führt, schon vor dem Juni 788 habe Grimoald die Herrschaft angetreten. Allerdings stimmt es da-

den Beneventanern zu verbieten, Kinnbärte zu tragen[1]). Daß er
ſich, wie erzählt wird, außerdem auch habe verpflichten müſſen die
Mauern von Couſa, Salerno und Acerenza zu ſchleifen, verdient
keinen Glauben[2]). Im übrigen ſollte natürlich die Abhängigkeit
und Tributpflicht Benevents beſtehen bleiben, zu welcher ſich bereits
Arichis im Jahr 787 hatte verſtehen müſſen und die nur noch
enger ward. Unter dieſen Bedingungen ward Grimoald von Karl
freigelaſſen und als Herzog von Benevent anerkannt[3]). Noch im
Frühjahr trat er die Rückreiſe nach Benevent an und wurde vom
Volke mit Jubel empfangen[4]). Angeblich ſollen zwei vornehme
Männer aus Karl's Umgebung, Authari und Paulipert, ihn im

---

mit nicht überein, daß in derſelben Urkunde Karl's 20. Regierungsjahr gezählt wird:
Regnante domino piissimo Carolo magno rege Francorum et Langobardorum ac patritio Romanorum, anno regni illius vigesimo, firmamus nos
dominus vir gloriosissimus Grimoaldus . . . Daß Grimoald im September bereits in Benevent war, zeigt auch die Urkunde bei Gattula, Accessiones ad historiam abbatiae Cassinensis S. 17, und geht außerdem auch ſchon aus dem Zuſammenhang der Ereigniſſe hervor. Vgl. ferner Mühlbacher S. 108—109, welcher
darauf hinweiſt, daß nach einer Urkunde für La Cava, Cod. dipl. Cavens. I, 5
Nr. 4, Grimoald's Regierungsjahr im September bereits umgeſetzt iſt.

Mit Unrecht läßt Erchempert den König die Bitte der beneventaniſchen Geſandtſchaft um Einſetzung des Grimoald ſogleich erfüllen, vgl. die folgende Anmerkung;
derſelbe Irrthum im Chronicon Salernitanum c. 23. 24, SS. III, 484, welches auch
Grimoald's Rückkehr gleich nach dem Tode ſeines Vaters ſtattfinden läßt.

[1]) Erchempert. Historia Langobardorum Beneventanor. c. 4, SS. rer.
Langob. S. 236: Sed prius eum sacramento huiusmodi vinxit, ut Langobardorum mentum tonderi faceret, cartas vero nummosque sui nominis
caracteribus superscribi semper iuberet; Ann. Max. 787, SS. XIII, 31 (per
terribile sacramentum). Ueber die Beſtimmung wegen der Kinnbärte vgl. Muratori, Annali ad a. 788. (Aehnlich iſt es, wenn es von den Spoletinern und Rie-
tinern, welche ſich 773 dem Papſt unterwarfen, heißt: more Romanorum tonsorati
sunt, V. Hadriani I., Duchesne l. c. S. 495 - 496; wenn Arichis dem griechiſchen Hofe verſprochen haben ſoll, tam in tonsura quam in vestibus usu Grecorum perfrui sub eiusdem imperatoris dicione, Cod. Carolin. Nr. 86, Jaffé
IV, 260; vgl. o. S. 566. 605.) Daß neben Karl's Namen nicht auch ſein Bild auf die
Münzen geſetzt werden ſollte, was la Farina II, 25 behauptet, bemerkt ſchon Giannone I, 392. Hinſichtlich der Urkunden vgl. unten S. 632 N. 2; übrigens auch
Bd. II. z. J. 792.

[2]) So die Erzählung des Chronicon Salernitanum c. 24, SS. III, 484
(vgl. auch SS. rer. Langob. S. 236, h), die aber in den meiſten Einzelheiten durchaus ſagenhaft iſt.

[3]) Ann. Laur. mai., SS. I, 174: duce Grimoaldo, quem domnus rex
Carolus posuit ducem super Beneventanos; Ann. Einhardi, SS. I, 175:
Grimoldus, qui eodem anno post mortem patris dux Beneventanis a rege
datus est; Ann. Max. 787, SS. XIII, 21: Et Grimoldum per terribile sacramentum constituit ducem super Beneventum; Ann. Altahens. 787, SS.
XX, 783: Mortuo Harigiso Grimoldum filium statuit Beneventanis; Erchempert. c. 4, SS. rer. Langob. S. 236: Quorum petitionibus rex annuens.
illic continuo predictum contulit virum simulque ius regendi principa-
tus largitus est; Chron. Salern. c. 24. 25, SS. III, 484. Vgl. unten Bd. II.
z. J. 792.

[4]) Erchempert. l. c.: Accepta denique licentia repedandi, a Beneventi civibus magno cum gaudio exceptus est; Chronicon Salernitanum
c. 26, SS. III, 484.

Auftrage des Königs begleitet haben, um seine Treue zu sichern; Grimoald aber, so wünschte es Karl, sollte sie in seinem Vaterlande in hohen Ehren halten, reich mit Besitzungen ausstatten und sich mit einem Mädchen aus ihrem vornehmen Geschlechte vermählen[1].

Man sieht, Karl suchte seinen Einfluß auf den jungen Herzog auch für die Zukunft in jeder Weise sicher zu stellen. Allerdings dauerte es nicht lange, so entzog sich der Herzog den gegen Karl übernommenen Verpflichtungen, vermählte sich mit einer griechischen Prinzessin Wantia und führte einen vollständigen Bruch mit Karl herbei[2]. Dennoch war Karl bei der Lage der Dinge kaum eine andere Wahl geblieben als den Grimoald freizugeben; es war das richtige und wohl einzige Mittel, um die Beneventaner vom Anschluß an die Griechen abzuhalten, den Umtrieben der letzteren sowie denen des Papstes den Boden zu entziehen. Und schon damit war viel gewonnen, wenigstens für den zunächst bevorstehenden Kampf mit den Griechen hatte Karl Benevent von diesen ab und auf seine Seite gezogen.

Die Griechen nämlich gaben ungeachtet der Rückkehr Grimoald's nach Benevent ihre kriegerischen Pläne gegen Karl nicht auf. Ihre Rüstungen waren schon so weit vorgeschritten, daß nicht lange darauf der Kampf ausbrach. Aus Constantinopel waren der Saccellarius und Logothet der Miliz, Johannes, und Adelchis[3] schon früher in Italien angekommen. Jetzt eröffnete der Patricius von Sicilien, Theodoros, mit jenem Johannes und einem dritten byzantinischen Großen, wohl Adelchis, vereinigt den Krieg, indem sie byzantinische Streitkräfte auf einer Flotte in Italien landeten[4].

---

[1] Chronicon Salernit. c. 25; Authari und Paulipert sind langobardische Namen; vgl. auch Malfatti II, 381.

[2] Erchempert. c. 5. l. c.; unten Bd. II. z. J 792. — Auf das bloße Fehlen von Karl's Namen in Grimoald's Urkunden scheint man indessen nicht zu viel Gewicht legen zu dürfen; schon in jener Urkunde bei Gattula S. 17, oben S. 630 N. 3, da doch an Abfall von Karl noch nicht zu denken ist, wird dieser nicht genannt, während die spätere Urkunde, bei Ughelli VIII, 37, wieder seine Regierungsjahre zählt.

[3] Vgl. oben S. 606.

[4] Theophanes ed. de Boor I, 464, vgl. die Stellen oben S. 569 N. 6 und unten S. 634 N. 2; ferner über die Zeit der Ankunft des Adelchis (und Johannes?) in Italien, um November 787, Jaffé IV, 253 N. 2, und über den Theodoros Cod. Carolin. Nr. 85. 86, ib. S. 258. 260: cum diucitin (= dioeceten). quod Latine dispositor Siciliae dicitur — cum diucitin Siciliae; Ann. Einh. SS. I, 175: Interea Constantinus imperator, propter negatam sibi regis filiam iratus (vgl. o. S. 569 N. 2) Theodorum patricium, Siciliae praefectum, cum aliis ducibus suis fines Beneventanorum vastare iussit; Chron. Moissiac. cod. Moiss. 789, SS. I, 298 f. (wahrscheinlich aus den erweiterten Ann. Lauresham.): Tres patricii ex Constantinopoli cum classe navium venerunt in Italiam, ut eam ad ditionem Graecorum revocarent; Alcuin. epist. 14, Jaffé VI, 167: Greci vero tertio anno (zwei Jahre vor 790) cum classe venerunt in Italiam. Hiezu Dümmler in S. B. der Wiener Akad. phil.-hist. Cl. XX, 383 N. 2; Harnack S. 31. — Venediger S. 51 N. 3 vertheidigt den Be-

Der Plan scheint in der That auf nichts geringeres hinausgelaufen zu sein als Adelchis als byzantinischen Vassallenfürsten wieder auf den Thron zu setzen, Italien wieder der griechischen Oberhoheit zu unterwerfen. Der erste Angriff galt Benevent, und wären die Aussagen jenes Presbyters Gregor glaubwürdig, so hätten die Griechen in der That darauf rechnen dürfen, daß man in Benevent dem Anschluß an sie günstig gestimmt sein, in Grimoald bringen würde, die griechische statt der fränkischen Oberhoheit anzuerkennen[1]). Allein Grimoald täuschte jedenfalls solche Erwartungen, schlug sich auf die Seite der Franken, freilich nicht ausschließlich, wie es scheint, aus eigenem Antriebe, sondern mehr oder weniger auch unter dem Drucke der von Karl ergriffenen Maßregeln, überhaupt weil er nach seiner ganzen Lage nicht anders konnte. Karl wußte längst, daß ihm ein griechischer Angriff in Italien bevorstand. Er forderte den Papst auf, ihn von Allem, was er in dieser Beziehung erfahre, schleunig in Kenntniß zu setzen. Hadrian entsprach diesem Verlangen, indem er ihm briefliche Mittheilungen im Original zusandte, welche er über Adelchis und die Anschläge der Griechen von den Bischöfen Stephan von Neapel und Campulus von Gaëta erhielt[2]). Er verband damit eine Bitte an den König, die verheißenen Truppen zu seinem Schutze bereit zu halten[3]). Der erste Anprall der Griechen, die in Calabrien standen, traf Benevent und Spoleto, die Haltung der beiden Herzöge Grimoald und Hildiprand war daher für den Augenblick entscheidend. Karl that in der Eile was er konnte, schickte den Winigis (den späteren Nachfolger des Hildiprand in Spoleto) als seinen Bevollmächtigten mit einer kleinen fränkischen Streitmacht nach Unteritalien, um die Aktion der Herzöge zu überwachen, zu unterstützen und zu leiten[4]). Die langobardischen Herzöge ließen es nicht an sich fehlen. Sie boten ihre Truppen auf, soviel eben zusammenzuraffen waren, rückten vereinigt mit Winigis und seinen fränkischen Leuten den Griechen nach Cala-

richt des Theophanes gegen Jaffé; er meint, daß Adelchis, welcher bei den Verhandlungen der beiden griechischen Spathare und des Statthalters von Sicilien mit dem beneventanischen Hofe nicht erwähnt wird, wahrscheinlich in der Zwischenzeit nach Constantinopel zurückgekehrt sein werde. Er gibt zu, daß die Darstellung des Theophanes ungenau ist, glaubt jedoch nicht, daß darin Ereignisse der Jahre 787 und 788 mit einander vermengt seien.

[1]) Vgl. Jaffé IV, 261, oben S. 616 N. 1.

[2]) Jaffé IV, 264, über Bischof Stephan von Neapel vgl. o. S. 616 N. 5; Forschungen I, 526 N. 6; ferner Gest. und Catal. epp. Neapolitan. SS. rer. Langob. S. 425 ff. 438.

[3]) Jaffé l. c.

[4]) Annales Laur. mai.: et fuit missus Wineghisus una cum paucis Francis, ut praevideret eorum omnia quae gessissent; Ann. Einh.: habentes secum legatum regis Winigisum, qui postea in ducatu Spolitino Hildibrando successit; Chron. Moiss. cod. Moiss. 789 l. c.: cum misso Karoli regis; Ann. Max. SS. XIII, 22, ungenau: ubi ex Francis fuerunt missi domni Caroli regis. Daß Pippin den Winigis geschickt, ist bloße, unzutreffende Vermuthung von Sigonius S. 153 u. a. Vgl. übrigens hinsichtlich der Worte una cum paucis Francis Waitz IV, 2. Aufl. S. 612 N. 2 u. o. S. 452 N. 5.

brien[1]) entgegen und brachten ihnen eine Niederlage bei[2]). Es war ein Sieg, welcher dem Herzog Grimoald von Benevent noch auf seinem Grabmal verewigt wurde, eine Niederlage, die auch von griechischer Seite eingestanden wird. Während die Langobarden und Franken, wie es heißt, keine bedeutenden Verluste erlitten[3]), sollen die Griechen, welche auf ihre Schiffe flohen, eine große An= zahl Todter auf dem Schlachtfeld, viele Gefangene und reiche Beute in den Händen der Sieger, welche sie in ihr Lager brachten, gelassen haben. Ihre Einbuße an Todten wurde auf 4000, die an Gefangenen auf 1000 geschätzt[4]). Zu den Gefangenen scheint der Bruder des Patriarchen Tarasius von Constantinopel, Sisin= nius, gehört zu haben, welchem Karl zehn Jahre später die Heim= kehr gestattete[5]). Unter denen, welche den Tod erlitten, befand sich der Saccellarius Johannes, den die Franken grausam umgebracht

---

[1]) Der Ort der Schlacht ist nicht bekannt. Nach Ann. Einh. führen die grie= chischen Befehlshaber die Weisung aus, das beneventanische Gebiet zu verwüsten, worauf ihnen Grimoald u. f. w. in Calabria entgegentreten. Ebenso rühmt das Epitaph Grimoald's, daß er die Griechen aus seinem Gebiet vertrieben habe (unten N. 2). So nimmt denn auch Strauß S. 33 N. 4 an, die Schlacht habe im beneventanischen Theile Calabriens stattgefunden. Dagegen meint Hirsch, a. a. O. S. 67, daß die Griechen sich vor den Herzögen in ihr eigenes Gebiet nach Calabrien zurückgezogen hatten und es hier zur Schlacht kam. In der Hauptsache ebenso Venediger S. 52, bei dem jedoch Hildiprand und Grimoald den Einmarsch der Griechen in Benevent nicht abwarten, sondern denselben nach Calabrien ent= gegenrücken. Jedenfalls wird an eine Gegend nicht weit von der beneventanisch= griechischen Grenze im Südosten der italienischen Halbinsel zu denken sein.

[2]) Ann. Laur. mai.: Eodemque anno commissum est bellum inter Grecos et Langobardos, id est duce Spolitino nomine Hildebrando seu duce Grimoaldo ... et fuit missus Wineghisus etc. Et auxiliante Domino victoria est facta a Francis seu supranominatis Langobardis; Ann. Einh.: Qui cum imperata exsequerentur, Grimoldus ... et Hildibrandus dux Spo- litinorum cum copiis, quas congregare potuerunt, in Calabria eis occurre- runt, habentes secum legatum regis Winigisum ... Commissoque proelio ... victores facti ... vgl. ferner Ann. Max. l. c.; Ann. Sith. SS. XIII, 36; Ann. Enhard. Fuld. SS. I, 350; Chron. Vedastin. SS. XIII, 705 (wo die Dinge sehr verwirrt sind). Chron. Moissiac. l. c.: quos Langobardi cum misso Karoli regis debellati sunt; Alcuin. epist. 14, Jaffé VI. l. c.: et a ducibus regis praefati victi; Grabschrift Grimoald's, Poet. Lat. aev. Carol. I, 430 Nr. 1, v. 21—22:

Cum Danahis bellum felici sorte peregit,
Finibus et pellit belliger ipse suis.

Theophanes ed. de Boor l. c. (Johannes und Adelchis) κατῆλθον οὖν σὺν Θεοδώρῳ πατρικίῳ καὶ στρατηγῷ Σικελίας· καὶ πολέμου κροτηθέντο., ἐκρα- τήθη ὑπὸ Φράγγων ὁ αὐτὸς Ἰωάννης.

[3]) Annales Einhardi l. c., die aber vielleicht etwas übertreiben: sine suo suorumque gravi dispendio.

[4]) Ann. Einh.: Commissoque proelio, inmodicam ex eis multitudinem ceciderunt, ac ... victores facti, magnum captivorum ac spoliorum nu- merum in sua castra retulerunt; Alcuin. epist. 14 l. c.: fugerunt ad naves. Quattuor milia ex illis occisi et mille captivi feruntur.

[5]) Vgl. Ann. Lauriss. mai.; Ann. Einh. 798, SS. I. 184. 185 (iamdu- dum in Italia proelio captum — olim in proelio captum); Leibniz, Ann. imp. I, 199; Harnack S. 31 N. 4; Strauß S. 34 N. 2 u. unten Bd. II z. J. 798.

haben sollen[1]). Adelchis, dessen Theilnahme an dieser Schlacht kaum bezeugt ist, lebte bis in sein Alter als Patricius in Constantinopel[2]).

Dieser eine Sieg[3]) reichte aus um Italien von den Griechen zu säubern, die Kriegsgefahr von dieser Seite abzuwenden; gleich darauf brachen in Constantinopel Zerwürfnisse zwischen Irene und ihrem Sohne aus, infolge deren man es vorläufig ganz aufgab den Kampf in Italien fortzusetzen[4]). So hatte Karl seine alte Stellung auf der Halbinsel behauptet. Andere Ereignisse, von denen alsbald die Rede sein wird, trugen dazu bei sie sogar noch zu verstärken.

Der üble Eindruck, welchen Hadrian's Verkehr mit den Griechen, seine Betheiligung an der Synode von Nicäa auf Karl hervorgebracht, wurde durch die Haltung des Papstes in den darauf folgenden stürmischen Zeiten nicht verwischt. Hadrian hatte, indem er den König von den Vorgängen in Italien in Kenntniß setzte, nur gethan, was sein eigenes Interesse forderte; während Karl von schweren Bedrängnissen umringt, das Reich den Angriffen zahlreicher Feinde ausgesetzt war, hatte der Papst nicht aufgehört dem Könige mit seinen Ansprüchen auf Vermehrung der Besitzungen der römischen Kirche anzuliegen, hatte sich in seinen Briefen an den König über dessen Bevollmächtigte starker Ausdrücke bedient, zu denen er früher nie zu greifen gewagt[5]). Jetzt waren die Verhältnisse Benevents geregelt, und zwar im Widerspruch mit den Wünschen und Vorstellungen des Papstes; auch in Betreff der letzten Schenkung durfte er damals am wenigsten auf Karl's Entgegenkommen rechnen. Er hielt es für angemessen, wenigstens nachträglich wegen des Eifers, womit er die Rückkehr Grimoald's bekämpft hatte, sich zu rechtfertigen, versicherte den König in einem Briefe, der bald nachher geschrieben sein muß, lediglich wegen der Umtriebe und Nachstellungen der Feinde des Königs und seiner eigenen habe er sich dagegen ausgesprochen; aber auch, wie er aus-

---

[1]) Theophanes l. c.; καὶ δεινῶς ἀτηρέθη; das δεινῶς wird aber nicht wörtlich zu nehmen sein; jedenfalls braucht die Nachricht nicht so verstanden zu werden, daß Johannes hingerichtet worden wäre; vgl. Harnack S. 32 N. 4, gegen Strauß S. 34 N. 2; Schlosser, Gesch. der bilderstürm. Kaiser S. 299 N.

[2]) Annales Einhardi 774, SS. I, 153. Die Angabe Sigebert's, Chronicon, SS. VI, 335 (hienach Pauli contin. tertia c. 66. 67, Scr. rer. Langob. S. 215), Adelchis sei von den Franken gefangen und umgebracht worden, ist werthlos; sie beruht auf einem Mißverständniß der Historia miscella (l. 25, c. 23, ed. Eyssenhardt S. 575) durch Sigebert.

[3]) Ueber die Zeit der Schlacht, die wohl jedenfalls nicht später als Anfang Oktober stattgefunden haben kann, vgl. unten S. 641 N. 2. Leibniz, Ann. Imp. I, 143 nimmt an, daß sie nicht vor dem Ablauf des September, nach dem Abnehmen der Sommerhitze, erfolgt sein könne (vgl. Cod. Carolin. Nr. 84, Jaffé IV, 254; oben S. 617); Forschungen I, 576 N. 8.

[4]) Ueber diese Zerwürfnisse vgl. Theophanes I, 464; v. Ranke, Weltgeschichte V, 2, S. 94 ff.

[5]) Jaffé IV, 255 f. 258, vgl. oben S. 618 f.

drücklich beifügt, um der Erhöhung und Vertheidigung der Kirche willen, wie Karl dieselbe versprochen habe[1]). Er hatte, nachdem in Benevent die Ordnung hergestellt, nichts eiligeres zu thun als abermals seine auf die letzte Schenkung gegründeten Ansprüche vorzubringen. Die Behandlung, die sein Verlangen bei Karl erfuhr, läßt erkennen, daß dieser so weit wie je entfernt war die Ansprüche des Papstes anzuerkennen und zu befriedigen.

Es handelte sich um die tuskischen Städte Populonia und Rosellä, hauptsächlich aber um verschiedene Städte im Gebiet von Benevent, auf welche der Papst auf Grund der letzten Schenkung Karl's Anspruch erhob, von denen aber nur Capua ausdrücklich genannt wird[2]). Von Capua aus war dem Papste die Huldigung angeboten worden, jedoch offenbar nur von einigen seiner dortigen Parteigänger auf eigene Hand und nicht im Namen der Stadt; und nachdem Hadrian sich deshalb erst an die fränkischen Bevollmächtigten, Maginarius u. s. w. gewandt, nahm er die Huldigung an, ließ aber gleichzeitig jene Capuaner auch Karl Treue schwören[3]). Der ganze Vorgang war indessen allem Anschein nach ohne Folgen. Capua wird nachher von Hadrian garnicht mehr genannt, es war eben auch eine der beneventanischen Städte, auf die er fortfuhr Anspruch zu erheben ohne in ihren Besitz zu kommen.

Schon im Jahre 787, als Karl ihm ein Kreuz schickte, mit einem Briefe, worin er ihn gebeten zu haben scheint seiner selbst, seiner seligen Eltern und seiner verstorbenen Gemahlin Hildegard im Gebet zu gedenken, benutzte Hadrian auch diesen Anlaß um die Sache wieder zur Sprache zu bringen, forderte den König wiederholt auf, Bevollmächtigte abzuordnen, um ihm Populonia und Rosellä und namentlich auch die Städte in Benevent auszuliefern[4]). Später drang der Papst in den König, wie wir wissen[5]), den Bevollmächtigten die strikte Weisung zukommen zu lassen, nicht heimzukehren, ohne die Schenkung in Betreff dieser Gebiete vollkommen ausgeführt zu haben. Dann schrieb Karl dem Papste, er habe den Arvinus beauftragt die Sache im Verein mit seinen anderen Bevollmächtigten zu erledigen[6]). Hadrian nahm dies dankbar auf,

---

[1]) Jaffé IV, 263--264, Codex Car. Nr. 87: Prorsus nobis vestra regalis excellentia credere niteat: quia numquam voluimus, ut Grimualdus Arichis Beneventano remeasset, nullum alium nisi propter inimicorum vestrorum atque nostrorum machinationis insidias; sed verum etiam, sicut vestra promisit nobis regalis excellentia, pro exaltatione atque defensione sanctae Dei ecclesiae et de vestro nostroque profectu.

[2]) Vgl. oben S. 571; Forschungen I, 517.

[3]) Wie Hadrian selbst erzählt, Jaffé IV, 260, vgl. oben S. 619.

[4]) Jaffé IV, 251—252, Codex Car. Nr. 83. Mit Jaffé setzen wir diesen Brief in das Jahr 787 (post. Apr.), nicht, wie schon berührt, 788, wie Forschungen I, 527 N. 5 (mit Meo III, 165) geschehen ist. Jener Zeitbestimmung ist dort eine falsche Lesart (uti denuo eos missos suos statt ut idoneos m. s.) zu Grunde gelegt; vgl. o. S. 602 N. 2; 630 N. 3.

[5]) Vgl. oben S. 618.

[6]) Cod. Carolin. Nr. 87, Jaffé IV, 264.

war aber mit dem bisherigen Verfahren der fränkischen Bevoll=
mächtigten in Bezug auf Roselllä und Populonia sowie auf die
beneventanischen Städte äußerst unzufrieden. Er hatte sie durch
die römischen Herzöge Crescentius und Adrian nach Benevent be=
gleiten lassen, welche die verheißenen Städte für den päpstlichen
Stuhl übernehmen sollten; denen lieferten jene die bischöflichen Ge=
bäude, die Klöster, die dem Fiskus gehörigen Höfe und die Schlüssel
der Städte aus, hingegen die Regierungsgewalt über die Bewohner
sprachen sie dem Papste ab[1]). Der Papst führte darüber bittere
Klage beim König, beschuldigte die Bevollmächtigten Karl's Befehlen
zuwider gehandelt zu haben, forderte für sich die Regierungsgewalt
in den Städten, wie sie ihm Karl in einer Anzahl tuskischer Städte
überlassen habe; wie dort, wolle er den Einwohnern auch hier ihre
Freiheit und ihr Recht belassen[2]). Allein es scheint, daß auch diese
Vorstellungen fruchtlos blieben und Karl ihnen keine Folge gab.
Trügt nicht alles, so war er garnicht mehr in der Lage, selbst,
wenn er gewollt, auf die Bitten Hadrian's Rücksicht zu nehmen,
wenigstens nicht in Bezug auf Benevent[3]). Hadrian spricht in
demselben Briefe, worin er sich bei Karl über jenes Verfahren der
Bevollmächtigten beschwert, die Bitte aus, Karl möge den Grimoald
nicht besser stellen als den h. Petrus. Grimoald habe sich in

---

[1]) Jaffé IV, 264—265: Sed quid missis vestris contigit? Vestra nolu-
erunt adimplere pro huiusmodi iussa, neque de Rosellas und Populonio neque partibus Beneventanis. Unde Crescentium et Adrianum duces cum
fidelissimis missis vestris partibus Beneventanis direximus, vestra regalia
suscipientes vota; sed nulla alia illis tradere voluerunt nisi episcopia, monasteria et curtes puplicas, simul claves de civitatibus, sine hominibus; et
ipsi homines in eorum potestate introeuntes exeuntes manere. Der betreffende
Brief ist erst nach Grimoald's Rückkehr geschrieben und kein Grund, wie Forschungen
I, 527 N. 3 geschieht, anzunehmen, daß die Ueberlieferung der beneventanischen
Städte in dieser beschränkten Weise schon vor der Rückkehr des Herzogs erfolgt sei.
Daß Arvin zu den Bevollmächtigten gehörte, welche diese Uebergabe vorgenommen
hatten, scheint der Bericht nicht zu sagen, eher läßt sich aus dem Zusammen=
hange auf das Gegentheil schließen. Die Bevollmächtigten, über welche der
Papst klagt, sind wohl dieselben, über die er auch schon Cod. Carol. Nr. 84,
S. 256 ganz ähnliche Klagen führt. Viel zu früh, noch lange vor dem Tod des
Herzogs Arichis von Benevent, scheint Gregorovius (1. Aufl.) II, 417 diese Vor=
gänge zu setzen. Vgl. F. Hirsch, Forschungen XIII, 66 N. 2.

[2]) L. c. S. 265: Et quomodo nos sine hominibus civitates illas habere potuerimus, si habitatores earum adversus eas machinarentur? Nos
quippe in eorum libertate permanentes, sicut ceteris civitatibus partibus
Tusciae, donis vestris regere et gubernare eos cupimus, omnem eorum
habentes legem. Zum Verständniß der letzteren Worte vgl. Martens, Die römische
Frage S. 193 N. 1; auch Cod. Carol. Nr. 84, S. 256. Die tuskischen Städte,
welche Hadrian meint, sind Sovana, Toscanella, Viterbo, Bagnorea u. s. w.; vgl.
o. S. 572.

[3]) Wenn St. Marc, Abrégé I, 422, meint, Karl habe dem Papste seine Bitte
bei ihrer persönlichen Begegnung nicht abschlagen mögen und wirklich alle seine For=
derungen bewilligt, dann aber sich dadurch geholfen, daß er seinen Bevollmächtigten
verbot die Schenkung auszuführen, so ist das eine ganz willkürliche Annahme, die
aber auch noch Sugenheim S. 43 f. wiederholt.

Capua in Gegenwart der fränkischen Bevollmächtigten gerühmt: der König habe seinen Willen dahin erklärt, daß jeder, der sein (des Herzogs) Unterthan werden wolle, er sei groß oder gering, die freie Wahl haben solle, ihm oder einem andern zu huldigen[1]). Die griechischen Großen, welche sich in Neapel befänden[2]), triumphirten, wie er, der Papst, gehört habe, bereits höhnend, daß die fränkischen Versprechungen sich als vollkommen eitel und nichtig erwiesen hätten; seien doch die päpstlichen Abgesandten schon zweimal unverrichteter Sache (aus Benevent) abgezogen[3]). Als die Beneventaner den König um die Freilassung Grimoald's ersuchten, hatten sie damit die Bitte verbunden, die Schenkung beneventanischer Städte an den päpstlichen Stuhl wieder rückgängig zu machen[4]); man liest nicht ausdrücklich, daß Karl eingewilligt, aber Capua, die einzige Stadt, die Hadrian namhaft macht, steht in der Folgezeit ebenso wie früher unter der Herrschaft des Herzogs von Benevent, und es ist in hohem Grade wahrscheinlich, daß der König gleich bei oder bald nach Grimoald's Rückkehr jener Bitte insoweit gewillfahrt hatte, daß die Uebergabe der Städte wenigstens nur in jener beschränkten Weise stattfinden sollte. Den Thatbestand sicher zu ermitteln, ist nicht möglich; daß Hadrian noch in jenem Briefe nach Grimoald's Rückkehr seine Forderungen erneuert[5]), schließt nicht unbedingt aus, daß Karl den Beneventanern bereits, ohne Wissen des Papstes, jenes Zugeständniß gemacht hatte[6]).

Nachdem er auch mit seinen letzten Vorstellungen bei Karl nichts ausgerichtet, gab endlich der Papst jeden Versuch auf ihn zu Gunsten seiner Forderungen umzustimmen. Es war ein Ausgang, welcher die längst vorhandene Spannung zwischen Papst und König nur noch steigern konnte und in der That gesteigert hat. Zwar die Verbindung zwischen beiden dauerte fort, denn sie war für beide unentbehrlich, auch erhielt sich die persönliche Sympathie; aber ein aufrichtiges Einverständniß ist, so lange Hadrian lebte, zwischen Karl und dem intriganten Papste nicht mehr zu Stande gekommen.

---

[1]) Jaffé IV, 265: Unde petimus vestram excellentiam: ut nullus hominum sit, qui vestra sacra vota inpediri valeat, et ne meliorem faciatis Grimualdum filium Aragisi quam fautori vestro beato Petro clavigero regni celorum. Eo quod ipse Grimualdus in Capua, presentes missis vestris, laudabat se dicente: ‚Quia domnus rex precipit, ut, qui voluerit homo meus esse tam magnus quam minor, sine dubio esse tam meus quam vel cuius voluerit.‘

[2]) Vgl. o S. 616 N. 3. 5.

[3]) Jaffé l c.; Hirsch a. a. O. S. 65.

[4]) Vgl. oben S. 613. 618.

[5]) Auch am Schluß, S. 265.

[6]) Dann war er freilich auch nicht mehr im Stande den Beschwerden des Papstes gegen die Bevollmächtigten Rechnung zu tragen, wonach das Forschungen I, 527 gesagte: er habe, sobald er wollte, das thun können, zu berichtigen ist. — Auf das gefälschte Pactum Ludwig's des Frommen v. J. 817, Capp. I, 353, darf man sich hier nicht beziehen, wie Kohl S. 688—690 thut.

Während der König in solcher Weise die Verhältnisse Italiens ordnete, Benevent von seinen Gegnern trennte, die Griechen zurück= schlagen ließ, hatte das Reich an den Ostgrenzen noch andere Kämpfe zu bestehen. Die Verbündeten Tassilo's, die Avaren, waren nicht zeitig genug auf dem Schauplatz erschienen um den Sturz des Herzogs ab= zuwenden, aber nicht lange darauf brachen sie, ihrer Verabredung mit Tassilo gemäß, gegen die Grenzen vor; wahrscheinlich war ihnen sein Schicksal noch nicht bekannt[1]. Ein avarisches Heer rückte gegen Friaul, ein anderes gegen Baiern, aber beide wurden aufs Haupt geschlagen. Das eine ward an der Grenze von Friaul von den dort anwesenden fränkischen Truppen schimpf= lich in die Flucht getrieben[2]. Der andere Heerhaufen der Avaren, welcher nach Baiern zog, wurde von den Baiern selbst, zu denen Karl (ganz ähnlich, wie es in Unteritalien geschehen war)[3] zur

---

[1]) Gaillard II, 177 meint, sie hätten Tassilo's Schicksal rächen wollen; natür= licher ist die Annahme, daß sie eben, weil Karl ihnen zuvorkam, mit ihrem Angriff zu spät kamen, wie auch Eckhart I, 727; Büdinger S. 127 die Sachlage aufzu= fassen scheinen.

[2]) Ann. Laur. mai. SS. I, 174: Idem similiter et alia pugna commissa est inter Avaros in loco cuius vocabulum est . . . et Francis qui in Italia commanere videntur; opitulante Domino, victoriam obtinuerunt Franci, et Avari cum contumelia reversi sunt, fuga lapsi sine victoria; Ann. Ein- hardi, SS. I, 173—175: Huni vero, sicut Tassiloni promiserunt, duobus exercitibus comparatis, uno marcam Foroiuliensem, altero Baioariam ad- gressi sunt; sed frustra. Nam in utroque loco victi fugatique sunt etc. (vgl. unten S. 640 N. 1); Ann. Max. SS. XIII, 22: et alium bellum commissum est in campestribus Foroiuli contra Avaros, qui cum contumeliam reversi sunt patriam (nachher: similiter confusi); Ann. Enhard. Fuld. SS. I, 350 und Ann. Sithiens. SS. XIII, 36: Similiter et Avares in marcha (marca) Baio- ariae atque Italiae a regis exercitibus victi atque fugati sunt; Ann. s. Emmerammi Ratisp. mai. SS. I, 92: et Huni ad Furgali et in Baiowaria; Alcuin. epist. 14, Jaffé VI, 167 (vgl. o. S. 634 N. 2): Similiter et Avari, quos nos Hunos dicimus, exarserunt in Italiam et, a christianis superati, domum cum obprobrio reversi sunt. Die in dem uns überlieferten Text der Ann. Laur. mai. ausgelassene Ortsbestimmung dürfte etwa so gelautet haben wie in den Ann. Max., deren Worte ja hier auf die ersteren zurückgehen. Wenn Ann. Einh. die marca Foroiuliensis nennen, so wird mit dieser Bezeichnung nicht die Mark von Friaul, sondern die Grenze von Friaul gemeint sein, wie in Ann. En- hard. Fuld. und Sithiens. Daß der Poeta Saxo l. II, v. 375 f., Jaffé IV, 570 dafür sagt: Quaque Foro nomen dederas, clarissime Iuli — Urbis ad eiusdem confinia venerat hostis, kommt nicht in Betracht. Anders Waitz III, 2. Aufl. S. 370 N. 2 (s. jedoch ebd. N. 1); Jahrbücher des deutschen Reichs unter K. Heinrich I., 3. Aufl. S. 277—278 (gegen Koppmann). Jedenfalls war die Mark von Friaul damals noch nicht errichtet; vgl. o. S. 254 N. 5. Daß die Niederlage und Flucht der Avaren eine schimpfliche war, wird, wie man sieht, von verschiedenen Seiten hervorgehoben. Malfatti II, 391 ff. glaubt zur Illustration jener Niederlage auch eine falsche Urkunde benutzen zu können. Es ist darin die Rede von einem Angriff auf Italien, welchen die Avaren zu der Zeit als König Pippin von Italien noch ein Kind war unternommen hätten, um sich für unaufhörliche Einfälle der Franken und des Herzogs von Friaul in ihr Gebiet zu rächen. Karl habe deshalb die schleunige Wiederherstellung der verfallenen Befestigungen von Verona be= fohlen u. s. w.

[3]) Vgl. o. S. 633 N. 4.

Unterſtützung, vielleicht auch nebenher zur Ueberwachung eine An=
zahl fränkiſcher Truppen unter dem Oberbefehl des Grahamannus
und Audacrus hatte ſtoßen laſſen, beſiegt.   Der barbariſche Feind
mußte auch hier mit großen Verluſten, in Auflöſung entweichen[1]).
Als Ort der Niederlage dieſes zweiten Heeres wird das Feld Iboſe
angegeben, ohne Zweifel Ybbs an der Mündung des gleichnamigen
Fluſſes (Ips) in die Donau in der ſpäteren Oſtmark, wo ſpäter
Erzbiſchof Adalram von Salzburg eine Kirche ſtiftete[2]).   Wir
finden alſo beſtätigt, daß der Kampf an der öſtlichen Grenze
Baierns ſtattfand; bis ins Innere Baierns waren die Avaren nicht
gedrungen.   Aber die doppelte Niederlage hatte ihren Muth noch
nicht gebrochen.   Statt als Verbündete, wie ſie erwartet, hatten ſie
die Baiern als Gegner gefunden; um dafür Rache an ihnen zu
nehmen, ſagen die Annaliſten, erneuerten ſie bald darauf ihren
Angriff[3]), und zwar, wie es heißt, mit ſtärkeren Streitkräften als
das vorige Mal, aber auch jetzt ohne Erfolg.   Die Baiern,
wiederum unter dem Oberbefehl fränkiſcher Miſſi, höchſt wahrſchein=
lich abermals des Grahamannus und Audacrus, brachten ihnen
eine wiederholte Niederlage bei, warfen ſie beim erſten Zuſammen=
ſtoß, richteten ein großes Blutbad unter ihnen an und jagten ſie
in die Flucht, auf welcher viele in den Fluten der Donau den

---

[1]) Ann. Laur. mai. l. c.: Tertia pugna commissa est inter Baioarios
et Avaros in campo Ibose, et fuerunt ibi missi domni Caroli regis Grahamannus et Audacrus cum aliquibus Francis. Domino auxiliante, victoria
fuit Francorum seu Baioariorum. · Ann. Einh. l. c., welche nach den bereits
oben S. 639 N. 2 angeführten Worten fortfahren et multis suorum amissis,
cum magno damno ad loca sua se receperunt (Ann. Max. l. c., welche
dieſes und das ſpätere Treffen zwiſchen Avaren und Baiern zuſammenzuziehen ſcheinen;
Ann. Enhard. Fuld. und Ann. Sithiens. ll. cc.; Ann. s. Emmerammi Ratisp.
mai. l. c.; Alcuin. epist. l. c.).

Was die Perſonen der beiden fränkiſchen Bevollmächtigten betrifft, ſo wird im
Chronicon Vedastinum, SS. XIII, 705, behauptet, daß Audacrus mit dem gleich=
namigen Vater des Grafen Balduin I. (Eiſenarm) von Flandern identiſch ſei. Vgl.
Dümmler, Geſch. des oſtfränk. Reichs I, 2, S. 479 N. 45; Ann. Elnonens.;
Blandiniens. SS. V, 19. 24; Chron. Vedastin. l. c. S. 709; Guimanni lib.
de possessionibus s. Vedasti, ib. S. 711. Ein dux Garamannus erſcheint in
Briefen Papſt Hadrian's aus dieſem Zeitraum (Cod. Carolin. Nr. 91. 94,
Jaffé IV, 271. 277; o. S. 547—548).

[2]) Vgl. Pertz, SS. I, 174 N. 4; Mühlbacher S. 109; Kämmel, Die Anfänge
des deutſchen Lebens in Oeſterreich S. 245; Dümmler, Geſch. des oſtfränk. Reichs
2. Aufl. I, 32 N. 3; Urkunde Ludwig's des Deutſchen vom 23. Sept. 837, Mühlbacher Nr. 1326; Kleinmayrn, Juvavia, Dipl. Anhang S. 88: quoddam territorium
in Sclavinia in loco nuncupante Ipusa iuxta Ipusa flumen ex utraque parte
ipsius fluminis terminatur ab occidentali parte quod theodisca lingua
wagreini dicitur usque in orientalem partem ad unum parvulum rivulum
ab aquilonali parte de illa publica strata usque in mediam silvam. Hoc
itaque territorium cum ecclesia, quam dudum Adalramus quondam secundum nostram licenciam ibidem edificavit. Ybbs liegt im niederöſterreichiſchen
Bezirk Amſtetten.

[3]) Annales Laur. mai.: qui voluerunt vindictam peragere contra Baioarios; Ann. Einh.: Quam iniuriam velut vindicaturi.

Tod fanden [1]). Etwas anderes, als daß in der Nähe der Donau gekämpft warb, ist über den Schauplatz nicht bekannt, und von keinem der drei Treffen gegen die Avaren ist die Zeit überliefert; aber innerhalb eines Zeitraums von höchstens drei Monaten müssen sie stattgefunden haben, die beiden ersten wohl bald nach dem 6. Juli, da Tassilo zum Mönch geschoren warb, das dritte nicht später als Mitte Oktober, denn am 25. Oktober, nachdem alle Feinde besiegt, befindet sich Karl in Regensburg um selbst die Besitzergreifung von Baiern zu vollziehen [2]).

---

[1]) Ann. Laur. mai.: Quarta pugna fuit commissa ab Avaris, qui etc. (vgl. S. 640 N. 3). Ibi similiter fuerunt missi domni Caroli regis (wohl eben die bei der früheren Schlacht mit Namen genannten Grahamannus und Audacrus), et, Domino protegente, victoria christianorum aderat. Avari fugam incipientes, multa stragia ibidem facta est occidendo, et alii in Danubio fluvio vitam necando amiserunt; Ann. Einh.: — iterum Baioariam maioribus copiis petierunt, sed in prima congressione (vgl. in Betreff dieses Ausdrucks 775. 798, SS. I, 155. 185) pulsi a Baioariis et innumera multitudo eorum caesa, multi etiam ex eis, qui per fugam evadere conati, Danubium tranare voluerunt, gurgitibus fluminis absorbti sunt. Vgl. ferner die anderen oben S. 639 N. 2 und S. 640 N. 1 citirten Stellen, Ann. Max. l. c.: et tertium bellum habuerunt idem Avari cum Baiowariis, et inde similiter confusi redierunt ad sua; Ann. Euhard. Fuld. und Sithiens. ll. cc.; Ann. s. Emmerammi Ratisp. mai. l. c.: Huni ad Furgali et in Baiowaria; Alcuin. epist. 14. l. c.: Nec non et super Baugariam inruerunt, qui et ipsi ab exercitu christiano superati et dispersi sunt. — Ann. Lobiens. SS. XIII, 229 ungenau: Quater eo anno triumphatum est a gente Avarorum id est Hunorum. — Die Angabe Adema's, daß die Avaren an 10000 Mann an Todten verloren hätten (Duchesne II, 73: De Avaris occisi sunt ad decem milia), verdient keine Beachtung und ist höchst wahrscheinlich aus der Luft gegriffen.

[2]) Die Urkunde vom 25. Oktober unten S. 644 N. 2. Post haec omnia domnus rex Carolus per semetipsum ad Reganesburg pervenit, sagen die Annales Laur. mai., nachdem sie alle Kämpfe, auch den gegen die Griechen aufgezählt. Die Annales Einhardi erwähnen die Kämpfe gegen die Avaren zuerst, jedoch nur, insofern diese mit dem unmittelbar vorher erzählten Sturze Tassilo's zusammenhängen; dann erwähnen sie mit einem interea, also als ein in dieselbe Zeit fallendes Ereigniß (vgl. auch Alcuin. epist. 14. l. c.) die Niederlage der Griechen. Die Annales Laur. mai. haben die umgekehrte Reihenfolge, woraus jedoch auch keine sicheren Schlüsse über die Zeit gezogen werden können.

Eine Urkunde Karl's für Wirzburg, dat. in mense Octobri, act. in basilica s. Salvatoris ubi s. Kilianus corpore quiescit, Wirtemberg. Urkb. I, 37 Nr. 35, welche zu der Vermuthung führen könnte, er habe den Weg nach Baiern über Wirzburg genommen, scheint zwar auf einer echten Vorlage zu beruhen, ist aber gefälscht und namentlich das Actum unbrauchbar (Sickel II, 441—442; Mühlbacher Nr. 288). Mühlbacher hält es zwar trotzdem für nicht unwahrscheinlich, daß der König diesen Weg genommen, und verweist auf seinen Aufenthalt in Wirzburg im Jahre 793, vgl. unten Bd. II. Einen Aufenthalt Karl's daselbst erwähnen zum J. 787, aber nach der Einsetzung des Grimoald in Benevent (788) Ann. Max. SS. XIII, 21: et in Wirtzipurc translationem s. Ciliani martyris celebravit. — Eine andere, echte Urkunde, worin Karl dem Bischof Walterich von Passau die Schenkungen der Irminswint bestätigt, Monumenta Boica XXXI, S. 17 ff. Nr. 7, hier um Juli—Oktober 788 gesetzt, ist ohne Datum und Actum überliefert; Sickel (K. 119, Anm. S. 266) setzt sie in den Oktober 788 oder März 789, dagegen Mühlbacher, S. 111. 117, Nr. 290. 305, erst in d. J. 791, und in der That erscheint Sickel's Zeitbestimmung nicht haltbar.

Die Avaren hatten schon jetzt dieselbe Unfähigkeit zu ernstlichem Widerstande bekundet, die sich später bei Karl's großem Feldzuge gegen sie im Jahre 791 zeigte[1]). Die Niederlage derselben in Oberitalien gab, wie man vermuthet hat, den Franken Gelegenheit ihre Herrschaft in Istrien zu begründen; allerdings ist diese Vermuthung beweislos, Thatsache jedoch, daß die fränkische Herrschaft in dieser Landschaft, welche unter einen Herzog gestellt, aber zu Pippin's italischem Königreich geschlagen wurde, wenige Jahre später (791) bereits begründet erscheint[2]).

Endlich war auf allen Seiten die äußere Sicherheit des Reiches wiederhergestellt, die drohenden Wolken alle zerstreut; jetzt erst konnte Karl dazu schreiten die Verhältnisse des für das Reich neu gewonnenen Baiern zu ordnen. Die Hauptsache war, wie Einhard sich ausdrückt, daß Baiern fortan nicht mehr einem Herzoge sondern Grafen zur Regierung übergeben wurde[3]): es ward vollständig dem fränkischen Reiche einverleibt, zu dem es nach Karl's eigener Ansicht immer schon gehört hatte. Nur eine Zeit lang, so spricht er sich selber darüber aus, war es durch Oatilo und Tassilo treuloserweise dem Reiche entzogen und entfremdet gewesen[4]). Die Nachrichten über die Maßregeln, welche Karl in Regensburg für Baiern traf, sind dürftig; er hat, wie es scheint, außer der Einsetzung von Grafen, auch nur wenige Veränderungen vorgenommen. Vorzugsweise beschäftigte ihn die Sorge für die Vertheidigung des Landes gegen die Avaren, es ist ausdrücklich von seinen Anstalten zum Behuf der Grenzvertheidigung die Rede[5]), wovon die wichtigste,

---

Außer den Ann. Laur. mai. vgl. über Karl's damalige Reise nach Regensburg bezw. Baiern Ann. Max. SS. XIII, 22: Eodem anno venit Carolus rex in Reginespurc; Ann. Laresham. cod. Laresh. SS. I, 33—34: Et ipse domnus rex perrexit in Paioariam ad Reganesburg; Ann. Einh. SS. I, 175: Rex autem in Baioariam profectus . . .; Ann. Laresh. Fragm. Chesn.: Tunc Carlus rex in Bagoariam perrexit; Ann. Iuvav. min. SS. I, 88: Carolus primo venit in Baioariam; Ann. s. Emmerammi Ratisp. mai. I, 92: et Carolus primo in Baiowaria.

[1]) Vgl. unten Bd. II.

[2]) Vgl. Harnack a. a. O. S. 12 N. 2; 31; Richter-Kohl S. 107—109; oben S. 322; unten Bd. II. z. J 805. — Unrichtig nahm Gfrörer, Byzantinische Geschichten I, 90—92, an, daß Istrien schon seit 776 fränkisch gewesen sei.

[3]) Vita Kar. c. 11 (hienach Chron. Moissiac. cod. Anian. SS. I, 298), vgl. oben S. 625 N. 5.

[4]) Quia ducatus Baioariae ex regno nostro Francorum aliquibus temporibus infideliter per malignos homines Odilonem et Tassilonem propinquum nostrum a nobis subtractus et alienatus fuit, quem nunc moderatore iusticiarum deo nostro adiuvante ad propriam revocavimus ditionem, sagt Karl in der Urkunde unten S. 644 N. 2. Und in demselben Sinne sagt Arno am Schlusse seines Indiculus, ed. Keinz S. 26, daß Karl Baioariam regionem ad opus suum recepit; über den Indiculus Arnonis vgl. unten S. 645.

[5]) Annales Laur. mai.: et ibi fines vel marcas Baioariorum disposuit, quomodo salvas . . contra iamdictos Avaros esse potuissent; Ann. Einh.: eandem provinciam cum suis terminis ordinavit atque disposuit; Poeta Saxo l. II. v. 428—429, Jaffé IV, 571:

wenn man recht fieht, die war, daß er dem Bruder feiner ver=
ftorbenen Gemahlin Hildegard, dem fchwäbifchen Grafen Gerold[1]),
einem der bedeutendften Männer des Reichs, in Baiern eine Stellung
übertrug[2]), mit der größere Befugniffe als die eines gewöhnlichen
Grafen verbunden waren. Gerold wird bezeichnet als Vorfteher
von Baiern und hatte in diefer Eigenfchaft wohl ausgedehnte mili=
tärifche Befugniffe, den Oberbefehl über das ganze bairifche Auf=
gebot[3]); in den fpäteren Kämpfen gegen die Avaren fpielt er eine
hervorragende Rolle. Zugleich tritt er als Miffus[4]) auf, ebenfo wie
fpäter fein Nachfolger[5]). Aber auch den Schuß gegen innere
Feinde verlor der König nicht aus dem Auge. Taffilo's Sturz
hatte gezeigt, daß derfelbe wenige zuverläffige Anhänger in Baiern
mehr befaß, Karl hatte in diefer Beziehung wenig zu befürchten;
dennoch lieft man bei den Vorgängen zu Ingelheim von einer
Anzahl Baiern, die nicht nur als Mitfchuldige Taffilo's und Liut=
perga's befunden fein, fondern auch in der Feindfchaft gegen den König
verharrt haben follen. Es follen nur wenige gewefen fein, doch
hatte es Karl nöthig gefunden fie aus Baiern zu verbannen, an
verfchiedenen Orten einfchließen zu laffen[6]). So ift auch jeßt die
Rede von Geifeln, die Karl in Regensburg von den hier um ihn
verfammelten Baiern fich ftellen ließ[7]). Unangetaftet blieben die
bairifchen Gefeße; von der Einführung fränkifchen Rechts in Baiern

---

.. cunctisque suis cum finibus ipsam
Disponens, commendavit rectoribus aptis;
Ann. Lauresham. cod. Lauresh.: et ordinata ipsa patria; Ann. Max.: et
ibi prout libuit ordinavit. — An die Errichtung von Marken, wovon Buchner,
Gefchichte von Bayern II. 4 ff. redet, ift hier nicht zu denken; die Ausdrücke der
Ann. Laur. mai. und Einh. nöthigen nicht zu einer folchen Auslegung.

[1]) Vgl. über Gerold's Perfönlichkeit und Stellung Stälin I, 246 f. fowie
unten Bd. II. z. J. 799.

[2]) Man fieht aber nicht einmal, ob er gleich 788 oder erft fpäter zum praefectus Baioariae ernannt ward, wahrfcheinlich doch fchon 788 oder wenigftens bald
darauf, da die Maßregel mit den alsbald beginnenden Kriegen gegen die Avaren zu=
fammenhängt. In einem Briefe vom J. 789 bittet Alkuin einen Abt, ihm zu
fchreiben, quid de Hunorum hoste domnus rex acturus sit (epist. 13, Jaffé
VI, 166).

[3]) Vgl. Rudhart S. 324; Waitz III, 2. Aufl. S. 366 f.; Dümmler, Süd=
öftl. Marken S. 16.

[4]) Und zwar zuerft 791, wo er urkundlich als missus domini regis in Baiern
erfcheint, Meichelbeck I 2, 82 Nr. 103; neben ihm wird als missus Maginfrid
genannt.

[5]) Vgl. unten Bd. II. z. J. 805. — Eine Inftruktion für Miffi in Baiern,
vielleicht etwa vom J. 810, Capp. I, 158—159.

[6]) Annales Laur. mai., SS. I, 172: et pauci Baioarii, qui in adversi-
tate domni regis perdurare voluerunt. missi sunt in exilio; Ann. Einh.
SS. I, 173: Baioarii quoque, qui perfidiae ac fraudis eorum conscii et
consentanei fuisse reperti sunt, exilio per diversa loca religabantur.

[7]) Annales Lauresham. cod. Lauresh. SS. I, 34: Perrexit in Paioariam ad Reganesburg, et ibi venerunt ad eum Paioarii, et dati sunt obsides . . . Nach Büdinger S. 125 N. 3 wären diefe Geifeln eben die in der
vorigen Note erwähnten Baioarii missi in exilio, was jedoch nicht anzunehmen ift.

findet sich vorläufig keine Spur; erst später hat Karl auch hier einzelne Bestimmungen des letzteren eingeführt[1]). Aber daß er es gleichzeitig an durchgreifenden Maßregeln zur Sicherung seiner Herrschaft, zur wirklichen Verschmelzung Baierns mit dem übrigen Reiche nicht fehlen ließ, ist auch noch durch andere Umstände und urkundlich beglaubigt. Am 25. Oktober schenkte er das Männerkloster Chiemsee im Sprengel von Salzburg dem Erzbischof Angilram von Metz, seinem obersten Kapellan, und verband damit die Verleihung der Immunität für das Kloster[2]). Es war eine Beeinträchtigung der Rechte der Salzburger Kirche, König Arnolf hat später Chiemsee an Salzburg zurückgegeben[3]) und Ludwig das Kind erklärt, daß jene anderweite Verleihung zu Unrecht geschehen sei[4]). Aber Karl erreichte dadurch den Zweck, daß ein so bedeutender, ihm so nahe stehender Mann wie Angilram mitten in Baiern festen Fuß faßte. Er hat dieses Mittel wohl auch sonst noch in Anwendung gebracht. So hat der spätere Erzkapellan, Erzbischof Hildibald von Köln, das bairische Kloster Mondsee erhalten[5]). So ist der Baier Laidrad, ein Mann, der zu Tassilo's Umgebung gehört hatte, noch im Jahr 782 als Diakon eine Urkunde für den Herzog schrieb, später zum Erzbischof von Lyon erhoben worden[6]). Das Aufgehen Baierns im Reich hat

---

[1]) Daß Karl außer der Einsetzung von Grafen als Vorsteher der alten Gaue zunächst keine Veränderung in Baiern traf, hebt ausdrücklich auch Waitz III, 2. Aufl. S. 376—377 hervor. Mannert S. 261 u. a. reden wenigstens von einigen Zusätzen, die er damals zum bairischen Gesetz erlassen; allein die Capitula quae ad legem Baioariorum domnus Karolus serenissimus (imperator) addere iussit, Capp. I, 152 f., die schon Pertz, Legg. I, 126 erst 803 ansetzte, fallen anscheinend nicht vor 801, da in den meisten und besten Handschriften Karl als imperator bezeichnet ist, Merkel in der Vorrede zu der Ausgabe Legg. III, 251; die verschiedenen Ansichten der älteren über die Zeit bei Merkel S. 250 N. 80 ff. Vgl. ferner Waitz III, 346 N. 1, der an das Jahr 802 zu denken scheint. Mannert S. 261 und Luden IV, 362 betonen mit Recht die Schonung und Milde, womit Karl in Baiern aufgetreten sei.

[2]) Urk. bei Kleinmayrn, Juvavia, Anhang S. 48 Nr. 8; Sickel I, 252. II, 51 (Nr. 120). 266—267; Mühlbacher Nr. 289.

[3]) Vgl. Dümmler, Gesch. des ostfränk. Reichs II, 479. Der damalige Erzbischof von Salzburg, Theotmar, war Arnolf's Erzkapellan und Erzkanzler.

[4]) Vgl. ebd. S. 533 N. 39; Kleinmayrn a. a. O. S. 101 Nr. 42. Rettberg II, 243—244 (wo jedoch diese Urkunde noch mit Unrecht Ludwig dem Deutschen zugeschrieben ist) und Büdinger S. 125 f. Der letztere macht S. 125 besonders darauf aufmerksam, daß gerade Chiemsee durch seinen früheren Vorstand Dobdogrek, einen schottischen Regionarbischof, mit der brittischen Opposition sehr eng verwachsen war, was Karl's Schritt beeinflußt haben könne. Es ist wohl ein Mißverständniß des Namens, wenn Graf Hundt a. a. O. S. 186 von dem „des Griechischen kundigen Bischof Dobba oder Tuti", Mühlbacher S. 110 Nr. 289 von dem „fremden Griechen Dobbo" spricht. Vgl. SS. XI, 6 N. 22; Neues Archiv XII, 105.

[5]) Vgl. Rettberg II, 254—255; Hauthaler in Mitth. d. Inst. f. österreich. Geschichtsforschung VII, 234 f. u. unten Bd. II, den Abschnitt über die Hofbeamten.

[6]) Vgl. Graf Hundt a. a. O. S. 180—181. 211 Nr. 113; Theodulf. carm. 28, v. 119, Poet. Lat. I, 496 (Noricus hunc genuit); Ebert II, 210; Riezler I, 295 u. unten Bd. II.

der König dadurch wesentlich gefördert[1]). Andererseits ist eben in
Betreff der Salzburger Kirche bezeugt, daß Karl soweit möglich
mit Schonung auftrat; so sehr es ihm bei der Begründung seiner
Herrschaft in Baiern zustatten kam, daß der ihm ergebene Arno
auf dem bischöflichen Stuhl von Salzburg saß, so aufrichtig derselbe dem neuen Regimente zugethan war, so eifrig war er auch
dem Könige gegenüber bemüht die Rechte seiner Kirche zu wahren,
und mit Erfolg. Noch in dem Jahre der Unterwerfung Baierns erwirkte Arno von Karl die Erlaubniß, ein Verzeichniß aller Besitzungen und Einkünfte anfertigen zu lassen, welche die Salzburger
Kirche im Laufe der Zeit vom herzoglichen Gut erhalten hatte[2]).
Karl trat als Nachfolger Tassilo's in das Eigenthumsrecht über
die herzoglichen Güter in Baiern ein, bestätigte aber gleichzeitig
Salzburg im Besitze alles dessen, was unter der Regierung der
früheren Herzöge aus dem herzoglichen Gut an die Kirche übergegangen war[3]).

Die in Regensburg getroffenen Maßregeln sind das letzte, was
über Karl's Regierungsthätigkeit in diesem Jahr berichtet wird.
Er begab sich von da nach Achen, wo er Weihnachten feierte und
überhaupt den Winter verbrachte[4]).

Von dem jungen Ludwig, dem König der Aquitanier, hat seit
seinem Besuch bei Karl in Paderborn und Eresburg (785)[5]) nichts
mehr verlautet; aber wir werden sehen, daß Karl mit dem Verlauf

---

[1]) Aehnlich Rettberg und Büdinger a. a. O. Rettberg II, 151 f. 160. 244
will hieher auch die Versetzung des Abtes Sindbert von Murbach auf den bischöflichen Stuhl von Neuburg (Augsburg) um 789 ziehen. Ob mit Recht bleibe dahingestellt.

[2]) Das Verzeichniß ist zuletzt herausgegeben von Friedrich Keinz, Indiculus
Arnonis und Breves Notitiae Salzburgenses (München 1869); vgl. dazu die Anzeige von Wattenbach in den Heidelberger Jahrbüchern 1870, S. 20 ff. Es führt
in der älteren Salzburger Hf. die Aufschrift: Congestum Arnonis, die aber erst
später, im 15. Jahrhundert, hinzugefügt ist. Die früher vielfach bestrittene Echtheit
des Schriftstücks ist schon außer Zweifel gestellt durch Wattenbach, Ueber das Zeitalter des h. Rupert, im Archiv für Kunde österreichischer Geschichtsquellen Bd. V,
S. 518 ff., sodann von Zeißberg, Arno S. 372, welcher das Ergebniß der früheren
Arbeiten zusammenfaßte und auch, nebst Wattenbach a. a. O. und Keinz, über das Verhältniß des Indiculus zu den sog. Breves notitiae zu vergleichen ist. Die Zeit der Anfertigung des Verzeichnisses, für die in der späteren Aufschrift irrig 798 angegeben ist,
ergibt sich aus den Schlußworten des Aktenstücks selbst: Notitiam vero istam ego
Arn una cum consensu et licentia domni Karoli piissimi regis eodem anno,
quo ipse Baioariam regionem ad opus suum recepit, a viris valde senibus
et veracibus diligentissime exquisivi, a monachis et laicis, et conscribere
ad memoriam feci etc. (Keinz S. 26; Hundt a. a. O. S. 150. 154. 160—161).

[3]) Die Bedeutung des Indiculus wird schon hervorgehoben von Wattenbach
im Archiv V, 518, der ausdrücklich bemerkt, Karl habe Arn denselben anlegen lassen,
damit die Salzburger Kirche bei der Uebernahme der herzoglichen Güter durch Karl
nicht zu kurz käme. Der Auffassung Wattenbach's schließt sich dann Zeißberg S. 373
an; vgl. Keinz, Einl. S. 2.

[4]) Annales Laur. mai. l. c.; Ann. Einh. l. c.; Ann. Lauresham. cod.
Lauresh. SS. I, 34 (rex reversus est in Francia).

[5]) Vgl. oben S. 494 f., 497 f.

der Dinge in Aquitanien nicht durchweg zufrieden sein konnte. Es
handelte sich da hauptsächlich auch um den Schutz der Grenze gegen
die benachbarten Wasconen in Spanien, um die Niederhaltung der
Karl unterworfenen Wasconen nördlich der Pyrenäen, welche an
den ersteren einen Rückhalt hatten und sich fortwährend gegen die
fränkische Herrschaft aufzulehnen suchten. Die Kämpfe gegen solche
Aufständische haben wohl selten ganz geruht, in diesen Jahren liest
man von einem gewissen Adelrich, den eine spätere Erdichtung zum
Sohne des Baskenherzogs Lupus hat machen wollen[1]), und von
einem empfindlichen Streich, welchen er den Franken beibrachte.
Es gelang ihm auf hinterlistige Weise, den Grafen Chorso von
Toulouse in seine Gewalt zu bekommen; derselbe mußte seine Frei=
lassung durch einen Eid erkaufen[2]).

Und eine große Gefahr lag in dem ungezügelten Trotze der
wasconischen Häuptlinge, welchen es den Franken noch immer nicht
gelingen wollte zu brechen: die Gefahr einer Verbindung derselben
mit den Ungläubigen jenseits der Pyrenäen, einer ernstlichen
Bedrohung der südwestlichen Grenzen des Reiches durch den
thatkräftigen Abdurrahman, der nach jahrzehntelangen Kämpfen
erst vor kurzem seinen letzten Gegner im Innern niedergeworfen
und freie Hand erhalten hatte zu nachdrücklichem Auftreten nach
außen[3]). Zwar ist von einem Angriff, den Abdurrahman gegen
die Franken beabsichtigt, nichts bekannt[4]); aber Karl seinerseits

---

[1]) Die falsche Urkunde Karl's des Kahlen für das Kloster Alaon vom 21. Ja=
nuar 845, Böhmer Nr. 1572, in der Histoire générale de Languedoc I, preu=
ves p. 85 ff., deren Angaben auch noch Funck, Ludwig der Fromme S. 10; Foß,
Ludwig der Fromme vor seiner Thronbesteigung S. 5; v. Jasmund, Geschichtschreiber
der deutschen Vorzeit IX. Jahrh. 5. Bd. S. 7 N. 2 wiederholen, Fauriel III,
363 ff. sogar noch weiter ausgemalt hat. Vgl. auch oben S. 307 N. 2.
[2]) Astron. Vita Hludowici c. 5, SS. II, 609: Ea tempestate Chorso
dux Tholosanus dolo cuiusdam Wasconis, Adelerici nomine, circumventus
est et sacramentorum vinculis obstrictus sicque demum ab eo absolutus;
v. Jasmund a. a. O. S. 7 übersetzt circumventus nicht richtig mit „eingeschlossen".
Nach Foß a. a. O. hätte Chorso Urfehde geschworen, was wenig zutreffend scheint;
vgl. über Chorso o. S. 310 N. 4; 401 f. Die Zeit des Ereignisses (c. 789) ergibt
sich daraus, daß es heißt, Vita Hlud. l. c., im Sommer darauf sei Ludwig zu Karl
nach Worms gereist, was 790 geschah (s. Mühlbacher S. 210 und unten Bd. II.),
aber allerdings auch nur ungefähr, weil in dieser Vita große chronologische Verwirrung
herrscht. Die Histoire de Languedoc I, 445 und Foß, S. 6 setzen die Versamm=
lung in Mors Gothorum (Mourgoudou, Dep. Tarn), auf welche Adelrich geladen
ward um sich zu verantworten, 788 an; Funck S. 10 entscheidet sich noch unrichtiger
schon für 786; Leibniz, Annales I, 118 gar für 785. — Martin II, 307 nennt als
Ort dieser Versammlung willkürlich und falsch Toulouse. S. über dieselbe ebenfalls
Bd. II z. J. 790. Funck S. 10 sieht in dem Verfahren der Franken auf dieser
Versammlung freilich nur eine List, um Adelrich, dem sie sonst nicht hätten beikommen
können, sicher zu machen und dann später, wenn ihnen das gelungen, zu ver=
derben. Doch nöthigen zu dieser Annahme weder die Quellen noch die späteren Er=
eignisse.
[3]) Das nähere bei Aschbach, Ommaijaden I, 131 ff.; Lembke I, 349.
[4]) Dorr, De bellis Francorum cum Arabibus gestis S. 23 u. a. reden
von einem Einfall ins fränkische Reich, mit dem Abdurrahman sich damals beschäf=

hatte den Kampf gegen die spanischen Sarazenen ja auch seit dem
Feldzuge von 778 nicht ganz ruhen lassen [1]). Die Nachricht eines
arabischen Schriftstellers des eilften Jahrhunderts, nach dem Kriege
von 778 sei zwischen den beiden Fürsten über ein Bündniß vermittelst einer Heirat verhandelt und, da eine solche nicht zu Staude
gekommen, von Karl wenigstens eifrig und mit Erfolg um Abdurrahman's Freundschaft geworben worden, ist durchaus unbeglaubigt [2]).
Schon in Anbetracht der Verschiedenheit der Religion, welche doch
gewiß kein Theil hätte wechseln wollen, erscheint die Absicht einer
solchen Familienverbindung kaum denkbar. Am 7. Oktober starb
Abdurrahman noch in kräftigem Alter, in seinem 59. Lebensjahre [3]).
Die Entwürfe Karl's erfuhren durch diesen Todesfall nur Vorschub. Abdurrahman, welcher der Feindschaft, ja den Angriffen
der beiden mächtigsten Fürsten der Zeit zum Trotz in Spanien
eine selbständige Herrschaft eingerichtet, auch gegen die zahlreichen
inneren Feinde dieselbe siegreich behauptet hatte, wäre für Karl
unter allen Umständen ein überaus gefährlicher Gegner gewesen;
Abdurrahman's Sohn und Nachfolger Hescham, welchem der Vater
mit Uebergehung seiner beiden älteren Söhne die Thronfolge zugewandt [4]), war es wenigstens in den nächsten Jahren, so lange er

---

tigt habe. Allein der Brief Hadrian's an Karl, Jaffé IV, 201 ff., Codex Car.
Nr. 62, aus dem dies hervorgehen soll und wonach Karl dem Papst angezeigt hat:
quia — Deo sibi contrario — Agarenorum gens cupiunt ad debellandum
vestris (Karl's) introire finibus, gehört ohne Zweifel nicht in dieses Jahr, sondern
schon in den Mai 778; vgl. auch Jaffé, Regesta Pont. ed. 2a. I, 295 Nr. 2424
u. oben S. 290 N. 5. Cenni, I, 355 setzt diesen Brief ins J. 777.

[1]) Vgl. o. z. J. 785, S. 510.

[2]) Sie findet sich nach der Angabe von Lembke I, 349 N. 2 bei Ahmed el
Mokri, über den zu vergleichen ebd. S. 403 ff., Beilage I, und ist übersetzt von
Murphy, The history of the Mahometan empire in Spain S. 84: Abdurrahman and Charles, king of the Franks, one of the most powerful
sovereigns of his age, after they had tried each others powers in war,
sought to form an alliance by marriage; but the former having met with
an accident on the loins, which injured his virility, that design was ab-
andoned: Charles, however, courted his friendship and pressed the alliance;
and, though the latter was declined, peace was established between the
two sovereigns. Also, Karl soll, obschon das Vermählungsprojekt infolge eines dem
Abdurrahman zugestoßenen körperlichen Unfalles aufgegeben werden mußte, dennoch
auf ein politisches Bündniß gedrungen haben; dies wird von Abdurrahman zwar abgelehnt, jedoch ein friedliches Verhältniß zwischen beiden Herrschern hergestellt. Die
Zeit ist garnicht näher angegeben. Mit Recht hat schon Aschbach I, 131 N. 32 die
Nachricht als unglaubwürdig verworfen. Sie erinnert an die Beziehungen Karl's zu
Offa von Mercia (vgl. unten Bd. II. z. J. 789), bezw. zu Irene und Constantin, insofern Familienverbindungen mit den Höfen derselben geplant waren, aber
scheiterten.

[3]) Die Zeit gibt Noveiri bei Assemani III, 129, wo zugleich die abweichenden
Angaben, die zum Theil schon 787 haben, widerlegt sind. — Ann. Lauresham.
fragm. Chesn. 788, SS. I, 33: Ipsoque tempore Benemaugius rex Spanorum
mortuus est. Chron. Moiss. 793, SS. I, 300 (Dorr l. c. S. 46).

[4]) Das nähere bei Aschbach I, 134 f. 181 ff.; Lembke I, 349 ff. 356 ff. Die
Darstellung bei Fauriel III, 366 f., als hätte Hescham 788 einen Angriff auf die
fränkischen Grenzen beabsichtigt, ist falsch und rührt nur daher, daß er Abdurrahman's

feine aufrührerischen Brüder zu bekämpfen hatte, nicht. Karl's Kriege in den letzten Jahren hatten, seitdem 785 Sachsen vorläufig unterworfen, den überwiegend christlichen Charakter verloren; aber jetzt bereitete er Kriege vor, welche wieder ein vorherrschend christliches Gepräge trugen, Kriege gegen die Heiden im Osten und Westen des Reichs, gegen die Avaren und gegen die Sarazenen; inmitten dieser Pläne überraschte ihn die Nachricht vom Tode des mächtigsten Feindes der Christen in Europa, vom Tode Abdurrahman's, die ihn gewiß noch vor Jahresschluß in Achen ereilte und in der Ausführung seiner Entwürfe nur bestärken konnte. Thatsache ist, daß um diese Zeit (etwa 789) die fränkischen Heerführer den Sarazenen einen Küstenstrich an der spanischen Küste entrissen. Kein geringerer Zeuge als Alkuin meldet dies, und zwar in demselben, anscheinend im Eingange des Jahres 790 geschriebenen Briefe an einen angelsächsischen Geistlichen, in welchem er die Bekehrung der Sachsen, die Siege über die Griechen und die Avaren von 788 und die Unterwerfung der Wilzen im Jahre 789 berichtet[1]).

Die Entwürfe des Königs, die neuen Unternehmungen, die er demnächst einleitete, sind ein Beweis, daß Karl die bisher davongetragenen Erfolge für groß und sicher genug hielt, um auf sie gestützt sich neue und größere Aufgaben stellen zu können. Ein Abschluß war freilich, etwa Baiern ausgenommen, noch nirgends erreicht, aber feste Grundlagen, auf denen sofort weiter gebaut wurde, waren geschaffen, und ebenso sehr wie in Betreff der äußeren Machtstellung war das bei den inneren Verhältnissen der Fall. Für die Entwicklung der Gesetzgebung, für die Beförderung und Ausbreitung der Gelehrsamkeit und Bildung ist durch Karl schon seit einer Reihe von Jahren, ungeachtet der fortgesetzten Kriege, vieles geschehen[2]); aber fallen bei seiner kriegerischen Thätigkeit die

---

Tod schon 787 ansetzt und jenen Brief bei Jaffé IV, 201 ff. auch erst hieher zieht; vgl. oben S. 646 N. 4 u. unten N. 1.

[1]) Alcuin epist. 14, Jaffé VI, 167 (hier N. 3 auf 785 und die Uebergabe von Gerona bezogen); vgl. unten Bd. II. z. J. 790.

[2]) Vgl. unten Bd. II. Die Echtheit der Epistola de litteris colendis (Mühlbacher Nr. 283) ist von Harttung, Diplomatisch-historische Forschungen S. 319. 338 ff. angefochten worden, jedoch mit Gründen, welche Diekamp, Hist. Jahrbuch der Görres-Gesellschaft V. 1884. S. 259; Westfäl. Urkb. Suppl. S. 11 mit Recht für keineswegs überzeugend erklärt. Richtig und auch von Boretius, Capp. I, 79, anerkannt ist, daß der Schluß des Schreibens: Et nullus monachus foris monasterio iudiciaria teneat nec per mallos et publica placita pergat (vgl. hinsichtlich dieser Bestimmung Waitz IV, 2. Aufl. S. 442 N 5 und über die Bedeutungen von iudiciaria ebd. S. 454 N. 3; ferner Nißl S. 171 N. 4) zu dem übrigen Inhalt nicht paßt. Muß man aber diese Worte ausscheiden, so passen auch die unmittelbar vorhergehenden: Huius itaque epistolae exemplaria ad omnes suffragantes tuosque coepiscopos et per universa monasteria dirigi non negligas, si gratiam nostram habere vis nicht ganz. Da sie an einen Metropolitanbischof gerichtet sein müssen, lassen sie sich nur schwer und künstlich mit der Adresse an den Abt Baugolf von Fulda vereinbaren, vgl. auch Mabillon, Ann. Ben. II, 279. Der gedrechselte Stil (quanto magis — decertarent — certatim discere) erinnert

Erfolge sogleich in die Augen, so äußerten hingegen seine Be=
mühungen um die Hebung der Wissenschaften erst in den späteren
Jahren seiner Regierung ihre Wirkungen, und die Würdigung
seiner Wirksamkeit auf diesem Gebiete würde Noth leiden, wollte
man sie stückweise statt später im Zusammenhang betrachten.

---

etwas an die pseudoisidorische Schreibweise. Hinsichtlich der Epist. Carolin. 16, Jaffé
IV, 369 f., sind Sickel II, 263 und Mühlbacher Nr. 269 im Zweifel, ob sie etwa
eine bloße Stilübung sei. Hahn, Bonifaz und Lul S. 293 f. 301. 336, meint, sie sei
entweder an Lul oder an dessen Nachfolger Richulf gerichtet; Will, Regest. archiepp.
Maguntin. I, 44 Nr. 81 nimmt das erstere an.

Excurſe.

Excurs I.

Ueber Bertricus Abt zu St. Peter in Salzburg.

In den Verzeichnissen der Bischöfe und Aebte der Salzburger Kirche begegnet uns ein Abt Bertricus, der gewöhnlich nach, einmal aber auch vor dem Bischof Virgil genannt ist[1]) und jedenfalls noch zur Zeit Virgil's gelebt haben muß. Diesem Bertricus, wird gewöhnlich erzählt, habe Virgil im Jahre 774 nach Erbauung der Kathedrale die Stelle des Abts von St. Peter übertragen[2]), und es wird ausdrück= lich berichtet, daß er nach Virgil's Tod, 784, auch sein Nachfolger als Bischof von Salzburg geworden sei[3]). Diese Angaben über die Stellung des Bertricus entbehren jedoch alle Begründung. Bischof ist er nie gewesen; das älteste Bischofsverzeich= niß nennt ihn garnicht, sondern läßt auf Virgil unmittelbar Arn folgen[4]); die zuver= lässigste Schrift über die älteste Geschichte der Salzburger Kirche nennt als Nachfolger Virgil's gleichfalls den Arn[5]); in einer Urkundenformel bezeichnet sich Arn selbst als Nachfolger Virgil's[6]); in dem großen Verbrüderungsbuche von St. Peter führt Ber= tricus nur den Titel Abt[7]). Erst seit dem 11. Jahrhundert wird sein Name in die Bischofsregister eingeschaltet[8]).

Welche Stellung nahm denn aber dieser Bertricus ein? Abt hat er unstreitig geheißen; die Frage ist, in welchem Verhältniß er zum Bischof stand. Offenbar in einem sehr untergeordneten, so sehr, daß die Bezeichnung als Abt nur in beschränktem Maße Anwendung auf ihn findet. Abt von St. Peter blieb Virgil auch nachdem er den Bischofstitel angenommen und den Dom gebaut hatte; er heißt ausdrücklich Bi= schof und Abt[9]), und dasselbe gilt von seinem Nachfolger Arn, der ebenso als Erz= bischof und Abt erscheint[10]). Bertricus starb nicht schon 785, wie diejenigen wollen,

---

1) SS. XI, 85 N. 4; XIII, 353 N. 2. 354; Rettberg II, 242.
2) Catalogus cum historia compendio abbatum monasterii s. Petri Salisburgi ex antiquis chronicis extractus ab Alberto abbate eiusdem monasterii, S. 10; Monasteriorum Germaniae praecipuorum maxime illustrium centuria prima, authore Gaspare Bruschio, S. 131, 2; Hund, Metropolis Salisburgensis, ed. Gewold, III, 63.
3) Catalogus praesulum Iuvavensium. SS. XI, 20; Auctarium Garstense, SS. IX, 564; An= nales s. Rudb. Salisb. SS. IX, 769; Chronica Salisburgensia bei Canisius, Lectiones antiquae ed Basnage III, 2, 478; Chronicon Salisburg. anonymi San-Petrensis coenobitae bei Pez, Scriptores rerum Austriac. II. 427.
4) Carmin. Salisburgens. I, v. 7, Poet. Lat. aev. Carolin. II, 637.
5) Der Libellus de conversione Bagoar. et Carant. SS. XI, 9.
6) Monumenta Boica XIV, 351 Nr. 2.
7) Das Verbrüderungsbuch des Stiftes St. Peter zu Salzburg mit Erläuterungen von Karajan, S. 3 Reihe 14, S. 25 Reihe 118.
8) Wattenbach, SS. IX, 564 N. 71; vgl. SS. XIII, 353 N. 2.
9) Vgl. die Urkunde vom 31. Januar 781, bei Hansiz II, 87, und den Bischofs= und Abtskatalog im Verbrüderungsbuch S. 25 Reihe 118 lin. 8.
10) Verbrüderungsbuch S. 25, 118, 10.

die ihn zum Bischof und Nachfolger Virgil's [machen[1]); er lebte noch geraume Zeit unter Arn[2]), was allein schon genügen würde um zu beweisen, daß er nicht Arn's Vorgänger als Bischof gewesen sein kann. Ja, er ist sogar vielleicht erst unter Arn Abt geworden[3]). Aber auch seine Stellung als Abt war von der Virgil's und Arn's durchaus verschieden, wie sich schon daraus ergibt, daß er neben dem Bischof als Abt vorkommt. St. Peter kann unmöglich zu gleicher Zeit zwei Aebte mit gleichem Rechte gehabt, Bertricus muß daher in einem Verhältniß der Abhängigkeit von dem Bischof gestanden haben. Denn die Annahme, Virgil und Arn hätten die Bezeichnung Abt nur als Ehrentitel, zur Erinnerung an das alte Verhältniß fortgeführt, wirklicher Abt sei Bertricus gewesen, wird durch die klare Lage der Dinge in der nächstfolgenden Zeit ausgeschlossen. Nach Bertricus begegnet uns nur noch ein Abt neben dem Erzbischof, Ammiloni, der zu Arn ganz dieselbe Stellung einnahm wie Bertricus[4]); dann aber ist von einem besonderen Abt neben den Erzbischöfen zunächst nicht mehr die Rede; von dem Tode Ammiloni's, 821, bis 987 kennen wir nur die Reihe der Erzbischöfe; erst 987 finden wir wieder einen Abt, Titus[5]), und seitdem geht eine besondere Reihe von Aebten neben der Reihe der Erzbischöfe her[6]). Augenscheinlich versahen in dem Zeitraum von 821 bis 987 die Erzbischöfe von Salzburg auch die Stelle des Abts von St. Peter; wie hätte der Nachfolger Arn's, Adalram, diese Einrichtung treffen können, wenn die Gewalt des Bischofs nicht auch vorher schon auf die Leitung des Klosters sich erstreckt hätte? Virgil und Arn zogen es aus Gründen, die wir nicht kennen, wahrscheinlich weil die bischöflichen Geschäfte sie allzu häufig zur Abwesenheit von Salzburg nöthigten[7]), vor, die Verwaltung des Stiftes einem Stellvertreter zu übertragen, dem sie den Titel Abt beilegten[8]); in diesem Sinne war Bertricus Abt, nicht durch die Wahl der Mönche, sondern durch die Ernennung von Seiten Virgil's. Dagegen wurde der Bischof auch später von den Mönchen mitgewählt, was doch gewiß nicht hätte geschehen können, wenn er nicht noch wirklicher Abt von St. Peter gewesen wäre.

---

[1] Brusch S. 131, 2; Metzger S. 214.
[2] Hansiz II, 99 f.
[3] Vgl. Karajan, Einleitung S. XI; Herzberg-Fränkel im N. Archiv XII, 81. 82 N. 2, welche dies übereinstimmend annehmen.
[4] Verbrüderungsbuch S. 3, 14, 7; 25, 118, 11.
[5] Annales s. Rudberti Salisburg. SS. IX, 772.
[6] Verbrüderungsbuch S. 25, 118 und 119.
[7] So auch Metzger S. 214.
[8] Abbas vicarius nennt ihn Hansiz II, 87, der mit Recht die Abhängigkeit des Abts hervorhebt und von seinem Gegner in dem Novissimum chronicon antiqui monasterii ad s. Petrum Salisburgi, opera et studio coenobitarum dicti monasterii, nicht widerlegt worden ist. Vgl. auch Zeißberg, Arno, erster Erzbischof von Salzburg, in den Sitzungsberichten der Wiener Akademie, phil.-hist. Classe, Jahrg. 1863, Bd. 43, S. 310.

Excurs II.

Ueber das Todesjahr Gregor's von Utrecht und die chronologische Anordnung der Missionsthätigkeit des Liudger.

Nach der gewöhnlichen Annahme ist der Bischof Gregor von Utrecht im Jahre 776 gestorben[1]). Die Berechnung, wonach sein Tod erst ins Jahr 780 oder 781 fällt, kommt angesichts der Urkunde Karl's für Gregor's Nachfolger Alberich vom 7. oder 8. Juni 777, die unzweifelhaft echt ist[2]), nicht weiter in Betracht vgl. Rettberg II, 533 und Mabillon, Acta SS. ord. s. Bened. saec. III: p. 2, 333 N. 6, welcher letztere seine Ansicht später in den Annales l. c. selbst wieder hat fallen lassen. Unbedingt falsch ist demgemäß auch eine auf das Jahr 784 lautende Angabe[3]). Es kann sich wohl nur um das Jahr 775 oder 776 handeln. Die Berechnungen beruhen auf den Zeitangaben über die Wirksamkeit Liudger's. Von ihm wissen wir durch seinen Biographen Altfrid, daß er nach Gregor's Tode als Missionar in Friesland auftrat[4]); daß er 7 Jahre dort wirkte, dann infolge der durch Widukind hervorgerufenen Erhebung Sachsens und Frieslands flüchtig wurde und sich nach Italien begab; daß er endlich nach dritthalbjähriger Abwesenheit nach Deutschland zurückkam und Karl ihm die Predigt und Aufsicht über 5 friesische Gaue übertrug[5]). Bei dem Aufstande Widukind's nun, auf den es ankommt, denken die meisten ans Jahr 782[6]), allein mit Unrecht. Die Worte der Quelle können, wenn man ihnen nicht Gewalt anthun will, nur so verstanden werden, daß Liudger erst nach dem Tode Bischof Alberich's Friesland verließ[7]); Alberich aber starb am 21. August 784[8]); woraus folgt, daß Liudger nicht früher nach Italien ging. Dazu paßt genau der Umstand, daß nur 784, nicht aber 782 oder 783, neben den Sachsen ausdrücklich auch die Friesen als aufständisch bezeichnet sind[9]). Außerdem fällt noch ein anderer Umstand ins Gewicht. Ist Liudger erst nach Alberich's Tod nach Italien gereist, so fällt seine Rückkehr nach dritthalbjähriger Abwesenheit ungefähr in die erste Hälfte des Jahres 787 und wenig später seine neue Mission nach Friesland. Nun wissen wir, daß

---

[1]) So u. a. Mabillon, Annales II, 235; Le Cointe VI, 117 ff.; Royaards, Geschiedenis der invoering en vestiging van het christendom in Nederland p. 264; Erhard, Regesta historiae Westfaliae S. 66 Nr. 150 (vgl. jedoch Diekamp, Westfäl. Urkb. Suppl. S. 9, Nr. 64).

[2]) Heda S. 41; vgl. oben S. 266 N. 6.

[3]) S. SS. XV, 79 N. 4. Der Tag (25. Aug.) ist richtig angegeben; dagegen falsch auf den 19. Dezember (14. Kal. Ianuarii) im Erlanger Codex der V. Gregorii, vgl. ebd N. 5.

[4]) Altfrid. Vita Liudgeri I, 15. 16, ed. Diekamp (Geschichtsquellen des Bisthums Münster IV), S. 19 f.

[5]) Altfrid. Vita Liudgeri I, 21. 22, a. a. O. S. 24 f.

[6]) So Pertz in der Ausgabe SS. II, 410; Royaards S. 285; Rettberg II, 538; v. Richthofen, Zur Lex Saxonum S 160 N. 1; 161 N. 2. Dagegen theilt Diekamp die oben ausgeführte Ansicht (s. auch Westfäl. Urkb. Suppl. S. 11 Nr. 80); ebenso Wattenbach, Allgem. deutsche Biogr. XIX, 4 (vgl. jedoch DGQ. I, 5. Aufl. S. 230).

[7]) Altfrid. Vita Liudgeri I, 21, S. 25: Albricus episcopus in ipsa perversa commotione de hac luce migravit. Tunc Liudgerus necessitate compulsus deseruit partes illas . . .

[8]) Annales Mosellani, SS. XVI, 497, Ann. Lauresham. SS. I, 32; vgl. Beka ed. Buchelius S. 21 und oben S. 485.

[9]) Annales Lauriss. mai. SS. I, 166.

am 13. Juli 787 Willehad zum Bischof von Wigmodia geweiht wurde[1]), Karl also
eben damals mit der Organisirung der Kirche und der Mission in jenen sächsisch-
friesischen Gegenden beschäftigt war, so daß es ganz natürlich scheint, wenn gleichzeitig
die Leitung der Mission in Friesland Liudger übertragen wurde. Demnach ergibt
sich, daß Liudger erst 784 Friesland verließ und daß erst von da, nicht schon von 782
rückwärts die 7 Jahre seiner Wirksamkeit daselbst zu berechnen sind. Dies führt aufs
Jahr 777; in diesem Jahre wird Liudger, nachdem er in Köln zum Presbyter geweiht war, von Alberich in den Ostkrgau abgeordnet worden sein[2]). Die Weihe Liudger's fand aber gleichzeitig mit der Weihe Alberich's zum Bischof statt; da nun Alberich in der Urkunde Karl's vom 7. Juni 777 noch als presbyter atque electus
rector des Utrechter Stifts begegnet, so muß die Bischofsweihe erst in der zweiten
Hälfte des Jahres, jedenfalls erst nach dem 7. Juni erfolgt sein[3]) und in diese Zeit
also auch der Beginn von Liudger's Thätigkeit im Ostgau verlegt werden. Vor
der Weihe in Köln war Liudger aber auch in Friesland thätig gewesen, und vor den
Beginn dieser Thätigkeit fällt der Tod Gregor's. Wie lange dieser erste Aufenthalt
Liudger's in Friesland dauerte, ist freilich nicht angegeben; aber deutlich ist doch, daß
was sein Biograph Altfrid darüber erzählt[4]), auf einen längeren Aufenthalt hinweist.
Schon deshalb ist es auch wahrscheinlich, daß er die Herstellung der Kirche zu Deventer nicht erst Ende 776, sondern früher in Angriff nahm, daß also auch Gregor,
nach dessen Tode dies erst geschah, nicht 776, sondern 775 starb.

So wird die Angabe des Utrechter Bischofsverzeichnisses, daß Gregor am
25. August 775 gestorben sei[5]), durchweg bestätigt. Und jedenfalls müssen das diejenigen zugeben, welche Liudger's Vertreibung aus Friesland schon 782 ansetzen; denn,
wäre es möglich, jenen Aufenthalt von 7 Jahren nicht von seiner Wirksamkeit im
Ostgau allein, sondern überhaupt in Friesland, von seinem ersten Auftreten an, zu
verstehen, so müßte man, bei dieser Annahme, doch Gregor's Tod bereits ins Jahr
775 setzen, um die 7 Jahre herauszubringen[6]). — Eine gewisse Schwierigkeit bietet
allerdings, daß Gregor's Biograph Liudger erzählt, Alberich, qui tunc temporis in
Italia erat regali servitio occupatus, sei ein paar Tage vor Gregor's Ableben,
c. am 22. August, in Utrecht eingetroffen. Dies scheint besser auf den August 774
oder 776 als auf den August 775 zu passen, weil Karl in den ersteren Jahren um
diese Jahreszeit von Feldzügen nach Italien zurückkehrte (Holder-Egger, SS. XV, 79
N. 2; oben S. 233 N. 3). Allein diese Biographie Gregor's ist viel zu unzuverlässig,
als daß man wegen dieser in ihr enthaltenen Angabe (welche sich überdies allenfalls
auch noch anders erklären ließe) das ausdrückliche und durch die sonstigen Daten bestätigte Zeugniß des Bischofsverzeichnisses verwerfen müßte.

---

[1]) Vita Willehadi c. 8, SS II, 383; das Jahr nennt freilich nur das Chronicon Moissiac.
(cod. Moiss.), SS. II, 257, vgl. oben S. 6 N. 1; 585.
[2]) Altfrid. Vita Liudgeri I, 17, S. 21.
[3]) Vgl oben S. 266. 277.
[4]) Altfrid. Vita Liudgeri I, 16, S. 20: vgl. oben S. 234 f.
[5]) Vgl. oben S. 232 N. 10.
[6]) Unrichtig gibt also Erhard a. a. O. als Gregor's Todesjahr 776 an, während er
Liudger's Vertreibung aus Friesland schon ins Jahr 782 setzt, und ganz willkürlich stellt er
die Sache so dar, als hätten Alberich und Liudger die Weihe in Köln schon 776 erhalten
und sei erst nachher von Liudger die Kirche in Deventer hergestellt worden, Nr. 153. Vgl.
dagegen Diekamp, Suppl. S. 9. 11 Nr. 64. 80.

Excurs III.

Bemerkungen über Sprachgebrauch und Stil der Annales Laurissenses maiores.

Sprache und Stil der karolingischen Reichsannalen sind in der jüngsten Zeit zum Gegenstande sehr eingehender, ja minutiöser Untersuchungen gemacht worden; namentlich durch Manitius und Dorr, welche den späteren Abschnitten der sog. Annales Laurissenses maiores und der Bearbeitung der letzteren, den sog. Annales Einhardi, solche Untersuchungen gewidmet haben. Allerdings ist die von ihnen angewandte Methode nebst den Schlußfolgerungen, welche sie auf diesem Wege gewinnen zu können glaubten, auch nicht ohne lebhafte Opposition geblieben. Die Gegner, welche eine solche zum Theil im Sinne der Sybel'schen Ansichten erhoben, sind G. Kaufmann und Bernheim. Kaufmann[1] bezweifelt die Fruchtbarkeit dieser Untersuchungen und meint, es sei in dieser Beziehung einstweilen des Guten genug oder vielmehr schon zu viel geschehen. Bernheim[2] warnt eindringlich, und zum Theil nicht ohne Grund, vor den Uebertreibungen und Abirrungen jener Methode. Auch H. Koht schließt sich diesen Ansichten an[3]. Allein man darf das Kind doch nicht mit dem Bade ausschütten. Niemals wird die Forschung darauf verzichten sollen oder dürfen, dem Sprachgebrauch und Stil der Quellen eingehende Aufmerksamkeit zu widmen, und es hieße geradezu sie eines höchst brauchbaren Werkzeugs zur Lösung ihrer schwierigen Aufgaben berauben, wenn man ihr untersagen wollte aus den Ergebnissen dieser Beobachtung, selbstverständlich mit der gebotenen Vorsicht, auch Schlüsse auf der Autoren Heimath, Person u. s. w. zu ziehen. Ein eifriger Forscher wird immer wieder auf diese Methode zurückkommen und sich ihre Anwendung niemals verwehren lassen. Gesetzt z. B. Widukind's Res gestae Saxonicae oder Lambert's Jahrbücher wären uns nicht im Zusammenhange, sondern nur in zerstreuten Bruchstücken überliefert und jemand schlösse aus der Uebereinstimmung der Ausdrucksweise auf die Zusammengehörigkeit dieser Bruchstücke und die Identität des Verfassers, so würde er einen richtigen Schluß ziehen. So hat Holder-Egger ja gerade auch durch stilistische Argumente Lambert's Autorschaft der Vita Lulli nachzuweisen vermocht.

Der erste Theil der Annales Laurissenses maiores ist in sprachlicher Hinsicht noch keiner genaueren Prüfung unterzogen worden, und doch erscheint eine solche erwünscht und nothwendig; um so mehr, als die anregende Behauptung aufgestellt worden ist, daß dieser Theil der großen karolingischen Jahrbücher wegen der darin vorkommenden zahlreichen romanischen Wortformen von einem Romanen geschrieben sein müsse. Es ist Wilhelm Arndt, welcher diese Ansicht in neuerer Zeit wiederholt, wenn auch ohne nähere Begründung, ausgesprochen hat[4]. Allerdings

---

[1] Historische Zeitschrift LIV, 55 ff. Gegen die Ansichten Sybel's und seiner Anhänger mag hier aber auch noch auf die Worte von Sickel II, 229 verwiesen werden: „ann. Laurissenses, deren officieller Charakter (Ranke Abh. der Berliner Academie 1854, 415) sich besonders auch in der Genauigkeit und Zuverlässigkeit der Itinerarangaben bekundet."

[2] Historische Aufsätze, dem Andenken an Georg Waitz gewidmet, S. 73 ff., bes. S. 93.

[3] Annalen II, 697 ff.

[4] Literarisches Centralblatt 1880. Nr. 40 Sp. 1316. 1884. Nr. 25 Sp. 846. — Dasselbe behauptet Ad. Ebert von dem Verfasser des von 830 bis 835 reichenden Theils der Annales

hat Wattenbach in der seither erschienenen 5. Auflage seines Werkes über Deutschlands Geschichtsquellen, gleich einigen anderen neuen Beiträgen und Notizen zur Quellen= kunde der karolingischen Zeit[1]), auch diese Bemerkung übersehen oder übergangen. Mühlbacher meint[2]), Arndt's These trete ziemlich vorsichtig auf, und das nicht ohne Grund. Allein diese Bemerkung trifft insofern nicht zu, als Arndt seine Annahme im Gegentheil mit großer Sicherheit aufstellt[3]).

Freilich steht diese Ansicht in vollkommenem Gegensatz zu derjenigen Giese= brecht's[4]), welcher von dem Verfasser dieses ältesten Theils der Annales Laurissen= ses maiores meint: „Unzweifelhaft war er ein Deutscher" (und zwar ein Baier). Giesebrecht stützt seine Ueberzeugung u. a. darauf, daß dieser Annalist es sei, welcher zuerst den Ausdruck 'theodisca lingua', und zwar offenbar in der Bedeu= tung seiner Volkssprache gebrauche. Indessen, wenn wir auch von der Vermuthung absehen, daß die Annalen gerade an dieser Stelle auf eine Hofgerichtsurkunde zurück= gehen[5]), tritt das letztere doch nicht so unzweifelhaft hervor. Der Annalist schreibt nur: quod theodisca lingua harisliz dicitur (788, S. 172)[6]). Ganz ähnlich heißt es in einem sogar für Italien bestimmten Capitular Karl's d. Gr.: quod nos teudisca lingua dicimus herisliz[7]). Die bloße Erwähnung der offiziellen fränkischen Bezeichnung für ein Verbrechen, für welches es einen entsprechenden lateinischen Aus= druck wohl kaum gab, dürfte demnach für die Nationalität des Verfassers nicht ent= scheidend sein.

Was Arndt's Annahme unterstützen könnte, ist der Umstand, daß der betreffende Theil dieser Jahrbücher in Sprache und Stil wohl mit keinem andern litterarischen Denkmal jener Periode größere Verwandtschaft zeigt als mit den gleichzeitigen Produkten des Laterans, d. h. mit den päpstlichen Briefen im Codex Carolinus und den Biographieen der Päpste im Liber pontificalis. Re= gino bezeichnet diese alten Annalen bekanntlich als 'plebeio et rusticano sermone' geschrieben[8]), und mit vollem Recht. Aber auch das Latein der päpstlichen Briefe jener Zeit ist ein sehr schlechtes. Bayrmann[9]) machte bereits auf die „Zerrüttung in

---

Bertiniani, Allgem. Gesch. der Literatur des Mittelalters im Abendlande II, 365 N. 2, wo allerdings die Begründung bei weitem nicht ausreichend sein dürfte. Ebert hebt u. a. den Gebrauch des Conjunctivs des Plusquamperfects statt des conj. imperfect. hervor, wie Dünzelmann, Neues Archiv II, 479, denselben Gebrauch im ersten Theil der Annales Lauris= senses maiores.

[1]) Eine Reihe einzelner derartiger Mängel des unschätzbaren Werkes bemerkt Dümmler, Lit. Centralbl. 1885 Nr. 16 Sp. 540.

[2]) Mittheilungen des Instituts für österreichische Geschichtsforschung II, 643.

[3]) „Ref. darf hier wohl andeuten, . . . daß es ihm selbst . . . unzweifelhaft ist, daß wenigstens der erste Theil der Annalen von einem Romanen geschrieben ward . . ." — „Ref. macht hier darauf aufmerksam, daß . . . dieser erste Theil von einem Romanen ge= schrieben sein muß, wie es die zahlreichen romanischen, nur in diesem Abschnitt vorkommen= den Wortformen beweisen"

[4]) Die fränkischen Königsannalen und ihr Ursprung (Münchner histor. Jahrbuch für 1865) S. 198.

[5]) Vgl. Barchewitz, Das Königsgericht zur Zeit der Merovinger und Karolinger (Hist. Studien 5. 1882), S. 43 ff. nebst dem Vorwort von Arndt; J. Bernays, Zur Kritik karolin= gischer Annalen (Diss. Straßburg 1883) S. 9—10; v. S. 623 N. 2.

[6]) Die Annales Tiliani, SS. I, 221 schreiben dafür: et ipsa synodus iuxta linguam suam harisliz iudicaverunt eum ad mortem.

[7]) Capitulare Italicum 801. c. 3, Capitularia reg. Francor. ed. Boretius I, 205 (hiezu jedoch Legg. IV, p. L n. 28); vgl. ferner Capit. Bonon. 811. c. 4, ibid. S. 166: quod factum Franci herisliz dicunt.

In den Akten eines westfränkischen Provinzialconcils, desjenigen zu Tours v. J. 813, wird verlangt: ut easdem homilias quisque transferre studeat in rusticam romanam linguam aut theotiscam (c. 17, Mansi XIV, 85) etc. Eine Stelle, welche Waitz, Deutsche Verfassungs= geschichte V, 8 N. 2, nicht richtig als die älteste bezeichnet, in welcher das Wort „deutsch" vorkomme. Der Irrthum ist veranlaßt durch J. Grimm, Deutsche Grammatik I, 3. Ausg. S. 13 N. 2, welcher die Stelle im Capit. Ital. 801 überzah und von den Annales Laurissenses annahm, ihre Redaktion sei „erst später vollführt". Vgl. H. Brunner, Deutsche Rechtsge= schichte I, 30 N. 4 und übrigens auch die von Dümmler, Gesch. des ostfränkischen Reiches I, 2. Aufl. S. 207, beigebrachten Beweise für die Verbreitung der Kenntniß des deutschen Sprache in Gallien u. s. w., sowie die Bemerkung von Freeman, Zur Geschichte des Mittel= alters, Essays, übers. von Locher, S. 67 N.

[8]) SS. I, 566.

[9]) Die Politik der Päpste von Gregor I. bis auf Gregor VII., Bd. I, S. 273 N. 5. — Jaffé IV, 6 nennt die Latinität der Briefe des Codex Carolinus ein 'scribendi genus, quod ab omnibus fere grammaticorum praeceptis abhorret'.

Casusformen und Constructionen" aufmerksam, welche die Schreiben Hadrian's I. im Codex Carolinus zeigen, und erklärt ihr Latein für „merklich schlechter als es etwa unter Paul I. war".

Die Sprache der Ann. Lauriss. mai. wird mit am meisten entstellt durch einen übermäßigen und fehlerhaften Gebrauch des Particips, besonders des participium praesentis. Mit Recht bemerkt Dünzelmann[1]), „der Autor falle namentlich infolge falscher Anwendung des Participiums beständig aus der Construction". Der reichen Auswahl von Beispielen, die uns in dieser Beziehung zu Gebot stehen, entnimmt Dünzelmann einige aus den Jahren 787 und 788: Ibique venientes missi Tassiloni ducis . . . et petierunt apostolicum — Unde et domnus apostolicus multum se interponens, postolando iamdicto domno rege — Tunc domnus rex Carolus congregans sinodum ad iamdictam villam Ingilenhaim, ibique veniens Tassilo ex iussione domni regis, sicut et caeteri eius vassi, et coeperunt fideles Baioarii dicere. Zu diesen lassen sich andere hinzufügen, wie 773: Et tunc ambo exercitus ad clusas se coniungentes, Desiderius ipse obviam domni Caroli regis venit — et mittens scaram suam per montana, hoc sentiens Desiderius, clusas relinquens, supradictus domnus Carolus rex una cum Francis . . . Italiam introivit. 778: Et cum subito audientes de reversione domni Caroli regis. 781: Et coniungens se supradictus dux in praesenciam piissimi regis ad Wormaciam civitatem, ibi renovans sacramenta et dans duodecim obsides electos. 788: et quomodo domnum Pippinum regem in exercitu derelinquens etc. Man sieht, bisweilen steht das participium praesentis sogar, wo ein verbum finitum stehen müßte. Derselbe Gebrauch tritt in jenen italischen Quellen hervor, was ebenfalls durch einige Beispiele belegt werden mag, V. Stephani III., Duchesne I, 473: Et dignam illi impendentes humanitatem, cuncta nihilominus, pro quibus missus est, de eorum excellentia impetravit. Dirigentes scilicet ipsi christianissimi reges XII episcopos . . . Eisque in hanc Romanam urbem coniungentibus... protinus antedictus Stephanus sanctissimus papa adgregans diversos episcopos Tusciae atque Campaniae et aliquantos istius Italiae provinciae. S. 475: Alia vero die denuo adferentes eum atque interrogantes de eadem impia novitate, respondit. V. Hadriani I. ibid. S. 494: properantes simul et apostolicae sedis missi; qui subtilius cuncta referentes et de maligno proposito praenominati Desiderii adnuntiantes antefato excellentissimo et a Deo protecto Carulo magno regi, confestim isdem mitissimus et revera christianissimus Carolus Francorum rex direxit eidem Desiderio suos missos, id est . . ., deprecans, ut easdem, quas abstulerat, pacifice redderet civitates. — Cod. Carolin. Nr. 16, Jaffé IV, 76: Agnoscat . . . bonitas tua, quia coniungens ad limina apostolorum . . . Desiderius rex pacifice atque cum magna humilitate, cum quo salutaria utrarumque parcium locuti sumus.

Ferner hebt Ferdinand Hirsch[2]) hervor, daß in den päpstlichen Briefen jener Zeit die Gerundivconstruction statt des Infinitivs gebraucht werde; z. B. Cod. Carolin. Nr. 7, Jaffé IV, 39: omnia, quae per sacramentum beato Petro per vestros missos restituenda promisit; Nr. 11, S. 64: sub iureiurando pollicitus est restituendum beato Petro civitates reliquas; Nr. 56, S. 185: quod . . . vestros ad nostri praesentiam studuissetis dirigendum missos. Aehnlich der Lib. pontif. und die Ann. Lauriss. mai. 758: et tunc polliciti sunt contra Pippinum omnes voluntates eius faciendum et honores in placito suo praesentandum. 776: Francos exinde suadentes exiendo.

Wir stellen außerdem gewisse Aehnlichkeiten zusammen, die in einzelnen Ausdrücken und Wendungen hervortreten:

---

[1]) Neues Archiv II, 480.

[2]) Die Schenkungen Pippin's und Karl's des Großen an die römischen Päpste (Festschrift der Königstädt. Realschule zu Berlin 1882) S. 18 N. 17.

I.

Ann. Lauriss. mai.	Cod. Carolin. (Jaffé IV).

<table>
<tr><td>

749. interrogando de regibus in Francia, qui illis temporibus non habentes regalem potestatem, si bene fuisset an non.

</td><td>

Nr. 22, S. 96: ut agnoscere per eos voluissetis, utrum nobis a parte Langobardorum plenariae factae fuissent iustitiae an non. Nr. 68, S. 215—216. — Epist. Carolin. 4 (Hadrian. I.), S. 345: Et (proinde) vestrum petimus consilium: si eos in servitio beati Petri apostoli recipere debeamu(s an non)[1].

</td></tr>
<tr><td>

769. et cum paucis Francis auxiliante Domino dissipata iniqua consilia supradicti Hunaldi.
794. dissipavit Deus consilia eorum.

782. et nullum mandatum exinde fecerunt domno Carolo rege[2]).

</td><td>

Nr. 68, S. 261: Dei nutu per suffragia apostolorum malignancium consilia dissipata repperierunt.

Nr. 61, S. 199: et nullum mandatum de adventum vestrum suscaepissemus.

</td></tr>
<tr><td>

787. et omnes voluntates praedicti domni regis adimplere cupiebant.

</td><td>

Hadrian I. an Constantin und Irene, Mansi XII, 1056 (Jaffé Reg. Pont. Rom. ed. 2a. Nr. 2448): nostris obtemperans monitis atque adimplens in omnibus voluntates.

</td></tr>
<tr><td>

787. ut omnia adimpleret secundum iussionem apostolici.

</td><td>

Cod. Carolin. l. c.: ut secundum promissionem, quam polliciti estis eidem Dei apostolo . . . omnia nostris temporibus adimplere iubeatis.

</td></tr>
<tr><td>

788. malivola uxor eius Liutberga Deo odibilis.

</td><td>

Nr. 62, S. 203: nefandissimos et Deo odibiles Beneventanos. 66, S. 208: una cum Deo odibiles Grecos. Leonis III. epist. 5, ibid. S. 323: Deo odibiles Mauri.

</td></tr>
</table>

II.

Ann. Lauriss. mai.	Liber pontificalis (ed. Duchesne t. I.).

<table>
<tr><td>

743. et Carlomannus per se in Saxoniam ambulabat in eodem anno.

</td><td>

V. Zachariae, S. 427: ad ambulandum in loco Teramnensium urbis. S. 430: ne illuc ambularet. V. Stephani II, S. 446: nequaquam eum penitus ambulare sinebant. S. 446: si velle haberet Franciam ambulandi.

</td></tr>
</table>

---

[1]) So von Jaffé ergänzt.
[2]) D. h. „und machten dem Könige keine Meldung davon“; S. Abel (Jahrbb. Karl's d. Gr. I, 354 N. 3) und Kentzler (Forschungen zur deutschen Geschichte XII, 367); auch Richter-Kohl, Annalen I, 85, haben diesen Ausdruck nicht richtig verstanden.

756. cupiebat supradictus Haistul-fus nefandus rex mentiri, quae antea pollicitus fuerat. 761. quod Waipharius in omnibus mentitus est.

769. cum paucis Francis. 771. cum aliquibus paucis Francis. 775. cum aliquibus Francis. 783. cum paucis Francis. 788. una cum paucis Francis — cum aliquibus Francis. 791. cum quibusdam Francis[1]).

778. et multas malicias facientes. 787. et quicquid in ista terra factum eveniebat in incendiis . . . vel in qualecumque malicia. 791. propter nimiam maliciam et intollerabilem, quam fecerunt Avari contra sanctam ecclesiam.

V. Hadriani I., S. 487: inquiens, quod omnia illi mentitus fuisset, que ei in corpus beati Petri iureiurando promisit . . .

Ibid. S. 496: cum aliquantis fortissimis Francis.

V. Hadriani I., S. 489: et aliquam malitiam[2]) amplius . . . in finibus Romanorum . . . perpetraret. 492. sed nec ab eadem malicia recedere voluit, non cessans crudeliter multa atque intolerabilia[3]) mala finibus Romanorum . . . ingerendum. 495. sine ulla inferta malitia — ipsius maligni Desiderii iniquam perfidiam atque intolerabilem proterviam.

Für „Bruder" wird, wie im Codex Carolinus[4]) und Liber pontificalis[5]), stets germanus gesagt (745. 753. 769).

Das Verbum coniungere begegnet uns in der damaligen römischen Latinität, sowohl in den päpstlichen Schreiben wie im Liber pontificalis, oft in der Bedeutung „kommen"[6]); z. B. Cod. Carolin. Nr. 12, Jaffé IV, 68: coniunxit hic Romam Immo; Nr. 30, S. 112: vestris missis, qui nuper ad nos coniunxerunt; Nr. 57, S. 189: dum Perusiam coniunxissent; Nr. 85, S. 257: dum adhuc minime coniunxisset nostris apostolicis optutibus Liudericus; Leonis III. epist. 6, ibid. S. 323: Cumque ipse patricius in Siciliam coniunxisset. — V. Hadriani I., Duchesne I, 488—497: Perusiam coniungentibus — Ravennamque coniungeret — Quibus Roma coniungentibus — coniunxerunt ad sedem apostolicam — Papiam coniungens — Papiam coniungens civitatem — dum illuc coniunxisset — Coniungente vero eodem . . . Carulo rege. Aehnlich wird im ersten Theil der Annales Laurissenses mai. coniungere, se coniungere, periungere, se iungere für „kommen" gebraucht[7]). So 773: et inde terreno ad domnum Carolum regem usque periungens — 779: cum se iunxisset domnus Carolus rex ad locum qui dicitur Medofulli — 781: Et coniungens se supradictus dux in praesentiam piissimi regis ad Wormaciam civitatem[8]) — 785: coniunxerunt se ad Attiniacum villa ad domnum regem Carlum — 787: Et iussit alium exercitum fieri, id est Franci Austrasiorum, Toringi, Saxones, et coniungere super Danubium flavium, in loco qui dicitur Faringa. 789: Frisiones autem na-

---

1) Vgl. Waitz IV, 2. Aufl. S. 612 N. 2.
2) Vgl. Cod. Carolin. Nr. 21 S. 92: nullam malitiam vel invasionem a Longabardis in nostris partibus fuisse infertas; Nr. 29 S. 110: de eius iniqua malicia, quam contra sanctam Dei ecclesiam . . . agere praesumpsit; Nr. 62 S. 202: aut aliqna malitia eis minime eveniret; Nr 64 S. 206.
3) Vgl. Cod. Carolin. Nr. 45 S. 149: valde . . . intolerabilis mestitia.
4) Vgl. Jaffé IV, 67. 68. 87. 88. 93. 98. 100. 126. 128. 139. 140. 142.
5) Vgl. V. Stephani II., Duchesne l. c. S. 454; V. Pauli, ibid. S. 463; V. Stephani III, S. 478; V. Hadriani I. S. 489. 498.
6) Vgl. Ducange, Glossar. ed Favre II, 506—507; vgl. ital. giugnere, franz. joindre.
7) Vgl. auch Bückert in den Berichten der t. sächsischen Ges. d. Wissensch. phil.-histor. Cl. 1884. I. II. S. 158 N. 2; anders Manitius, Die Annales Sithienses, Lauriss. min. etc. S. 52 N. 38.
8) Vorher: et tunc veniret ad eius praesenciam.

vigio per Habola fluvium cum quibusdam Francis ad eum coniunxerunt. An einigen dieser Stellen könnte man allerdings zweifeln, ob se coniungere etc. nicht in der eigentlichen Bedeutung „sich vereinigen" — aus welcher diejenige „zu einer Person oder nach einem Orte kommen" ja offenbar entsprungen ist — aufzufassen sei; bei andern fällt dieser Zweifel jedoch fort. Die späteren Umarbeitungen der Annalen setzen denn auch dafür: pervenire — veniens — venit — venerunt — accessissent — venientes — venerunt (Ann. Einhardi 773. 779. 781. 785. 787, SS. I, 151. 161. 163. 169. 173; Ann. Enhard. Fuld. 789, SS. I, 350; Regino 789, SS. I, 561).

Die Beobachtung dieses Sprachgebrauchs gewinnt dadurch an Interesse, daß sich aus ihr eine richtigere Auffassung der mehrfach erörterten Stelle a. 773 ergibt, wo der Annalist schreibt: Et tunc ambo exercitus ad clusas se coniungentes[1]). Will derselbe hiemit sagen, daß die beiden Heere, von denen das eine über den Mont Cenis, das andere über den St Bernhard gegangen war, sich an den Alpen-klausen mit einander vereinigt hätten, so berichtet er eine geographische Unmöglichkeit. In der That ist ihm dieser Vorwurf namentlich von H. v. Sybel gemacht worden, der auch durch diese Stelle seine Meinung bestätigt zu finden glaubt, daß der Verfasser ein unwissender Klosterbruder gewesen sei. Sybel schreibt[2]): „Anerkennend bemerkt dann Ranke, wie der alte Annalist die Umgehung der langobardischen Klausen durch eine seitwärts über die Berge entsandte Schaar klar stellt, während der spätere Bearbeiter sich statt dessen mit einer allgemeinen inhaltlosen Redewendung begnügt. Leider müssen wir eines andern Umstandes wegen dieses Lob in sein Gegentheil verkehren. Jene Klausen lagen am Ausgang des Thales von Susa, im letzten Engpaß der Straße des Mont Cenis. Wenn nun des Königs Oheim den großen Bernhard überstiegen hatte, so mußte er durch das Thal von Ivrea in die piemontesische Ebene und damit den Klausen bei Susa in den Rücken gelangen. Unser Annalist aber läßt den Oheim nebst seinen Truppen noch vor den Klausen sich mit dem Könige vereinigen; er gibt ihm also Flügel oder Luftschiffe, um aus dem Passe des Bernhard quer über zwei Alpenketten hinüber in das Thal von Susa zu gelangen und dann ebenso wie der König durch die feindlichen Schanzen im Marsche aufgehalten zu werden. Es ist deutlich, daß ein solcher Bericht für die Erkenntniß des Feldzugs überhaupt unbrauchbar ist." Diesem Tadel haben sich dann andere, wie Mühlbacher[3]) und Plückert[4]), angeschlossen, während Harnack[5]) den Annalisten kaum mit Erfolg dagegen in Schutz zu nehmen sucht. Man wird jedoch einwenden dürfen, daß jene Worte des Annalisten bisher nicht richtig ausgelegt worden sind. Die oben angeführten Stellen und außerdem eine analoge Stelle a. 778: et coniungentes se ad supradictam civitatem (Saragossa) ex utraque parte exercitus lassen keinen Zweifel darüber, daß ad clusas von dem folgenden se coniungentes direkt abhängt und der Verfasser nur sagen will: die beiden Heere kamen nach den Klausen. Anders ausgedrückt: die Klausen, nicht die beiden Heere unter einander sind es, mit denen die letzteren sich gewissermaßen vereinigen, indem sie dieselben erreichen. Damit fällt der gerügte Fehler fort oder er reduzirt sich wenigstens, wenn auch die Darstellung immerhin unvollständig und ungenau bleibt.

Von den Ereignissen im Langobardenreich sollte in diesen Annalen eigentlich mehr erzählt werden als nachher geschehen ist. Mit dem Bericht über den Tod des Königs Aistulf im J. 756 wird die Ankündigung verbunden, die Art und Weise, wie Desiderius zur Herrschaft gelangt sei, solle später erzählt werden: Et quomodo et qualiter missus est Desiderius rex in regno, postea dicamus (S. 140)[6]). Wir suchen indessen nach einem solchen Bericht in diesen Jahrbüchern vergebens. Die Annales Einhardi wissen an derselben Stelle wenigstens zu erzählen, daß Desiderius, bevor er König wurde, Marschalk gewesen sei: Cui Desiderius, qui

---

1) Ann. Einh. haben statt dessen nur: Superatoque Alpium iugo.
2) Die karolingischen Annalen, Kl. histor. Schriften III, 26.
3) Regesten S. 64.
4) a. a. O. S. 115 N. 11; vgl. auch Richter-Kohl, Annalen I, 46 N. 1; Dahn, Urgesch. der german. u. roman. Völker III, 968 N. 6.
5) Das karoling. und das byzantin. Reich S. 95 ff.
6) Vgl. Simson, De statu quaestionis sintne Einhardi necne sint quos ei ascribunt annale imperii S. 21 N. 2.

comes stabuli eius erat, successit in regnum (S. 141). Sie entnahmen dies vielleicht dem Material, welches der ältere Annalist an späterer Stelle verwenden wollte[1]). Der letztere hatte aber wahrscheinlich berichten wollen, was wir jetzt nur aus anderer Quelle wissen, daß Desiderius durch den Papst mit Hilfe fränkischen Einflusses, gegen bedeutsame Zugeständnisse und Verpflichtungen, den langobardischen Thron erlangt hatte[2]).

Auch das lebhafte Temperament, welches dieser Autor zeigt, würde zu einem Südländer passen. Dasselbe tritt besonders da hervor, wo seine Darstellung am eingehendsten wird und ihren Höhepunkt erreicht, in den Berichten über die Jahre 787 und 788, die damaligen Verwickelungen mit Arichis von Benevent und Tassilo von Baiern[3]), in den Aeußerungen über Tassilo, dessen Gemahlin u. s. w. Die Lebhaftigkeit der Erzählung und des Antheils, welchen der Verfasser sichtlich an den Ereignissen nimmt, die Stärke seiner persönlichen Antipathien, die Verwünschungen, in welchen diese zum Ausdruck kommen — alles das wirkt um so anziehender bei dem unbeholfenen Ringen mit der Sprache. Es erinnert, wie auch die obigen Zusammen= stellungen bestätigen, zugleich an den Stil der päpstlichen Kanzlei und des Lib. pont. Duchesne I., p. CCXLV.

Es ist vollkommen einzuräumen, daß gar manche dieser fehlerhaften Construc= tionen, seltsamen Ausdrücke und Wendungen nicht etwa allein in den Annales Lau= rissenses maiores bezw im Codex Carolinus und in den Biographien der Päpste jener Zeit zu finden sind sondern überhaupt dem damaligen Vulgärlatein angehören. Auch wenn man etwa die Annales Petaviani oder die Capitularien mit jenen Jahrbüchern vergleicht, wird man manche derartige Analogien bemerken. Ganz in demselben Stil wie die päpstlichen Briefe ist der Gesandtschaftsbericht des Abtes Maginarius von St. Denis v. J. 788 (Epist. Carolin. 5, Jaffé IV, 346 ff.) ge= schrieben[4]), der allerdings in Italien und im päpstlichen Sinne verfaßt ist. Außer= dem sind verschiedene unter den betreffenden Ausdrücken, wie z. B. Deo odibilis, aus der Bibel entlehnt. Dennoch scheint es wenigstens denkbar, daß diese alten An= nalen von einem Italiener verfaßt wären — wie Karl ja italienische Gelehrte an seinen Hof zog. Dagegen spricht höchstens der Umstand, daß von einem Italiener die deutschen Ortsnamen wohl fehlerhafter wiedergegeben worden wären. Diese Namen könnten aber auch von anderer Hand eingefügt sein (vgl. die Lücken 788. 811. 815).

Beweisen und behaupten läßt sich indessen nichts weiter als daß das Latein dieses ältesten Theils der betreffenden Annalen, wenn auch nicht ganz gleich, doch sehr ähnlich ist wie dasjenige, welches man zur nämlichen Zeit in Rom, am päpstlichen Hofe schrieb; daß es jedenfalls auf keiner niedrigeren Stufe steht als jenes. Soviel dürfte unsere Vergleichung, die unseres Wissens bisher noch nicht angestellt worden war, ergeben. —

Die Grenze, bis zu welcher dieser im Vulgärlatein geschriebene Theil der Annales Laurissenses maiores reicht, zieht man unseres Erachtens am richtigsten hinter dem Jahr 794. Eines der deutlichsten Kriterien für diese Grenz= scheidung finden wir in dem Gebrauch von partibus bei Namen von Ländern, Städten, Flüssen, gewöhnlich mit folgendem Genitiv. Dieser Gebrauch, den auch Dünzelmann als eine der charakteristischen Eigenthümlichkeiten des ersten Theils dieser Jahrbücher gegenüber der Fortsetzung hervorhebt[5]), begegnet uns in demselben in massenhaften Fällen, wie 748: Grifonem vero partibus Niustriae misit; dann 767. 768. 769. 770. 771. 772. 775. 776. 777. 778 (dreimal). 779 (dreimal). 780 (zweimal). 782. 783. 786. 787 (dreimal). 789. 791. 794. Von 795 an kommt

---

[1]) Vgl. unten Bd. II. (Excurs VI).

[2]) Vgl. S. Abel, Der Untergang des Langobardenreiches in Italien S. 58 ff.

[3]) Vgl. Ranke, Zur Kritik S. 434. Sehr genau geht der Verfasser auch überall auf den Antheil des Papstes an den betreffenden Verhandlungen ein.

[4]) Zu den Worten (si certa)m firmitatem illis non fecissemus vgl. Ann. Laur. mai. 787, S. 170: quia non auxi fuissent de eorum parte ullam firmitatem facere; v. S. 573. N. 4. 6.

[5]) Neues Archiv II, 479. — Es kommt auch theils ebenso, theils wenigstens ähnlich im Cod. Carolin. (Nr. 29. 67. 76. 83. 84. 85. 87. 94, S. 111. 211. 281. 252—256. 259. 264—265. 277) und im Lib. pontif. (V. Hadriani I. S. 490. 496) vor; allerdings aber auch in Fredegar. contin. und sonst, vgl. v. Richthofen, Legg. V, 34 N. 2.

dies partibus dagegen auch nicht ein einziges Mal mehr vor. Wenn Sybel äußert, daß ihm die Darstellung der nächsten Jahre nach 788 „trotz kleiner stilistischer Abwandlungen" mit derjenigen der weiter folgenden (bis 813 incl.) wesentlich gleich= artig erscheine[1], so beruht das doch auf nicht genauer Beobachtung. Daß auch nach 794 in diesen Jahrbüchern noch gelegentlich starke grammatische Fehler vorkommen, ist allerdings richtig[2]).

Es läßt sich hier eine parallele Entwickelung beobachten wie bei der Reform des Schriftwesens unter Karl dem Großen. Wie die mit der altlangobardischen verwandte merovingische Schrift verdrängt wird durch die unter angelsächsischem Einfluß gebildete Minuskel, so etwa tritt an Stelle des Vulgärlatein der Annales Laurissenses maiores das reformirte Latein der Annales Einhardi. Der Abstand zwischen beiden ist ein erstaunlicher.

---

[1] a. a. O. S. 5 N.
[2] Vgl. Bernays a. a. O. S. 156 ff. 188, der aus den Jahren 789 bis Mitte 801 einen Abschnitt bilden will.

Excurs IV.

Zu der Controverse über die Annales Sithienses.

Die erste Auflage dieses Bandes enthielt z. J. 786 (S. 428 N. 1) folgende, an die Frage nach der Zeit der Unruhen in Thüringen anknüpfende Erörterung:

„Simson, Ueber die Annales Enhardi Fuldensis und Annales Sithienses, S. 16, läßt freilich die zweite Erwähnung der Verschwörung bei Enhard zu 786 nicht gelten, meint, nur durch einen Irrthum, infolge der Notiz der Annales Fuld. ant. über den Tod Lul's zu 786, sei sie an diese Stelle gekommen; allein die genauen Angaben der Annales Lauresh. und Nazariani über die Verurtheilung der Schuldigen auf der Versammlung in Worms im August 786 widerlegen seinen Zweifel vollständig. Garnicht in Betracht kommt, worauf Simson außerdem Werth zu legen scheint, daß die Annales Sithienses, bei Mone Anzeiger für Kunde der deutschen Vorzeit, 5. Jahrgang 1836, S. 9, trotz ihrer sonstigen Uebereinstimmung mit den Fuldenses die Verschwörung nur zu 785, nicht mehr zu 786 erwähnen. Denn an der völligen Unselbständigkeit der Sithienses, ihrer durchgängigen Abhängigkeit von den Fuldenses, die schon Waitz, bei Pertz, Archiv VI. 739 ff. nachgewiesen hat, kann trotz des Widerspruchs von Simson in der angeführten Abhandlung kein Zweifel sein, wie auch Waitz, in den Nachrichten von der G. A. Universität, Jahrg. 1864, S. 55 ff., ausdrücklich und mit Beweisen wiederholt und woran die Bemerkungen von Simson in den Forschungen zur deutschen Geschichte, IV, 575 ff. nichts ändern. Zwei Stellen sind für die Abhängigkeit der Sithienses von den Fuldenses schlechterdings entscheidend: der Bericht zu 796, der Gebrauch des Ausdrucks campus in den Sithienses mit Fortlassung des Zusatzes quem vocant hringum in den Fuldenses, was schon Waitz, Nachrichten, S. 63 f. hervorhebt; außerdem aber auch der Bericht zu 768, die Angabe der Sithienses: Vaifarius dux a Francis interfectus est, verglichen mit den Fuldenses: Pippinus interfecto Waiphario et omni Aquitania subacta rediens . . . Hier schreiben die Sithienses fehlerhaft ab. Die Worte der Fuldenses für sich allein betrachtet können leicht und werden auf den ersten Blick so verstanden werden, Waifar sei von Pippin, von den Franken getödtet, und so geben die Sithienses sie wieder. Aber es ist falsch. Die Laur. minores, aus denen die Fuldenses jedenfalls geschöpft, sagen, Waifar sei durch die List eines gewissen Waratto; Fredegar, bei Bouquet V, 8, er sei von seinen eignen Leuten getödtet, und zu diesen gehörte Waratto; weiß man das, so versteht man auch die Fuldenses nicht mehr so, von den Franken sei er getödtet, sie sagen garnicht von wem, und die Sithienses würden auch nicht sagen, er sei von den Franken getödtet, wenn ihr Verfasser nicht einzig und allein die Fuldenses vor sich gehabt hätte, deren unbestimmten Ausdruck er dann mißverstand. Daß hier die Fuldenses aus den Sithienses abgeschrieben, ist garnicht möglich und dadurch allein schon die Abhängigkeit dieser von jenen außer Zweifel gestellt."

Diese Erörterung stand dort jedenfalls nicht an geeigneter Stelle, denn mit jener einzelnen chronologischen Frage hat die Controverse über das gegenseitige Verhältniß der Ann. Fuld. und Sith. nur sehr wenig zu thun. Seither haben über diese Controverse gehandelt:

1) im Sinne der Abhängigkeit der Sithienses von den Ful-
denses: Waitz, Forschungen zur deutschen Geschichte VI, Nachtrag — Nachrichten
von der Ges. d. Wiss. und der G. A. Univ. zu Göttingen 1873. Nr. 22. S. 587 ff.
— Forschungen z. d. Gesch. XVIII, 354—361 — Mon. Germ. SS. XIII, 34 —
Götting. gel. Anz. 1882 St. 6. 7, S. 165—166 — Neues Archiv XII, 41 ff. —
Manitius, Die Annales Sithienses, Laurissenses minores und Enhardi Fuldenses S. 5 ff. 47 ff.

2) im Sinne der Abhängigkeit der Fuldenses von den Sithi-
enses: Wattenbach, Deutschlands Geschichtsquellen I, 5. Aufl. S. 211—213 (ebenso
auch schon in der 2.—4. Aufl.) — Simson, Jahrbücher Ludwig's des Fr. I, 400
bis 404 (Entgegnung auf die obige Erörterung Abel's). II, 305 — Forschungen zur
deutschen Gesch. XVIII, 607—611 — Bernays, Zur Kritik karolingischer Annalen
S. 109—139.

Die einzige Concession, welche Waitz allenfalls machen wollte, bestand darin,
daß dem Schreiber der Sith. vielleicht ein nur bis 823 reichendes, dagegen durch mehrere — meist mit den Ann. Einh. übereinstimmende — Zusätze erweitertes Exemplar
der Fuld. vorgelegen haben möge. Zu einer solchen Annahme, wonach die Benutzung
der großen Reichsannalen in den Ann. Sith. nur eine indirekte sein würde, ist jedoch
kein Grund vorhanden. Man ist vielmehr durchaus berechtigt daran festzuhalten, daß
die Reichsannalen in den Sith., welche ihnen eine Anzahl in den Fuld. übergegangener
Notizen entnommen haben, benutzt sind. — Der Herausgeber dieses Buches hat in
dieser Frage später eine neutrale Haltung eingenommen und demgemäß dieselbe in
diesen Jahrbüchern Karl's d. Gr. als eine offene behandelt, während er in den Jahrbüchern Ludwig's des Fr. die früher von ihm aufgestellte Ansicht zu Grunde gelegt
hatte. Er muß indessen bekennen, daß er sich noch nicht entschließen kann die letztere
geradezu aufzugeben.

Die Waitzische Ansicht theilen auch Mühlbacher[1]) und Bückert[2]), die entgegengesetzte O. Harnack[3]). Eine eigenthümliche und wohl jedenfalls unhaltbare Stellung
nimmt Dünzelmann[4]) ein, nach welchem die Sith. die Fuld. bis einschließlich 793
benutzt haben, dagegen von hier an umgekehrt in den Fuld. benutzt sein sollen.

Holder-Egger, welcher ebenfalls die Meinung von Waitz als die richtige anzusehen scheint, erklärt es für „trostlos", daß diese Controverse noch immer nicht aus der
Welt geschafft sei[5]). Es beruht dies darauf, daß die Waitzische Ansicht am nächsten
liegt, auch nicht mit Sicherheit widerlegt werden kann, dabei aber doch in mancher
Hinsicht an Unwahrscheinlichkeit leidet. Sie liegt am nächsten, weil die Sith. kürzer
sind als die Fuld. und meist mit ihnen wörtlich übereinstimmen, so daß sie auf den
ersten Blick als ein Auszug aus ihnen erscheinen. Von den Unwahrscheinlichkeiten
heben wir nur einen einzigen Fall hervor, der nicht allein steht, aber der prägnanteste
ist. Der Bericht der Fuld. über das Jahr 814 besteht aus acht Zeilen; er ist ein
Auszug aus den Ann. Laur. mai., setzt aber zu dem Texte derselben hinzu: et
erepta per vim patrimonia multis restituit. Der Bericht der Sith. besteht aus
zwei Zeilen, enthält aber gerade auch diesen Zusatz in wenig anderer Form (erepta
per vim patrimonia cum magna liberalitate restituit). Im Uebrigen entbehrt
die Frage nicht in dem Grade alles Interesses wie Holder-Egger glaubt; jedenfalls
nicht in litterarhistorischer Beziehung. Holder-Egger wiederholt die Meinung, daß Enhard von Fulda niemand anders sei als Einhard. Sollte der Biograph Karl's des
Großen diese Fulder Jahrbücher, die unter allen Umständen eine recht flüchtige und
ziemlich werthlose Compilation bleiben, wirklich verfaßt haben, so würde sein Ruhm
dadurch nicht gewinnen.

---

[1]) Regesten, passim; Mitth. des Inst. für österreich. Geschichtsforschung V, 654.
[2]) S. B. der k. sächsisch. Ges. d. Wissensch. phil.-hist. Cl. 1884, S. 158 N. 3.
[3]) Das karoling. und das byzantin. Reich S. 2 N. 2.
[4]) Neues Archiv II, 499. 503.
[5]) Deutsche Litteraturzeitung 1886 Nr. 43 Sp. 1830.

Excurs V.

Ueber Karoli M. Capitulare primum (769 vel paullo post), Capp. I, 44—46 Nr. 4.

Die leichten Zweifel an der Echtheit des ersten Capitulars Karl's b. Gr., welche oben S. 68 N. 1 angedeutet sind, mögen hier noch etwas näher begründet und ausgeführt werden. Ganz lassen sie sich kaum verbannen; sie beruhen auf der Unsicherheit der äußeren Ueberlieferung, ferner darauf, daß das Capitular zum Theil aus wörtlichen Entlehnungen aus alten Concilienakten und einem älteren fränkischen Capitular besteht, daß es überdies von Wiederholungen nicht frei ist und endlich gewisse Punkte in ähnlicher Weise urgirt wie es in den Fälschungen des Benedictus Levita und Isidorus Mercator geschieht.

Die Handschrift, aus welcher Baluze dies Stück herausgab, ist verschollen und die Lesarten bei Benedictus Levita bisweilen besser als die bei Baluze[1]).

Die Capitel 17 und 18 sind wörtlich aus dem Concil. Paris. V. (v. J. 614) c. 4, bezw. aus dem Concil. Aurelian. V. (v. J. 549) c. 14 geschöpft, so daß auch Boretius ihre Zugehörigkeit zu dem Capitular bezweifelt. Das erstere enthält die wichtige Bestimmung, daß Priester, Diakonen und andere Kleriker nicht ohne Wissen ihres Bischofs vor das weltliche Gericht gezogen werden dürfen; das andere richtet sich gegen Eingriffe in die Güter der Kirchen oder Privaten. — Die Capp. 1. 2. 4. 6. 8. sind fast wörtlich dem Capitular Karlmann's v. J. 742 entlehnt, welches auch bei Benedictus Levita I, 2, Leg. II b, 45—46, reproducirt wird. Bleibt hienach nur noch ein Theil des Capitulars als selbständig übrig, so finden sich in diesem wiederum ein paar Wiederholungen. Das c. 7 ist gewissermaßen eine Wiederholung von c. 6; in diesem wird dem Bischof eingeschärft, die Uebung heidnischer Gebräuche in seinem Sprengel zu verhindern; in jenem wird bestimmt, daß er jährlich zu diesem Zweck seinen Sprengel bereisen soll.

C. 6	C. 7.
(nach dem Capitular Karlmann's v. 742, c. 5).	Statuimus ut singulis annis unusquisque episcopus parrochiam suam sollicite circumeat et populum confirmare et plebes docere et investigare et prohibere paganas observationes divinosque vel sortilegos aut auguria, phylacteria, incantationes vel omnes spurcitias gentilium studeat.
Decrevimus, ut secundum canones unusquisque episcopus in sua parrochia sollicitudinem adhibeat, adiuvante grafione, qui defensor ecclesiae est, ut populus Dei paganias non faciat, sed ut omnes spurcitias	

---

[1]) Boretius, Capp. I, 44: „Edidit hoc capitulare Baluzius e codice s. Vincentii Laudunensi, qui vel periit vel certe nobis ignotus est. Invenitur autem capitulare etiam in Benedicti capitularium collectione, libro scilicet tertio, c. 123—137, in qua lectiones interdum fide praestant iis, quas Baluzius tradidit.“

gentilitias abiciat et respuat, sive
profana sacrificia mortuorum sive
sortilegos vel divinos sive phylacteria
et auguria sive incantationes sive
hostias immolatitias.

In ähnlicher Weise bildet c. 16 gewissermaßen nur eine Steigerung von c. 15:

C. 15.	C. 16.
Sacerdotes, qui rite non sapiunt adimplere ministerium suum nec discere iuxta praeceptum episcoporum suorum pro viribus satagunt vel contemptores canonum existunt, ab officio proprio sunt submovendi, quousque haec pleniter emendata habeant . . .	Quicunque autem a suo episcopo frequenter admonitus de sua scientia ut discere curet, facere neglexerit, procul dubio et ab officio removeatur et ecclesiam quam tenet amittat, quia ignorantes legem Dei eam aliis annuntiare et praedicare non possunt.

Wir kommen zu den Aehnlichkeiten mit den pseudoisidorischen Fälschungen.
Das c. 2: Ut sacerdotes neque christianorum neque paganorum sanguinem
fundant hängt mit dem vorhergehenden, aus Karlmann's Capitular entnommenen
Capitel eng zusammen. Es verdient indessen vielleicht bemerkt zu werden, daß in ge=
fälschten Stellen des Benedictus Levita, III. 141. 142, Leg. II b, 110. 111,
vgl. ebenda S. 26, sich die gleiche Wendung findet: et post christianos, quibus
hoc ministrare, aut paganos, quibus Christum praedicare debuerant, propriis
sacrilegisque manibus necant — . . . sicut in prioribus nostris continetur
capitularibus, nec ad pugnam properarent nec arma ferrent nec homines
tam christianos quam paganos necarent. — Uebrigens weist unser Capitular
auch in dieser Beziehung eine gewisse Wiederholung auf, c. 5: Si sacerdotes plures uxores habuerint vel sanguinem christianorum vel paganorum fude-
rint . . .

In c. 14 heißt es: Nullus sacerdos nisi in locis Deo dicatis vel in
itinere positus in tabernaculis et mensis lapideis ab episcopo consecratis
missas celebrare praesumat. Quod si praesumpserit, gradus sui periculo
subiacebit. Auch dies ist ein Punkt, der in jenen Fälschungen, namentlich bei Be=
nedictus Levita, mehrfach betont wird, s. Ben. Lev. II. 208. III. 396. 431. l. c.
S. 84. 127. 129; Ps. Fel. IV, Decretales Pseudo-Isidorianae ed. Hinschius
S. 700. Die betreffenden Stellen geben theilweise auf Conc. Paris. 829. III. 6,
Mansi XIV, 597, bezw. die Relatio episcoporum c. 12, Leg. I, 342 (= Ben.
Lev. Add. II. c. 12, S. 134) zurück; theilweise aber sind sie gefälscht[1]), und, soweit
wir sehen, ist nur in ihnen auch von tabernacula und mensae in diesem Zusammen=
hange die Rede, Ben. III. 396: in altaribus et tabernaculis ab episcopis Deo dicatis. 431: in tabernaculis dedicatis ab episcopis et altaribus
a pontificibus sacra unctione unctis et divinis precibus consecratis; Ps. Isi-
dor. l. c.: in tabernaculis divinis precibus pontificibus dicatis et in mensis
domino sacratis et sacra unctione a pontificibus delibutis. Auch geht es
weit, daß die Priester eventuell gleich abgesetzt werden sollen; davon ist in den Akten
der Pariser Synode v. J. 829 noch nicht die Rede, sondern erst in der jedenfalls be=
reits sehr tendenziösen Rel. episcoporum, dann in den pseudoisidorischen Fäl=
schungen.

Der Titel des Königs im Eingange des Capitulars lautet: Karolus gratia
Dei rex regnique Francorum rector et devotus sanctae ecclesiae defensor
atque adiutor in omnibus[2]). Er entspricht, wie man auch sonst schon bemerkt hat,
ziemlich genau demjenigen im Eingange der Admonitio generalis vom 23. März
789, Capp. I, 53: Ego Karolus, gratia Dei eiusque misericordia donante
rex et rector regni Francorum et devotus sanctae aecclesiae defensor hu-

---

[1]) Vgl. Knust, Legg. II b, 28.
[2]) Vgl. Boretius, Capp 1 c. S. 44 a; Sickel I, 400 (über den Zusatz filius et defensor
s. dei ecclesiae zu dem Titel in dem Schreiben Karl's an den Erzbischof Elipandus von Toledo u. s. w.); unten Bd. II. z. J. 794.

milisque adiutor. Immerhin könnte man jedoch einen gewissen Anstoß daran nehmen, daß Karl in einer Periode, wo noch das Reich zwischen ihm und seinem Bruder getheilt war, sich als rector regni Francorum bezeichnet haben sollte. Immerhin könnte auch der Zusatz in omnibus allenfalls dadurch entstanden sein, daß es in der Admonitio weiter heißt: omnibus ecclesiasticae pietatis ordinibus etc. Daß es auffällig, jedenfalls wohl ohne Beispiel ist, wenn der König erklärt, er verbiete den Geistlichen apostolicae sedis hortatu, Waffen zu tragen und in den Krieg zu ziehen, haben wir schon oben S. 68 N. 1 berührt. Allerdings hat später einmal Papst Hadrian I. eine ähnliche Ermahnung an Karl gerichtet[1]). Allein hier ist dies apostolicae sedis hortatu um so auffälliger, als Karl nur eine Verordnung aus dem Capitular Karlmann's von 742 (c. 2, S. 25) wörtlich wiederholt. Auch diese Berufung auf den päpstlichen Stuhl gemahnt an die pseudoisidorischen Tendenzen. So sagt Benedictus Levita von jener Synode unter Karlmann, die ja allerdings Bonifaz als päpstlicher Legat leitete, und über die Synode zu Lestines, welche Bonifaz und der Legat Georgius leiteten: quos (so. synodales conventus) sanctae Romanae et apostolicae ecclesiae legatus Bonifacius, memoratae Magontiacensis ecclesiae archiepiscopus, vice supradicti Zachariae papae una cum Karlomanno Francorum principe canonice tenuit; ut agnoscant omnes haec praedictorum principum capitula maxime apostolica auctoritate fore firmata (praef. S. 40)[2]). Dem entsprechend behauptet Benedikt sogar am Ende seines dritten Buches, ohne Zweifel mit bewußter Lüge: alle in diesen drei Büchern enthaltenen Capitel seien vom päpstlichen Stuhle bestätigt, weil sämmtlich im Beisein päpstlicher Legaten beschlossen worden. Er habe nur, um Weitschweifigkeit und Ermüdung zu vermeiden, die Namen meist weggelassen, obgleich er sie in den Akten gefunden habe, III, 478, S. 133: Maxime trium ultimorum capitula istorum librorum apostolica sunt cuncta auctoritate roborata, quia his condendis maxime apostolica interfuit legatio Nam eorum nomina praeter trium, id est Leonis, Sergii et Georgii[3]), hic non inseruimus, licet ea per singulos conventus inserta invenissemus, vitantes legentium atque scribentium fastidia. Si quis autem plenius ea nosse voluerit, istorum legat autentica, quibus illa inserta reperiet. So lassen auch die mit Benedikt und Pseudoisidor jedenfalls gesinnungsverwandten Actus episcoporum Cenomanensium die Beschlüsse über die Chorbischöfe una cum legatis apostolicis fassen (c. 17, Mabillon, Vet. Analect. ed. nov. S. 288).

Selbst die folgenden Worte des Capitulars: omniumque fidelium nostrorum, et maxime episcoporum ac reliquorum sacerdotum consultu sind nicht unbedenklich, vgl. die Bemerkung von Mühlbacher Nr. 347 und Simson, Die Entstehung der pseudoisidorischen Fälschungen in Le Mans S. 128 N. 2. Sehr ähnlich heißt es bei Ben. Lev. III. 281, S. 120[4]): consultu sedis apostolicae et omnium nostrorum episcoporum ac reliquorum sacerdotum atque maxime[5]) cunctorum fidelium nostrorum.

Unsere Zweifel an der Echtheit des in Rede stehenden Capitulars würden vielleicht stärker sein, wenn wir nicht bestimmt annehmen müßten, daß Benedictus Levita dasselbe schon vorgefunden hat. Daß Benedikt das c. 16 fortläßt und dafür (III. 138) eine andere, aus Concil. I. Arausic. c. 3[6]) entlehnte Stelle hat, würde noch nicht entscheidend ins Gewicht fallen. Der Grund, warum er das nach Knust[7]) absichtlich

---

[1]) Cod. Carolin. Nr. 91 (784—791), Jaffé IV, 271—272; vgl. Waitz IV, 2. Aufl. S. 592 N. 1.

[2]) Vgl. auch die Rubriken von I. 2. 3, S. 45. 46.

[3]) Vgl. I, 6—8, S. 47; dazu Decretam Compendiense 757, Capp. I, 38. Päpste und päpstliche Legaten sind hier von Benedikt confundirt; wahrscheinlich rechnet er auch den Georgius als Papst, weil dieser (Bischof von Ostia) als episcopus Romanus bezeichnet wird.

[4]) Von Knust ebb. S. 27 als ,dubiae fidei' bezeichnet; wohl unzweifelhaft unecht.

[5]) Das maxime steht hier freilich an unpassender Stelle; im allgemeinen ist dies Wort bei Benedictus Levita sehr beliebt (vgl. praefat. S. 39—40, wiederholt; II 370. III. 141. 260. 281. III. 431. 478).

[6]) Vgl. Knust l. c. S. 26

[7]) L. c. S. 34. 110 N. 1.

gethan haben soll, leuchtet nicht recht ein. Andrerseits war Baluze bekanntlich fähig,
Capitularien willkürlich zusammenzusetzen[1]). Hingegen scheint es unzweifelhaft, daß
das c. 11 unseres Capitulars, welches bei Benedikt an eine etwas spätere Stelle (III.
135) gerückt ist, in der von ihm benutzten Vorlage ebenda stand wie bei Baluze. So
erklären sich die Worte am Schluß von III. 132: Et de ieiunio quatuor temporum, welche jetzt keinen Sinn haben.

Höchst zweifelhaft bleibt unter allen Umständen die Zeitbestimmung dieses Capitulars. Am Ende spräche noch mehr für die Einreihung unter 789 als unter 769.

---

[1]) Vgl. Weizsäcker, Der Kampf gegen das Chorepiskopat S. 9—10.

Excurs VI.

Ueber die Zeit der Vermählung Karl's mit Hildegard und der Geburt des jüngeren Karl.

Paulus Diaconus sagt in seiner Grabschrift auf Karl's Gemahlin Hildegard, Poet. Lat. aev. Carolin. I, 58—59, v. 21—24:

Alter ab undecimo iam te susceperat annus,
Cum vos mellifluus consotiavit amor;
Alter ab undecimo rursum te sustulit annus[1],
Heu genitrix regum, heu decus atque dolor!

Es kommt zunächst darauf an, welches Jahr alter ab undecimo bedeutet, ob das zwölfte oder das dreizehnte. Wenn Hildegard, deren Tod auf den 30. April 783 fiel, im dreizehnten Jahre ihrer Ehe starb, so würde daraus folgen, daß diese Ehe zwischen dem 1. Mai 770 und dem 30. April 771 geschlossen wurde; starb sie hingegen bereits im 12. Jahre nach ihrer Hochzeit, so wäre diese erst in der Zeit vom 1. Mai 771 bis 30. April 772 erfolgt. Zuletzt und am gründlichsten hat über diese Frage Julien Havet in einem Aufsatze über Les chartes de Saint-Calais (Questions Mérovingiennes IV.) gehandelt, welchen wir leider nur noch nachträglich bei der Correktur des Druckes berücksichtigen konnten. Die Abhandlung ist erst in diesem Jahre (1887) in der Bibliothèque de l'Ecole des Chartes, XLVIII, 5 ff. erschienen und geht auf die betreffende Frage S. 46 ff. ein.

Zunächst steht, wie schon Dümmler constatirt hat, fest, daß der fragliche Ausdruck von Paulus Diaconus dem Vergil entlehnt ist[2] Bucol. VIII, 39: Alter ab undecimo tum me iam acceperat annus. Vergil meint hiemit, wie auch Havet zugibt, das 12. Jahr[3]. Indessen weist Havet darauf hin[4], daß Vergil schon von Servius anders verstanden worden sei, welcher die Stelle dahin erläutert: „Alter ab undecimo id est tertius decimus. Alter enim de duobus dicitur[5]." Ferner führt derselbe Gelehrte eine übereinstimmende Erklärung von Donatus zu Terenz, Andr. I, 1, 50 an: „Unus et item alter: post unum duo, ex quibus alter, ut sint tres . . . ut: Alter ab undecimo. Ergo alter non est secundus, sed tertius." Havet ist der Meinung, daß demnach auch Paulus Diaconus den Ausdruck alter ab undecimo so (für 13.) verstanden und angewendet haben werde — und man wird ihm zugeben müssen, daß dies allerdings wahrscheinlich ist. Bekanntlich enthält außerdem eine Urkunde Karl's, in welcher der König unmittelbar nach dem Tode der Hildegard unter dem 1. Mai 783 dem Stift St. Arnulf (St. Arnoul) bei Metz eine Schenkung für das Seelenheil seiner verstorbenen Gattin macht (Sickel K. 99; Anm. S. 257—258; Mühlbacher Nr. 253) eine hiemit übereinstimmende Angabe über die Dauer ihrer Ehe: anno ab incarnatione 783, in die

---

[1] Gegen die Deutung dieser Worte durch Le Cointe vgl. Mabillon, Ann. Ben. II, 265.
[2] Poet. Lat. I, 58 N 6; Havet a. a. O. S. 48 N. 1.
[3] Ebb. S. 49: „Dans le vers de Virgile, il est reconnu aujourd'hui que les mots alter ab undecimo ne peuvent signifier autre chose que duodecimus."
[4] Ebb. S. 49 N. 3.
[5] Ausg. von H. Alb. Lion (Göttingen 1826) I, 151.

ascensionis dominicae, in cuius vigiliis ipsa dulcissima coniux nostra obiit, in anno tertio decimo coniunctionis nostrae[1]). Freilich hat diese Bestätigung in keinem Fall großen Werth; der ganze Zusatz zum Datum gehört nicht zum authentischen Text dieser nicht im Original, sondern nur abschriftlich, in stark überarbeiteter Gestalt vorliegenden Urkunde[2]); die Angabe von der Dauer der Ehe kann, zumal sich's um eine Schenkung an St. Arnulf bei Metz, wo Hildegard bestattet wurde, handelt, leicht der Grabschrift entnommen sein. Sie beweist vielleicht nicht mehr, als daß man die Worte des Paulus Diaconus alter ab undecimo dort auch so auslegte, wie Servius und Donatus die Worte Vergil's interpretirt haben[3]).

Kein Gewicht möchten wir auf die von Havet[4]) ferner angeführte Thatsache legen, daß ein paar viel spätere Quellen, das Chronicon Suevicum universale (SS. XIII, 63) und Hermann von Reichenau (SS. V, 100)[5]) die Verstoßung der langobardischen Gemahlin Karl's schon alsbald oder sogleich nach der Heirat erfolgen lassen (statim eam repudiavit). Man kann zugeben, daß dies statim durch Einhard, nach dessen Bericht Karl die Tochter des Desiderius post annum verstieß (Vita Kar. c. 18), nicht unbedingt widerlegt wird; denn Karl's Biograph ist in dergleichen Zeitbestimmungen nicht zuverlässig, wie er ja die Dauer der Regierung Karlmann's unrichtig auf zwei Jahre (biennio, c. 3) angibt, während sie thatsächlich über drei Jahre währte. Hingegen sind jene Chroniken des 11. Jahrhunderts noch viel weniger Autoritäten, durch welche Einhard widerlegt werden könnte. Havet meint zwar, sie müßten hier auf eine verlorene karolingische Chronik zurückgehen; allein es ist bei der Aehnlichkeit des Wortlauts nicht unwahrscheinlich, daß diese Quelle keine andere ist als Einhard's Vita Karoli selbst:

Einh. V. Karoli 18.	Chron. Suev. univ. l. c.
Deinde cum matris hortatu filiam Desiderii regis Langobardorum duxisset uxorem, incertum qua de causa post annum eam repudiavit.	Karolus filiam Desiderii regis Langobardorum uxorem duxit et statim repudiavit.

Havet rügt es als unrichtig, daß in den Mon. Germ. SS. V. l. o. als Quelle der betreffenden Stelle des Hermann von Reichenau die Ann. Fuld. citirt seien. Er hat darin insofern Recht, als diese Jahrbücher hier nicht die einzige Quelle des Herimann. Aug. sein können. Pertz konnte hier schon darum nicht ganz richtig sehen, weil er irrthümlich das Chron. Suev. univ. für einen Auszug aus Hermann hielt. Es verhält sich aber wahrscheinlich so, daß Hermann, welcher nach Langobardorum einschaltet: adducente Bertha matre sua, seinen Bericht aus dem Chron. Suev. univ. und den Ann. Enhard. Fuld. (SS. I, 348) zusammengesetzt hat. Die letzteren schreiben: Bertha regina filiam Desiderii regis Langobardorum Karolo filio suo coniugio sociandam de Italia adduxit.

Havet hat jedoch einen besonderen Grund anzunehmen, daß die eheliche Verbindung zwischen Karl und Hildegard noch im Jahre 770, sogar bereits im oder gegen den Herbst dieses Jahres stattgefunden haben müsse[6]). Dieser Grund liegt in dem Vorhandensein

---

[1]) Mabillon, Ann. Ben. II, 265: in anno tertio-decimo coniunctionis nostrae, ut apud Meurissium (p. 179 ff.), sive duodecimo, ut in ipso primario exemplari legimus. Auch bei Sickel steht in a. 12; vgl. jedoch Havet S. 50 N 1, der sich auf eine ihm von dem Vorstande des Bezirksarchivs in Metz, Hrn. Sauer, mitgetheilte genaue Abschrift der Datirungsformel beruft, nach welcher die Worte anno tertio decimo ganz ausgeschrieben sind.

[2]) Sickel II, 258: „Die allen Regeln der Originalausfertigungen zuwiderlaufende Datirung haben wir auch hier auf Rechnung des späteren Schreibers zu setzen"; vgl. auch I, 221.

[3]) Anders Havet a. a. O.: „cette copie est presque contemporaine et elle a été faite à Saint-Arnoul, où Hildegarde etait enterrée et où l'on devait savoir à quoi s'en tenir sur sa vie."

[4]) S. 50 N. 4.

[5]) Vgl. über das gegenseitige Verhältniß dieser Quellen bezw. die darüber aufgestellten Ansichten Wattenbach II, 5. Aufl. S 42 N. 3. Das Chronicon scheint von Hermann benutzt zu sein; Giesebrecht hält es für eine eigne Vorarbeit Hermann's (Kaiserzeit II, 5. Aufl. S. 563).

[6]) A. a. O. S. 58 N. 1: „Charlemagne épouse Hildegarde vers l'automne de 770 et leur fils Charles naît avant la fin de juillet 771." S. 51: „La fille de Didier fut probablement epousée au printemps et Hildegarde à l'automne."

einer von Karl zu Valenciennes im Juli 771 ausgestellten Urkunde[1]), in welcher bereits Karl's ältester, gleichnamiger Sohn von der Hildegard erwähnt wird. Hienach
müßte dieser jüngere Karl also im Juli 771 bereits gelebt haben. Die Urkunde enthält die Bestätigung der Immunität für das Kloster Anisola (Anille, St. Calais), an
dessen Spitze damals der Abt Rabigaudus stand. Havet hat den Text der Urkunde
aus einer i. J. 1709 verfertigten Abschrift des verlorenen größeren Chartulars von
St. Calais entnommen, welche ihm der Abbé L. Froger, Pfarrer zu Rouillon bei
Le Mans, mitgetheilt hat[2]). Früher wurde diese Urkunde, wenn auch nicht von
Allen[3]), als unecht verworfen. So hat Herr Mégret-Ducoudray, aus dessen Nachlaß der Abbé Froger die Abschrift des Chartulars überkommen hat, an den Rand
geschrieben: „Cette charte est apocryphe, elle est la reproduction mala-
droite de la charte de Pépin le Bref accordée à l'abbé Nectaire", d. h.
der Urkunde vom 10. Juni 760 (s. oben S. 21). Desgleichen haben, wie Havet
bemerkt, Martène und Durand diese Urkunde unterdrückt, ebenso wie die im wesentlichen gleichlautende, vom 27. November 779 aus Worms datirte[4]). Havet macht
nun aber geltend, daß beide Urkunden sich auf's beste in das Itinerar Karl's ein-
fügen, ihr Protokoll tadellos ist[5]). Die Erwähnung des jüngeren Karl in der Urkunde vom Juli 771 ist eine entsprechende wie diejenige Karl's selbst in dem Immuni-
tätsdiplom seines Vaters Pippin für St. Calais vom 10. Juni 760. Auch hier
heißt es: vel mundeburdo filii nostri Karoli, qui causas ipsius abbatis vel
monasterii habet receptas etc. Ausgelassen sind nur die Worte illustris viri,
allein diese Auslassung scheint sehr berechtigt, denn dieselben hätten auf ein neugeborenes
Kind nicht gepaßt. Aber kann überhaupt von der Uebernahme eines Mundium durch
ein neugeborenes Kind die Rede sein? In der That werden beide Urkunden mindestens auf ächte Vorlagen beruhen. Man dürfte kaum fehlgehen, wenn man sie
für das Itinerar mit verwendet, und beidemal bieten sie einen interessanten Beitrag
zu demselben, der unsere Kunde etwas genauer macht. Keineswegs ebenso sicher erscheint es dagegen, ob die Urkunde vom Juli 771 wirklich beweist, daß der jüngere Karl damals schon am Leben, mithin die Ehe seiner Eltern bereits im Herbst
770 geschlossen war.

---

[1]) Havet a. a. O. S. 47: Data mens. jul. anno III [regni nostri] Actum Valentianas
feliciter; S. 226—228 Nr. 11; vgl. Mabillon, Ann. Ben. II, 226: „Idem Rabigaudus (Abt von
St. Calais) iam a Carolo praeceptum immanitatis obtinuerat apud Valentianas, anno regni eius
tertio"; Sickel II, 361; Mühlbacher Nr. 138; o. S. 88 N. 1.
[2]) Vgl. Havet a. a. O. S. 6; Froger selbst bereitet eine Veröffentlichung der ganzen
Sammlung vor. — Das betreffende Chartular wurde, wie Havet annimmt, 863 zusammengestellt, um dem Papst Nikolaus I. mitgetheilt zu werden.
[3]) Vgl. o. N. 1.
[4]) Von Havet ebb. append. Nr. 12, S. 228—229 publizirt; vgl. ebb. S. 48 N. 1: Data
sub die XV kl. decemb. anno XII et VI regni nostri. Actum Vurmatia civitate in Dei nomine;
22 N. 3.
[5]) Vgl. indessen in Betreff des Titels in der Urkunde vom 17. November 779 (rex Francorum vir inluster) Havet S. 52; Sickel I, 259.

Excurs VII.

Ueber die chronologische Einreihung von Cod. Carol. Nr. 59.
Zu S. 246 Anm. 2.

Die Gründe für die an der citirten Stelle geäußerte Ansicht betreffend die chronologische Einreihung des Schreibens Papst Hadrian's I. an Karl, Cod. Carol. Nr. 59, Jaffé IV, 194—195, sind folgende:

1) Die Zusage Karl's, welche Hadrian in Cod. Carol. Nr. 59 S. 194 erwähnt:

> Continebatur quippe in ipsis vestris regalis seriem apicibus: quod, Domino protegente, remeante vos a Saxonia mox et de presenti Italiam vel ad limina protectoris vestri beati apostolorum principis Petri adimplendis quae ei polliciti estis properare desideraretis

erscheint im wesentlichen identisch mit der in Nr. 53 S. 177 angeführten:

> Interea continebatur series vestrae excellentiae: quod accedente proximo mense Octobrio, dum Deo favente in partibus Italiae adveneritis, omnia quae b. Petro regni celorum clavigero et nobis polliciti estis ad effectum perducere maturatae.

Wenn dort die Zeit unmittelbar nach Beendigung des sächsischen Feldzuges, hier der nächste Oktober als der für die Heerfahrt nach Italien in Aussicht genommene Termin bezeichnet wird, so fallen diese Zeitpunkte zusammen, wie denn Karl nachher in der That wenigstens bereits im Oktober 775 aus Sachsen zurückkehrte. In keiner von beiden Stellen erwähnt der Papst, daß ihm eine gleiche Mittheilung Karl's schon früher zugegangen wäre.

2) Wenn wir Nr. 59 nach dem Inhalt in den August 775 setzen zu müssen glauben, so steht auch einer Einreihung von Nr. 53 in diese Zeit nichts entgegen. Vielmehr muß die Rückkehr des Andreas und Anastasius, welche erst nach Erlaß dieses Schreibens stattfand, auch noch vor September oder spätestens ganz im Anfange dieses Monats erfolgt sein (vgl. Jaffé IV, 180. 185 u. o. S. 237).

3) Gleich dem in Nr. 59 erwähnten Schreiben Karl's war, wie es scheint, auch dasjenige, welches die in Nr. 53 angeführte Zusage enthielt, dem Papste durch Possessor überbracht worden. Jedenfalls erhielt Hadrian dasselbe in einem Zeitpunkt, wo dieser Gesandte sich bei ihm befand (f. Jaffé IV, 177 u. o. S. 236).

4) Das Schreiben Nr. 59 erwähnt nichts von den Bedrängnissen des Papstes, welche namentlich Nr. 58 meldet. Während in Nr. 58 der Papst den König beschwört so schleunig wie möglich zu seiner Unterstützung und Rettung herbeizueilen, spricht er in Nr. 59 seine Freude über die Zusage des Königs aus, nach der Rückkehr aus Sachsen nach Italien zu kommen, um das Schenkungsversprechen zu erfüllen.

5) Auch das Anerbieten dem Könige eventuell entgegen zu reisen (Nr. 59 S. 195: Et cognoscat vestra conspicua excellentia: quia, si mora de vestro adventu provenerit, magna nobis imminet voluntas ibidem in vestri obviam, ubicumque vos valuerimus coniungere, gradiendum proficiscere) entspricht kaum der gefährdeten Lage des Papstes, wie sie Nr. 58 schildert.

6) In Nr. 59 lobt Hadrian das Verhalten des Possessor und Rabigaud. In Nr. 57 beklagt er sich im Gegentheil heftig über sie, wenn er ihnen auch, ebenso wie in Nr. 58, gewisse, jedoch zum Theil mehr conventionelle Ehrenprädikate beilegt (S. 189: fidelissimi vestri missi; 192: fidelissimi vestri missi, re vera sanctissimus frater noster Possessor episcopus atque Rabigaudus religiosus abbas).

7) Ferner erwähnt Hadrian in Nr. 59 nichts davon, daß Possessor und Rabigaud erst über Spoleto und Benevent zu ihm gekommen seien.

8) Endlich scheint Jaffé sich hier in gewisse chronologische Schwierigkeiten zu verwickeln. Er nimmt an, daß Possessor und Rabigaud im November 775 in Pavia gewesen seien (vgl. jedoch o. S. 240 N. 2) und ihre Reise nach Spoleto, Benevent und Rom in diesen und den folgenden Monat falle. Es ist jedoch nicht anzunehmen, daß der Papst erst so spät Karl's Zusage erhalten haben sollte, nach seiner Rückkehr aus Sachsen nach Italien zu eilen. —

Freilich wird in Nr. 53 (S. 177) als zweiter Gesandter neben Possessor nicht der Abt Rabigaud, sondern vielmehr der Abt Dodo genannt. Mithin ist unsere Vermuthung nur haltbar unter der (von uns jedoch in den Text, o. S. 236, nicht aufgenommenen) Voraussetzung, daß sich hier, wenn nicht etwa schon in das päpstliche Schreiben selbst, in den Text des Codex Carolinus ein Versehen eingeschlichen habe. Die Verwechselung des Rabigaudus mit Dodo würde sich in diesem Falle daraus erklären, daß der letztere in demselben Brief vorher neben dem Erzbischof Wilcharius als Mitglied einer früheren Gesandtschaft Karl's erwähnt wird. Ein ähnlicher Irrthum liegt in der Ueberschrift von Nr. 54 (Jaffé IV, 179 d) vor, wo Andreas und Anastasius als Ueberbringer dieses päpstlichen Schreibens bezeichnet zu werden scheinen, während das Schreiben selbst besagt, daß sie dem Papste einen Brief Karl's überbracht hätten.

Außerdem müßten nach unserer Hypothese Possessor und Rabigaud in jenem Jahr zweimal nach Italien geschickt sein, das erste Mal spätestens im August, dann wieder ein paar Monate später. In einer solchen Annahme liegt indessen nichts allzu Befremdliches oder gar Unmögliches; was Possessor betrifft, steht sogar eine solche binnen kurzer Zeit wiederholte Reise desselben fest, wenn Cod. Carol. Nr. 53 überhaupt gleich Nr. 57—59 ins Jahr 775 gehört.

Berichtigungen und Nachträge.

funden wären, findet zwar den Beifall von W. Bernhardi (Histor.
Ztschr. LVIII, 359), ist jedoch weniger gründlich motivirt als diejenige Bernheim's.

S. 194 N. 2 vgl. auch Ann. Einh. 786, SS. I, 169.

= 195 = 1 Die Worte der Ann. Einhardi 786, SS. I, 169: cuius (Italiae)
caput in capto Desiderio rege . . . tenebat können als ein
Argument, aber wohl nicht als sicherer Beweis dafür betrachtet
werden, daß der gefangene Langobardenkönig damals noch lebte;
vgl. S. 543 N. 2.

= 207 = 2 l. 775 st. 776.

= 240 = 4 ist (781) zu streichen.

= 351 = 1 vgl. o. zu S. 71 N. 7.

= 354 = 3 vgl. Neues Archiv u. s. w. XIII, 36 f. (L. v. Heinemann, Ueber
ein verlorenes sächsisches Annalenwerk a. 780).

= 357 = 5 Ann. Osterhovens. SS XVII, 539 vermerken gar z. J. 775:
episcopatus Bremensis construitur a rege Karolo.

= 382 = 5 vgl. auch Herzberg-Fränkel im N. Archiv XII, 105—106.

= 463 = 1 Diese Stelle wird anders ausgelegt von Brunner, Deutsche Rechtsgeschichte I, 291.

= 464 = 7 und S. 466 N. 2 vgl. über die Reihenfolge der hier in Betracht
kommenden Briefe auch Nißl, Der Gerichtsstand des Clerus im
fränkischen Reich S. 135 N. 4.

= 524 = 2 vgl. Roth, Gesch. des Beneficialwesens S. 123 N. 47.

= 567 Z. 16 v. o. l. bei Angers st. in Angers. — Zu N. 5 vgl. auch Gest.
abb. Fontanell. c. 8. 10, S. 27. 31 (SS. II, 281. 283):
Witlaici abbatis.

= 604 N. 2 Ueber den Tod des Arichis und Romuald vgl. auch Alcuin. epist.
156, Jaffé VI, 585, und unten Bd. II z. J. 800.

= 609 = 5 Herzberg-Fränkel, Neues Archiv XII, 68 N. 1 zweifelt, ob Bischof
Willibald von Eichstädt nicht in der That bereits 781 gestorben sei.

= 661 Z. 7 v. o. vgl. V. Stephani II., Duchesne l. c. S. 450: paucissimis
illis . . . Francis.

Druckfehler.

S. 17 N. 3 l. SS. XV, 3 st. 2.
» » » 5 l. Meroving. st. Merowing.
» 40 3. 2 v. o. l. Trudo st. Trudonus.
» 74 » 7 v. o. l. Villen st. Villa.
» 113 » 5 v. o. l. Berührungen st. Beziehungen.
» 121 N. 1 l. demokratischen Verfassung st. Regierungsform.
» 122 3. 35 l. seiner Kirche st. seinem Kloster.
» 123 » 2 v. o. l. St. Michael st. St. Michaels.
» 158 N. 2 l. Handschriften.
» 170 3. 2 v. o. l. übergeben.
» 178 N. 7 l. den Namen durch dieses Gebirge.
» 207 » 2 ist das Komma hinter Possessor zu streichen.
» 221 » 4 l. Mühlbacher Nr. 178 st. 78.
» 223 3. 3 v. o. l. Amiennois st. Ammiennois.
» 229 » 10 » » l. zurückkehrten st. zurückkehrte.
» 248 » 21 » » l. Raginald st. Reginald.
» 255 N. 3 l. annus st anno.
» 272 3. 10 v. o. fehlen nach Engern die Worte: zum Herzog, ja zum
        König der Engern.
» 288 » 25 v. o. l. Saluhho st Saluhso.
» 289 » 14 v. o. l. gingen st. zogen.
» 323 » 3 » » l. dem Kloster st. diesem Kloster.
» 401 » 21 » » l. Grafen von Toulouse.
» 416 N. 4 streiche Mabillon, hinter Mirac. s. Goaris.
» 439 3. 13 v. o. l. König st. Königs.
» 567 » 17 » » l. Gesandter st. Gesandten.
» 576 N. 4 l. vita st. dicta.
» 612 3. 19 v. o. l. Atto st. Otto.
» 633 » 5 » » l. Gregor st. Gregors.
» 667 » 3 » » l. Nr. 19 st. Nr. 4.
» 668 » 21 » » ist einzuschalten: nach dem Briefe des Papstes Zacharias
        (Epist. Bonifatii Nr. 52, Jaffé III, 153; Ben. Lev. I, 1).

Register.

44*

Pierer'sche Hofbuchdruckerei Stephan Geibel & Co. in Altenburg.